Yvonne H. Attiyate / Raymond R. Shah

Wörterbuch Mikroelektronik und Mikrorechnertechnik

Dictionary of Microelectronics and Microcomputer Technology

Wörterbuch Mikroelektronik und Mikrorechnertechnik mit Erläuterungen
Dictionary of Microelectronics and Microcomputer Technology with Definitions

Deutsch / Englisch
Englisch / Deutsch

Lic. phil. Yvonne H. Attiyate
Ph. D. Dipl.-Ing. Raymond R. Shah

 VERLAG

Die Deutsche Bibliothek – CIP-Einheitsaufnahme

Attiyate, Yvonne Hélène:
Wörterbuch Mikroelektronik und Mikrorechnertechnik:
mit Erläuterungen; deutsch/englisch, englisch/deutsch =
Dictionary of microelectronics and microcomputer technology/
Yvonne H. Attiyate; Raymond R. Shah. – 2. Aufl. –
Düsseldorf: VDI-Verl., 1992
    ISBN 3-18-401109-7
NE: Shah, Raymond:; HST

Printed in Germany
Druck: Johannes Weisbecker, Frankfurt am Main
Buchbinderische Verarbeitung: Hunke & Schröder, Iserlohn

ISBN 3-18-401109-7

Vorwort zur 2. Auflage

Dank der guten Aufnahme der 1. Auflage drängte sich eine Neuauflage des Wörterbuches auf. Die vorliegende vollständig überarbeitete 2. Auflage umfaßt rund 10 000 Fachwörter in jeder Sprache. Es wurden rund 2000 Begriffe neu aufgenommen, vorwiegend aus dem Umfeld der neuen Prozessoren, Betriebssystemerweiterungen und Anwendungen. Diese Begriffe möglichst klar und trotzdem präzise zu erläutern war nach wie vor das wichtigste Anliegen der Verfasser. In der vorliegenden Auflage sind über 2500 Begriffe mit Erläuterungen versehen. Diese wurden durchweg in knappem Stil formuliert, so daß auch der eilige Benutzer, der sich durch unnötigen Ballast nicht aufhalten lassen will, davon Gebrauch machen kann.

Die Zielsetzungen des Buches bleiben unverändert: Einerseits soll es die vielfältigen Aspekte und die oft verwirrende Terminologie der auf PC-Basis betriebenen Datenverarbeitung und Informatik leicht verständlich darstellen und andererseits den Einstieg in die Begriffswelt der Physik und Technik der Mikroelektronik erleichtern. Sowohl dem Studierenden als auch dem in der Praxis stehenden Ingenieur, Techniker und technisch interessierten Wissenschaftler, aber auch dem Nichttechniker, soll es den Zugang zur immer komplexer werdenden Fachliteratur in den beiden Sprachen erleichtern.

Die Verfasser danken dem VDI-Verlag und insbesondere Dipl.-Ing. Zitta Glaser für die tatkräftige Unterstützung bei der Erstellung dieses Buches.

Zürich, September 1992

Yvonne H. Attiyate
Raymond R. Shah

Preface to the 2nd Edition

The success of the first edition has made it necessary to produce a new edition of this dictic nary. Completely revised and extended, the 2nd edition contains roughly 10 000 terms in eac of the two Languages. More than 2000 terms have been added, the majority dealing with th technology introduced by new processors, operating system extensions and applications. Onc again the authors have taken great care to provide easily understood yet precise explanation to key terms, which have now grown to over 2500. They have been concisely worded so th even the hurried reader can find the time to read them.

The objectives of the book have remained unchanged: Firstly, it aims at covering the tei minology used in major areas of PC-based applications, including data processing and corr puter science. Secondly, it is desinged to provide an insight in the terms used in the physic and technology of microelectronics and microelectronic devices. Although it is particularl addressed to the needs of students and professionals in the fields of engineering and scienc the dictionary should prove useful to a wide range of readers confronted with the growir specialized literature covering PC and microelectronic applications in both languages.

The authors thank the publishers, VDI-Verlag, and specially Dipl.-Ing. Zitta Glaser, fc their valuable help in producing this book.

Zurich, September 1992

Yvonne H. Attiyat
Raymond R. Shah

Benutzerhinweise / Explanatory / Notes

1. Alphabetische Ordnung / Order of Entries

Beispiele:	Examples:
Analog	analog
Analog-Digital	analog data
Analogausgabe	analog-to-digital
analoge Daten	analog value
Analyse	
Änderung	
Adressenzugriff	p-Channel
Adreßfeld	pair generation
adressierbar	
mehrstellige Zahl	
mehrstelliger Code	
P-Leitung	
paarig	

2. Bedeutung der Klammern / Signification of brackets

( ) Abkürzungen bzw. ausgeschriebene Form / Abbreviation or full term
[ ] Erläuterung / Explanation

Beispiele:	Examples:
arithmetische Logikeinheit (ALU)	ALU (arithmetic logic unit)
p-Kanal [Halbleitertechnik]	p-channel [semiconductor technology]

3. Bedeutung der Abkürzungen / Abbreviations used

m masculinum, männlich / masculine
f femininum, weiblich / feminine
n neutrum, sächlich / neuter
pl pluralis, Mehrzahl / plural

Geschützte Warenzeichen oder Handelsnamen sind in diesem Wörterbuch, wie in Nachschlagewerken üblich, nicht besonders gekennzeichnet.

In this dictionary, as is usual in reference books, trademarks or other propriety rights are not specially designated.

A

A/D-Umsetzer *m*, Analog-Digital-Umsetzer *m*
[setzt ein analoges Eingangssignal in ein
digitales Ausgangssignal um]
  A/D converter, analog-to-digital converter
  [converts an analog input signal into a digital
  output signal]
ab- bzw. aufrunden [zum nächst niedrigeren
bzw. höheren Wert]
  round off, to [to the next lower or higher
  value]
abarbeiten [Befehle, Programme]
  process, to [instructions]; execute, to
  [programs]
abarbeiten [Programme]
  execute, to [programs]
Abarbeitungszeit *f*, Ausführungszeit *f*,
Programmausführungszeit *f*
  execution time, program execution time
Abarbeitungszyklus *m*, Ausführungszyklus *m*,
Programmausführungszyklus *m*
  execution cycle, program execution cycle
Abätzen *n*
  etch removal
abätzen
  etch off, to
Abätzmethode *f* [Leiterplatten]
  etch-down method [printed circuit boards]
Abbau des Isolationswiderstandes *m*
  insulation resistance degradation, IR
  degradation
Abbild *n*, Bild *n*, Muster *n*
  image, pattern
abbilden
  image, to
abbilden, simulieren, nachbilden
  simulate, to
Abbildung *f*
  mapping
Abbildung *f*, Bild *n*
  display, image, figure, picture
Abbildung *f*, Simulation *f*, Nachbildung *f*
[Abbilden eines wirklichen Systems durch ein
Modell]
  simulation [representation of a real world
  system by a model]
Abbildungsgenauigkeit *f* [Leiterplatten]
  registration accuracy [printed circuit boards]
Abbildungsverfahren *n*
  imaging technique
Abbrechen *n* [eines Rechenverfahrens]
  truncation [of a computation process]
Abbrechen *n* [im Dialogfeld]
  cancel [in dialog box]
Abbrechen *n*, Abbruch *m*, Programmabbruch *m*,
vorzeitige Beendigung *f*

abnormal termination, abortion, program
abortion
abbrechen, abschneiden [eines
Rechenverfahrens nach vorgegebenen Regeln]
  truncate, to [a computation process in
  accordance with specified rules]
abbrechen, kontrolliert abbrechen
[Unterbrechung eines laufenden Programmes
durch den Bediener]
  abort, to [interruption of a running program
  by the operator]
Abbrechfehler *m* [eines Rechenverfahrens]
  truncation error [of a computation process]
Abbruch *m*, Abbrechen *n*, Programmabbruch *m*,
vorzeitige Beendigung *f*
  abortion, abnormal termination, program
  abortion
Abbruchbedingung *f*,
Programmabbruchbedingung *f*
  abort condition, program abort condition
Abbruchbefehl *m* [für eine Verbindung]
  disconnect command [for a connection]
abbruchfähig [Programm]
  abortable [program]
ABD-Technik *f*
  alloy bulk diffusion technique
Abdeckband *n*
  masking tape
Abdeckbild *n*
  resist image
abdecken [bei der Leiterplattenherstellung]
  cover, to; mask, to; tent, to [in PCB
  fabrication]
Abdeckfolie *f*
  dry film resist
Abdecklack *m*
  liquid resist
Abdeckmaske *f*, Lackmaske *f*
  resist mask, resist, mask
Abdeckschicht *f*
  resist coating
Abfall *m*, Spannungsabfall *m*
  drop, voltage drop
Abfall *m*, Lawinenabfall *m*
  decay, avalanche decay
abfallende Flanke *f*, fallende Flanke *f*, negative
Flanke *f*
  Abfall eines digitalen Signals oder eines
  Impulses.
  falling edge
  Decay of a digital signal or a pulse.
abfallverzögert [Relais]
  delayed release, slow release [relay]
Abfallzeit *f*, Flankenabfallzeit *f*,
Impulsabklingzeit *f*, Fallzeit *f* [bei Impulsen:
von 90 auf 10% der Impulsamplitude]
  fall time [of pulses: from 90 to 10% of pulse
  amplitude]
Abfrage *f* [allgemein]

interrogation inquiry, request [general]
Abfrage f [Datenbank]
query [data base]
Abfrage f [Zustandsabfrage, z.b. Abfrage der
Bereitschaft Daten zu senden oder zu
empfangen]
poll [condition interrogation, e.g. interrogation
of readiness to transmit or receive data]
Abfrage von Stammdateien f
master file inquiry
Abfrageanweisung f
inquiry statement
Abfragebetrieb m
polling
Abfragegeschwindigkeit f
interrogation rate
abfragen [Baustein, Gerät usw.]
poll, to [device, equipment, etc.]
abfragen [sequentielles Suchen]
scan, to [sequential search]
abfragen
interrogate, to
Abfrageparameter m
inquiry specifier
Abfragestation f
Eine Datenstation, die für Abfragen, d.h. für
den Dialog mit dem Rechner eingesetzt wird.
inquiry station
A terminal for interrogation purposes, i.e. for
dialog with the computer.
Abfrageverfahren n, Pollingmethode f [Abfrage
der Bereitschaft Daten zu senden oder zu
empfangen, z.B. Abfrage von
Peripheriebausteinen durch die Zentraleinheit;
im Gegensatz zum Interrupt- bzw.
Unterbrechungsverfahren]
polling method [technique of interrogating
readiness to transmit or receive data, e.g.
interrogation of peripheral devices by central
processing unit; in contrast to interrupt
technique]
Abfragezeichen n [bei der Datenübertragung]
enquiry character (ENQ) [in data
transmission]
Abfragezyklus m
polling cycle
abfühlen, abtasten [eines Speicherträgers]
read, to; sense, to [a storage medium]
abgedichtet
sealed
abgeglichen
aligned, tuned, balanced
abgeleitete Klasse f, Subklasse f [bei der
objektorientierten Programmierung: die von
der obersten Klasse abgeleitete Klasse in einer
Hierarchie, im Gegensatz zur Basisklasse]
derived class, subclass [in object oriented
programming: a class derived from the top class
in a hierarchy of classes, in contrast to base

class]
abgeschirmt
shielded
abgeschirmtes Kabel n
shielded cable
abgeschlossene Leitung f
terminated line
abgeschlossenes Programm n
closed program, closed routine
abgesetzt, entfernt
remote
abgesetzte Peripherie f
remote periphery
abgesetzte Station f
remote station
abgestimmt
tuned
Abgleich m
alignment
Abgleich nach Einbau m
in-situ alignment
abgleichen
balance, to; align, to; tune, to
Abgleichfehler m, Justierfehler m
alignment error, adjustment error, matching
error
Abgleichgenauigkeit f, Justiergenauigkeit f
alignment accuracy, adjustment accuracy
Abgleichkondensator m, Trimmerkondensator
m [ein einstellbarer Kondensator]
trimming capacitor, trimmer [a variable
capacitor]
Abgleichschaltung f
compensating circuit, compensation circuit
Abgleichwiderstand m, Trimmerwiderstand m
[ein einstellbarer Widerstand]
trimming resistor, trimmer [a variable
resistor]
abgreifen [einer Spannung]
tap, to [a voltage]
Abhebetechnik f [Lithographie]
lift-off technique [lithography]
Abhilfe f [Fehler]
remedy [fault]
abhängiger Datensatz m [ein Datensatz aus
einer strukturierten Gruppe; COBOL]
contiguous record [one of a group of
structured records; COBOL]
Abklingdauer f, Abklingzeit f
decay time
Abkühlen n
cooling down
abkühlen
cool down, to
Abkürzung f, Akronym n
acronym, abbreviation
Ablauf m
flow, sequence
Ablauf m, Prozedur f [eines Verfahrens]

procedure [of a process]
Ablaufdiagramm n, Flußdiagramm n,
Programmablaufplan m, Ablaufplan m
[Darstellung des Verarbeitungsablaufes mit
genormten graphischen Symbolen]
flow chart [representation of the processing
sequence with the aid of standard graphical
symbols]
ablauffähig [Programm]
run capable [program]
Ablaufphase f [eines Programmes]
run phase [of a program]
Ablaufplan m, Flußdiagramm n,
Programmablaufplan m, Ablaufdiagramm n
[Darstellung des Verarbeitungsablaufes mit
genormten graphischen Symbolen]
flow chart [representation of the processing
sequence with the aid of standard graphical
symbols]
Ablaufschaltwerk n
sequence processor
Ablaufschritt m
step
Ablaufsteuerung f, Folgesteuerung f
sequence control
Ablaufverfolgung f [bei der Programmierung]
trace program [during programming]
Ablegeanweisung f
put statement
ableiten [Elektronen, Wärme]
drain, to [electrons]; dissipate, to [heat]
Ableitkondensator m, Bypass-Kondensator m
bypass capacitor
Ableitstrom m, Leckstrom m, Kriechstrom m
leakage current
Ableitung f [Elektronen, Strom, Wärme]
drainage [electrons, heat], leakage [current]
Ableitwiderstand m, Leckwiderstand m
leakage resistance
ablenken [Strahl]
deflect [beam]
Ablenkung f
deflection
Abmeldeprozedur f
logoff procedure
abmelden, ausloggen
logoff, to
Abnahmeprüfung f
acceptance test
Abreißkraft f
pull-off strength
Abrufbefehl m, Holbefehl m
fetch instruction
abrufen, aufrufen [ein Programm]
call, to [a program]
abrufen, holen [z.B. Daten aus dem Speicher]
fetch, to [e.g. data from storage]
Abrufphase f, Befehlsabrufphase f
[Mikroprozessor]

Eine der drei Phasen bei der Ausführung eines
Befehls; die beiden anderen Phasen sind die
Decodier- und die Ausführungsphasen.
Während der Befehlsabrufphase interpretiert
der Mikroprozessor das aus dem Speicher
gelesene Wort als Befehl.
fetch phase [microprocessor]
One of the three phases when executing an
instruction; the other two are the decoding and
the execution phases. During the fetch phase
the microprocessor interprets the word read out
of storage as an instruction.
Abrufsperre f [Mikroprozessor]
fetch protection [microprocessor]
abrunden [zum nächst niedrigeren Wert]
round down, to [to the next lower value]
absaugen, auspumpen
exhaust, to
Abschälkraft f
peel-off strength
Abschalten n, Sperren n [bei Ein- bzw.
Ausgängen]
disable, inhibit [inputs or outputs]
abschalten, ausschalten, inaktivieren
switch-off, to; disable, to; inactivate, to
Abschaltthyristor m, GTO-Thyristor m
gate turn-off thyristor (GTO thyristor)
Abschaltverzögerungszeit f
turn-off delay time
Abscheidung f
deposition
Abscheidung aus einem Plasma f, PECVD-
Verfahren n
Ein Verfahren zur Abscheidung von
Isolierschichten bei der Herstellung
integrierter Schaltungen, das niedrigere
Abscheidetemperaturen ermöglicht, als das
konventionelle CVD-Verfahren.
**plasma-enhanced chemical vapour
deposition**, PECVD process
A process used for forming dielectric layers in
integrated circuit fabrication which allows
lower deposition temperatures to be used than
the conventional CVD process.
Abscheidungsverfahren n
deposition process
abschirmen
shield, to
Abschirmung f
shield, shielding
Abschneiden n
clipping
abschneiden
clip, to
abschneiden, abbrechen [eines
Rechenverfahrens nach vorgegebenen Regeln]
truncate, to [a computation process in
accordance with specified rules]
Abschwächer m, Dämpfungsglied n

attenuator
absichern [durch eine Sicherung]
   protect by fuse, to
absolute Adresse *f,* Maschinenadresse *f,*
   physikalische Adresse *f* [tatsächliche oder
   permanente Adresse eines Speicherplatzes; im
   Gegensatz zur relativen, symbolischen oder
   virtuellen Adresse]
   absolute address, machine address, physical
   address [actual or permanent address of a
   storage location; in contrast to relative,
   symbolic or virtual address]
absolute Grenzdaten *n.pl.* [Halbleiterbauteile]
   Grenzwerte (z.B. Spannungen, Ströme,
   Temperaturen usw.), bei deren Überschreitung
   das Halbleiterbauteil beschädigt oder zerstört
   werden kann.
   absolute maximum ratings [semiconductor
   devices]
   Limiting values (e.g. voltages, currents,
   temperatures, etc.) which, when exceeded, may
   lead to permanent damage or destruction of the
   semiconductor device.
absolute Programmierung *f,* Programmierung
   mit absoluten Adressen *f*
   Programmierung mit Maschinenadressen und
   maschineninternen Codes, im Gegensatz zu
   symbolischer Programmierung.
   absolute programming
   Programming with machine addresses and
   machine-internal operation codes, in contrast to
   symbolic programming.
Absolutlader *m* [Programmlader]
   absolute loader [program loader]
Absolutwert *m*
   absolute value
abspringen [Verlassen eines Programmes
   mittels Sprungbefehl]
   jump, to [leave program with jump
   instruction]
absteigend [Reihenfolge]
   descending [order]
absteigende Reihenfolge *f,* fallende Ordnung *f*
   descending order
absteigender Sortierbegriff *m*
   descending key
Abstimmdiode *f*
   tuning diode
Abstimmen *n,* Abstimmung *f*
   tuning
Abstimmung *f,* Abstimmen *n*
   tuning
Abstrahlung *f,* Strahlung *f*
   radiation, irradiation
abstrakter Datentyp *m*
   abstract data type
abstreichen [von Stellen einer Zahl]
   cut-off, to [digits of a number]
Absturz *m,* Rechnerabsturz *m*

crash, computer crash
Abtast- und Halteschaltung *f,*
   Momentanwertspeicher *m*
   Eine Schaltung, bei der ein analoges Signal
   zwischengespeichert wird und zur
   Weiterverarbeitung abgefragt werden kann. Sie
   wird unter anderem bei Analog-Digital-
   Umsetzern eingesetzt.
   sample-and-hold circuit (S/H circuit)
   A circuit used to hold an analog signal until it
   is needed for further processing. A typical
   application is in analog-to-digital converters.
Abtasten *n,* Abtastung *f*
   scanning, sampling
abtasten, abfühlen [eines Speicherträgers]
   read, to; sense, to [a storage medium]
abtasten, lesen [eines Speichers]
   sense, to; read, to [a storage device]
abtasten, scannen [Bild]
   scan, to [image]
Abtaster *m,* Scanner *m*
   scanner
Abtastfehler *m,* Scanfehler *m*
   scanning error
Abtastfrequenz *f,* Zeilenfrequenz *f* [Anzahl
   Bildschirm-Zeilen mal Bildwiederholungen/s]
   scanning frequency [number of screen lines
   times picture repetition rate/s]
Abtastgatter *n*
   sampling gate
Abtastgeschwindigkeit *f*
   scanning rate, sampling rate
Abtastkopf *m*
   sensing head
Abtastoszillograph *m*
   sampling oscilloscope
Abtastperiode *f*
   sampling period, scanning period
Abtastung *f,* Abtasten *n*
   scanning, sampling
Abtastzeit *f*
   sampling time, scanning time
abwandern, driften
   drift, to
abwärts blättern, vorwärts blättern
   page down, to
abwärtszählen, herunterzählen,
   rückwärtszählen
   count downwards, to
Abwärtszähler *m,* Rückwärtszähler *m*
   down counter, decrementer
abwechselndes Ein- und Ausspeichern *n* [von
   Daten]
   roll-in/roll-out [of data in storage]
Abweichung *f,* Sollwertabweichung *f*
   deviation
AC-System *n,* adaptive Steuerung *f,* adaptive
   Regelung *f*
   adaptive control (AC)

ACE-Technik *f*
Ein Gate-Array-Konzept in spezieller
emittergekoppelter Logik, mit dem sich
integrierte Semikundenschaltungen realisieren
lassen.
ACE (advanced custom emitter-coupled logic)
A gate array concept for producing semicustom
integrated circuits.

ADA [höhere, problemorientierte
Programmiersprache auf PASCAL-Basis]
ADA [high-level problem-oriented
programming language based on PASCAL]

Adapter *m* [ein mechanisches Bauteil zum
Verbinden von Steckern, Einschüben usw.]
adapter [a mechanical device for joining
connectors, plug-in units, etc.]

adaptive Regelung *f,* adaptive Steuerung *f,* AC-
System *n*
adaptive control (AC)

Addendenregister *n* [Register zur Aufnahme
des Summanden]
addend register [register for taking up the
addend]

Addier-Subtrahierglied *n* [eine
Rechenschaltung, die entsprechend dem
Steuersignal als Addierer oder Subtrahierer
wirkt]
adder-subtracter [a computation circuit that
acts as an adder or a subtracter depending on
the control signal]

Addier-Subtrahierregister *n*
adder-subtract register

Addier-Subtrahierzähler *m*
adder-subtract counter

Addierer *m,* Addierglied *n*
Eine logische Schaltung mit mehreren
Eingängen, deren Ausgang die Summe der
digitalen Eingangssignale liefert.
adder
A logical circuit with several inputs and whose
output supplies the sum of the digital input
signals.

Addierer mit Übertragsvorausberechnung *f*
carry look-ahead adder

Addiermaschine *f,* Rechenmaschine *f*
calculator, adding machine

Addierschaltung *f* [logische Schaltung für die
Summenbildung]
adder circuit [logical circuit for effecting an
addition]

Addierzähler *m*
accumulating counter

Addition *f* [die Grundlage aller arithmetischen
Operationen in einem Rechner, d.h. auch der
Subtraktion, Multiplikation, Division und des
Wurzelziehens]
addition [the basis for all arithmetic
operations in a computer, i.e. also for
subtraction, multiplication, division and root
extraction]

Additionsanweisung *f* [eine
Programmanweisung]
add statement [a programming statement]

Additionsbefehl *m*
add instruction

Additionsmaschine *f,* Saldiermaschine *f*
adding machine, calculator

Additionszeit *f* [die für eine Addition benötigte
Zeit]
add time [the time required for an addition]

Additionszyklus *m*
add cycle

additives Verfahren *n*
Verfahren zur Herstellung von
Verdrahtungsmustern auf Leiterplatten durch
Siebdruck oder galvanisches Auftragen von
Kupfer.
additive process
Process for forming conductive patterns on
printed circuit boards by silk-screen printing or
copper plating.

Admittanz *f,* Scheinleitwert *m*
admittance

Adreßansteuerung *f,* Adressenansteuerung *f,*
Adressenanwahl *f*
address selection

Adreßanzeige *f*
address display

Adreßbereich *m* [die Gesamtheit der
Maschinenadressen]
address range [the complete range of machine
addresses]

Adreßbestimmung *f,* Adressenrechnung *f*
address calculation

Adreßbit *n*
address bit

Adreßbus *m,* Adressenbus *m* [gemeinsame
Signalleitung für Adressen]
address bus [common signal path for
addresses]

Adreßbusbreite *f* [Breite in Bit des Adreßbuses]
address bus width [width in bits of address
bus]

Adreßdatei *f*
address file

Adreßdecodierer *m*
address decoder

Adresse *f* [Kennzeichen eines Speicherplatzes
usw.]
address [identification of a storage location,
etc.]

Adressenansteuerung *f,* Adreßansteuerung *f,*
Adressenanwahl *f*
address selection

Adressenanwahl *f,* Adreßansteuerung *f,*
Adressenansteuerung *f*
address selection

Adressenarithmetik *f*

address arithmetic
Adressenbus m, Adreßbus m [gemeinsame
Signalleitung für Adressen]
address bus [common signal path for
addresses]
Adresseneingang m
address input
Adressenformat n, Adreßformat n [Anordnung
der Adreßteile einer Anweisung]
address format [arrangement of address parts
of an instruction]
adressenfreie Programmierung f, symbolische
Programmierung f
symbolic programming
Adressenhaltezeit f [integrierte
Speicherschaltungen]
address hold time [integrated circuit
memories]
Adressenmodifikation f
address modification
Adressenrechnung f, Adreßbestimmung f
address calculation
Adressenregister n, Adreßregister n
address register
Adressenspeicher m, Adreßspeicher m
address memory, address buffer
Adressenspeicherfreigabe f [integrierte
Speicherschaltungen]
address latch enable (ALE) [integrated
circuit memories]
Adressenteil m [Bereich eines Befehls, der
Adressen enthält]
address part [part of instruction containing
addresses]
Adressenübernahmeregister n [integrierte
Speicherschaltungen]
address latch [integrated circuit memories]
Adressenvorbereitungszeit f [integrierte
Speicherschaltungen]
address set-up time [integrated circuit
memories]
Adressenzugriffszeit f, Adreßzugriffszeit f
address access time
Adressenzähler m, Adreßzähler m
address counter
Adreßfeld n
address field, address array
Adreßformat n, Adressenformat n [Anordnung
der Adreßteile einer Anweisung]
address format [arrangement of address parts
of an instruction]
adreßfreier Befehl m, adreßloser Befehl m
[Befehl, der keine Operandenadresse benötigt]
addressless instruction [instruction that
needs no operand address]
adressierbar
addressable
adressierbares Register n
addressable register

Adressierfähigkeit f
addressability
Adressierung f, Adressierungsmethode f,
Adressierverfahren n
Man unterscheidet hauptsächlich zwischen
absoluter, relativer, direkter, indirekter,
indizierter, symbolischer und virtueller
Adressierung.
addressing, addressing technique
Major addressing techniques are absolute,
relative, direct, indirect, indexed, symbolic and
virtual addressing.
Adressierung für direkten Zugriff f
random-access addressing, random
accessing
Adressierungsart f
addressing mode
Adressierverfahren n, Adressierung f,
Adressierungsmethode f
Man unterscheidet hauptsächlich zwischen
absoluter, relativer, direkter, indirekter,
indizierter, symbolischer und virtueller
Adressierung.
addressing, addressing technique
Major addressing techniques are absolute,
relative, direct, indirect, indexed, symbolic and
virtual addressing.
Adreßindex m
address index
Adreßleerstelle f
address blank
Adreßliste f
address table, directory
adreßloser Befehl m, adreßfreier Befehl m
[Befehl, der keine Operandenadresse benötigt]
addressless instruction [instruction that
needs no operand address]
Adreßmarke f
address marker
Adreßprüfung f
address check, address verification
Adreßpuffer m [Pufferspeicher für Adressen]
address buffer [buffer storage for addresses]
Adreßraum m [vollständiger Bereich der
Adressen im Speicher]
address space [complete range of addresses in
memory]
Adreßregister n, Adressenregister n
address register
Adreßspeicher m, Adressenspeicher m
address memory, address buffer
Adreßspur f
address track
Adreßsteuereinheit f
address control unit
Adreßsteuerung f
address control
Adreßtreiberstufe f
address drive stage

Adreßüberwachung f
  address monitoring
Adreßumwandlung f
  address conversion
Adreßwert m
  address value
Adreßzähler m, **Adressenzähler** m
  address counter
Adreßzugriffszeit f, **Adressenzugriffszeit** f
  address access time
Adreßzuordnung f
  address allocation, **address assignment**
ADU m, Analog-Digital-Umsetzer m [setzt ein
  analoges Eingangssignal in ein digitales
  Ausgangssignal um]
  ADC, analog-to-digital converter [converts an
  analog input signal into a digital output signal]
AFR, automatische Frequenzregelung f [bei
  Übertragungssystemen]
  AFC, automatic frequency control [in
  transmission systems]
Aiken-Code m [ein vierstelliger Binärcode für
  Dezimalziffern, auch 2-4-2-1-Code genannt]
  Aiken code [a four-bit binary code for decimal
  digits, also called 2-4-2-1 code]
AIM-Verfahren n
  Ein Verfahren zur Programmierung von
  Festwertspeichern.
  AIM process (avalanche induced migration
  process)
  A method used for programming read-only
  memories.
AIX [UNIX-Version von IBM]
  AIX (Advanced Interactive Executive) [UNIX
  implementation by IBM]
Akkumulator m, **Rechenregister** n [Register,
  welches das Ergebnis einer Operation
  speichert]
  arithmetic register, accumulator [register
  storing the result of an operation]
akkumulieren
  accumulate, to
akkumulierter Fehler m
  accumulated error
Akronym n, **Abkürzung** f
  acronym, **abbreviation**
aktive Aufgabe f
  active task
aktive LCD-Anzeige f [Flüssigkristallanzeige
  mit interner Elektronik]
  active LCD [liquid crystal display with
  internal electronics]
aktive Schleife f [wiederholte Ausführung einer
  Anweisung]
  active DO loop [repetitive execution of same
  statement]
aktive Seite f
  active page
aktiver Bereich m [eines

Halbleiterbauelementes]
  active region [of a semiconductor component]
aktiver Drucker m
  active printer
aktiver Pegel m
  active level
aktiver Vierpol m
  active two-port network
aktives Element n
  Ein Bauelement, das zur Verstärkung oder
  Steuerung eines Signals benutzt wird, z.B. ein
  Transistor oder eine Diode.
  active element
  An element which amplifies or controls a
  signal, e.g. a transistor or a diode.
aktives Fenster n
  active window
aktives Halbleiterbauelement n
  active semiconductor component
Aktivieranweisung f [COBOL]
  enable statement [COBOL]
aktivieren
  activate, to; enable, to
Aktivierung f, **Anregung** f, **Erregung** f
  stimulation, **excitation**
Aktivierungsenergie f [Halbleitertechnik]
  Arbeit, die erforderlich ist, um einen
  Ladungsträger in ein höheres Energieniveau zu
  überführen.
  activation energy [semiconductor technology]
  Work required to transfer a charge carrier to a
  higher energy level.
Aktivspeicher m
  active storage
aktualisieren, **fortschreiben**
  update, to
Aktualisierung f, **Aktualisieren** n,
  Fortschreibung f
  updating
Aktualisierungsdatei f, **Änderungsdatei** f,
  Fortschreibungsdatei f
  update file
Aktualisierungsdienst m, **Änderungsdienst** m
  updating service
Aktualisierungslauf m, **Änderungslauf** m
  updating run
Aktualisierungsperiode f, **Änderungsperiode** f
  updating period
Aktualisierungsprogramm n,
  Änderungsprogramm n,
  Fortschreibungsprogramm n
  updating program
Aktualparameter, **Argument** n [Wert einer
  unabhängigen Größe]
  argument [value of an independent variable]
aktuell
  current, **present**
aktuelle Position f
  current position

aktueller Datensatz, aktueller Satz *m*
  current record
aktueller Satzzeiger *m*
  current record pointer
aktuelles Verzeichnis *n*
  current directory
akustische Alarmanzeige *f,* akustischer Alarm
  audible alarm
akustische Oberflächenwelle *f* (AOW)
  surface acoustic wave (SAW)
akustischer Koppler *m* [Datenübertragung
  über Telephonhandapparat]
  acoustic coupler [data transmission via
  telephone handset]
akustischer Speicher *m,* Schallspeicher *m*
  acoustic memory, acoustic storage
Akzeptor *m* [Halbleitertechnik]
  In einen Halbleiter eingebautes Fremdatom
  (oder Gitterfehler), das ein Elektron eines
  benachbarten Atoms aufnimmt und dadurch
  ein Loch (Defektelektron) erzeugt. Die
  Bewegung der Löcher stellt einen positiven
  Ladungstransport durch den Halbleiter dar.
  acceptor [semiconductor technology]
  An impurity (or crystal imperfection), added
  intentionally to a semiconductor, which attracts
  an electron from an adjacent atom thus
  creating a hole. Movement of the holes
  constitutes a positive charge transport through
  the semiconductor.
Akzeptoratom *n*
  acceptor atom
Akzeptorerschöpfung *f*
  acceptor exhaustion
Akzeptorfremdatom *n*
  acceptor impurity
Akzeptorion *n*
  acceptor ion
Akzeptorkonzentration *f*
  acceptor concentration
Akzeptorladung *f*
  acceptor charge
Akzeptorniveau *n*
  acceptor level, acceptor energy state
Algebra der Logik *f,* boolesche Algebra *f*
  [Regeln für die Verknüpfung binärer Größen
  durch logische Operationen wie UND, NICHT,
  ODER usw.]
  boolean algebra [rules for combining binary
  quantities by means of logical operations such
  as AND, NOT, OR, etc.]
algebraische Schreibweise *f*
  algebraic notation
ALGOL (algorithmische Sprache)
  Eine höhere, problemorientierte
  Programmiersprache für technisch-
  wissenschaftliche Aufgaben.
  ALGOL (ALGOrithmic Language)
  A high-level problem-oriented programming

language for engineering and scientific
purposes.
Algorithmus *m* [Gesamtheit der Regeln zur
  schrittweisen Lösung eines Problems]
  algorithm [complete set of rules for stepwise
  solution of a problem]
Algorithmustabelle *f*
  algorithm table
Aliasname *m* [alternativer Name]
  alias name [alternative name]
allein operierend
  stand-alone
Alleingerät *n,* Einzelgerät *n*
  stand-alone device, stand-alone equipment
Allzweckrechner *m,* Universalrechner *m*
  universal computer
Allzweckregister *n*
  universal register
Alpha-Architektur *f* [von DEC entwickelte 64-
  Bit-RISC-Mikroprozessor-Architektur]
  Alpha architecture [64-bit RISC
  microprocessor architecture developed by DEC]
Alphabet *n* [Zeichenvorrat mit vereinbarter
  Reihenfolge]
  alphabet [character set with defined order]
alphabetische Codierung *f,* Alphacodierung *f*
  [Codierung mit Buchstaben und Sonderzeichen
  aber ohne Ziffern]
  alphabetic coding [coding with letters and
  special characters but without digits]
alphabetische Daten *n.pl.*
  alphabetic data
alphabetische Reihenfolge *f*
  alphabetic order, alphabetic sequence
alphabetische Sortierung *f,* Alphasortierung *f*
  alphabetic sorting
alphabetischer Code *m*
  alphabetic code
alphabetischer Zeichenvorrat *m*
  alphabetic character set
alphabetische Codierung *f,* Alphacodierung *f*
  alphabetic coding
alphanumerisch [Darstellung mit Buchstaben,
  Ziffern, und Sonderzeichen]
  alphanumeric, alphameric [represented by
  letters, digits and special symbols]
alphanumerische Anzeige *f*
  alphanumeric display
alphanumerische Codierung *f*
  alphanumeric coding
alphanumerische Darstellung *f*
  alphanumeric representation
alphanumerische Daten *n.pl.*
  alphanumeric data
alphanumerische Tastatur *f*
  alphanumeric keyboard
alphanumerischer Code *m*
  alphanumeric code
alphanumerischer Zeichenvorrat *m*

alphanumeric character set
alphanumerisches Zeichen *n*
alphanumeric character
Alphasortierung *f,* alphabetische Sortierung *f*
alphabetic sorting
Alphawort *n* [bestehend aus Alphazeichen]
alphabetic word [consisting of alphabetic characters]
Alphazeichen *n* [bestehend aus Buchstaben oder Sonderzeichen aber ohne Ziffern]
alphabetic character [consisting of letters or special characters but no digits]
Alphazeichenfolge *f*
alphabetic string
ALS-Technik *f,* ALSTTL-Technik *f*
Verbesserte Bipolartechnik (Transistor-Transistor-Logik) mit sehr niedriger Verlustleistung.
ALS technology (advanced low-power Schottky technology), ALSTTL technology
Improved bipolar technology (transistor-transistor logic) with very low power dissipation.
Alt-Taste *f,* Codetaste *f* [ändert die codierte Belegung der nachher betätigten Tasten]
alt key (alternate coding key) [changes the codes of the keys subsequently depressed]
altern
age, to
Alternativschlüssel *m* [zur Bildung eines Alternativindexes]
alternative key [for forming an alternative index]
Alterung *f*
aging
Alterungsausfall *m,* Verschleißausfall *m,* Ermüdungsausfall *m*
wearout failure
Alterungszahl *f*
aging rate
ALU, arithmetisch-logische Einheit *f,* Rechenwerk *n*
Der Teil der Zentraleinheit im Digitalrechner (bzw. Mikroprozessor), der Rechenoperationen und logische Verknüpfungen durchführt. Die Ergebnisse werden im Akkumulator gespeichert.
ALU, arithmetic logic unit
The part of the central processing unit in a digital computer (or microprocessor) which performs arithmetic calculations and logical operations. The results are stored in the accumulator.
Aluminium *n* (Al)
Metallisches Element mit guter elektrischer Leitfähigkeit; wird für die Herstellung dünner Schichten bei der Fertigung diskreter Bauelemente und integrierter Schaltungen verwendet, sowie für die Herstellung von

Kontakten, Drähten, Leiterbahnen usw.
aluminium (Al)
Metallic element with good electrical conductivity; used for forming thin layers in discrete component and integrated circuit fabrication as well as for a variety of contacts, wires, interconnections etc.
Aluminium-Gate-Technik *f* [Standard P-MOS-Technik]
Verfahren zur Herstellung von Feldeffekttransistoren.
aluminium-gate technology [standard p-MOS technology]
Process for fabricating field-effect transistors.
Aluminiumoxid *n*
aluminium oxide, alumina
Aluminiumoxidpassivierung *f* [Halbleitertechnik]
aluminium oxide passivation [semiconductor technology]
Aluminiumphosphid *n* (AlP) [Verbindungshalbleiter]
aluminium phosphide (AlP) [compound semiconductor]
amorpher Halbleiter *m,* Glashalbleiter *m*
amorphous semiconductor, glass semiconductor
amorphes Substrat *n*
amorphous substrate
Ampere *n* (A) [SI-Einheit des elektrischen Stromes]
ampere (A) [SI unit of electric current]
Amplitude *f*
amplitude
Amplitudengang *m,* Amplitudenverlauf *m*
Bode-Diagramm *n*
amplitude-frequency plot, Bode diagram
Amplitudenmodulation *f*
amplitude modulation
Ampullendiffusion *f* [ein Diffusionsverfahren]
closed-tube process [a diffusion process]
analog [Darstellung durch eine physikalische Größe]
analog [representation by a physical parameter]
Analog-Digital-Umsetzer *m,* A/D-Umsetzer *m* (ADU) [setzt ein analoges Eingangssignal in ein digitales Ausgangssignal um]
analog-to-digital converter (ADC) [converts an analog input signal into a digital output signal]
Analog-Digital-Umsetzung *f*
analog-to-digital conversion
Analogausgabe *f,* Analogausgang *m,* analoger Ausgang *m,* analoge Ausgabe *f*
analog output
Analogausgabeeinheit *f*
analog output unit
Analogausgang *m,* analoger Ausgang *m,*

Analogausgabe *f,* analoge Ausgabe *f*
  analog output
Analogbaustein *m,* Analoggerät *n*
  analog device, analog equipment
Analogdaten *n.pl.,* analoge Daten *n.pl.*
  analog data
analoge Ausgabe *f,* Analogausgang *m,* analoger
  Ausgang *m,* Analogausgabe *f*
  analog output
analoge Darstellung *f*
  analog representation
analoge Daten *n.pl.,* Analogdaten *n.pl.*
  analog data
analoge Eingabe *f,* Analogeingang *m,* analoger
  Eingang *m,* Analogeingabe *f*
  analog input
analoge integrierte Schaltung *f,* integrierte
  Analogschaltung *f*
  Eine analoge Schaltung in integrierter
  Schaltungstechnik. In einer analogen
  Schaltung sind die elektrischen
  Ausgangsgrößen stetige Funktionen der
  Eingangsgrößen.
  analog integrated circuit
  An analog circuit in integrated circuit
  technology. In an analog circuit, the electrical
  output variables are a continuous function of
  the input variables.
analoge Schaltung *f,* Analogschaltkreis *m,*
  Analogschaltung *f*
  analog circuit
analoge Steuerung *f*
  analog control
Analogeingabe *f,* Analogeingang *m,* analoger
  Eingang *m,* analoge Eingabe *f*
  analog input
Analogeingabeeinheit *f*
  analog input unit
Analogeingang *m,* analoger Eingang *m,*
  Analogeingabe *f,* analoge Eingabe *f*
  analog input
analoger Ausgang *m,* Analogausgang *m,*
  Analogausgabe *f,* analoge Ausgabe *f*
  analog output
analoger Eingang *m,* Analogeingang *m,*
  Analogeingabe *f,* analoge Eingabe *f*
  analog input
Analoggerät *n,* Analogbaustein *m*
  analog device, analog equipment
Analogkanal *m*
  analog channel
Analogmultiplexer *m*
  analog multiplexer
Analogmultiplizierer *m*
  analog multiplier
Analogrechner *m*
  Ein Analogrechner stellt Rechenaufgabe und
  Ergebnis als physikalische Größen dar. Er wird
  verwendet, wenn sich die zu lösende Aufgabe

physikalisch gut nachbilden läßt.
  analog computer
  An analog computer represents computing task
  and result in the form of physical quantities. It
  is employed when the task can be well
  simulated physically.
Analogregistriergerät *n*
  analog recorder
Analogschalter *m*
  analog switch
Analogschaltung *f,* Analogschaltkreis *m,*
  analoge Schaltung *f*
  analog circuit
Analogsignal *n*
  analog signal
Analogverstärker *m*
  analog amplifier
Analogwert *m*
  analog value, analog quantity
Analysator *m*
  analyzer
Analyse *f*
  analysis
analytische Funktion *f*
  analytic function
Anbau *m*
  externally fitted
anbauen
  attach, to; fit, to
Anbauteil *n*
  add-on unit
Änderung *f,* Modifikation *f*
  modification, change
Änderungsbit *n* [markiert eine Änderung im
  Speicher]
  change bit [marks a change in memory]
Änderungsdatei *f,* Aktualisierungsdatei *f,*
  Fortschreibungsdatei *f*
  update file
Änderungsdienst *m,* Aktualisierungsdienst *m*
  updating service
Änderungslauf *m,* Aktualisierungslauf *m*
  updating run
Änderungsperiode *f,* Aktualisierungsperiode *f*
  updating period
Änderungsprogramm *n,*
  Aktualisierungsprogramm *n,*
  Fortschreibungsprogramm *n*
  updating program
Anfangsadresse *f*
  start address, initial address
Anfangsbedingung *f*
  initial condition
Anfangsbedingungscode *m*
  initial condition code
Anfangsetikett *n,* Vorsatz *m,* Anfangskennsatz
  header label
Anfangslader *m,* Urlader *m,* Urprogrammlader
  m, Bootstrap-Lader *m* [ein Ladeprogramm

(Dienstprogramm), das nach dem Einschalten
des Rechners gestartet und u.a. für das Laden
des Betriebssystems verwendet wird]
initial program loader (IPL), bootstrap
loader [a loading program (utility routine)
started when the computer is switched on and
used for loading the operating system, etc.]
Anfangsmarke *f* [eines Magnetbandes]
BOT (beginning-of-tape mark) [of a magnetic
tape]
Anfangsparameter *m*
initial parameter
Anfangspunkt *m*
initial point
Anfangswert *m*
initial value
Anfangswertanweisung *f* [FORTRAN]
data initialization statement [FORTRAN]
Anfangszeile *f* [einer Anweisung]
initial line [of a statement]
Anforderung *f* [an den Bediener oder an ein
Systemteil]
request [addressed to the operator or to a
system component]
Anforderungsparameter *m*
request parameter
Anfrage *f* [Informationsanforderung vom
Speicher]
request [for information from storage]
Anführungszeichen *n*
quote, quotation mark
angeflanscht
flange mounted
angelochter Lochstreifen *m*
chadless punched tape
angeschlossen, angeschaltet, verbunden
connected
angleichen [Verschieben des Registerinhaltes]
justify, to [shift the contents of a register]
Anheizzeit *f,* Aufwärmzeit *f* [eines Gerätes]
warm-up period, warm-up time [of a device]
Animation *f* [bewegte Graphiken am Bildschirm]
animation [moving graphics on the screen]
Anisotropie *f* [Richtungsabhängigkeit; in einem
anisotropen Körper sind die physikalischen
Eigenschaften richtungsabhängig]
anisotropy [direction-dependent; in an
anisotropic body the physical properties are
dependent on direction]
anklicken, klicken [Maustaste kurz drücken und
loslassen]
click, to [briefly depressing mouse button]
Ankopplung *f* [galvanische, induktive oder
kapazitive Ankopplung]
coupling [galvanic (dc), inductive or capacitive
coupling]
anlegen [z.B. eine Spannung, ein elektrisches
Feld usw.]
apply, to [e.g. a voltage, an electric field, etc.]

Anmeldeprozedur *f*
login procedure
anmelden, einloggen
login, to; log-on, to; sign-on, to
Annäherung *f,* Approximation *f,* Näherung *f*
approximation
Annäherungsschalter *m,* Näherungsschalter *m*
proximity switch
Annahme *f*
acceptance
Annahmeanweisung *f*
accept statement
annehmbare Qualitätsgrenze *f* (AQL)
acceptable quality level (AQL)
annehmen
accept
annehmende Datenstation *f*
accepting station
Annulieranweisung *f*
cancel statement
Anode *f*
anode
Anodenanschluß *m*
anode terminal
anodenseitig steuerbarer Thyristor *m*
n-gate thyristor
Anodenspannung *f*
anode voltage
anodische Oxidation *f*
anodic oxidation
Anordnung *f*
arrangement, array
Anordnung arithmetischer Daten *f,*
arithmetische Anordnung *f*
arithmetic array
Anordnung von Zeichen *f*
character array
Anpaßfeld *n*
interface panel
Anpaßfähigkeit *f*
adaptability
Anpaßstecker *m,* Übergangsstecker *m*
adapter plug
Anpaßteil *n* [elektrisches Bauteil oder Gerät
zum Verbinden von Systemteilen]
adaptation [electrical component or unit for
connecting subsystems]
Anpassung *f,* Leistungsanpassung *f* [elektrisch]
matching [electrical]
Anpassungsfaktor *m* [Reziprokwert des
Welligkeitsfaktors]
inverse SWR [reciprocal value of standing
wave ratio, SWR]
Anregung *f,* Erregung *f,* Aktivierung *f*
stimulation, excitation
Anregungsenergie *f*
excitation energy
Anreicherung *f* [Halbleitertechnik]
Erhöhung der Ladungsträgerdichte und damit

der Leitfähigkeit in einem bestimmten Bereich
eines Halbleiters.
enhancement [semiconductor technology]
An increase in the density of charge carriers
and hence in conductivity in a particular region
of a semiconductor.
Anreicherungs-Feldeffekttransistor *m*
enhancement mode field-effect transistor
Anreicherungs-IGFET *m*, Anreicherungs-
Isolierschicht-Feldeffekttransistor *m*
Ein Feldeffekttransistor, bei dem durch
Anlegen einer Gatespannung ein leitender
Kanal entsteht, der den Stromfluß zwischen
Source und Drain ermöglicht. Ohne
Gatespannung ist der Transistor nichtleitend.
**enhancement mode insulated-gate field-
effect transistor,** enhancement-mode IGFET
A field-effect transistor in which, by applying a
gate voltage, a conductive channel is formed
which allows current to flow between source
and drain. Without gate voltage the transistor
is non-conductive.
Anreicherungs-Metall-Halbleiter-FET *m*, E-
MESFET *m*
Feldeffekttransistor des Anreicherungstyps,
dessen Gate aus einem Schottky-Kontakt
(Metall-Halbleiter-Übergang) besteht.
**enhancement mode metal-semiconductor
FET, E-MESFET**
Enhancement-mode field-effect transistor with
a gate formed by a Schottky barrier (metal-
semiconductor junction).
Anreicherungsbetrieb *m* [Halbleitertechnik]
enhancement mode [semiconductor
technology]
Anreicherungstransistor *m*
enhancement mode transistor
Anreicherungszone *f* [Halbleitertechnik]
Bereich eines Halbleiters, in dem eine höhere
Leitfähigkeit durch Erhöhung der
Ladungsträgerdichte erzielt wurde.
enhancement zone [semiconductor
technology]
Region in a semiconductor in which
conductivity is increased by increasing charge
carrier density.
Anruf *m* [Aufbau einer Datenverbindung]
calling [to establish a data connection]
Anrufbeantwortung *f*
answering
anschalten, einschalten
turn-on, to
Anschaltzeit *f*, Aufschaltzeit *f*
log-on/log-off time, connect time
anschließen
connect, to
Anschlußadresse *f* [eines Plattenspeichers]
chaining address [of a disk storage]
Anschlußauge *n*, Lötauge *n* [für die Montage

von Bauteilen vorgesehener Teil des
Leiterbildes bei Leiterplatten]
land, terminal pad [conductive pattern used for
connecting components on PCB]
Anschlußbelegung *f*
pin assignment, pin configuration
Anschlußbezeichnung *f* [integrierte
Schaltungen]
pin designation [integrated circuits]
Anschlußdraht *m*, Zuleitung *f*
lead, connecting wire
Anschlußfleck *m*, Bondinsel *f*,
Kontaktierungsfleck *m* [integrierte
Schaltungen]
bonding pad, external bonding pad
[integrated circuits]
Anschlußfläche *f* [Leiterplatten]
contact pad [printed circuit boards]
Anschlußgerät *n*, Peripheriegerät *n*, peripheres
Gerät *n* [für Dateneingabe, -ausgabe oder -
speicherung]
peripheral unit, peripheral device [for data
input, output or storage]
Anschlußkarte *f*
adapter board
Anschlußkasten *m*
connector box, terminal box
anschlußkompatibel, anschlußstiftkompatibel
[bei Bauelementen]
pin compatible [for components]
anschlußkompatibel, steckerkompatibel
[bezeichnet Geräte, die miteinander
austauschbar sind]
connector-compatible, plug-compatible
[designates interchangeable equipment]
Anschlußloch *n* [Leiterplatten]
component hole [printed circuit boards]
Anschlußschema *n*
wiring layout
Anschlußstift *m*
terminal pin, pin
anschlußstiftkompatibel, anschlußkompatibel
[bei Bauelementen]
pin compatible [for components]
Anschlußtechnik *f*, Verbindungstechnik *f*
interconnection technique
ANSI [die übergeordnete Normungsorganisation
der USA]
ANSI (American National Standards Institute)
Ansprechempfindlichkeit *f*,
Photoempfindlichkeit *f* [Optoelektronik]
photoresponsivity, responsivity
[optoelectronics]
ansprechen, anziehen, erregen [Relais]
actuate, to; operate, to [relay]
Ansprechzeit *f*, Antwortzeit *f*
response time
Ansprungziel *n*, Sprungziel *n*
transfer target

ansteigende Flanke f, steigende Flanke f, positive Flanke f
Anstieg eines digitalen Signals oder eines Impulses.
  rising edge
  Rise of a digital signal or a pulse.
Ansteuerelektronik f
  control electronics, drive electronics
ansteuern [z.B. eines Gatters]
  control, to; drive, to; trigger, to; activate, to [e.g. a gate]
Ansteuerungsimpuls m, Auslöseimpuls m, Triggerimpuls m [allgemein]
  trigger pulse [general]
Anstiegsgeschwindigkeit f
  slew rate
Anstiegszeit f, Flankenanstiegszeit f, Impulsanstiegszeit f [bei Impulsen: von 10 auf 90% der Impulsamplitude]
  rise time [of pulses: from 10 to 90% of pulse amplitude]
Anti-Alias-Tiefpaßfilter n [Signalverarbeitung]
  anti-aliasing low-pass filter [signal processing]
antilogarithmischer Verstärker m, Antilogverstärker m
  antilog amplifier
Antimon n (Sb)
Metallisches Element, das als Dotierstoff (Donatoratom) verwendet wird.
  antimony (Sb)
  Metallic element used as a dopant impurity (donor atom).
antiparallel geschaltet [Schaltung]
  connected back-to-back [circuit]
Antiparallelschaltung f, Gegenparallelschaltung f
  antiparallel connection
Antiqua-Schriftart f, Serifen-Schriftart f [mit feinen waagerechten Querstrichen, im Gegensatz zur serifenlosen bzw. Grotesk-Schriftart]
  serif font [with fine horizontal strokes; in contrast to sans serif font]
antistatische Matte f
  antistatic mat
antistatische Sprühdose f
  antistatic spray
Antivalenz f, exklusives ODER n [eine logische Verknüpfung mit dem Ausgangswert 1, wenn nur einer der Eingänge 1 ist; der Ausgangswert ist 0, wenn mehrere Eingänge 1 oder wenn alle 0 sind]
  exclusive-OR function, XOR function[a logical operation whose output is 1 if only one of its inputs is 1; the output is 0 if more than one input is 1 or if all inputs are 0]
Antivalenzgatter n, Antivalenzglied n
  exclusive-OR gate, exclusive-OR element

Antivalenzschaltung f, Exklusiv-ODER-Schaltung f, XOR-Schaltung f
  exclusive-OR circuit, OR circuit
Antivalenzverknüpfung f, Exklusiv-ODER-Verknüpfung f, XOR-Verknüpfung f
  exclusive-OR operation, XOR operation
Antwortzeit f, Ansprechzeit f
  response time
Anweisung f [das Grundelement eines Programmes; läßt sich in eine Folge von Befehlen zerlegen]
  statement [basic element of a program; can be split up into a sequence of instructions]
Anweisung ausführen
  execute a statement, to
Anweisung für berechneten Sprung f [FORTRAN]
  computed GO-TO statement [FORTRAN]
Anweisung für gesetzten Sprung f [FORTRAN]
  assigned GO-TO statement [FORTRAN]
Anweisung im Quellenprogramm f
  source-program statement
Anweisungsmarke f [FORTRAN]
  statement label [FORTRAN]
Anweisungsname m
  statement name
Anweisungszeile f [eines Programmes]
  statement line [of a program]
Anwender-Hotline f, Hotline f [Telephonverbindung mit einem Spezialisten, der Anwenderfragen beantworten kann]
  user hotline, hotline [telephone access to a specialist for answering users' questions]
Anwenderausgangskanal m
  user output port
Anwenderfenster n
  application window
Anwendergruppe f
  user group
anwenderorientiert, benutzerorientiert
  user oriented, user specified
Anwenderprogramm n
  application program, user program
anwenderprogrammierbares Logik-Array n (FPLA), feldprogrammierbares Logik-Array n
Ein Gate-Array-Konzept, mit dem sich integrierte Semikundenschaltungen realisieren lassen. Die Logik-Arrays lassen sich durch gezieltes Wegbrennen der Durchschmelzverbindungen programmieren.
  field-programmable logic array, fuse-programmable logic array (FPLA)
  A fusible-link gate array concept for producing semicustom integrated circuits. The logic arrays can be field-programmed by selectively blowing the fuses.
Anwenderprogrammpaket n
  application program package

Anwendersoftware *f*
  application software
anwenderspezifische integrierte Schaltung *f*
  (ASIC)
  Integrierte Schaltung für eine bestimmte
  Aufgabe, die nach Kundenwünschen völlig neu
  entworfen wird.
  application specified integrated circuit
  (ASIC)
  Integrated circuit for a specific application of
  completely new design according to customer's
  specifications.
Anwendung *f*
  application
anwendungsorientiert
  application oriented
anwendungsorientierte
  Programmiersprache *f*
  application-oriented language
Anwendungssymbol *n*
  application symbol
Anzeige *f*
  display, readout
Anzeigeart *f*
  display mode
Anzeigebaustein *m*, Anzeigemodul *m*
  display device, display module
Anzeigebereich *m*, Bildbereich *m*
  display area, isplace space
Anzeigegerät *n*
  display unit
Anzeigemodul *m*, Anzeigebaustein *m*
  display device, display module
Anzeigentreiber *m*
  display driver
anziehen, ansprechen, erregen [Relais]
  actuate, to; operate, to [relay]
AOW *f* (akustische Oberflächenwelle)
  SAW (surface acoustic wave)
Apertur *f* [Optoelektronik]
  aperture [optoelectronics]
API [Schnittstelle für die
  Anwendungsprogrammierung]
  API (Application Programming Interface)
APL [Programmiersprache]
  Eine höhere, problemorientierte
  Programmiersprache für technisch-
  wissenschaftliche Aufgaben.
  APL (A Programming Language)
  A high-level, problem-oriented programming
  language for engineering and scientific
  applications.
Aplitudenänderung *f*
  amplitude variation
Apostroph *m*
  apostrophe, single quote
Apple-Macintosh-Rechner *m*, Macintosh-
  Rechner *m* [auf Basis der Motorola-68000-
  Prozessorfamilie von Apple entwickelt]

Apple Macintosh computer, Macintosh
  computer [developed by Apple, based on the
  Motorola 68000 processor family]
Approximation *f*, Näherung *f*, Annäherung *f*
  approximation
Approximation der kleinsten Quadrate *f*
  least-squares approximation
Approximationsfehler *m*, Näherungsfehler
  approximation error, truncation error
APT [Programmiersprache für numerisch
  gesteuerte Werkzeugmaschinen]
  APT (automatically programmed tools)
  [programming language for numerically
  controlled machine tools]
APU, Arithmetikprozessor *m*
  Ein Coprozessor in Mikroprozessorsystemen,
  der Rechenoperationen durchführt.
  APU, arithmetic processor, arithmetic
  processing unit
  A coprocessor in microprocessor-based systems
  which performs arithmetic calculations.
AQL, annehmbare Qualitätsgrenze *f*
  AQL (acceptable quality level)
äquivalente Ausgangskapazität *f*
  equivalent output capacitance
äquivalente Driftspannung *f*
  equivalent drift voltage
äquivalente Eingangskapazität *f*
  equivalent input capacitance
äquivalente Rauschleistung *f*
  noise equivalent power (NEP)
äquivalentes Binärzeichen *n*
  equivalent binary digit
Äquivalenz *f* [logische Verknüpfung mit dem
  Ausgangswert (Ergebnis) 1 wenn und nur wenn
  beide Eingänge (Operanden) den gleichen Wert
  (0 oder 1) haben; für alle anderen
  Eingangswerte ist der Ausgangswert 0]
  equivalence function, IF-AND-ONLY-IF
  operation [logical operation having the output
  (result) 1 if and only if both inputs (operands)
  have the same value (0 or 1); for all other input
  values the output is 0]
Äquivalenzgatter *n*, Äquivalenzglied *n*
  equivalence gate, equivalence element
Äquivalenzschaltung *f*
  equivalence circuit
Äquivalenzverknüpfung *f*
  equivalence operation, IF-AND-ONLY-IF
  operation
Arbeiten mit doppelter Wortlänge *f*
  [Erhöhung der Rechengenauigkeit durch
  Verwendung von Rechenworten doppelter
  Länge]
  double-precision working, double-length
  working [increasing computing accuracy by
  using computer words of double length]
Arbeiten mit mehrfacher Wortlänge *n*
  [Rechenverfahren]

multiple-length working [computing
procedure]
Arbeitsband n
  scratch tape
Arbeitsbereich m [Bereich im Arbeitsspeicher,
der für die Verarbeitung der Daten vorgesehen
ist]
  scratch area, work area, work file [area in
  main memory used for processing data]
Arbeitsbereich m
  operating range
Arbeitsbereich der Eingangsgröße m
[integrierte Anpaßschaltungen]
  signal input range [integrated interface
  circuits]
Arbeitsblatt n [Tabelle in Tabellenkalkulations-
Programm
  worksheet [table in spreadsheet program]
Arbeitsdatei f
  scratch file, work file, temporary file
Arbeitskennlinie f
  operating characteristic
Arbeitsmaske f [Maskentechnik]
  working plate, working mask [masking
  technology]
Arbeitsmatrix f
  function matrix
Arbeitsplatzrechner m, **Workstation** f [Rechner
mit eigener Programm- und Datenhaltung in
einem vernetzten System, z.B. für technisch-
wissenschaftliche oder Graphikanwendungen]
  workstation [computer with own program and
  storage facilities in a system network, e.g. for
  technical and scientific tasks or graphical
  applications]
Arbeitspunkt m
  operating point
Arbeitsregister n
  working register, live register
Arbeitsspeicher m [Teil des Hauptspeichers, in
dem Daten gespeichert werden; im Gegensatz
zum Programmteil]
  working storage [that part of the main
  storage which contains data; in contrast to the
  program part]
Arbeitsvorbereitung f, zeitliche Arbeitsplanung f
  operations scheduling
Arbitration f, Vorrangschaltung f [Verfahren
zur Lösung von Prioritätskonflikten, z.B. beim
Zugriff auf den Hauptspeicher]
  arbitration [process of solving priority
  conflicts, e.g. when accessing the main storage]
ARC-Dateiformat n [Dateiformat des
Komprimierungsprogrammes ARC]
  ARC file format [file format of the ARC
  compression program]
ARCnet-Netzwerk n [lokales Netzwerk]
  ARCnet (Attached Resource Computer

network) [local area network]
Argument n, Aktualparameter [Wert einer
unabhängigen Größe]
  argument [value of an independent variable]
Arithmetikprozessor m (APU)
Ein Coprozessor in Mikroprozessorsystemen,
der Rechenoperationen durchführt.
  arithmetic processor, arithmetic processing
  unit (APU)
  A coprocessor in microprocessor-based systems
  which performs arithmetic calculations.
arithmetisch-logische Einheit f (ALU),
Rechen- und Steuerwerk n
Der Teil der Zentraleinheit im Digitalrechner
(bzw. Mikroprozessor), der Rechenoperationen
und logische Verknüpfungen durchführt. Die
Ergebnisse werden im Akkumulator
gespeichert.
  arithmetic logic unit (ALU)
  The part of the central processing unit in a
  digital computer (or microprocessor) which
  performs arithmetic calculations and logical
  operations. The results are stored in the
  accumulator.
arithmetische Anordnung f, Anordnung
arithmetischer Daten f
  arithmetic array
arithmetische Konstante f
  arithmetic constant
arithmetische Operation f, Rechenoperation f
[eine der vier Grundoperationen]
  arithmetic operation [one of the four basic
  operations]
arithmetische WENN-Anweisung f
[FORTRAN]
  arithmetic IF statement [FORTRAN]
arithmetischer Befehl m, Rechenbefehl m
[Befehl zur Ausführung einer der vier
Grundrechenarten, d.h. Addition, Subtraktion,
Multiplikation oder Division]
  arithmetic instruction [instruction for
  executing one of the four basic computation
  operations, i.e. addition, subtraction,
  multiplication or division]
arithmetischer Operand m
  arithmetic operand
arithmetischer Sprung m
  arithmetic jump
arithmetisches Verschieben n [Verschieben
einer Zeichen- oder Bitfolge]
  arithmetic shift [shifting of a character or bit
  sequence]
ARQ-Verfahren n [Übertagungsverfahren mit
automatischer Wiederholung von Binärzeichen]
  automatic request, ARQ method
  [transmission with automatic repetition of
  binary digits]
Arsen n (As)
Metallisches Element, das als Dotierstoff

(Donatoratom) verwendet wird.
arsenic (As)
Metallic element used as a dopant impurity
(donor atom).
AS-Technik *f*, ASTTL-Technik *f* [verbesserte
Bipolartechnik]
AS technology, ASTTL technology (advanced
Schottky technology) [an improved bipolar
technology]
ASBC-Technik *f*
Verbessertes Epitaxie-Doppeldiffusions-
verfahren für die Herstellung von bipolaren
integrierten Schaltungen.
ASBC technology (advanced standard buried-
collector technology)
Improved epitaxial double-diffusion process
used for fabricating bipolar integrated circuits.
ASCII-Code *m*
ASCII (American Standard Code for
Information Interchange)
ASCII-Tastatur *f*
ASCII keyboard
ASCII-Zeichensatz *m*
ASCII character set
ASIC, anwenderspezifische integrierte Schal-
tung *f*
Integrierte Schaltung für eine bestimmte
Aufgabe, die nach Kundenwünschen völlig neu
entworfen wird.
ASIC (application specified integrated circuit)
Integrated circuit for a specific application of
completely new design according to customer's
specifications.
Assemblersprache *f*
Maschinenorientierte, symbolische
Programmiersprache.
assembler language, assembly language
Machine-oriented, symbolic programming
language.
assemblieren [übersetzen des in einer
symbolischen Maschinensprache geschriebenen
Programmes in eine Folge von
Maschinenbefehlen]
assemble, to [convert a program written in a
symbolic machine language into a sequence of
machine operating codes]
Assemblierer *m*, Assembler *m*
Übersetzungsprogramm, das ein in
Assemblersprache geschriebenes Programm in
die Maschinensprache übersetzt.
assembler, assembly program
A language translator which translates a
program written in assembly language into a
machine language.
Assemblierphase *f*
assembly phase
Assemblierzeit *f*
assembly time
Assoziativspeicher *m*, CAM,

inhaltsadressierbarer Speicher *m*
Speicher, dessen Speicherelemente durch
Angabe ihres Inhaltes aufrufbar sind und nicht
durch ihre Namen oder Lagen.
CAM (content-addressable memory),
associative memory
Storage device whose storage locations are
identified by their contents rather than by their
names or positions.
astabile Kippschaltung *f* [ohne stabilen
Zustand]
astable multivibrator circuit [without stable
state]
astabiler Multivibrator *m*, freischwingender
Multivibrator *m* [ungesteuerte Kippschaltung,
d.h. ohne Synchronisierungssignal]
free-running multivibrator [an uncontrolled
multivibrator, i.e. without synchronizing
signal]
ASTTL-Technik *f*, AS-Technik *f* [verbesserte
Bipolartechnik]
ASTTL technology, AS technology (advanced
Schottky TTL technology) [an improved bipolar
technology]
asynchron [nicht zeitgebunden bzw. mit
eigenem Takt arbeitend]
asynchronous [without rigid timing or with
own clock]
asynchrone Arbeitsweise *f*, Start-Stop-
Arbeitsweise *f* [Datenübertragung mit
Synchronisierung mittels Start- und Stopbits,
die jedem zu übertragenden Zeichen zugefügt
sind]
start-stop operation, asynchronous operation
[data transmission with synchronization
effected by adding start and stop bits to each
character to be transmitted]
asynchrone Betriebsart *f*
asynchronous mode
asynchrone serielle Schnittstelle *f*
asynchronous serial interface
Asynchronzähler *m*, asynchroner Zähler *m*
asynchronous counter
Asynchronübertragung *f*
asynchronous transmission
AT-Architektur *f* [80286-Prozessor mit 16-Bit-
Datenbus (ISA-Bus)]
AT architecture [80286 processor with 16-bit
data bus (ISA bus)]
AT-Befehlssatz *m* [Hayes-Befehlssatz für
Modem]
AT command set [Hayes command set for
modems]
AT/IDE-Controller *m*, IDE-Controller *m* [im
Festplattenlaufwerk integrierter Controller]
IDE controller, AT/IDE controller (Integrated
Drive Electronics) [controller integrated in
drive]
AT-kompatibler Rechner *m*

AT-compatible computer
AT-Rechner m, AT-PC m [weiterentwickelter IBM PC mit 80286 Prozessor und 16-Bit-Adreßbus]
AT computer, PC AT computer (Advanced Technology) [further development of the IBM PC based on Intel 80286 processor and 16-bit address bus]
ATE, automatische Testeinrichtung f, automatische Prüfeinrichtung f
ATE, automatic test equipment
Attribut n [Deskriptor, der die Eigenschaften eines Objektes beinhaltet]
attribute [descriptor containing the characteristics of an object]
Ätzbad n
etching bath
Ätzen n
Häufig auftretender Verfahrensschritt bei der Herstellung von Einzelbauelementen und integrierten Schaltungen.
etching
Widely used processing step in discrete component and integrated circuit fabrication.
Ätzfaktor m
etching factor
Ätzgeschwindigkeit f
etch rate
Ätzmaske f
etch resist
Ätzmittel n
etchant
Ätzschritt m
etch step
Ätzverfahren n
etch process, etching process
Ätzvorgang m
etching procedure
auf der Leiterplatte
on-board
auf Schreibfehler prüfen
spell check, to; spellcheck, to
auf- und abrollen, blättern [zeilenweises Bewegen des Textes auf dem Bildschirm]
scroll, to [move text line by line on the screen]
Auf-Abwärtszähler m
up-down-counter, incrementer-decrementer
Aufbau m [einer Schaltung, eines Übertragungskanals usw.]
setup [of a circuit, transmission channel, etc.]
Aufbau m [elektrisch]
layout
Aufbau m [mechanisch]
design, assembly [mechanical]
Aufbauplatte f
chassis
aufbereiten, editieren, korrigieren
edit, to
aufbooten, aufstarten, booten [Aufstarten des Rechners]
boot up, to [to start up computer]
Aufdampfen n
vapour-phase deposition
Aufdampfen im Vakuum n
Verfahren zur Herstellung dünner Schichten aus Metallen oder Oxiden, das bei der Fertigung diskreter Bauelemente und integrierter Schaltungen eingesetzt wird.
vacuum evaporation
Process used for forming thin layers of metals or oxides in discrete component and integrated circuit fabrication.
Aufdampfverfahren n
vapour-phase deposition process, deposition process
Auffang-Flipflop n, Latch n, Speicher-Flipflop n
Ein spezieller Pufferspeicher, der zur Informationsspeicherung während eines vorgegebenen Zeitintervalls verwendet wird. Er gleicht die unterschiedlichen Übertragungsgeschwindigkeiten im Datenverkehr zwischen Peripheriebausteinen und Mikroprozessor aus.
latch, set-reset latch, SR latch
A special type of buffer storage used for information storage during a specific time interval. It compensates for differing data transfer speeds between peripheral devices and the microprocessor.
Auffrischbildschirm m, Bildschirm mit Bildwiederholung m
refresh display
Auffrischen n [von Informationen in dynamischen Speichern zum Ausgleich von Ladungsverlusten]
refreshing [of information in dynamic memories for compensating charge losses]
auffrischen
refresh, to
Auffrischintervall n
refresh time interval
Auffrischwiederholzeit f
time between refresh
Auffrischzyklus m
refresh cycle
auffüllen [mit Blind-, Füll- oder Leerzeichen, d.h. mit Zeichen, die nur aus Darstellungsgründen gespeichert werden]
character fill, to; pad, to [with fill characters, pad characters or blanks, i.e. characters stored only for display purposes]
Auffüllen n
character filling, padding
auffüllen mit Nullen
zero-fill, to
Aufgabe f, Task f, Prozeß m [eine in sich geschlossene Aufgabe; ein Programmteil]
task [a self-contained process; part of a

program]
aufgabenabhängig
  task-dependent, task-oriented
aufgabenunabhängig
  task-independent
Aufgabenverwaltung *f*
  task management
aufhängen [unerwarteter Halt im Programm]
  hang up, to [unexpected halt in program]
aufklappbar
  hinged
Auflistung *f*
  listing
Auflösung *f*, Auflösungsvermögen *n*
  resolution
Auflösungsfehler *m*
  resolution error
Auflösungsvermögen *n*, Auflösung *f*
  resolution
Auflösungszeit *f*
  resolution time
Aufmetallisieren *n* [Leiterplatten]
  plating [printed circuit boards]
Aufnahmeloch *n* [Leiterplatten]
  location hole [printed circuit boards]
Aufruf *m* [Befehlsfolge zur Auslösung einer
  Funktion oder Routine]
  call [instruction sequence for initiating a
  function or routine]
aufrufen, abrufen [ein Programm]
  call, to [a program]
aufrunden [zum nächst höheren Wert]
  round up, to [to the next higher value]
Aufschaltzeit *f*, Anschaltzeit *f*
  log-on/log-off time, connect time
Aufschmelzlöten *n*, Reflow-Löten *n* [Verfahren
  zur Behandlung von Leiterplatten]
  reflow soldering [process for the treatment of
  printed circuit boards]
Aufsetztechnik *f*, Oberflächenmontage *f*, SMD-
  Technik *f*
  Technik zur automatischen Bestückung von
  Leiterplatten mit Bauelementen und
  integrierten Schaltungen, wobei die
  Leiterplatten keine Bohrlöcher benötigen.
  surface-mounted device technique, SMD
  technique
  Technique for automatic mounting of
  semiconductor components and integrated
  circuits on printed circuit boards without the
  need for drilled holes.
aufstarten, aufbooten, booten [Aufstarten des
  Rechners]
  boot up, to [to start up computer]
Aufstäubätzung *f*, Sputterätzung *f* [ein
  Ätzverfahren]
  sputter etching [an etching process]
aufsteigend
  ascending, ascending sequence

aufsteigender Sortierbegriff *m*
  ascending key
Aufstellung *f*, Installation *f* [einer Anlage]
  installation [of a system]
aufteilen, teilen
  split, to
Aufteilung *f*, Partitionierung *f* [Festplatten:
  Aufteilung in mehrere logische Laufwerke]
  partitioning [hard disks: subdividing into
  several logical drives]
Auftrag *m*, Job *m*
  job, order
Auftragsdurchführung *f*
  job execution
Auftragsende *n*
  job end
Aufwachsen *n* [Epitaxie]
  growth [epitaxy]
Aufwachsgeschwindigkeit *f*, Aufwachsrate *f*
  [Epitaxie]
  growth rate [epitaxy]
Aufwachsverfahren *n*, Epitaxieverfahren *n*
  Verfahren zum orientierten Aufwachsen einer
  Kristallschicht auf ein kristallines Substrat.
  Die aufgewachsene Schicht und das Substrat
  können die gleiche oder eine unterschiedliche
  Gitterstruktur haben.
  epitaxial growth process
  Process for oriented growth of a crystalline
  layer on a crystalline substrate. Layer and
  substrate can have the same or a differing
  lattice structure.
Aufwärmzeit *f*, Anheizzeit *f* [eines Gerätes]
  warm-up period, warm-up time [of a device]
aufwärts blättern, rückwärts blättern
  page up, to
aufwärtskompatibel [Lauffähigkeit von
  Programmen auf größeren Rechnern]
  upwards compatible [run capability of
  programs on larger computers]
Aufwärtskompatibilität *f*
  upward compatibility
aufwärtszählen, heraufzählen, vorwärtszählen
  count upwards, to
Aufwärtszähler *m*, Vorwärtszähler *m*
  up-counter, incrementer
aufwickeln [Magnetband]
  wind up, to [magnetic tape]
Aufwickelspule *f* [Magnetbandgerät]
  take-up reel [magnetic tape unit]
aufzeichnen
  record, to
Aufzeichnung mit doppelter Dichte *f* [z.B.
  Diskette]
  double-density recording [e.g. floppy disk]
Aufzeichnungsdichte *f* [bei Speichermedien]
  recording density [of storage mediums]
Aufzeichnungsverfahren *n*
  recording mode

ausbauen
  upgrade, to; extend, to
Ausbaufähigkeit *f*
  upgradability
Ausbeute *f*
  yield
Ausblendbefehl *m*
  extract instruction
ausblenden, herausziehen, extrahieren
  [Herausnehmen von Zeichen aus einer
  Zeichenfolge]
  extract, to [remove characters from a string]
Ausbreitung *f*, Fortpflanzung *f*
  propagation
Ausbreitungsverzögerungszeit *f*,
  Verzögerungszeit *f*
  Die Verzögerungszeit zwischen der Änderung
  eines Signals (bzw. der Umkehrung eines
  Logikpegels) am Eingang und dem Auftreten
  des Signals am Ausgang.
  propagation delay, propagation delay time
  Time delay between the change of a signal (or
  change in logic level) at the input and the
  appearance of the signal at the output.
Ausbreitungswiderstand *m*
  spreading resistance
Ausbreitungswiderstandsmethode *f*,
  Kontaktwiderstandsmethode *f*
  Meßmethode zur Bestimmung des spezifischen
  Widerstandes eines Halbleiters.
  spreading resistance method
  Method for measuring the resistivity of a
  semiconductor.
Ausdruck *m*, Druckausgabe *f*
  print out, printout
ausdrucken
  print out, to
Ausfall *m*, Betriebsstörung *f* [Unfähigkeit, eine
  bestimmte Funktion zu erfüllen; Versagen
  eines Gerätes]
  failure, breakdown, outage [inability to
  perform a given function; interruption of
  operation]
Ausfalldauer *f*, Ausfallzeit *f*
  down-time
Ausfallhäufigkeit *f*
  failure frequency
Ausfallhäufigkeitsverteilung *f*
  failure frequency distribution
Ausfallkriterien *n.pl.*
  failure criteria
Ausfallgefahr *f*
  failure danger
Ausfallrate *f*
  failure rate
ausfallsicher, betriebsicher, fehlersicher
  fail-safe
ausfallsicheres System *n*, störungssicheres
  System *n*

  fail-safe system
Ausfallsignal *n*
  failure signal
Ausfallsummenhäufigkeit *f*
  cumulative failure frequency
Ausfallvorhersage *f*, Fehlervorhersage *f*
  failure prediction
Ausfallwahrscheinlichkeit *f*
  failure probability
Ausfallzeit *f*, Ausfalldauer *f*
  down-time
ausführbar
  executable
ausführbare Datei *f* [mit Erweiterung ".exe"
  oder ".com" in DOS]
  executable file [with extension ".exe" or
  ".com" in DOS]
ausführbares Programm *n*
  executable program
ausführen [allgemein]
  execute, to [general]
Ausführungsphase *f*
  execution phase
Ausführungszeit *f*, Abarbeitungszeit *f*,
  Programmausführungszeit *f*
  execution time, program execution time
Ausführungszyklus *m*, Abarbeitungszyklus *m*,
  Programmausführungszyklus *m*
  execution cycle, program execution cycle
Ausgabe *f*, Ausgang *m*
  output
Ausgabeband *n*
  output tape
Ausgabebefehl *m*
  output instruction
Ausgabecode *m*
  output code
Ausgabedatei *f*
  output file
Ausgabedaten *n.pl.*, Ausgangsdaten *n.pl.*
  output data
Ausgabeeinheit *f*
  output unit
Ausgabeformat *n*
  output format
Ausgabegerät *n*
  output device
Ausgabegeschwindigkeit *f*
  output rate, output speed
Ausgabemedium *n*
  output medium
Ausgabemodus *m*
  output mode
Ausgabeprogramm *n*
  output program, output routine
Ausgabepuffer *m*, Ausgangspuffer *m*,
  Ausgangspufferstufe *f*
  output buffer
Ausgabepuffer-Abschaltverzögerung *f*

[integrierte Speicherschaltungen]
output buffer turn-off delay [integrated circuit memories]
Ausgabesignal *n*, Ausgangssignal *n*
output signal
Ausgabesperre *f*
output disable
Ausgabeverteiler *m*
output multiplexer
Ausgabewarteschlange *f*
output queue
Ausgang *m*, Ausgabe *f*
output
Ausgang mit Drittzustand *m*, Tri-State-Ausgang *m*, Dreizustandsausgang *m*
Ein Ausgang, der neben den beiden aktiven Zuständen (logisch 0 und logisch 1) einen passiven (hochohmigen) Zustand annehmen kann; der dritte Zustand ermöglicht die Entkopplung des Bausteins vom Bus.
three-state output, tri-state output
An output which can assume one of three states: the two active states (logical 0 and logical 1) and a passive (high-impedance) state; this third state enables the device to be decoupled from the bus.
Ausgang mit Negation *m*
negating output
Ausgangsabschaltzeit *f*
output disable time
Ausgangsadmittanz *f*, Ausgangsleitwert *m*
output admittance
Ausgangsbelastbarkeit *f*
output loading capability
Ausgangsbelastung *f*
output load
Ausgangscharakteristik *f*, Ausgangskennlinie *f*
output characteristic, output characteristics
Ausgangsdaten *n.pl.*, Ausgabedaten *n.pl.*
output data
Ausgangsfächerung *f*, Ausgangslastfaktor *m*, Fan-Out *n*
Anzahl Eingänge gleichartiger Schaltungen, mit der der Ausgang einer Logkischaltung belastet werden kann.
fan-out
Number of inputs of similar circuits which can be accomodated by a logic circuit output.
Ausgangsfreigabe *f*
output enable
Ausgangsfrequenz *f*
output frequency
Ausgangsgültigkeitszeit *f*
output data valid time
Ausgangsimpedanz *f*
output impedance
Ausgangsimpuls *m*
output pulse
Ausgangsinformation *f*

output information
Ausgangskanal *m*
output channel, output port
Ausgangskapazität *f*
output capacitance
Ausgangskenngröße *f*
output parameter
Ausgangskennlinie *f*, Ausgangscharakteristik *f*
output characteristic, output characteristics
Ausgangskonduktanz *f*
output conductance
Ausgangskonfiguration *f* [einer Digitalschaltung]
output configuration [of a digital circuit]
Ausgangslastfaktor *m*, Ausgangsfächerung *f*, Fan-Out *n*
Anzahl Eingänge gleichartiger Schaltungen, mit der der Ausgang einer Logkischaltung belastet werden kann.
fan-out
Number of inputs of similar circuits which can be accomodated by a logic circuit output.
Ausgangsleistung *f*
output power, power output
Ausgangsleistungsstufe *f*
power output stage
Ausgangsleitwert *m*, Ausgangsadmittanz *f*
output admittance
Ausgangsmaterial *n*, Grundmaterial *n*, Substrat *n*
Das Material (Halbleiterkristall oder Isolator), in oder auf dem Bauelemente oder integrierte Schaltungen hergestellt werden.
starting material, base material, substrate
The material (semiconductor crystal or insulator) in or on which discrete components or integrated circuits are fabricated.
Ausgangspuffer *m*, Ausgabepuffer *m*, Ausgangspufferstufe *f*
output buffer
Ausgangsschaltung *f*
output circuit
Ausgangssignal *n*, Ausgabesignal *n*
output signal
Ausgangsspannung *f*
output voltage
Ausgangsstrom *m*
output current
Ausgangsteiler *m*
output divider
Ausgangstor *n*
output port
Ausgangswiderstand *m*
output resistance
ausgeben
output, to; dump, to; write-out, to
ausgeschaltet
off-state, off-status, switched off
Ausgleichsvorgang *m*, Transient *m*

[nichtperiodischer Vorgang, z.B. Ein- oder Ausschwingvorgang]
transient [non-periodic phenomenon, e.g. a switching transient]
auslagern [in einem Mehrbenutzerrechnersystem das Verschieben eines im Hauptspeicher residenten Programmes in einen Zusatzspeicher]
swap-out, to [in a time-sharing computer system to transfer a program resident in the main storage to an auxiliary storage]
Auslagerungsbereich m
swapping area
Auslagerungsdatei f
swap file
auslegen, entwerfen
configure, to; design, to
Auslegung f, Konfiguration f
configuration, design
auslesen, ausspeichern [von Daten aus einem Speicher]
read out, to [data from storage]
ausloggen, abmelden
logoff, to
Auslösediode f, Triggerdiode f
triggering diode
Auslöseimpuls m, Ansteuerungsimpuls m, Triggerimpuls m
trigger, trigger pulse, triggering pulse]
Auslösen n, Auslösung f, Triggerung f
triggering
auslösen, ansteuern, triggern
trigger, to
auslösen, einleiten [Datentransfer, Programmladen usw.]
initiate, to [data transfer, program loading, etc.]
Auslösepegel m, Triggerpegel m
triggering level
Auslöseschaltung f, Triggerschaltung f
trigger circuit
Auslösesignal n
initiate signal
Auslösespannung f
trigger voltage
Auslösetransistor m, Triggertransistor m
triggering transistor
Auslösung f, Auslösen n, Triggerung f
triggering
auspumpen, absaugen
exhaust, to
Aussage f
proposition
Aussagenlogik f [duale Aussage: wahr und unwahr]
propositional calculus [dual proposition: true and false]
ausschalten, abschalten, inaktivieren
switch-off, to; disable, to; inactivate, to

Ausschaltzeit f
turn-off time
ausschneiden [Kopieren von Text oder Graphik aus einem Dokument in einen temporären Speicherbereich (Zwischenablage)]
cut, to [copy text or graphics from a document into a temporary storage (clipboard)]
ausschneiden und einfügen [von Text oder Graphik]
cut-and-paste [for insertion of text or graphics]
Außenabscheideverfahren n, OVD-Verfahren n [ein Abscheideverfahren, das bei der Herstellung von Glasfasern eingesetzt wird]
OVD process (outside vapour deposition process) [a deposition process used in glass fiber manufacturing]
Außenanschluß m
external contact
Außendatei f
external file
Außenoxidationsverfahren n, OVPO-Verfahren n [ein Oxidationsverfahren, das bei der Herstellung von Glasfasern eingesetzt wird]
outside vapour-phase oxidation process (OVPO process) [an oxidation process used in glass fiber production]
Außenspeicher m, Externspeicher m, externer Speicher m
external memory, external storage, secondary storage
äußerer Rand m
outside margin
äußerer Wärmewiderstand m
external thermal resistance
ausspeichern [in einem Mehrbenutzerrechnersystem das Verschieben eines laufenden Programmes niedriger Priorität vom Haupt- in einen Hilfsspeicher]
roll-out, to [in a time-sharing computer system to transfer a running program of low priority from main to auxiliary storage]
ausspeichern, auslesen [von Daten aus einem Speicher]
read out, to [data from storage]
austauschbar, auswechselbar
exchangeable
Austauscheinheit f
replacement unit, interchange unit
austauschen
replace, to; exchange, to
Austauschformat n
interchange format
Austauschsortieren n, Quicksort-Verfahren n [Sortierverfahren]
quicksort, partition exchange sort [sorting method]
austesten [eines Programmes]

debug, to; test, to [a program]
Austrittsarbeit *f,* Ionisierungsenergie *f*
[Halbleitertechnik]
ionization energy [semiconductor technology]
auswählen [durch Tasten- oder Mausbefehl]
select, to [by keyboard or mouse command]
Auswahlknopf *m*
button, selector button
auswechselbar, austauschbar
exchangeable
auswechselbar, untereinander austauschbar
interchangeable
auswechselbare Platte *f*
exchangeable disk
auswerten [Daten]
evaluate, to [data]
AutoCAD [ein für DOS entwickeltes CAD-
Programm]
AutoCAD [a CAD program developed for DOS]
Automat *m*
automaton
Automatikbetrieb, automatischer Modus *m*
automatic mode
automatische Abarbeitung *f* [Befehle]
automatic sequencing [instructions]
automatische Anmeldung *f*
automatic log-on
automatische Einfädelung *f*
[Magnetbandgeräte]
automatic threading, auto-threading
[magnetic tape units]
automatische Fehlererkennung *f*
automatic error detection
automatische Fehlerkorrektur *f*
automatic error correction
automatische Frequenzregelung *f* (AFR) [bei
Übertragungssystemen]
automatic frequency control (AFC) [in
transmission systems]
automatische Geräteprüfung *f,*
Geräteselbstprüfung *f*
automatic check, hardware check, machine
check
automatische Orthographiefehlerkorrektur
f, automatische Rechtschreibfehlerkorrektur *f*
automatic spelling error correction
automatische Prüfeinrichtung *f,*
automatische Testeinrichtung *f* (ATE)
automatic test equipment (ATE)
automatische Rechtschreibfehlerkorrektur
f, automatische Orthographiefehlerkorrektur *f*
automatic spelling error correction
automatische Seitennumerierung *f*
automatic pagination
automatische Silbentrennung *f,*
automatisches Trennen *n*
automatic hyphenation
automatische Steuerung *f*
automatic control

automatische Testeinrichtung *f,* ATE,
automatische Prüfeinrichtung *f*
ATE, automatic test equipment
automatische Umschaltung *f*
automatic changeover
automatische Verstärkungsregelung *f* (AVR)
[bei Übertragungssystemen]
automatic gain control (AGC) [in
transmission systems]
automatische Zeichenerkennung *f*
automatic character recognition (ACR)
automatischer Abgleich *m*
automatic adjustment
automatischer Modus *m,* Automatikbetrieb
automatic mode
automatischer Vorschub *m* [Drucker]
automatic feed [printers]
automatisches Kopfparken *n* [Festplatten]
automatic head parking [hard disks]
automatisches Laden *n* [Magnetbandgeräte]
autoload, automatic loading [magnetic tape
units]
automatisches Prüfsystem *n*
automatic test system (ATS)
automatisches Trennen *n,* automatische
Silbentrennung *f*
automatic hyphenation
Automatisierung *f*
automation
autonomer Betrieb *m*
autonomous operation
AVR, automatische Verstärkungsregelung *f* [bei
Übertragungssystemen]
AGC, automatic gain control [in transmission
systems]

B

B+-Baum *m* [Erweiterung des B-Baumes]
  B+-tree [extended B-tree]
B-Baum *m*, Binärbaum *m* [binärer Suchbaum]
  B-tree [binary search tree]
Backend-Rechner *m*, Nachschaltrechner *m*
  back-end processor
Backplane *f*, Rückwandplatine *f*,
  Verdrahtungsplatine *f* [Leiterplatte, die
  sämtliche Verdrahtungen (z.B. Busleitungen)
  aller Funktionsteile (Leiterplatten) eines
  Mikroprozessorsystems enthält]
  backplane [printed circuit board containing all
  wiring connections (e.g. bus lines) for all
  functional modules (printed circuit boards) of a
  microprocessor system]
Backus-Naur-Form *f* (BNF) [formale Notation
  zur Beschreibung der Syntax einer
  Programmiersprache]
  Backus-Naur-Form (BNF) [formal notation
  for describing the syntax of a programming
  language]
Badewannenkurve *f* [Verlauf der
  Ausfallhäufigkeit in Funktion der Zeit;
  Lebensdauerkurve mit Früh- und
  Verschleißausfällen]
  bathtub curve [curve of failure rate as a
  function of time; life curve with early failures
  and wear-out failures]
Bahnwiderstand *m* [ohmscher Widerstand des
  verwendeten Halbleitermaterials]
  bulk resistance [ohmic resistance of the
  semiconductor material used]
Balkendiagramm *n*, Säulendiagramm *n*
  bar chart
Balkengraphik *f*, Säulengraphik *f*
  bar graphics
Bananenstecker *m*
  banana plug
Band *n* [einer Datei]
  volume [of a file]
Band *n* [Magnetband]
  tape [magnetic tape]
Band *n*, Energieband *n* [Halbleitertechnik]
  Energieband im Bändermodell, das dicht
  beieinanderliegende Energieniveaus im
  Halbleiterkristall darstellt, die von Elektronen
  besetzt werden können. Von Bedeutung beim
  Halbleiter sind das Leitungsband und das
  Valenzband sowie das dazwischenliegende
  verbotene Band bzw. die Energielücke.
  band, energy-band [semiconductor technology]
  Energy-band in the band diagram representing
  closely adjacent energy levels in the
  semiconductor crystal which can be occupied by
  electrons. Important energy-bands in

semiconductors are the conduction band and
the valence band as well as the forbidden band
(energy gap) separating the conduction from
the valence band.
Band mit simulierten Daten *n*
  simulated data tape
Bandabstand *m*, Energiebandabstand *m*,
  Energielücke *f* Bandlücke *f* [Halbleitertechnik]
  In der Darstellung des Bändermodells der
  Abstand zwischen Leitungsband und
  Valenzband, der Energieniveaus im
  Halbleiterkristall bezeichnet, die von
  Elektronen nicht besetzt werden können.
  band-gap, energy gap [semiconductor
  technology]
  In the energy-band diagram, the distance
  separating the conduction band from the
  valence band which represents energy levels
  that cannot be occupied by electrons.
Bandanfang *m* [Anfang eines Magnetbandes]
  leading end [start of a magnetic tape]
Bandanfangskennsatz *m* [einer Datei]
  volume header label [of a file]
Bandanfangsmarke *f* [eines Magnetbandes]
  beginning-of-tape mark, beginning-of-tape
  marker (BOT) [of a magnetic tape]
Bandlauf *m* [eines Magnetbandes]
  tape start [of a magnetic tape]
Bandaufbereitung *f* [eines Magnetbandes]
  tape editing [of a magnetic tape]
Bandaufzeichnungsdichte *f* [bei
  Magnetbandgeräten]
  tape density, tape recording density [in
  magnetic tape units]
Bandblock *m* [bei Magnetbändern]
  tape block [of magnetic tapes]
Bandbreite *f* [z.B. einer Verstärkerschaltung:
  Frequenzbereich, in dem die
  Ausgangssignalamplitude (bei konstanter
  Eingangssignalamplitude) um nicht mehr als
  einen bestimmten Betrag (z.B. 3 dB) gegenüber
  der Bezugsamplitude abfällt; d.h. die Differenz
  zwischen der oberen und der unteren
  Grenzfrequenz, meistens als -3-dB-Punkte
  definiert]
  bandwidth [e.g. of an amplifier circuit: the
  frequency range in which the output signal
  amplitude (with constant input signal
  amplitude) does not fall more than a certain
  amount (e.g. 3 dB) compared with the reference
  amplitude; i.e. the difference between the upper
  and the lower cut-off frequencies, usually
  defined as -3 dB points]
Bandbreitenprodukt *n*,
  Verstärkungsbandbreitenprodukt *n*
  [Produkt aus Verstärkungsfaktor und
  Bandbreite eines Verstärkers]
  gain-bandwidth product [product of
  amplification factor and bandwidth in an

amplifier]
Banddatei *f* [auf Magnetband]
 tape file [on magnetic tape]
Bandeingabe *f* [bei Magnetbandgeräten]
 tape input [of magnetic tape unit]
Bandeinheit *f,* Bandgerät *n,* Bandstation, *f*
 [Magnetbandgerät]
 tape station, tape unit [magnetic tape unit]
Bandende *n* [eines Magnetbandes]
 end of tape (EOT) [of a magnetic tape]
Bandende *n,* Datenträgerende [einer Datei]
 end of volume (EOV) [of a file]
Bandendekennsatz *m,*
 Datenträgerendekennsatz *m* [einer Datei]
 end-of-volume label (EOV label) [of a file]
Bandendemarke *f* [eines Magnetbandes]
 end-of-tape mark (EOT mark) [of a magnetic
 tape]
Bändermodell *n,* Energiebändermodell *n*
 [Halbleitertechnik]
 Modell zur Darstellung der Energieniveaus der
 Elektronen in einem Festkörper.
 energy band diagram [semiconductor
 technology]
 Model used for representing the energy levels
 of electrons in a solid.
Bandfehler *m* [eines Magnetbandes]
 tape error [of a magnetic tape]
Bandfehlstelle *f* [eines Magnetbandes]
 bad spot [of a magnetic tape]
Bandgerät *n,* Bandeinheit *f,* Bandstation, *f*
 [Magnetbandgerät]
 tape station, tape unit [magnetic tape unit]
Bandgeschwindigkeit *f* [eines Magnetbandes]
 tape speed [of a magnetic tape]
Bandkabel *n,* Flachkabel *n*
 ribbon cable, flat cable
Bandkante *f,* Energiebandkante *f*
 [Halbleitertechnik]
 In der Darstellung des Bändermodells der
 höchstmögliche Energiezustand eines
 Energiebandes.
 band edge, energy-band edge [semiconductor
 technology]
 In the energy-band diagram, the highest
 possible energy state of an energy-band.
Bandkassette *f* [Magnetbandkassette]
 tape cassette, tape cartridge [magnetic tape]
Bandlader *m* [Programmlader auf Magnetband]
 tape loader [program loader on magnetic tape]
Bandlaufwerk *n* [Magnetbandgerät]
 tape drive [magnetic tape unit]
Bandmarke *f* [eines Magnetbandes]
 tape mark [of a magnetic tape]
Bandpaßfilter *n*
 band-pass filter
Bandsalat *m* [blockiertes Magnetband oder
 blockierter Lochstreifen]
 tape jam [jammed magnetic tape or punched

tape]
Bandsatz *m* [auf Magnetband]
 tape record [on magnetic tape]
Bandspeicher *m,* Magnetbandspeicher *m*
 tape storage, magnetic tape storage
Bandsperrfilter *n*
 band-elimination filter
Bandstation, Bandgerät *n,* Bandeinheit *f, f*
 [Magnetbandgerät]
 tape station, tape unit [magnetic tape unit]
Bandvorsatz *m* [Anfang eines Magnetbandes]
 tape leader [beginning of magnetic tape]
BARITT-Diode *f,* Sperrschicht-Injektions-
 Laufzeitdiode *f* [Halbleiterbauelement für den
 Mikrowellenbereich]
 BARITT diode (barrier injected transit time
 diode) [microwave semiconductor device]
BAS-Signal *n* [Bildinhalt-Austast-Synchron-
 Signal für Bildschirmgerät]
 composite signal [for video display]
BASIC [problemorientierte Programmiersprache;
 wegen ihrer leichten Erlernbarkeit ist sie eine
 weitverbreitete Programmiersprache für
 Mikrocomputer]
 BASIC (beginner's all-purpose symbolic
 instruction code) [problem-oriented
 programming language; since it is easily
 learned, it is widely used for programming
 microcomputers]
Basis *f* [Bipolartransistoren]
 Der Bereich des Bipolartransistors, der
 zwischen Emitter und Kollektor liegt.
 base [bipolar transistors]
 The region of the bipolar transistor between
 emitter and collector.
Basis *f,* Basiszahl *f* [Grundzahl eines
 Zahlensystems; jede beliebige Zahl kann als
 Summe von Vielfachen der Potenzen einer
 Basiszahl dargestellt werden; z.B. die Zahl 7
 zur Basis 2 (Binärsystem) ist gleich $1 \times 2^2 + 1 \times 2^1 + 1 \times 2^0 = 111$]
 base, base number [the radix or base of a
 number system; any number can be
 represented as the sum of multiples of powers
 of a base, e.g. the number 7 to the base 2
 (binary system) is equal to $1 \times 2^2 + 1 \times 2^1 + 1 \times 2^0 = 111$]
Basis-Emitter-Diode *f*
 Ein PN- (bzw. ein NP-) Übergang zwischen
 Basis- und Emitterzone des Bipolartransistors.
 Bei bipolar integrierten Schaltungen die Diode,
 die aus dem Basis-Emitter-Übergang gebildet
 wird.
 base-emitter diode, base-emitter junction
 A pn- (or an np-) junction between base and
 emitter region of the bipolar transistor. In
 bipolar integrated circuits, the diode formed by
 the base-emitter junction.
Basis-Emitter-Kapazität *f*

base-emitter capacitance
Basis-Emitter-Signal n
base-emitter signal
Basis-Emitter-Spannung f
base-emitter voltage
Basis-Emitter-Spannungsabfall m
base-emitter voltage drop
Basis-Emitter-Sättigungsspannung f
base-emitter saturation voltage
Basis-Emitter-Vorspannung f
base-emitter bias
Basisadresse f, Grundadresse f, Bezugsadresse f
[bildet zusammen mit der Distanzadresse die
absolute Adresse, d.h. die permanente Adresse
eines Speicherplatzes]
base address [forms together with the
displacement address the absolute address, i.e.
the permanent address of a storage location]
Basisanschluß m, Basiskontakt m
base terminal, base contact
Basisausbreitungswiderstand m
base-spreading resistance
Basisbereich m, Basiszone f
base region
Basisdienstprogramm n [ausgewähltes
Dienstprogramm]
basic utility [selected utility program]
Basisdiffusion f
Diffusion des Basisbereiches bei der Fertigung
von bipolaren Bauelementen oder bipolaren
integrierten Schaltungen.
base diffusion step
Diffusion of the base region in bipolar
component or bipolar integrated circuit
fabrication.
Basisdiffusionsisolation f, Isolation durch
Basisdiffusion f, BDI-Technik f
Isolationsverfahren für integrierte
Bipolarschaltungen.
base diffusion isolation technology, BDI
technology
Technique for achieving electrical isolation in
bipolar integrated circuits.
Basisdotierung f
Dotierung des Basisbereichs bei der Fertigung
von bipolaren Bauelementen oder integrierten
Schaltungen.
base doping
Doping of the base region in bipolar component
or integrated circuit fabrication.
Basiselektrode f
base electrode
Basisflächenwiderstand m
base-sheet resistance
Basisimpedanz f
base impedance
Basisklasse f, Superklasse f [bei der
objektorientierten Programmierung: die oberste
Klasse in einer Hierarchie, im Gegensatz zur

abgeleiteten Klasse]
base class, superclass [in object oriented
programming: the top class in a hierarchy of
classes, in contrast to derived class]
Basiskontakt m, Basisanschluß m
base terminal, base contact
Basismaterial n [Leiterplatten]
base material [printed circuit boards]
Basisschaltung f [Transistorgrundschaltung]
Eine der drei Grundschaltungen des
Bipolartransistors, bei der die Basis die
gemeinsame Bezugselektrode ist.
common base connection [basic transistor
configuration]
One of the three basic configurations of the
bipolar transistor having the base as common
reference terminal.
Basissignal n
base signal
Basissoftware f [z.B. Betriebssystem,
Dienstprogramme und eine Auswahl
allgemeiner Anwenderprogramme]
basic software [e.g. operating system, utility
programs and a selection of general-purpose
application programs]
Basisspannung f
base voltage
Basisspitzenspannung f
base peak voltage
Basisspitzenstrom m
base peak current
Basisstrom m
base current
Basisüberschußstrom m
base excess current
Basisvorspannung f
base bias
Basiswiderstand m
base resistance
Basiszahl f, Basis f [Grundzahl eines
Zahlensystems; jede beliebige Zahl kann als
Summe von Vielfachen der Potenzen einer
Basiszahl dargestellt werden, z.B. die Zahl 7
zur Basis 2 (Binärsystem) ist gleich $1 \times 2^2 + 1 \times 2^1 + 1 \times 2^0 = 111$]
base number, base [radix or base number of a
number system; any number can be
represented as the sum of multiples of powers
of a base, e.g. the number 7 to the base 2
(binary system) is equal to $1 \times 2^2 + 1 \times 2^1 + 1 \times 2^0 = 111$]
Basiszeitkonstante f
base time constant
Basiszone f, Basisbereich m
base region
Batch-Datei f
batch file
Batch-Prozedur f [wiederkehrende
Kommandofolge in DOS]

batch procedure [recurring command
sequence in DOS]
batteriebetrieben
battery operated
Baud *n* [Übertragungsgeschwindigkeit; bei
binärer Übertragung = Bit/s]
baud [transmission speed; in the case of binary
transmission = bit/s]
Baudot-Code *m*, CCITT-Code *m* [internationaler
Fernschreibcode]
Baudot code, CCITT code [international
telegraph code]
Baudrate *f* [Übertragungsgeschwindigkeit in
baud]
baud rate [transmission speed in bauds]
Baudratengenerator *m* [wird bei der
Datenübertragung verwendet]
baud rate generator [used in data
communications]
Bauelement *n*, Bauteil *n*
component
Bauelementendichte *f*, Packungsdichte *f*
Bei integrierten Schaltungen die Anzahl der
Bauelemente pro Chip.
component density, packaging density
In integrated circuits, the number of
components per chip.
Baugruppe *f*, Montage *f*
assembly
Baugruppe in der Prüfung *f*
assembly under test
Baugruppenprüfung *f*
assembly test
Baugruppenträger *m*, Platinengehäuse *n*,
Leiterplattengehäuse *n*
card cage, printed circuit board cage, module
cage
Baukastenprinzip *n*, Modularität *f*
modularity, building-block principle
Baukastensystem *n*
modular system
Baumdecoder *m*, Baumdekodierer *m*
tree decoder
Baumstruktur *f* [einer Datei oder eines
Datenbanksystems]
tree structure [of a file or a data base system]
Bausatz *m*
kit
Baustein *m*, Modul *m*
module, device
Bausteinauswahl *f*, Chip-Select *n*
Bei Mikroprozessorsystemen und integrierten
Speicherschaltungen ein Signal zur Auswahl
eines Bausteins.
chip select (CS)
In microprocessor-based systems and
integrated circuit memories, a signal for
selecting the desired circuit.
Bausteinauswahl-Rücknahme *f*

chip deselect, chip deselection
Bausteinauswahlanschluß *m*
chip-select lead
Bausteinauswahleingang *m*
chip-select input
Bausteinauswahlerholzeit *f*
chip-select recovery time
Bausteinauswahlhaltezeit *f*
chip-select hold time
Bausteinauswahlvorbereitungszeit *f*
chip-select set-up time
Bausteinauswahlzeit *f*
chip-select time
Bausteinfreigabe *f*
Bei Mikroprozessorsystemen und integrierten
Speicherschaltungen ein Signal, das einen
ausgewählten Baustein für die Ein- bzw.
Ausgabe von Daten oder für das Auslesen bzw.
Einschreiben von Daten freigibt.
chip enable (CE)
In microprocessor-based systems and
integrated circuit memories, a signal which
allows data input (output) or reading from
(writing into) a selected memory.
Bausteinfreigabeeingang *m*
chip enable input
Bausteingeometrie *f*
device geometry
Bausteinsteuerung *f*
DC (device control)
Bauteil *n*, Bauelement *n*
component
Bauteilanordnung *f*
component layout
Bauteilausfallrate *f*
component failure rate
Bauteilbestückung *f* [die Montage von
Bauteilen, z.B. auf Leiterplatten]
component insertion [mounting components,
e.g. on printed circuit boards]
Bauteildichte *f* [z.B. auf einer Leiterplatte]
component density [e.g. on a printed circuit
board]
Bauteilmontage *f*
component assembly
Bauteilprüfung *f*
component test
Bauteilseite *f*, Bestückungsseite *f* [einer
Leiterplatte]
component side [of a printed circuit board]
Bauteiltoleranz *f*
component tolerance
Bayessche Statistik *f*
[Wahrscheinlichkeitsrechnung]
Bayesian statistics [probability]
BBD-Schaltung *f*, Eimerkettenschaltung *f*
[integrierte Ladungstransferschaltung in MOS-
Struktur]
bucket brigade device (BBD) [integrated-

circuit charge-transfer device in MOS
structure]
BBS-System n [ein System für die Übermittlung
elektronischer Post]
  BBS (Bulletin Board System) [electronic
  mailbox system]
BCCD, ladungsgekoppelte Schaltung mit
vergrabenem Kanal f
  BCCD (buried channel charge-coupled device)
BCD, Binärcode für Dezimalziffern m, binär
codierte Dezimalziffern f.pl. [Darstellung jeder
Ziffer einer Dezimalzahl durch eine Gruppe von
vier Binärzeichen (=Tetrade), z.B. die Ziffer 7
durch 0111]
  BCD, binary coded decimals [representation of
  each digit of a decimal number by a group of
  four binary digits (=tetrade), e.g. the digit 7 by
  0111]
BCD-Code m
  BCD code
BDI-Technik f, Isolation durch Basisdiffusion f,
Basisdiffusionsisolation f
Isolationsverfahren für integrierte
Bipolarschaltungen.
  BDI technology (base-diffusion isolation
  technology)
  Technique for achieving electrical isolation in
  bipolar integrated circuits.
Beam-Lead-Technik f, **Stegetechnik** f
Kontaktierungstechnik für Halbleiterbauteile
und integrierte Schaltungen. Das Muster für
die Zuführungen zu den Kontaktflecken auf
dem Chip wird während der Bearbeitung des
Wafers direkt auf der Chipoberfläche erzeugt.
Die Stege (beam-leads) ragen nach Zerlegung
des Wafers durch chemisches Ätzen über den
Rand des Chips hinaus.
  beam-lead technology
  Bonding technique used for semiconductor
  devices and integrated circuits. The pattern of
  the beams leading to the bonding pads on the
  chip are formed on the chip surface during
  wafer processing. The beams extend over the
  edge of the chip after separation from the wafer
  by chemical etching.
Beanspruchung f [mechanisch]
  stress [mechanical]
Beanspruchungszyklus m
  stress cycle
bedeutende Ziffer f [einer Zahl]
  significant digit [of a number]
bedeutungslose Daten n.pl., unwesentliche
Daten n.pl.
  irrelevant data
Bedienerführung f
  prompting, operator guidance
Bedienkonsole f, Konsole f, Bedienungskonsole f
  console, operator console, operator's console
Bedienungsfeld n

control panel
bedienungsfreie Betriebsart f
  unattended mode, unattended operating
  mode
Bedienungskonsole f, Konsole f, Bedienkonsole f
  console, operator console, operator's console
Bedienungspult n
  control console, operator's desk
bedingt [Anweisung]
  conditional [statement]
bedingte Anweisung f
  conditional statement, IF-statement
bedingte Kontrollstruktur f, Case-Anweisung f
[Programmierung]
  case statement [programming]
bedingte Sprunganweisung f
  conditional jump statement
bedingter Programmstop m [zur
Unterbrechung eines Programmes]
  conditional breakpoint [for interrupting a
  program]
bedingter Sprung m, bedingter Sprungbefehl m
[ein Sprungbefehl, der ausgeführt wird, wenn
bestimmte Bedingungen erfüllt sind]
  conditional jump, conditional jump
  instruction [a jump instruction that is followed
  when certain conditions are fulfilled]
Bedingung f
  condition
Bedingungen für den ungünstigsten Fall
f.pl., Worst-Case-Bedingungen f.pl.
[Schaltungsauslegung]
  worst-case conditions [circuit dimensioning]
beenden [ein Programm]
  terminate, to [a program]
Befehl m [auf DOS-Ebene oder im
Anwendungsprogramm]
  command [at DOS level or within application
  program]
Befehl m [eine Programmieranweisung zur
Ausführung einer Operation]
  instruction [a programming instruction
  specifying an operation]
Befehlsabarbeitung f, Befehlsausführung f
  instruction execution
Befehlsabarbeitungszeit f,
Befehlsausführungszeit f
  instruction execution time
Befehlsabruf m
  fetch, instruction fetch
Befehlsabrufphase f, Abrufphase f
[Mikroprozessor]
Eine der drei Phasen bei der Ausführung eines
Befehls; die beiden anderen Phasen sind die
Decodier- und die Ausführungsphasen.
Während der Befehlsabrufphase interpretiert
der Mikroprozessor das aus dem Speicher
gelesene Wort als Befehl.
  fetch phase [microprocessor]

One of the three phases when executing an instruction; the other two are the decoding and the execution phases. During the fetch phase the microprocessor interprets the word read out of storage as an instruction.

Befehlsadresse *f* [Adresse des Speicherplatzes des Befehles]
instruction address [address of storage location of the instruction]

Befehlsadressenregister *n*
instruction address register (IAR)

Befehlsänderung *f*
instruction modification

Befehlsaufbau *m*, Befehlsformat *n* [Reihenfolge und Art der Bestandteile eines Befehlswortes]
instruction format [sequence and type of constituents of an instruction word]

Befehlsausführung *f*, Befehlsabarbeitung *f*
instruction execution

Befehlsausführungsphase *f* [während der Befehlsausführungsphase interpretiert der Rechner das aus dem Speicher gelesene Wort als Datenwort]
execute phase [during the execute phase the computer interprets the word read out of storage as a data word]

Befehlsausführungszeit *f*, Befehlsabarbeitungszeit *f*
instruction execution time

Befehlsblock *m* [eine Gruppe von Befehlen]
instruction block [a group of instructions]

Befehlsdecodierer *m*
instruction decoder

Befehlsfolge *f*
instruction sequence

Befehlsformat *n*, Befehlsaufbau *m* [Reihenfolge und Art der Bestandteile eines Befehlswortes]
instruction format [sequence and type of constituents of an instruction word]

Befehlsinterpreter *m*
command interpreter

Befehlskettung *f* [Ablauf mehrerer Befehle ohne Mitwirkung der Zentraleinheit]
instruction chaining [running several instructions without intermediary of the CPU]

Befehlslänge *f* [Länge eines Befehlswortes in bits]
instruction length [length of an instruction word in bits]

Befehlsliste *f* [Verzeichnis aller Befehle mit Beschreibung der Funktionen]
instruction list [table of all instructions with description of functions]

Befehlsmix *m*, Mix *m* [repräsentative Mischungen von Befehlen für den Leistungsvergleich verschiedener Rechner]
mix, instruction mix [a representative mixture of instructions used for comparing the performance of different computers]

Befehlsprozessor *m*
command processor

Befehlsregister *n* [speichert den Befehl während seiner Ausführung]
instruction register [stores the instruction during its execution]

Befehlsschaltfläche *f* [im Dialogfeld zwecks Auswahl einer Tätigkeit, z.B. "OK" oder "Abbrechen]
command button [in dialog box for carrying out an action, e.g. "OK" or "Cancel"]

Befehlsverkettung *f*, Pipe-Operator *m* [erlaubt die Verkettung von mehreren DOS-Befehlen]
pipe operator [allows several DOS commands to be cascaded]

Befehlsvorrat *m* [Gesamtheit der Befehle eines Rechners oder einer Programmiersprache]
instruction set [the complete set of instructions of a computer or of a programming language]

Befehlswort *n*
instruction word

Befehlszähler *m*, Programmzähler *m* [Mikroprozessorsysteme]
program counter [microprocessor systems]

Befehlszeile *f*
command line

Befehlszyklus *m*
instruction cycle

Befestigungsloch *n* [Leiterplatten]
mounting hole [printed circuit boards]

beglaubigtes Prüfprotokoll *n*
certified test record

Begrenzer *m*, Grenzwertstufe *f*
limiter

Begrenzerdiode *f*
limiter diode

Begrenzerschaltung *f*
limiter circuit, limiting circuit

Begrenzertransistor *m*
limiter transistor

Begrenzerverstärker *m*
limiter amplifier

Begrenzung *f*
limit, limitation, limiting

Begrenzungssymbol *n*, Trennzeichen *n* [Abgrenzung von Datenelementen]
delimiter, separator, separator character [separates items of data]

Begriffseinheit *f*
entity

Behauptung *f*
assertion

behelfsmäßige Programmkorrektur *f*, Programmkorrektur *f*
program correction, patch

beidseitige Datenübermittlung *f*
two-way simultaneous communication

Belastbarkeit *f* [z.B. eines Bauelementes]

power rating [e.g. of a component]
Belastung *f*, Last *f*
load
Beleg *m*, Dokument *n*
document
Belegspeicher *m*
document storage
belegt, besetzt
occupied, busy
belegter Speicherbereich *m*
occupied storage area
Belegung *f*, Vorbelegung *f* [Dotierungstechnik]
Bei der Zweischrittdiffusion der erste
Diffusionsvorgang (Belegung), an den sich die
Nachdiffusion zur Erzielung der gewünschten
Diffusionstiefe und des gewünschten
Dotierungsprofils anschließt.
predeposition [doping technology]
In two-step diffusion, the first diffusion step
(predeposition) which is followed by the drive-in
cycle in order to obtain the desired diffusion
depth and concentration profile.
Belichtung *f*
exposure
Bemerkung *f*, Kommentar *m* [in einem
Programm: erläutert den Programmierschritt
und wird vom Rechner nicht verarbeitet]
comment, remark [in a program: explains the
programming step and is not processed by the
computer]
bemessen [z.B. ein Bauteil oder eine Schaltung]
dimension, to [e.g. a component or a circuit]
benachbartes Datenfeld *n*
contiguous data item, contiguous item
benannte Konstante *f*
named constant
Benchmark-Lauf *m*, Vergleichslauf *m* [Lauf
eines Bewertungsprogrammes (Benchmark-
Programm) zwecks Bewertung der
Leistungsfähigkeit eines Rechners]
benchmark run [running a benchmark
program for evaluating the performance of a
computer]
Benchmark-Programm *n*,
Bewertungsprogramm *n* [Programm zur
Bewertung der Leistungsfähigkeit
verschiedener Rechner]
benchmark program, benchmark routine
[program to evaluate the performance of
different computers]
Benchmark-Verfahren *n*, Vergleichsverfahren
benchmark test
Benutzer *m*, Anwender *m*
user
Benutzer code *m*
user code
Benutzerbibliothek *f* [Programmsammlung]
user library [collection of programs]
Benutzerdatei *f*

user data file
Benutzerdaten *n.pl.*
user data
benutzerfreundlich
user-friendly
Benutzerhandbuch *n*
user's manual
Benutzerkennsatz *m*
user label
Benutzerkennung *f*, Benutzerkennwort *n*
user identifier
Benutzeroberfläche *f*, Benutzerschnittstelle *f*
user interface
Benutzerorganisation *f*
user organization
benutzerorientiert, anwenderorientiert
user oriented
Benutzerprogramm *n*
user program
benutzerprogrammierbar
user programmable
Benutzerschnittstelle *f*, Benutzeroberfläche *f*
user interface
Benutzerstation *f* [eine Station für den
Informationsaustausch mit dem
Rechnersystem]
user terminal [a terminal for information
exchange with the computer system]
Benutzerstatus *m*
user status, user state
berechnen
calculate, to
Berechnungsmethode *f*, Berechnungsverfahren *n*
computation method
berechtigter Zugriff *m*
authorized access
Bereich *m*
range
Bereich *m*, Zone *f*, Gebiet *n*
Teilgebiet eines Halbleiterkristalls mit
speziellen elektrischen Eigenschaften (z.B. N-
leitend, P-leitend oder eigenleitend).
zone, region
Region in a semiconductor crystal that has
specific electrical properties (e.g. n-type, p-type
or intrinsic conduction).
Bereich einer Variablen *m*
range of a variable
Bereichsschutzschalter *m*
area protect switch
Bereichsumschalter *m* [z.B. eines Meßgerätes]
range switch [e.g. of a measuring instrument]
Bereichsumschaltung *f*
range switching
Bereichsunterschreitung *f*
underflow
bereit
ready (RDY)

bereit, betriebsbereit
operational, ready
Bereitschaftszeichen *n*, Eingabeaufforderung *f*
[eines Systems, das auf eine Eingabe durch den
Bediener wartet]
prompt [ready symbol of a system waiting for
an operator input]
Bereitschaftszustand *m*, Reservezustand *m*,
Wartezustand *m*
standby state
bereitstellen
ready, to; enable, to; ready for operation, to
bereitstellen, einplanen
schedule, to
Bernouilli-Platte *f* [auswechselbare Festplatte]
Bernouilli disk [exchangeable hard disk]
BERT [Bitfehlerhäufigkeits-Prüfung]
BERT (Bit Error Rate Test)
Beruhigungszeit *f* [eines Impulses]
settling time [of a pulse]
Berührungsbildschirm *m*, Berührungstablett *n*
[Bildschirm kombiniert mit Eingabe-Tablett]
touch screen, touch panel [screen combined
with entry tablet]
beschädigen
damage, to
beschichtet, laminiert
laminated
beschleunigte Alterung *f*, Raffung des
Alterungsprozesses *f*
accelerated aging
beschleunigte Lebensdauerprüfung *f*,
Lebensdauerraffungsprüfung *f*
accelerated life test
beschleunigte Prüfung *f*, zeitraffende Prüfung
f [Prüfung mit einer erhöhten Beanspruchung,
die so gewählt ist, daß die Prüfzeit verkürzt
wird]
accelerated test [test using an increased
stress level chosen to shorten the test time]
Beschleunigung *f*
acceleration
Beschleunigungszeit *f*
acceleration time
beschneiden, trimmen
trim, to
Beschriftung *f* [Leiterplatten]
legend, marking [printed circuit boards]
besetzt, belegt
occupied, busy
Bestandbereinigung *f* [bei Dateien]
purging [of files]
Bestandspflege *f*, Dateipflege *f*, Dateiwartung *f*
[die Aktualisierung einer Datei]
file maintenance [activity of updating a file]
Bestätigungsmeldung *f*
confirmation message, acknowledgement
message
Bestimmungsort *m* [der Dateiübertragung]

destination [of file transfer]
bestpassende Methode *f* [für
Speicherzuordnung]
best-fit method [for memory allocation]
bestückte Leiterplatte *f* [mit Bauteilen
bestückt]
printed circuit board assembly [with
components mounted in position]
Bestückung *f* [von Leiterplatten mit Bauteilen]
mounting [of components on printed circuit
boards]
Bestückungsautomat *m* [für Bauteile]
automatic component insertion
equipment [for components]
Bestückungsseite *f*, Bauteilseite *f* [einer
Leiterplatte]
component side [of a printed circuit board]
Bestückungswerkzeug *n* [für Bauteile]
insertion tool [for components]
Bestzeitprogramm *n*, optimales Programm *n*
[optimal codiertes Programm]
minimum access program [optimally coded
program]
Betaversion *f* [Testversion eines Programmes
vor der endgültigen Herausgabe]
beta version [test version of program before
final release]
Betrachtungseinheit *f* [bei der
Zuverlässigkeitberechnung: System, Anlage,
Gerät usw.]
item [in reliability calculation: a system,
subsystem, unit, etc.]
betreiben [z.B. ein Gerät]
operate, to [e.g. an equipment]
Betriebsart *f*, Modus *m*
mode, operating mode, operational mode
Betriebsart "Eingriff" *f*
interrupt mode
Betriebsart "Halten" *f*
hold mode
Betriebsart "Rechnen" *f*
compute mode
Betriebsart "Rücksetzen" *f*
reset mode
Betriebsartenanwahl *f*
mode selection
Betriebsartenschalter *m*
mode switch, mode selector switch
Betriebsartenwähler *m*
mode selector
Betriebsbedingung *f*
operating condition
betriebsbereit machen
ready for use, to; make ready for
operation, to
betriebsbereit, bereit
operational, ready
Betriebsdatenerfassung *f*
production data acquisition

Betriebsdauer *f*, Betriebszeit *f*
  operating time, up-time
Betriebserde *f* [gemeinsames Bezugspotential
  für alle Steuer- und Datenleitungen eines
  Rechners]
  service ground, signal ground [common
  reference potential for all control and data lines
  of a computer]
Betriebsfrequenz *f*
  operating frequency
betriebsicher, ausfallsicher, fehlersicher
  fail-safe
Betriebsmittel *n.pl.*
  resources
Betriebsmittelverwaltung *f*
  resource management
Betriebsparameter *m*
  operational parameter
betriebssicher, zuverlässig
  dependable, reliable
Betriebssicherheit *f*, Zuverlässigkeit *f*
  dependability, reliability
Betriebsstörung *f*, Ausfall *m* [Unfähigkeit, eine
  bestimmte Funktion zu erfüllen; Versagen
  eines Gerätes]
  failure, breakdown, outage [inability to
  perform a given function; interruption of
  operation]
Betriebsstrom *m* [z.B. eines Bauteils oder einer
  Schaltung]
  operating current [e.g. of a device or circuit]
Betriebsstundenzähler *m*
  operating time counter, elapsed time
  counter
Betriebssystem *n* [steuert und überwacht die
  Abwicklung von Programmen im
  Rechnersystem; weitverbreitete
  Betriebssysteme für Mikrorechner sind z.B.
  DOS und UNIX]
  operating system (OS) [controls and monitors
  the execution of programs in the computer;
  examples of widely used operating systems for
  microcomputers are DOS and UNIX]
Betriebstaktfrequenz *f*
  operating clock frequency
Betriebstemperatur *f*
  operating temperature
Betriebstemperaturbereich *m*
  operating temperature range
betriebsunfähig machen [Leitung, Gerät usw.]
  disable [line, unit, etc.]
Betriebsunterbruch *m*
  service interruption
Betriebszeit *f*, Betriebsdauer *f*
  operating time, up-time
Betriebszuverlässigkeit *f*
  operational reliability
Beweglichkeit *f*, Mobilität *f*
  mobility

Bewegungsdatei *f*, Vorgangsdatei *f*
  transaction file
Bewegungsprotokoll *n*
  activity log
bewertetes Rauschen *n*
  weighted noise
Bewertung *f*
  evaluation
Bewertungsprogramm *n*, Benchmark-
  Programm *n* [Programm zur Bewertung der
  Leistungsfähigkeit verschiedener Rechner]
  benchmark program, benchmark routine
  [program to evaluate the performance of
  different computers]
Bewertungspunkt *m*, Vergleichspunkt *m*
  [Bewertungspunkt eines Benchmark-
  Programmes]
  BM (benchmark) [evaluation point of a
  benchmark program]
bezeichnen, identifizieren
  identify, to
Bezeichner *m*
  designator, identifier
Bezugsadresse *f*, Basisadresse *f*, Grundadresse *f*
  [bildet zusammen mit der Distanzadresse die
  absolute Adresse, d.h. die permanente Adresse
  eines Speicherplatzes]
  base address [forms together with the
  displacement address the absolute address, i.e.
  the permanent address of a storage location]
Bezugsband *n* [Magnetband mit bekannten
  Eigenschaften]
  reference tape, standard tape [tape with
  known properties]
Bezugsfrequenz *f*
  reference frequency
Bezugspegel *m*
  reference level
Bezugspunkt *m*
  reference point
Bezugssignal *n*
  reference signal
Bezugsspannung *f*, Vergleichsspannung *f*,
  Referenzspannung *f*
  reference voltage
Bezugsstrom *m*
  reference current
Bezugsvorspannung *f*
  reference bias
Bezugswert *m*
  reference value
BFL, gepufferte FET-Logik *f*
  Integrierte Schaltungsfamilie, die mit
  Galliumarsenid-D-MESFETs realisiert ist.
  BFL (buffered FET logic)
  Integrated circuit family based on gallium
  arsenide D-MESFETs.
BH-Laser *m* [Halbleiterlaser]
  BH laser (buried-heterostructure laser)

[semiconductor laser]
Bibliothek *f* [Satz verwandter Dateien]
  library [set of related files]
Bibliotheksdatei *f*
  library file
Bibliotheksname *m*
  library name
BiCMOS-Technik *f,* bipolare CMOS-Technik *f*
  Integrierte Schaltungstechnik, bei der
  Bipolartransistoren und CMOS-
  Feldeffekttransistoren auf dem gleichen Chip
  hergestellt werden.
  BiCMOS technology, bipolar CMOS
  technology
  Integrated circuit technology combining bipolar
  transistors and CMOS field-effect transistors
  on a single chip.
bidirektionaler Druck *m* [Nadeldrucker]
  bidirectional printing [matrix printers]
bidirektionaler Transistor *m,*
  Zweirichtungstransistor *m*
  bidirectional transistor
BiFET-Technik *f,* bipolare FET-Technik *f*
  Integrierte Schaltungstechnik, bei der
  Bipolartransistoren und Sperrschicht-
  Feldeffekttransistoren auf einem Chip
  kombiniert sind. Sie wird vorwiegend für die
  Herstellung von integrierten
  Analogschaltungen (z.B. von
  Operationsverstärkern) eingesetzt.
  BiFET technology (bipolar FET technology)
  Integrated circuit technology combining bipolar
  transistors and junction-type field-effect
  transistors on a single chip. Mainly used in
  analog integrated circuit fabrication (e.g. for
  operational amplifiers).
BIGFET-Technik *f,* bipolare Isolierschicht-
  Feldeffekttransistor-Technik *f*
  Integrierte Schaltungstechnik, bei der
  Bipolartransistoren und Isolierschicht-
  Feldeffekttransistoren so integriert werden,
  daß die Basis des Bipolartransistors und das
  Drain des IGFET eine gemeinsame Zone
  bilden.
  BIGFET technology (bipolar insulated-gate
  field-effect transistor)
  Integrated circuit technology integrating
  bipolar transistors and insulated-gate field-
  effect transistors in such a way that the base of
  the bipolar transistor and the drain of the
  IGFET form a common zone.
Bild *n,* Abbild *n*
  pattern, image
Bild *n,* Abbildung *f*
  display, image, figure, picture
Bildabtastung *f,* Scannen *n*
  image scanning, scanning
Bildaufbau *m*
  image formation

Bildbereich *m,* Anzeigebereich *m*
  display space
Bilddurchlaufmodus *m*
  scroll mode
Bildlaufleiste *f,* Rollbalken *m* [zur Verschiebung
  des Bild- bzw. Fensterinhaltes]
  scroll bar [for moving screen or window
  contents]
Bildpunkt *m,* Bildelement *n,* Pixel *n*
  pixel, picture element
Bildpunktabstand *m* [Abstand zwischen
  Leuchtpunkten eines Bildschirms]
  dot pitch [spacing between luminous spots of a
  screen]
Bildpunktmatrix *f*
  pixel matrix
Bildröhre *f,* Kathodenstrahlröhre *f*
  cathode-ray tube (CRT), picture tube
Bildschirm *m*
  display, screen
Bildschirm mit Bildwiederholung *m,*
  Auffrischbildschirm *m*
  refresh display
Bildschirm wiederherstellen
  restore screen
Bildschirmbereich *m*
  screen area
Bildschirmblättern *n,* Rollfunktion *f*
  scrolling function
Bildschirmdiagonale *f*
  screen diagonal
Bildschirmfenster *n*
  screen window
Bildschirmfenstertechnik *f*
  screen windowing technique
Bildschirmfilter *n*
  screen filter
Bildschirmflimmern *n*
  screen flicker
Bildschirmgerät *n,* Datensichtgerät *n,*
  Datenstation *f,* Terminal *n*
  video display unit (VDU), CRT display unit,
  data station, terminal
Bildschirmgröße *f*
  screen size
Bildschirmhelligkeit *f*
  screen brightness
Bildschirminhalt *m*
  screen content
Bildschirmkontrast *m*
  screen contrast
Bildschirmpuffer *m*
  screen buffer
Bildschirmrand *m*
  screen edge
Bildschirmschoner *m*
  screen saver
Bildschirmtext-System *n,* Btx-System *n,*
  Videotext-System *n* [interaktives System für

die Übermittlung von Text über Fernseh- oder Telephonkanäle für die Anzeige auf einem Bildschirm]
videotex, videotext system [interactive system for text transmission via TV or telephone channels for display on a screen]
Bildschirmübernahme *f* [Übernahme des Bildschirminhaltes]
screen grabber, grabber [for capturing screen content]
Bildsensor *m*
image sensor, vision sensor
Bildsignal *n,* Videosignal *n*
video signal
Bildspeicher *m,* Graphikspeicher *m*
graphic display memory (GDM)
Bildspeicherplatte *f,* Videospeicherplatte *f*
video disk
Bildverarbeitung *f*
image processing
Bildwiederholfrequenz *f*
refresh rate
Bildwiederholspeicher *m*
screen refresh memory
Bimetallschalter *m,* Thermoschalter *m*
bimetal switch, thermal switch
BiMOS-Technik *f,* bipolare MOS-Technik *f*
Integrierte Schaltungstechnik, bei der eine Kombination von Bipolartransistoren und MOS-Feldeffekttransistoren auf dem gleichen Chip verwendet wird.
BiMOS technology (bipolar MOS technology) Integrated circuit technology combining bipolar transistors and MOS field-effect transistors on a single chip.
binär [mit zwei möglichen Werten, z.B. 0 und 1]
binary [with two possible values, e.g. 0 and 1]
binär codierte Adresse *f*
binary coded address
binär codierte Daten *n.pl.*
binary coded data
binär codierte Dezimaldarstellung *f* (BCD-Darstellung) [Darstellung jeder Ziffer einer Dezimalzahl durch eine Gruppe von vier Binärzeichen (=Tetrade), z.B. die Ziffer 7 durch 0111]
binary coded decimal representation (BCD representation) [representation of each digit of a decimal number by a group of four binary digits (=tetrade), e.g. the digit 7 by 0111]
binär codierte Dezimalziffern *f.pl.,* Binärcode für Dezimalziffern *m*
binary coded decimals (BCD)
Binär-Analog-Umsetzer *m*
binary-to-analog converter
Binär-BCD-Umsetzer *m*
binary-to-BCD converter
Binär-Dezimal-Umsetzer *m*
binary-to-decimal converter

binär-synchrone Datenübertragung *f* [Protokoll für synchrone byteserielle Datenübertragung]
binary synchronous communications (bisync, BSC) [protocol for synchronous byte-serial data transmission]
Binäraddierer *m*
binary adder
Binärarithmetik *f*
binary arithmetic
Binärbaum *m,* B-Baum *m* [binärer Suchbaum]
B-tree [binary search tree]
Binärbaumdarstellung *f*
binary tree representation
Binärcode *m,* binärer Code *m* [verwendet nur zwei Zeichen für die Darstellung der zu codierenden Begriffe]
binary code [uses only two characters for representing the notions to be coded]
Binärcodierung *f*
binary coding
Binärdarstellung *f,* binäre Darstellung *f*
binary representation
Binärdatei *f*
binary file
binäre Darstellung *f,* Binärdarstellung *f*
binary representation
binäre ganze Zahl *f,* ganze Binärzahl *f,* ganze Dualzahl *f* [Zahlensysteme]
binary integer [number systems]
binäre Speicherzelle *f,* Binärzelle *f* [eine Speicherzelle, die ein Binärzeichen enthalten kann]
binary cell [a storage cell that can hold one binary character]
binäre synchrone Übertragung *f* [Protokoll für synchrone byteserielle Datenübertragung]
bisync, BSC (binary synchronous communications) [protocol for synchronous byte-serial data transmission]
binäre Zahl *f,* Binärzahl *f*
binary number
Binäreingabe *f*
binary input
Binärentscheidung *f*
logical decision
binärer Code *m,* Binärcode *m* [verwendet nur zwei Zeichen für die Darstellung der zu codierenden Begriffe]
binary code [uses only two characters for representing the notions to be coded]
binärer Fehlererkennungscode *m*
binary-error detecting code
binärer Fehlerkorrekturcode *m*
binary-error correcting code
binärer Festwertspeicher *m,* binäres ROM *n*
binary ROM, binary read-only memory
binäre Variable *f*
binary variable

binäres Komplement n, Zweierkomplement n
[eine der möglichen Darstellungsformen für
negative Binärzahlen; die negative Zahl
entsteht durch Ändern aller Nullen in Einsen,
aller Einsen in Nullen und Addition einer Eins
an der niederwertigsten Stelle]
binary complement, twos-complement [one
possible type of representation of negative
binary numbers; the negative number is
obtained by changing all zeroes into ones, all
ones into zeroes, and adding a one to the
position having the lowest value]
binäres ROM n, binärer Festwertspeicher m
binary ROM, binary read-only memory
binäres Schieben f, logische Verschiebung f
[eine Verschiebung, die auf alle Zeichen eines
Wortes die gleiche Wirkung hat]
logical shift [a shift having the same effect on
all characters of a word]
binäres Schieberegister n
binary shift register
binäres Schreibverfahren n [bei Speichern]
binary recording mode [for storages]
binäres Suchen n, eliminierendes Suchen n
[Suchen in einer geordneten Tabelle in jeweils
halbierten Bereichen, wobei der eine Bereich
ausgeschieden und im anderen weitergesucht
wird]
dichotomizing search, binary search [search
in an ordered table by repeated partitioning in
two equal parts, rejecting one and continuing
the search in the other]
Binärfolge f
binary sequence
Binärfunktion f, Dualfunktion f
binary function
Binärinverter m
binary inverter
Binärlader m
binary loader
Binärmuster n [Folge von Binärziffern als
Informationseinheit]
bit configuration [sequence of binary digits
as unit of information]
Binäroperation f
binary operation
Binärschaltung f
binary circuit
Binärschreibweise f
binary notation
Binärsignal n [ein Signal mit zwei Pegeln, z.B. 0
und 1]
binary signal [a signal with two levels, e.g. 0
and 1]
Binärstelle mit der höchsten Wertigkeit f,
MSB
MSB (most significant bit)
Binärstelle mit der niedrigsten Wertigkeit f
(LSB), niedrigstwertiges Bit n [Bit mit dem

niedrigsten Stellenwert in einer Binärzahl, z.B.
1 in der Binärzahl 0001]
least significant bit (LSB) [bit with the
lowest value in a binary number, e.g. 1 in the
number 0001]
Binärstufe f
binary stage
Binärsuchalgorithmus m
binary search algorithm
Binärsystem n, Dualsystem n, duales System n
[Zahlensystem mit der Basis 2]
binary number system [number system with
the basis 2]
Binärteiler m
binary divider
Binärwert "Eins" m
logic "one"
Binärwert "Null" m
logic "zero"
Binärzahl f, binäre Zahl f
binary number
Binärzähler m, Dualzähler m [zählt auf
Dualbasis]
binary counter [counts by two]
Binärzeichen n, Bit n [die kleinste
Darstellungseinheit in einer Binärzahl, d.h. 0
oder 1]
binary digit, bit [the smallest single character
in a binary number, i.e. 0 or 1]
Binärzeichenfolge f, Bitfolge f
bit string
Binärzelle f, binäre Speicherzelle f [eine
Speicherzelle, die ein Binärzeichen enthalten
kann]
binary cell [a storage cell that can hold one
binary character]
Bindelader m, Programmbinder m [Programm
zum Zusammenfügen von mehreren
unabhängigen Programmsegmenten und für
das anschließende Laden]
linking loader, linker [program for linking
several independent program segments and for
loading them subsequently]
binden [bei der Programmierung: das Verbinden
von Objektcodemodulen zu einem ausführbaren
Programm]
link, to [in programming: to combine object
code modules to form an executable program]
Bindestrich m
hyphen
Bindungselektron n, Valenzelektron n
[Halbleitertechnik]
Elektron in der äußeren Schale eines Atoms, das
die chemische Wertigkeit bestimmt und die
Bindungskräfte zwischen den Atomen im
Halbleiterkristall bewirkt.
bonding electron, valence electron
[semiconductor technology]
Electron in the outer shell of an atom which

determines chemical valence and generates the binding forces between the atoms in a semiconductor crystal.

Bindungskraft *f* [z.B. zwischen Atomen]
binding force [e.g. between atoms]

BIOS *n*, Ein-Ausgabe-Teil *m* [Teil des Betriebssystems]
BIOS (Basic Input-Output System) [part of operating system]

bipolare CMOS-Technik *f*, BiCMOS-Technik *f*
Integrierte Schaltungstechnik, bei der Bipolartransistoren und CMOS-Feldeffekttransistoren auf dem gleichen Chip hergestellt werden.
bipolar CMOS technology, BiCMOS technology
Integrated circuit technology combining bipolar transistors and CMOS field-effect transistors on a single chip.

bipolare FET-Technik *f*, BiFET-Technik *f*
Integrierte Schaltungstechnik, bei der Bipolartransistoren und Sperrschicht-Feldeffekttransistoren auf einem Chip kombiniert sind. Sie wird vorwiegend für die Herstellung von integrierten Analogschaltungen (z.B. von Operationsverstärkern) eingesetzt.
bipolar FET technology, BiFET technology
Integrated circuit technology combining bipolar transistors and junction-type field-effect transistors on a single chip. Mainly used in analog integrated circuit fabrication (e.g. for operational amplifiers).

bipolare integrierte Schaltung *f*
bipolar integrated circuit

bipolare Isolierschicht-Feldeffekttransistor-Technik *f*, BIGFET-Technik *f*
Integrierte Schaltungstechnik, bei der Bipolartransistoren und Isolierschicht-Feldeffekttransistoren so integriert werden, daß die Basis des Bipolartransistors und das Drain des IGFET eine gemeinsame Zone bilden.
bipolar insulated-gate field-effect transistor technology, BIGFET technology
Integrated circuit technology integrating bipolar transistors and insulated-gate field-effect transistors in such a way that the base of the bipolar transistor and the drain of the IGFET form a common zone.

bipolare MOS-Technik *f*, BiMOS-Technik *f*
Integrierte Schaltungstechnik, bei der eine Kombination von Bipolartransistoren und MOS-Feldeffekttransistoren auf dem gleichen Chip verwendet wird.
bipolar MOS technology, BiMOS technology
Integrated circuit technology combining bipolar transistors and MOS field-effect transistors on a single chip.

bipolare Schaltung *f*
bipolar circuit

bipolarer Halbleiter *m*
bipolar semiconductor

bipolarer Speicher *m*
bipolar memory

bipolarer Sperrschichttransistor *m* (BJT)
bipolar junction transistor (BJT)

bipolares Bauteil *n*
Halbleiterbauteil, in dem sowohl Elektronen als auch Defektelektronen (Löcher) zum Stromfluß beitragen.
bipolar device
Semiconductor device in which both electrons and holes contribute to current flow.

Bipolartransistor *m*
Transistor, der aus drei unterschiedlich dotierten Kristallzonen (Emitter, Basis, Kollektor) und zwei Zonenübergängen (NPN- oder PNP-Strukturen) besteht. Bipolartransistoren sind stromgesteuert, im Gegensatz zu Feldeffekttransistoren, die spannungsgesteuert sind.
bipolar transistor
Transistor comprising three differently doped crystal zones (emitter, base, collector) and two junctions (npn or pnp-structures). Bipolar transistors are current-controlled in contrast to field-effect transistors which are voltage-controlled.

Bipolartransistor mit Heteroübergang *m*, HJBT *m*
Extrem schneller Transistor auf Galliumarsenidbasis; das bipolare Gegenstück zum HEMT-Feldeffekttransistor.
HJBT (heterojunction bipolar transistor)
Extremely fast transistor based on gallium arsenide; the bipolar counterpart of the HEMT field-effect transistor.

Biquinärcode *m* [ein Code aus 7 Bits, auch Zwei-aus-Sieben-Code genannt; bei jedem Zeichen sind fünf der sieben Bits binär Null und zwei binär Eins, z.B. die Ziffer 7 wird durch 1000100 dargestellt]
biquinary code [a code comprising 7 bits, also called two-out-of-seven code; in each character five of the seven bits are binary zero and two are binary one, e.g. the digit 7 is represented by 1000100]

bistabile Kippschaltung *f*, bistabiler Multivibrator *m*, Flipflop *n* [eine Schaltung mit zwei stabilen Zuständen; die Umschaltung von einem in den anderen Zustand erfolgt durch einen Auslöseimpuls]
bistable multivibrator, bistable multivibrator circuit, flip-flop [a circuit with two stable states; switching from one into the other is effected by a trigger pulse]

Bit *n*, Dualziffer *f*, Binärzeichen *n* [die kleinste

Darstellungseinheit in einer Binärzahl, d.h. 0 oder 1]
binary digit, bit [the smallest single character in a binary number, i.e. 0 or 1]
Bit-Slice *n*
Ein Element, das die wichtigsten Funktionen einer Zentraleinheit mit 2- oder 4-Bit-Breite umfaßt. Durch Kombination mehrerer Bit-Slices kann eine beliebige Wortlänge erreicht werden.
bit-slice
An element comprising the major functions of a central processing unit of 2 or 4-bit width. By combining several bit-slices any desired word length can be achieved.
Bit-Slice-Prozessor *m*
Prozessor bestehend aus Bit-Slices (Bit-Elementen) zur Erzielung aufgabenspezifischer Wortlängen, z.B. acht 2-Bit-Slices zur Erzielung eines 16-Bit-Bausteines.
bit-slice processor
Processor consisting of bit-slices for achieving application-specific word lengths, e.g. eight 2-bit slices for achieving a 16-bit device.
Bit/s [Maßeinheit für die Übertragungs-geschwindigkeit; bei binärer Übertragung = baud]
bits/s, bits per second (BPS) [measure of transmission speed; in the case of binary transmission = baud]
Bit/Zoll [Magnetbandaufzeichnungsdichte]
bits/inch (BPI) [magnetic tape recording density]
Bitabbild *n*, Bitmuster *n*, Bitmap-Bild *n* [Bild, das eine Matrix von Bildpunkten bzw. von Bits gespeichert ist]
bitmap [image stored as a matrix of dots, i.e. bits]
Bitbündelbetriebsweise *f*, Burstmodus *m* [Datenübertragung mit periodischen Unterbrechungen]
burst mode [data transmission with periodic interruption]
Bitdichte *f*, Packungsdichte *f*, Schreibdichte *f* [Aufzeichnungsdichte eines Datenträgers, insbesondere eines Magnetbandes, in der Regel ausgedrückt in Bits/Zoll (BPI) bzw. Bits/cm; gebräuchliche Aufzeichnungsdichten sind 800, 1600 und 6250 BPI bzw. 315, 630 und 2460 Bits/cm]
packing density, recording density, bit density [storage density of a data medium, particularly of a magnetic tape, usually expressed in bits/inch (BPI); commonly used recording densities are 800, 1600 and 6250 BPI]
Bitfehler *m*
bit error
Bitfehlerhäufigkeit *f*, Bitfehlerrate *f*

[Verhältnis der empfangenen verfälschten Bits zur Anzahl der gesendeten Bits]
bit error rate (BER) [ratio of incorrect bits received to the number transmitted]
Bitfehlerwahrscheinlichkeit *f* [bei der Datenübertragung]
bit error probability [in data transmission]
Bitfolge *f*, Binärzeichenfolge *f*
bit string
Bitfolgefrequenz *f*, Bitrate *f*, Bitgeschwindigkeit *f*
bit rate
Bitmap-Bild *n*, Bitmuster *n*, Bitabbild *n* [Bild, das als eine Matrix von Bildpunkten bzw. von Bits gespeichert ist]
bitmap [image stored as a matrix of dots, i.e. bits]
Bitmap-Graphik *f* [als digitales Muster gespeicherte Graphik]
bitmapped graphics [graphics stored as digital pattern]
Bitmap-Schriftart v, Rasterschriftart *f* [gespeichert als Bitmuster, im Gegensatz zur Vektorschrift]
bitmap font, bitmapped font, raster font [stored as bit pattern, in contrast to vector font]
Bitmatrix *f*
bit array
Bitmustergenerator *m*, Patterngenerator *m*
pattern generator
bitorganisierter Speicher *m*
bit-organized storage
bitorientiert
bit-oriented
Bitpackungsdichte *f*
bit capacity
bitparallel [gleichzeitiges Übertragen oder Verarbeiten mehrerer Bits]
bit-parallel [simultaneous transmission or processing of several bits]
Bitrate *f*, Bitfolgefrequenz *f*, Bitgeschwindigkeit *f*
bit rate
bitseriell [Übertragen oder Verarbeiten mehrerer Bits zeitlich nacheinander]
bit-serial [transmission or processing of several bits one after the other]
Bitspeicherplatz *m*
bit location
Bitstelle *f*
bit position
Bitstrom *m*
bit stream
Bitübertragungsgeschwindigkeit *f*
bit transfer rate
bitweise
bitwise, bit-by-bit
BJT *m*, bipolarer Sperrschichttransistor *m*
BJT, bipolar junction transistor
Blasenspeicher *m*, Magnetblasenspeicher *m*

Nichtflüchtiger Massenspeicher mit sehr hoher Speicherdichte. Die Speicherung der Daten erfolgt in kleinen zylindrischen Domänen (Blasen) in einer dünnen magnetischen Schicht, die auf ein nichtmagnetisches Substrat aufgebracht ist.
bubble memory, magnetic bubble memory Non-volatile mass storage device with very high storage density. Storage of data is effected in small cylindrical domains (bubbles) in a magnetic thin film deposited on a non-magnetic substrate.

Blasenspeicherkassette f, Magnetblasenspeicherkassette f
magnetic bubble memory cassette, bubble memory cassette

Blatt n, Blattknoten m [Baum]
leaf [tree]

Blattanfang m [Drucker]
top of form [printer]

blättern, auf- und abrollen [seitenweises Verschieben des auf dem Bildschirm angezeigten Textes]
page, to [move text displayed on screen page by page]

Blattknoten m, Blatt n [Baum]
leaf [tree]

Blattschreiber m, Seitendrucker m
page printer

bleibende Regelabweichung f [Regelungstechnik]
offset [automatic control]

blendfrei [z.B. Bildschirm]
non-glare [e.g. display screen]

Blindbefehl m, Scheinbefehl m, Füllbefehl m [Befehl ohne Wirkung; belangloser Befehl]
dummy instruction [instruction having no effect]

Blinddaten n.pl.
dummy data

Blindkomponente f [eines Vektors]
quadrature component, imaginary part [of a vector]

Blindleistung f [Blindkomponente der Leistung]
reactive power [imaginary part of power]

Blindleitwert m [Blindkomponente des Leitwertes]
susceptance [the imaginary part of admittance]

Blindwiderstand m, Reaktanz f
reactance

Blindzeichen n, Füllzeichen n, Leerzeichen n [Zeichen, die aus Darstellungsgründen gespeichert werden, z.B. bei einer linksbündigen Datei mit 80 Zeichen/Zeile das Auffüllen mit Leerzeichen rechts von den Datenfeldern]
pad character, fill character, filler [characters stored for display purposes, e.g. filling or padding a left-justified 80 character/line file with blanks to the right of the data items]

blinken
flash, to

blinkender Strich m
flashing bar

Block m, Datenblock m [eine Gruppe von Datensätzen oder Wörtern, die als eine Einheit behandelt wird; Blöcke können variable oder feste Längen haben]
block [a group of records or words treated as an entity; blocks can have variable or fixed lengths]

Block m, Satzblock m
record block, block

Block im oberen Speicherbereich m [Teil des oberen Speicherbereiches]
upper memory block (UMB) [part of the upper memory area (UMA)]

Block unsichtbar machen
hide block

Blockadresse f [bei Speichern]
block address [of storages]

Blockbefehl m [z.B. Kopieren oder Verschieben eines Blockes]
block command [e.g. block copy, block move, etc.]

blocken [Bildung von Blöcken, jeder aus mehreren Datensätzen bestehend]
block, to [to form blocks, each comprising several records]

Blockende n, Ende des Blockes n
end of block (EOB)

Blockiersignal n
inhibiting signal

Blocklänge f [die Summe der Datenzeichen in einem Block]
block length, block size [the sum of the data characters in a block]

Blockparität f, Längsparität f [Parität eines Datenblocks nach Ergänzung durch ein Blockprüfzeichen; im Gegensatz zur Quer- bzw. Zeichenparität]
longitudinal parity, block parity [parity of a data block after completing with a block parity bit; in contrast to vertical parity or character parity]

Blockprüfung f
block check

Blockregister n
block register

Blocksatz m [Textverarbeitung]
justified text [word processing]

Blockschaltbild n, Blockschaltschema n
block diagram

Blockschaltschema n, Blockschaltbild n
block diagram

Blockübertragung f, Blocktransfer m [Übertragung eines oder mehrerer Blöcke mit

einem Befehl]
block transfer [transfer of one or more blocks
with a single instruction]
Blockungsfaktor *m* [Anzahl Sätze pro Block für
Datensätze fester Länge]
blocking factor [number of records per block
for fixed-length logical records]
Blockverkettung *f*
block chaining
blockweise Sortierung *f* [Sortierverfahren]
block sort [sorting method]
Blockzwischenraum *m* [Zwischenraum
zwischen zwei aufeinanderfolgenden Blöcken]
interblock gap [space between two
consecutive blocks]
BNF [formale Notation zur Beschreibung der
Syntax einer Programmiersprache]
BNF (Backus-Naur-Form) [formal notation for
describing the syntax of a programming
language]
Bocksprungprüfung *f* [ein
Rechnerprüfprogramm, das durch
Mehrfachsprünge gekennzeichnet ist, d.h. das
Programm führt logische Operationen an einer
Speicherplatzgruppe aus, verschiebt sich auf
eine andere Gruppe, überprüft die Übertragung
und wiederholt die Operationen bis alle
Speicherplätze überprüft worden sind]
leap-frog test [a computer test program
characterized by multiple jumps, i.e. it carries
out logic operations on one storage location
group, transfers itself to another group, checks
the transfer and then repeats the operations
until all storage locations have been tested]
Bode-Diagramm *n*, Amplitudengang *m*,
Amplitudenverlauf *m*
Bode diagram, amplitude-frequency plot
Bonden *n*, Kontaktieren *n*
Verfahren zum Herstellen von elektrischen
Verbindungen zwischen den Kontaktflecken
auf dem Chip und den Außenanschlüssen des
Gehäuses.
bonding
Process for providing electrical connections
between the bonding pads on the chip and the
external leads of the package.
Bondinsel *f*, Anschlußfleck *m*,
Kontaktierungsfleck *m* [integrierte
Schaltungen]
bonding pad, external bonding pad
[integrated circuits]
boolesche Algebra *f*, Algebra der Logik *f*
[Regeln für die Verknüpfung binärer Größen
durch logische Operationen wie UND, NICHT,
ODER usw.]
boolean algebra [rules for combining binary
quantities by means of logical operations such
as AND, NOT, OR, etc.]
boolesche Funktion *f*

boolean function, logical function
boolesche Komplementierung *f*, Negation *f*,
NICHT-Funktion *f*, Inversion *f*, Umkehrer *m*
Logische Verknüpfung, die den Eingangswert
umkehrt, d.h. eine Eins am Eingang wird in
eine Null am Ausgang umgewandelt und
umgekehrt.
negation, NOT operation, boolean
complementation, inversion
Logical operation that negates the input value,
i.e. a one at the input is converted into a zero at
the output and vice-versa.
boolesche Multiplikation *f*, logische
Multiplikation *f*, UND-Verknüpfung *f*
boolean multiplication, logical
multiplication, AND operation
boolesche Schreibweise *f*
boolean notation
boolesche Verknüpfung *f*
boolean operation, logical operation
boolesche Zuweisungsanweisung *f*
logical assignment statement
boolescher Ausdruck *m*
boolean expression
boolescher Operator *m*
boolean operator, logical operator
boolescher Wert *m*, Wahrheitswert *m* [die
Werte "wahr" (1) und "falsch" (0) bei logischen
Aussagen]
truth value, logical value [the values "true" (1)
and "false" (0) in logical statements]
Boosterdiode *f* [Halbleiterdiode mit sehr hoher
Sperrspannung]
booster diode [semiconductor diode with very
high blocking voltage]
Boot-Datensatz *m*
boot record
Boot-Vorgang *m* [Vorgang zum Aufstarten des
Rechners]
booting [procedure for starting up the
computer]
booten, aufbooten, aufstarten [Aufstarten des
Rechners]
boot up, to [to start up computer]
Bootstrap-Lader *m*, Anfangslader *m*, Urlader
m, Urprogrammlader *m* [ein Ladeprogramm
(Dienstprogramm), das nach dem Einschalten
des Rechners gestartet und u.a. für das Laden
des Betriebssystems verwendet wird]
initial program loader (IPL), bootstrap
loader [a loading program (utility routine)
started when the computer is switched on and
used for loading the operating system, etc.]
Bootstrap-Schaltung *f* [eine
Verstärkerschaltung zur Erhöhung des
Eingangswiderstandes, z.B. bei
Transistoreingangsstufen]
bootstrap circuit [an amplifier circuit used
for increasing the input resistance, e.g. of

transistor input stages]
Bor *n* (B)
Nichtmetallisches Element, das als Dotierstoff
(Akzeptoratom) verwendet wird.
boron (B)
Non-metallic element used as a dopant
impurity (acceptor atom).
Borgebit *n*, geborgtes Bit *n* [signalisiert eine
negative Differenz in einer Ziffernstelle bei der
Subtraktion]
borrow bit [signals a negative difference in a
digit place during subtraction]
Bornitrid *n* [Verbindungshalbleiter]
boron nitride [compound semiconductor]
Borphosphid *n* [Verbindungshalbleiter]
boron phosphide [compound semiconductor]
Boxdiffusion *f*, Boxverfahren *n* [ein
Diffusionsverfahren]
box process [a diffusion process]
Boxverfahren *n*, Boxdiffusion *f* [ein
Diffusionsverfahren]
box process [a diffusion process]
Boyer-Moore-Algorithmus *m* [Zeichenketten-
Suchverfahren]
Boyer-Moore algorithm [string search
method]
Breakpoint *m*, Programmhaltepunkt *m*,
Haltepunkt *m* [Unterbrechungspunkt in einem
Programm zwecks externem Eingriff, in der
Regel in Verbindung mit einem
Fehlersuchprogramm]
breakpoint [program interruption for an
external intervention, usually associated with
program debugging]
Brechung *f* [Optoelektronik]
refraction [optoelectronics]
Breitbandverstärker *m*
wide-band amplifier
Breitendurchlauf *m*
breadth-first search
Brettschaltung *f* [Versuchsaufbau einer
Schaltung]
breadboard circuit [experimental circuit
layout]
Briggscher Logarithmus *m*, dekadischer
Logarithmus *m* [Zehnerlogarithmus]
common logarithm, Briggs logarithm
[logarithm to the base ten]
Bruch *m*
fraction
Brücke *f* [Schaltung]
bridge [circuit]
Brücke *f*, Drahtbrücke *f*, Kurzverbindung *f*
[Verbindung zwischen zwei Anschlüssen]
jumper, strap [connection between two
terminals]
Brückengleichrichter *m*
bridge rectifier
Brückenschaltung *f*

bridge connection
Brückenverstärker *m*
bridge amplifier
Brummspannung *f* [Störspannung, die von der
Stromversorgung herrührt]
hum voltage, ripple voltage [interference
voltage originating from the power supply]
Btx-System *n*, Bildschirmtext-System *n*,
Videotext-System *n* [interaktives System für
die Übermittlung von Text über Fernseh- oder
Telephonkanäle für die Anzeige auf einem
Bildschirm]
videotex, videotext system [interactive system
for text transmission via TV or telephone
channels for display on a screen]
Btx-Terminal *n* [Bildschirmtext-Station]
IP terminal [Information Provider terminal]
Bubble-Jet-Drucker *m* [Tintenstrahldrucker,
der mit blasenförmigen Tropfen arbeitet]
bubble jet printer [ink-jet printer using
bubbles]
Bubblesort-Verfahren *n* [Sortierverfahren]
bubble sort method [sorting method]
Buchhaltungsprogramm *n*, FIBU-Programm *n*
(FIBU, Finanzbuchhaltung)
accounting program
Buchse *f* [Verbindungselement]
jack [connector component]
Buchstabe *m*
letter
Buchstabenfolge *f*
letter string
Buchstabenumschaltung *f*
letter shift
bündeln [z.B. von Kanälen]
multiplex, to [e.g. channels]
Burn-In *n*, Voralterung *f*, Einbrennprüfung *f*
Prüfverfahren, bei dem Halbleiterbauelemente
oder Bausteine unter erschwerten
Betriebsbedingungen und bei erhöhten
Temperaturen (meistens 125 °C) betrieben
werden, um Frühausfälle vor der
Inbetriebnahme zu eliminieren.
burn-in, burn-in test
Testing method in which semiconductor
components or devices are operated under
severe operating conditions and at relatively
high temperatures (usually 125 °C) to eliminate
early failures prior to actual use.
Büroautomatisierung *f*
office automation
Burstmodus *m*, Bitbündelbetriebsweise *f*
[Datenübertragung mit periodischen
Unterbrechungen]
burst mode [data transmission with periodic
interruption]
Bus *m* [Sammelschiene für den Datenaustausch]
Der Bus dient als Übertragungsweg für
Steuerinformationen, Adressen und Daten

sowohl innerhalb einzelner Funktionsteile (z.B. Mikroprozessor) als auch innerhalb des Systems (z.B. Rechner). In der Regel gibt es einen eigenen Bus für Adressen, Daten und Steuerinformationen. Die Busstruktur führt zu einer einheitlichen Schnittstelle für alle Systemteile, die über den Bus verbunden sind. Es gibt standardisierte externe Busstrukturen, z.B. IEC-Bus, IEEE-488/GPIB und IEEE-583/CAMAC, sowie herstellerabhängige interne Busstrukturen, wie Multibus, Q-Bus und S-100-Bus.

bus [common path for data interchange] The bus serves as transfer path for control information, addresses and data both through individual functional units (e.g. microprocessor) and through the system (e.g. computer). As a rule there are separate address, data and control buses. There are standard external bus structures, e.g. IEC bus, IEEE-488/GPIB (general purpose interface bus) and IEEE-583/CAMAC bus (computer automated measurement and control), as well as manufacturer-dependent internal bus structures, e.g. Multibus, Q-bus and S-100 bus.

Busanschaltung *f*, Busschnittstelle *f*
  bus interface
Busbreite *f*
  bus width
Busfreigabesignal *n*, Freigabesignal für den Bus *n*
  bus-enable signal, bus enable
Buskompatibilität *f*
  bus compatibility
Buskonkurrenz *f*
  bus contention
Busleitung *f*
  bus line
Busmaster-Karte *f* [LAN-Controller für Mikrokanal- und EISA-Rechner]
  busmaster board [LAN controller for microchannel and EISA computers]
Busschnittstelle *f*, Busanschaltung *f*
  bus interface
Bussteuerung *f*
  bus control
Bussystem *n*
  bus system
Bustakt *m*
  bus clock
Bustaktfrequenz *f*
  bus frequency
Bustreiber *m*
  bus driver
Bypass-Kondensator *m*, Ableitkondensator *m*
  bypass capacitor
Byte *n* [Acht-Bit-Einheit]
  byte [eight-bit unit]
Bytekette *f*

byte string
byteorientierter Rechner *m* [Rechner, der Operanden unterschiedlicher Stellenzahl (Bytes) zuläßt; im Gegensatz zu einem wortorientierten Rechner, der die Operanden als Wort fester Länge (z.B. 16 oder 32 Bit) speichert]
  byte-oriented computer [computer whose operands can have a variable number of places (bytes); in contrast to a word-oriented computer which stores operands as fixed-length words (e.g. with 16 or 32 bits]
byteparallel [gleichzeitiges Übertragen oder Verarbeiten mehrerer Bytes]
  byte-parallel [simultaneous transmission or processing of several bytes]
byteseriell [Übertragen oder Verarbeiten einzelner Bytes zeitlich nacheinander]
  byte-serial [transmission or processing of bytes one after the other]
byteserielle Übertragung *f*, byteweise Übertragung *f* [Übertragen einzelner Bytes zeitlich nacheinander]
  byte mode, byte-serial [transmission of bytes one after the other]

C

C [höhere, problemorientierte
Programmiersprache, die eigens für die
Realisierung des Betriebssystems UNIX
entwickelt wurde]
C [high-level, problem-oriented programming
language developed specially for implementing
the UNIX operating system]

C++ [von C abgeleitete objektorientierte
Programmiersprache]
C++ [object-oriented programming language
derived from C]

C³L [Variante der Dioden-Transistor-Logik mit
Schottky-Dioden für hochintegrierte
Logikbausteine]
C³L (complementary constant current logic)
[variant of the diode-transistor logic with
Schottky diodes, used in large-scale integrated
circuit devices]

CAA, rechnerunterstützte Montage f
CAA (computer-aided assembly)

Cache-Software f
cache software

Cache-Speicher m [Pufferspeicher]
Kleiner, schneller Speicher mit wahlfreiem
Zugriff, der aus dem Hauptspeicher ausgelagert
ist und die häufigsten, zuletzt anfallenden
Befehle und Daten speichert.
cache memory, cache storage [buffer memory]
Small, high-speed random-access memory that
is paged out of main memory and holds the
most recently and frequently used instructions
and data.

CAD, rechnerunterstützte Konstruktion f
CAD (computer-aided design)

CAD, rechnerunterstütztes Zeichnen n
CAD (computer-aided drafting)

Cadmiumsulfid n (CdS) [Verbindungshalbleiter,
der hauptsächlich für die Herstellung von
Photodetektoren verwendet wird]
cadmium sulfide (CdS) [compound
semiconductor, mainly used in photodetectors]

CAE, rechnerunterstützte Entwicklung f
CAE (computer-aided engineering)

CAE-Arbeitsplatz m
CAE workstation

CAIBE-Verfahren n, chemisch unterstütztes
Ionenstrahlätzen n [Trockenätzverfahren, das
bei der Herstellung von
Halbleiterbauelementen und integrierten
Schaltungen verwendet wird]
CAIBE process (chemically assisted ion beam
etching) [dry etching process used in
semiconductor component and integrated
circuit fabrication]

CAM, inhaltsadressierbarer Speicher m,

Assoziativspeicher m
Speicher, dessen Speicherelemente durch
Angabe ihres Inhaltes aufrufbar sind und nicht
durch ihre Namen oder Lagen.
CAM (content-addressable memory),
associative memory
Storage device whose storage locations are
identified by their contents rather than by their
names or positions.

CAM, rechnerunterstützte Fertigung f
CAM (computer-aided manufacturing)

CAMAC-Bus m, IEEE-583/CAMAC-Bus m
[Standardbus und -Schnittstellen für
Meßgeräte]
CAMAC bus, IEEE-583/CAMAC bus
(Computer Automated Measurement And
Control) [standard bus and interfaces for
instrumentation]

Candela f (cd) [SI-Einheit der Lichtstärke]
candela (cd) [SI unit of luminous intensity]

CAQ, rechnerunterstützte Qualitätsprüfung f
CAQ (computer-aided quality testing)

Cartridge n, Kassette f, Magnetbandkassette f
cartridge, cassette, magnetic tape cassette

CASE [rechnerunterstützte Software-
Entwicklung; Umgebung zur Unterstützung
der Programmentwicklung]
CASE (Computer Aided Software Engineering)
[programming support environment]

Case-Anweisung f, bedingte Kontrollstruktur f
[Programmierung]
case statement [programming]

CAT, rechnerunterstützte Prüfung f
CAT (computer-aided testing)

CCCL-Technik f
Ein softwaremäßig definiertes Konzept für die
Herstellung von integrierten
Semikundenschaltungen in spezieller,
platzsparender CMOS-Technik, das auf einer
Zellenbibliothek basiert, in der im voraus
festgelegte Schaltungsfunktionen abgespeichert
sind.
CCCL technology (CMOS compact cell logic)
A software-defined concept for producing
semicustom integrated circuits in CMOS
compact cell logic, based on a cell library in
which predefined circuit functions are stored.

CCD-Bildsensor m
CCD image sensor

CCD-Element n, ladungsgekoppeltes
Schaltelement n, Ladungstransferelement n,
Ladungsverschiebeelement n
Integrierte Halbleiterschaltung in MOS-
Struktur, deren Arbeitsweise auf dem
schrittweisen Transport von Ladungen basiert.
CCD circuit, charge-coupled device
Integrated semiconductor device in MOS
structure that operates basically by passing
along electric charges from one stage to the

next.

CCD-Matrix *f*
  CCD matrix
CCD-Sensor *m*
  CCD sensor
CCD-Speicher *m*
  CCD storage device
CCD-Zeile *f*
  CCD array
CCFL, kondensatorgekoppelte FET-Logik *f*
  Integrierte Schaltungsfamilie, die mit
  Galliumarsenid-D-MESFETs realisiert ist.
  CCFL (capacitor-coupled FET logic)
  Family of integrated circuits based on gallium
  arsenide D-MESFETs.
CCITT-Code *m,* Baudot-Code *m* [internationaler
  Fernschreibcode]
  CCITT code, Baudot code [international
  telegraphers' code]
CCL-Technik *f*
  Ein softwaremäßig definiertes Konzept für die
  Herstellung von integrierten
  Semikundenschaltungen in spezieller TTL-
  Logik, das auf einer Zellenbibliothek basiert, in
  der im voraus festgelegte Schaltungsfunktionen
  abgespeichert sind.
  CCL technology (composite cell logic)
  A software-defined concept for producing
  semicustom integrated circuits in TTL
  composite cell logic, based on a cell library in
  which predefined circuit functions are stored.
CD [Kompaktplatte]
  CD [Compact Disk]
CD-DA [Musik-CD]
  CD-DA (Compact Disk, Digital Audio) [CD for
  music]
CD-I [CD für interaktive Video-Programme]
  CD-I (Compact Disk Interactive) [CD for
  interactive video programs]
CD-ROM *m* [optische Platte, deren Inhalt nur
  gelesen werden kann]
  CD-ROM (CD Read-Only Memory) [read-only
  optical disk]
CD-WORM [einmal beschreibbare, mehrmals
  lesbare optische Platte]
  CD-WORM (Compact Disk, Write Once Read
  Many times)
CDI-Technik *f,* Kollektordiffusionsisolation *f,*
  Isolation durch Kollektordiffusion *f*
  Spezielles Isolationsverfahren, das bei
  integrierten Schaltungen eingesetzt wird.
  CDI technology (collector diffusion isolation
  technology)
  Special isolation technique used in integrated
  circuits.
Centronics-Schnittstelle *f* [36-polige parallele
  Schnittstelle für Drucker]
  Centronics interface [36-pole parallel printer
  interface]

Cerdip *n,* keramisches DIP-Gehäuse *n*
  [Keramikgehäuse mit zwei parallelen Reihen
  rechtwinklig abgebogener Anschlüsse]
  ceramic dual in-line package, cerdip
  [ceramic package with two parallel rows of
  terminals at right angles to the body]
Cermetwiderstand *m*
  cermet resistor
Cerpac *n,* keramisches Flachgehäuse *n* [flaches
  Keramikgehäuse mit zwei parallelen Reihen
  bandförmiger Anschlüsse]
  ceramic flat-pack, cerpac [flat ceramic
  package with two parallel rows of ribbon-
  shaped terminals]
CGA [Farbgraphik-Adapter für IBM PC]
  CGA (Colour Graphics Adapter) [adapter for
  IBM PC]
Channeling *n*
  Das Eindringen von Ionen in Kanäle während
  der Ionenimplantation.
  channeling
  Penetration of ions into channels during ion
  implantation.
Cheapernet-Netzwerk *n* [lokales Netzwerk,
  preiswerte Variante von Ethernet]
  Cheapernet [local area network, cheaper
  variant of Ethernet]
chemisch unterstütztes Ionenstrahlätzen *n,*
  CAIBE-Verfahren *n* [Trockenätzverfahren, das
  bei der Herstellung von
  Halbleiterbauelementen und integrierten
  Schaltungen verwendet wird]
  chemically assisted ion beam etching,
  CAIBE process [dry etching process used in
  semiconductor component and integrated
  circuit fabrication]
chemische Bindung *f* [Halbleitertechnik]
  Die Kräfte, die Atome in einem Molekül oder
  einem Kristall zusammenhalten.
  chemical bond [semiconductor technology]
  The forces binding atoms in a molecule or a
  crystal.
Chip *m,* Halbleiterplättchen *n*
  Halbleiterteilstück, das aus einer
  Halbleiterscheibe (Wafer) herausgeschnitten
  wurde, und das alle aktiven und passiven
  Elemente einer integrierten Schaltung (bzw.
  Bausteins) enthält. Der Begriff Chip wird auch
  als Synonym für integrierte Schaltung benutzt.
  chip, die, semiconductor chip
  Semiconductor piece, cut from a wafer, and
  containing all the active and passive elements
  of an integrated circuit (or device). The term
  chip is also used as a synonym for an integrated
  circuit.
Chip-Select *n,* Bausteinauswahl *f*
  Bei Mikroprozessorsystemen und integrierten
  Speicherschaltungen ein Signal zur Auswahl
  eines Bausteins.

chip select (CS)
In microprocessor-based systems and integrated circuit memories, a signal for selecting the desired circuit.
Chipfläche f
  chip area
Chipgröße f
  chip size
chipintegriert, chipintern
  on-chip
chipintegrierte Logik f, interne Chiplogik f
  on-chip logic
chipintegrierte Verbindung f
  on-chip connection
chipintegriertes Bauelement n
  on-chip component
chipintern, chipintegriert
  on-chip
Chipkarte f [Speicherkarte]
  chip card [memory card]
Chipkondensator m
  chip capacitor
Chipmatrix f, Chipreihe f
  chip array
Chipsatz m [Satz integrierter Schaltkreise für einen Funktionsblock]
  chip set [set of integrated circuits for a single functional block]
Chipträger m [integrierte Schaltungen]
  chip carrier [integrated circuits]
Chipwiderstand m
  chip resistor
CHMOS [Variante der CMOS-Technik]
  CHMOS (complementary high-performance MOS) [variant of CMOS technology]
CIM, rechnerintegrierte Fertigung f
  CIM (computer-integrated manufacturing)
CISC [Rechner mit vollständigem Befehlsvorrat]
  CISC (Complete Instruction Set Computer)
Client m [Anwender, der mit einem Zentralrechner (Host-Rechner oder Server) in einem Netzwerk verbunden ist]
  client [user connected to a central computer (host computer or server) in a network]
Client-Server-System n [Netzwerksystem bestehend aus mehreren Anwendern (Client-Rechnern), die mit einem Server (als Zentralrechner) verbunden sind]
  client-server system [network of several users (clients) linked to a server as host computer]
Client-Server-Verbindung f
  client-server link
Cluster-Analyse f [statistisches Verfahren zur Gruppierung von Beobachtungen]
  cluster analysis [statistical method of grouping similar observations]
CMC-7-Schrift f [magnetisch und optisch lesbare Schrift]

CMC 7 lettering [magnetically and optically readable lettering]
CMD-Technik f,
  Leitfähigkeitsmodulationstechnik f
  Integrierte Schaltungstechnik für Leistungshalbleiter, die auf dem Prinzip der Leitfähigkeitsmodulation basiert. Schaltungen dieses Typs (bekannt unter den Namen COMFET, GEMFET, IGT oder MOSBIP) sind mit MOS-Eingangsstufen und bipolaren Ausgangsstufen auf dem gleichen Chip realisiert und zeichnen sich durch die Fähigkeit aus, hohe Leistungen bei hohen Spannungen zu schalten.
CMD technology (conductivity-modulated device technology)
  Integrated circuit technology for power semiconductors based on the principle of conductivity modulation. Circuits in this class (known as COMFET, GEMFET, IGT or MOSBIP) combine MOS input stages with bipolar output stages on the same chip, and are characterized by high power and voltage switching capability.
CML-Technik f, Stromschaltertechnik f
  Schaltungstechnik für integrierte Bipolarschaltungen, bei der die Transistoren im ungesättigten Zustand betrieben werden. Damit lassen sich sehr kleine Schaltzeiten erzielen. Die bekanntesten Vertreter der Stromschaltertechnik sind die ECL- und E^{2}CL-Logikfamilien.
CML technology (current-mode logic)
  Circuit technique for bipolar integrated circuits in which transistors operate in the unsaturated mode. This enables very short switching times to be achieved. The best known logic families in the CML group are ECL and E^{2}CL.
CMOS-Speicher m
  CMOS memory device, CMOS memory
CMOS-Technik f, komplementäre MOS-Technik f, Komplementärtechnik f
  Technik, bei der komplementäre-MOS-Transistorpaare gebildet werden, indem je ein N-Kanal- und ein P-Kanal-MOS-Transistor des Anreicherungstyps auf dem gleichen Chip kombiniert werden.
CMOS technology (complementary MOS technology)
  Technique for forming complementary MOS transistor pairs by combining an n-channel and a p-channel enhancement-mode MOS transistor on the same chip.
CNC f, CNC-System n [Maschinensteuerung]
  Numerische Steuerung, die einen oder mehrere Rechner bzw. Mikroprozessoren für die Ausführung der Steuerungsfunktionen enthält.
CNC, computer numerical control [machine control]

A numerical control system incorporating one or more computers or microprocessors to perform the control functions.

COBOL [weitverbreitete höhere Programmiersprache für kaufmännische Aufgaben]
COBOL (common business-oriented language) [widely used high-level programming language for business applications]

CODASYL-Konzept *n* [für hierarchische und netzwerkartige Datenbanksysteme]
CODASYL (Conference on Data System Languages) [concept for hierarchical and network-type data base systems]

Code *m* [eine eindeutige Zuordnung der Zeichen eines Zeichenvorrats zu denjenigen eines anderen]
code [an unambiguous assignment of the characters of one character set to those of another]

Code fester Länge *m*
fixed-length code

Code geringster Redundanz *m*
minimum-redundancy code

Code variabler Länge *m*
variable-length code

Codec *m* (Codierer-Decodierer)
codec (coder-decoder)

Codedetektor *m*
code detector

Codegenerator *m*
code generator

Codetaste *f*, Alt-Taste *f* [ändert die codierte Belegung der nachher betätigten Tasten]
alt key (alternate coding key) [changes the codes of the keys subsequently depressed]

Codeumschaltung *f*, Umschaltzeichen *n*, Escape-Zeichen *n* [spezielles Zeichen, das die Änderung der Codierungsvorschrift für die nachfolgenden Zeichen anzeigt]
escape character (ESC) [a special character which indicates that the following characters are to be interpreted according to a different code]

Codeumschaltungstaste *f*, Escape-Taste *f*
escape key

Codeumsetzer *m*
code converter

Codeumsetzung *f*, Umcodierung *f*
code conversion

Codieranweisung *f*
coding instruction

Codierelement *n* [Steckverbinder]
polarizing element [connector]

Codieren *n*, Verschlüsselung *f*, Verschlüsseln *n*, Codierung *f*
Das Umsetzen, mit Hilfe eines Codes, von Informationen aus einer allgemein verständlichen Form in eine von einer Maschine erkennbare Form (z.B. das Umsetzen analoger Signale in eine codierte digitale Form, das Erstellen eines Programmes in Maschinensprache für einen bestimmten Rechner usw.)
coding, encoding
The conversion, by means of a code, of information presented in a generally recognizable form into a form that can be recognized by a machine (e.g. converting analog signals into a coded digital form, preparing a program in machine language for a specific computer, etc.).

codieren, verschlüsseln
code, to; encode, to

Codierer *m*
coder, encoder

Codierer-Decodierer *m* (Codec)
coder-decoder (codec)

Codierstift *m* [Steckverbinder]
polarizing pin, coding pin [connector]

codierte Darstellung *f*
coded representation

codierte Dezimalziffer *f*
coded decimal digit

codierter Stecker *m*, codierter Steckverbinder
polarized plug, polarized connector

Codierung von Steckverbindern *f* [Stifte und Schlitze, die eine eindeutige Zuordnung der Kontakte beim Einstecken gewährleisten]
polarization of connectors [pins and slots which ensure a unique plug-in position of the contacts]

Codierungsvorschrift *f*
coding scheme

Codierverfahren *n*
coding method

Codierzeile *f*
coding line, line of code

Coherent [von Mark Williams entwickeltes PC-UNIX-Derivat]
Coherent [a PC UNIX derivate developed by Mark Williams]

COM, Rechnerdatenausgabe über Mikrofilm *f*
COM (computer output on microfilm)

COM-Datei *f* [Programmdatei mit max. 64 kB]
COM file [command program file with max. 64 kB]

COMFET [leitfähigkeitsmodulierter Feldeffekttransistor]
Integrierte Schaltungsfamilie der Leistungselektronik in CMD-Technik, die mit Bipolar- und MOS-Strukturen auf dem gleichen Chip realisiert ist.
COMFET (conductivity-modulated FET)
Family of power control integrated circuits in CMD technology combining bipolar and MOS structures on the same chip.

Compiler *m*, Kompilierer *m*, Übersetzer *m*

Ein Programm, das ein in einer höheren Programmiersprache geschriebenes Programm in Maschinensprache bzw. Befehlscodes des Rechners übersetzt. Im Gegensatz zu einem Interpreter, der jeweils einzelne Programmanweisungen übersetzt, führt der Compiler die Übersetzung gesamthaft durch. Der Compiler hat deshalb einen geringeren Speicherbedarf und wesentlich kürzere Durchlaufzeiten.

compiler
A program for converting a program written in a higher programming language into machine language or operation codes of a computer. In contrast to an interpreter, which converts individual program instructions, the compiler converts the entire program. A compiler therefore requires less storage space and is significantly faster.

Compiler-Compiler *m*, Compilergenerator *m*, Kompilierergenerator *m*, Übersetzergenerator *m* [erzeugt einen Compiler]
compiler-compiler, compiler generator [generates a compiler]

Compilergenerator *m*, Compiler-Compiler *m*, Kompilierergenerator *m*, Übersetzergenerator *m* [erzeugt einen Compiler]
compiler-compiler, compiler generator [generates a compiler]

compilieren, kompilieren, übersetzen
compile, to

Computer *m*, Rechner *m*, Rechenanlage *f*, Datenverarbeitungsanlage *f*
computer

Computerarchitektur *f*, Rechnerarchitektur *f*
Der hard- und softwaremäßige Aufbau eines elektronischen Rechners sowie seine interne Organisation und die Art der Informationsverarbeitung.
computer architecture
The hardware and software structure of an electronic computer, its internal organization and the way in which data is processed.

Computerbetrug *m*
computer fraud

Computergeneration *f*, Rechnergeneration *f*
Die Einteilung von elektronischen Rechenanlagen nach ihrem technischen Entwicklungsstand: Röhrentechnik (1. Generation); Halbleiterbauelemente (2.); integrierte Schaltungstechnik (3.); hochintegrierte Schaltungstechnik (4.); nicht-von-Neumann-Architektur (5.).
computer generation
The classification of electronic computers according to their technological state of development: electron tubes (1st generation); semiconductor components (2nd); integrated circuit technology (3rd); large scale integrated circuit technology (4th); non-von-Neumann architecture (5th).

Computergraphik *f*
computer graphics

Computervirus *m*, Virus *m* [Programm, das sich reproduziert und andere Programme infiziert, verändert oder zerstört]
virus, computer virus [program that multiplies itself and infects, modifies or destroys other programs]

Controller *m* [steuert ein Laufwerk]
controller [controls a drive]

Coprozessor *m*
Zusätzlicher Prozessor, der einem Mikroprozessor zugeordnet ist, um spezielle Aufgaben zu übernehmen, z.B. ein Arithmetikprozessor oder ein Ein-Ausgabe-Prozessor.
coprocessor
Additional processor assigned to a microprocessor to perform specific operations, e.g. an arithmetic processor or an input-output processor.

COSMOS [Integrierte Schaltungsfamilie in spezieller CMOS-Technik]
COSMOS (complementary-symmetry MOS technology) [family of integrated circuits in special CMOS technology]

Coulomb *n* (C) [SI-Einheit der elektrischen Ladung]
coulomb (C) [SI unit of electric charge]

CPM, Netzplantechnik nach CPM *f*
CPM, critical path method

CPU, Zentraleinheit *f*
Bei Digitalrechnern allgemein die Einheit, die Rechenwerk und Steuerwerk (nach DIN ebenfalls Hauptspeicher sowie Ein- und Ausgabekanäle) umfaßt. Bei Mikroprozessorsystemen bzw. Mikrocomputern ist der Mikroprozessor selbst die Zentraleinheit und führt sowohl Rechen- als auch Steuerfunktionen durch.
CPU, central processing unit
In computers in general, the unit that comprises the arithmetic logic unit and the control unit (according to DIN, it includes also the main memory as well as the input-output channels). In microprocessor-based systems or microcomputers, the microprocessor is the CPU, i.e. it carries out arithmetic, logic and control operations.

CPU-Zeit *f*, Zentraleinheitzeit *f* [von der Zentraleinheit benutzte Zeit]
CPU time [time required by CPU for processing a program]

CRC-Prüfung *f*, zyklische Blockprüfung *f*, zyklische Redundanzprüfung *f*
Eine Fehlerprüfmethode, die jedes Zeichen eines Blocks als Bitfolge, die eine Binärzahl

darstellt, behandelt. Diese Binärzahl wird durch eine vorgegebene Binärzahl dividiert und der Rest wird als zyklische Prüfsumme oder CRC-Zeichen dem Block zugefügt. Beim Empfänger wird das CRC-Zeichen mit einer dort gebildeten Prüfsumme verglichen. Wenn sie nicht übereinstimmen, wird eine Wiederholung der Übertragung verlangt (ARQ-Verfahren).

CRC (cyclic redundancy check)
An error detecting method which treats each character in a block as a string of bits representing a binary number. This number is divided by a predetermined binary number and the remainder is added to the block as a cyclic redundancy check character (CRC), also called cyclic check sum or check sum. At the receiving end the CRC is compared with the check sum formed there; if they do not agree, a retransmission is requested (ARQ or automatic repeat request method).

Crimpverbinder *m*, Quetschverbinder *m*
crimp connector

Crimpverbindung *f*, Quetschverbindung *f*
crimp connection

Crimpwerkzeug *n*, Quetschwerkzeug *n* [zur Erstellung einer Verbindung zwischen Leiter und Anschlußklemme ohne Löten]
crimping tool [for forming a solderless contact between wire and terminal]

Cross-Assembler *m* [ein Assembler-Programm, das auf einem Rechner läuft und Maschinenbefehle für einen anderen Rechner (oder für einen Mikroprozessor) erzeugt]
cross-assembler [an assembler program that runs on one computer and produces machine code for another computer (or microprocessor)]

CSMA-Protokoll *n* [von IEEE genormtes Protokoll für den Zugriff auf ein lokales Netzwerk]
CSMA protocol (Carrier Sense Multiple Access) [protocol standardized by IEEE for local network access]

Cursor *m*, Eingabezeiger *m* [blinkendes Zeichen (meistens ein Rechteck oder ein Strich), das die Lage der nächsten Eingabe am Schirm zeigt]
cursor [blinking sign (usually a rectangle or dash) showing position of next entry on screen]

CVD-Abscheidung *f*, CVD-Verfahren *n*, Schichtabscheidung *f*
Verfahren zur Abscheidung von Isolationsschichten bei der Herstellung integrierter Schaltungen. Es werden verschiedene Varianten des CVD-Verfahrens angewendet, z.B. Hoch- und Niedertemperaturverfahren, Hoch- und Niederdruckverfahren oder Abscheideverfahren aus einem Plasma.
CVD process (chemical vapour deposition process)
Process used for forming dielectric layers in integrated circuit fabrication. A number of CVD process variations are being used, e.g. high- and low-temperature CVD, high- and low-pressure CVD or plasma-enhanced CVD.

CVPO-Verfahren *n* [Verfahren, das bei der Herstellung von Glasfasern eingesetzt wird]
CVPO (chemical vapour-phase oxidation process) [a process used for the production of glass fibers]

Czochralski-Verfahren *n*, Tiegelziehverfahren *n* [Kristallzucht]
Verfahren für das Ziehen von Einkristallhalbleitern aus der Schmelze.
Czochralski process [crystal growing]
Process for growing single-crystal semiconductors from the melt.

D

D-Flipflop *n* [eine Kippschaltung mit
Verzögerung, deren Ausgangsimpuls um eine
Taktperiode gegenüber dem Eingangsimpuls
verzögert wird]
D flip-flop [a delay flip-flop in which the
output pulse is delayed by one clock pulse
period compared with the input pulse]

D-MESFET *m,* Verarmungs-Metall-Halbleiter-
FET *m*
Feldeffekttransistor des Verarmungstyps,
dessen Gate (Steuerelektrode) aus einem
Schottky-Kontakt (Metall-Halbleiter-Übergang)
besteht.
D-MESFET, depletion mode metal-
semiconductor FET
Depletion-mode field-effect transistor with a
gate formed by a Schottky barrier (metal-
semiconductor junction).

D-MOSFET *m,* Verarmungs-MOSFET *m*
D-MOSFET, depletion mode MOSFET

D/A-Umsetzer *m,* DAU, Digital-Analog-
Umsetzer *m* [setzt ein digitales Eingangssignal
in ein analoges Ausgangssignal um]
DAC, digital-to-analog converter, D/A
converter [converts a digital input signal into
an analog output signal]

Dachschräge *f,* Impulsdachschräge *f*
[Verzerrung eines Rechteckimpulses;
ansteigendes oder abfallendes Impulsdach]
pulse tilt, pulse droop [distortion of a
rectangular pulse; rising or falling pulse top]

Dämon *m* [Prozeß zur Steuerung eines
Peripheriegerätes bei einigen
Betriebssystemen]
demon (device monitoring) [process for
controlling peripheral units in some operating
systems]

dämpfen [von Schwingungen]
damp, to; attenuate, to [oscillations]

Dämpfung *f* [Abschwächung eines Signales oder
einer Schwingung mit der Zeit oder mit der
Entfernung]
attenuation [decrease of a signal or of an
oscillation with time or with distance]

Dämpfungsbelag *m* [Dämpfung pro
Längeneinheit]
attenuation constant [attenuation per unit
length]

Dämpfungsbereich *m*
attenuation range

Dämpfungsdiode *f*
damping diode

Dämpfungsfaktor *m* [eines Schwingkreises]
damping factor, decay factor [of a resonant
circuit]

Dämpfungsfilter *n*
 filter element
Dämpfungsfunktion *f*
 damping function
Dämpfungsgang *m* [Frequenzverlauf der
 Dämpfung]
 attenuation-frequency characteristic
 [attenuation as a function of frequency]
Dämpfungsglied *n,* Abschwächer *m*
 attenuator
Dämpfungsmaß *n* [logarithmisches Verhältnis
 zweier Ströme, Spannungen oder Leistungen,
 ausgedrückt in dB]
 attenuation coefficient, attenuation ratio
 [logarithmic ratio of two currents, voltages or
 powers, expressed in dB]
Darlington-Leistungstransistor *m*
 Darlington power transistor
Darlington-Phototransistor *m*
 Darlington phototransistor
Darlington-Schaltung *f* [besondere
 Verstärkerschaltung mit hohem
 Eingangswiderstand, bestehend aus zwei oder
 drei Transistoren]
 Darlington circuit [special amplifier circuit
 with high input resistance and consisting of two
 or three transistors]
Darlington-Transistor *m,* Transistorkaskade *f*
 [Kombination, in einem Gehäuse, von zwei
 intern in einer Darlington-Schaltung
 verbundenen Transistoren]
 cascaded transistor, Darlington transistor
 [combination, in one case, of two transistors
 internally connected in a Darlington circuit]
Darstellung *f*
 representation
DAT-Kassette *f* [verwendet ein wie bei
 Tonbandgeräten übliches 4-mm-Band]
 DAT cartridge (Digital Audio Tape) [uses a 4-
 mm tape as in cassette recorders]
DAT-Laufwerk *n*
 DAT drive
Datei aktualisieren, Datei fortschreiben
 update a file, to
Datei auf mehreren Einheiten *f*
 multiunit file
Datei fortschreiben, Datei aktualisieren
 update a file, to
Datei löschen
 purge a file, to
Datei ohne Kennsätze *f*
 unlabeled file
Datei-Server *m* [Rechner, der als zentraler
 Speicherplatz (z.B. Datenbanken) in einem
 Netzwerk dient]
 file server [computer serving as central
 storage facility (e.g. data bases) in a network]
Dateianfangskennsatz *m*
 file header label

Dateianordnung *f,* Dateistruktur *f* [die
 Anordnung und die Struktur der Daten in einer
 Datei]
 file layout, file structure [arrangement and
 structure of data in a file]
Dateiattribut *n*
 file attribute
Dateiaufbereiter *m*
 file editor
Dateibearbeitung *f*
 file manipulation
Dateibeschreibung *f*
 file description
Dateibewegung *f*
 file activity
Dateibezeichnung *f*
 file identification
Dateiende *n,* Ende der Datei *n* [markiert den
 Abschluß einer Datei]
 end of file (EOF) [marks the end of a file]
Dateiendeblock *m*
 end-of-file record (EOF record)
Dateiendekennsatz *m*
 end-of-file label (EOF label)
Dateiendemarke *f*
 end-of-file marker (EOF marker)
Dateiformat *n*
 file format
Dateifragmentierung *f,* Fragmentierung *f*
 [Abspeicherung einer Datei in nicht
 aufeinanderfolgenden Festplattenbereiche]
 file fragmentation, fragmentation [storage of
 a file in non-contiguous areas of a hard disk]
Dateikennzeichen *n*
 file mark
Dateiname *m*
 file name
Dateinamenserweiterung *f*
 [Namenserweiterung einer Datei]
 file extension [extended file name]
Dateiorganisation *f*
 file organization
Dateipflege *f,* Dateiwartung *f,* Bestandspflege *f*
 [die Aktualisierung einer Datei]
 file maintenance [activity of updating a file]
Dateischutz *m* [Maßnahmen gegen
 unberechtigten Zugriff]
 file protection [measures taken against
 unauthorized access]
Dateistruktur *f,* Dateianordnung *f* [die
 Anordnung und die Struktur der Daten in einer
 Datei]
 file layout, file structure [arrangement and
 structure of data in a file]
Dateitransfer *m*
 file transfer
Dateiumsetzung *f*
 file conversion
Dateiverwaltung *f*

file management
Dateiverzeichnis n [Verzeichnis der gespeicherten Dateien, z.B. auf einer Diskette]
file directory [directory of stored files, e.g. on a floppy disk]
Dateivorsatz m
file header
Dateiwartung f, Dateipflege f, Bestandspflege f [die Aktualisierung einer Datei]
file maintenance [activity of updating a file]
dateiweise Sicherungskopie f [Sicherung einzelner Dateien auf Datenmedium]
file-by-file backup [backup of individual files on data medium]
Dateiwiederherstellung f
file recovery
Dateizugriff m
file access
Daten n.pl.
data
Daten sicherstellen
save data, to
datenabhängig
data-dependent
Datenadresse f
data address
Datenaufzeichnung f
data recording
Datenaufzeichnungsmedium n, Speichermedium n [z.B. Diskette, Plattenspeicher, Magnetband usw.]
data recording medium, storage medium [e.g. floppy disk, disk storage, magnetic tape, etc.]
Datenausgabe f [z.B. über Drucker]
data output [e.g. via printer]
Datenausgang m [eines Gerätes]
data output [of a device]
Datenausschnitt m, Fenster n [ein rechteckiger Bereich auf einem Bildschirm zur Anzeige von Text oder Graphik]
window [a rectangular field on the display for showing text or graphics]
Datenaustausch m
data exchange, data interchange
Datenaustauschsteuerung f
data exchange control, data exchange control unit
Datenauswerter m
data evaluator
Datenbank f [ein Satz von Datenbibliotheken; insbesondere mehrere Dateien aus verschiedenen Quellen, die nach über-geordneten Kriterien zusammengefaßt und für mehrere Benutzer aufbereitet sind]
data base, database, data bank [a set of libraries of data; in particular, a set of numerous files derived from a variety of sources and ordered according to overriding

criteria so that they can be accessed by numerous users]
Datenbank-Server m [lokales Netzwerk]
data base server [local area network]
Datenbankabfragesprache f, Query-Sprache f [spezielle, leicht erlernbare Sprache für Datenbankabfragen, besonders für das Abrufen, Einfügen, Verändern und Löschen von Datensätzen]
query language (QL) [special, easy-to-learn language for data base transactions, particularly for retrieval, insertion, modification and deletion of records]
Datenbankrechner m
data base computer
Datenbankschlüssel m
data base key
Datenbanksystem n [ein System mit besonderen Zugriffs- und Speichermethoden zur Bereitstellung der Daten für verschieden-artige Aufgaben]
data base system [a system with special access and storage methods for data required for a variety of applications]
Datenbankverwaltungssystem n
data base management system (DBMS)
Datenbasis f [systematisch miteinander verbundene Dateien]
data basis [systematically related files]
Datenbibliothek f [Satz miteinander verbundener Dateien]
data library [set of related files]
Datenbit n
data bit
Datenblock m, Block m [eine Gruppe von Datensätzen oder Wörtern, die als eine Einheit behandelt wird; Blöcke können variable oder feste Längen haben]
block [a group of records or words treated as an entity; blocks can have variable or fixed lengths]
Datenbus m [Bus für die Datenübertragung zwischen verschiedenen Funktionseinheiten, z.B. zwischen Mikroprozessor und Speicher-sowie Ein-Ausgabe-Bausteinen]
data bus [bus for data transfer between different functional units, e.g. between microprocessor and storage as well as input-output devices]
Datenbusleitung f
data bus line
Datenbuspufferregister n
data bus buffer register
Datenbustreiberstufe f
data bus driver
Datendatei f [Sammlung zusammengehöriger Datensätze, z.B. eine Datenbankdatei]
data file [collection of related data records, e.g. a database file]

Datendefinition *f* [Beschreibung der Struktur einer Datenbank]
data definition [description of the structure of a data base]

Datendrucker *m* [Drucker mit höherer Geschwindigkeit für den Datenausdruck]
data printer [printer with a relatively high speed for data printout]

Datendurchsatz *m,* Datenrate *f,* Datenübertragungsgeschwindigkeit *f* [Datenmenge pro Zeiteinheit, z.B. in MByte/s]
data rate, data transfer rate, data throughput [data volume per unit of time, e.g. in Mbytes/s]

Datendurchsatzrate *f,* funktionelle Durchsatzrate *f* [bei der Herstellung integrierter Schaltungen]
functional throughput rate (FTR) [in integrated circuit fabrication]

Datenein- und Ausgabesystem *n* (DEA)
data input and output system

Dateneingabe *f,* Dateneingang *m*
data entry, data input

Dateneingabe von Hand *f,* Handdateneingabe *f*
manual data input (MDI)

Dateneingabebus *m* [einseitig wirkender Bus zur Datenübertragung von Eingabeeinheiten zur Zentraleinheit]
data input bus [unidirectional bus for transferring data from input devices to CPU]

Dateneingabegerät *n*
data input unit

Dateneingang *m,* Dateneingabe *f*
data input, data entry

Dateneingangübernahmespeicher *m* [bei integrierten Speicherschaltungen]
data input buffer [in integrated circuit memories]

Datenelement *n* [kleinste Dateneinheit eines Satzes bei Datenbanksystemen]
data item [smallest element of a record in data base systems]

datenempfindlicher Fehler *m* [ein Fehler, der durch die Verarbeitung eines bestimmten Datenmusters entdeckt wird]
data-sensitive fault [a fault revealed when a particular pattern of data is processed]

Datenendgerät *n,* Datenstation *f,* Terminal *n*
terminal

Datenendgerät bereit, Terminal bereit
DTR (data terminal ready)

Datenentschlüsselung *f* [allgemein]
data decoding [general]

Datenentschlüsselung *f* [bei der Datengeheimhaltung]
data decryption [for data secrecy]

Datenerfassung *f,* Meßwerterfassung *f*
data acquisition

Datenerhaltung *f,* Datensicherung *f*
data backup

Datenfeld *n,* Feld *n* [Zeichenfolge oder festgelegter Bereich eines Datensatzes]
field [character string or defined area of a record]

Datenfernübertragung *f,* DFÜ
long-distance data transmission

Datenfernverarbeitung *f*
remote data processing, teleprocessing

Datenfluß *m*
data flow

Datenflußplan *m* [Darstellung des Datenflusses und der auszuführenden Operationen mit genormten graphischen Symbolen]
data flowchart [represents the path of data and the operations to be carried out with the aid of standard graphical symbols]

Datenformat *n* [z.B. mit fester Länge, gepacktes oder ungepacktes Format, Gleitpunktformat usw.]
data format [e.g. fixed length, packed or unpacked, floating point format, etc.]

Datenformatierung *f*
data formatting

Datenhaltezeit *f* [bei integrierten Speicherschaltungen]
data-hold time [in integrated circuit memories]

Datenhandhabung *f,* Handhabung *f*
manipulation, data manipulation

Datenhierarchie *f*
data hierarchy

Datenintegrität *f,* Datensicherung *f* [Maßnahmen gegen Verlust und Verfälschung von Daten]
data security, data integrity [measures taken to prevent loss or tampering of data]

Datenkanal *m*
data channel

Datenkettung *f* [Lesen oder Schreiben in unterschiedliche Arbeitsspeicherbereiche]
data chaining [reading from or writing into different working storage areas]

Datenkommunikationsleitung *f,* Kommunikationsleitung *f*
communication channel, data communication channel

Datenkompression *f,* Datenverdichtung *f* [Verringerung der Datenmenge durch Entfernung überflüssiger Daten oder durch eine günstigere Darstellung im Speicher oder auf Datenträgern]
data compression, data reduction [reducing volume of data by removing superfluous data or representing data in a more compact form in storage or data medium]

Datenkonsistenz *f*
data consistency

Datenkonzentration *f* [das Zusammenfassen mehrerer Eingangssignale zu einer

gemeinsamen Folge bei der Datenübertragung]
data concentration [combining several
incoming signals into a single sequence in data
transmission]
Datenkonzentrator *m*
data concentrator
Datenkorruption *f*
data corruption
Datenleitung *f*
data line
Datenlesebus *m*
read data bus
Datenmanipulation *f*
data manipulation
Datenmenge *f*
data size
Datenmißbrauch *m*, Mißbrauch *m*,
mißbräuchliche Nutzung von Daten *f*
abuse, data abuse
Datenpaket *n* [Datenmenge als Einheit bei der
Übermittlung]
data packet, packet [data transfer as entity
during transmission]
Datenprüfung *f*
data validation
Datenpuffer *m* [kleiner Speicher für die
vorübergehende Aufnahme von Daten]
data buffer [small storage for temporary
storage of data]
Datenrate *f*, Datenübertragungsgeschwindigkeit
f, Datendurchsatz *m* [Datenmenge pro
Zeiteinheit, z.B. in MByte/s]
data rate, data transfer rate, data throughput
[data volume per unit of time, e.g. in Mbytes/s]
Datenreduktion *f*, Datenverdichtung *f*
[Verringerung der Datenmenge durch
Entfernung überflüssiger Daten oder durch
eine günstigere Darstellung im Speicher oder
auf Datenträgern]
data reduction, data compression [reducing
volume of data by removing superfluous data or
representing data in a more compact form in
storage or data medium]
Datenregister *n*
data register
Datensatz *m*, Satz *m* [zusammenhängende
Daten, die als Einheit betrachtet werden; ein
Satz besteht aus mehreren Datenfeldern;
mehrere Sätze bilden einen Block; ein Satz
kann geblockt oder ungeblockt und von fester
oder variabler Länge sein]
record, data record [set of related data treated
as a unit; a record comprises several data
fields; several records form a block; a record can
be blocked or unblocked and of fixed or variable
length]
Datensatzende *n*
end of record (EOR)
Datensatzname *m*, Satzname *m*

record name
Datensatzparameter *m*
record specifier
Datensatzschlüssel *m*
record key
Datenschutz *m* [Maßnahmen gegen
unberechtigten Zugriff auf Daten]
data protection [measures taken against
unauthorized access to data]
Datensicherung *f*, Datenintegrität *f*
[Maßnahmen gegen Verlust und Verfälschung
von Daten]
data security, data integrity [measures taken
to prevent loss or tampering of data]
Datensicherungsplatte *f* [Plattenspeicher]
backup disk [disk storage]
Datensichtgerät *n*, Bildschirmgerät *n*,
Datenstation *f*, Terminal *n*
video display unit (VDU), CRT display unit,
data station, terminal
Datenspeicher *m*
data memory
Datenspeicherung *f*
data storage
Datenspiegelung *f* [Datenspeicherung in zwei
identischen Festplatten]
data mirroring [data storage in two identical
hard disks]
Datenspur *f*, Informationsspur *f*
data track
Datenstapel *m*
batch of data, data batch
Datenstation *f*, Datensichtgerät *n*,
Bildschirmgerät *n*, Terminal *n*
video display unit (VDU), CRT display unit,
data station, terminal
Datenstrom *m*, Strom *m* [kontinuierlicher Fluß
von Daten]
data stream, stream [continuous flow of data]
Datenstruktur *f*
data structure
Datentablett *n*
data tablet
Datentransferbefehl *m*
data transfer instruction, data move
instruction
Datentransparenz *f*
data transparency
Datenträger *m* [z.B. Lochstreifen, Magnetband,
Platte usw.]
data medium [e.g. punched tape, magnetic
tape, disk, etc.]
Datenträgerbezeichnung *f* [Name der Diskette
oder Festplatte]
volume label [name of diskette or hard disk]
Datenträgerende, Bandende *n* [einer Datei]
end of volume (EOV) [of a file]
Datenträgerendekennsatz *m*,
Bandendekennsatz *m* [einer Datei]

end-of-volume label (EOV label) [of a file]
Datentyp *m* [ganzzahlig, reell, komplex oder logisch]
  data type [integral, real, complex or logical]
Datenübertragung *f*
  data transfer, data transmission
Datenübertragungsgeschwindigkeit *f*, Datenrate *f*, Datendurchsatz *m* [Datenmenge pro Zeiteinheit, z.B. in MByte/s]
  data transfer rate, data rate, data throughput [data volume per unit of time, e.g. in Mbytes/s]
Datenumsetzer *m*
  data converter
Datenumsetzung *f*
  data translation
Datenunabhängigkeit *f*
  data independence
Datenverarbeitung *f*
  data processing
Datenverarbeitungsanlage *f*, Rechner *m*, Rechenanlage *f*, Computer *m*
  computer
Datenverarbeitungssystem *n*
  data processing system
Datenverbindung *f*, Verbindung [Kommunikationstechnik]
  data link, link [communications]
Datenverdichtung *f*, Datenkompression *f* [Verringerung der Datenmenge durch Entfernung überflüssiger Daten oder durch eine günstigere Darstellung im Speicher oder auf Datenträgern]
  data compression, data reduction [reducing volume of data by removing superfluous data or representing data in a more compact form in storage or data medium]
Datenverkehr *m*
  data traffic
Datenverknüpfung *f*
  data linkage, data pooling
Datenverlust *m*
  data loss, data overrun
Datenverschlüsselung *f* [allgemein]
  data encoding [general]
Datenverschlüsselung *f* [bei der Datengeheimhaltung]
  data encryption [for data secrecy]
Datenverschlüsselung *f*
  data encoding
Datenverschlüsselungsbaustein *m* [bei der Datengeheimhaltung]
  data encryption unit (DEU) [for data secrecy]
Datenverwaltung *f*
  data management
Datenverwaltungssystem *n*
  data management system (DMS)
Datenverzeichnis *n* [Datenbankverwaltung]

  data dictionary [data base management]
Datenvorbereitungszeit *f* [bei integrierten Speicherschaltungen]
  data set-up time [integrated circuit memories]
Datenweg *m*
  data path
Datenwiedergewinnung *f*
  data retrieval
Datenwort *n*
  data word
Datenwort doppelter Genauigkeit *f*
  double-precision data word
Datenwort einfacher Genauigkeit *n*
  single-precision data word
Datenzeiger *m*
  data pointer
DATEX [Datenübermittlungsdienst]
DATEX (DATa EXchange) [data exchange service]
DATEX-P [Datenübermittlungsdienst, der die Paketvermittlungstechnik benutzt]
DATEX-P (DATa EXchange Packet-switched) [data exchange service using packet switching]
DAU, Digital-Analog-Umsetzer *m*, D/A-Umsetzer *m* [setzt ein digitales Eingangssignal in ein analoges Ausgangssignal um]
DAC, digital-to-analog converter, D/A converter [converts a digital input signal into an analog output signal]
Dauerfestigkeit *f*
  fatigue strength
Dauerfunktion *f*, Wiederholfunktion *f*
  continuous function, repeat function
Dauerfunktionstaste *f* [zur Wiederholung eines Zeichens]
  continuous function key, repeat function key [for repeating a character]
Dauerlast *f*
  continuous load
Dauerleistung *f*
  continuous power output
Dauerlochstreifen *m*
  high-durability punched tape
Dauerprüfung *f* [Wirkung von Belastung über längere Zeit]
  endurance test [effect of stresses over long period]
Dauerschlagprüfung *f*
  continuous shock test, fatigue-impact test
Dauerstörung *f*
  permanent fault
Dauerumschaltung *f* [zur Umschaltung auf einen anderen Zeichensatz]
  shift-out, shift-out character [for switching to an alternative character set]
Daumenradschalter *m*
  thumbwheel switch
dB, Dezibel *n* [dekadischer Logarithmus eines

Strom-, Spannungs- oder
Leistungsverhältnisses]
dB, decibel [logarithm to the base ten of a
current, voltage or power ratio]
DBA [Datenbankadministrator]
DBA (Data Base Administrator)
dBASE [ein Datenbanksystem für DOS]
dBASE [a database programming system for
DOS]
DBF-Dateiformat n [Dateiformat von dBASE]
DBF file format [file format for dBASE]
dBm [Dezibel bezogen auf 1 mW Leistungspegel]
dBm [decibel referred to 1 mW power level]
DC2000-Kassette f, Mini-Kassette f [ein
genormtes Viertel-Zoll-Band vom QIC-Format]
DC2000 cartridge, mini cartridge [a standard
quarter-inch tape using the QIC format]
DCFL, direkt gekoppelte FET-Logik f
Integrierte Schaltungsfamilie, die mit
Galliumarsenid-E-MESFETs realisiert ist.
DCFL (direct-coupled FET logic)
Family of integrated circuits based on gallium
arsenide E-MESFETs.
DCTL, direkt gekoppelte Transistorlogik f
Logikfamilie, bei der Transistoren direkt
gekoppelt werden, ohne Verwendung von
Widerständen oder anderen
Kopplungselementen.
DCTL (direct-coupled transistor logic)
Logic family in which transistors are coupled
together directly, without resistors or other
coupling elements.
DD-Diskette f, Diskette mit doppelter
Speicherdichte f [speichert 360 kB auf 5,25"-
und 720 kB auf 3,5"-Disketten]
DD diskette, double density diskette [stores
360 kB on 5.25" and 720 kB on 3.5" diskettes]
DDC, direkte digitale Regelung f [ein
Regelsystem, bei dem ein Prozeßrechner
unmittelbar auf die Stellglieder wirkt]
DDC (direct digital control) [a control system
in which a process computer directly acts on
the final control elements or actuators]
Deaktivieranweisung f [COBOL]
disable statement [COBOL]
Debugger m [Fehlersuchprogramm, das bei der
Programmentwicklung eingesetzt wird]
debugger [diagnostic program used during
program development]
Decoder m, Decodierer m
decoder
decodieren [Umsetzen von Informationen aus
einem Code in einen anderen, insbesondere in
den Maschinencode; beispielsweise das
Interpretieren von Befehlen bei der
Befehlsdecodierung]
decode, to [to convert information from one
code into another, particularly into machine
code; e.g. interpreting instructions using

instruction decoding]
Decodierer m, Decoder m
decoder
Decodiermatrix f [ein matrixartiges Netzwerk,
das ein codiertes Signal umwandelt, z.B.
codierte Impulse in einen Dezimalwert]
decoding matrix [a network arranged as a
matrix for converting coded signals, e.g. coded
pulses into a decimal value]
dediziert, fest zugeordnet, zweckbestimmt
[System oder Gerät, das ausschließlich einer
bestimmten Aufgabe gewidmet ist]
dedicated [system or unit exclusively designed
for a specific task]
dedizierter Modus m
dedicated mode
Defektelektron n, Loch n, Elektronenlücke f
[Halbleitertechnik]
Fehlendes Elektron im Valenzband eines
Halbleiters, das wie eine bewegliche positive
Ladung wirkt.
hole [semiconductor technology]
Vacancy left by an electron in the valence band
of a semiconductor and behaving like a mobile
positive charge.
Defektelektronenbeweglichkeit f,
Löcherbeweglichkeit f
hole mobility
Defektelektronendichte f, Löcherdichte f
Die Dichte der fehlenden Elektronen im
Valenzband eines Halbleiters.
hole density
The density of holes in the valence band of a
semiconductor.
Defektelektronenhaftstelle f
hole trap
Defektelektronenkonzentration f
hole concentration
Defektelektronenleitung f, Defektleitung f, P-
Leitung f, Löcherleitung f
Ladungstransport in einem Halbleiter durch
Defektelektronen (Löcher).
hole conduction, p-type conduction
Charge transport by holes in a semiconductor.
Defektelektronenstrom m, Löcherstrom m
Der elektrische Strom in einem Halbleiter, der
durch Löcher (Defektelektronen) hervorgerufen
wird. Löcher sind positive Ladungsträger.
hole current
The electric current in a semiconductor due to
the migration of holes. Holes are positive
carriers.
defekter Sektor m [Magnetspeicher]
bad sector [magnetic medium]
Defragmentierung f
defragmentation
Dehnungsmeßstreifen m
strain gauge
Dekade f

decade
Dekadenzähler *m* [zählt in Dekaden: Einer,
Zehner usw.]
decade counter [counts in decades: ones, tens,
etc.]
dekadische Zählstufe *f* [eines Zählers]
decade stage [of a counter]
dekadischer Logarithmus *m*, Briggscher
Logarithmus *m* [Zehnerlogarithmus]
common logarithm, Briggs logarithm
[logarithm to the base ten]
deklarative Programmiersprache *f*,
nichtprozedurale Programmiersprache *f* [im
Gegensatz zur prozeduralen
Programmiersprache]
declarative programming language, non-
procedural programming language [in contrast
to procedural programming language]
Dekrement *n* [Befehl zum Verringern um einen
konstanten Betrag]
decrement [instruction to reduce by a
constant amount]
dekrementieren [verringern um einen
konstanten Betrag, z.B. einen Zähler]
decrement, to [reduce by a constant amount,
e.g. a counter]
Delaminierung *f* [Ablösen der Schichten einer
Leiterplatte]
delamination [separation of layers of a PCB]
Delon-Schaltung *f*, Greinacher-Schaltung *f*
[Spannungsverdopplerschaltung]
half-wave voltage doubler circuit
Deltarauschen *n* [Rauschen im Kernspeicher]
delta noise [noise in core memory]
Demodulation *f* [Rückgewinnung des
modulierenden Signals]
demodulation [to recover the modulating
signal]
Demodulationsstufe *f*
demodulating stage, demodulator stage
Demodulator *m*
demodulator
demontieren
disassemble, dismount
Demultiplexer *m*
demultiplexer
den Rand ausgleichen, links- oder
rechtsbündig ausrichten [Textverarbeitung]
justify, to [word processing]
DES [Datenverschlüsselungsnorm]
DES (Data Encryption Standard)
Desktop-Computer *m*, Tischrechner *m* [ein
Rechner, der auf einen Schreibtisch gestellt
werden kann]
desk computer, desktop computer [a
computer which can be placed on a desk]
Desktop-Publishing-Programm *n*, DTP-
Programm *n* [Programm zum Erstellen,
Anordnen und Drucken von Dokumenten]

DTP program (Desk Top Publishing)
[program for the design, layout and printing of
documents]
Destruktor *m* [Löschfunktion in C++]
destructor [cleaning-up function in C++]
Detektordiode *f*
detector diode
deutschsprachige Tastatur *f*, QWERTZ-
Tastatur *f*
German-language keyboard, QWERTZ
keyboard
dezentrale Datenbank *f*
decentral data base
dezentrales System *n* [verteilt auf mehrere
Rechner, Datenstationen usw.]
distributed system [distributed over
numerous computers, terminals, etc.]
dezentralisiert, verteilt
decentral, distributed
dezentralisierte Verarbeitung *f*
decentralized processing, distributed
processing
Dezibel *n*, dB [dekadischer Logarithmus eines
Strom-, Spannungs- oder
Leistungsverhältnisses]
dB, decibel [logarithm to the base ten of a
current, voltage or power ratio]
Dezimal-Binär-Umwandlung *f*
decimal-to-binary conversion
Dezimalbruchschreibweise *f*
decimal fraction notation
Dezimalcode *m*
decimal code
dezimale Schreibweise *f*, Dezimalschreibweise
decimal notation
dezimales Zahlensystem *n*
decimal number system
Dezimalexponent *m*
decimal exponent
Dezimalkomma *n*, Komma *n* [bei Zahlen]
point, decimal point [in numbers]
Dezimalsystem *n*
decimal system
Dezimalziffer *f*
decimal digit
Dezimalzähler *m*
decimal counter
DFB-Laser *m* [Halbleiterlaser]
DFB laser (distributed feedback laser)
[semiconductor laser]
DFT *f*, diskrete Fourier-Transformation *f*
FFT, fast Fourier transform
DFÜ, Datenfernübertragung *f*
long-distance data transmission
DH-Laser *m*, Doppelheterostrukturlaser *m*
Halbleiterlaser mit Doppelheterostruktur (z.B.
GaAlAs-Laser), der sich insbesondere als
optischer Sender für
Glasfaserübertragungssysteme eignet.

double-heterostructure laser
Semiconductor laser (e.g. a GaAlAs laser) with
a double heterostructure that is particularly
suitable for use as optical emitter in fiber-optics
communication systems.

Dhrystone-Test *m* [Rechner-
Bewertungsprogramm]
Dhrystone test [computer benchmark test
program]

Dia-Schau *f* [eine Sequenz von
Präsentationsgraphiken]
slide show [a sequence of presentation
graphics]

Diac *m*, Zweirichtungsthyristordiode *f*
diac, bidirectional diode thyristor

Diagnoseprogramm *n*, Diagnostikprogramm *n*,
Fehlersuchprogramm *n*
diagnostic program, debugging program,
troubleshooting program

Diagnostikverfahren *n*
diagnostic procedure

Diagramm *n* [z.B. Flußdiagramm]
chart [e.g. flowchart]

Dialogabfrage *f*
interactive query

Dialogbetrieb *m*, interaktiver Betrieb *m*
dialog mode, interactive mode

Dialogfeld *n*
dialog box

dialogfähig
conversational, interactive

dialogfähiges Sichtgerät *n*
interactive display terminal

Dialogverkehr *m* [Austausch von Frage und
Antwort zwischen Terminal und Rechner]
interactive traffic [query and reply between
terminal and computer]

Diamantgitter *n* [Gitteraufbau von Kristallen,
z.B. von Silicium- und Germaniumkristallen]
diamond lattice [lattice structure of crystals,
e.g. of silicon and germanium mono-crystals]

Diamantgitteraufbau *m*,
Diamantgitterstruktur *f*
diamond lattice structure

Dibit *n* [Zwei-Bit-Einheit]
dibit [two-bit unit]

dicht gedrängt, kompakt
compact

Dichte *f*, Ladungsdichte *f*
density, charge density

Dichte *f*, Massendichte *f*
density, mass density

Dichteverteilung *f*
density distribution

dichtgepackt
close-packed

Dichtigkeitsprüfung *f*
seal test

Dickschichthybridschaltung *f*
Schaltung, bei der die in Dickschichttechnik
hergestellten Bauelemente durch in anderen
Techniken hergestellte aktive oder passive
Einzelbauelemente und/oder integrierte
Bauteile ergänzt werden und auf einem Träger
vereint sind.

thick-film hybrid circuit
Circuits incorporating elements manufactured
in thick-film technology with discrete
components and/or integrated-circuit devices
produced by other manufacturing methods on
the same supporting substrate.

Dickschichtkondensator *m*
thick-film capacitor

Dickschichtschaltung *f*
thick-film circuit

Dickschichtsubstrat *n*
thick-film substrate

Dickschichttechnik *f*
Technik für die Herstellung integrierter
Schaltungen, bei der wesentliche Teile der
Schaltung (z.B. Leiterbahnen, Widerstände,
Kondensatoren und Isolierungen) als Schichten
auf einen Träger aufgebracht und anschließend
eingebrannt werden. Das Aufbringen der
Schichten erfolgt vorwiegend im
Siebdruckverfahren.

thick-film technology
Method of manufacturing integrated circuits by
deposition of circuit elements (e.g. conductors,
resistors, capacitors and insulators) in the form
of thick film patterns on a supporting
substrate. Film patterns are usually applied by
silk-screening followed by firing.

Dickschichtwiderstand *m*
thick-film resistor

Dielektrikum *n*
dielectric

dielektrische Isolation *f*
Die gegenseitige Isolation von integrierten
Bauelementen durch Isolierschichten.

dielectric isolation (DI)
The electrical isolation of integrated-circuit
elements by dielectric layers.

dielektrische Passivierung *f*
Das Aufwachsen einer Oxidschicht (meistens
Siliciumdioxid) auf die Halbleiteroberfläche,
um sie vor Verunreinigungen zu schützen.

dielectric passivation
The growth of an oxide layer (usually silicon
dioxide) on the surface of a semiconductor to
provide protection from contamination.

Dielektrizitätskonstante *f*, Permittivität *f*
permittivity

dienstintegriertes Digitalnetzwerk *n*, ISDN
[integriertes Netzwerk für Telephon, Texte,
Bilder und Daten]
ISDN (Integrated Services Digital Network)
[integrated network for telephone, texts,

images and data]
Dienstprogramm *n*, Serviceprogramm *n*
[spezielle Programme für sich oft
wiederholende Aufgaben, z.B. Kopieren,
Sortieren und Mischen von Dateien usw.]
utility program, utility routine, service
program [special programs for reoccurring
tasks, e.g. copying, sorting and merging files,
etc.]
DIF [Datenaustauschformat]
DIF (Data Interchange Format)
DIFET-Technik *f*
Variante der BiFET-Technik, die vorwiegend
für die Herstellung von monolithisch
integrierten Operationsverstärkern
angewendet wird.
DIFET technology (dielectrically isolated
FET technology)
A variant of the BiFET technology, mainly used
for fabricating monolithic integrated
operational amplifier circuits.
Differentialgleichung *f*
differential equation
Differentialquotient *m* [Ableitung einer
Funktion, z.B. dx/dt]
derivative [rate of change of a function, e.g.
dx/dt]
Differentialrechnung *f*
differential calculus
Differentialspannung *f*
differential voltage
Differentiator *m*, Differenzierglied *n*,
Differenzierschaltung *f* [erzeugt ein
Ausgangssignal, das die zeitliche Ableitung des
Eingangssignals ist]
differentiator, differentiating circuit
[generates an output signal which is the
derivative of the input signal]
differentieller Linearitätsfehler *m*
differential linearity error
differentieller Widerstand *m* [entspricht der
Neigung der Strom-Spannungs-Kennlinie im
Arbeitspunkt]
differential resistance [corresponds to the
slope of the current-voltage characteristic at
the operating point]
Differenzausgang *m* [Ausgangspaar für zwei
Signale]
differential output [output pair for two
signals]
Differenzeingang *m* [Eingangspaar für zwei
Signale, z.B. bei einem Operationsverstärker]
differential input [input pair for two signals,
e.g. of an operational amplifier]
Differenzeingangsspannung *f*
differential input voltage
Differenzierglied *n*, Differenzierschaltung *f*,
Differentiator *m* [erzeugt ein Ausgangssignal,
das die zeitliche Ableitung des Eingangssignals

ist]
differentiator, differentiating circuit
[generates an output signal which is the
derivative of the input signal]
Differenzsignal-E/A-Puffer *m*
differential I/O buffer
Differenzverstärker *m* [bildet die Differenz der
Eingangssignale]
differential amplifier [forms the difference of
the input signals]
Diffundieren *n*, Eindiffundieren *n* [von
Fremdatomen oder Ladungsträgern]
diffusion [of impurities or charge carriers]
diffundierte Schicht *f*, eindiffundierte Schicht *f*
diffused layer
diffundierter Bereich *m*
diffused region
diffundierter Transistor *m*
diffused transistor
diffundierter Übergang *m*
diffused junction
Diffusion *f* [Halbleiterdotierung]
Das zur Zeit gebräuchlichste Verfahren zur
Herstellung von definiert dotierten
Halbleiterzonen und PN-Übergängen. Es
bestehen unterschiedliche Varianten des
Diffusionsverfahrens, z.B. das
Ampullenverfahren, das Durchströmverfahren,
das Boxverfahren und das Filmverfahren.
diffusion [doping of semiconductors]
Today's most widely used process for precise
doping of semiconductor regions and pn-
junctions. There are many variations of the
diffusion process such as the closed-tube
process, the open-tube process, the box process
and the paint-on process.
Diffusion aus einer erschöpflichen Quelle *f*
[Halbleitertechnik]
limited-source diffusion [semiconductor
technology]
Diffusion aus einer unerschöpflichen Quelle *f*
constant source diffusion
Diffusion im Vakuum *f*
vacuum diffusion
Diffusion von Ladungsträgern *f*,
Ladungsträgerdiffusion *f* [Halbleitertechnik]
Die Bewegung von Ladungsträgern in einem
Halbleiter, insbesondere an der Grenze
zwischen P- und N-dotierten Bereichen. Sie
entsteht infolge unterschiedlicher Dichte der
Ladungsträger.
carrier diffusion [semiconductor technology]
The movement of charge carriers in a
semiconductor, particularly at boundaries
between p-type and n-type regions. Carrier
diffusion results from concentration gradients.
Diffusionsbereich *m*, Diffusionszone *f*
Der Bereich eines Halbleiters, in den
Fremdatome eindiffundiert werden.

diffusion region, diffusion zone
The region of a semiconductor which is doped
with impurities by diffusion.
Diffusionsfenster n
diffusion window
Diffusionsgeschwindigkeit f
diffusion velocity
Diffusionskoeffizient m, Diffusionskonstante f
diffusion coefficient
Diffusionskonstante f, Diffusionskoeffizient m
diffusion coefficient
Diffusionslänge f
diffusion length
Diffusionsmaske f
diffusion mask
Diffusionsmaskierung f, Oxidmaskierung f
Wichtiger Verfahrensschritt der Planartechnik.
Dabei wird eine Halbleiterscheibe (Wafer) mit
einer dünnen Oxidschicht überzogen. In das
Oxid werden mit Hilfe von Kontaktmasken
Fenster geätzt, durch die der Dotierstoff in die
Halbleiterscheibe eindiffundieren kann.
Gleichzeitig schützt die verbleibende
Oxidschicht vor dem Eindringen von
Dotierstoffen in unerwünschte Bereiche des
Wafers.
oxide masking, diffusion masking
Major process step in planar technology. It
consists of growing a thin layer of oxide on the
surface of the wafer. With the aid of contact
masks, diffusion windows are etched on the
oxide layer to allow selective diffusion of
dopants. At the same time, the remaining oxide
prevents penetration of dopants into undesired
regions of the wafer.
Diffusionsofen m
diffusion furnace
Diffusionsschicht f
diffusion layer
Diffusionsspannung f
diffusion potential
Diffusionsstrom m
diffusion current
Diffusionstechnik f
diffusion technique
Diffusionstiefe f
diffusion depth
Diffusionstransistor m
Bipolartransistor, bei dem der Injektionsstrom
durch die Basis ausschließlich durch Diffusion
von Ladungsträgern fließt.
diffusion transistor
Bipolar transistor in which injection current
flow is entirely a result of carrier diffusion.
Diffusionsverfahren n [Halbleiterdotierung]
Verfahren zum Einbringen von Fremdatomen
in ein Halbleiterkristall. Dabei werden
Halbleiterscheibchen (Wafer) zusammen mit
einer Dotierungsquelle in einen Reaktionsraum

eingebracht. Die Diffusion erfolgt bei
Temperaturen zwischen 800 und 1250 °C.
diffusion process [doping of semiconductors]
A process used for introducing impurity atoms
into a semiconductor crystal. This is achieved
by charging a reactor with semiconductor
wafers and a dopant source. Diffusion is
effected at temperatures between 800 and
1250 °C.
Diffusionszeit f
diffusion time
Diffusionszone f, Diffusionsbereich m
Der Bereich eines Halbleiters, in den
Fremdatome eindiffundiert werden.
diffusion region, diffusion zone
The region of a semiconductor which is doped
with impurities by diffusion.
digital codierte Daten $n.pl.$
digitally coded data
digital darstellen, digitalisieren [die
Umwandlung einer analogen Darstellung in die
entsprechende digitale Form]
digitize, to [to transform an analog
representation into a corresponding digital
form]
digital, ziffernmäßig
digital, numerical
Digital-Analog-Modul m
digital-to-analog module
Digital-Analog-Umsetzer m, DAU, D/A-
Umsetzer m [setzt ein digitales Eingangssignal
in ein analoges Ausgangssignal um]
digital-to-analog converter, DAC, D/A
converter [converts a digital input signal into
an analog output signal]
Digital-Analog-Umsetzung f
digital-to-analog conversion
Digitalanzeige f, digitale Anzeige f,
Ziffernanzeige f [Darstellung durch Ziffern]
digital display, digital readout
[representation by digits]
Digitalausgabe f, Digitalausgang m
digital output
Digitalausgabeeinheit f, digitale
Ausgabeeinheit f
digital output unit
digitale Anzeige f, Digitalanzeige f,
Ziffernanzeige f [Darstellung durch Ziffern]
digital display, digital readout
[representation by digits]
digitale Ausgabeeinheit f,
Digitalausgabeeinheit f
digital output unit
digitale Daten $n.pl.$
digital data
digitale Eingabeeinheit f,
Digitaleingabeeinheit f
digital input unit
digitale integrierte Schaltung f, integrierte

Digitalschaltung *f*
digital integrated circuit
digitale Korrelation *f*
digital correlation
digitale Korrelation *f*
digital correlation
digitale optische Aufzeichnung *f*
digital optical recording
digitale Schaltung *f*, Digitalschaltung *f* [eine
Schaltung mit digitalen Eingangs- und/oder
Ausgangssignalen]
digital circuit [a circuit with digital input
and/or output signals]
digitale Steuerung *f*
digital control
Digitaleingabeeinheit *f*, digitale
Eingabeeinheit *f*
digital input unit
Digitalelektronik *f*
digital electronics
Digitalempfänger *m*
digital receiver
digitaler Decodierer *m*, digitaler Decoder *m*
digital decoder
digitaler Halbleiterbaustein *m* [wird auch
manchmal digitales Halbleiterbauteil genannt]
digital semiconductor device
digitaler Schalter *m*, Digitalschalter *m*
digital switch
digitaler Speicher *m*, Digitalspeicher *m*
digital memory, digital storage
digitales Halbleiterbauelement *n*
digital semiconductor component
digitales Meßgerät *n*
digital instrument
digitales Signal *n*, Digitalsignal *n*
digital signal
digitales System *n*, Digitalsystem *n*
digital system
Digitalisieren *n*, Digitalisierung *f*
digitizing
digitalisieren, digital darstellen [die
Umwandlung einer analogen Darstellung in die
entsprechende digitale Form]
digitize, to [to transform an analog
representation into a corresponding digital
form]
Digitalisierer *m*
digitizer
Digitalisiertablett *n*, Graphiktablett *n*,
Tablett *n*
digitizer tablet, tablet, graphic tablet
Digitalkomparator *m*
digital comparator
Digitalrechner *m* [ein Rechner mit Eingabe,
Verarbeitung und Ausgabe der Daten in
digitaler Form]
digital computer [a computer with input,
processing and output of data in digital form]

Digitalschalter *m*, digitaler Schalter *m*
digital switch
Digitalschaltung *f*, digitale Schaltung *f* [eine
Schaltung mit digitalen Eingangs- und/oder
Ausgangssignalen]
digital circuit [a circuit with digital input
and/or output signals]
Digitalsignal *n*, digitales Signal *n*
digital signal
Digitalspeicher *m*, digitaler Speicher *m*
digital memory, digital storage
Digitalsystem *n*, digitales System *n*
digital system
Digitaltechnik *f*, Digitalverfahren *n*
digital technique
Digitalumsetzer *m*
digital converter
Digitalverfahren *n*, Digitaltechnik *f*
digital technique
Digitalübertragung *f*
digital transmission
DIL-Gehäuse *n* [Gehäuse mit zwei parallelen
Reihen rechtwinklig abgebogener Anschlüsse]
DIP (dual in-line package) [housing with two
parallel rows of terminals at right angles to the
body]
DIMOS-Technik *f*
Variante der DMOS-Technik, bei der die
Diffusion von Dotierungsatomen durch einen
zusätzlichen Ionenimplantationsschritt ergänzt
wird.
DIMOS technology (double-diffused ion-
implanted MOS)
Variant of the DMOS manufacturing process
involving an ion implantation step in addition
to diffusion of impurities.
Diode *f*
diode
Dioden-Transistor-Logik *f*, DTL
Logikfamilie, bei der die logischen
Verknüpfungen von Dioden ausgeführt werden
und die Transistoren als verstärkende Inverter
wirken.
DTL (diode-transistor logic)
Logic family in which logic functions are
performed by diodes, the transistors acting as
inverting amplifiers.
Dioden-Transistor-Logik mit niedriger
Verlustleistung *f* (LPDTL) [Variante der
DTL-Schaltungsfamilie]
low-power diode-transistor logic (LPDTL)
[Variant of the DTL logic family]
Dioden-Transistor-Logik mit Zenerdiode *f*
(DTZL), Dioden-Zenerdioden-Transistor-Logik
(DZTL)
Variante der DTL-Schaltungsfamilie, bei der
die Zenerdiode einen hohen
Störspannungsabstand bewirkt.
diode-transistor logic with Zener diode

(DTZL), diode-Zener-diode-transistor logic (DZTL)
Variant of the DTL logic family in which the Zener diode ensures a high signal-to-noise ratio.

Diodenbegrenzer *m*
diode limiter

Diodenfeld *n*
diode array

Diodenfunktionsgeber *m*
diode function generator

Diodenkennlinie *f* [Diodenstrom in Abhängigkeit der Diodenspannung]
diode characteristic curve [diode current as a function of diode voltage]

Diodenklemmschaltung *f*
diode clamp circuit

Diodenmatrix *f*
diode matrix

Diodennetzwerk *n*
diode network

Diodenschaltung *f*
diode circuit

Diodenspannung *f*
diode voltage

Diodenstrom *m*
diode current

Diracsche Funktion *f*, Impulsfunktion *f*
pulse function

direkt adressierbarer Speicher *m*
directly addressable memory

direkt gekoppelte FET-Logik *f* (DCFL)
Integrierte Schaltungsfamilie, die mit Galliumarsenid-E-MESFETs realisiert ist.
direct-coupled FET logic (DCFL)
Family of integrated circuits based on gallium arsenide E-MESFETs.

direkt gekoppelte Transistorlogik *f* (DCTL)
Logikfamilie, bei der Transistoren direkt gekoppelt werden, ohne Verwendung von Widerständen oder anderen Kopplungselementen.
direct-coupled transistor logic (DCTL)
Logic family in which transistors are coupled together directly, without resistors or other coupling elements.

direkte Adressierung *f* [Adressierverfahren, das dadurch gekennzeichnet ist, daß die Adresse selbst Bestandteil des Befehls ist]
direct addressing [addressing method characterized by the fact that the address is part of the instruction]

direkte digitale Regelung *f* (DDC) [ein Regelsystem, bei dem ein Prozeßrechner unmittelbar auf die Stellglieder wirkt]
direct digital control (DDC) [a control system in which a process computer directly acts on the final control elements or actuators]

direkte Kopplung *f*, direkte Prozeßkopplung *f*

on-line
direkte Verarbeitung *f*, On-line-Betrieb *m* [Datenverarbeitung]
on-line processing [data processing]

direkter Betrieb *m*, Echtzeitbetrieb *m* [die Verarbeitung von Daten unmittelbar nach ihrer Entstehung, z.B. in Peripheriegeräten]
on-line operation, real-time operation [processing of data immediately after their generation, e.g. in peripheral equipment]

direkter Speicherzugriff *m* (DMA) [Datentransfer zwischen einem Peripheriegerät und dem Hauptspeicher unter Umgehung der Zentraleinheit; das Peripheriegerät kann direkt auf Adressen- und Datenbus des Hauptspeichers zugreifen]
direct memory access (DMA) [data transfer between a peripheral unit and main memory without intervention of the CPU; the peripheral unit can access the address and data buses of the main memory directly]

direkter Steckverbinder *m*
direct plug connector

direkter Zugriff *m* [Zugriff zu beliebigen Bereichen eines Speichers; die Zugriffszeit ist effektiv unabhängig von der Lage der gespeicherten Daten]
direct access, random access [storage device in which access time is effectively independent of the location of the data]

Direktzugriffsdatei *f*
direct-access file, random-access file

Direktzugriffsgerät *n*
direct-access device, random-access device

Direktzugriffsspeicher *m* Speicher mit direktem Zugriff *m* [Speicher dessen Zugriffszeit unabhängig von der Lage der gespeicherten Daten ist, z.B. Magnetplatten- oder Diskettenspeicher]
direct access storage [storage whose access time is independent of the location of the data, e.g. magnetic disk or floppy disk storage]

Disassembler *m* [Software für die Übersetzung von Maschinencode in Assemblersprache]
disassembler [software that translates machine code back into assembly language]

Disjunktion *f*, inklusives ODER *n*, ODER-Verknüpfung #z
Logische Verknüpfung mit dem Ausgangswert (Ergebnis) 0, wenn und nur wenn jeder Eingang (Operand) den Wert 0 hat; für alle anderen Eingangswerte (Operandenwerte) ist der Ausgang (das Ergebnis) 1.
disjunction, logic addition, logical add, Boolean add, inclusive OR
Logical operation having the output (result) 0 if and only if each input (operand) has the value 0; for all other inputs (operand values) the output (result) is 1.

disjunktiv verknüpfen [eine ODER-Verknüpfung ausführen]
OR, to [to carry out an OR operation]
Disk-Caching-Software *f* [errichtet einen Zwischenspeicher zur Beschleunigung der Datenübertragung zwischen Festplatte und Hauptspeicher]
disk caching [creates cache memory used for accelerating data transfer between hard disk and main memory]
Diskette *f* [flexible Magnetplatte als auswechselbarer magnetischer Datenträger, üblicherweise mit einem Durchmesser von 3,5 oder 5,25 Zoll und einer Speicherkapazität zwischen 0,36 und 1,44 MB]
diskette, floppy disk [flexible disk used as interchangeable magnetic data medium, usually of 3.5 or 5.25 inch diameter and a storage capacity between 0.36 and 1.44 MB]
Diskette mit doppelter Speicherdichte *f*, DD-Diskette *f* [speichert 360 kB auf 5,25"- und 720 kB auf 3,5"-Disketten]
double density diskette, DD diskette [stores 360 kB on 5.25" and 720 kB on 3.5" diskettes]
Diskette mit hoher Speicherdichte *f*, HD-Diskette *f* [speichert 1,2 MB auf 5,25"- und 1,44 MB auf 3,5"-Disketten]
high density diskette, HD diskette [stores 1,2 MB on 5.25" and 1,44 MB on 3.5" diskettes]
Disketten-Controller *m*, Disketten-Steuerteil *m*
diskette controller, floppy drive controller (FDC)
Diskettenbetriebssystem *n*
floppy disk operating system
Diskettenlaufwerk *n*
disk drive, floppy disk drive
Diskettenspeicher *m*
diskette storage, floppy disk storage
diskrete Daten *n.pl.*
discrete data
diskrete Fourier-Transformation *f* (DFT)
fast Fourier transform (FFT)
diskretes Bauelement *n*, Einzelbauelement *n*, Einzelbauteil *n* [Elektronik]
Bauelement, das nicht in einer integrierten Schaltung enthalten ist, sondern als selbstständiges, in eigenem Gehäuse untergebrachtes Bauteil eingesetzt wird.
discrete component [electronics]
Individual component, separately packaged and used independently, which is not part of an integrated circuit.
diskretes Halbleiterbauelement *n*, Einzelhalbleiterbauelement *n*
discrete semiconductor component
diskretes Signal *n*
discrete signal
Diskriminator *m* [erzeugt

Amplitudenänderungen aus Frequenz- oder Phasenänderungen]
discriminator [produces amplitude variations from frequency or phase variations]
Diskriminatorschaltung *f*
discriminator circuit
Disparität *f*
disparity, mismatch
divergente Reihe *f*
divergent series
Dividierwerk *n*, Teiler *m* [für die Ausführung einer mathematischen Teilung]
divider [for carrying out mathematical division]
Division *f*, Teilung *f* [Umkehrung der Multiplikation]
division [inverse of multiplication]
Division durch Null *f*, durch Null dividieren
zero division, zero divide, to
Division mit Bildung des positiven Restes *f*
restoring division
Division ohne Wiederherstellung des positiven Restes *f*
non-restoring division
Divisionsanweisung *f*
divide statement
Divisionsfehler *m* [Division durch Null]
divide error [division by zero]
Divisionszeichen *n*
divide symbol
DMA, direkter Speicherzugriff *m* [Datentransfer zwischen einem Peripheriegerät und dem Hauptspeicher unter Umgehung der Zentraleinheit; das Peripheriegerät kann direkt auf Adressen- und Datenbus des Hauptspeichers zugreifen]
DMA (direct memory access) [data transfer between a peripheral unit and main memory without intervention of the CPU; the peripheral unit can access the address and data buses of the main memory directly]
DMA-Controller *m*, Steuerbaustein für direkten Speicherzugriff *m*
DMA controller (DMAC)
DMA-Schnittstelle *f*
DMA interface
DMA-Steuerschaltung *f*
DMA controller circuit
DMOS-Technik *f*
Verfahren mit Doppeldiffusion von Dotierungsatomen für die Herstellung von MOS-Bauteilen.
DMOS technology (double-diffused MOS technology)
Process for manufacturing MOS devices involving two-stage diffusion of impurities.
Docht-Effekt *m* [Leiterplatten]
wicking [printed circuit boards]
Docking-Station *f* [Pult-Erweiterungseinheit

für ein Notebook-Computer]
docking station [desktop extension unit for
notebook computer]
Dokument *n*, Beleg *m*
document
Dolby-System *n*
Dolby noise-reduction system
Dollarzeichen *n*, ($) [Sonderzeichen; wird in
BASIC zur Kennzeichnung einer Textvariablen
oder Zeichenkette (String) verwendet]
dollar symbol ($) [special symbol; is used in
BASIC for designating a character string or
text variable]
Donator *m* [Halbleitertechnik]
In einen Halbleiter eingebautes Fremdatom
(oder Kristallfehler), das ein Elektron an ein
benachbartes Atom abgibt. Die Bewegung der
Elektronen stellt einen negativen
Ladungstransport durch den Halbleiter dar.
donor [semiconductor technology]
An impurity (or crystal imperfection) added
intentionally to a semiconductor which releases
an electron to an adjacent atom. Movement of
the electrons represents a negative charge
transport through the semiconductor.
Donatoratom *n*, Donatorfremdatom *n*
donor atom, donor impurity
Donatorkonzentration *f*
donor concentration
Donatorladung *f*
donor charge
Donatorniveau *n*
donor energy state, donor level
DOPOS-Verfahren *n* [ein spezielles
Diffusionsverfahren]
DOPOS process (doped polysilicon diffusion)
[a special diffusion process]
Doppelbasisdiode *f*, Zweizonentransistor *m*,
Unijunction-Transistor *m*
Halbleiterbauelement ohne Kollektorzone mit
zwei sperrfreien Basiskontakten (Ohmsche
Kontakte) und einem dazwischen angebrachten
PN-Übergang. Wird häufig in
Kippschwingschaltungen verwendet.
unijunction transistor
Semiconductor component without a collector
region which has two ohmic base contacts and a
single pn-junction between them. Is often used
in relaxation-oscillator applications.
Doppelbit *n*
double bit
doppeldiffundierter Transistor *m*
double-diffused transistor
Doppeleuropaformat *n* [Leiterplattenformat
233 x 160 mm]
double-Euroboard format [PCB format 233
x 160 mm]
Doppelheterostrukturlaser *m*, DH-Laser *m*
Halbleiterlaser mit Doppelheterostruktur (z.B.

GaAlAs-Laser), der sich insbesondere als
optischer Sender für
Glasfaserübertragungssysteme eignet.
double-heterostructure laser
Semiconductor laser (e.g. a GaAlAs laser) with
a double heterostructure that is particularly
suitable for use as optical emitter in fiber-optics
communication systems.
Doppelimpuls *m*
double pulse, dual pulse, pulse pair
Doppelimpulsgenerator *m*
double-pulse generator
Doppelimpulsschreibverfahren *n*
[magnetisches Aufzeichnungsverfahren]
double-pulse recording [magnetic recording
method]
doppelklicken [zweimaliges, rasch
aufeinanderfolgendes Drücken der Maustaste]
double click, to [briefly depressing a mouse
button twice]
doppeln, duplizieren [Kopieren auf ein
Zielmedium, das die gleiche physikalische Form
hat, wie die Quelle.
duplicate, to [copy on a destination medium
having the same physical form as the source]
Doppeloperationsverstärker *m*,
Zweifachoperationsverstärker *m*
dual operational amplifier
Doppelpunkt *m*
colon
Doppelschichtmetallisierung *f*
double-layer metallization
doppelseitig beschreibbare Diskette *f*
[Informationen können auf beiden Seiten
aufgezeichnet werden]
double-sided floppy disk [information can be
recorded on both sides]
doppelseitig kaschierte Leiterplatte *f*
double-sided printed circuit board
Doppelstrom *m* [eine Übertragungstechnik]
double current [a data transmission
technique]
doppelte Genauigkeit *f* [Verwendung von
doppelt so vielen Bits, um eine Zahl
darzustellen]
double precision [using twice as many bits to
represent a number]
doppelte Speicherdichte *f* [Verdoppelung der
Bitdichte bei Datenträgern, z.B. bei Disketten]
double density [doubling bit density on a data
medium, e.g. on a floppy disk]
doppelte Stichprobenprüfung *f*
double sampling
doppelte Wortlänge *f* [Darstellung einer Zahl
durch 2 Rechenworte]
double word length [representation of a
number by 2 computer words]
doppeltes Puffern *n*
double buffering

DOS [Plattenbetriebssystem; Kurzform für PC-DOS und MS-DOS]
DOS (Disk Operating System) [short form for PC-DOS and MS-DOS]
DOS-Eingabeaufforderung *f*
DOS prompt
DOS-Extender *m* [Programm zur Ausführung einer Anwendung im geschützten Modus (protected mode)]
DOS extender [programm allowing an application to run in protected mode]
Dotieren *n*, Dotierung *f* [Halbleitertechnik]
Der gezielte Einbau von Fremdatomen in einen Halbleiter zwecks Veränderung seiner elektrischen Eigenschaften. Es bestehen verschiedene Dotierungsverfahren: Diffusion, Legierung, Epitaxie, Ionenimplantation und Dotierung durch Kernumwandlung.
doping [semiconductor technology]
The intentional addition of impurities to a semiconductor to modify its electrical properties. There are different processes used for doping semiconductors: diffusion, alloying, epitaxy, ion implantation and transmutation.
dotieren
dope, to
Dotierstoff *m*, Dotierungselement *n*
Ein Element, das in einen Halbleiter eingebaut wird, um seine elektrischen Eigenschaften zu verändern. Dotieratome können als Akzeptoren (z.B. Bor, Gallium, Aluminium, Indium) oder als Donatoren (z.B. Phosphor, Arsen, Antimon) eingebaut werden.
dopant, dopant impurity
An impurity element added to a semiconductor to modify its electrical properties. Semiconductors can be doped with acceptor impurities (e.g. boron, gallium, aluminium, indium) or donor impurities (e.g. phosphorous, arsenic, antimony).
Dotierstoffkonzentration *f*
dopant concentration
dotierter Halbleiter *m*
doped semiconductor
Dotierungsausgleich *m*
doping compensation, dopant compensation
Dotierungsprofil *n*
impurity concentration profile
Dotierungsverfahren *n*
doping process
Double-Twisted-LCD [Flüssigkristallanzeige mit zwei Kristallschichten]
double twisted LCD [liquid crystal display with two crystal layers]
download, hinunterladen [Programme oder Daten von einem zentralen Rechner laden]
download, to [to load a program or data from a remote computer]
Downsizing *n* [Ersetzen von großen Systemen durch kleinere Einheiten]
downsizing [replacing large systems by smaller units]
DPMI [definiert den geschützten Betriebsmodus von DOS, der das gleichzeitige Ablaufen mehrerer Anwendungen im Erweiterungsspeicher ermöglicht]
DPMI (DOS Protected Mode Interface) [allows several applications to run simultaneously in extended memory]
Drahtbrücke *f*, Brücke *f*, Kurzverbindung *f*
[Verbindung zwischen zwei Anschlüssen]
jumper, strap [connection between two terminals]
Drahtdurchverbindung *f* [Leiterplatten]
wire-through connection [printed circuit boards]
Drahtkontaktierung *f*
wire bonding
drahtlos
wireless
Drahtwickeltechnik *f*, Wirewrap-Technik *f*, Wickeltechnik *f*
Verfahren zum Herstellen einer lötfreien Verbindung durch Umwickeln eines vierkantigen Anschlußstiftes mit einem Draht unter Zugspannung mit Hilfe eines Werkzeuges.
wire-wrap technique, wrapped connection
Method of making a solderless connection by wrapping a wire under tension around a rectangular terminal with the aid of a tool.
Drain *m*, Senke *f*
Bereich des Feldeffekttransistors, vergleichbar mit dem Kollektor des Bipolartransistors.
drain
Region of the field-effect transistor, comparable to the collector of a bipolar transistor.
Drain-Gate-Abstand *m*
drain-gate distance
Drain-Gate-Durchbruchspannung *f*
drain-gate breakdown voltage
Drain-Gate-Kapazität *f*
drain-gate capacitance
Drain-Gate-Leckstrom *m*
drain-gate leakage current
Drain-Gate-Spannung *f*
drain-gate voltage
Drain-Source-Durchbruchspannung *f*
drain-source breakdown voltage
Drain-Source-Einschaltwiderstand *m*
drain source on-state resistance
Drain-Source-Spannung *f*
drain-source voltage
Drainanschluß *m*, Drainkontakt *m*
drain terminal, drain contact
Drainbereich *m*, Drainzone *f*
drain region, drain zone
Draindurchbruchspannung *f*

drain breakdown voltage
Drainelektrode *f*
drain electrode
Draingleichstrom *m*
continuous drain current
Drainkapazität *f*
drain capacitance
Drainkontakt *m*, **Drainanschluß** *m*
drain contact, drain terminal
Drainreststrom *m*
drain cut-off current
Drainschaltung *f* [Transistorgrundschaltung]
Eine der drei Grundschaltungen des
Feldeffekttransistors, bei der die
Drainelektrode die gemeinsame
Bezugselektrode ist. Sie ist vergleichbar mit
der Kollektorschaltung bei Bipolartransistoren.
common drain connection [basic transistor
configuration]
One of the three basic configurations of the
field-effect transistor having the drain as
common reference terminal. It is comparable to
the common collector connection of a bipolar
transistor.
Drainspannung *f*
drain voltage
Drainstrom *m*
drain current
Drainübergang *m*
drain junction
Drainvorspannung *f*
drain bias
Drainwiderstand *m*
drain resistance
Drainzone *f*, **Drainbereich** *m*
drain zone, drain region
DRAM *m*, **dynamischer RAM** *m*, **dynamischer**
Schreib-Lese-Speicher *m*
Dynamischer Schreib-Lese-Speicher mit
wahlfreiem Zugriff, dessen gespeicherte
Informationen periodisch aufgefrischt werden
müssen.
DRAM, dynamic RAM (dynamic random access
memory)
Dynamic read-write memory with random
access which requires periodic refreshing of the
stored information.
Drehgeber *m*, **Winkelgeber** *m* [wandelt
mechanische Winkel in elektrische Signale um]
rotary encoder, angular transducer [converts
mechanical angles into electric signals]
Drehmelder *m* [analoges, rotatorisch
arbeitendes Wegmeßgerät bestehend aus einem
Rotor und einem Stator]
resolver, synchro [analog rotary position
transducer comprising a rotor and a stator]
Drehstrom *m*
three-phase current
Drei-D-Speicherorganisation *f* [von

Magnetkernspeichern]
three-dimensional memory organisation
[of magnetic core stores]
Drei-dB-Bandbreite *f* [Bandbreite zwischen den
Grenzfrequenzen, die durch einen 3-dB-Abfall
der Amplitude gekennzeichnet sind]
three-dB bandwidth [bandwidth between the
limiting frequencies characterized by a drop in
amplitude of 3 dB]
Drei-Exzeß-Code *m*, Stibitz-Code *m*, Exzeß-
Drei-Code *m* [ein Binärcode für Dezimalziffern;
jede Dezimalziffer wird durch eine Gruppe von
vier Binärzeichen dargestellt, die jedoch um 3
höher ist als die duale Darstellung, z.B. die
Ziffer 7 wird durch 1010 anstatt 0111
dargestellt]
excess-three code [a binary code for decimal
digits; each decimal digit is represented by a
group of four binary digits which is 3 in excess
of the binary representation, i.e. the digit 7 is
represented by 1010 instead of 0111]
Dreiadreßbefehl *m* [Befehl mit drei
Adreßteilen]
three-address instruction [instruction with
three address parts]
Dreibitfehler *m*
triple error
dreifachdiffundierter Transistor *m*
triple-diffused transistor
Dreifachdiffusion *f*
triple-diffusion process
dreifache Genauigkeit *f* [Erhöhung der
Rechengenauigkeit durch Verwendung von 3
Rechenworten, um eine Zahl darzustellen]
triple precision [increasing computing
accuracy by the use of 3 computer words for
representing a number]
dreiphasig
three-phase
dreistufiges Unterprogramm *n*
three-level subroutine
Dreizustandsausgang *m*, Tri-State-Ausgang *m*,
Ausgang mit Drittzustand *m*
Ein Ausgang, der neben den beiden aktiven
Zuständen (logisch 0 und logisch 1) einen
passiven (hochohmigen) Zustand annehmen
kann; der dritte Zustand ermöglicht die
Entkopplung des Bausteins vom Bus.
three-state output, tri-state output
An output which can assume one of three
states: the two active states (logical 0 and
logical 1) and a passive (high-impedance) state;
this third state enables the device to be
decoupled from the bus.
Dreizustandslogik *f*, Tri-State-TTL *f*, Tri-State-
Schaltung *f*
Variante der TTL-Logik, bei der die
Ausgangsstufen (oder Eingangs- und
Ausgangsstufen) einer Schaltung neben den

niederohmigen Zuständen logisch 0 und logisch 1 einen dritten hochohmigen Sperrzustand haben. Damit kann über einen Auswahleingang der Ausgang einer Schaltung bzw. eines Gatters gesperrt, d.h. von der Anschlußleitung getrennt werden. Tri-State-Schaltungen werden bei Mikroprozessoren, Speicherbausteinen und Peripheriebausteinen verwendet, um den Betrieb mehrerer Bausteine an einem gemeinsamen Bus zu ermöglichen.
three-state TTL, tri-state TTL, three-state circuit
Variant of TTL logic in which the output stages (or the input and output stages) of a circuit have the normal low-impedance logical 0 and logical 1 states with an additional third high-impedance disabled state. With the aid of a select input, this allows the output of a circuit to be disabled, i.e. to be effectively disconnected. Three-state circuits are used with microprocessors, memory devices and peripherals to permit sharing of a common bus line by several devices.
Drift f
drift
Driftausfall m, driftend auftretender Teilausfall m [ein langsam auftretender Teilausfall mit vorhersehbarem Ausfallzeitpunkt]
degradation failure, gradual failure [a gradual and partial failure with predictable failure time]
Driftbeweglichkeit f
drift mobility
driften, abwandern
drift, to
driftend auftretender Teilausfall m, Driftausfall m
degradation failure
Driftfehler m
drift error
Driftgeschwindigkeit f
drift velocity
Driftkompensation f
drift compensation
Driftspannung f
drift voltage
Driftstabilisierung f
drift stabilization
Driftstrom m
drift current
Drifttransistor m [Transistor mit einer stetig abnehmenden Leitfähigkeit in der Basiszone vom Emitter- zum Kollektorübergang; es entsteht ein die Ladungsträger treibendes Feld (Driftfeld), so daß deren Laufzeit kürzer wird und demzufolge die Transistorgrenzfrequenz höher]
drift transistor [transistor with a continuously decreasing conductivity in the

base zone between emitter and collector junctions; the resulting drift field reduces the propagation time thus permitting operation at higher frequencies]
Dropout m, Signalausfall m [Magnetbandfehler durch ein verlorenes Bit]
drop-out [magnetic tape error due to a lost bit]
Drossel f
inductor, choke
Druck-Server m [Rechner, der als zentraler Druckerplatz in einem Netzwerk dient]
print server, printer server [computer serving as central printing facility in a network]
Druckanweisung f
print statement
Druckaufbereitung f, Editieren n [Gestaltung des am Bildschirm gezeigten Textes]
editing [modifying text shown on screen]
Druckaufbereitungsprogramm n, Editor m [Programm zum Aufbereiten von Texten und Programmen; insbesondere für die Eingabe, Korrektur, Speicherung und Ausgabe]
editor [programm for processing texts and programs; in particular for entering, modifying, storing and outputting]
Druckausgabe f, Ausdruck m
print out, printout
Druckbefehl m
print command
drucken [maschinelles Beschriften von Papier]
print, to; print out, to [mechanically on paper]
Drucker m
printer
Drucker mit Einzelblatteinzug m
printer with cut-sheet feed
Drucker-Emulation f [ermöglicht die Emulation von Standard-Druckertypen, z.B. HP-LaserJet-Emulation]
printer emulation [allows printer to emulate standard printer types, e.g. HP LaserJet emulation]
Druckertreiber m [steuert den Drucker aus einem Anwendungsprogramm heraus]
printer driver [controls the printer from an application program]
Druckerwarteschlange f [Liste der Dateien, die an den Drucker gesandt wurden]
print queue [list of files sent to the printer]
Druckoriginal n [Leiterplatten]
original production master [printed circuit boards]
Druckprogramm n [für die Datenausgabe auf Drucker]
print routine [for data output on printer]
Druckpuffer m [Zwischenspeicher im Drucker]
print spooler [intermediate storage in printer]
Druckvorlage f [für Dokumente]
artwork [for documents]
Druckvorlage f [für Leiterplatten]

artwork master [for printed circuit boards]
Druckwerkzeug n [Leiterplatten]
production master [printed circuit boards]
DSM-Laser m, dynamisch einmodiger Laser m
[Halbleiterlaser]
DSM laser (dynamic single mode laser)
[semiconductor laser]
DSW-Verfahren n, Waferstepper m
[Photolithographie]
DSW (direct step on wafers) [photolithography]
DTL, Dioden-Transistor-Logik f
Logikfamilie, bei der die logischen
Verknüpfungen von Dioden ausgeführt werden
und die Transistoren als verstärkende Inverter
wirken.
DTL (diode-transistor logic)
Logic family in which logic functions are
performed by diodes, the transistors acting as
inverting amplifiers.
DTP-Programm n, Desktop-Publishing-
Programm n [Programm zum Erstellen,
Anordnen und Drucken von Dokumenten]
DTP program (Desk Top Publishing)
[program for the design, layout and printing of
documents]
DTZL, Dioden-Transistor-Logik mit Zenerdiode f
Variante der DTL-Schaltungsfamilie, bei der
die Zenerdiode einen hohen
Störspannungsabstand bewirkt.
DTZL (diode-transistor logic with Zener diode)
Variant of the DTL logic family in which the
Zener diode ensures a high signal-to-noise
ratio.
duales System n, Dualsystem n, Binärsystem n
[Zahlensystem mit der Basis 2]
binary number system [number system with
the basis 2]
Dualfunktion f, Binärfunktion f
binary function
Dualziffer f, Bit n, Binärzeichen n [die kleinste
Darstellungseinheit in einer Binärzahl, d.h. 0
oder 1]
binary digit, bit [the smallest single character
in a binary number, i.e. 0 or 1]
Dualzähler m, Binärzähler m [zählt auf
Dualbasis]
binary counter [counts by two]
Dunkelstrom m
dark current
dünn besetzte Matrix f
sparse matrix
Dünnfilm-FET m, Dünnschicht-
Feldeffekttransistor m, TF-FET m
thin-film field-effect transistor (TF-FET)
Dünnfilmschaltung f, Dünnschichtschaltung f
thin-film circuit
Dünnfilmtechnik f, Dünnschichttechnik f
thin-film technology
Dünnfilmtransistor m, Dünnschichttransistor

thin-film transistor
Dünnschicht-Elektrolumineszenzanzeige f
thin-film electroluminescent display
(TFEL display)
Dünnschicht-Feldeffekttransistor m,
Dünnfilm-FET m, TF-FET m
Isolierschicht-Feldeffekttransistor, dessen
stromführender Kanal in einer dünnen
Halbleiterschicht gebildet wird, die auf eine
isolierende Schicht abgeschieden ist.
thin-film field-effect transistor (TF-FET)
Insulated-gate field-effect transistor in which
the conducting channel is formed in a thin
semiconductor film deposited on an insulating
layer.
Dünnschichtkondensator m
thin-film capacitor
Dünnschichtschaltung f, Dünnfilmschaltung f
thin-film circuit
Dünnschichtsolarzelle f
thin-film solar cell
Dünnschichtspeicher m
thin-film memory
Dünnschichtsubstrat n
thin-film substrate
Dünnschichttechnik f, Dünnfilmtechnik f
Technik zur Herstellung integrierter
Schaltungen, bei der die wesentliche Teile der
Schaltung (z.B. Leiterbahnen, Widerstände,
Kondensatoren und Isolierungen) in Form
dünner Schichten auf Träger aus Keramik oder
Glas aufgebracht werden. Das Aufbringen
erfolgt vorwiegend mit
Vakuumbeschichtungsverfahren.
thin-film technology
Method of manufacturing integrated circuits by
the deposition of circuit elements (e.g.
conductors, resistors, capacitors and insulators)
in the form of thin films on a supporting
substrate of ceramic or glass. Film deposition is
usually effected by vacuum evaporation
processes.
Dünnschichttransistor m, Dünnfilmtransistor
thin-film transistor
Dünnschichtwiderstand m
thin-film resistor
Duodezimalziffer f [Ziffer eines Zahlensystems
mit der Basis 12]
duodecimal digit [a digit of a number system
with the base 12]
Duplexbetrieb m, Gegenbetrieb m,
Vollduplexbetrieb m [Datenübertragung in
beiden Richtungen gleichzeitig]
full duplex mode, duplex operation [data
transmission in both directions simultaneously]
Duplexkanal m
full duplex channel, bidirectional concurrent
channel
duplizieren, doppeln [Kopieren auf ein

Zielmedium, das die gleiche physikalische Form
hat, wie die Quelle.
duplicate, to [copy on a destination medium
having the same physical form as the source]
Duplizierkontrolle *f* [Kontrolle durch
Duplizieren]
duplication check [checking by duplicating]
Dupliziermodus *m*
duplicating mode
Duplizierprogramm *n*
duplicating program
durch Null dividieren, Division durch Null *f*
zero division, zero divide, to
Durchbrennen *n* [z.B. von Diodenstrecken]
burn-out [e.g. of internal diodes]
Durchbruch *m* [elektrischer Durchbruch]
breakdown [electrical breakdown]
Durchbruchbereich *m*, Durchbruchzone *f*
breakdown region
Durchbruchimpedanz *f*
breakdown impedance
Durchbruchspannung *f*
breakdown voltage
Durchbruchstelle *f*
breakdown spot
Durchbruchstrom *m*
breakdown current
Durchbruchzone *f*, Durchbruchbereich *m*
breakdown region
Durchführbarkeit *f*
feasibility
Durchführbarkeitsstudie *f*
feasibility study
Durchführungskondensator *m*
feed through capacitor
Durchgang *m* [des Stromes]
passage [of current]
Durchgangsdämpfung *f*
transmission loss
Durchgangsloch *n* [Leiterplatten]
through-hole mounting [printed circuit
boards]
Durchgangsprüfer *m*, Leitungsprüfer *m*
continuity tester
Durchgangsprüfung *f*
continuity test
Durchgangsunterbrechung *f*
continuity failure
durchgehend "Eins"
all "ones"
durchgehend "Null"
all "zeroes"
durchgeschlagen [eine Isolation]
punctured [insulation]
Durchgreifeffekt *m*
punch-through effect
Durchgreifspannung *f*
punch-through voltage
Durchgreifstrom *m*

punch-through current
Durchgriff *m*
punch-through
durchkontaktierte Bohrung *f* [Leiterplatten]
plated-through hole [printed circuit boards]
Durchlaßbereich *m* [eines
Halbleiterbausteines]
conducting state region [of a semiconductor
device]
Durchlaßbereich *m* [z.B. eines Netzwerkes oder
Verstärkers]
pass band [e.g. of a network or amplifier]
Durchlaßdämpfung *f* [mittlere Dämpfung im
Durchlaßbereich]
pass-band attenuation [average attenuation
in pass band]
Durchlaßrichtung *f*, Vorwärtsrichtung *f*
forward direction
Durchlaßspannung *f* (veraltet),
Vorwärtsspannung *f*
forward voltage
Durchlaßstrom *m* (veraltet), Vorwärtsstrom *m*
[der im Durchlaßzustand fließende Strom einer
Diode]
forward current, on-state current [the
current flowing through a diode in conducting
state]
Durchlaßverlustleistung *f* [z.B. eines
Leistungshalbleiters]
on-state power loss [e.g. of a power
semiconductor]
Durchlaßverzögerungsspannung *f*
forward recovery voltage
Durchlaßverzögerungszeit *f*
forward recovery time
Durchlaßwiderstand *m*
forward d.c. resistance
Durchlaßzustand *m* [Halbleiterbauelement, z.B.
Diode]
on-state, conducting state [semiconductor
component, e.g. diode]
Durchlauf *m*
pass, run
Durchlaufanweisung *f*
perform statement
durchlaufen [z.B. eines Unterprogrammes]
looping [e.g. of a routine]
**Durchlaufen von periodischen
Arbeitsgängen** *n*
cycling [of periodic operational phases]
Durchlaufzeit *f* [eines Programmes]
running time, run duration [of a program]
durchnumerieren
number consecutively, to; number
serially, to
Durchsatz *m*, Durchsatzrate *f* [z.B.
Daten/Zeiteinheit, Aufträge/Tag]
throughput, throughput rate [e.g. data/unit
time, tasks/day]

Durchsatzzeit *f*
throughput time
Durchschaltbetrieb *m*
line switching
Durchschlag *m* [Ladungsausgleich mit
nachfolgender Isolationszerstörung]
dielectric breakdown [charge equalization
with subsequent destruction of insulation]
Durchschmelzverbindung *f*
fusible link
durchschnittliche Herstellqualität *f*, mittlere
Fertigungsgüte *f*
process average [average manufacturing
quality]
durchschnittlicher Stichprobenumfang *m*
[mittlere Anzahl Prüflinge, die pro Los geprüft
werden]
average sample number (ASN) [average
number of sample units inspected per lot]
Durchstrahlungs-Elektronenmikroskop *n*
transmission electron microscope
**Durchstrahlungs-Raster-
elektronenmikroskop** *n*
scanning transmission electron
microscope (STEM)
Durchströmverfahren *n* [ein
Diffusionsverfahren]
open-tube process [a diffusion process]
Durchverbindung *f* [Leiterplatten]
through connection [printed circuit boards]
DV *f* (Datenverarbeitung), **EDV** *f* (elektronische
Datenverarbeitung)
DP (data processing), EDP (electronic data
processing)
DVA *f* (Datenverarbeitungsanlage)
computer system, computer
DXF-Format *n* [Format für AutoCAD-
Zeichnungen]
DXF (Document Interchange Format) [format
for AutoCAD drawings]
dyadisch, binär, dual [zwei Operanden
aufweisend]
dyadic, binary, dual [having two operands]
dyadische Boolesche Operation *f*
dyadic Boolean operation
dynamisch [bei Daten: veränderlich, im
Gegensatz zu statisch bzw. unveränderlich]
dynamic [in the case of data: changing, in
contrast to static or unchanging]
dynamisch [bei der Programmierung:
Zuweisung während der Programmlaufzeit, im
Gegensatz zur Zuweisung während der
Compilierungsphase]
dynamic [in the case of programming:
allocation during program run, in contrast to
allocation during the program compilation
phase]
dynamisch einmodiger Laser *m*, DSM-Laser
m [Halbleiterlaser]

dynamic single mode laser (DSM laser)
[semiconductor laser]
dynamisch skalieren, heranholen, zoomen [bei
der graphischen Datenverarbeitung]
zoom, to [in computer graphics]
dynamische Adressierung *f*
dynamic addressing
dynamische Auslagerung *f*, Swapping *m*, Ein-
und Auslagern *n* [Verschieben eines
Programmes vom Zusatz- in den Hauptspeicher
und umgekehrt; wird in
Mehrbenutzersystemen sowie in Systemen mit
virtuellem Speicher verwendet]
swapping, swap-in and swap-out [transfer a
program from auxiliary to main storage and
vice-versa; used in time-sharing and virtual
memory systems]
dynamische Bindung *f*
late binding
dynamische Funktionsbibliothek *f*,
dynamische Linkbibliothek *f* [bei der
Programmierung in Windows: Objektcode-
Bibliothek, die zur Laufzeit eingebunden
werden kann]
dynamic link library (DLL) [in Windows
programming: object code library that can be
bound in at run-time]
dynamische Kippschaltung *f*, dynamisches
Flipflop *n*
dynamic flip-flop
dynamische Pufferung *f*
dynamic buffering
dynamische Skalierfunktion *f*, Zoom-Funktion
f [stufenlose Vergrößerung oder Verkleinerung
bei einer graphischen Darstellung auf dem
Bildschirm]
zoom function [continuous enlargement or
reduction of a graphical display]
dynamische Speicherung *f*
dynamic storage
dynamische Speicherzuweisung *f*
dynamic memory allocation
dynamische Verschiebung *f*
dynamic relocation
dynamischer Betrieb *m*
dynamic mode
dynamischer Datenaustausch [bei der
Programmierung in Windows: ein Protokoll für
den Datenaustausch zwischen Anwendungen]
DDE (Dynamic Data Exchange)[in Windows
programming: a protocol for communication
between applications]
dynamischer Fehler *m*
dynamic error
dynamischer RAM *m*, dynamischer Schreib-
Lese-Speicher *m* (DRAM)
Dynamischer Schreib-Lese-Speicher mit
wahlfreiem Zugriff, dessen gespeicherte
Informationen periodisch aufgefrischt werden

müssen.

dynamic RAM, dynamic random access memory (DRAM)
Dynamic read-write memory with random access which requires periodic refreshing of the stored information.

dynamischer Speicher *m* [ein Speicher, der das fortlaufende Auffrischen der darin enthaltenen Informationen erfordert]
dynamic memory [a storage requiring continuous refreshing of the stored information]

dynamischer Speicherabzug *m,* Schnappschußabzug *m,* Speicherauszug der Zwischenergebnisse *m* [Speicherdarstellung, meistens in binärer, hexadezimaler oder oktaler Form, zwecks Fehlerbeseitigung während des Programmablaufes]
snapshot dump, dynamic dump [representation, usually in binary, hexadecimal or octal form, of memory contents for debugging purposes during program run]

dynamischer Zugriff *m*
dynamic access

dynamisches Flipflop *n,* dynamische Kippschaltung *f*
dynamic flip-flop

dynamisches Skalieren *n,* Zoomen *n*
zooming

Dynistor *m,* Vierschichtdiode *f* [Halbleiterbaustein mit diodenähnlicher Kennlinie, angewandt als Hochstromschalter]
dynistor, four-layer diode [semiconductor device with a characteristic similar to that of a diode, used as a high-current switch]

DZTL, Dioden-Zenerdioden-Transistor-Logik *f* Variante der DTL-Schaltungsfamilie, bei der die Zenerdiode einen hohen Störspannungsabstand bewirkt.
DZTL (diode-Zener-diode-transistor logic) Variant of the DTL logic family in which the Zener diode ensures a high signal-to-noise ratio.

E

E²CL, EECL, Emitter-emittergekoppelte Logik *f*
[Variante der ECL-Schaltungsfamilie]
E²CL, EECL (emitter-emitter-coupled logic)
[Variant of the ECL family of logic circuits]
E²PROM *m*, EEPROM *m*, elektrisch löschbarer,
neu programmierbarer Festwertspeicher *m*
Festwertspeicher, der vom Anwender elektrisch
gelöscht und wieder neu programmiert werden
kann; ähnlich wie ein EAROM.
E²PROM, EEPROM (electrically erasable
programmable ROM)
Read-only memory that can be electrically
erased and reprogrammed by the user; similar
to an EAROM.
E-Mail-Dienst *m*, elektronischer Postdienst *m*
E-mail service, electronic mail service,
mailbox service
E-MESFET *m*, Anreicherungs-Metall-Halbleiter-
FET *m*
Feldeffekttransistor des Anreicherungstyps,
dessen Gate aus einem Schottky-Kontakt
(Metall-Halbleiter-Übergang) besteht.
E-MESFET (enhancement-mode metal-
semiconductor FET)
Enhancement-mode field-effect transistor with
a gate formed by a Schottky barrier (metal-
semiconductor junction).
E/A-Abbildung *f*
I/O mapping
E/A-Anschluß *m*, Ein-Ausgabe-Anschluß *m* [für
externe Geräte]
I/O port, input-output port [for external units]
E/A-Anweisung *f*, Ein-Ausgabe-Anweisung *f*
I/O statement, input-output statement
E/A-Baustein *m*, E/A-Werk *n*, Ein-Ausgabe-
Baustein *m*
I/O device, input-output device
E/A-Bereich *m*, Ein-Ausgabe-Bereich *m*
I/O area, input-output area
E/A-Bus *m*, Ein-Ausgabe-Bus *m*
I/O bus, input-output bus
E/A-Datenpuffer *m*, Ein-Ausgabe-Datenpuffer *m*
I/O data buffer, input-output data buffer
E/A-Einheit *f*, Ein-Ausgabe-Einheit *f*
I/O unit, input-output unit
E/A-Gatter *n*, Ein-Ausgangs-Gatter *n*
I/O gating, input-output gate
E/A-Modus *m*, Ein-Ausgabe-Modus *m*
I/O mode, input-output mode
E/A-Prozessor *m*, Ein-Ausgabe-Prozessor *m*
Zusätzlicher Prozessor, der einem
Mikroprozessor zugeordnet ist, um Ein-
Ausgabe-Operationen durchzuführen.
I/O processor, input-output processor
Additional processor assigned to a

microprocessor to perform input-output
operations.
E/A-Pufferung *f*
I/O buffering
E/A-Register *m*
I/O register
E/A-Schaltung *f*, Ein-Ausgabe-Schaltung *f*
I/O circuit, input-output circuit
E/A-Schnittstelle *f*, Ein-Ausgabe-Schnittstelle *f*
I/O interface, input-output interface
E/A-Steuerung *f*, Ein-Ausgabe-Steuerung *f*
I/O control, input-output control
E/A-System *n*, Ein-Ausgabe-System *n*
I/O system, input-output system
E/A-Tor *n*, Ein-Ausgabe-Tor *n*
I/O gate, input-output gate
E/A-Treiber *m*, Ein-Ausgabe-Treiber *m*
I/O driver, input-output driver
E/A-Verstärker *m*, Ein-Ausgangs-Verstärker *m*
I/O amplifier, input-output amplifier
E/A-Warteschlange *f*, Ein-Ausgabe-
Warteschlange *f*
I/O queue, input-ouput queue
E/A-Werk *n*, E/A-Baustein *m*, Ein-Ausgabe-
Baustein *m*
I/O device, input-output device
EAPLA, elektrisch löschbares, neu
programmierbares Logik-Array *n*
EAPLA (electrically erasable programmable
logic array)
EAROM *m*, elektrisch umprogrammierbarer
Festwertspeicher *m*
Ein Festwertspeicher, der vom Anwender
elektrisch programmiert, gelöscht und
wiederholt umprogrammiert werden kann.
EAROM (electrically alterable ROM)
A read-only memory that can be electrically
programmed, erased and reprogrammed any
number of times by the user.
EBCDIC-Code *m* [ein auf 8 Binärzeichen
erweiterter Binärcode für Dezimalziffern]
EBCDIC code, (extended binary-coded
decimal interchange code) [a binary code for
decimal digits expanded to 8 binary digits]
EBCDIC-Zeichen *n*
EBCDIC character
ECC-Zeichen *n* [bei Fehlerkorrekturcodes]
ECC character [in error correcting codes]
Eccles-Jordan-Schaltung *f* [bistabile
Kippschaltung, Flipflop-Schaltung]
Eccles-Jordan circuit [bistable
multivibrator, flip-flop circuit]
Echo *n* [Bildschirmdarstellung eines über
Tastatur eingegebenen Zeichens]
echo [representation on screen of character
input via keyboard]
echte Adresse *f*, reale Adresse *f* [tatsächliche
Adresse im Hauptspeicher]
real address [actual physical address in main

storage]
echte Teilmenge *f*
   proper subset
Echtzeitbetrieb *m,* Realzeitbetrieb *m*
[Verarbeitung der Daten zum Zeitpunkt ihrer
Generierung; im Gegensatz zur
Stapelverarbeitung, bei der die Daten
gesammelt und dann schubweise verarbeitet
werden]
   real-time operation [processing of data at the
time they are generated; in contrast to batch
processing in which data are collected and then
processed in batches]
Echtzeiteingabe *f,* Realzeiteingabe *f*
   real-time input
Echtzeitempfänger *m*
   real-time receiver
Echtzeitsimulation *f,* Realzeitsimulation *f*
   real-time simulation
Echtzeittaktgeber *m,* Realzeituhr *f,*
Echtzeituhr *f* [erzeugt periodische Signale, die
zur Berechnung der Tageszeit verwendet
werden können; wird für den Realzeitbetrieb
benötigt]
   real-time clock (RTC) [generates periodic
signals which can be used for giving the time of
day; is needed for real-time operation]
Echtzeitverarbeitung *f,* Realzeitverarbeitung *f*
   real-time processing
ECIL, emittergekoppelte Injektionslogik *f*
   ECIL (emitter-coupled injection logic)
Eckenabschnitt *m* [bei Lochkarten]
   corner cut [of a punched card]
ECL, emittergekoppelte Logik *f*
Logikfamilie der Stromschaltertechnik, bei der
die logischen Verknüpfungen durch
emittergekoppelte Paralleltransistoren bzw.
durch Emitterfolger am Ein- oder Ausgang
realisiert werden.
   ECL (emitter-coupled logic)
Type of current-mode logic circuit family in
which logical functions are performed by
emitter-coupled parallel transistors and emitter
followers at the input or output.
ECMA [Europäische Vereinigung der
Rechnerhersteller]
   ECMA (European Computer Manufacturing
Association]
ECR-Verfahren *n*
(Elektronenzyklotronresonanz) [ein
Abscheidungsverfahren, das bei der
Herstellung von integrierten Schaltungen
angewendet wird]
   ECR process (electron cyclotron resonance) [a
deposition process used in integrated circuit
fabrication]
ECTL, emittergekoppelte Transistorlogik *f*
[Variante der ECL-Schaltungsfamilie]
   ECTL, (emitter-coupled transistor logic)

[variant of the ECL family of logic circuits]
EDC-Zeichen *n* [bei Fehlererkennungscodes]
   EDC character [in error detecting codes]
EDI [elektronischer Datenaustausch]
   EDI (Electronic Data Interchange)
Editieren *n,* Druckaufbereitung *f* [Gestaltung
des am Bildschirm gezeigten Textes]
   editing [modifying text shown on screen]
editieren, korrigieren, aufbereiten
   edit, to
Editor *m,* Druckaufbereitungsprogramm *n*
[Programm zum Aufbereiten von Texten und
Programmen; insbesondere für die Eingabe,
Korrektur, Speicherung und Ausgabe]
   editor [program for processing texts and
programs; in particular for entering, modifying,
storing and outputting]
EDV *f,* elektronische Datenverarbeitung *f*
   EDP (electronic data processing)
EECL, E^2CL, Emitter-emittergekoppelte Logik *f*
[Variante der ECL-Schaltungsfamilie]
   EECL, E^2CL, emitter-emitter-coupled logic
[Variant of the ECL family of logic circuits]
EEL, Emitter-Emitter-Logik *f* [Variante der
ECL-Schaltungsfamilie]
   EEL (emitter-emitter logic) [variant of the ECL
familie of logic circuits]
EEMS [Weiterentwicklung des LIM-EMS-
Standards für Erweiterungsspeicher]
   EEMS (Enhanced Expanded Memory
Specification) [extension of LIM EMS standard]
EEPROM *m,* E^2PROM *m,* elektrisch löschbarer,
neu programmierbarer Festwertspeicher *m*
Festwertspeicher, der vom Anwender elektrisch
gelöscht und wieder neu programmiert werden
kann; ähnlich wie ein EAROM.
   EEPROM, E^2PROM (electrically erasable
programmable ROM)
Read-only memory that can be electrically
erased and reprogrammed by the user; similar
to an EAROM.
effektive Adresse *f* [die tatsächliche Adresse bei
relativer, indirekter und indizierter
Adressierung]
   effective address [the actual address in
relative, indirect and indexed addressing]
Effektivwert *m,* quadratischer Mittelwert *m*
[z.B. der Spannung oder des Stromes]
   rms value (root-mean-square value) [e.g. of
voltage or current]
EFL, Emitterfolgerlogik *f*
Schaltungskonzept für hochintegrierte
Schaltungen, dessen Grundbausteine sich aus
Emitterfolgern mit PNP- und NPN-
Transistoren zusammensetzen.
   EFL (emitter follower logic)
Form of logic used in large-scale integrated
circuits in which basic elements are formed by
emitter followers with pnp and npn-transistors.

EFM-Code *m* [14-Bit-Code]
  EFM code (Eight-to-Fourteen Modulation) [a
  14-bit code]
EGA [verbesserter Graphik-Adapter für den IBM
  PC]
  EGA (Enhanced Graphics Adapter) [for IBM
  PC]
EIA [Eine Normungsorganisation in den USA]
  EIA (Electronic Industries Association)
EIA-232-C-Schnittstelle *f,* RS-232-C-
  Schnittstelle *f* [genormte Schnittstelle für die
  asynchrone serielle Datenübertragung gemäß
  EIA]
  RS-232-C interface, EIA 232-C interface
  [standard interface for serial asynchronous
  data transmission according to EIA]
Eichkurve *f*
  calibration curve
Eichsignal *n*
  calibrator signal
Eichtabelle *f*
  calibration chart
Eigenbeweglichkeit *f* [Beweglichkeit der
  Elektronen in einem Eigenhalbleiter]
  intrinsic mobility [mobility of the electrons in
  an intrinsic semiconductor]
Eigenhalbleiter *m,* eigenleitender Halbleiter *m,*
  Eigenleiter *m,* I-Halbleiter *m*
  Halbleiterkristall von nahezu idealer und
  reiner Beschaffenheit, in dem die Dichten der
  Elektronen und Defektelektronen im Falle des
  thermischen Gleichgewichts nahezu gleich
  sind.
  intrinsic semiconductor
  Semiconductor crystal of practically ideal and
  pure composition in which electron and hole
  densities are practically identical in the case of
  thermal equilibrium.
eigenleitende Schicht *f*
  intrinsic layer
eigenleitende Zone *f*
  intrinsic zone
eigenleitendes Material *n*
  intrinsic material
Eigenleitfähigkeit *f*
  intrinsic conductivity
Eigenleitung *f* [Ladungstransport in einem
  Eigenhalbleiter, d.h. in einem nicht dotierten
  Halbleiter]
  intrinsic conduction [charge transport in an
  intrinsic semiconductor, i.e. in a semiconductor
  that has not been doped with impurities]
Eigenprüfeinrichtung *f*
  built-in test equipment (BITE)
Eigenprüfmagnetband *n*
  self-test tape
Eigenprüfung *f*
  self-test
Eigenresonanzfrequenz *f*

  natural resonant frequency, self-resonant
  frequency
Eigenschwingung *f* [einer Schaltung oder eines
  Systems]
  natural oscillation, self-oscillation [of a
  circuit or system]
eigensicher [Schutzart]
  intrinsically safe [protection mode]
Eigensicherheit *f* [Schutzart]
  intrinsic safety [protection mode]
Eigensynchronisation *f*
  internal synchronization
Eigenverbrauch *m*
  power drain, internal power consumption
Eigenverzerrung *f*
  inherent distortion
Eimerkettenschaltung *f,* BBD-Schaltung *f*
  [integrierte Ladungstransferschaltung in MOS-
  Struktur]
  bucket brigade device (BBD) [integrated-
  circuit charge-transfer device in MOS
  structure]
Ein- und Auslagern *n,* Swapping *m,*
  dynamische Auslagerung *f* [Verschieben eines
  Programmes vom Zusatz- in den Hauptspeicher
  und umgekehrt; wird in
  Mehrbenutzersystemen sowie in Systemen mit
  virtuellem Speicher verwendet]
  swapping, swap-in and swap-out [transfer a
  program from auxiliary to main storage and
  vice-versa; used in time-sharing and virtual
  memory systems]
Ein-/Austastung *f*
  on/off keying
Ein-Ausgabe-Anschluß *m,* E/A-Anschluß *m* [für
  externe Geräte]
  input-output port, I/O port [for external
  units]
Ein-Ausgabe-Anweisung *f,* E/A-Anweisung *f*
  input-output statement, I/O statement
Ein-Ausgabe-Baustein *m,* Ein-Ausgabe-Werk *n,*
  E/A-Baustein *m,* E/A-Werk *n*
  input-output device, I/O device
Ein-Ausgabe-Bereich *m,* E/A-Bereich *m*
  input-output area, I/O area
Ein-Ausgabe-Bus *m,* E/A-Bus *m*
  input-output bus, I/O bus
Ein-Ausgabe-Datenpuffer *m,* E/A-Datenpuffer *m*
  input-output data buffer, I/O data buffer
Ein-Ausgabe-Einheit *f,* E/A-Einheit *f*
  input-output unit, I/O unit
Ein-Ausgabe-Modus *m,* E/A-Modus *m*
  input-output mode, I/O mode
Ein-Ausgabe-Prozessor *m,* E/A-Prozessor *m*
  Zusätzlicher Prozessor, der einem
  Mikroprozessor zugeordnet ist, um Ein-
  Ausgabe-Operationen durchzuführen.
  input-output processor, I/O processor
  Additional processor assigned to a

microprocessor to perform input-output
operations.
Ein-Ausgabe-Schaltung *f*, E/A-Schaltung *f*
  input-output circuit, I/O circuit
Ein-Ausgabe-Schnittstelle *f*, E/A-Schnittstelle *f*
  input-output interface, I/O interface
Ein-Ausgabe-Steuerung *f*, E/A-Steuerung *f*
  input-output control, I/O control
Ein-Ausgabe-System *n*, E/A-System *n*
  input-output system, I/O system
Ein-Ausgabe-Teil *m*, BIOS *n* [Teil des
  Betriebssystems]
  BIOS (Basic Input-Output System) [part of
  operating system]
Ein-Ausgabe-Tor *n*, E/A-Tor *n*
  input-output gate, I/O gate
Ein-Ausgabe-Treiber *m*, E/A-Treiber *m*
  input-output driver, I/O driver
Ein-Ausgabe-Warteschlange *f*, E/A-
  Warteschlange *f*
  input-output queue, I/O queue
Ein-Ausgabe-Werk *n*, Ein-Ausgabe-Baustein *m*,
  E/A-Baustein *m*, E/A-Werk *n*
  input-output device, I/O device
Ein-Ausgangs-Gatter *n*, E/A-Gatter *n*
  input-output gate, I/O gate
Ein-Ausgangs-Schnittstelle *f*, E/A-
  Schnittstelle *f*
  input-output interface, I/O interface
Ein-Ausgangs-Verstärker *m*, E/A-Verstärker *m*
  input-output amplifier, I/O amplifier
Ein-Bit-Addierer *m* [Halbaddierer]
  one-bit adder [half adder]
Einadreßbefehl *m* [Befehl mit einem Adreßteil]
  single-address instruction [an instruction
  that contains one address part]
Einadreßcode *m* [im Gegensatz zum
  Mehradreßcode]
  single-address code [in contrast to multiple-
  address code]
Einbrennen *n*
  baking
Einbrennprüfung *f*, Burn-In *n*, Voralterung *f*
  Prüfverfahren, bei dem Halbleiterbauelemente
  oder Bausteine unter erschwerten
  Betriebsbedingungen und bei erhöhten
  Temperaturen (meistens 125 °C) betrieben
  werden, um Frühausfälle vor der
  Inbetriebnahme zu eliminieren.
  burn-in, burn-in test
  Testing method in which semiconductor
  components or devices are operated under
  severe operating conditions and at relatively
  high temperatures (usually 125 °C) to eliminate
  early failures prior to actual use.
Einchip-Baustein *m* [auf einem einzigen Chip
  realisiert]
  one-chip device, single-chip device
  [implemented on a single chip]

Einchip-Mikrorechner *m* [eine auf einem
  einzigen Chip realisierte Schaltung mit den
  wesentlichsten Funktionen eines
  Mikrorechners, d.h. Mikroprozessor
  (Zentraleinheit), RAM, ROM sowie Ein-
  Ausgabe-Schnittstelle]
  single-chip microcomputer [a circuit
  implemented on a single chip containing the
  major functions of a microcomputer, e.g.
  microprocessor (CPU), RAM, ROM, and input-
  output interface]
Einchip-Modem *m* [ein auf einem einzigen Chip
  realisierter Modem]
  single-chip modem [a modem implemented
  on a single chip]
eindeutiger Name *m*
  unique name
Eindiffundieren *n*, Diffundieren *n* [von
  Fremdatomen oder Ladungsträgern]
  diffusion [of impurities or charge carriers]
eindiffundierte Schicht *f*, diffundierte Schicht *f*
  diffused layer
Eindringtiefe *f*
  penetration depth, penetration
Einerkomplement *n* [eine der
  Darstellungsformen für negative Binärzahlen;
  wird durch die Umkehrung der Einser und
  Nullen gebildet, z.B. 101 wird 010]
  ones complement [one of the representation
  forms for negative binary numbers; is formed
  by replacing ones by zeroes and vice-versa, e.g.
  101 becomes 010]
Einerstelle *f*
  units position, ones column
einfachdiffundiert
  single diffused
einfachdiffundierter Transistor *m*
  [Bipolartransistor, bei dem die Dotierung von
  Emitter und Kollektor in einem einzigen
  Diffusionsschritt erfolgt]
  single-diffused transistor [bipolar transistor
  in which emitter and collector are doped with
  impurities in a single diffusion step]
Einfachdiffusionsverfahren *n* [Technik, bei
  der Emitter und Kollektor eines
  Bipolartransistors in einem einzigen
  Diffusionsschritt dotiert werden]
  single diffusion process [process involving a
  single diffusion step for emitter and collector
  doping in bipolar transistor fabrication]
einfache Genauigkeit *f*, einfache Wortlänge *f*
  [Darstellung einer Zahl durch ein Rechnerwort]
  single precision [representation of a number
  by one computer word]
einfache Stichprobenprüfung *f*,
  Einfachstichprobenprüfung *f* [Prüfentscheid
  aufgrund einer Stichprobe]
  single sampling [decision based on only one
  sample]

einfache Wortlänge *f,* einfache Genauigkeit *f*
[Darstellung einer Zahl durch ein Rechnerwort]
single precision [representation of a number
by one computer word]
Einfacheuropaformat *n,* Europakartenformat *n*
[Leiterplatte der Abmessungen 100x160 mm]
single Euroboard format, European PCB
format [printed circuit board measuring
100x160 mm]
Einfachheterostrukturlaser *m*
[Halbleiterlaser]
single-heterostructure laser [semiconductor
laser]
Einfachstichprobenprüfung *f,* einfache
Stichprobenprüfung *f* [Prüfentscheid aufgrund
einer Stichprobe]
single sampling [decision based on only one
sample]
Einfachstrom *m* [eine Übertragungstechnik]
single current [a data transmission
technique]
einfangen [Ausführen eines nicht
programmierten Sprunges]
trap, to [carry out an unprogrammed jump]
einfügen [zusätzliche Zeichen oder Texte
einsetzen]
insert, to [additional characters or text]
einfügen [Übertragen von Text oder Graphik aus
dem temporären Speicher (Zwischenablage) in
eine Anwendung]
paste [transfer text or graphics from a
temporary storage (clipboard) to an application]
Einfügestelle *f*
insertion point
Einfügungszeichen *n*
insertion character
Eingabe *f,* Eingang *m*
input
Eingabe löschen
clear entry, to
Eingabe von Hand *f,* Handeingabe *f*
manual entry
Eingabe-Ausgabe-Anschluß *m,* E/A-Anschluß
input-output port, I/O port
Eingabeadreßpuffer *m*
input address buffer
Eingabeaufforderung *f,* Bereitschaftszeichen *n*
[eines Systems, das auf eine Eingabe durch den
Bediener wartet]
prompt [ready symbol of a system waiting for
an operator input]
Eingabebefehl *m,* Lesebefehl *m* [für den
Datentransfer aus einem externen Speicher
oder Eingabegerät in den Hauptspeicher]
input instruction, read instruction [for data
transfer, e.g. from external storage or input
unit into main storage]
Eingabebeleg *m*
input record

Eingabedatei *f*
input file
Eingabedaten *n.pl.,* Eingangsdaten *n.pl.*
input data
Eingabeeinheit *f*
input unit
Eingabefeinheit *f*
input sensitivity
Eingabefeld *n*
input field
Eingabegerät *n*
input device
Eingabemedium *n* [Datenträger]
input medium [data medium]
Eingabemodus *m*
input mode
Eingabeprogramm *n* [spezielles Programm für
das Einlesen von Daten]
input program [special program for reading
in data]
Eingabepuffer *m,* Eingabepufferspeicher *m*
input buffer, input buffer storage
Eingabepufferregister *n*
input buffer register
Eingabespeicher *m*
input storage
Eingabetastatur *f*
input keyboard
Eingabetaste *f*
enter key, return key
Eingabezeiger *m,* Cursor *m* [blinkendes Zeichen
(meistens ein Rechteck oder ein Strich), das die
Lage der nächsten Eingabe am Schirm zeigt]
cursor [blinking sign (usually a rectangle or
dash) showing position of next entry on screen]
Eingang *m,* Eingabe *f*
input
Eingangs-Gleichtaktspannung *f*
common-mode input voltage
Eingangs-Gleichtaktspannungsbereich *m*
common-mode input voltage range
Eingangs-Offset-Strom *m,* Eingangsnullstrom
input offset current
Eingangsadmittanz *f,* Eingangsscheinleitwert
m [Kehrwert der Eingangsimpedanz]
input admittance [reciprocal value of input
impedance]
Eingangsadresse *f*
entry-point address
Eingangsanschluß *m* [z.B. einer
Digitalschaltung]
input terminal [e.g. of a digital circuit]
Eingangsbelastung *f*
input load
Eingangsdaten *n.pl.,* Eingabedaten *n.pl.*
input data
Eingangsdatensteuerung *f*
input data control
Eingangsdrift *f*

input drift
Eingangsfächerung *f,* Eingangslastfaktor *m,*
Fan-In *n*
Anzahl Ausgänge gleichartiger Schaltungen,
mit der der Eingang einer Logikschaltung
belastet werden kann.
fan-in
Number of outputs of similar circuits which can
be accomodated by a logic circuit input.
Eingangsgröße *f* [Signalparameter, z.B.
Spannung]
input variable [signal parameter, e.g. voltage]
Eingangsimpedanz *f*
input impedance
Eingangskapazität *f*
input capacitance
Eingangskenngröße *f*
input parameter
Eingangskennlinie *f* [Zusammenhang zwischen
Gleichstrom und Gleichspannung am Eingang
eines Halbleiterbausteins, z.B. Basis-
Gleichstrom in Funktion der Basis-Emitter-
Spannung eines PNP-Transistors]
input characteristic [relation between direct
current and direct voltage at the input of a
semiconductor device, e.g. base dc current as a
function of base-emitter dc voltage of a pnp-
transistor]
Eingangskonfiguration einer
Binärschaltung *f*
input configuration of a binary circuit
Eingangslastfaktor *m,* Eingangsfächerung *f,*
Fan-In *n*
fan-in
Eingangsleistung *f*
input power
Eingangsnullspannung *f*
input offset voltage
Eingangsnullstrom *m,* Eingangs-Offset-Strom
input offset current
Eingangspegel *m*
input level
Eingangsprüfung *f* [Prüfung der angelieferten
Produkte]
receiving inspection [inspection of incoming
products]
Eingangsrauschspannung *f*
input noise voltage
Eingangsscheinleitwert *m,* Eingangsadmittanz
f [Kehrwert der Eingangsimpedanz]
input admittance [reciprocal value of input
impedance]
Eingangssignal *n*
input signal
Eingangsspannung *f*
input voltage
Eingangsstrom *m*
input current
Eingangsstufe *f*

input stage
Eingangstor *n*
input gate, input port
Eingangsverstärker *m*
input amplifier
Eingangswiderstand *m*
input resistance
eingebaut
built-in
eingebaute Funktion *f*
built-in function
eingebaute Schriften *f.pl.* [im Drucker
abgespeicherte Schriften]
resident fonts [permanently stored in printer]
eingeben [Daten]
enter, to; input, to; key-in, to [data]
eingeben von Hand
input manually, to
eingeben, eintasten [von Daten über Tastatur]
key in, to [of data via keyboard]
eingeben, schieben [Registerinhalt in
Stapelspeicher]
push, to [register content into stack]
eingebettet
embedded
eingebetteter Befehl *m* [Druckerbefehl]
embedded command [printer command]
eingeprägte Spannung *f*
impressed voltage
eingeprägter Strom *m*
impressed current
eingeschaltet [Gerät]
on-state, switched on [equipment]
eingeschwungener Zustand *m* [eines Signals]
steady state [of a signal]
Eingreifen von Hand *n*
manual override
Einheit *f*
unit
einheitliche Maschinensprache *f*
common machine language
Einkanaltechnik *f*
[Datenübertragungsmethode]
single-channel technique [data transmission
method]
Einkristall *m*
Ein meistens künstlich gezüchteter Kristall, bei
dem alle Elementarzellen die gleiche
kristallographische Ausrichtung haben.
single crystal
A crystal, normally artificially grown, in which
all cells have the same crystallographic
orientation.
Einkristallbaustein *m*
monolithic device
Einkristallhalbleiter *m*
single-crystal semiconductor
einkristallines Silicium *n,* monokristallines
Silicium *n*

single-crystal silicon
Einkristallscheibe f
single-crystal wafer
**Einkristallzüchtung durch tiegelfreies
Zonenziehen** f [ein Kristallzuchtverfahren]
single-crystal growing by float zone
melting [a crystal growing process]
einlagern [von Daten aus dem Hilfsspeicher in
den Hauptspeicher]
swap-in, to [transfer data from auxiliary
storage into main storage]
einlagige Leiterplatte f [im Gegensatz zur
mehrlagigen Leiterplatte]
single-layer printed circuit board [in
contrast to multilayered printed circuit board]
einleiten, auslösen [Datentransfer,
Programmladen usw.]
initiate, to[data transfer, program loading,
etc.]
Einleitungsprogramm n
initialization program
Einleitungsroutine f
initialization routine
einlesen, einspeichern [von Daten in einen
Speicher]
read in, to; write, to [data into storage]
einloggen, anmelden
login, to
einmal beschreibbar, mehrmals lesbar,
WORM
write once, read many times (WORM)
einordnen, klassifizieren, ordnen [z.B.
statistische Daten]
classify, to [e.g. statistical data]
Einphasenkreis m
single-phase circuit
Einphasenstrom m
single-phase current
einphasig
single phase
einplanen, bereitstellen
schedule, to
Einplatinenrechner m [Mikrorechner, der auf
einer einzigen Leiterplatte realisiert ist]
single-board computer (SBC) [a
microcomputer implemented on a single
printed circuit board]
Einplatzsystem n [ein Rechnersystem, an das
nur ein Terminal angeschlossen werden kann]
single-user system [a computer system that
can support only one terminal]
einpolig
single pole
einpolig geerdet
grounded at one terminal
Einquadrant-Multiplizierschaltung f
one-quadrant multiplier
einrasten
lock in place, to

Einraststrom m [kleinster Strom, bei dem der
Thyristor noch im Durchlaßzustand bleibt]
latching current [smallest current keeping
thyristor still in on-state]
einreihen [in eine Warteschlange]
form a queue, to
einrücken [Text]
indent, to [text]
Eins-aus-Zehn-Code m [ein Binärcode für
Dezimalziffern, der jede Ziffer durch eine
Gruppe von 10 Binärzeichen darstellt, z.B. 7 =
0001000000]
one-out-of-ten code [a binary code for decimal
digits using 10 binary digits for each decimal
digit, e.g. 7 = 0001000000]
Eins-zu-Eins-Assembler m, **Eins-zu-Eins-**
Übersetzer m [erzeugt einen Maschinenbefehl
für jede Programmanweisung]
one-to-one assembler [generates a machine
command for each program instruction]
Eins-zu-Eins-Übersetzer m, **Eins-zu-Eins-**
Assembler m [erzeugt einen Maschinenbefehl
für jede Programmanweisung]
one-to-one assembler [generates a machine
command for each program instruction]
Eins-Zustand m [logische Eins, z.B. am Eingang
eines Flipflops]
one-state [logical one, e.g. at input of a flip-
flop]
Einsatzerprobung f [z.B. von Geräten]
field test [e.g. of equipment]
Einschaltdiagnostik f [Funktionsüberprüfung
beim Einschalten]
power-up diagnostics, self-check [functional
check when switching on]
einschalten, anschalten
turn-on, to
einschalten, Stromversorgung einschalten
switch-on, to; power-up, to
Einschaltpegel m
turn-on level
Einschaltstrom m, **Einschaltstromstoß** m
[Spitzenwert des Stromes nach dem
Einschalten]
inrush current [peak value of current after
switching on]
Einschaltverzögerungszeit f
turn-on delay time
Einschaltwiderstand m
on-state resistance
Einschaltzeit f
turn-on time
Einschiebung f
insertion
Einschluß m [Leiterplatten]
inclusion [printed circuit boards]
Einschnürspannung f
pinch-off voltage
Einschnürung f [Verringerung des Stromes in

einem Feldeffekttransistor durch Verengung
des Kanals]
pinch-off [reduction of current in a field-effect
transistor due to narrowing of channel]
einschreiben [Daten]
write in, to [Data]
Einschreiben *n*, Schreiben *n*
writing
Einschub *m*, Einschubeinheit *f*, Steckeinheit *f*
[z.B. für ein genormtes 19-Zoll-Gestell]
plug-in unit [e.g. for a standard 19-inch rack]
Einschwingimpuls *m*
transient pulse
Einschwingverhalten *n*, Übergangsverhalten *n*
[Antwortsignal eines Systems auf eine
plötzliche Änderung des Eingangssignales, z.B.
auf eine Sprungfunktion]
transient response [response of a system to a
sudden change in input signal, e.g. to a step
function]
Einschwingverhalten bei kleinen Signalen *n*
small-signal transient behaviour, small-
signal transient response
Einschwingverhalten der
Ausgangsspannung *n*
output voltage swing
Einschwingzeit *f*, Einstellzeit *f* [Zeitspanne
zwischen Eingangsstimulus, z.B. Sprung,
Impuls oder Rampe, und Erreichen des
eingeschwungenen Ausgangssignales in einem
linearen System]
settling time [time delay between input of a
stimulus, e.g. step, pulse or ramp, and
attainment of a steady-state output signal in a
linear system]
Einschwingzustand *m* [eines Signals]
transient state [of a signal]
Einseitenbandübertragung *f*
single-sideband transmission
Einseitenbandverkehr *m*
single-sideband communication
einseitige Datenübermittlung *f*
one-way data communication
einseitige gedruckte Schaltung *f*, einseitige
Leiterplatte *f* [im Gegensatz zur doppelseitigen
Leiterplatte]
single-sided printed circuit board [in
contrast to double-sided printed circuit board]
Einselement *n* [in der Booleschen Algebra die
"1" oder die "0", je nach logischer Verknüpfung]
one-element [in Boolean algebra "1" or "0",
depending on the logical operation]
einspeichern [Daten wieder einlagern in den
Hauptspeicher]
roll-in, to [re-store data in main storage]
Einspeichern eines Programmes *n*, Laden
eines Programmes *n*
program load
einspeichern, einlesen [von Daten in einen

Speicher]
read in, to; write, to [data into storage]
einspeisen [z.B. Impulse]
feed in [e.g. pulses]
Einsprungbedingungen *f.pl.* [im
Unterprogramm]
entry conditions [in subroutine]
Einsprungstelle *f* [Adresse des ersten Befehls,
der beim Eintritt in ein Programm oder
Unterprogramm ausgeführt wird; insbesondere
die Startadresse eines Unterprogrammes]
entry point [address of first instruction
executed when entering a program, a routine or
a subroutine; in particular the start address of
a subroutine]
einstellbares Komma *n*
adjustable point
Einstellbereich der Eingangsnullspannung
input voltage range
Einstellgenauigkeit *f* [z.B. der Frequenz]
setting accuracy [e.g. of frequency]
Einstellung *f*, Justierung *f*
adjustment
Einstellungsprogramm *n*, Setup-Programm *n*
[konfiguriert den Rechner bei der Installation]
setup program [configures computer during
installation]
Einstellwert *m*, Sollwert *m* [eines Regelkreises]
setpoint, setpoint value [of an automatic
control circuit]
Einstellzeit *f*, Einschwingzeit *f* [Zeitspanne
zwischen Eingangsstimulus, z.B. Sprung,
Impuls oder Rampe, und Erreichen des
eingeschwungenen Ausgangssignales in einem
linearen System]
settling time [time delay between input of a
stimulus, e.g. step, pulse or ramp, and
attainment of a steady-state output signal in a
linear system]
einstufig [z.B. Verstärker, Teiler usw.]
single stage [e.g. amplifier, divider, etc.]
einstufiges Unterprogramm *n*
one-level subroutine
Eintaktschaltung *f*
single-ended circuit
eintasten, eingeben [von Daten über Tastatur]
key in, to [of data via keyboard]
Eintauchfließlöten *n*
immersion reflow soldering
Eintor *n*, Zweipol *m*
two-terminal network, single-port network
Eintragung *f*
entry
Eintrittsanweisung *f* [COBOL]
enter statement [COBOL]
Einwortbefehl *m*, Einzelwortbefehl *m*
single-word instruction
Einzeladressierung *f*
discrete addressing

Einzelanweisung *f*
single statement
Einzelbauelement *n*, diskretes Bauelement *n*,
Einzelbauteil *n* [Elektronik]
Bauelement, das nicht in einer integrierten
Schaltung enthalten ist, sondern als
selbstständiges, in eigenem Gehäuse
untergebrachtes Bauteil eingesetzt wird.
discrete component [electronics]
Individual component, separately packaged and
used independently, which is not part of an
integrated circuit.
Einzelblatt *n*, Einzelvordruck *m*
cut-sheet form
Einzelbusbetrieb *m*
single-bus operation
Einzelgerät *n*, Alleingerät *n*
stand-alone device, stand-alone equipment
Einzelhalbleiterbauelement *n*, diskretes
Halbleiterbauelement *n*
discrete semiconductor component
Einzelphotonenzählung *f*
single-photon counting
Einzelplattenkassette *f*, Magnetplattenkassette
f [von oben einsetzbare bzw. von vorne
einschiebbare Kassette]
magnetic disk cartridge, single-disk
cartridge [top loaded or front loaded]
Einzelschrittbetrieb *m*
single-step operation
Einzelschrittentstörung *f*
single-step debugging
Einzelstation *f*
stand-alone equipment
Einzeltakt *m*
single-clock pulse, single timing pulse
Einzelvordruck *m*, Einzelblatt *n*
cut-sheet form
Einzelwortbefehl *m*, Einwortbefehl *m*
single-word instruction
Einzifferaddierer *m*, Halbaddierer *m*
one-digit adder, half-adder
Einzug *m* [Text]
indentation [text]
Einzweckrechner *m*
single-purpose computer
EISA-Bus *m* [erweiterter, 32-Bit-breiter ISA-Bus
für 80386-und 80486-Prozessoren]
EISA bus (Enhanced Industry Standard
Architecture) [32-bit extension of ISA bus for
80386 and 80486 processors]
EL-Anzeige *f*, Elektrolumineszenz-Anzeige *f*
EL display, electroluminescent display
elektrisch löschbarer, neu programmierbarer Festwertspeicher *m* (EEPROM,
E^2PROM)
Festwertspeicher, der vom Anwender elektrisch
programmiert, gelöscht und wieder neu
programmiert werden kann; ähnlich wie ein

EAROM.
electrically erasable programmable read-
only memory (EEPROM, E^2PROM)
Read-only memory that can be electrically
programmed, erased and reprogrammed by the
user; similar to an EAROM.
elektrisch löschbares, neu programmierbares Logik-Array *n* (EAPLA)
electrically alterable programmable logic
array (EAPLA)
elektrisch programmierbar
electrically programmable
elektrisch programmierbarer
Festwertspeicher *m* (EPROM), löschbarer
programmierbarer Festwertspeicher *m*
Festwertspeicher, der vom Anwender mit
Ultraviolettlicht gelöscht und elektrisch wieder
neu programmiert werden kann. Auch
REPROM genannt.
electrically programmable read-only
memory (EPROM)
Read-only memory that can be erased by
ultraviolet light and reprogrammed electrically
by the user. Sometimes called REPROM.
elektrisch umprogrammierbarer
Festwertspeicher *m* (EAROM)
Festwertspeicher, der vom Anwender elektrisch
programmiert, gelöscht und wiederholt
umprogrammiert werden kann.
electrically alterable read-only memory
(EAROM)
Read-only memory that can be electrically
programmed, erased and reprogrammed any
number of times by the user.
elektrische Eigenschaften *f.pl.*
electrical properties, electrical
characteristics
elektrische Feldstärke *f*
electric field strength
elektrische Ladung *f*
electric charge
elektrische Leitfähigkeit *f*
electric conductivity
elektrische Polarisierung *f*
electric polarization
elektrische Schwingung *f*
electric oscillation
elektrischer Kraftfluß *m*
electric flux
elektrischer Strom *m*
electric current
elektrisches Feld *n*
electric field
elektrisches Moment *n*
electric moment
elektrisches Potential *n*
electric potential
Elektrode *f* [galvanische Verbindung zwischen
einer Halbleiterzone und dem Anschluß]

electrode [galvanic connection between a semiconductor zone and the lead]

Elektrolumineszenz-Anzeige *f*, EL-Anzeige *f* **electroluminescent display, EL display**

elektrolytische Speicherung *f* [Speichermethode] **electrolytic storage** [storage method]

Elektrolytkondensator *m* **electrolytic capacitor**

elektromagnetische Induktion *f* **electromagnetic induction**

elektromagnetische Störung *f* **electromagnetic interference** (EMI)

elektromagnetische Verträglichkeit *f* (EMV) [eines Gerätes oder Systems; die Fähigkeit, in der vorgesehenen elektromagnetischen Umgebung ohne Beeinträchtigung zu funktionieren] **electromagnetic compatibility** (EMC) [of equipment or system; capability of being operated in the intended electromagnetic environment without functional impairment]

elektromagnetische Welle *f* **electromagnetic wave**

elektromagnetisches Feld *n* **electromagnetic field**

Elektromigration *f* **electromigration**

elektromotorische Kraft *f* (EMK) **electromotive force** (emf)

Elektron *n* Die kleinste, existenzfähige elektrische Elementarladung. Bei Halbleitern tragen Elektronen, deren Energieniveaus im Leitungsband liegen zur elektrischen Leitung (negativer Ladungstransport) bei. **electron** The smallest electric charge that can exist. In semiconductors, electrons whose energy levels lie in the conduction band contribute to electrical conduction (negative charge transport).

Elektron-Defektelektron-Gleichgewicht *n* **electron-hole pair equilibrium**

Elektron-Defektelektron-Paar *n*, Elektron-Loch-Paar *n* **electron-hole pair**

Elektron-Defektelektron-Paar-Erzeugung *f* Bildung eines Elektron-Loch-Paares, z.B. durch Temperaturanstieg. Dabei wird ein Elektron aus dem Valenzband in das Leitungsband gehoben, während ein Loch im Valenzband zurückbleibt. **electron-hole pair generation,** pair generation Generation of an electron-hole pair, e.g. by increasing temperature. This causes an electron to be released from the valence band into the conduction band, thereby leaving a hole in the valence band.

Elektron-Loch-Paar *n*, Elektron-Defektelektron-Paar *n* **electron-hole pair**

Elektronenaffinität *f* **electron affinity**

Elektronenbahn *f* [Bahn, in der sich die Elektronen um den Atomkern bewegen] **orbit** [path described by the electrons revolvir about the nucleus]

Elektronenbeschuß *m* **electron bombardment**

Elektronenbeweglichkeit *f* **electron mobility**

Elektronendichte *f* **electron density**

Elektronenemission *f* **electron emission**

Elektronenhaftstelle *f*, Haftstelle *f* [Halbleitertechnik] Störstelle in einem Halbleiterkristall, die eine Ladungsträger vorübergehend festhalten kann **electron trap,** trap [semiconductor technolog Imperfection in a semiconductor crystal which temporarily prevents a carrier from moving.

Elektronenhülle *f* **electron shell**

Elektroneninjektion *f* **electron injection**

Elektronenleitung *f*, N-Leitung *f*, Überschußleitung *f* Ladungstransport in einem Halbleiter durch Leitungselektronen. **electron conduction** Charge transport in a semiconductor by conduction electrons.

Elektronenlücke *f*, Defektelektron *n*, Loch *n* [Halbleitertechnik] Fehlendes Elektron im Valenzband eines Halbleiters, das wie eine bewegliche positive Ladung wirkt. **hole** [semiconductor technology] Vacancy left by an electron in the valence ban of a semiconductor and behaving like a mobile positive charge.

Elektronenmikroskop *n* **electron microscope**

Elektronenoptik *f* **electron optics**

Elektronenpaar *n* **electron pair**

Elektronenstrahlanregung *f* **electron beam excitation**

Elektronenstrahllithographie *f* Verfahren zur Herstellung von Muttermasker für integrierte Schaltungen mit Hilfe eines Elektronenstrahles. **electron beam lithography** Process for producing master masks in

integrated circuit fabrication with the aid of an
electron beam.

Elektronenstrahlschreiben n
electron beam writing process
Elektronenstrahlschreiber m
electron beam writer, beamwriter
Elektronenverarmung f
electron depletion
Elektronenvolt n (eV)
electron volt (eV)
Elektronenzyklotronresonanz f, ECR-
Verfahren n [ein Abscheidungsverfahren, das
bei der Herstellung von integrierten
Schaltungen angewendet wird]
electron cyclotron resonance, ECR process
[a deposition process used in integrated circuit
fabrication]
Elektronik f
electronics
elektronisch abstimmbar
electronically tunable
elektronische Ablage f
electronic filing
elektronische Abtastung f
electronic scanning
elektronische Aufzeichnung f
electronic recording
elektronische Ausrüstung f, elektronisches
Gerät n
electronic equipment
elektronische Datenverarbeitung f (EDV)
electronic data processing (EDP)
elektronische Post f, [EDV-Einsatz für die
Abspeicherung von schriftlichen Mitteilungen,
die vom Adressaten elektronisch abgerufen
werden können]
electronic mail, E-mail [use of electronic data
processing techniques for storing written
communications which can be electronically
fetched by the subscriber]
elektronische Regelung f, elektronische
Steuerung f
electronic control
elektronische Schaltung f
electronic circuit
elektronische Steuerung f, elektronische
Regelung f
electronic control
elektronische Zündung f
electronic ignition
elektronischer Baustein m, elektronischer
Modul m, Festkörperbaustein m
electronic device, solid-state device,
electronic module
elektronischer Briefkasten m, Mailbox f
[Speicherplatz für eingehende Mitteilungen]
electronic mailbox, mailbox [storage space
for incoming messages]
elektronischer Modul m, elektronischer

Baustein m, Festkörperbaustein m
electronic device, solid-state device,
electronic module
elektronischer Postdienst m, E-Mail-Dienst m
electronic mail service, E-mail service,
mailbox service
elektronischer Regler m
electronic controller
elektronischer Schalter m
electronic switch
elektronischer Stift m, Lichtstift m, Lichtgriffel
m [ein Stift mit lichtempfindlicher Spitze zur
direkten Dateneingabe auf dem Bildschirm; der
mit dem Rechner verbundene Stift ermöglicht
die genaue Markierung bzw. Identifizierung
bestimmter Stellen der Bildschirmanzeige]
light pen, electronic pen [a light-sensitive
stylus used for direct data input on the screen;
the stylus is connected to the computer and
enables display elements to be precisely
marked or identified]
elektronischer Verstärker m
electronic amplifier
elektronischer Zeitgeber m
electronic timer
elektronischer Zähler m
electronic counter
elektronisches Bauelement n, elektronisches
Bauteil n, Festkörperbauelement n
electronic component, solid-state component
elektronisches Gerät n, elektronische
Ausrüstung f
electronic equipment
elektronisches Relais n
electronic relay, solid-state relay
Elektrorestriktion f
electrorestriction
elektrostatische Abschirmung f
electrostatic shield
elektrostatische Aufladung f
electrostatic charge
elektrostatische Speicherröhre f
electrostatic storage tube
elektrostatischer Drucker m, Thermodrucker
m [erzeugt alphanumerische und graphische
Zeichen auf einem besonderen
wärmeempfindlichen Papier durch
Wärmeeinwirkung]
electrostatic printer, thermal printer
[generates alphanumeric characters and
graphic symbols on a special heat-sensitive
paper by the action of heat]
elektrostatischer Speicher m,
Kondensatorspeicher m
electrostatic storage
Element n [ein einzelnes Datenelement]
item [a single item of data]
Elementenzahl einer Matrix f
size of an array

Elementhalbleiter *m*
Halbleiter, der aus einem Element besteht, z.B.
Silicium, im Gegensatz zum
Verbindungshalbleiter, der aus mehreren
Elementen besteht, z.B. Galliumarsenid.
elemental semiconductor
Semiconductor consisting of a single element,
e.g. silicon, as opposed to a compound
semiconductor which consists of more than one
element, e.g. gallium arsenide.
eliminieren, unterdrücken
eliminate, to; delete
eliminierendes Suchen *n*, binäres Suchen *n*
[Suchen in einer geordneten Tabelle in jeweils
halbierten Bereichen, wobei der eine Bereich
ausgeschieden und im anderen weitergesucht
wird]
binary search, dichotomizing search [search
in an ordered table by repeated partitioning in
two equal parts, rejecting one and continuing
the search in the other]
Emitter *m*
Bereich des Bipolartransistors aus dem
Ladungsträger in die Basis injiziert werden.
emitter
Region of the bipolar transistor from which
charge carriers are injected into the base.
Emitter-Basis-Diode *f*
Ein PN- (bzw. NP-) Übergang zwischen
Emitter- und Basiszone des Bipolartransistors.
Bei bipolar integrierten Schaltungen die Diode,
die aus dem Emitter-Basis-Übergang gebildet
wird.
emitter-base diode, emitter-base junction
A pn- (or np-) junction between emitter and
base regions of the bipolar transistor. In bipolar
integrated circuits, the diode formed by the
emitter-base junction.
Emitter-Basis-Durchbruchspannung *f*
emitter-base breakdown voltage
Emitter-Basis-Kapazität *f*
emitter-base capacitance
Emitter-Basis-Reststrom *m*
emitter-base cut-off current
Emitter-Basis-Spannung *f*
emitter-base voltage
Emitter-Basis-Sperrschicht *f*, Emitter-Basis-
Übergang *m* [PN- (bzw. NP-) Übergang
zwischen Emitter- und Basiszone des
Bipolartransistors]
emitter-base junction [pn- (or np-) junction
between the emitter and base regions of the
bipolar transistor]
Emitter-Basis-Sperrstrom *m*
emitter-base reverse current
Emitter-Basis-Übergang *m*, Emitter-Basis-
Sperrschicht *f*
emitter-base junction
Emitter-Emitter-Logik *f* (EEL) [Variante der

ECL-Schaltungsfamilie]
emitter-emitter logic (EEL) [Variant of the
ECL family of logic circuits]
Emitter-emittergekoppelte Logik *f* (E^2CL)
[Variante der ECL-Schaltungsfamilie]
emitter-emitter-coupled logic (E^2CL)
[Variant of the ECL family of logic circuits]
Emitter-Kollektor-Abstand *m*
emitter-to-collector distance
Emitter-Kollektor-Durchbruchspannung *f*
emitter-collector breakdown voltage
Emitter-Kollektor-Kapazität *f* [innere
Kapazität zwischen Emitter- und
Kollektoranschluß]
emitter-collector capacity [internal capacity
between emitter and collector terminals]
Emitteranschluß *m* [für den Anschluß des
Bausteins an die externe Schaltung]
emitter terminal [for connecting the device to
the external circuit]
Emitterbahnwiderstand *m* [Widerstand
zwischen Emitteranschluß und
Emittersperrschicht]
emitter series resistance [resistance
between the emitter terminal and the emitter
junction]
Emitterbereich *m*, Emitterzone *f*
emitter region, emitter zone
Emitterdiffusion *f*
Diffusion von Fremdatomen in den
Emitterbereich bei der Fertigung von bipolaren
Bauelementen oder integrierten Schaltungen.
emitter diffusion step
Diffusion with impurities of the emitter region
in bipolar component or integrated circuit
fabrication.
Emitterdotierung *f*
Dotierung des Emitterbereiches bei der
Fertigung von bipolaren Bauelementen oder
integrierten Schaltungen.
emitter doping
Doping of the emitter region in bipolar
component or integrated circuit fabrication.
Emitterdurchbruchspannung *f*
emitter-breakdown voltage
Emitterelektrode *f*
emitter electrode
Emitterfolgerlogik *f* (EFL)
Schaltungskonzept für hochintegrierte
Schaltungen, dessen Grundbausteine sich aus
Emitterfolgern mit PNP- und NPN-
Transistoren zusammensetzen.
emitter-follower logic (EFL)
Form of logic used in large-scale integration, in
which basic elements are formed by emitter
followers with pnp and npn transistors.
emittergekoppelte Injektionslogik *f* (ECIL)
emitter-coupled injection logic (ECIL)
emittergekoppelte Logik *f* (ECL)

Logikfamilie der Stromschaltertechnik, bei der
die logischen Verknüpfungen durch
emittergekoppelte Paralleltransistoren bzw.
durch Emitterfolger am Ein- oder Ausgang
realisiert werden.
emitter-coupled logic (ECL)
Type of current-mode logic circuit family in
which logical functions are performed by
emitter-coupled parallel transistors and emitter
followers at the input or output.
emittergekoppelte Transistorlogik *f* (ECTL)
[Variante der ECL-Schaltungsfamilie]
emitter-coupled transistor logic (ECTL)
[variant of the ECL family of logic circuits]
Emitterleitwert *m*
emitter conductance
Emitterschaltung *f* [Transistorgrundschaltung]
Eine der drei Grundschaltungen des
Bipolartransistors, bei dem die
Emitterelektrode die gemeinsame
Bezugselektrode ist.
common emitter connection [basic
transistor configuration]
One of the three basic configurations of the
bipolar transistor having the emitter as
common reference terminal.
Emitterspannung *f*
emitter voltage
Emittersperrschicht *f*, Emitterübergang *m*
[PN- (bzw. NP-) Übergang zwischen Emitter-
und Basiszone des Bipolartransistors]
emitter junction [depletion layer between
emitter zone and base zone]
Emitterstrom *m* [über den Emitteranschluß
fließender Strom]
emitter current [current flowing through the
emitter terminal]
Emitterstromverstärkung *f*
emitter current gain
Emitterübergang *m*, Emittersperrschicht *f*[PN-
bzw. NP-) Übergang zwischen Emitter- und
Basiszone des Bipolartransistors]
emitter junction [depletion layer between
emitter zone and base zone]
Emitterverlustleistung *f*
emitter dissipation
Emittervorspannung *f*
emitter-bias, emitter bias voltage
Emitterwiderstand *m*
emitter resistance
Emitterzone *f*, Emitterbereich *m*
emitter region, emitter zone
EMK, elektromotorische Kraft *f*
emf (electromotive force)
empfangen
receive, to
Empfänger *m*
receiver
Empfindlichkeit *f*

sensitivity
Empfindlichkeitsdiagramm *n* [Optoelektronik]
sensitivity diagram [optoelectronics]
empirisches Ermittlungsverfahren *n*
trial-and-error method
EMS-Emulator *m* [wandelt einen erweiterten
Speicher in einen EMS-Speicher]
EMS emulator [transforms extended into
EMS memory]
EMS-Speicher *m*, Expansionsspeicher *m*
[Speicher oberhalb 1 MB, der nach LIM-
Standard (Lotus/Intel/Microsoft) verwaltet
wird]
EMS memory, expanded memory (Expanded
Memory Specification) [memory above 1 MB
managed according to Lotus/Intel/Microsoft
(LIM) standard]
EMS-Treiber *m*
EMS driver
Emulation *f* [Nachbildung der Funktionen eines
Rechners auf einem anderen]
emulation [simulation of the functions of one
computer on another]
Emulationsmodus *m*
emulation mode
Emulator *m* [ein Zusatzgerät, das es gestattet,
auf einem gegebenen Rechner die Programme
eines anderen Typs durch Simulation
auszuführen]
emulator [an accessory which allows a given
computer to execute by simulation programs
written for another computer type]
emulieren
emulate, to
EMV (elektromagnetische Verträglichkeit)
[Fähigkeit eines Gerätes oder einer Anlage in
der vorgesehenen elektromagnetischen
Umgebung ohne Beeinträchtigung zu
funktionieren]
EMC (electromagnetic compatibility)
[capability of an equipment or a system to
operate efficiently in the intended
electromagnetic environment]
Ende der Arbeit *n*, Jobende *n*
end of job (EOJ)
Ende der Datei *n*, Dateiende *n* [markiert den
Abschluß einer Datei]
end of file (EOF) [marks the end of a file]
Ende der Sätze *n*, Satzende *n*
EOR (end of record)
Ende der Übertragung *n*
end of transmission
Ende des Blockes *n*, Blockende *n*
end of block (EOB)
Ende des Textes *n*
end of text (ETX)
Endeanweisung *f* [Abschluß eines Programmes]
end statement [termination of a program]
Endeetikett *n*, Schlußetikett *n*, Nachspann *m*

[bei Magnetbändern]
trailer label [for magnetic tapes]
Endekennsatz m [bei Magnetbändern]
end label [for magnetic tapes]
Endkontrolle f [eines Bauelementes oder Gerätes]
final check [of a device or equipment]
endliche Anzahl f
finite number
endliche Reihe f
finite series
endliche Zahl f
finite integer
endlicher Automat m
[Zustandsübergangsfunktion]
finite-state automaton (FSA) [state-transition function]
endlicher Dezimalbruch m
terminating decimal
Endlosformular n, Leporello-Formular n
[fortlaufend hergestellte Vordrucke in Zickzackfaltungen (Leporello) oder Rollenform; das Papier kann randgelocht und die Vordrucke können perforiert sein]
continuous forms, continuous stationery, fanfold [continuous strip of paper in zigzag (fanfold) or roll form; it can be marginally punched and the individual forms can be perforated]
Endlospapierrollenzuführung f [für Drucker]
roll paper feed [for printer]
Endlosschleife f
endless loop
Endmontage f
final assembly
Endprüfung f [die letzte Prüfung in der Fertigung, Reparatur usw.]
final inspection [last inspection or test in manufacturing, repair, etc.]
Endprüfung f [eines Bauelementes, Gerätes oder Systems]
final test [of a component, equipment or system]
Endstufe f, Leistungsstufe [eines Antriebes, Verstärkers usw.]
final stage, power stage [of a drive, amplifier, etc.]
Endzeile f [FORTRAN]
end line [FORTRAN]
Energieband n, Band n [Halbleitertechnik]
Energieband im Bändermodell, das dicht beieinanderliegende Energieniveaus im Halbleiterkristall darstellt, die von Elektronen besetzt werden können. Von Bedeutung beim Halbleiter sind das Leitungsband und das Valenzband sowie das dazwischenliegende verbotene Band bzw. die Energielücke.
energy band, band [semiconductor technology]
Energy-band in the band diagram representing closely adjacent energy levels in the semiconductor crystal which can be occupied by electrons. Important energy-bands in semiconductors are the conduction band and the valence band as well as the forbidden band (energy-gap) separating the conduction from the valence band.
Energiebandabstand m, Bandabstand m, Energielücke f Bandlücke f [Halbleitertechnik]
band gap, energy-band gap [semiconductor technology]
Energiebanddichte f
energy band density
Energiebandkante f, Bandkante f [Halbleitertechnik]
In der Darstellung des Bändermodells der höchstmögliche Energiezustand eines Energiebandes.
energy band edge, band edge [semiconductor technology]
In the energy-band diagram, the highest possible energy state of an energy-band.
Energiebändermodell n, Bändermodell n [Halbleitertechnik]
Modell zur Darstellung der Energieniveaus der Elektronen in einem Festkörper.
energy band diagram [semiconductor technology]
Model used for representing the energy levels of electrons in a solid.
Energielücke f Bandlücke f, Bandabstand m, Energiebandabstand m [Halbleitertechnik]
In der Darstellung des Bändermodells der Abstand zwischen Leitungsband und Valenzband, der Energieniveaus im Halbleiterkristall bezeichnet, die von Elektronen nicht besetzt werden können.
band-gap, energy gap [semiconductor technology]
In the energy-band diagram, the distance separating the conduction band from the valence band which represents energy levels that cannot be occupied by electrons.
Energieniveau n, Energieterm m
energy level, energy term
Energieterm m, Energieniveau n
energy level, energy term
entarteter Halbleiter m
degenerate semiconductor
Entartung f
degeneracy
entfernt, abgesetzt
remote
Entionisierung f
deionization
Entionisierungsgeschwindigkeit f
deionization rate
Entionisierungszeit f
deionization time

entkoppelt
  decoupled
entkoppelter Ausgang m
  decoupled output
Entkopplung f [Verringerung oder
Kompensation der galvanischen, magnetischen
oder kapazitiven Kopplung zwischen zwei
Schaltkreisen]
  decoupling [reduction or compensation of
  galvanic, magnetic or capacitive coupling
  between two circuits]
Entkopplungskondensator m
  decoupling capacitor
Entkopplungsschaltung f, Trennschaltung f
  decoupling circuit, isolating circuit
Entkopplungsstufe f, Trennstufe f
  buffer stage, decoupling stage, isolating stage
Entkopplungsübertrager m, Trennübertrager
  decoupling transformer, isolation
  transformer
entladen [Herausnehmen von Speichermedien
aus einem Gerät; z.B. Diskette oder
Magnetband herausnehmen]
  unload, to [remove data medium from an
  storage device, e.g. remove floppy disk or
  magnetic tape]
entladen [z.B eines Kondensators]
  discharge, to [e.g. a capacitor]
entlöten
  desolder, to
Entlötgerät n
  desoldering unit
Entlötlitze f
  desoldering wick, desoldering braid
entmagnetisieren
  demagnetize, to; degauss, to
entpacken [Verringern der Packungsdichte von
Daten]
  unpack, to [reduce packing density of data]
entpackt [Daten]
  unpacked [data]
entprellen [bei Kontakten]
  debounce, to [contacts]
Entprellungsschaltung f [elektronische
Schaltung zur Kompensation von
Kontaktprellungen]
  debouncing circuit [electronic circuit for
  compensating contact bounce]
entregen [magnetisch, z.B. ein Relais]
  deenergize, to [magnetically, e.g. a relay]
Entropie f [ein Maß für den mittleren
Informationsgehalt]
  entropy [a measure for the average
  information content]
Entscheidung f
  decision
Entscheidungsbaum m
  decision tree
Entscheidungsbefehl m

  decision instruction
Entscheidungsschwellenwert m
  decision level
Entscheidungstabelle f [formalisierte,
übersichtliche Darstellung der Zuordnung von
Bedingungen und davon abhängigen
Tätigkeiten; angewandt bei der Systemanalyse,
Programmierung usw.]
  decision table [formalized general
  representation of the assignment of conditions
  and resulting actions; employed for system
  analysis, programming, etc.]
entschlüsseln [von verschlüsselten Daten]
  decode, to [encrypted data]
Entschlüsselung f [bei der
Datengeheimhaltung]
  decryption [for data secrecy]
Entschlüsselung f [allgemein]
  decoding [general]
Entspiegelung f [Bildschirm]
  antireflex coated [display]
Entstörfilter n [z.B. in der Stromversorgung]
  interference filter, interference eliminator,
  noise filter [e.g. in a power supply]
entstört, störungssicher [z.B. Gerät]
  interference-proof [e.g. equipment]
Entstörung f [Beseitigung der Störwirkung
unerwünschter Signale]
  interference suppression [elimination of the
  disturbing effect of undesired signals]
entwerfen, auslegen
  configure, to; design, to
Entwurf für den ungünstigsten Fall m
[Schaltungsauslegung]
  worst-case design [circuit dimensioning]
Entwurfsdruck m [Drucker]
  draft mode printing [printer]
Entwurfsparameter m
  design parameter
Entwurfsregel f
  design rule
Entwurfszuverlässigkeit f
  engineering reliability, inherent design
  reliability
Entzerrer m
  equalizer
Entzerrerschaltung f
  equalizing circuit, equalization circuit
Entzerrung f
  equalization
Epibasistransistor m, Epitaxial-Basistransistor
  epitaxial base transistor
epitaktische Schicht f, Epitaxieschicht f
  Eine einkristalline Schicht, die durch Epitaxie
  auf einem einkristallinen Substrat entstanden
  ist.
  epitaxial layer
  A monocrystalline layer grown by an epitaxial
  process on a monocrystalline substrate.

epitaktisches Aufwachsen n, Epitaxie f
epitaxial growth, epitaxy
Epitaxial-Basistransistor m,
  Epibasistransistor m
  epitaxial base transistor
Epitaxial-Mesatransistor m
  epitaxial mesa transistor
Epitaxial-Planartransistor m
  epitaxial planar transistor
Epitaxie f, epitaktisches Aufwachsen n
  Orientiertes Aufwachsen (bzw. Abscheiden)
  einer Kristallschicht auf einem
  kristallographisch kompatiblen kristallinen
  Substrat. Es bestehen verschiedene Verfahren:
  Gasphasenepitaxie (dazu gehören z.B. die
  Siliciumtetrachlorid-Epitaxie und die
  Silanepitaxie), Flüssigphasenepitaxie und
  Molekularstrahlepitaxie.
epitaxial growth, epitaxy
  Oriented growth (or deposition) of a crystalline
  layer on a crystallographically compatible
  substrate. There are several processes: vapour-
  phase epitaxy (including e.g. the silicon
  tetrachloride and the silane processes), liquid-
  phase epitaxy and molecular beam epitaxy.
Epitaxieschicht f, epitaktische Schicht f
  Eine einkristalline Schicht, die durch Epitaxie
  auf einem einkristallinen Substrat entstanden
  ist.
epitaxial layer
  A monocrystalline layer grown by an epitaxial
  process on a monocrystalline substrate.
Epitaxieverfahren n, Aufwachsverfahren n
  Verfahren zum orientierten Aufwachsen einer
  Kristallschicht auf ein kristallines Substrat.
  Die aufgewachsene Schicht und das Substrat
  können die gleiche oder eine unterschiedliche
  Gitterstruktur haben.
epitaxial growth process
  Process for oriented growth of a crystalline
  layer on a crystalline substrate. Layer and
  substrate can have the same or a differing
  lattice structure.
Epoxidkleber m
  epoxy adhesive
Epoxydharz n [z.B. zur Verkapselung eines
  Bauelementes]
  epoxy resin [e.g. for potting a component]
EPROM m, elektrisch programmierbarer
  Festwertspeicher m
  Festwertspeicher, der vom Anwender mit
  Ultraviolettlicht gelöscht und elektrisch wieder
  neu programmiert werden kann. Auch
  REPROM genannt.
EPROM, (electrically programmable read-only
  memory)
  Read-only memory that can be erased by
  ultraviolet light and reprogrammed by the
  user. Sometimes called REPROM.

EPROM-Löschgerät n [UV-Strahlengerät zum
  Löschen von Informationen in einem EPROM]
  EPROM erasing unit [ultraviolet radiation
  unit for erasing information in an EPROM]
EPS-Datei f [Seitenbeschreibungsdatei]
  encapsulated PostScript (EPS) [file
  containing page description]
Eratosthenes-Sieb-Test m [Rechner-
  Bewertungsprogramm]
  Eratosthenes sieve test [computer
  benchmark test]
erden
  ground, to
erdfrei
  ungrounded, free-of-ground
Erdungsband n, Handgelenk-Erdungsband n
  grounding strap, wrist grounding strap
Ereignis n
  event
Erfassung f [Daten, Information, Signale]
  acquisition [data, information, signals]
Ergebnis n
  result
Ergibt-Symbol n
  colon equal
ergänzen, komplementieren [das Komplement
  einer Zahl bilden]
  complement, to [to form the complement of a
  number]
ergänzende Daten n.pl.
  complementary data
Ergänzungsbit n
  complement flag bit
Ergänzungsspeicher m, Zusatzspeicher m
  [Speicher außerhalb des Hauptspeichers]
  auxiliary storage, secondary storage [storage
  external to the main storage]
Erholung f [von Bauelementen]
  recovery [of components]
Erholzeit f [z.B. eines Transistors]
  recovery time [e.g. of a transistor]
erhöhen, inkrementieren [stufenweise
  Erhöhung, z.B. um 1]
  increment, to [increase by steps, e.g. by 1]
Erkennungsteil n [eines der vier Hauptteile
  eines COBOL-Programmes]
  identification division [one of the four main
  parts of a COBOL program]
erlaubtes Band n [Bändermodell]
  allowed band [energy-band diagram]
Ermüdungsausfall m, Verschleißausfall m,
  Alterungsausfall m
  wearout failure
erneutes Abtasten n, erneutes Durchsuchen n
  rescanning
eröffnen, öffnen [einer Datei, eines Fensters,
  eines Anwendungsprogrammes]
  open, to [a file, a window, an application
  program]

Eröffnungsanweisung f [für eine Datei]
open statement [for a file]
Eröffnungsprozedur f [Prozedur, mit der sich
ein Terminalbenutzer anmeldet bzw. eine
Arbeitssitzung beginnt]
sign-on procedure, log-on [procedure by
which a terminal user starts session]
Eröffnungsroutine f
open routine
Eröffnungszustand m
open mode
erproben [z.B. ein Gerät]
evaluate, to [e.g. a unit]
erregen, ansprechen, anziehen [Relais]
actuate, to; operate, to [relay]
Erregung f, Anregung f, Aktivierung f
stimulation, excitation
Ersatzgerät n, Reservegerät n
standby unit, backup unit, replacement unit
Ersatzlast f
dummy load
Ersatzschaltbild n, Ersatzschaltung f
equivalent circuit
Ersatzsperrschichttemperatur f
equivalent junction temperature, virtual
junction temperature
Ersatzspur f [automatisch zugewiesen als Ersatz
für zerstörte Spur auf einem Speichermedium,
z.B. Plattenspeicher]
alternate track [automatically assigned as
replacement for damaged track on a data
medium, e.g. disk storage]
Ersatzteil n [für die Wartung]
replacement part [for maintenance]
Ersatzzeichen n [ein Zeichen, das nicht
berücksichtigt wird]
don't care character [a character that is not
taken into account]
erschöpfende Suche f
exhaustive search
ersetzen
replace, to; substitute, to
Ersetzungszeichen n [COBOL]
replacement character [COBOL]
Erstausrüster m, OEM m [im Gegensatz zum
Endverbraucher oder Wiederverkäufer]
original equipment manufacturer (OEM)
[in contrast to end user or distributor]
Erstdaten n.pl., Ursprungsdaten n.pl.
source data
Erstdurchlauf m
initial run
Ersteingabe f
initial input
erstellen [einer Datei]
create, to [a file]
Erstellungsdatum n
creation date
Erstellzeit f

generation time
erstmalig erstellt
initially created
erweiterbar, erweiterungsfähig [z.B. Programm]
open-ended, extendable, upgradable [e.g.
program]
erweitern
extend, to; upgrade, to
erweiterte DOS-Partition f, erweiterter DOS-
Speicherbereich m [Festplatte]
extended DOS partition [hard disk]
erweiterte Gleitpunktrechnung f
extended precision floating point
erweiterte Matrix f
augmented matrix
erweiterte Multiplikation f
double-product multiplication
erweiterte Zugriffsmethode f
queued access technique
erweiterter 386-Modus m [Betriebsart für den
Zugriff auf die virtuellen
Speichermöglichkeiten der 80386- und 80486-
Prozessoren]
extended 386 mode [accesses virtual memory
of the 80386 and 80486 processor]
erweiterter Code m
extended code
erweiterter DOS-Speicherbereich m,
erweiterte DOS-Partition f [Festplatte]
extended DOS partition [hard disk]
erweiterter Speicher m, Erweiterungsspeicher
m [Speicher oberhalb 1 MB]
extended memory [memory above 1 MB]
Erweiterung f
extension, expansion
Erweiterungs-ROM m [zusätzlicher ROM-
Speicher zur Erweiterung der
Speicherkapazität]
expansion ROM [additional ROM for
extending storage capacity]
Erweiterungseingang m
expander input
erweiterungsfähig, erweiterbar [z.B.
Programm]
open-ended, extendable, upgradable [e.g.
program]
Erweiterungsfähigkeit f [z.B. eines Rechners]
expandability [e.g. of a computer]
Erweiterungsmodul m
expansion module, expansion unit
Erweiterungsplatine f [Leiterplatte für
zusätzliche Funktionen]
expansion board [printed circuit board for
additional functions]
Erweiterungsschaltung f
expander circuit
Erweiterungsspeicher m, erweiterter Speicher
m [Speicher oberhalb 1 MB]
extended memory [memory above 1 MB]

Erweiterungssteckplatz m [zur Unterbringung einer Erweiterungsplatine]
expansion slot [for inserting an expansion board]

Erzeugung f, Generation f
generation

Erzeugung von Übergängen f
junction formation

Esaki-Diode f, Tunneldiode f [dotierte Flächendiode mit negativem Widerstand in der Durchlaßrichtung; wird als Oszillator oder Verstärker im Mikrowellenbereich eingesetzt]
Esaki diode, tunnel diode [doped junction diode with negative resistance in the forward direction; used as oscillator or amplifier in microwave frequency range]

Escape-Folge f [Folge von mehreren Zeichen von denen das erste die Codeumschaltung (Escape-Zeichen) ist]
escape sequence [sequence of characters starting with the escape character]

Escape-Zeichen n, Umschaltzeichen n, Codeumschaltung f [spezielles Zeichen, das die Änderung der Codierungsvorschrift für die nachfolgenden Zeichen anzeigt]
escape character (ESC) [a special character which indicates that the following characters are to be interpreted according to a different code]

ESDI-Controller m
ESDI controller

ESDI-Schnittstelle [erweiterte Geräte-Schnittstelle für Festplatten usw.]
ESDI (Enhanced Small Device Interface) [for disk drives, etc.]

ESFI-Technik f
Verfahren zur Herstellung von integrierten CMOS-Schaltungen, bei dem anstelle des Siliciumsubstrats ein isolierendes Substrat (z.B. Spinell) verwendet wird. Die komplementären Transistoren werden in einer dünnen Siliciumschicht erzeugt, die mit Silanepitaxie auf das Substrat aufgebracht wird.
ESFI technology (epitaxial silicon film on insulator technology)
Process for fabricating CMOS integrated circuits which uses an insulating substrate (e.g. spinel) instead of a silicon substrate. The complementary transistors are formed in a silicon film which is grown on the substrate by silane epitaxy.

ESS [eingebettetes Servosystem für Festplatten]
ESS (Embedded Servo System) [for disk drives]

Et-Zeichen n, (&) [kommerzielles Und-Zeichen]
ampersand, (&) [commercial "and" character]

Ethernet [ein von Xerox entwickelter De-facto-Industriestandard für lokale Netzwerke]
Ethernet [a de facto industry standard for local area networks developed by Xerox]

Ethernet-Kabel n [Kabel für Ethernet-Netzwerke]
Ethernet cable [cable for Ethernet networks]

Etikett n, Kennsatz m [kennzeichnet Beginn oder Ende eines Bandes bzw. einer Datei; identifiziert, beschreibt oder begrenzt das Band bzw. die Datei; Adressenteil für einen Sprungbefehl]
label, identifying label, label record [marks start or end of a tape or file; identifies, describes or delimits tape or file; address part of a jump instruction]

Europakarte f, Europakartenformat n, Einfacheuropaformat n [Leiterplatte der Abmessungen 100x160 mm]
Euroboard, single Euroboard format, European PCB format [printed circuit board measuring 100x160 mm]

EXAPT [Programmiersprache für numerisch gesteuerte Werkzeugmaschinen]
EXAPT (Extended subset of APT) [programming language for numerically controlled machine tools]

EXE-Datei f [ausführbare Programmdatei]
EXE file [executable program file]

Exklusiv-ODER-Schaltung f, Antivalenzschaltung f, XOR-Schaltung f [logische Verknüpfung]
exclusive-OR element, XOR element [logical operation]

Exklusiv-ODER-Verknüpfung f, XOR-Verknüpfung f, Antivalenz f [eine logische Verknüpfung mit dem Ausgangswert (Ergebnis) 1, wenn und nur wenn einer der Eingangswerte (Operanden) 1 ist; der Ausgangswert ist 0, wenn mehrere Eingangswerte 1 oder wenn alle 0 sind]
exclusive OR function, XOR function, non-equivalence function [a logical operation having the output value (result) 1 if and only if one of the input values (operands) is 1; the output value is 0 if more than one input value is 1 or if all input values are 0]

Expansionsspeicher m, EMS-Speicher [Speicher oberhalb 1 MB, der nach LIM-Standard (Lotus/Intel/Microsoft) verwaltet wird]
expanded memory, EMS memory (Expanded Memory Specification) [memory above 1 MB managed according to Lotus/Intel/Microsoft (LIM) standard]

Expertensystem n, wissensbasiertes System n
Begriff, der im Zusammenhang mit künstlicher Intelligenz verwendet wird. Er beschreibt ein Rechnerprogramm, das sich auf durch Erfahrung gewonnenes Wissen stützt und die Methodik beinhaltet, dieses Wissen bei der Lösung bestimmter Aufgaben folgerichtig

umzusetzen.
expert system, knowledge-based system
Term used in connection with artificial
intelligence. It describes a computer program
based on knowledge gained from experience
and the methodology of applying this
knowledge to make inferences to solve
problems.
Exponent *m*
   exponent
Exponententeil *m*
   exponent part
Exponentenüberlauf *m*
   exponent overflow
Exponentenunterlauf *m*
   exponent underflow
Exponentialfunktion *f*
   exponential function
Extent *m* [zusammengehörender physikalischer
   Speicherbereich]
   extent [contiguous physical storage area]
extern gespeichertes Programm *n*
   externally stored program, external
   program
externe Datenerfassung *f*
   remote data collection
externe Takterzeugung *f*
   external clocking, external clock generation
externe Tastatur *f*
   external keyboard
externe Unterbrechung *f,* externer Interrupt *m*
   external interrupt
externe Vorspannung *f*
   external bias
externer Befehl *m*
   external command
externer Bildschirm *m,* externes
   Bildschirmgerät *n*
   external display, external monitor
externer Bus *m*
   external bus
externer Interrupt *m,* externe Unterbrechung *f*
   external interrupt
externer Speicher *m,* Externspeicher *m,*
   Außenspeicher *m*
   external storage, secondary storage, auxiliary
   storage
externes Bildschirmgerät *n,* externer
   Bildschirm *m*
   external monitor, external display
externes Gerät *n*
   external device
extrahieren, ausblenden, herausziehen
   [Herausnehmen von Zeichen aus einer
   Zeichenfolge]
   extract, to [remove characters from a string]
extrapolierte Ausfallrate *f* [Extrapolation der
   beobachteten oder berechneten Ausfallrate für
   eine größere Zeitdauer und/oder andere

Betriebsbedingungen]
   extrapolated failure rate [extrapolation of
   observed or assessed failure rate for a longer
   duration and/or other operating conditions]
extrapolierte mittlere Lebensdauer *f*
   extrapolated mean life
extrapolierte mittlere Zeit bis zum Ausfall *f*
   extrapolated mean time to failure
extrapolierter mittlerer Ausfallabstand *m*
   extrapolated mean time between failures
Exzeß-Drei-Code *m,* Stibitz-Code *m,* Drei-
   Exzeß-Code *m* [ein Binärcode für
   Dezimalziffern; jede Dezimalziffer wird durch
   eine Gruppe von vier Binärzeichen dargestellt,
   die jedoch um 3 höher ist als die duale
   Darstellung, z.B. die Ziffer 7 wird durch 1010
   anstatt 0111 dargestellt]
   excess-three code [a binary code for decimal
   digits; each decimal digit is represented by a
   group of four binary digits which is 3 in excess
   of the binary representation, i.e. the digit 7 is
   represented by 1010 instead of 0111]

F

fächerartig gefaltete Endlosvordrucke *m.pl.*
  fanfold stationery
Fachnormenausschuß Informationsverarbeitung im deutschen Normenauschuß, FNI
  FNI, Committee for information processing in the German Standards Committee
Fadentransistor *m* [Bipolartransistor, dessen Arbeitsweise auf dem Prinzip der Leitfähigkeitsmodulation basiert]
  filament transistor [bipolar transistor operating on the principle of conductivity modulation]
Fading *n,* Schwund *m* [zeitliche Schwankungen des Empfangssignales bei der drahtlosen Übertragung]
  fading [fluctuations in received signal amplitude in wireless transmission]
Faksimile *n,* Fax *n*
  facsimile, fax
Fakultätsschreibweise *f*
  factorial notation
fallende Flanke *f,* abfallende Flanke *f,* negative Flanke *f*
  Abfall eines digitalen Signals oder eines Impulses.
  falling edge
  Decay of a digital signal or a pulse.
fallende Ordnung *f,* absteigende Reihenfolge *f*
  descending order
Fallzeit *f,* Flankenabfallzeit *f,* Abfallzeit *f* [bei Impulsen: von 90 auf 10% der Impulsamplitude]
  fall time [of pulses: from 90 to 10% of pulse amplitude]
falsch formatiert
  improperly formatted, invalid format
falsche Reihenfolge *f*
  sequence error, incorrect sequence
FAMOS-Speicher *m* [Speicher, der mit FAMOS-Transistorzellen realisiert ist]
  FAMOS memory [memory based on FAMOS transistor cells]
FAMOS-Transistor *m*
  Feldeffekttransistor in MOS-Struktur mit schwebendem Gate und Lawineninjektion; wird als Speicherzelle bei EPROMs verwendet.
  FAMOS transistor (floating-gate avalanche injection MOS transistor)
  MOS field-effect transistor using a floating gate structure and avalanche injection; used as a memory cell in EPROMs.
Fan-In *n,* Eingangslastfaktor *m,* Eingangsfächerung *f*
  Anzahl Ausgänge gleichartiger Schaltungen, mit der der Eingang einer Logikschaltung belastet werden kann.
  fan-in
  Number of outputs of similar circuits which can be accomodated by a logic circuit input.
Fan-Out *n,* Ausgangslastfaktor *m,* Ausgangsfächerung *f*
  Anzahl Eingänge gleichartiger Schaltungen, mit der der Ausgang einer Logikschaltung belastet werden kann.
  fan-out
  Number of inputs of similar circuits which can be accomodated by a logic circuit output.
Fangbereich *m* [Frequenzbereich, in dem Synchronismus herbeigeführt werden kann]
  capture range [frequency range in which synchronism can be effected]
Fangstelle *f,* Trap *f* [zur Aktivierung einer Programmunterbrechung; Unterprogramm zur Behandlung eines außergewöhnlichen Ereignisses in einem Prozessor]
  trap [for activating a program interrupt; routine for handling an exceptional event in a processor]
Farad *n* (F) [SI-Einheit der elektrischen Kapazität]
  farad (F) [SI unit of capacitance]
Farb-LCD [farbige Flüssigkristallanzeige]
  colour LCD [liquid crystal colour display]
Farb-Scanner *m*
  colour scanner
Farbbandkassette *f* [eines Druckers]
  ribbon cartridge [of a printer]
Farbbildschirm *m*
  colour display
Farbbildschirmgerät *n,* Farbmonitor *m*
  colour monitor, colour terminal
Farbcodierung *f*
  colour coding
Farbmonitor *m,* Farbbildschirmgerät *n*
  colour monitor, colour terminal
Farbpalette *f*
  colour pallet
Farbskala *f*
  colour scale
Farbübertragung *f*
  colour transmission
Farbverzerrung *f*
  colour distortion
Faseroptik *f,* Lichtleitertechnik *f*
  fiber optics
Fassung *f* [z.B. einer Diode]
  socket [e.g. of a diode]
FAT [Datei-Zuordnungstabelle für die Verwaltung der Belegung des Datenträgers]
  FAT (file allocation table) [manages the allocation of files on data medium]
Faustregel *f*
  rule-of-thumb

ax *n*, Faksimile *n*
 fax, facsimile
ax-Gruppe *f* [nach CCITT-Empfehlungen]
 fax group [according to CCITT
 recommendations]
ax-Karte *f*
 fax board
ax-Übertragung *f*, Fernkopieren *n*
 fax transmission, facsimile transmission
DDI [schnelles lokales Netzwerk mit
 Lichtleitern]
 FDDI (Fiber Distributed Data Interface)
E-Analyse *f*, Finite-Elemente-Analyse *f*
 FEA (finite element analysis)
E-Methode *f*, Finite-Elemente-Methode *f*
 FEM (finite element method)
ederleistenstecker *m*
 clip-type connector
edernde Fassung *f*
 cushion socket
EFET, ferroelektrischer Feldeffekttransistor *m*
 Feldeffekttransistor mit ferroelektrischer
 Isolierschicht zwischen Kanal und
 Gateelektrode.
 FEFET (ferroelectric field-effect transistor)
 Field-effect transistor using ferroelectric
 isolation between channel and gate electrode.
ehlanpassung *f* [Elektronik, z.B. eines Vierpols
 oder einer Leitung]
 mismatch [electronics, e.g. of a four-pole
 network or a line]
ehlansteuerung *f*
 faulty triggering
ehldiagnose *f*
 incorrect diagnostics
ehlen *n*
 absence
ehlen von Anschlüssen *n*
 lack of leads
ehler *m* [allgemein: eine unzulässige
 Abweichung eines Merkmals; eine
 Funktionsstörung]
 error [general: impermissible deviation of a
 characteristic; a malfunction]
ehler *m* [Qualitätsprüfung:
 Nichtübereinstimmung einer
 Betrachtungseinheit mit den Anforderungen]
 defect [quality control: nonconformance of an
 item with specified requirements]
ehlerabhilfe *f*, Fehlerbeseitigung *f*
 fault remedy
ehlerabschätzung *f*
 error estimation
ehleranfälligkeit *f*, Störungsanfälligkeit *f*
 fault liability, fault susceptibility
ehleranzeige *f*
 error display, error indicator
ehlerart *f*
 failure mode

Fehlerauflistung *f*
 error listing
Fehleraufschlüsselung *f*
 error breakdown
Fehlerausdruck *m*
 error printout
Fehlerbedingung *f*
 error condition
Fehlerbehebung *f*
 error recovery, failure recovery
Fehlerbehebungshilfe *f*
 debugging aid
Fehlerbereich *m*
 error range, error span
Fehlerbeseitigung *f*,
 Programmfehlerbeseitigung *f*, Fehlersuchen *n*
 troubleshooting, program debugging,
 debugging
Fehlerbezeichnung *f*
 error identification, error flag
Fehlerbyte *n* [kennzeichnet die Fehlerart bei
 Anlagen mit automatischer
 Fehlerüberwachung]
 error byte [marks the type of error in
 equipment with automatic error monitoring]
Fehlerdiagnose *f*
 diagnostics, diagnosis
Fehlereingrenzung *f*
 broad fault localization
Fehlererfassung *f*, Fehlerprotokollierung *f*
 error logging
Fehlererkennung *f*
 error detection
Fehlererkennung und -korrektur *f*
 error detection and correction (EDAC)
Fehlererkennungscode *m*, selbstprüfender
 Code *m* [Code, der automatisch prüft, ob die
 Codierungsregeln eingehalten wurden]
 self-checking code, error detecting code [a
 code that automatically checks whether the
 coding rules have been observed]
fehlerfrei
 error-free
fehlerhaft
 defective
fehlerhafte Funktion *f*, Fehlfunktion *f*,
 Funktionsstörung *f*
 malfunction
fehlerhafte Spur *f* [eines Datenträgers]
 defective track [of a data medium]
Fehlerhäufigkeit *f*, Fehlerrate *f* [Bit-, Zeichen-
 oder Blockfehlerhäufigkeit; Verhältniszahl, z.B.
 Anzahl der empfangenen verfälschten Bits zur
 Anzahl der gesendeten Bits]
 error rate [bit, character or block error rate;
 e.g. ratio of the number of incorrect bits
 received to the number transmitted]
Fehlerhinweis *m* [auf dem Bildschirm]
 error prompt [on the display]

Fehlerkennzeichen n [Bit, das einen Fehler anzeigt]
error flag [bit indicating an error]
Fehlerkontrolle f
error checking
Fehlerkorrekturbit n
error correcting bit
Fehlerkorrekturcode m, fehlerkorrigierender Code m [ein Fehlererkennungscode, dessen Codierungsregeln es erlauben, verfälschte Zeichen unter bestimmten Bedingungen automatisch zu korrigieren]
error-correcting code (ECC) [an error detecting code whose coding rules allow automatic correction of incorrect characters under certain conditions]
Fehlerlokalisierungsprogramm n
error location program
Fehlermaskierung f [die Maskierung von Fehlern in einem fehlertolerierenden Rechner durch Systemredundanz]
fault masking [masking of faults by system redundancy in a fault-tolerant computer]
Fehlermeldung f
error message
Fehlerprotokoll n [Auflistung formaler Fehler im Programm]
error list, error listing [lists formal program errors]
Fehlerprotokollierung f, Fehlererfassung f
error logging
Fehlerrate f, Fehlerhäufigkeit f
error rate
Fehlerregister n
error register
fehlersicher, ausfallsicher, betriebsicher
fail-safe
fehlersichere Schaltung f
fail-safe circuit
Fehlerstufe f
error level
Fehlersuchen n, Fehlerbeseitigung f, Programmfehlerbeseitigung f
troubleshooting, program debugging, debugging
Fehlersuchprogramm n, Diagnoseprogramm n, Diagnostikprogramm n
debugging program, diagnostic program, troubleshooting program
fehlertolerierendes Rechnersystem n [ein Rechnersystem, das mit redundanten Modulen arbeitet, so daß die Funktionsfähigkeit auch beim Auftreten von Fehlern erhalten bleibt]
fault-tolerant computer system [a computer system based on redundant modules so that it remains functional even when faults occur]
Fehlerüberwachung f
error monitoring, error control
Fehlerursache f

cause of fault
Fehlervorhersage f, Ausfallvorhersage f
failure prediction
Fehlerwahrscheinlichkeit f
error probability
Fehlfunktion f, fehlerhafte Funktion f, Funktionsstörung f
malfunction
Fehlkonstruktion f
faulty design
Fehlordnung f [Halbleitertechnik]
Fehlerhafte Anordnung der Atome im Halbleiterkristall; sie kann z.B. durch Störstellen oder Kristallaufbaufehler entstehen.
imperfection [semiconductor technology]
Disordered arrangement of atoms in a semiconductor crystal; can be due e.g. to foreig impurity atoms or defects in the lattice structure.
Fehlstelle f, Hohlraum m [Leiterplatten]
void [printed circuit boards]
Fehlstelle f [Magnetband]
imperfection, bad spot [magnetic tape]
Feinabgleich m
fine adjustment
Feld n, Datenfeld n [Zeichenfolge oder festgelegter Bereich eines Datensatzes]
field [character string or defined area of a record]
Feld fester Länge n
fixed-length field
Feld variabler Länge n
variable-length field
Feldauswahl f, Feldansteuerung f
field selection
Feldbestimmung f
field definition
Feldeffekttransistor m (FET)
Unipolartransistor, der im wesentlichen aus den Source-, Gate- und Drainbereichen sowie einem leitenden Kanal besteht, in dem der von der Source zum Drain fließende Strom durch eine an der Gateelektrode angelegte Spannung gesteuert wird. Beim spannungsgesteuerten Feldeffekttransistor erfolgt der Ladungs- transport nur durch einen Ladungsträgertyp (Elektronen oder Defektelektronen), im Gegensatz zum stromgesteuerten Bipolar- transistor, bei dem sowohl Elektronen als auch Defektelektronen zum Stromfluß beitragen.
field-effect transistor (FET)
Unipolar transistor consisting essentially of the source, gate and drain regions and a conductin channel. Current flow between source and drain is controlled by a voltage applied to the gate electrode. In voltage-controlled field-effect transistors, charge transport in the channel is due to only one type of charge carrier (electron

or holes), in contrast to current-controlled bipolar transistors in which both electrons and holes contribute to current flow.

Feldeffekttransistor mit Metall-Aluminiumoxid-Silicium-Aufbau *m* (MASFET)
Feldeffekttransistor, dessen Gate (Steuerelektrode) durch eine Aluminium-oxidschicht vom Kanal isoliert ist. Wird zur Herstellung von Speichern, z.B. EPROMs, verwendet.
metal-alumina-silicon FET (MASFET)
Field-effect transistor in which the gate is isolated from the channel by an aluminium oxide. Is used for fabricating memories, e.g. EPROMs.

Feldeffekttransistor mit Metall-Dicknitrid-Halbleiter-Aufbau *m* (MTNS-FET)
Variante des MNS-Feldeffekttransistors, bei dem die Isolierschicht zwischen dem Gate-anschluß und dem Kanal dicker ist als bei Standard-MNS-Feldeffekttransistoren.
metal-thick-nitride-semiconductor field-effect transistor (MTNS-FET)
Variant of the MNS field-effect transistor which uses a thicker nitride insulating layer between the gate and the channel than in standard MNS field-effect transistors.

Feldeffekttransistor mit Metall-Dickoxid-Halbleiter-Aufbau *m* (MTOS-FET)
Variante des MOSFET, bei dem die Isolier-schicht zwischen dem Gateanschluß und dem Kanal dicker ist als bei Standard-MOSFETs.
metal-thick-oxide-semiconductor field-effect transistor (MTOS-FET)
Variant of the MOSFET which uses a thicker oxide insulating layer between the gate and channel than in standard MOSFETs.

Feldeffekttransistor mit Metall-Isolator-Halbleiter-Aufbau *m* (MISFET)
Oberbegriff für Isolierschicht-Feldeffekt-transistoren, deren Steuerelektroden durch eine Isolierschicht vom stromführenden Kanal getrennt sind.
metal-insulator-semiconductor field-effect transistor (MISFET)
Generic term for insulated-gate field-effect transistors which have an insulating layer between the gate and the conductive channel.

Feldeffekttransistor mit Metall-Nitrid-Halbleiter-Aufbau *m* (MNS-FET)
Isolierschicht-Feldeffekttransistor, dessen Gate (Steuerelektrode) durch eine Nitridschicht vom Kanal isoliert ist.
metal-nitride-semiconductor field-effect transistor (MNS-FET)
Insulated-gate field-effect transistor in which a nitride layer is used to isolate the gate and the channel.

Feldeffekttransistor mit Metall-Nitrid-Oxid-Halbleiter-Aufbau *m* (MNOS-FET)
Feldeffekttransistor, dessen Gate (Steuerelektrode) durch eine doppelte Isolierschicht aus Siliciumdioxid und Siliciumnitrid vom Kanal isoliert ist.
metal-nitride-oxide-semiconductor FET (MNOS-FET)
Field-effect transistor in which the gate is isolated from the channel by a double insulating layer of silicon dioxide and silicon nitride.

Feldeffekttransistor mit Metall-Oxid-Halbleiter-Aufbau *m* (MOSFET)
Isolierschicht-Feldeffekttransistor, dessen Gate (Steuerelektrode) durch eine Oxidschicht vom Kanal isoliert ist.
metal-oxide-semiconductor field-effect transistor (MOSFET)
Insulated-gate field-effect transistor in which an oxide layer is used to isolate the gate and the channel.

Feldeffekttransistortetrode *f*
Feldeffekttransistor mit vier Anschlüssen (Sourceanschluß, Drainanschluß und zwei voneinander unabhängige Gateanschlüsse).
tetrode field-effect transistor
Field-effect transistor with four terminals (one to the source, one to the drain and one to each of two independent gate regions).

Feldeffekttransistortriode *f*
Feldeffekttransistor mit drei Anschlüssen (je ein Anschluß zu den Source-, Drain- und Gate-zonen).
triode field-effect transistor
Field-effect transistor with three terminals (one each to the source, drain and gate regions).

Feldendemarke *f*
end-of-field marker
Feldkennung *f*
field tag
Feldlänge *f*
field length
Feldoxid *n*
field oxide
feldprogrammierbar
field-programmable
feldprogrammierbarer Festwertspeicher *m*,
Festwertspeicher mit Durchschmelzverbindungen *m* (FROM)
Festwertspeicher, der vom Anwender programmiert aber nicht umprogrammiert werden kann. Die Programmierung erfolgt durch Wegbrennen von Durchschmelz-verbindungen.
field-programmable read-only memory, fusible-link read-only memory (FROM)
Read-only memory which can be programmed but not reprogrammed by the user.

Programming is achieved by selectively blowing the fusible links.

feldprogrammierbares Logik-Array n, anwenderprogrammierbares Logik-Array n (FPLA)
Ein Gate-Array-Konzept, mit dem sich integrierte Semikundenschaltungen realisieren lassen. Die Logik-Arrays lassen sich durch gezieltes Wegbrennen der Durchschmelz-verbindungen programmieren.
fuse-programmable logic array, field-programmable logic array (FPLA)
A fusible-link gate array concept for producing semicustom integrated circuits. The logic arrays can be field-programmed by selectively blowing the fuses.

Feldprüfung f
field checking

Feldstärke f
field strength

Feldvariable f, Matrixvariable f [ein geordneter Satz von Daten]
array [an ordered set of data]

Feldverteilung f [z.B. eines magnetischen Feldes]
field distribution [e.g. of a magnetic field]

Fenster n, Datenausschnitt m [ein rechteckiger Bereich auf einem Bildschirm zur Anzeige von Text oder Graphik]
window [a rectangular field on the display for showing text or graphics]

Fenstertechnik f [Bildschirm]
windowing technique [screen]

Fermi-Dirac-Funktion f
Funktion, die die Besetzungswahrscheinlichkeit von Energieniveaus (z.B. in einem Halbleiter) mit Elektronen im thermodynamischen Gleich-gewicht angibt.
Fermi-Dirac distribution function
Function specifying the probability that an electron (e.g. in a semiconductor) will occupy a certain energy level when in thermodynamic equilibrium.

Fermi-Niveau n [Halbleitertechnik]
Das Energieniveau in der Fermi-Dirac-Funktion, dessen Besetzungs-wahrscheinlichkeit den Wert 0,5 hat.
Fermi level [semiconductor technology]
The energy level at which the Fermi-Dirac distribution function has a value of 0.5.

Fermi-Potential n
Fermi potential

Fernanzeige f
remote display

Fernanzeigegerät n
remote display device

Fernbedienung f, Fernsteuerung f
remote control

ferngesteuert
remote controlled

Fernkopieren n, Fax-Übertragung f
facsimile transmission, fax transmission

Fernmeldekanal m, Telekommunikationskanal m
telecommunication channel

Fernmeldesystem n, Telekommunikationssystem n
telecommunication system

Fernmeldetechnik f, Telekommunikation f, Kommunikationstechnik f
telecommunication, telecommunications, communications

Fernmessung f
telemetry

Fernnetz n, Weitverkehrsnetz n [Rechnernetz, das geographisch relativ weite Gebiete umfaßt (etwa 1000 km), im Gegensatz zu einem lokale Netz (1 bis 10 km)]
wide area network (WAN) [a computer network covering a relatively wide geographica area (approx. 1000 km) in contrast with a local area network (1 to 10 km)]

Fernschreiber m
teletypewriter (TTY), teleprinter

Fernsprechleitung f
telephone line

Fernsteuerung f, Fernbedienung f
remote control

Fernüberwachung f
remote monitoring

Ferrite m.pl. [künstlich hergestellte Mischkristalle aus Ferrioxid und Metalloxiden
ferrites [artificially produced mixed crystals o ferrioxide and metal oxides]

Ferritkernspeicher m, Magnetkernspeicher m
ferrite core storage, magnetic core storage, core storage

Ferritringkern m, Magnetringkern m
ferrite ring core, magnetic ring core

ferroelektrischer Feldeffekttransistor m (FEFET)
Feldeffekttransistor mit ferroelektrischer Isolierschicht zwischen Kanal und Gate-elektrode.
ferroelectric field-effect transistor (FEFET)
Field-effect transistor using a ferroelectric insulating layer between channel and gate electrode.

Fertigungssteuerung f
production control

Fertigungstechnologie f
fabrication technology, manufacturing technology

Fertigungstoleranz f
process tolerance, manufacturing tolerance

Fertigungszeichnung f [Leiterplatten]

manufacturing drawing [printed circuit boards]

fest zugeordnet, zweckbestimmt, dediziert [System oder Gerät, das ausschließlich einer bestimmten Aufgabe gewidmet ist]
dedicated [system or unit exclusively designed for a specific task]

Festdaten *n.pl.*
fixed data

feste Kopplung *f* [magnetisch]
tight coupling [magnetic]

feste Platte *f,* Festplatte *f* [eine fest montierte Platte eines Magnetplattenspeichers]
fixed disk, fixed hard disk [a non-removable disk in a hard disk storage]

feste Satzlänge *f*
fixed record length

feste Wortlänge *f*
fixed word length

fester Zyklus *m*
fixed cycle

festes Blockformat *n*
fixed block format

festes Dielektrikum *n*
solid dielectric

Festformat *n*
fixed format

Festfrequenzoszillator *m*
fixed-frequency oscillator

festgelegt
predetermined

Festkommaarithmetik *f,* Festpunktarithmetik *f* [Befehlsausführung ohne automatische Berücksichtigung der Kommastelle]
fixed-point arithmetic [instruction execution without automatic consideration of decimal point]

Festkommarechnung *f,* Festpunktrechnung *f*
fixed-point computation

Festkommaschreibweise *f,* Festpunktschreibweise *f* [Darstellung mit einer festen Kommastelle; Gegensatz zu Gleitpunkt-darstellung]
fixed-point notation [representation with a fixed decimal point; in contrast to floating-point representation]

Festkondensator *m*
fixed capacitor

Festkopfplattenspeicher *m*
fixed-head disk storage

Festkörperbauelement *n,* elektronisches Bauelement *n,* elektronisches Bauteil *n*
solid-state component, electronic component

Festkörperbaustein *m,* elektronischer Baustein *m,* elektronischer Modul *m*
solid-state device, electronic device, electronic module

Festkörperlaser *m*
solid-state laser

Festkörperphysik *f*
solid-state physics

Festkörperschaltung *f* [breiter Begriff: jede integrierte Schaltung; einschränkender Begriff: monolithisch integrierte Schaltung, d.h. eine Schaltung mit passiven und aktiven integrierten Bauelementen]
solid-state circuit [wide term: any integrated circuit; narrow term: monolithic integrated circuit, i.e. a circuit with passive and active integrated components]

festmontiert
rigidly mounted

Festphasenepitaxie *f* [Ein Verfahren zur Herstellung epitaktischer Schichten bei der Herstellung von Halbleiterbauelementen und integrierten Schaltungen]
solid-phase epitaxy [Process for growing epitaxial layers in semiconductor component and integrated circuit fabrication]

Festplatte *f,* feste Platte *f* [eine fest montierte Platte eines Magnetplattenspeichers]
fixed disk, fixed hard disk [a non-removable disk in a hard disk storage]

Festplatten-Controller *m*
hard disk controller

Festplatten-Konfiguration *f*
hard disk configuration

Festplatten-Speicherbereich *m,* Festplatten-Partition *f*
hard disk partition

Festplattenspeicher *m* [ein Magnetplattenspeicher mit im Laufwerk fest montierten Platten]
fixed disk storage [a magnetic disk storage with non-removable disks in the drive]

Festprogramme *n.pl.,* Firmware *f* [unveränderbare Programme, d.h. Software, die für den Anwender Hardware-Eigenschaften aufweist; z.B. das Mikroprogramm einer Zentraleinheit oder in ROM gespeicherte Systemprogramme]
firmware [inalterable programs, i.e. software having hardware characteristics for the user; e.g. the microprogram of a central processing unit or system programs stored in ROM]

festprogrammiert
fixed-programmed

festprogrammierter Festwertspeicher *m*
Festwertspeicher, dessen Speicherinhalt während der Herstellung festgelegt wird und danach nicht mehr verändert werden kann.
fixed-programmed read-only memory
Read-only memory whose content is programmed and hence fixed during fabrication and cannot be changed subsequently.

Festpunktarithmetik *f,* Festkommaarithmetik *f* [Befehlsausführung ohne automatische Berücksichtigung der Kommastelle]

fixed-point arithmetic [instruction execution without automatic consideration of decimal point]

Festpunktrechnung *f*, Festkommarechnung *f*
fixed-point computation

Festpunktschreibweise *f*,
Festkommaschreibweise *f* [Darstellung mit einer festen Kommastelle; Gegensatz zu Gleitpunktdarstellung]

fixed-point notation [representation with a fixed decimal point; in contrast to floating-point representation]

feststehend
stationary

feststellbar
detectable

festverdrahtet [feste Verdrahtung der Funktionseinheiten, um geforderte Funktionen und Abläufe zu verwirklichen; im Gegensatz zu speicherprogrammiert]

hard-wired [fixed wiring of functional units for achieving required functions and sequences; in contrast to freely programmable or stored program]

festverdrahtete Logik *f* [Logikschaltung mit unveränderlichen Funktionen]

hard-wired logic [logic circuit with fixed functions]

festverdrahtete Schaltung *f* [mit festen Verbindungen und somit nicht leicht veränderbar]

hard-wired circuit [with fixed connections and hence not easily alterable]

Festwertspeicher *m*, Nur-Lese-Speicher *m*,
ROM *m*
Speicher, dessen Inhalt nur gelesen und im normalen Betrieb weder gelöscht noch verändert werden kann.

read-only memory (ROM)
Memory from which stored information can only be read out and which, in normal operation, cannot be erased or altered.

**Festwertspeicher mit
Durchschmelzverbindungen** *m*,
feldprogrammierbarer Festwertspeicher *m*
(FROM)
Festwertspeicher, der vom Anwender programmiert aber nicht umprogrammiert werden kann. Die Programmierung erfolgt durch Wegbrennen von Durchschmelzverbindungen.

field-programmable read-only memory,
fusible-link read-only memory (FROM)
Read-only memory which can be programmed but not reprogrammed by the user. Programming is achieved by selectively blowing the fusible links.

Festwiderstand *m*
fixed resistor

Festzyklusbetrieb *m*
fixed-cycle operation

FET, Feldeffekttransistor *m*
Unipolartransistor, der im wesentlichen aus den Source-, Gate- und Drainbereichen und einem leitenden Kanal besteht, in dem der von der Source zum Drain fließende Strom durch eine an der Gateelektrode angelegte Spannung gesteuert wird. Beim spannungsgesteuerten Feldeffekttransistor erfolgt der Ladungstransport nur durch einen Ladungsträgertyp (Elektronen oder Defektelektronen), im Gegensatz zum stromgesteuerten Bipolartransistor, bei dem sowohl Elektronen als auch Defektelektronen zum Stromfluß beitragen.

FET, field-effect transistor
Unipolar transistor consisting essentially of the source, gate and drain regions and a conducting channel. Current flow between source and drain is controlled by a voltage applied to the gate electrode. In voltage-controlled field-effect transistors, charge transport in the channel is due to only one type of charge carrier (electrons or holes), in contrast to current-controlled bipolar transistors, in which both electrons and holes contribute to current flow.

Feuchtesensor *m*
moisture sensor

Fibonacci-Zahlentest *m* [Rechner-Bewertungsprogramm]
Fibonacci test [computer benchmark test]

FIBU-Programm *n* Finanz- und Buchhaltungsprogramm *n*
accounting program

FIFO-Liste *f*, Schiebeliste *f*, Warteschlange *f*
[eine Liste, in der die erste Eintragung als erste wiedergefunden wird]

push-up list, queue, FIFO list [list in which the first item stored is the first to be retrieved (first-in/first-out)]

FIFO-Speicher *m* [Speicher, der ohne Adressenangabe arbeitet und dessen Daten in der Reihenfolge gelesen werden, in der sie zuvor geschrieben worden sind, d.h. das zuerst geschriebene Datenwort wird als erstes gelesen; er wird häufig mittels Schieberegister oder RAM als Pufferspeicher zwischen Datensender und -empfänger verwendet]

FIFO storage (first-in/first-out storage)
[storage device operating without address specification and which reads out data in the same order as it was stored, i.e. the first data word stored is read out first; implemented as shift registers or RAM, it is often used as a buffer storage between data transmitter and data receiver]

Filmschaltung *f*, Schichtschaltung *f*
Schaltung, bei der wesentliche Elemente (z.B. Leiterbahnen, Widerstände, Kondensatoren

und Isolierungen) als Schichten auf einen
Träger aufgebracht werden. Die Schaltungen
werden in Dickschicht- oder Dünnschichttechnik ausgeführt.
film circuit
Circuit in which major elements (e.g.
conductors, resistors, capacitors and insulators)
are deposited in the form of film patterns on a
supporting substrate. Film circuits are
manufactured in thick-film and thin-film
technology.
Filmverfahren *n* [ein Diffusionsverfahren]
  paint-on process [a diffusion process]
FILO-Speicher *m*, Kellerspeicher *m*, LIFO-
Speicher *m*, Stapelspeicher *m*
Speicher, der ohne Adreßangabe arbeitet und
dessen Daten in der umgekehrten Reihenfolge
gelesen werden, in der sie zuvor geschrieben
worden sind, d.h. das zuletzt geschriebene
Datenwort wird als erstes gelesen; er wird
mittels Schieberegister oder RAM insbesondere
für die Bearbeitung von Unterprogrammen
verwendet, d.h. für die Datenspeicherung vor
einem Sprungbefehl.
  FILO storage (first-in/last-out), LIFO storage
(last-in/first-out), stack
Storage device operating without address
specification and which reads out data in the
reverse order as it was stored, i.e. the first data
word is read out last; implemented as shift
registers or RAM, it is particularly used for
subroutines, i.e. for storing data prior to a jump
instruction.
Filter *n*, Filterschaltung *f*
  filter circuit, filter
Filterschaltung *f*, Filter *n*
  filter circuit, filter
Finite-Elemente-Analyse *f*, FE-Analyse *f*
  finite element analysis (FEA)
Finite-Elemente-Methode *f*, FE-Methode *f*
  finite element method (FEM)
Firmware *f*, Festprogramme *n.pl.*
[unveränderbare Programme, d.h. Software, die
für den Anwender Hardware-Eigenschaften
aufweist; z.B. das Mikroprogramm einer
Zentraleinheit oder in ROM gespeicherte
Systemprogramme]
  firmware [inalterable programs, i.e. software
having hardware characteristics for the user;
e.g. the microprogram of a central processing
unit or system programs stored in ROM]
Flachbett-Plotter *m*
  flat-bed plotter
Flachbett-Scanner *m*
  flat-bed scanner
Flachdisplay *n*
  flat panel display
flache Datei *f* [nicht-hierarchische Daten, die
zwei-dimensional als Matrix oder Tabelle

darstellbar sind]
  flat file [non-hierarchical data which can be
represented two-dimensionally as a matrix or
table]
Flächenbedarf *m*, Platzbedarf *m* [z.B. eines
Bildschirmgerätes]
  footprint, space requirement [e.g. of a display]
Flächendiode *f*
  junction diode
Flächentransistor *m* [Bipolartransistor]
  junction transistor [bipolar transistor]
flacher PN-Übergang *m*
  shallow pn-junction
flaches Akzeptorniveau *n*
  shallow acceptor level
flaches Donatorniveau *n*
  shallow donor level
Flachgehäuse *n*, Flat-Pack-Gehäuse *n* [Gehäuse
mit zwei parallelen Reihen bandförmiger
Anschlüsse]
  flat-pack, flatpack [package with two parallel
rows of ribbon-shaped terminals]
Flachkabel *n*, Bandkabel *n*
  ribbon cable, flat cable
Flag *n*, Merker *m*, Zustandsbit *n*
Besonders in Mikroprozessoren häufig
verwendetes Steuerbit zur Anzeige eines
bestimmten Zustandes bzw. Erfüllung einer
Bedingung, z.B. Carry-Flag (Übertragsmerker).
Jedes Flag hat zwei Zustände: 1 = Bedingung
erfüllt; 0 = nicht erfüllt.
  flag
Control bit often used, particularly in
microprocessors, for indicating a certain state
or fulfilment of a condition, e.g. carry-flag. Each
flag has two states: 1 = condition fulfilled; 0 =
not fulfilled.
Flagregister *n*
  flag register
Flanke *f*, Impulsflanke *f*
  pulse edge, edge, slope
Flankenabfallzeit *f*, Abfallzeit *f*, Fallzeit *f* [bei
Impulsen: von 90 auf 10% der
Impulsamplitude]
  fall time [of pulses: from 90 to 10% of pulse
amplitude]
Flankenanstiegszeit *f*, Anstiegszeit *f* [bei
Impulsen: von 10 auf 90% der
Impulsamplitude]
  rise time [of pulses: from 10 to 90% of pulse
amplitude]
Flankendiskriminator *m*
  slope detector
flankengesteuerter Eingang *m*
  transition-operated input
Flankensteilheit *f* [bei Impulsen]
  pulse slope
Flankensteuerung *f*
  edge control, edge triggering

Flash-Chip m, Flash-Karte f, Flash-Speicherkarte f [nichtflüchtiger Speicher auf ROM-Basis, der wie eine Festplatte verwendet werden kann]
flash card, flash chip, flash memory card [ROM-based non-volatile memory that can be used like a hard disk]

Flat-Pack-Gehäuse n, Flachgehäuse n [Gehäuse mit zwei parallelen Reihen bandförmiger Anschlüsse]
flat-pack, flatpack [package with two parallel rows of ribbon-shaped terminals]

Flattersatz m [Textverarbeitung]
unjustified text [word processing]

flexible Leiterplatte f
flexible printed circuit board

Fließbandverarbeitung f, Pipeline-Verarbeitung f [ein Verfahren zur Erhöhung der Arbeitsgeschwindigkeit von Prozessoren und Mikroprozessoren durch Aufspalten und Parallelverarbeitung der Operationen (Befehle); die Befehlsabschnitte durchlaufen eine Reihe von Verarbeitungseinheiten, wobei jede Einheit, wie bei einem Fließband, einen bestimmten Verarbeitungsschritt ausführt]
pipelining, pipeline processing [a technique used for increasing the operating speed of processors and microprocessors by splitting instructions (operations) into segments and processing them in parallel; the instruction segments pass through a series of processor segments, each carrying out a specified amount of processing, like in an assembly line]

Fließlöten n, Schwallbadlöten n, Wellenlöten n Verfahren zum Herstellen von Lötverbindungen auf gedruckten Leiterplatten. Dabei werden die Leiterplatten in einer Wanne über eine flüssige Lotwelle geführt. Das Verfahren ermöglicht die Herstellung von mehreren Lötstellen in einem Arbeitsgang.
wave soldering, flow soldering
Process for soldering printed circuit boards by moving them over a wave of molten solder in a solder bath. The process enables multiple solder joints to be produced in a single operation.

flimmerfrei [Bildschirm]
flicker-free [screen]

Flimmern n [Bildschirm]
flickering [screen]

flimmern
flicker, to

Flip-Chip-Verfahren n
Eine Schnellmontagetechnik mit der Chips, deren Kontaktflecke erhöht sind, mit der Kontaktseite nach unten in einem Arbeitsgang mit Hilfe der Löttechnik auf einen Träger mit entsprechendem Leiterbild montiert werden.
flip-chip technology

A high-speed assembly method allowing chips with raised bump contacts to be mounted face down to a substrate with a corresponding interconnection pattern. Bonding is carried out by soldering in a single operation.

Flipflop n, bistabile Kippschaltung f, bistabiler Multivibrator m [eine Schaltung mit zwei stabilen Zuständen; die Umschaltung von einem in den anderen Zustand erfolgt durch einen Auslöseimpuls]
flip-flop (FF), bistable multivibrator [a circuit with two stable states; switching from one into the other is effected by a trigger pulse]

Flipflop-Register n [ein aus Flipflops bestehendes Register]
flip-flop register [a register consisting of flip-flops]

Flipflop-Schaltung f, Flipflop n
flip-flop circuit, flip-flop

Flipflop-Speicher m [ein Flipflop kann als Speicher für 1 Bit betrachtet werden; es ist das meistgebrauchte Speicherelement für logische Verknüpfungen]
flip-flop memory, flip-flop storage [a flip-flop can be regarded as a 1-bit storage; it is the most widely used storage device for logical operations]

FLOP (Gleitpunktoperationen/Sekunde)
FLOP (Floating Point Operations/second)

Floptical-Laufwerk n [Kombination von Floppylaufwerk mit optischer Positionierung; ermöglicht Speicherkapazitäten von 20 MByte und höher]
floptical drive [combination of floppy drive with optical positioning; results in storage capacities of 20 Mbytes and higher]

flüchtige Eins f [beim Rückübertrag]
elusive one [with end-around carry-over]

flüchtiger Speicher m [Speicher, dessen Speicherinhalt verlorengeht, wenn die Versorgungsspannung ausfällt]
volatile memory [memory in which stored information is lost when power is turned off]

Fluß in Gegenrichtung m
reverse direction flow

Fluß in Normalrichtung m
normal direction flow

Fluß in wechselnder Richtung m
bidirectional flow

Flußdiagramm n, Programmablaufplan m, Ablaufplan m, Ablaufdiagramm n [Darstellung des Verarbeitungsablaufes mit genormten graphischen Symbolen]
flow chart [representation of the processing sequence with the aid of standard graphical symbols]

Flüssigkristall m [eine kristallähnliche, im normalen Zustand durchsichtige organische Flüssigkeit, die durch Anlegen eines

elektrischen Feldes undurchsichtig wird]
liquid crystal [a normally transparent crystal-like organic liquid which becomes opaque when an electric field is applied]
Flüssigkristallanzeige f, LCD-Anzeige f [optoelektronische Anzeige, die aus Flüssig-kristallen zwischen zwei Glasplatten besteht, die mit einer durchsichtigen, leitfähigen Beschichtung in Form der darzustellenden Zeichen versehen sind]
liquid crystal display (LCD) [an optoelectronic display consisting of liquid crystals between two glass plates covered by transparent conductive coatings having the shape of the characters to be displayed]
Flüssigphasenepitaxie f, LPE-Verfahren n [ein Verfahren zur Herstellung epitaktischer Schichten bei der Fertigung von Halbleiterbauelementen und integrierten Schaltungen]
liquid phase epitaxy (LPE) [a process for growing epitaxial layers in semiconductor component and integrated circuit fabrication]
Flußmittel n
soldering flux
Flußumkehr f
flux reversal
FNI, Fachnormenausschuß Informationsverarbeitung im deutschen Normenauschuß
FNI, Committee for information processing in the German Standards Committee
Folge f [z.B. Befehlsfolge, Steuerfolge]
sequence [e.g. instruction sequence, control sequence]
Folge der Länge Eins f [enthält eine einzige Einheit]
unit string [contains a single entity]
Folgeausfall m [Ausfall bei unzulässiger Beanspruchung, die durch den Ausfall eines anderen Elementes verursacht wird]
secondary failure [failure of an item caused by the failure of another item]
Folgebit n
sequence bit
Folgefehler m
secondary defect
Folgefrequenz f, Impulsfolgefrequenz f
repetition frequency, pulse repetition frequency
Folgeschaltung f, sequentielle Schaltung f, Schaltwerk n
sequential circuit
Folgesteuerung f, Ablaufsteuerung f
sequence control
Folgestichprobenprüfung f
sequential sampling
Folienschalter m, Membranschalter m
membrane switch

Folientastatur f, Membrantastatur f
membrane keyboard
Font-Manager m, Schriftartsteuerung f [steuert die Schrifterzeugung]
font manager [controls font generation]
formaler Fehler m, Formfehler m [Nichteinhaltung einer formalen Bedingung, z.B. betreffend Reihenfolge oder Länge der Daten, bei der Datenaufzeichnung oder beim Programmieren]
formal error [violation of a formal condition, e.g. concerning data sequence or length, during data recording or programming]
Formalparameter m
dummy argument
Format n [beschreibt die Anordnung der Daten auf einem Datenträger; Beispiele: festes Format, freies Format, gepacktes Format usw.]
format [describes the arrangement of data on a data medium; examples: fixed format, free format, packed format, etc.]
Formatangabe f
format specification
Formatanweisung f
format statement
formatfrei, freies Format n [vom Benutzer frei wählbare Datenanordnung]
free format [data arrangement freely selectable by the user]
formatfreie Ein-Ausgabe-Anweisung f
unformatted input-ouput statement
formatfreie Leseanweisung f
unformatted read statement
formatfreie Schreibanweisung f
unformatted write statement
formatfreier Datensatz m
unformatted record
formatgebundene Datenübertragung f, formatgebundener Datentransfer m
formatted data transfer
formatgebundene Ein-Ausgabe-Anweisung f
formatted input-output statement
formatgebundene Leseanweisung f
formatted read statement
formatgebundene Schreibanweisung f
formatted write statement
formatgebundener Datensatz m
formatted record
formatgebundener Datentransfer m, formatgebundene Datenübertragung f
formatted data transfer
formatieren [Festlegung der Datenanordnung bei der Aufzeichnung oder Übertragung]
format, to [to define the arrangement of data for recording or transmission]
Formatieren n, Formatierung f [Festlegung der Datenanordnung]
formatting [defining data arrangement]
Formatierer m [Programm für die Festlegung

der Sektoren und Spuren einer Diskette,
Winchester-Platte oder Festplatte]
sector formatter [program for defining sectors
and tracks of a floppy disk, Winchester disk or
hard disk]
formatiert
  formatted
formatierte Datei *f*
  formatted file
formatierter Bildschirm *m* [in Felder
aufgeteilt]
  formatted screen [divided into fields]
Formatierung *f* [im Gegensatz zur
Vorformatierung]
  high-level formatting [in contrast to low-
level formatting]
Formatierung *f,* **Formatieren** *n* [Festlegung der
Datenanordnung]
  formatting [defining data arrangement]
Formatparameter *m*
  format specifier
Formatzeichenfolge *f*
  format string
Formfehler *m,* formaler Fehler *m*
[Nichteinhaltung einer formalen Bedingung,
z.B. betreffend Reihenfolge oder Länge der
Daten, bei der Datenaufzeichnung oder beim
Programmieren]
  formal error [violation of a formal condition,
e.g. concerning data sequence or length, during
data recording or programming]
Formular *n*
  form
Formulartraktor *m* [eines Druckers]
  forms tractor [of a printer]
Formularvorschub *m* [Papiertransport bei
Druckern vom Ende einer Seite zum Beginn
der nächsten Seite]
  form feed [paper transport in printers from
end of one page to the start of the next page]
FORTH [Programmiersprache]
  FORTH [programming language]
fortlaufende Nummern *f.pl*
  consecutive numbers [unbroken sequence of
numbers]
fortlaufende Verarbeitung *f*
  consecutive processing
Fortpflanzung *f,* **Ausbreitung** *f*
  propagation
FORTRAN [höhere, problemorientierte
Programmiersprache für technisch-
wissenschaftliche Aufgaben]
  FORTRAN (FORmula TRANslator) [high-level
problem-oriented programming language for
engineering and scientific applications]
fortschalten [z.B. eines Zählers]
  advance, to [e.g. a counter]
fortschreiben, aktualisieren
  update, to

Fortschreibung *f,* Aktualisieren *n,*
Aktualisierung *f*
  updating
Fortschreibungsdatei *f,* Aktualisierungsdatei *f,*
Änderungsdatei *f*
  update file
Fortschreibungsprogramm *n,*
Aktualisierungsprogramm *n,*
Änderungsprogramm *n*
  updating program
Fourier-Transformation *f*
  Fourier transform
FoxBase, FoxPro [Datenbanksysteme]
  FoxBase, FoxPro [database programming
systems]
FPLA, anwenderprogrammierbares Logik-Array
n, feldprogrammierbares Logik-Array *n*
Ein Gate-Array-Konzept, mit dem sich
integrierte Semikundenschaltungen realisieren
lassen. Die Logik-Arrays lassen sich durch
gezieltes Wegbrennen der
Durchschmelzverbindungen programmieren.
  FPLA (field programmable logic array), (fuse-
programmable logic array)
  A fusible-link gate array concept for producing
semicustom integrated circuits. The logic
arrays can be programmed by selectively
blowing the fuses.
fragmentierte Datei *f*
  fragmented file
fragmentierte Festplatte *f*
  fragmented hard disk
Fragmentierung *f,* **Dateifragmentierung** *f*
[Abspeicherung einer Datei in nicht
aufeinanderfolgenden Festplattenbereiche]
  fragmentation, file fragmentation [storage of
a file in non-contiguous areas of a hard disk]
Frame *m,* **Rahmen** *m*
[Wissensrepräsentationsschema in der
künstlichen Intelligenz]
  frame [method of representing knowledge in
artificial intelligence]
Freiätzung *f* [Leiterplatten]
  clearance hole [printed circuit boards]
freibelegbare Funktionstaste *f*
  soft-key, freely-programmable function key
freie Schwingungen *f.pl.* [Schwingungen, die
bei Wegnahme der Anregung weiter bestehen;
Schwungradeffekt]
  free oscillations [oscillations that continue
when the excitation is removed; flywheel effect]
freie Textsuche *f,* **Volltextsuche** *f*
  free text retrieval, full-text retrieval
freier Parameter *m*
  arbitrary parameter
freier Speicher *m*
  free memory
freier Speicherbereich *m*
  vacant storage area

freier Speicherplatz *m*
  free storage space
freies Format *n*, formatfrei [vom Benutzer frei
  wählbare Datenanordnung]
  free format [data arrangement freely
  selectable by the user]
Freigabe *f*, Freigabesignal *n*
  enable, enabling signal
Freigabebefehl *m*
  enable instruction
Freigabeeingang *m*
  enable input
Freigabesignal *n*, Freigabe *f*
  enabling signal, enable
Freigabesignal für den Bus *n*,
  Busfreigabesignal *n*
  bus-enable signal, bus enable
Freigabezeit *f*
  enable time
Freigabezugriffszeit *f*
  enable access time
freigeben
  release, to; enable, to
freigegeben
  enabled
Freilaufdiode *f*
  free-wheeling diode
Freilaufthyristor *m*
  free-wheeling thyristor
freischalten
  free, to
freischwingende Schaltung *f* [z.B.
  Oszillatorschaltung]
  free-running circuit [e.g. an oscillator circuit]
freischwingender Multivibrator *m*, astabiler
  Multivibrator *m* [ungesteuerte Kippschaltung,
  d.h. ohne Synchronisierungssignal]
  free-running multivibrator, astable
  multivibrator [an uncontrolled multivibrator,
  i.e. without synchronizing signal]
freischwingender Oszillator *m* [Oszillator
  ohne Synchronisierungssignal]
  free-running oscillator [oscillator without
  synchronizing signal]
Fremdatom *n* [Halbleitertechnik]
  Bei Halbleitern ein zu Dotierungszwecken in
  ein Kristallgitter eingebautes Atom eines
  anderen chemischen Elementes, z.B. ein
  Boratom in einem Siliciumkristall.
  foreign atom, dopant atom, impurity
  [semiconductor technology]
  In semiconductors, an atom of a chemical
  element other than the crystal into which it has
  been introduced for doping purposes, e.g. a
  boron atom in a silicon crystal.
Fremdspannung *f*
  external voltage
Frequenz *f*
  frequency

frequenzabhängig
  frequency-dependent
Frequenzband *n*
  frequency band
Frequenzbereich *m*
  frequency range
Frequenzdrift *f* [Frequenzänderung, die durch
  Schwankungen der Temperatur,
  Speisespannung usw. verursacht wird]
  frequency drift [change of frequency due to
  variations of temperature, supply voltage, etc.]
Frequenzgang *m* [Amplitude und
  Phasenverschiebung in Funktion der Frequenz]
  frequency response [amplitude and phase
  shift as a function of frequency]
Frequenzgenerator *m*
  frequency generator
Frequenzkennlinie *f*
  frequency characteristic
Frequenzmodulation *f*
  frequency modulation
Frequenzmodulator *m*
  frequency modulator
Frequenznormal *n*
  frequency standard
Frequenzteiler *m*, Teiler *m*
  frequency divider, divider
Frequenzthyristor *m*
  frequency thyristor
Frequenzumtastung *f* (FSK)
  [Modulationsverfahren zur Umwandlung von
  seriell anliegenden digitalen Daten in
  tonfrequente Signale, die dann über eine
  Telephonleitung übertragen oder auf eine
  Magnetbandkassette gespeichert werden
  können]
  frequency shift keying (FSK) [modulation
  method for transforming serial digital signals
  into audio-frequency signals which can then be
  transmitted over a telephone line or stored on a
  magnetic tape cassette]
Frequenzumtastungsmodem *m*, FSK-Modem
  m [auf dem FSK-Modulationsverfahren
  basierender Modem]
  frequency shift keying modem, FSK modem
  [modem based on the FSK modulation method]
frequenzunabhängig
  frequency-independent
Frequenzvervielfacher *m*
  frequency multiplier
Frequenzwandler *m*
  frequency changer
FROM *n*, feldprogrammierbarer
  Festwertspeicher *m*, Festwertspeicher mit
  Durchschmelzverbindungen *m*
  Festwertspeicher, der vom Anwender
  programmiert aber nicht umprogrammiert
  werden kann. Die Programmierung erfolgt
  durch selektives Wegbrennen von Durch-

schmelzverbindungen.
FROM (fusible-link read-only memory), (field-programmable read-only memory)
Read-only memory which can be programmed but not reprogrammed by the user.
Programming is achieved by selectively blowing the fusible links.
Frühausfall m [Ausfall, der schon nach kurzer Betriebszeit stattfindet]
early failure [a failure that occurs after a short operating period]
Frühausfallperiode f
early-failure period
frühes Schreiben n [bei integrierten Speicherschaltungen]
early-write mode, early write [with integrated circuit memories]
FSK, Frequenzumtastung f
[Modulationsverfahren zur Umwandlung von seriell anliegenden digitalen Daten in tonfrequente Signale, die dann über eine Telephonleitung übertragen oder auf eine Magnetbandkassette gespeichert werden können]
FSK (frequency shift keying) [modulation method for transforming serial digital signals into audio-frequency signals which can then be transmitted over a telephone line or stored on a magnetic tape cassette]
FSK-Modem m, Frequenzumtastungsmodem m [auf dem FSK-Modulationsverfahren basierender Modem]
FSK modem (frequency shift keying modem) [modem based on the FSK modulation method]
FTR [Funktionsdurchsatz; Bewertungskriterium für integrierte Schaltungen]
functional throughput rate [evaluation criterion for integrated circuits]
führende Nullen f.pl., führende Null f [vor der höchstwertigen Stelle bzw. Ziffer stehende Nullen]
leading zeroes, leading zero [zeroes in front of the highest position or digit]
führendes Blindzeichen n, führendes Füllzeichen n [ein Füllzeichen, das links von einer rechtsbündigen Datei gespeichert wird]
leading pad, leading filler [a pad or fill character stored to the left of a right-justified file]
Führungsgröße f [Regeltechnik]
reference input [automatic control]
Füllbefehl m, Blindbefehl m, Scheinbefehl m [Befehl ohne Wirkung; belangloser Befehl]
dummy instruction [instruction having no effect]
Füllzeichen n, Blindzeichen n, [Zeichen, die aus Darstellungsgründen gespeichert werden, z.B. bei einer linksbündigen Datei mit 80 Zeichen/Zeile das Auffüllen mit Leerzeichen

rechts von den Datenfeldern]
filler, fill character, pad character [characters stored for display purposes, e.g. filling or padding a left-justified 80 character/line file with blanks to the right of the data items]
Füllzeichen n, Leerzeichen n [Codezeichen ohne Bedeutung und das oft nicht geschrieben, gedruckt oder gelocht wird; wirkt als Zwischenraum zwischen gespeicherten Daten]
blank character, blank, space character, space [code character without meaning and often not written, printed or punched; serves as a separator between stored data]
Fünfziffern-Multiplizierwerk n
five-digit multiplier
Funkelrauschen n, Halbleiterrauschen n [das Rauschen von Halbleiterbauelementen bei tiefen Frequenzen]
flicker noise [semiconductor noise at low frequencies]
funktionelle Durchsatzrate f, Datendurchsatzrate f [bei der Herstellung integrierter Schaltungen]
functional throughput rate (FTR) [in integrated circuit fabrication]
funktioneller Entwurf m
functional design
Funktions-Blockschaltbild n, Signalfluß-plan m
functional block diagram
Funktionsanweisung f
functional statement
Funktionsauswahl f
function select
Funktionsbaugruppe f
functional assembly
funktionsbedingte Beanspruchung f
functional stress
funktionsbeeinträchtigender Defekt m [Defekt, der die Ausbeute bei der Herstellung integrierter Schaltungen verringert]
killing defect [defect reducing the yield in integrated circuit fabrication]
Funktionsbeschreibung f
functional description
Funktionsbit n
function bit
Funktionsbyte n
function byte
Funktionseinheit f
functional unit
Funktionsfehler m
faulty operation
funktionsfähig
operable
Funktionsfähigkeit f
operability
Funktionsgenerator m, Funktionsgeber m [Rechenelement in der Analogrechnertechnik;

häufig mittels Dioden im Eingangszweig eines
Operationsverstärkers realisiert]
function generator [computing element used
in analog computers; often obtained by using
diodes in the input branch of an operational
amplifier]
Funktionskontrolle *f*
functional check, operational check
Funktionsnachweis *m*
   proving
Funktionsname *m*
   function name
Funktionsprüfung *f*
   functional test
Funktionsstörung *f,* fehlerhafte Funktion *f,*
   Fehlfunktion *f*
   malfunction
Funktionssymbol *n*
   function symbol
Funktionstabelle *f* [zeigt die Beziehungen
   zwischen den Eingangs- und Ausgangsgrößen
   einer Digitalschaltung]
   function table [shows the relations between
   the input and output parameters of a digital
   circuit]
Funktionstaste *f* [auf der Tastatur befindliche
   Taste, die kein Zeichen generiert, sondern
   einen Befehl oder eine Befehlsfolge auslöst;
   kann von Benutzer programmiert werden]
   function key [keyboard key which does not
   generate a character but an instruction or a
   series of instructions; can be programmed by
   the user]
funktionsunfähig
   inoperable, inoperative
Funktionswert *m*
   functional value, value of function
Funktionszuverlässigkeit *f*
   functional reliability
Fußnote *f*
   footnote
Fußzeile *f* [Text am unteren Rand jeder
   gedruckten Seite]
   footer [text at bottom of every printed page]
Fuzzy-Logik *f,* unscharfe Logik *f,* mehrwertige
   Logik *f* [verwendet den Grad der Zugehörigkeit
   zu einer Menge, ausgedrückt durch einen
   beliebigen Wert zwischen 0 und 1, z.B. "sehr
   hoch" = 0,9, "mittlere Höhe" = 0,5 und "sehr
   tief" = 0.1; im Gegensatz zur binären Logik die
   nur zwei Möglichkeiten zuläßt (0 und 1 oder
   wahr und falsch)]
   fuzzy logic [uses the degree of membership to
   a set, expressed as a value between 0 and 1, e.g.
   "very high" = 0.9, "medium height" = 0.5 and
   "very low" = 0.1; in contrast to binary logic
   which has only two possibilities (0 and 1 or true
   and false)]

G

Ga, Gallium *n*
  Ga (gallium)
GaAlAs, Galliumaluminiumarsenid *n* GaAlAs
  (gallium aluminium arsenide)
GaAs, Galliumarsenid *n*
  GaAs (gallium arsenide)
GaAs-Diode *f* [Diode, die in Galliumarsenid
  realisiert ist]
  GaAs diode [diode made from gallium
  arsenide]
GaAs-Feldeffekttransistor *m*
  [Feldeffekttransistor, der Galliumarsenid als
  Halbleitersubstrat verwendet]
  GaAs field-effect transistor [field-effect
  transistor using gallium arsenide as a
  semiconductor substrate]
Gallium *n* (Ga)
  Metallisches Element, das als Dotierstoff
  (Akzeptoratom) verwendet wird.
  gallium (Ga)
  Metallic element used as a dopant impurity
  (acceptor atom).
Galliumaluminiumarsenid *n* (GaAlAs)
  [Verbindungshalbleiter, der vorwiegend zur
  Herstellung von Laserdioden angewendet wird]
  gallium aluminium arsenide (GaAlAs)
  [compound semiconductor mainly used for laser
  diodes]
Galliumarsenid *n* (GaAs)
  Der wichtigster Verbindungshalbleiter der
  Gruppen III und V des Periodensystems. Seine
  Bedeutung als Ausgangsmaterial für Bau-
  elemente und integrierte Schaltungen nimmt
  ständig zu. GaAs dient zur Herstellung von
  Bauelementen der Optoelektronik (z.B.
  Lumineszenzdioden, Laser, Phototransistoren,
  Solarzellen usw.), des Mikrowellenbereichs und
  von MESFETs, mit denen sich extrem schnelle
  Schaltungen realisieren lassen.
  gallium arsenide (GaAs)
  The most important compound semiconductor
  belonging to the groups III and V of the
  periodic table. It is rapidly gaining significance
  as a substrate for components and integrated
  circuits. GaAs is used for optoelectronic
  components (e.g. light-emitting diodes,
  phototransistors, lasers, solar cells, etc.),
  microwave devices, and MESFETs in very high-
  speed circuits.
Galliumphosphid *n* (GaP)
  Verbindungshalbleiter, der als
  Ausgangsmaterial für optoelektronische
  Bauteile dient.
  gallium phosphide (GaP)
  Compound semiconductor used for

optoelectronic components.
galvanisch entkoppelt
  galvanically decoupled, d.c. decoupled
galvanisch gekoppelt
  direct coupled
galvanische Entkopplung *f*
  galvanic decoupling, d.c. decoupling
galvanische Kopplung *f*
  galvanic coupling, d.c. coupling
ganze Binärzahl *f*, binäre ganze Zahl *f*, ganze
  Dualzahl *f* [Zahlensysteme]
  binary integer [number systems]
ganze Zahl *f*, Ganzzahl *f*
  integer number, integer
ganze Zahl mit Vorzeichen *f*, Ganzzahl mit
  Vorzeichen *f*
  signed integer
Ganzseitenbildschirm *m*
  full-screen display
Ganzzahl *f*, ganze Zahl *f*
  integer number, integer
Ganzzahl mit Vorzeichen *f*, ganze Zahl mit
  Vorzeichen *f*
  signed integer
ganzzahliger Teil *m*
  integer part
Ganzzahlvariable *f*
  integer variable
GaP, Galliumphosphid *n*
  Verbindungshalbleiter, der als Ausgangsmaterial für optoelektronische Bauteile dient.
  GaP (gallium phosphide)
  Compound semiconductor used for
  optoelectronic components.
Gasätzen *n*, Gasätzung *f*
  gas etching
Gasentladungsanzeige *f*
  gas discharge display, gas panel display
Gasentladungsröhre *f*
  gas discharge tube
Gasphasenepitaxie *f* [ein Verfahren zur
  Herstellung epitaktischer Schichten bei der
  Fertigung von Halbleiterbauelementen und
  integrierten Schaltungen]
  gas-phase epitaxy, vapour-phase epitaxy
  (VPE) [a process for growing epitaxial layers in
  semiconductor component and integrated
  circuit fabrication]
Gate *n*
  Bereich des Feldeffekttransistors, vergleichbar
  mit der Basis des Bipolartransistors.
  gate
  Region of the field-effect transistor, comparable
  to the base of the bipolar transistor.
Gate-Array *n*
  Integrierte Schaltung, die aus einer
  regelmäßigen Anordnung von vorfabrizierten,
  aber nicht miteinander verdrahteten Gattern
  und einer oder mehreren metallischen

Verdrahtungsebenen besteht. Durch
Verbindung der Gatter über Verdrahtungs-
masken lassen sich integrierte Kunden- oder
Semikundenschaltungen realisieren.

gate array
Integrated circuit containing a regular but not
interconnected pattern of gates and one or more
metal interconnection layers. Interconnection of
the gates with the aid of interconnection masks
allows custom or semicustom integrated
circuits to be produced.

Gate-Drain-Bereich *m*
gate-drain region

Gate-Source-Durchbruchspannung *f*
gate-source breakdown voltage

Gate-Source-Grenzspannung *f*
gate-source cut-off voltage

Gate-Source-Kapazität *f*
gate-source capacitance

Gate-Source-Spannung *f*
gate-source voltage

Gateanschluß *m*, Gatekontakt *m*
gate contact, gate terminal

Gatebereich *m*, Gatezone *f*
gate region, gate zone

Gatedotierung *f* [Dotierung des Gatebereichs
bei Sperrschicht-Feldeffekttransistoren]
gate doping [doping of the gate region in
junction field-effect transistors]

Gateelektrode *f* [Steuerelektrode bei
Feldeffekttransistoren, an die die
Steuerspannung angelegt wird]
gate electrode, gate [electrode of the field-
effect transistor to which the control voltage is
applied]

Gatekapazität *f*
gate capacitance

Gateoxid *n* [dünne Oxidschicht, die bei
Feldeffekttransistoren das Gate vom leitenden
Kanal isoliert]
gate oxide [thin oxide layer isolating the gate
from the conductive channel in field-effect
transistors]

Gateschaltung *f* [Transistorgrundschaltung]
Eine der drei Grundschaltungen des Feldeffekttransistors, bei der die Gateelektrode die
gemeinsame Bezugselektrode ist; vergleichbar
mit der Basisschaltung bei Bipolartransistoren.
common gate connection [basic transistor
configuration]
One of the three basic configurations of the
field-effect transistor having the gate as
common reference terminal; comparable to the
common base connection of a bipolar transistor.

Gateschutz *m*
gate protection

Gateschutzdiode *f*
gate protection diode

Gateschwellenspannung *f*
gate threshold voltage

Gatespannung *f*
gate voltage

Gatesperrschichtbereich *m*
gate depletion region

Gatesperrstrom *m*
gate reverse current

Gatesteilheit *f* [bei Feldeffekttransistoren]
forward transconductance [in field-effect
transistors]

Gatesteuerung *f*
gate control

Gatesubstratspannung *f*
gate-substrate voltage

Gatevorspannung *f*
gate bias

Gatewiderstand *m*
gate resistance

Gatezone *f*, Gatebereich *m*
gate zone, gate region

Gatter *n*, Verknüpfungsglied *n*
Eine Schaltung, die eine logische Operation
ausführt, d.h. die zwei oder mehr
Eingangssignale zu einem Ausgangssignal
verknüpft. Es gibt Verknüpfungsglieder für die
logischen Operationen UND (= Konjunktion),
exklusives ODER (= Antivalenz), inklusives
ODER (= Disjunktion), NICHT (= Negation),
NAND (= Sheffer-Funktion), NOR (= Peirce-
Funktion), Äquivalenz, Implikation und
Inhibition.
gate, logic gate, gate element
A circuit that performs a logical operation, i.e.
that combines two or more input signals into
one output signal. There are gates for the
logical operations AND (= conjunction),
EXCLUSIVE-OR (= non-equivalence),
INCLUSIVE-OR (= disjunction), NOT (=
negation), NAND (= non-conjunction or Sheffer
function), NOR (= non-disjunction or Peirce
function), IF-AND-ONLY-IF (= equivalence),
IF-THEN (= implication) and NOT-IF-THEN (=
exclusion).

Gatterlaufzeit *f*, Gatterverzögerungszeit *f*
gate propagation delay

Gatterrauschen *n*
gate noise

Gatterverzögerungszeit *f*, Gatterlaufzeit *f*
Die Zeit zur Realisierung einer Gatterfunktion,
d.h. die Zeitverzögerung von der Signaländerung am Eingang bis zur Signaländerung
am Ausgang.
gate propagation delay
The time required for a gate to perform a
logical function, i.e. the time delay between the
change of a signal at the input and the
appearance of the changed signal at the output.

Gatterzähler *m*
gate counter

Gaußsche Verteilung f, Normalverteilung f
[statistische Verteilung von Zufallswerten um
einen Mittelwert]
Gaussian distribution [statistical
distribution of random values around a center
value]
Gebiet n, Zone f, Bereich m
Teilgebiet eines Halbleiterkristalls mit
speziellen elektrischen Eigenschaften (z.B. N-
leitend, P-leitend oder eigenleitend).
zone, region
Region in a semiconductor crystal that has
specific electrical properties (e.g. n-type, p-type
or intrinsic conduction).
geätzte Schaltung f [durch Ätzvorgang erzeugte
gedruckte Schaltung]
etched circuit [printed circuit produced by
etching]
geblockter Satz m [ein Satz aus mehreren
Sätzen, die einen Block bilden]
blocked record [one of several records
forming a block]
geborgtes Bit n, Borgebit n [signalisiert eine
negative Differenz in einer Ziffernstelle bei der
Subtraktion]
borrow bit [signals a negative difference in a
digit place during subtraction]
gebundenes Elektron n
bound electron
gedruckte Randkontakte f [Leiterplatten]
edge board contacts [printed circuit boards]
gedruckte Schaltung f [Schaltung bestehend
aus einer isolierenden Trägerplatte mit
aufgedruckten oder geätzten Leiterbahnen für
die aufgesetzten Bauelemente]
printed circuit [circuit consisting of an
insulating base plate with printed or etched
conductive patterns for components mounted
on it]
gedruckte Verdrahtung f
printed wiring
gedrucktes Bauteil n [Leiterplatten]
printed component [printed circuit boards]
geerdet
grounded
gefährlicher Fehler m
dangerous fault, dangerous error
Gegenbetrieb m, Vollduplexbetrieb m,
Duplexbetrieb m [Datenübertragung in beiden
Richtungen gleichzeitig]
full duplex mode, duplex operation [data
transmission in both directions simultaneously]
gegengekoppelter Verstärker m
negative feedback amplifier
Gegeninduktivität f
mutual inductance
Gegenkontakt m
mating contact
Gegenkopplung f, negative Rückkopplung f

negative feedback
Gegenparallelschaltung f,
Antiparallelschaltung f
antiparallel connection
gegenseitig abhängig
interdependent
gegenseitige Störung f [gegenseitige Störung
zweier Schaltungen]
cross-coupling [undesired coupling between
two circuits]
Gegenspannungssperrvermögen n
reverse-voltage blocking capability
Gegensteckverbinder m
mating connector
Gegentaktausgang m
push-pull output
Gegentaktbetrieb m
push-pull operation
Gegentakteingang m
push-pull input
Gegentaktgleichrichter m
push-pull rectifier
Gegentaktkollektorschaltung f
push-pull complementary collector circuit
Gegentaktleistungsverstärker m
push-pull power amplifier
Gegentaktschaltung f [eine symmetrische
Schaltung, die zwei gegenphasig gesteuerte
Verstärkerbausteine verwendet]
push-pull circuit [a balanced circuit using
two amplifying devices operating in phase
opposition]
Gegentaktspannung f
push-pull voltage
Gegentaktverstärker m
push-pull amplifier
gegurtete Bauteile n.pl. [für die automatische
Bestückung von Leiterplatten]
taped components [for automatic insertion in
PCBs]
Gehäuse n [z.B. von Einzelbauelementen oder
integrierten Schaltungen]
package, case [e.g. of discrete components or
integrated circuits]
Gehäuseabmessungen f.pl.
package dimensions, case dimensions
Gehäuseform f
package style, case style
Gehäusematerial n
package material, case material
Gehäusetemperatur f
case temperature
gekettete Baumstruktur n [ein Baum, dessen
Knoten Zeiger auf andere Knoten aufweisen]
threaded tree [a tree in which each node has
pointers to other nodes]
gekettete Datei f [eine Datei, in der
zusammengehörende Datenelemente durch
Zeiger miteinander verknüpft sind, um einen

schnelleren Zugriff zu ermöglichen]
chained file [a file in which all data items
having a common identifier are chained
together by pointers, thus providing faster
access]
gekettete Liste *f*
chained list
gekettetes Programm *n*, gereihtes Programm *n*
[ein Programm, das lediglich aus unabhängigen
Teilen besteht, z.B. ein C-Programm mit
unabhängigen Modulen]
threaded program [a program consisting
exclusively of independent sections, e.g. a C
program comprising independent program
modules]
gekoppelt
coupled
gelöschter Zustand *m*
cleared condition
GEM [graphische Benutzeroberfläche von Digital
Research]
GEM (Graphical Environment Manager)
[graphical windowing software developed by
Digital Research]
gemeinsamer Rückleiter *m*
common return
gemeinsamer Speicherbereich *m*
common storage area
gemeinsames Datenfeld *n*
common field
Gemeinschaftsrechner *m* [Rechner im
Mehrbenutzersystem]
multiuser computer
GEMFET
Integrierte Schaltungsfamilie der
Leistungselektronik in CMD-Technik
(Leitfähigkeitsmodulation), die mit Bipolar-
und MOS-Strukturen auf dem gleichen Chip
realisiert ist.
GEMFET (gain-enhanced MOSFET)
Family of power control integrated circuits,
using the conductivity-modulated device
technology, which combines bipolar and MOS
structures on the same chip.
gemischte Anzeige *f*, kombinierte Anzeige *f*
[Anzeige von alphanumerischen Zeichen und
Graphik]
mixed display, combined display [display of
alphanumeric characters and graphics]
gemultiplexter Bus *m* [ein Bus in einem
Mikroprozessor, der beispielsweise zu einem
bestimmten Zeitpunkt Adreßinformationen und
zu einem anderen Zeitpunkt Daten überträgt]
multiplexed bus [a bus in a microprocessor
that, for example, conveys address information
at certain times and data at other times]
Genauigkeit *f* [allgemein: Fehlerfreiheit]
accuracy [general: freedom from error]
Genauigkeit *f* [einer Rechenoperation: hängt

von der Zahl der Stellen, d.h. von der Länge des
Rechenwortes ab]
precision [of a computing operation: depends
on the number of places or digits, i.e. on the
length of the computer word]
Genauigkeitsprüfung *f*
accuracy check
Genauigkeitsverlust *m*
loss of accuracy
Generation *f*, Erzeugung *f*
generation
Generationsrate *f*
generation rate
Generationsstrom *m*
generation current
Generator *m*
generator
Generatorprogramm *n*
generator program
generieren
generate, to
genormte Schnittstelle *f*, Standardschnittstelle
f [z.B. für die asynchrone serielle
Datenübertragung gemäß EIA RS-232-C oder
CCITT V.24]
standard interface [e.g. for asynchronous
serial data communications according to EIA
RS-232-C or CCITT V.24]
genutzte Betriebszeit *f*
effective time, effective operating time
geometrischer Entwurf *m*, Strukturentwurf *m*,
Layout *n*
layout
gepaarter Widerstand *m*
resistor pair
gepackte Dezimalziffer *f* [Darstellung von zwei
Dezimalziffern in einem Byte]
packed decimal digit [representation of two
decimal digits in one byte]
gepuffert
buffered
gepufferte FET-Logik *f* (BFL)
Integrierte Schaltungsfamilie, die mit
Galliumarsenid-D-MESFETs realisiert ist.
buffered FET logic (BFL)
Family of integrated circuits based on gallium
arsenide D-MESFETs.
gepulster Drainstrom *m*
pulsed drain current
gerade Parität *f*
even parity
Gerät *n* [mechanische und elektrische
Betrachtungseinheit zur Erfüllung
vorgegebener Funktionen]
equipment, device [mechanical and electrical
unit for fulfilling given functions]
Gerät mit wahlfreiem Zugriff *n* [z.B. Diskette
oder Plattenspeicher im Gegensatz zum
Magnetbandspeicher]

random-access device [e.g. floppy disk or
disk storage in contrast to magnetic tape
storage]
Geräteadresse *f*
　device address
Geräteanschaltung *f*, Geräteschnittstelle *f*
　device interface
Geräteausfall *m*
　equipment failure
Gerätebyte *n* [enthält Meldung über
Gerätezustand]
　device byte [contains message on device
　status]
Gerätefreigabe *f*
　device release
Geräterücksetztaste *f*
　device reset key
Geräteschnittstelle *f*, Geräteanschaltung *f*
　device interface
Geräteselbstprüfung *f*, automatische
Geräteprüfung *f*
　machine check, automatic check, hardware
　check
gerätespezifisch
　device-specific
Gerätestatus *m* [Betriebszustand eines Gerätes,
z.B. bereit oder belegt]
　device status [operating status of a device,
　e.g. ready or busy]
Gerätesteuerprogramm *n*
　device handler, device handling program
Gerätesteuerung *f*
　device control
Gerätetreiber *m*
　device driver
geräteunabhängig
　device-independent
Gerätezuordnung *f*, Gerätezuweisung *f*
　device assignment, hardware assignment
Geräuschspannung *f*
　noise voltage
gereihtes Programm *n*, gekettetes Programm *n*
[ein Programm, das lediglich aus unabhängigen
Teilen besteht, z.B. ein C-Programm mit
unabhängigen Modulen]
　threaded program [a program consisting
　exclusively of independent sections, e.g. a C
　program comprising independent program
　modules]
gerettete Datei *f*, gesicherte Datei *f* [eine Datei,
die durch Abspeichern oder Erstellen einer
Kopie auf einem anderen Datenträger gesichert
worden ist]
　saved file [a file secured by storing or making
　a copy on another data medium]
geringe Leistungsaufnahme *f*
　low power consumption
Germanium *n* (Ge)
Halbleiter, der als Ausgangsmaterial für

Transistoren, Dioden usw. dient. Heute vor
allem bei integrierten Schaltungen weitgehend
durch Silicium und Galliumarsenid ersetzt.
germanium (Ge)
Semiconductor material used for transistors,
diodes, etc. Now largely replaced by silicon and
gallium arsenide, particularly for integrated
circuits.
Germaniumdiode *f* [Diode, die in Germanium
realisiert ist]
　germanium diode [diode made from
　germanium]
Germaniumtransistor *m* [Transistor, der in
Germanium realisiert ist]
　germanium transistor [transistor made from
　germanium]
Gesamtausfall *m*, Totalausfall *m* [Ausfall aller
Funktionen einer Betrachtungseinheit]
　total failure [failure of all functions of an
　item]
Gesamtlöschtaste *f*
　clear-all key
Gesamtrückstellung *f*
　master reset
gesättigte Logikschaltung *f*
　saturated logic circuit
gesättigter Bereich *m*
　saturated region
geschachtelte Schleife *f* [eine
Programmschleife mit einer oder mehreren
eingebauten Schleifen]
　nested loop [a program loop containing one or
　more built-in loops]
geschachteltes Unterprogramm *n* [ein
Unterprogramm mit einem oder mehreren
eingebauten Unterprogrammen]
　nested subroutine [a subroutine containing
　one or more built-in subroutines]
Geschäftsgraphik *f*, Präsentationsgraphik *f*
[Erstellung von Linien-, Balken- und
Kreisdiagrammen]
　business graphics, presentation graphics
　[generating line, bar and pie charts or
　diagrams]
geschlossene Prozeßkopplung *f*
　on-line closed loop
geschlossene Schleife *f*, Regelkreis *m*,
Regelschleife *f*
　closed loop
geschlossener Betrieb *m* [Rechnerbetrieb ohne
Zutritt für den Auftraggeber bzw. Anwender;
im Gegensatz zum offenen Betrieb, der dem
Anwender Zutritt gewährt]
　closed-shop operation [computer operation
　without access for the user; in contrast to open
　shop in which the user has access]
geschlossener Kühlkreis *m*
　closed-circuit cooling circuit
geschlossener Regelkreis *m*

closed-loop circuit
geschützte Daten *n.pl.*
  protected data
geschützte Speicherstelle *f,* geschützte
  Speicherzelle *f*
  protected storage location
geschützter Modus *m* [DOS-Betriebsart für die
  direkte Adressierung des
  Erweiterungsspeichers bei 80286-, 80386- und
  80486-Prozessoren des Erweiterungsspeichers;
  erlaubt das gleichzeitige Ablaufen mehrerer
  Anwendungen]
  protected mode [DOS operating mode for
  direct addressing of extended memory of 80286,
  80386 and 80486 processors; allows several
  applications to run simultaneously]
geschützter Speicherbereich *m* [gesperrt
  gegen unerwünschtes Lesen und/oder
  Überschreiben]
  protected storage area [blocked from
  undesired reading and/or overwriting]
geschütztes Feld *n* [Bildschirmfeld, das von der
  Eingabetastatur nicht beeinflußt werden kann]
  protected field [display field unaffected by
  keyboard entry]
geschweifte Klammer *f* [im Gegensatz zur
  runden oder eckigen Klammer]
  brace [in contrast to round or square bracket]
Geschwindigkeitsumsetzer *m* [Umsetzung der
  Geschwindigkeit bzw. Baudrate bei der
  Datenübertragung]
  rate converter [speed or baud rate conversion
  during data transmission]
gesicherte Datei *f,* gerettete Datei *f* [eine Datei,
  die durch Abspeichern oder Erstellen einer
  Kopie auf einem anderen Datenträger gesichert
  worden ist]
  saved file [a file secured by storing or making
  a copy on another data medium]
gespeichertes Programm *n*
  stored program
gesperrt
  blocked, disabled
gespiegelte Daten *n.pl.* [Daten auf zwei
  identischen Festplatten gespeichert]
  mirrored data [data stored in two identical
  hard disks]
gespiegelte Sicherungskopie *f* [vollständige
  Kopie des Datenträgers]
  image backup, mirror backup [complete copy
  of data medium]
Gestell *n,* Rahmen *m* [z.B. 19-Zoll Normgestell
  für Einschübe]
  rack [e.g. standard 19-inch rack for plug-in
  units]
gesteuerter Gleichrichter *m,* Thyristor *m*
  Halbleiterbauelement mit vier unterschiedlich
  dotierten Bereichen (PNPN-Struktur) und drei
  Übergängen, das von einem Sperrzustand in

einen Durchlaßzustand (und umgekehrt)
umgeschaltet werden kann. Thyristoren haben
ein breites Anwendungsgebiet in der Leistungselektronik (z.B. Drehzahl- und Frequenzsteuerung).
  thyristor, silicon controlled rectifier (SCR)
  Semiconductor component, with four differently
  doped regions (pnpn structure) and three
  junctions, which can be triggered from its
  blocking state into its conducting state and
  vice-versa. Thyristors have a wide range of
  applications in power electronics (e.g. for speed
  and frequency control).
gestörtes Eins-Signal *n*
  disturbed one-output signal
gestörtes Null-Signal *n*
  disturbed zero-output signal
gestörtes Speicherelement *n*
  disturbed storage cell
gestrecktes Programm *n* [ein Programm, in
  dem jeder Befehl nur einmal durchlaufen wird;
  im Gegensatz zur Programmierung mit
  Schleifen]
  unwound program [a program in which each
  instruction is run through only once; in
  contrast to programming with loops]
gestreutes Schreiben *n,* sammelndes Lesen *n*
  [Verteilung von Sätzen in einem
  Arbeitsspeicher ohne Rücksicht auf eine
  gegebene Reihenfolge; die Aneinanderreihung
  erfolgt durch Datenkettung]
  scattered write, gathered read [scattering of
  records in a working storage without
  consideration of order; chaining is used to bring
  the records together]
getaktetes Flipflop *n,* taktgesteuertes Flipflop
  n, Trigger-Flipflop *n* [Flipflop mit Auslösung
  des Zustandswechsels durch einen Taktimpuls]
  triggered flip-flop, clocked flip-flop [flip-flop
  employing a clock pulse for changing its state]
getaktetes RS-Flipflop *n,* RST-Flipflop *n* [ein
  RS-Flipflop mit einem zusätzlichen
  Takteingang (T)]
  RST flip-flop, triggered RS flip-flop, clocked
  RS flip-flop [an RS flip-flop with an additional
  input (T) for a trigger or clock signal]
geteilte Adresse *f*
  split address
geteilter Bildschirm *m* [Bildschirmanzeige mit
  getrennten Darstellungsbereichen, die sich
  meistens unabhängig voneinander bewegen
  lassen]
  split-screen [screen with separate display
  areas which usually can be independently
  scrolled]
Gettern *n,* Getterung *f* [Halbleitertechnik]
  Verfahren zur Verminderung von Verunreinigungen durch Metallionen im Halbleiterkristall während der Diffusion durch Auf-

bringen einer Getterschicht, in der sich die
Metallionen ansammeln.
gettering process [semiconductor technology]
Method for reducing contamination of a semiconductor crystal by metal ions during the
diffusion process by applying a layer of getter
material which attracts the metal ions.
gezogener Übergang m
Übergang zwischen zwei Halbleiterbereichen,
der durch Ziehen eines Kristalls aus der
Schmelze gebildet wird.
  grown junction
  Junction between two semiconductor regions
  which is formed during the growth of a crystal
  from the melt.
Gibson-Bewertung f [eine Mischung von
Operationen, wie Ein- und Ausspeichern,
Indexregisteroperationen und Verzweigen, die
einen Vergleich der Geschwindigkeit
verschiedener Rechner für technisch-
wissenschaftliche Aufgaben ermöglicht]
  Gibson mix [a mix of operations such as
  loading and storing, indexing, and branching,
  used to compare the speed of different
  computers for technical and scientific
  applications]
GIF [Austauschformat für Graphik]
  GIF (Graphics Interchange Format)
GIGO [falsche Eingabe führt zu falschen
Programmergebnissen]
  GIGO (Garbage In Garbage Out) [incorrect
  input leads to incorrect program results]
Gitter n [Elektronenröhre]
  grid [electron tube]
Gitter n [Optik]
  grating [optics]
Gitter n, **Kristallgitter** n [Halbleitertechnik]
Regelmäßige Anordnung der Atome in einem
Halbleiterkristall.
  lattice, crystal lattice [semiconductor
  technology]
  Orderly arrangement of atoms in a
  semiconductor crystal.
Gitteraufbau m
  lattice structure
Gitterelektron n [Elektron, das an seinen
Gitterplatz gebunden ist]
  lattice electron [electron bound in the lattice
  structure]
Gitterfehler m, **Kristallaufbaufehler** m
Abweichung vom regelmäßigen Aufbau eines
Kristalls, z.B. infolge von Fremdatomen,
Leerstellen, Versetzungen, Korngrenzen usw.
  crystal lattice imperfection, lattice
  imperfection, lattice defect
  Deviation from a homogeneous structure in a
  crystal, e.g. as a result of impurities, vacancies,
  dislocations, grain boundaries, etc.
Gitterkonstante f

  lattice constant
Gitterlücke f, **Lücke** f [Halbleiterkristalle]
Unbesetzter Platz im Kristallgitter eines
Halbleiters.
  vacancy [semiconductor crystals]
  An unoccupied lattice position in a
  semiconductor crystal.
Gitterplatz m, **Kristallgitterplatz** m
  lattice site, crystal lattice site
Gitterschwingung f
  lattice vibration
Gitterversetzung f [ein Gitterfehler]
  lattice dislocation [a lattice defect]
GKS, graphisches Kernsystem n [internationale
Norm für die graphische Datenverarbeitung]
  GKS, graphical kernel system [international
  standard for computer graphics]
Glasfaser f, **Lichtleitfaser** f [Faden aus
lichtdurchlässigem Material für die optische
Nachrichtenübertragung und für die optische
Abtastung in der Datenverarbeitung]
  glass fiber, optical fiber [fiber of transparent
  material for optical data transmission and for
  optical scanning in data processing]
Glasfaserkabel n, **Lichtwellenleiter** m
  glass fiber cable, optical cable, fiber-optic
  cable
Glasfaserübertragungssystem n
  fiber-optic transmission system
glasfaserverstärktes Laminat n
[Leiterplatten]
  glass-reinforced laminate [printed circuit
  board]
Glashalbleiter m, amorpher Halbleiter m
  glass semiconductor, amorphous
  semiconductor
Glasierung f, **Verglasen** n, **Verglasung** f
Das Beschichten von integrierten Schaltungen
mit Spezialglas zum Schutz gegen mechanische
Beanspruchung und schädliche Umwelteinflüsse.
  glassivation
  Applying a special glass coating on integrated
  circuits to protect them against mechanical
  stress and hostile environmental conditions.
Glaslaminat n [Leiterplatten]
  glass laminate [printed circuit boards]
Gleichgewicht n
  equilibrium
Gleichheitszeichen n
  equal sign, equality sign
Gleichlauf m, **Synchronisierung** f
  synchronism
gleichphasig [z.B. Signale]
  in-phase [e.g. signals]
Gleichrichterdiode f
  rectifier diode
Gleichrichterschaltung f
  rectifier circuit

Gleichspannung *f*
 direct voltage, dc voltage
Gleichspannungsquelle *f*
 dc voltage source
Gleichspannungsverstärkung *f*
 dc voltage gain
Gleichstrom *m*
 direct current, dc
Gleichstromverlustleistung *f* [in Wärme
 umgesetzte Gleichstromleistung, z.B. eines
 Leistungshalbleiters]
 dc power dissipation [dc power converted
 into heat, e.g. in a power semiconductor]
Gleichstromverstärkung *f*
 dc current gain
Gleichstromwandler *m* [zur Umformung einer
 Gleichspannung in eine andere]
 dc-dc converter [for converting a dc voltage
 into another dc voltage]
Gleichstromwiderstand *m*
 dc resistance
Gleichtakt *m*
 common-mode
Gleichtakteingangswiderstand *m*
 common-mode input resistance
Gleichtaktspannung *f*
 common-mode voltage
Gleichtaktspannungsverstärkung *f*,
 Gleichtaktverstärkung *f*
 common-mode voltage gain
Gleichtaktunterdrückung *f*
 common-mode rejection
Gleichung *f*
 equation
gleichzeitig, konkurrent
 concurrent
gleichzeitige Verarbeitung *f*, Simultanbetrieb
 m, Simultanverarbeitung *f*
 concurrent working, simultaneous operation,
 simultaneous processing
gleitende Speicheradressierung *f*
 floating storage addressing
Gleitkomma *n*, Gleitpunkt *m*
 floating point
Gleitkommaarithmetik *f*,
 Gleitpunktarithmetik *f*
 floating-point arithmetic
Gleitkommabeschleuniger *m*,
 Gleitpunktbeschleuniger *m*
 floating point accelerator (FPA)
Gleitkommafehler *m*
 floating-point error
Gleitkommaprozessor *m*, Gleitpunktprozessor
 floating-point processor (FPU)
Gleitkommarechnung *f*, Gleitpunktrechnung *f*
 floating-point computation
Gleitkommaregister *n*, Gleitpunktregister *n*
 floating-point register
Gleitkommaschreibweise *f*,

Gleitpunktschreibweise *f*
 floating-point notation
Gleitkommazahl *f*, Gleitpunktzahl *f*
 floating-point number
Gleitpunkt *m*, Gleitkomma *n*
 floating point
Gleitpunktarithmetik *f*, Gleitkommaarithmetik
 floating-point arithmetic
Gleitpunktbeschleuniger *m*,
 Gleitkommabeschleuniger *m*
 FPA (Floating Point Accelerator)
Gleitpunktkonstante doppelter Genauigkeit
 double-precision floating-point constant
Gleitpunktkonstante einfacher Genauigkeit
 single-precision floating-point constant
Gleitpunktprozessor *m*, Gleitkommaprozessor
 floating-point processor (FPU)
Gleitpunktrechnung *f*, Gleitkommarechnung *f*
 floating-point computation
Gleitpunktrechnung mit doppelter
 Genauigkeit *f*
 double-precision arithmetic, double-length
 arithmetic
Gleitpunktregister *n*, Gleitkommaregister *n*
 floating-point register
Gleitpunktschreibweise *f*,
 Gleitkommaschreibweise *f* [Darstellung einer
 Zahl in der Form einer Mantisse für den
 Zahlenwert und eines Exponenten für die
 Zahlengröße, z.B. die Zahl 123 durch die
 Mantisse 0,123 und den Exponenten 3 (= 0,123
 x 10^3)]
 floating-point notation [representation of a
 number in the form of a mantissa for its
 numerical value and an exponent for its
 magnitude, e.g. the number 123 by the
 mantissa 0.123 and the exponent 3 (= 0.123 x
 10^3)]
Gleitpunktzahl *f*, Gleitkommazahl *f*
 floating-point number
Glitch *m* [kurzzeitige Störung, unerwünschte
 Spannungsspitze oder Impulsverzerrung]
 glitch [momentary fault, unwanted voltage
 peak or pulse distortion]
globale Variable *f*
 global variable
globales Ersetzen *n*
 global replace
globales Suchen *n*
 global search
Glockenimpuls *m*, sin^2-Impuls
 sin^2 pulse
Glättung *f*
 smoothing
Glättungsfilter *n*, Oberwellenfilter *n* [zum
 Aussieben der Brummspannung (Oberwellen)
 in Gleichstromversorgungen]
 ripple filter [for filtering out ripple voltage
 (harmonics) in dc power supplies]

Golddotierung *f*
Methode zur gezielten Einstellung der
Lebensdauer von Minoritätsladungsträgern bei
Bipolartransistoren, um ihre Schaltzeit
(Speicherzeit) in digitalen Schaltungen
herabzusetzen.
gold doping
Method for controlling the lifetime of minority
carriers in bipolar transistors to reduce
transistor switching time (storage time) in
digital circuits.

Golddraht *m*
gold wire

Goldsubstrat *n*
gold substrate

GPIB [Standardbus für allgemeine
Anwendungen, auch IEC-Bus, IEEE-488-Bus
oder HPIB-Bus genannt]
GPIB, general purpose interface bus [standard
bus for general usage, also known as IEC bus,
IEEE-488 bus or HPIB bus]

Gradientenfaser *f* [Lichtwellenfaser aus
dotiertem Glas oder Quarz]
graded-index fiber [optical fiber of doped
glass or quartz]

Graphik-Adapter *m*, Graphikkarte *f*
[Bildschirmadapter]
graphics adapter, graphics board [display
adapter]

Graphikansteuereinheit *f*, graphische
Ansteuereinheit *f*
graphic display controller (GDC)

Graphikanzeige *f*, graphische Anzeige *f*
graphic display

Graphikbildschirm *m*, Graphiksichtgerät *n*
graphic display unit (GDU)

Graphikkarte *f*, Graphik-Adapter *m*
[Bildschirmadapter]
graphics adapter, graphics board [display
adapter]

Graphikmodus *m*
graphic mode

Graphikprozessor *m*
graphics processor

Graphiksichtgerät *n*, Graphikbildschirm *m*
graphic display unit (GDU)

Graphikspeicher *m*, Bildspeicher *m*
graphic display memory (GDM)

Graphiktablett *n*, Digitalisiertablett *n*, Tablett
graphic tablet, digitizer tablet, tablet

graphische Ansteuereinheit *f*,
Graphikansteuereinheit *f*
graphic display controller (GDC)

graphische Anzeige *f*, Graphikanzeige *f*
graphic display

graphische Benutzerschnittstelle *f*, GUI
graphical user interface (GUI)

graphische Datenverarbeitung *f*
graphic data processing

graphischer Arbeitsplatz *m*
graphic workstation

graphisches Gerät *n*
graphic device

graphisches Grundelement *n*
graphic primitive

graphisches Kernsystem *n* (GKS)
[internationale Norm für die graphische
Datenverarbeitung]
graphical kernel system (GKS)
[international standard for computer graphics]

graphisches Zeichen *n*
graphic character

graphisches Zeichengerät *n*
graphical plotter

Graphitstift *m*
conductive pencil

Graphitstrahldrucker *m*
dry-ink-jet printer

Grätz-Schaltung *f*
full-wave (rectifier) bridge circuit

Graustufen *f.pl.* [ordnet Werte für Graustufen
zwischen schwarz und weiß]
gray scale [allocates values for gray levels
between black and white]

Graustufen-Scanner *m*
gray-scale scanner

Gray-Code *m*, reflektierter Binärcode *m* [ein
Binärcode für Dezimalziffern, der Abtastfehler
dadurch verringert, daß sich zwei
aufeinanderfolgende Zahlenwerte nur in einem
Bit unterscheiden]
reflected binary code, Gray code [a binary
code for decimal digits in which, for minimizing
scanning errors, the codes for consecutive
numbers differ by only one bit]

Greinacher-Schaltung *f*, Delon-Schaltung *f*
[Spannungsverdopplerschaltung]
half-wave voltage doubler circuit

Grenzbeanspruchung *f*
tolerated stress, maximum limited stress

Grenzfrequenz *f*
cut-off frequency

Grenzschicht *f*
boundary layer

Grenzsignal *n*
limit signal

Grenzspannung *f*
cut-off voltage

Grenzwertprüfung *f*
marginal check, marginal test

Grenzwertstufe *f*, Begrenzer *m*
limiter

GRINSCH-Laser *m* [Halbleiterlaser]
GRINSCH laser (graded index separate
confinement heterostructure laser)
[semiconductor laser]

Großbuchstaben *m. pl.*, Versalien *m.pl.*
upper case letters

Großintegration *f* (LSI)
Integrationstechnik, bei der rund 10^5 Transistoren oder Gatterfunktionen auf einem Chip realisiert sind.
large scale integration (LSI)
Technique providing for the integration of about 10^5 transistors or logical functions on a single chip.

Großraumspeicher *m*
large-capacity storage

Großrechner *m*
large-capacity computer

Großschreibung *f*
upper case, capitals

Großsignalverstärker *m*
large-signal amplifier

Größtintegration *f* (VLSI)
Integrationstechnik, bei der rund 10^6 Transistoren oder Gatterfunktionen auf einem Chip realisiert sind.
very large scale integration, (VLSI)
Technique resulting in the integration of about 10^6 transistors or logical functions on a single chip.

Großvater *m* [Datei, Baum]
grandparent [file, tree]

Grotesk-Schriftart *f*, serifenlose Schriftart *f* [ohne feine waagerechte Querstriche, im Gegensatz zur Antiqua- bzw. Serifen-Schriftart]
sans serif font [without fine horizontal strokes, in contrast to serif font]

Grundadresse *f*, Basisadresse *f*, Bezugsadresse *f* [bildet zusammen mit der Distanzadresse die absolute Adresse, d.h. die permanente Adresse eines Speicherplatzes]
base address [forms together with the displacement address the absolute address, i.e. the permanent address of a storage location]

Grundanweisung *f*
basic statement

Grunddatei *f*
basic data file

Grunddatenbeschreibung *f*
item data description

Grundformat *n*
basic format

Grundmaterial *n*, Ausgangsmaterial *n*, Substrat *n*
Das Material (Halbleiterkristall oder Isolator), in oder auf dem Bauelemente oder integrierte Schaltungen hergestellt werden.
starting material, base material, substrate
The material (semiconductor crystal or insulator) in or on which discrete components or integrated circuits are fabricated.

Grundoperation *f*
basic operation

Grundplatine *f*, Mutterplatine *f*, Trägerplatine *f*

[Leiterplatte mit Steckvorrichtungen für das Einsetzen weiterer Karten]
mother board [printed circuit board with connectors for inserting further boards]

Grundrechenart *f* [Addition, Subtraktion, Multiplikation und Division]
basic arithmetic operation [addition, subtraction, multiplication and division]

Grundzustand *m*
initial state

Gruppenlaufzeit *f*
group delay time

gruppierte Daten *n.pl.*
aggregated data

GTO-Thyristor *m*, Abschaltthyristor *m*
GTO thyristor (gate turn-off thyristor)

GUI, graphische Benutzerschnittstelle *f*
GUI (Graphical User Interface)

gültige Daten *n.pl.*
valid data

Gültigkeitsprüfung *f*
validity check

Gunn-Diode *f* [auf dem Gunn-Effekt beruhendes Halbleiterbauelement für den Einsatz im Mikrowellenbereich, insbesondere als Oszillator]
Gunn diode [a semiconductor component based on the Gunn effect for use in the microwave range, specially as an oscillator]

Gunn-Effekt *m* [bewirkt sehr schnelle Stromschwankungen im GHz-Bereich]
Gunn effect [causes very fast current variations in the GHz frequency range]

Gunn-Oszillator *m*
Gunn oscillator

Gurtungseinrichtung *f* [für axiale und radiale Bauelemente]
belting equipment [for coaxial lead and radial lead components]

Gütefaktor *m* [eines Schwingkreises: Verhältnis von Gesamtenergie/Energieverlust; von Spulen und Kondensatoren: Blind-/Wirkanteil des Scheinwiderstandes; von Transistoren: Maß für die Hochfrequenzeigenschaften]
quality factor, Q-factor [of a resonant circuit: ratio of stored/dissipated energy; of inductors and capacitors: reactance/resistance; of transistors: measure for high-frequency characteristics]

Güteverlust *m*, Leistungsherabsetzung *f* [langsamer Abfall der Leistung]
degradation [gradual deterioration of performance]

Gutgrenze *f* [Abnahmeprüfung]
acceptance limit [acceptance test]

GW-BASIC [von Microsoft implementierte BASIC-Version]
GW-BASIC [BASIC version implemented by Microsoft]

H

H-Bereich *m*, oberer Bereich eines binären
Signals *m* [der positivere der beiden Pegel eines
binären Signales]
high range of a binary signal, H-range [the
more positive of the two levels of a binary
signal]
h-Parameter *m*, Hybridparameter *m*
Kenngröße bei der Vierpol-Ersatzschaltbild-
Darstellung von Transistoren. Die vier
Grundparameter sind: h_{11}, Kurzschluß-
Eingangsimpedanz; h_{12}, Leerlauf-
Spannungsrückwirkung; h_{21}, Kurzschluß-
Vorwärtsstromverstärkung; h_{22}, Leerlauf-
Ausgangsadmittanz.
h-parameter, hybrid parameter
Parameter of the four-terminal network
equivalent circuit of a transistor. There are four
basic h-parameters: h_{11}, short-circuit input
impedance; h_{12}, open-circuit reverse voltage
transfer ratio; h_{21}, short-circuit forward
current transfer ratio; h_{22}, open-circuit output
admittance.
H-Pegel *m*, H-Signal *n* [Hochpegel bei Logikschaltungen; bei der positiven Logik entspricht
der Hochpegel dem Zustand logisch 1, bei der
negativen Logik dem Zustand logisch 0]
H-level [high level in logic circuits; in positive
logic the high level corresponds to logical 1, in
negative logic it corresponds to logical 0]
H-Signalausgang *m*
H-level output
Haftstelle *f*, Zeithaftstelle *f*, Trap *f*
[Halbleiterkristalle]
Störstelle in einem Halbleiterkristall, die einen
Ladungsträger vorübergehend festhalten kann.
trap [semiconductor crystals]
Imperfection in a semiconductor crystal which
temporarily prevents a carrier from moving.
haftstellenfreies Halbleitermaterial *n*
trap-free semiconductor material
Hakentransistor *m* [PNPN-Transistor mit einer
im Vergleich zu einem PNP-Transistor viel
höheren Stromverstärkung]
hook transistor [pnpn transistor having a
much higher current amplification than a pnp
transistor]
Halbaddierer *m* [besitzt zwei Eingänge für die
Addition von zwei Binärziffern und bildet eine
Summe und einen Übertrag; im Gegensatz zu
einem Volladdierer, der drei Eingänge hat,
kann ein Halbaddierer den Übertrag aus einer
vorhergehenden Stelle nicht berücksichtigen]
half adder [has two inputs for adding two
binary digits, producing a sum and a carry; in
constrast to a full adder which has three

inputs, a half-adder cannot handle a carry from
a preceding digit place]
Halbbrücke *f* [Brückenschaltung mit z.B.
Dioden in zwei und Widerständen in den
beiden anderen Brückenzweigen]
half bridge [a bridge rectifier having e.g.
diodes in two arms and resistors in the other
two]
Halbbyte *n*, Nibble *n* [Länge von 4 Bits bei
einem 8-Bit-Byte]
half byte, nibble [4 bits in the case of an 8-bit
byte]
Halbduplexbetrieb *m*, Wechselbetrieb *m*
[Datenübertragung abwechselnd in beiden
Richtungen; im Gegensatz zum Duplex- bzw.
Vollduplexbetrieb]
half duplex operating mode, two-way
alternate operation [data transmission in both
directions alternately; in contrast to duplex or
full-duplex operation]
Halbduplexkanal *m* [Datenübertragung]
half duplex channel, bidirectional non-
concurrent channel [data transmission]
halbfett [Schriftart]
bold-face [character font]
Halbglied *n* [z.B. einer Filterschaltung]
half section [e.g. of a filter circuit]
Halbleiter *m*
Ein Werkstoff, dessen elektrische Leitfähigkeit
zwischen den Leitfähigkeitsbereichen für
Metalle und Isolatoren liegt und in dem ein
Stromtransport durch die Bewegung von
Elektronen und Defektelektronen möglich ist.
Die wichtigsten Halbleiterwerkstoffe für die
Herstellung von elektronischen Bauelementen
und integrierten Schaltungen sind Silicium und
Germanium sowie Verbindungshalbleiter, z.B.
Galliumarsenid.
semiconductor
A material whose electrical conductivity is
between that of metals and insulators, and in
which current flow is possible by the movement
of electrons and holes. The most important
semiconductor materials used in producing
electronic components and integrated circuits
are silicon and germanium as well as compound
semiconductors, e.g. gallium arsenide.
Halbleiterbauelement *n*
Bauelement (z.B. ein Transistor, eine Diode
oder ein Thyristor), dessen wesentliche
Eigenschaften von der Bewegung von
Ladungsträgern innerhalb eines Halbleiters
zuzuschreiben sind.
semiconductor component
A component (e.g. a transistor, a diode or a
thyristor) whose essential properties are a
result of the movement of charge carriers in a
semiconductor.
Halbleiterbereich *m*, Halbleiterzone *f*

Teilgebiet eines Halbleiterkristalls mit speziellen elektrischen Eigenschaften.
semiconductor region, semiconductor zone
Region in a semiconductor crystal that has specific electrical properties.
Halbleiterdehnungsmeßstreifen *m*
semiconductor strain gauge transducer
Halbleiterdiode *f*
semiconductor diode
Halbleiterdotierung *f*
Der gezielte Einbau von Fremdatomen in einen Halbleiter zwecks Veränderung seiner elektrischen Eigenschaften.
semiconductor doping
The intentional addition of impurity atoms to a semiconductor to modify its electrical properties.
Halbleiterentwicklung *f*
semiconductor development
Halbleiterfertigung *f*
semiconductor fabrication, semiconductor manufacturing
Halbleiterfestwertspeicher *m*
semiconductor ROM
Halbleiterforschung *f*
semiconductor research
Halbleitergleichrichterdiode *f*
semiconductor rectifier circuit
Halbleiterkristall *m* [z.B. Silicium]
semiconductor crystal [e.g. silicon]
Halbleiterlaser *m,* Laserdiode *f*
Halbleiterbauteil, das kohärentes Licht emittiert. Die Lichterzeugung erfolgt durch induzierte Emission an einem PN-Übergang. Sie entsteht durch Ladungsträgerinjektion oder Elektronenstrahlanregung. Als Ausgangs-materialien dienen vorwiegend Galliumarsenid und Galliumaluminiumarsenid.
semiconductor laser, laser diode, diode laser
Semiconductor device that emits coherent light. Light generation occurs at a pn-junction due to carrier injection or electron-beam excitation. The most widely used materials are gallium arsenide and gallium aluminium arsenide.
Halbleiterphotoelement *n,* Photoelement *n,* Sperrschichtphotoelement *n*
Halbleiterbauelement, das Lichtenergie oder andere Strahlungsenergie in elektrische Energie umsetzt, ohne eine äußere Spannungs-quelle zu benötigen (z.B. Solarzellen).
photovoltaic cell
Semiconductor component that converts light energy or other radiant energy into electrical energy without the need for an external voltage source (e.g. solar cells).
Halbleiterplättchen *n,* Chip *m*
Halbleiterplättchen, das aus einem Wafer herausgeschnitten wurde, und das alle aktiven und passiven Elemente einer integrierten

Schaltung (bzw. Bausteins) enthält. Der Begriff Chip wird auch als Synonym für integrierte Schaltung benutzt.
semiconductor chip, chip, semiconductor die
Semiconductor piece, cut from a wafer, that contains all the active and passive elements of an integrated circuit (or device). The term chip is also used as a synonym for an integrated circuit.
Halbleiterrauschen *n*
semiconductor noise, transistor noise
Halbleiterrauschen *n,* Funkelrauschen *n* [das Rauschen von Halbleiterbauelementen bei tiefen Frequenzen]
flicker noise [semiconductor noise at low frequencies]
Halbleiterschalter *m*
semiconductor switch
Halbleiterschaltung *f*
semiconductor circuit
Halbleiterscheibe *f,* Wafer *m*
Dünne, aus einem Halbleiterkristall gesägte Scheibe, auf der gleichartige Schaltungs-strukturen integriert sind. Mit Hilfe eines Laserstrahls oder einer Diamantsäge wird der Wafer in die einzelnen Chips zerlegt.
wafer
Thin slice cut from a semiconductor crystal, on which similar circuit structures are integrated. With the aid of a laser beam or a diamond saw, the wafer is divided into individual chips.
Halbleiterschicht *f*
semiconductor layer
Halbleitersensor *m*
semiconductor sensor
Halbleiterspeicher *m,* integrierte Speicher-schaltung *f* [Speicher bestehend aus integrierten Schaltungen; z.B. ein ROM oder RAM]
semiconductor memory, integrated circuit memory [storage consisting of integrated circuits; e.g. a ROM or a RAM]
Halbleitersubstrat *n*
Halbleitermaterial, in oder auf dem Bauelemente oder integrierte Schaltungen hergestellt werden.
semiconductor substrate, semiconductor base
Semiconductor material in or on which discrete components or integrated circuits are fabricated.
Halbleitertechnik *f,* Halbleitertechnologie *f*
semiconductor technology
Halbleiterwerkstoff *m* [z.B. Silicium, Germanium und Verbindungshalbleiter]
semiconductor material [e.g. silicon, germanium and compound semiconductors]
Halbleiterübergang
semiconductor junction

Halbleiterzone f, Halbleiterbereich m
Teilgebiet eines Halbleiterkristalls mit
speziellen elektrischen Eigenschaften.
semiconductor region, semiconductor zone
Region in a semiconductor crystal that has
specific electrical properties.
Halbperiode f, Halbwelle f, Halbschritt m
half cycle
Halbsubtrahierer m [eine Schaltung analog
dem Halbaddierer]
half subtracter [a circuit analog to a half-
adder]
Halbtonverfahren n [Graphik]
half tone [graphics]
Halbwelle f, Halbperiode f, Halbschritt m
half cycle
Halbwellengleichrichter m
half-wave rectifier
Halbwellenspannungsverdoppler m
half-wave voltage doubler
Halbwellenstromversorgung f
half-wave power supply
Halbwertsabstrahlwinkel m [Optoelektronik]
half-intensity beam angle [optoelectronics]
Halbwertsbreite f [Impulstechnik: die Länge
eines Impulses in halber Höhe]
half width [pulse technique: length of a pulse
at half amplitude]
Halbwertsbreitendauer f [Impulsdauer in
halber Höhe]
half-amplitude duration [pulse duration at
half amplitude]
Halbwertsempfangswinkel m [Optoelektronik]
half acceptance angle [optoelectronics]
Halbwort n
half word
Hall-Beweglichkeit f
Hall mobility
Hall-Effekt m [Auftreten einer Spannung
senkrecht zum Strom in einem strom-
durchflossenen Leiter, der ein Magnetfeld
senkrecht kreuzt]
Hall effect [generation of a voltage
perpendicular to the current in a current-
carrying conductor crossing a magnetic field at
right angles]
Hall-Effektbauteil n
Hall effect device
Hall-Generator m
Hall generator
Hall-Konstante f
Hall constant, Hall coefficient
Hall-Modulator m
Hall modulator
Hall-Multiplikator m
Hall multiplier
Hall-Sensor m
Hall effect sensor
Hall-Spannung f

Hall voltage
Haltebefehl m
halt instruction
halten
hold, to
Haltepunkt m, Programmhaltepunkt m,
Breakpoint m [Unterbrechungspunkt in einem
Programm zwecks externem Eingriff, in der
Regel in Verbindung mit einem Fehler-
suchprogramm]
breakpoint [program interruption for an
external intervention, usually associated with
program debugging]
Halteschaltung f
holding circuit
Haltestrom m
holding current
Haltezeit f
hold time
Haltezeit der Daten nach Adreßwechsel f [bei
integrierten Speicherschaltungen]
data-hold after change of address [with
integrated circuit memories]
Haltezeit der Daten nach Bausteinauswahl f
data-hold from chip select, output hold from
chip select
Haltezeit für Adresse nach Freigabe f
address after enable hold time
Haltezeit für Adresse nach Schreiben f
address after write hold time
Haltezeit für Dateneingabe nach Schreiben
data-in after write hold time
Haltezeit für Dateneingabe nach
Zeilenadreßauswahl f
data-in after row-address-select hold time
Haltezeit für Freigabe nach Schreiben f
enable after write hold time
Haltezeit für Lesen nach Freigabe f
read after enable hold time
Haltezeit für Zeilenadreßauswahl nach
Spaltenadreßauswahl f
row-address-select after column-address-
select hold time
Haltezeit für Zeilenadresse nach
Zeilenadreßauswahl f
row-address after row-address-select hold
time
Hamming-Abstand m [Anzahl Stellen, durch
die sich zwei Codewörter gleicher Länge
unterscheiden; Codes mit Redundanz haben
einen Abstand > 1 und ermöglichen eine
automatische Erkennung und Korrektur von
Übertragungsfehlern]
Hamming distance [number of places in
which two equally long code words differ;
redundant codes have a distance > 1, thus
enabling transmission errors to be
automatically detected and corrected]
Hamming-Code m [Code, der zusätzliche

Prüfbits zur Erkennung fehlerhaft
übertragener Zeichen verwendet]
Hamming code [a code employing additional
check bits for detecting incorrectly transmitted
characters]
Hand-Rechner *m*
handheld computer
Handapparat *m*
handset
Handauflage *f*
handrest
Handdateneingabe *f*, Dateneingabe von Hand *f*
manual data input (MDI)
Handeingabe *f*, Eingabe von Hand *f*
manual entry
Handeingabegerät *n*
manual input device
handelsüblicher Baustein *m*,
Standardbaustein *m*
off-the-shelf device, catalog device
Handgelenk-Erdungsband *n*, Erdungsband *n*
wrist grounding strap, grounding strap
Handgerät *n*
handheld unit
handgeschrieben
handwritten
Handhabung *f* [allgemein]
handling [general]
Handhabung *f*, Datenhandhabung *f*
manipulation, data manipulation
Handschrift *f*
handwriting
Handschriftleser *m*
hand-print recognizer
Handshake-Signal *n*, Quittungssignal *n*
handshaking signal
Handshake-Verfahren *n*, Quittungsbetrieb *m*
[Verfahren zur zeitlichen Koordinierung der
Datenübergabe zwischen zwei Bausteinen oder
Systemen, z.B. zwischen Prozessor und
Peripheriegerät oder zwischen Terminal und
Rechenzentrum]
handshaking [method of coordinating the
timing of data transfer between two devices or
systems, e.g. between processor and peripheral
unit or between terminal and computer center]
Hardcopy *f*, Papierkopie *f* [gedruckte Ausgabe
einer im Rechner gespeicherten Datei, z.B.
Programmauflistung]
hard copy [printed copy of file stored in
computer, e.g. program listing]
Hardware *f* [der gerätetechnische Teil; im
Gegensatz zu den Programmen, d.h. zur
Software]
hardware [equipment in contrast to programs,
i.e. software]
Hardware-Anordnung *f*
hardware configuration
Hardware-Bootstrap *m*, Hardware-Urlader *m*

[in ROM implementiertes Ladeprogramm]
hardware bootstrap [program loader
implemented in ROM]
Hardware-Fehler *m*, Maschinenfehler *m*
hardware error, malfunction
Hardware-Sicherung *f*
hardware protection
Hardware-Urlader *m*, Hardware-Bootstrap *m*
[in ROM implementiertes Ladeprogramm]
hardware bootstrap [program loader
implemented in ROM]
harter Bindestrich *m* [im Wort enthaltener
normaler Bindestrich, im Gegensatz zum
weichen Bindestrich]
embedded hyphen, hard hyphen, required
hyphen [normal hyphen contained in a
hyphened word, in contrast to discretionary or
soft hyphen]
harter Zeilenumbruch *m* [Abschluß jeder Zeile
mit Wagenrücklaufzeichen, im Gegensatz zum
weichen Zeilenumbruch]
hard carriage return [closing each line with
carriage return character, in contrast to soft
carriage return]
Hartley-Oszillatorschaltung *f*
[Oszillatorschaltung mit Rückkopplung über
induktiven Spannungsteiler; auch induktive
Dreipunktschaltung genannt]
Hartley circuit [oscillator circuit with
feedback via inductive voltage divider]
Hartlöten *n*
brazing
hartsektoriert [Sektormarkierung auf Disketten
mittels Lochstanzungen, die optisch abgetastet
werden; im Gegensatz zu weichsektoriert]
hard-sectored [marking of sectors on floppy
disks with holes that are optically scanned; in
contrast to soft-sectored]
Hash-Adressierung *f* [Errechnen der Adresse
durch Transformation des jeweiligen
Schlüsselwortes, z.B. in einen entsprechenden
numerischen Wert über einen Algorithmus
(Hash-Algorithmus)]
hash addressing [calculation of the address
by transforming the key word, e.g. into a
corresponding numerical value via an
algorithm (hash algorithm)]
Hash-Algorithmus *m*
hash algorithm
Hash-Code *m*
hash code
Hash-Suche *f*
hash search
Hash-Tabelle *f*
hash table
Hash-Zahl *f*, Quasizufallszahl *f* [zum raschen
Wiederfinden eines Datensatzes verwendete
Zahl, die durch eine Transformation des
Suchschlüssels gewonnen wird; die Hash-Zahl

erhält man über einen Hash-Algorithmus]
hash number [number used for rapid retrieval of a record and obtained by transforming the search key; the hash number is obtained via a hash algorithm]
Häufigkeitskurve *f*
frequency curve
Hauptausfall *m*
major failure
Hauptdatei *f,* Stammdatei *f*
master file
Haupteinheit *f*
master unit
Hauptfehler *m*
major defect
Hauptimpuls *m,* Leitimpuls *m*
master pulse
Hauptleiterplatte *f,* Hauptplatine *f* [Leiterplatte mit Mikroprozessor, RAM/ROM, Ein-Ausgabe-Bausteinen]
main board [printed circuit board with microprocessor, RAM/ROM and input-output devices]
Hauptmenü *n*
main menu
Hauptordnungsbegriff *m,* Primärschlüssel *m,* Ordnungsbegriff *m*
primary key, key
Hauptplatine *f,* Hauptleiterplatte *f* [Leiterplatte mit Mikroprozessor, RAM/ROM, Ein-Ausgabe-Bausteinen]
main board [printed circuit board with microprocessor, RAM/ROM and input-output devices]
Hauptprogramm *n*
master program, main routine
Hauptprozessor *m*
main processor
Hauptschleife *f*
major loop
Hauptspeicher *m,* Zentralspeicher *m* [Speicher, mit dem der Prozessor unmittelbar verkehrt, und der das Betriebssystem, die Programme und die Daten enthält]
main memory [storage with which the processor directly communicates and which contains the operating system, the programs and data]
Hauptspeicherzuordnung *f*
main memory allocation
Hauptsteuerprogramm *n*
master control routine, master control program
Haupttaktgeber *m*
master clock
Hayes-Befehlssatz *m* [Modem]
Hayes command codes [modem]
HCMOS-Technik *f,* Hochgeschwindigkeits-CMOS-Technik *f*

Verbesserte CMOS-Technik, die die Herstellung integrierter Schaltungen mit erheblich höheren Schaltgeschwindigkeiten und Ausgangslastfaktoren ermöglicht, als die konventionelle CMOS-Technik.]
HCMOS technology (high-speed complementary MOS technology)
Improved CMOS technology allowing the fabrication of integrated circuits having considerably higher switching speeds and greater fan-out than those produced by conventional CMOS technology.]
HD-Diskette *f,* Diskette mit hoher Dichte *f* [speichert 1,2 MB auf 5.25"- und 1,44 MB auf 3,5"-Disketten]
high-density diskette, HD diskette [stores 1.2 MB on 5.25" and 1.44 MB on 3.5" diskettes]
HDLC-Verfahren *n* [von der ISO genormtes, bitorientiertes Protokoll für die Datenübertragung]
HDLC (high-level data link control) [bit-oriented data transmission protocol standardized by ISO]
Heapsort-Algorithmus *m*
heapsort algorithm
Heimrechner *m,* Home-Computer *m*
home computer
heißes Elektron *n* [Elektron in einem Halb-leiter, dessen Driftenergie größer ist, als seine thermische Energie]
hot electron [electron in a semiconductor having a drift energy that is higher than its thermal energy]
Heißleiter *m,* NTC-Widerstand *m,* NTC-Thermistor *m*
Halbleiterbauelement mit hohem negativen Temperaturkoeffizienten, d.h. dessen Widerstand mit steigender Temperatur abnimmt.
NTC resistor, NTC thermistor (negative temperature coefficient resistor)
Semiconductor component with a high negative temperature coefficient (NTC), i.e. whose resistance decreases as temperature rises.
Heißluftentlöten *n*
hot-air desoldering
Helligkeitseinstellung *f*
brightness adjustment
Helltastimpuls *m* [Oszillograph]
unblanking pulse [oscilloscope]
HEMT [Transistor mit hoher Ladungs-trägerbeweglichkeit]
Extrem schneller Feldeffekttransistor mit Heterostruktur. Auf undotiertem Gallium-arsenid wird mit Hilfe der Molekularstrahl-epitaxie eine dotierte Aluminium-Gallium-arsenid-Schicht aufgebracht. Der Hetero-übergang zwischen den beiden Strukturen hält die Elektronen, die aus der AlGaAs-Schicht

diffundieren, in der undotierten GaAs-Schicht zurück, in der sie sich mit hoher Geschwindigkeit bewegen können. Sehr schnelle Transistoren (mit Schaltverzögerungszeiten von < 10 ps/Gatter) auf dieser Basis werden weltweit von verschiedenen Herstellern unter den Namen MODFET, TEGFET und SDHT entwickelt.

HEMT (high electron-mobility transistor) Extremely fast field-effect transistor with a heterostructure. A doped aluminium gallium arsenide layer is deposited by molecular beam epitaxy on undoped gallium arsenide. The heterojunction between them confines the electrons which diffuse from the AlGaAs layer to the undoped GaAs where they can move with great speed. Very fast transistors (with switching delay times of < 10 ps/gate) based on this principle and called MODFET, TEGFET and SDHT are being developed worldwide by various manufacturers.

Henry n (H) [Si-Einheit der Induktivität] **henry** (H) [Si unit of inductance]

herabsetzen [z.B. Leistungfähigkeit eines Bausteins] **degrade, to** [e.g. performance of a device]

heranholen, dynamisch skalieren, zoomen [bei der graphischen Datenverarbeitung] **zoom, to** [in computer graphics]

heraufzählen, aufwärtszählen, vorwärtszählen **count upwards, to**

herausziehen, ausblenden, extrahieren [Herausnehmen von Zeichen aus einer Zeichenfolge] **extract, to** [remove characters from a string]

Hercules-Graphikkarte f, HGC-Karte f [Bildschirmadapter] **Hercules graphics card,** HGC [screen adapter]

hermetisch dichtes Gehäuse n, hermetisches Gehäuse n **hermetic package**

hermetische Abdichtung f **hermetic sealing**

Herstellung in großen Zahlen f, Massenproduktion f **volume production,** mass production

Herstellungsverfahren n **manufacturing process,** processing technology

Hertz n (Hz) [SI-Einheit der Frequenz] **hertz** (Hz) [Si unit of frequency]

herunterzählen, abwärtszählen, rückwärtszählen **count downwards, to**

Hervorheben n **highlighting**

hervorheben highlight, to; emphasize, to

Heterodiode f **heterodiode**

heteroepitaktische Schicht f **heteroepitaxial layer,** heteroepitaxial film

Heteroepitaxie f Das Aufwachsen einer epitaktischen Schicht aus einem Material, das eine andere Kristallstruktur aufweist als das Substrat, auf das es abgeschieden wird, z.B. das Aufbringen einer Siliciumschicht auf ein Saphirsubstrat.

heteroepitaxy The growth of an epitaxial layer with a crystal structure which differs from that of the substrate on which it is deposited, e.g. the deposition of a silicon layer on a sapphire substrate.

heteropolare Bindung f, ionische Bindung f, Ionenbindung f Chemische Bindung (z.B. in einem Halbleiterkristall), bei der Elektronen der äußersten Schale (Valenzelektronen) bei zwei verschiedenen, nahe beieinanderliegenden Atomen von einem Atom zum anderen übergehen, wodurch Ionen entstehen, die durch elektrostatische Kräfte zusammengehalten werden.

ionic bond, electrovalent bond, electrostatic bond Chemical bond (e.g. in a semiconductor crystal), in which electrons in the outer shell (valence electrons) are transferred from one atom to a neighbouring atom, thus forming ions which are held together by electrostatic attraction.

Heterostrukturlaser m [Halbleiterlaser] **heterostructure laser** [semiconductor laser]

Heteroübergang m Der Übergang, der zwischen zwei verschiedenartigen Halbleiterkristallen entsteht, die unterschiedliche Energieabstände zwischen den Valenz- und Leitungsbändern haben, z.B. der Übergang zwischen Germanium und Galliumarsenid.

heterojunction Junction formed between two dissimilar semiconductor crystals which have different energy gaps between their valence and conduction bands, e.g. the junction between germanium and gallium arsenide.

Heuristik f, heuristische Regeln f.pl. **heuristics,** heuristic rules

heuristisch, nichtalgorithmisch, nicht berechenbar **heuristic,** non-algorithmic, non-calculable

heuristische Methode f [Problemlösung durch empirische Ermittlung] **heuristic method** [solution by trial and error]

heuristische Programmierung f **heuristic programming**

heuristische Regeln f.pl., Heuristik f

[Faustregeln zur Vereinfachung einer Problemlösung]
heuristic rules, heuristics [rules of thumb used for simplifying problem solving]
hexadezimales Zahlensystem n, sedezimales Zahlensystem n [Zahlensystem mit der Basis 16, das durch die Ziffern 0 bis 9 und die Buchstaben A bis F dargestellt wird; weist eine einfache Beziehung zu Binärzahlen auf, wenn sie in Vierergruppen aufgeteilt werden, z.B. die Binärzahl 1011 0101 entspricht der kürzeren und einfacheren Hexadezimalzahl B5]
hexadecimal number system, hexadecimal notation [number system with the base 16 represented by the digits 0 to 9 and the letters A to F; has a simple relation to binary numbers when grouped in four, e.g. the binary number 1011 0101 has the simpler and shorter hexadecimal B5]
Hexadezimalziffer f, Sedezimalziffer f
hexadecimal digit
HEXFET [Feldeffekttransistor mit hexagonaler Zellenstruktur]
MOS-Leistungstransistor, der auf einer Vielzahl hexagonaler Source-Zellen mit doppeldiffundiertem Kanal basiert. Die Source-Zellen sind über eine ununterbrochene metallisierte Schicht, die den Sourceanschluß bildet, parallelgeschaltet.
HEXFET (hexagonal cell MOS field-effect transistor)
Power MOSFET based on a multiplicity of hexagonal source cells with a double diffused channel. The source cells are parallel connected by a continuous sheet of metallization which forms the source terminal.
HF-Transistor m [ein Transistor mit sehr hoher Grenzfrequenz]
RF transistor, radio frequency transistor [a transistor with very high cut-off frequency]
HGC-Karte f, Hercules-Graphikkarte f [Bildschirmadapter]
HGC (Hercules Graphics Card) [screen adapter]
hierarchische Datei f [Datei mit Baumstruktur]
hierarchical file [file with tree structure]
hierarchisches Datenbanksystem n
hierarchical data base system
High-Sierra-Standard m [informelle Bezeichnung der ISO-Norm für die CD-ROM-Dateistruktur]
High Sierra standard [informal designation of ISO standard for CD-ROM data structures]
Hilfe-Funktion f
help function
Hilfe-Menü n
help menu
Hilfsspeicher m, Sekundärspeicher m,

Zusatzspeicher m [Ergänzung des Primärspeichers, d.h. Speicher außerhalb des Hauptspeichers]
secondary storage, auxiliary storage [complements primary storage, i.e. storage outside the main memory]
Hilfsübertrags-Flag n, Hilfsübertragsmerker m
auxiliary carry flag
Hilfsübertragsbit n
auxiliary carry bit
Hilfsübertragsmerker m, Hilfsübertrags-Flag n
auxiliary carry flag
Hintergrund m [Bereich hinter dem aktiven Fenster]
background [area behind the active window]
Hintergrund m, Hintergrundbild n, statisches Bild n
background image, static image
Hintergrundbeleuchtung f [Flüssigkristallanzeige]
background lighting [liquid crystal display]
Hintergrundbild n, Hintergrund m, statisches Bild n
background image, static image
Hintergrundprogramm n [ein Programm, das relativ niedrige Anforderungen an den zeitlichen Ablauf stellt, z.B. ein Druckprogramm; im Gegensatz zum Vordergrundprogramm, das hohe Anforderungen stellt, z.B. die Texteingabe im Dialogbetrieb]
background program [a program that places relatively low requirements with respect to response time, e.g. printer program; in contrast to a foreground program that places high requirements, e.g. text input in dialog mode]
Hintergrundrauschen n [allgemein]
background noise [general]
Hintergrundrauschen n, Schnee m [sich bewegende weiße Punkte auf dem Bildschirm]
snow [moving white dots on the screen]
Hintergrundverarbeitung f
background processing
hinterätzen
etch-back, to
hinunterladen, download [Programme oder Daten von einem zentralen Rechner laden]
download, to [to load a program or data from remote computer]
Hinweisadresse f, Zeiger m [zeigt auf den nächsten Satz, der vom Programm gelesen werden soll, z.B. auf die letzte Eintragung in einem Stapelspeicher oder auf den nächsten Satz in einer verketteten Datei]
pointer [points to the next record to be read by the program, e.g. to the last entry in a stack or the next record in a chained file]
Histogramm n [Diagramm, das die Häufigkeitsverteilung mittels vertikaler Säulen

zeigt]
histogram, frequency bar chart [chart showing frequency distribution by means of vertical bars]
itzebeständig, wärmebeständig
thermally stable
IJBT *m*, Bipolartransistor mit Hetero-übergang *m*
Extrem schneller Transistor auf Gallium-arsenidbasis; das bipolare Gegenstück zum HEMT-Feldeffekttransistor.
HJBT (heterojunction bipolar transistor)
Extremely fast transistor based on gallium arsenide; the bipolar counterpart of the HEMT field-effect transistor.
IMOS-Technik *f*, Hochleistungs-MOS-Technik *f*
Verbesserte MOS-Technik, die bei der Herstellung integrierter Schaltungen eine höhere Packungsdichte ermöglicht.
HMOS technology (high performance MOS technology)
Improved MOS technology allowing higher packing densities in integrated circuit fabrication.
INIL-Schaltung *f*, störfeste Schaltung *f*
[logische Schaltung mit hoher Störsicherheit]
HNIL (high-noise immunity logic)
ochauflösender Graphikbildschirm *m* [mit hoher Auflösung für Graphik]
high-resolution graphic display [with high resolution for graphics]
ochdotierter Halbleiter *m*, stark dotierter Halbleiter *m*
highly doped semiconductor
ochenergetisches Elektron *n*
high-energy electron
Hochformat *n* [Ausrichtung eines Bildes mit der längsten Seite vertikal, im Gegensatz zum Querformat]
portrait [view of image with longest side vertical, in contrast to landscape]
Hochfrequenz *f* (HF)
high frequency, radio frequency (RF)
Hochfrequenzverstärker *m*
high-frequency amplifier
Hochgeschwindigkeits-CMOS-Technik *f*, HCMOS-Technik *f*
Verbesserte CMOS-Technik, die die Herstellung integrierter Schaltungen mit erheblich höheren Schaltgeschwindigkeiten und Ausgangslastfaktoren ermöglicht, als die konventionelle CMOS-Technik.]
high-speed complementary CMOS technology, HCMOS technology
Improved CMOS technology allowing the fabrication of integrated circuits having considerably higher switching speeds and greater fan-out than those produced by conventional CMOS technology.]

Hochgeschwindigkeits-Schaltung *f*, HSIC-Schaltung *f* [allgemeine Bezeichnung für sehr schnelle digitale Schaltungen]
high-speed integrated circuit (HSIC)
[general designation for very high-speed digital circuits]
Hochgeschwindigkeitsbus *m*
high-speed bus
hochintegriert
highly integrated
hochintegrierte Schaltung mit hoher Schaltgeschwindigkeit *f*, VHSIC *f*
VHSIC (very high speed integrated circuit)
Hochleistungs-MOS-Technik *f*, HMOS-Technik *f*
Verbesserte MOS-Technik, die bei der Herstellung integrierter Schaltungen eine höhere Packungsdichte ermöglicht.
high-performance MOS technology, HMOS technology
Improved MOS technology allowing higher packing densities in integrated circuit fabrication.
Hochleistungsrechner *m*
high-speed computer
hochohmig
high-impedance
Hochpaßfilter *n*
high-pass filter
hochschmelzendes Metall *n*, schwerschmelzbares Metall *n*
refractory metal
hochschmelzendes Metallsilicid *n*, schwerschmelzbares Metallsilicid *n*
refractory metal silicide
Hochspannung *f*
high voltage
Hochspannungsimpuls *m*
high-voltage pulse
höchste Bitstelle *f*
high-order bit position
höchste Schichttemperatur *f* [integrierte Schichtschaltungen]
hot spot temperature [film integrated circuits]
hochstehender Index *m* [hochgestelltes Zeichen, z.B. 10^3]
superscript [raised character, e.g. 10^3]
Hochstromthyristor *m*
high-current thyristor
Hochstromtransistor *m*
high-current transistor
höchstwertig
most significant
höchstwertige Stelle *f*, höchstwertiges Zeichen *n*
most significant place, most significant character (MSC)
höchstwertige Ziffer *f* [die Ziffer mit dem höchsten Stellenwert, d.h. die führende Ziffer,

die nicht Null ist]
most significant digit (MSD) [the digit with the highest value, i.e. the leading non-zero digit]
höchstwertiges Bit n [Stelle mit dem höchsten Bit-Wert, z.B. 1 in der Binärzahl 1000]
most significant bit (MSB) [the position with the highest bit value, e.g. 1 in the binary number 1000]
höchstwertiges Zeichen n, höchstwertige Stelle
most significant place, most significant character (MSC)
hochwertiges Bauelement n, hochwertiges Bauteil n
high-grade component
Hochziehwiderstand m
pull-up resistor
hohe Wiedergabetreue f
high fidelity (HiFi)
hoher Speicherbereich m [erstes 64-kB-Segment oberhalb 1 MB]
high memory area, HMA [first 64-kB segment above 1 MB]
höhere Programmiersprache f [eine problemorientierte Sprache, wie ALGOL, BASIC, COBOL, FORTRAN, PASCAL usw.; im Gegensatz zu einer maschinenorientierten Sprache (Assemblersprache)]
high-level language [a problem-oriented language such as ALGOL, BASIC, COBOL, FORTRAN, PASCAL, etc.; in contrast to a machine-oriented language (assembler)]
höherwertige Adresse f
high address
höherwertiges Bit n
high-order bit
Hohlleiter m
waveguide
Hohlraum m, Fehlstelle f [Leiterplatten]
void, imperfection [printed circuit boards]
Holanweisung f
fetch statement, get statement
Holbefehl m, Abrufbefehl m
fetch instruction
holen, abrufen [z.B. Daten aus dem Speicher]
fetch, to [e.g. data from storage]
Hologrammspeicher m
holographic memory
Holographie f
holography
Home-Computer m, Heimrechner m
home computer
Homöepitaxie f
Das Aufwachsen einer epitaktischen Schicht auf einen Halbleiter, der die gleiche Kristallstruktur aufweist wie das Substrat, auf das es abgeschieden wird, z.B. das Aufbringen einer Siliciumschicht auf ein Siliciumsubstrat.
homoepitaxy

The growth of an epitaxial layer having the same crystal structure as the substrate on which it is deposited, e.g. the deposition of a silicon layer on a silicon substrate.
homöopolare Bindung f, kovalente Bindung f
Chemische Bindung (z.B. in einem Halbleiterkristall), bei der die Bindungskräfte durch Elektronen entstehen, die zwei benachbarten Atomen gleichermaßen angehören.
homopolar bond, covalent bond
Chemical bond (e.g. in a semiconductor crystal) in which the binding forces result from the sharing of electrons by a pair of neighbouring atoms.
Homötaxialbasistransistor m
hometaxial-base transistor
Homoübergang m
Übergang in einem Halbleiter, in dem die P- und N-dotierten Bereiche die gleiche Kristallstruktur haben.
homojunction
Junction in a semiconductor in which the p-doped region and the n-doped region have the same crystal structure.
Horn-Klausel f, Hornscher Satz m [logische Programmierung]
Horn clause [logical programming]
Host-Adapter m [SCSI-Controller für den Anschluß mehrerer Peripheriegeräte an den Rechnerbus]
host adapter [SCSI controller for connecting several peripheral units to computer bus]
Host-Rechner m, Verarbeitungsrechner m [zentraler Dienstleistungsrechner für die Unterstützung von Datenstationen oder Satellitenrechnern]
host computer [central computer providing services to terminals or satellite computers]
Hot-Key m [Ausführungstastenkombination für ein speicherresidentes Programm]
hot-key [combination of keys for starting memory resident program]
Hotline f, Anwender-Hotline f [Telephonleitung für die Beantwortung von Anwenderfragen]
hotline, user hotline [telephone line for answering user questions]
HPGL [Standard-Befehlssprache für Plotter]
HPGL (Hewlett-Packard Graphics Language) [standard command language for plotters]
HPIB [Standardbus, auch GPIB-Bus, IEC-Bus oder IEEE-488-Bus genannt]
HPIB (Hewlett-Packard Interface Bus) [also called GPIB bus, IEC bus or IEEE-488 bus]
HSIC-Schaltung f, Hochgeschwindigkeits-Schaltung f [allgemeine Bezeichnung für sehr schnelle digitale Schaltungen]
HSIC (high-speed integrated circuit) [general designation for very high-speed digital circuits]

HSTTL [spezielle TTL-Schaltungsfamilie mit
kurzen Verzögerungszeiten]
HSTTL (high-speed transistor-transistor logic)
[special TTL family of logic circuits
characterized by short propagation delays]
HTL *f*, Logik mit hoher Schwellwertspannung *f*
Logikfamilie, bei der höhere
Versorgungsspannungen (15 V) als bei anderen
Logikfamilien verwendet werden; zeichnet sich
durch einen hohen Störabstand aus.
HTL (high-threshold logic)
Logic family using higher supply voltages (15
V) than other logic families; characterized by
high noise immunity.
Huckepackkarte *f* [Leiterplatte, die auf einer
anderen Leiterplatte aufgesteckt wird]
piggy-back board [printed circuit board
mounted on another board]
Huffman-Code *m*, Huffman-Codierung *f*
Huffman code, Huffman encoding
Hüllkurve *f*
envelope
hybride integrierte Schaltung *f*, integrierte
Hybridschaltung *f*
Eine integrierte Schaltung, bei der die
verschiedenen Schaltungselemente in unterschiedlichen Techniken hergestellt sind; z.B.
eine Kombination aus monolithisch integrierter
Schaltung mit einer Dünn- oder Dickschichtschaltung.
hybrid integrated circuit
An integrated circuit in which the various
circuit elements are produced by dissimilar
technologies; e.g. a combination of a monolithic
integrated circuit and a thin or thick film
circuit.
hybride Schnittstelle *f*
hybrid interface
Hybridmikrowellenschaltung *f*
hybrid microwave circuit
Hybridparameter *m*, h-Parameter *m*
Kenngröße bei der Vierpol-Ersatzschaltbild-
Darstellung von Transistoren. Die vier Grundparameter sind: h_{11}, Kurzschluß-
Eingangsimpedanz; h_{12}, Leerlauf-
Spannungsrückwirkung; h_{21}, Kurzschluß-
Vorwärtsstromverstärkung; h_{22}, Leerlauf-
Ausgangsadmittanz.
hybrid parameter, h-parameter
Parameter of the four-terminal network
equivalent circuit of a transistor. There are four
basic h-parameters: h_{11}, short-circuit input
impedance; h_{12}, open-circuit reverse voltage
transfer ratio; h_{21}, short-circuit forward
current transfer ratio; h_{22}, open-circuit output
admittance.
Hybridrechner *m* [eine Rechneranlage, die die
Arbeitsweise eines Analogrechners mit der
eines Digitalrechners kombiniert]

hybrid computer [a computing system
combining the operating modes of analog and
digital computers]
Hybridschaltung *f* [bestehend aus integrierten
Schaltungen und diskreten Bauelementen]
hybrid circuit [consisting of integrated
circuits and discrete components]
Hybridtechnik *f*
hybrid technology
Hypermedia *n.pl.* [Programm mit Verbindungen
zwischen verschiedenen Medienarten, z.B.
Verbindungen zwischen Textinformation und
Ton- sowie Bildinformationen]
hypermedia [programm linking different
media types, e.g. linking text information with
audio and video information]
Hypertext *m* [Wiederauffindungsprogramm mit
Verbindungen zwischen verschiedenen
Textteilen, zwischen Text- und Bildteil oder
zwischen verschiedenen Informationsebenen]
hypertext [retrieval program with links
between different text sections, or between text
and picture sections, or between different
information levels]
Hypertext-Verbindung *f* [Verbindung in einem
Hypertextsystem]
hypertext link [link in a hypertext system]
Hysterese *f*
hysteresis
Hystereseschleife *f* [graphische Darstellung der
magnetischen Feldstärke in Funktion der
Magnetisierung bei ferromagnetischen
Werkstoffen]
hysteresis loop [graphical representation of
the magnetic flux as a function of magnetizing
force in ferromagnetic materials]u

I

I²L, integrierte Injektionslogik *f*
Bipolare Technik, die die Herstellung von
hochintegrierten Logikschaltungen mit hoher
Packungsdichte, kurzen Schaltzeiten und
kleinen Verlustleistungen ermöglicht. Die
Grundschaltung verwendet einen vertikalen
NPN-Transistor mit mehreren Kollektoren als
Inverter und einen lateralen PNP-Transistor
als Stromquelle, von der Minoritätsladungsträger in den Emitterbereich des NPN-
Transistors injiziert werden. Wird auch MTL-
Technik genannt.
I²L (integrated injection logic)
Bipolar technology enabling large-scale
integrated circuits with high packing density,
high switching speed and low power
consumption to be produced. The basic circuit
configuration uses a vertical npn-transistor
with multiple collectors serving as an inverter
and a lateral pnp-transistor serving as current
source by injecting minority charge carriers
into the emitter region of the npn transistor.
Also called MTL technology.
I-Halbleiter *m,* Eigenhalbleiter *m,*
eigenleitender Halbleiter *m,* Eigenleiter *m*
Halbleiterkristall von nahezu idealer und
reiner Beschaffenheit, in dem die Dichten der
Elektronen und Defektelektronen im Falle des
thermischen Gleichgewichts nahezu gleich
sind.
intrinsic semiconductor
Semiconductor crystal of practically ideal and
pure composition in which electron and hole
densities are practically identical in the case of
thermal equilibrium.
IC, integrierte Schaltung *f*
Elektronische Schaltung, bei der alle aktiven
und passiven Schaltungselemente auf einem
einzigen Halbleiterplättchen enthalten sind. Je
nach Integrationsgrad werden integrierte
Schaltungen in folgende Kategorien eingeteilt:
SSI (Kleinintegration), MSI (mittlere
Integration), LSI (Großintegration), VLSI
(Größtintegration), ULSI
(Ultragrößtintegration) und WSI
(Scheibenintegration). Integrierte Schaltungen
werden auch als Chips bezeichnet.
IC (integrated circuit)
Electronic circuit that contains all active and
passive circuit elements on a single piece of
semiconductor material. Depending on their
degree of integration, ICs belong to one of the
following categories: SSI (small scale
integration), MSI (medium scale integration),
LSI (large scale integration), VLSI (very large

scale integration), ULSI (ultra large scale
integration) and WSI (wafer scale integration).
Integrated circuits are also known as chips.
IC-Fertigung *f,* IC-Herstellung *f*
IC fabrication, IC manufacturing
IC-Fertigungstechnik *f*
IC manufacturing technology
ICT *n* [Verfahren für die Prüfung von
elektronischen Baugruppen]
in-circuit test (ICT) [process for testing
electronic assemblies]
IDE-Controller *m,* AT/IDE-Controller *m* [im
Festplattenlaufwerk integrierter Controller]
IDE controller, AT/IDE controller (Integrated
Drive Electronics) [controller integrated in
drive]
IDE-Schnittstelle *f*
IDE interface
idealer Kristall *m* [Halbleitertechnik]
Ein Einkristall mit regelmäßigem Aufbau, der
keine Fremdatome oder sonstige Defekte
enthält.
ideal crystal, perfect crystal [semiconductor
technology]
A single crystal which has a homogeneous
structure and contains no impurity atoms or
other defects.
identifizieren, bezeichnen
identify, to
Identifizierungsdialog *m*
handshaking procedure
Identifizierungszeichen *n,* Kennzeichen *n*
[Zeichen, die den Beginn oder das Ende eines
Feldes, eines Wortes oder einer Datenmenge
kennzeichnen]
tag [symbols marking the beginning or the end
of a field, word, item or data set]
Identitätsgatter *n*
identity gate
IEC, Internationale Elektrotechnische
Kommission *f*
IEC, International Electrotechnical
Commission
IEC-Bus *m* [Standardbus für allgemeine
Anwendungen; auch IEEE-488-Bus, GPIB-Bus
oder HPIB-Bus genannt]
IEC bus [standard bus for general usage; also
known as IEEE-488 bus, GPIB bus or HPIB
bus]
IEEE [Vereinigung der Elektro- und Elektronik-
Ingenieure in den USA]
IEEE, Institute of Electrical and Electronics
Engineers
IEEE-488-Bus *m,* IEC-Bus *m*
IEEE-488 bus, IEC bus
IEEE-583/CAMAC-Bus *m* [Standardbus und -
Schnittstellen für Meßgeräte]
IEEE-583/CAMAC bus (Computer Automated
Measurement And Control) [standard bus and

interfaces for instrumentation]

IF-THEN-Verknüpfung *f,* Implikation *f,*
Subjunktion *f*
Logische Verknüpfung mit dem Ausgangswert
(Ergebnis) 0, wenn und nur wenn der erste
Eingang (Operand) den Wert 0 und der zweite
den Wert 1 hat; für alle anderen Eingangswerte
ist der Ausgangswert 1.
IF-THEN operation, implication, conditional
implication, inclusion
Logical operation having the output (result) 0 if
and only if the first input (operand) is 0 and the
second is 1; for all other input values the output
is 1.

IFL-Technik *f*
Ein Gate-Array-Konzept für die Herstellung
von integrierten Semikundenschaltungen, das
sich durch große Flexibilität auszeichnet. Die
Festlegung der Logikfunktionen erfolgt wie bei
FPLAs, PALs und PGAs durch Wegbrennen der
Durchschmelzverbindungen.
IFL technology (integrated fuse logic
technology)
A gate-array concept for producing semicustom
integrated circuits, characterized by a high
level of flexibility. The logic functions are
defined as in FPLAs, PALs and PGAs by
burning out fusible links.

IGFET, Isolierschicht-Feldeffekttransistor *m*
Feldeffekttransistor, bei dem das Gate durch
eine dünne Isolierschicht vom stromführenden
Kanal getrennt ist. Durch eine an die Gateelektrode angelegte Spannung wird der Strom
im Kanal gesteuert. Man unterscheidet
zwischen N- und P-Kanal-Typen sowie
zwischen Anreicherungs- und Verarmungs-
Typen.
IGFET (insulated gate field-effect transistor)
Field-effect transistor in which the gate is
separated from the conducting channel by a
thin dielectric barrier. A voltage applied to the
gate terminal controls the current in the
channel. IGFETs can be classified as n- or p-
channel types and also as enhancement-mode
or depletion-mode types.

IGT [Transistor mit isoliertem Gate]
Integrierte Schaltungsfamilie der Leistungselektronik in CMD-Technik (Leitfähigkeitsmodulation), die mit Bipolar- und MOS-
Strukturen auf dem gleichen Chip realisiert ist.
IGT (insulated-gate transistor)
Family of power control integrated circuits
using conductivity-modulated device
technology; it combines bipolar and MOS
structures on the same chip.

Ikon *n,* Piktogramm *n,* Sinnbild *n,* Symbolbild *n*
[graphisches Symbol z.B. für ein
Anwendungsprogramm]
icon, pictogram [graphical symbol, e.g. for an

application program]
Imaginärteil *n* [eines komplexen Ausdrucks]
imaginary part [of a complex expression]
IMG-Dateiformat *n* [Graphik-Dateiformat
erzeugt von GEM Paint (Digital Research)]
IMG file format [graphic file format generated
by GEM Paint (Digital Research)]
IMOS-Technik *f*
Technik für die Herstellung von MOS-
Transistoren, bei der durch Ionenimplantation
ein selbstjustierendes Gate hergestellt wird.
IMOS technology (ion implanted MOS
technology)
Process for manufacturing MOS transistors
which uses ion implantation to produce a self-
adjusting gate.
IMPATT-Diode *f,* Lawinenlaufzeitdiode *f*
[Halbleiterdiode für den Mikrowellenbereich]
IMPATT diode (impact avalanche transit time
diode) [microwave semiconductor device]
Impedanz *f,* Scheinwiderstand *m*
impedance
Impedanzanpassung *f,* Widerstandsanpassung *f*
impedance matching
Impedanzkopplung *f*
impedance coupling
Impedanzwandler *m*
impedance transformer
Implantation *f,* Implantieren *n*
implantation
Implantationsenergie *f* [Ionenimplantation]
implantation energy [ion implantation]
Implantieren *n,* Implantation *f*
implantation
implantierte Schicht *f* [eine durch
Ionenimplantation dotierte Schicht in einem
Halbleiterkristall]
implanted layer [layer in a semiconductor
crystal which has been doped by ion
implantation]
implantierter Bereich *m*
implanted region
implantiertes Ion *n*
implanted ion
Implementieren *n*
implementation
implementieren, realisieren [einsatzfähige
Bereitstellung]
implement, to [make ready for application]
Implementierungssprache *f*
[Programmiersprache für die Erstellung von
Systemprogrammen]
implementation language [programming
language for producing system programs]
Implikation *f,* IF-THEN-Verknüpfung *f,*
Subjunktion *f*
Logische Verknüpfung mit dem Ausgangswert
(Ergebnis) 0, wenn und nur wenn der erste
Eingang (Operand) den Wert 0 und der zweite

den Wert 1 hat; für alle anderen Eingangswerte
ist der Ausgangswert 1.
implication, IF-THEN operation, conditional
implication, inclusion
Logical operation having the output (result) 0 if
and only if the first input (operand) is 0 and the
second is 1; for all other input values the output
is 1.
Implikationsglied n
IF-THEN gate
implizierte Adressierung f [Adressierungsart
eines Mikroprozessors; im Befehl enthaltene
Adresse]
implied addressing [microprocessor
addressing mode; an address contained within
an instruction]
implizit
implicit
implizite Anweisung f
implicit statement
imprägnieren
impregnate, to
Imprägniermaschine f
impregnating machine
Impuls m
pulse, impulse
Impulsabklingzeit f, Abfallzeit f [von 90 auf
10% der Impulsamplitude]
pulse decay time, fall time [from 90 to 10% of
pulse amplitude]
Impulsamplitude f, Impulshöhe f
pulse amplitude
Impulsanstiegszeit f, Anstiegszeit f [von 10 auf
90% der Impulsamplitude]
pulse rise time, rise time [from 10 to 90% of
pulse amplitude]
impulsartiges Rauschen n, impulsartiges
Signal n
burst, signal burst, noise burst
Impulsbetrieb m
pulse operation
Impulsbreite f, Impulsdauer f, Impulslänge f
[Zeitspanne zwischen der Vorder- und Rückflanke eines Impulses bezogen auf einen
definierten Bruchteil der Impulshöhe, meistens
50%]
pulse width, pulse duration [time interval
between the leading and trailing edges of a
pulse referred to a stated fraction of the pulse
amplitude, usually 50%]
Impulsbreitenmodulation f,
Impulsdauermodulation f
pulse width modulation (PDM), pulse
duration modulation
Impulsdach n [z.B. eines Rechteckimpulses]
pulse top [e.g. of a rectangular pulse]
Impulsdachschräge f, Dachschräge f
[Verzerrung eines Rechteckimpulses;
ansteigendes oder abfallendes Impulsdach]

pulse tilt, pulse droop [distortion of a
rectangular pulse; rising or falling pulse top]
Impulsdauer f, Impulsbreite f, Impulslänge f
pulse duration, pulse width
Impulsdauermodulation f,
Impulsbreitenmodulation f
pulse duration modulation (PDM), pulse
width modulation
Impulsdehnerschaltung f
pulse stretcher circuit
Impulsdiagramm n [zeitlicher Ablauf des
Impulspegels]
timing diagram, pulse timing diagram [pulse
level as a function of time]
Impulsentzerrer m
pulse equalizer
Impulsflanke f, Flanke f
pulse edge, edge, slope
Impulsfolge f, Impulsserie f, Impulszug m [eine
Folge von Impulsen]
pulse train [a sequence of pulses]
**Impulsfolge aus positiven und negativen
Impulsen** f
bidirectional pulse train, bidirectional
pulses
Impulsfolgefrequenz f [Anzahl Impulse pro
Sekunde]
pulse repetition frequency (PRF) [number c
pulses per second]
Impulsform f
pulse shape
Impulsformer m, Pulsformer m
pulse shaper
Impulsfrequenz f
pulse frequency
Impulsfunktion f, Diracsche Funktion f
pulse function
Impulsgeber m, Impulsgenerator m [zur
Erzeugung von Impulsfolgen]
pulse generator [for producing pulse trains]
impulsgetastet, pulsgetastet
pulse keyed
Impulshöhe f, Impulsamplitude f
pulse amplitude
Impulslänge f, Impulsbreite f, Impulsdauer f
pulse duration, pulse width
Impulsmodulationsaufzeichnung f
[magnetische Aufzeichnung]
pulse modulation [magnetic recording]
Impulspegel m
pulse level
Impulsrate f
pulse rate
Impulsregenerierung f [Wiederherstellung der
ursprünglichen Form sowie der Amplituden-
und Zeitverhältnisse einer Impulsfolge]
pulse regeneration [restoring the original
form, amplitude and timing of a pulse train]
Impulssender m

pulse transmitter
Impulsserie *f,* **Impulsfolge** *f,* **Impulszug** *m* [eine Folge von Impulsen]
pulse train [a sequence of pulses]
Impulsspitze *f*
pulse peak, pulse spike
Impulsteiler *m,* Impulsuntersetzer *m*
pulse divider, pulse scaler
Impulsübertrager *m* [ausgelegt für die Übertragung von Impulsen mit kurzen Anstiegs- und Abfallzeiten]
pulse transformer [designed for transferring pulses with short rise and fall times]
Impulsuntersetzer *m,* Impulsteiler *m*
pulse scaler, pulse divider
Impulsverschachtelung *f*
pulse interleaving
Impulsverstärker *m*
pulse amplifier
Impulsverzögerungsschaltung *f*
pulse delay circuit
Impulszähler *m*
pulse counter
Impulszittern *n* [relativ kleine Schwankungen des zeitlichen Abstandes einer Impulsfolge]
pulse jitter [relatively small variations of pulse spacing in a pulse train]
Impulszug *m,* Impulsfolge *f,* Impulsserie *f* [eine Folge von Impulsen]
pulse train [a sequence of pulses]
In *n* (Indium)
Metallisches Element, das als Dotierstoff (Akzeptoratom) verwendet wird.
In (indium)
Metallic element used as a dopant impurity (acceptor atom).
in Kaskade geschaltet
cascaded, connected in cascade
in Reihe geschaltet, reihengeschaltet, vorgeschaltet
connected in series, series-connected
in Sperrichtung vorgespannt
reverse biased
inaktive Schleife *f* [FORTRAN]
inactive DO-loop [FORTRAN]
inaktives Fenster *n*
inactive window
inaktivieren, abschalten, ausschalten
disable, to; deactivate, to; switch-off, to
InAs *n* (Indiumarsenid)
Verbindungshalbleiter für Bauteile der Optoelektronik.
InAs (indium arsenide)
Compound semiconductor used for optoelectronic components.
Inbetriebnahme *f*
start-up, setting into operation
inbetriebnehmen
start-up, to; set into operation, to

Index *m,* Indextabelle *f* [Liste der Kennbegriffe der gespeicherten Daten und der dazugehörenden Adressen]
index [list of key items of stored data and the related addresses]
Indexname *m*
index name, subscript name
Indexregister *n* [Register, das zur Adreßänderung, zum Einleiten von Programmverzweigungen usw. verwendet wird]
index register [register used for modifying addresses, initializing program branching, etc.]
indexsequentielle Datei *f,* indiziert-sequentielle Datei *f* [eine sequentiell gespeicherte Datei mit direktem Zugriff auf einen Index]
indexed sequential file [a file stored sequentially and having direct access to an index]
indexsequentielle Speicherung *f,* indiziert-sequentielle Speicherung *f*
indexed sequential storage
indexsequentielle Zugriffsmethode *f,* indiziert-sequentielle Zugriffsmethode *f* (ISZM) [basiert auf einer Kombination von direktem Zugriff auf einen Index und sequentiellem Zugriff auf Datensätze, die unter diesem Index gespeichert sind]
indexed sequential access method (ISAM) [based on a combination of direct access to an index and sequential access to the records stored under that index]
indexsequentieller Zugriff *m,* indiziert-sequentieller Zugriff *m*
indexed sequential access
Indexspeicher *m*
index storage
Indexspur *f* [z.B. eines magnetischen Speichermediums]
index track [e.g. of a magnetic storage medium]
Indextabelle *f,* Index *m* [Liste der Kennbegriffe der gespeicherten Daten und der dazugehörenden Adressen]
index [list of key items of stored data and the related addresses]
indirekte Adresse *f* [Adresse, die auf einen Speicherplatz hinweist, der eine zweite Adresse enthält; im Gegensatz zur direkten Adresse]
indirect address [address pointing to a storage location containing a second address; in contrast to direct address]
indirekte Adressierung *f*
indirect addressing
indirekter Steckverbinder *m*
indirect plug connector
Indium *n* (In)
Metallisches Element, das als Dotierstoff (Akzeptoratom) verwendet wird.

indium (In)
Metallic element used as a dopant impurity
(acceptor atom).
Indiumantimonid n (InSb)
Verbindungshalbleiter, der als
Ausgangsmaterial für optoelektronische
Bauelemente (z.B. Lumineszenzdioden für den
nahen Infrarotbereich) und Halleffektbauteile
verwendet wird.
indium antimonide (InSb)
Compound semiconductor used for
optoelectronic components (e.g. infrared-
emitting diodes) and Hall effect devices.
Indiumarsenid n (InAs)
Verbindungshalbleiter für Bauteile der
Optoelektronik.
indium arsenide (InAs)
Compound semiconductor used for
optoelectronic components.
Indiumphosphid n (InP)
Verbindungshalbleiter für die Herstellung von
optoelektronischen Bauteilen, z.B. für
Photodetektoren und Lumineszenzdioden für
den nahen Infrarotbereich.
indium phosphide (InP)
Compound semiconductor used for producing
optoelectronic components, e.g. photodetectors
and infrared-emitting diodes.
indizieren
index, to; subscript, to
indiziert
indexed
indiziert-sequentielle Datei f,
indexsequentielle Datei f [eine sequentiell
gespeicherte Datei mit direktem Zugriff auf
einen Index]
indexed sequential file [a file stored
sequentially and having direct access to an
index]
indiziert-sequentielle Speicherung f,
indexsequentielle Speicherung f
indexed sequential storage
indiziert-sequentielle Zugriffsmethode f
(ISZM), indexsequentielle Zugriffsmethode f
[basiert auf einer Kombination von direktem
Zugriff auf einen Index und sequentiellem
Zugriff auf Datensätze, die unter diesem Index
gespeichert sind]
indexed sequential access method (ISAM)
[based on a combination of direct access to an
index and sequential access to the records
stored under that index]
indiziert-sequentieller Zugriff m,
indexsequentieller Zugriff m
indexed sequential access
indizierte Adressierung f [Mikroprozessor-
Adressierungsart; der Indexregisterinhalt
wird zum Adressenteil des Befehls addiert, um
die tatsächliche Adresse zu erhalten]

indexed addressing [microprocessor
addressing mode; the index register content is
added to the address part of the instruction to
obtain the actual address]
indizierte Datei f
indexed file
indizierter Zugriff m
indexed address
Indizierung f
indexing
Induktion f
induction
Induktionssystem n [ein System der
künstlichen Intelligenz, dessen Wissensbasis
aus Fallbeispielen besteht]
inductive system [an artificial intelligence
system whose knowledge base comprises
exemplary cases]
induktive Kopplung f
inductive coupling
Induktivität f
inductance
Industrielektronik f, industrielle Elektronik f
industrial electronics
Industrieroboter m
industrial robot
Inferenzmaschine f, Schlußfolgerungsmaschine
f [künstliche Intelligenz]
inference engine [artificial intelligence]
Influenz f
electrostatic induction
Informatik f [Wissenschaft der informationsverarbeitenden Systeme]
computer science [science of information
processing systems]
Informationsdichte f
information density, packing density
Informationsentropie f [ein Maß für den
mittleren Informationsgehalt]
information entropy [a measure for the
average information content]
Informationsfluß m
information rate
informationsfreier Datenträger m
blank data medium, blank medium, empty
medium
Informationsgehalt m
information content
Informationsquelle f
information source
Informationsrückfluß m
feedback information
Informationsspur f, Datenspur f
data track
Informationstheorie f [mathematische Theorie
der Verarbeitung und Speicherung von
Informationen]
information theory [mathematical theory of
information processing and storage]

Informationsverarbeitung f
  information processing
Informationswiedergewinnung f
  information retrieval
Informationswiedergewinnungssystem n
  information retrieval system
Informationsübertragung f
  information transmission, information
  transfer
Infrarot-Maus f
  infrared mouse
Infrarotlumineszenzdiode f (IRED)
  Lumineszenzdiode, meistens auf Galliumarsenidbasis, die im nahen infraroten Bereich
  des Spektrums emittiert. Spezielle Infrarotlumineszenzdioden werden unter anderem für
  die optische Datenübertragung über Lichtwellenleiter eingesetzt.
  infrared-emitting diode (IRED)
  Light-emitting diode, usually based on gallium
  arsenide, that emits in the near infrared region
  of the spectrum. Special infrared-emitting
  diodes are used for optical data transmission
  via fiber-optic cables.
inhaltsadressierbarer Speicher m (CAM),
  Assoziativspeicher m
  Speicher, dessen Speicherelemente durch
  Angabe ihres Inhaltes aufrufbar sind und nicht
  durch ihre Namen oder Lagen.
  content-addressable memory (CAM),
  associative memory
  Storage device whose storage locations are
  identified by their contents rather than by their
  names or positions.
Inhaltsverzeichnis n, Verzeichnis n
  directory
Inhibiteingang m, Sperreingang m [einer
  logischen Schaltung]
  inhibit input, disabling input [of a logic
  circuit]
Inhibitimpuls m, Sperrimpuls m, Sperrsignal n
  [verhindert die Ausführung einer Operation,
  z.B. in einer logischen Schaltung]
  inhibit pulse, disable pulse, disabling signal
  [prevents the execution of an operation, e.g. in
  a logic circuit]
Inhibition f, NOT-IF-THEN-Verknüpfung f
  [logische Verknüpfung mit dem Ausgangswert
  (Ergebnis) 1, wenn und nur wenn der erste
  Eingang (Operand) den Wert 1 und der zweite
  den Wert 0 hat; für alle anderen Eingangswerte
  (Operandenwerte) ist der Ausgangswert (das
  Ergebnis) 0]
  exclusion, NOT-IF-THEN operation [logical
  operation having the output (result) 1 if and
  only if the first input (operand) is 1 and the
  second 0; for all other input (operand) values
  the output (result) is 0]
Inhibitionsglied n

  NOT-IF-THEN gate
Inhibitschaltung f, Sperrschaltung f [eine
  Schaltung, die ein Inhibitimpuls bzw. ein
  Sperrsignal erzeugt]
  inhibit circuit, inhibiting circuit [a circuit
  producing an inhibit pulse or a disabling signal]
initialisieren, normieren [Setzen von Adressen,
  Zählern usw. auf einen Startwert, z.B. auf
  Null]
  initialize, to [set addresses, counters, etc. to
  an initial value, e.g. to zero]
Initialisierung f [Rechner: Urladen bzw.
  Betriebssystem laden; Platte, Diskette:
  formatieren, prüfen und kennzeichnen;
  Register, Zähler: Setzen auf Startwert]
  initialization [computer: initial program
  loading; disk, floppy disk: to format, test and
  label; registers, counters: set to initial value]
Injektion f, Ladungsträgerinjektion f
  [Halbleitertechnik]
  Das Einbringen zusätzlicher Ladungsträger in
  einen Halbleiter.
  charge carrier injection, injection
  [semiconductor technology]
  The introduction of additional charge carriers
  into a semiconductor.
Injektionslogik f
  injection logic
Injektionsstrom m
  injection current
Injektionswirkungsgrad m
  injection efficiency
Injektor m
  injector
inklusives ODER n, ODER-Verknüpfung f,
  Disjunktion f, exklusives ODER n, Antivalenz f
  Es gibt zwei Varianten der ODER-
  Verknüpfung, das inklusive und das exklusive
  ODER. Spricht man von der ODER-
  Verknüpfung ohne Zusatz, so meint man in der
  Regel das inklusive ODER. Dies ist eine
  logische Verknüpfung mit dem Ausgangswert
  (Ergebnis) 0, wenn und nur wenn jeder
  Eingang (Operand) den Wert 0 hat; für alle
  anderen Eingangswerte ist der Ausgang 1.
  OR function, inclusive OR, disjunction;
  exclusive OR, non-equivalence
  There are two variants of the OR function, the
  inclusive and the exclusive OR. As a rule, the
  OR function (without the addition of inclusive
  or exclusive) refers to the inclusive variant.
  This is a logical operation having the output
  (result) 0 if and only if each input (operand) is
  0; for all other input values the output is 1.
inklusives ODER-Gatter n
  inclusive-OR circuit
Inkompatibilität f, Unverträglichkeit f
  incompatibility
Inkrement n, Zuwachs m

increment
Inkrementenintegrierer *m*
incremental integrator
inkrementieren, erhöhen [stufenweise
Erhöhung, z.B. um 1]
increment, to [increase by steps, e.g. by 1]
innerer Rand *m*
inside margin
innerer Wärmewiderstand *m*
internal thermal resistance
InP *n* (Indiumphosphid)
Verbindungshalbleiter für die Herstellung von
optoelektronischen Bauteilen, z.B. für Photodetektoren und Lumineszenzdioden für den
nahen Infrarotbereich.
InP (indium phosphide)
Compound semiconductor used for producing
optoelectronic components, e.g. photodetectors
and infrared-emitting diodes.
InSb *n* (Indiumantimonid)
Verbindungshalbleiter, der als Ausgangsmaterial für optoelektronische Bauelemente
(z.B. Lumineszenzdioden für den nahen
Infrarotbereich) und Halleffektbauteile
verwendet wird.
InSb (indium antimonide)
Compound semiconductor used for
optoelectronic components (e.g. infrared-
emitting diodes) and Hall effect devices.
instabiler Zustand *m*
instable state
Installation *f,* Aufstellung *f* [einer Anlage]
installation [of a system]
instandhalten, warten
maintain, to
Instandhaltung *f,* Wartung *f,* vorbeugende
Instandhaltung *f*
maintenance, preventive maintenance
Instandsetzbarkeit *f* [Eignung für die
Instandsetzung]
restorability [suitability for repair]
instandsetzen
repair, to
Instandsetzung *f*
repair, corrective maintenance
Instandsetzungsdauer *f,* mittlere
Instandsetzungszeit *f*
repair time, mean time to repair (MTTR)
Instanz *f* [bei der objektorientierten
Programmierung: ein konkretes Beispiel einer
Klasse]
instance [in object oriented programming: a
concrete example of a class]
Integralgleichung *f,* Integralrechnung *f*
integral equation, integral calculus
Integralzeichen *n*
integral sign
Integrationsstufen *f.pl.,* Integrationsgrad *m*
[Einteilung nach Anzahl der Funktionen

(Transistoren, Gatter usw.), die auf einem
Halbleiterplättchen integriert sind: SSI, MSI,
LSI, VLSI, ULSI und WSI]
integration levels, degree of integration
[classification depending on the number of
functions (transistors, gates, etc.) integrated on
a chip: SSI, MSI, LSI, VLSI, ULSI, and WSI]
integrierende Schaltung *f,* Integrierschaltung *f*
integrating circuit, integrator
Integrierer *m* [Schaltung, die am Ausgang das
Zeitintegral des Eingangssignals bildet]
integrator, integrating circuit [circuit whose
output signal is the time integral of the input
signal]
Integrierer mit Begrenzung *f*
limited integrator
Integrierer mit harter Begrenzung *m*
hard-limited integrator
Integrierer mit weicher Begrenzung *m*
soft-limited integrator
Integrierschaltung *f,* integrierende Schaltung *f*
integrating circuit, integrator
integrierte Analogschaltung *f,* analoge
integrierte Schaltung *f*
Eine analoge Schaltung in integrierter
Schaltungstechnik. In einer analogen
Schaltung sind die elektrischen Ausgangsgrößen stetige Funktionen der Eingangsgrößen
analog integrated circuit
An analog circuit in integrated circuit
technology. In an analog circuit, the electrical
output variables are a continuous function of
the input variables.
integrierte Dickschichtschaltung *f*
thick-film integrated circuit
integrierte Digitalschaltung *f,* digitale
integrierte Schaltung *f*
digital integrated circuit
integrierte Diode *f*
integrated diode
integrierte Dünnschichtschaltung *f*
thin-film integrated circuit
integrierte Halbkundenschaltung *f,*
integrierte Semikundenschaltung *f*
Integrierter Baustein, der nach Kundenwünschen aus einzelnen-vorgefertigten
Teilschaltungen (mit Gattern, Transistoren,
Flipflops, Widerständen usw.), die aus einer
Bibliothek abgerufen werden, zusammengestellt und mit Hilfe von Verdrahtungsmasken realisiert werden kann.
semicustom integrated circuit
Integrated circuit device, assembled to
customers' specifications from prefabricated
building blocks (containing gates, transistors,
flip-flops, resistors, etc.) pulled from a computer
library, and interconnected with the aid of
interconnection masks.
integrierte Hybridschaltung *f,* hybride

integrierte Schaltung *f*
Eine integrierte Schaltung, bei der die
verschiedenen Schaltungselemente in unterschiedlichen Techniken hergestellt sind; z.B.
eine Kombination aus monolithisch integrierter
Schaltung mit einer Dünn- oder Dickschichtschaltung.
hybrid integrated circuit
An integrated circuit in which the various
circuit elements are produced by dissimilar
technologies; e.g. a combination of a monolithic
integrated circuit and a thin or thick film
circuit.
integrierte Injektionslogik *f* (I^2L)
Bipolare Technik, die die Herstellung von
hochintegrierten Logikschaltungen mit hoher
Packungsdichte, kurzen Schaltzeiten und
kleinen Verlustleistungen ermöglicht. Die
Grundschaltung verwendet einen vertikalen
NPN-Transistor mit mehreren Kollektoren als
Inverter und einen lateralen PNP-Transistor
als Stromquelle, von der Minoritätsladungsträger in den Emitterbereich des NPN-
Transistors injiziert werden. Wird auch MTL-
Technik genannt.
integrated injection logic (I^2L)
Bipolar technology enabling large-scale
integrated circuits with high packing density,
high switching speeds and low power
consumption to be produced. The basic circuit
configuration uses a vertical npn-transistor
with multiple collectors serving as an inverter
and a lateral pnp-transistor serving as current
source by injecting minority carriers into the
emitter region of the npn transistor. Also called
MTL technology.
integrierte Mikroschaltung *f*
integrated microcircuit
integrierte Mikrowellenschaltung *f*, MIC *f*
[für Hochfrequenzanwendungen; wird meistens
in Hybridtechnik oder als Multichip-Schaltung
ausgeführt]
microwave integrated circuit (MIC) [for
high frequency applications; usually fabricated
as hybrid or multichip circuit]
integrierte Millimeterwellenschaltung *f*
millimeter-wave integrated circuit
integrierte optoelektronische Schaltung *f*,
optoelektronische integrierte Schaltung *f*
optoelectronic integrated circuit (OEIC)
integrierte Schaltung *f* (IC aber auch IS)
Elektronische Schaltung, bei der alle aktiven
und passiven Schaltungselemente auf einem
einzigen Halbleiterplättchen enthalten sind. Je
nach Integrationsgrad werden integrierte
Schaltungen in folgende Kategorien eingeteilt:
SSI (Kleinintegration), MSI (mittlere
Integration), LSI (Großintegration), VLSI
(Größtintegration), ULSI (Ultragrößt-

integration) und WSI (Scheibenintegration).
Integrierte Schaltungen werden auch als Chips
bezeichnet.
integrated circuit (IC)
Electronic circuit that contains all active and
passive circuit elements on a single piece of
semiconductor material. Depending on their
degree of integration, ICs belong to one of the
following categories: SSI (small scale
integration), MSI (medium scale integration),
LSI (large scale integration), VLSI (very large
scale integration), ULSI (ultra large scale
integration) and WSI (wafer scale integration).
Integrated circuits are also known as chips.
integrierte Schaltungstechnik *f*
integrated circuit technology
integrierte Schichtschaltung *f*
film integrated circuit
integrierte Semikundenschaltung *f*,
integrierte Halbkundenschaltung *f*
Integrierter Baustein, der nach
Kundenwünschen aus einzelnen vorgefertigten
Teilschaltungen (mit Gattern, Transistoren,
Flipflops, Widerständen usw.), die aus einer
Bibliothek abgerufen werden, zusammengestellt und mit Hilfe von Verdrahtungsmasken realisiert werden kann.
semicustom integrated circuit
Integrated circuit device, assembled to
customers' specifications from prefabricated
building blocks (containing gates, transistors,
flip-flops, resistors, etc.) pulled from a computer
library, and interconnected with the aid of
interconnection masks.
integrierte Speicherschaltung *f*,
Halbleiterspeicher *m* [Speicher bestehend aus
integrierten Schaltungen; z.B. ein ROM oder
RAM]
semiconductor memory, integrated circuit
memory [storage consisting of integrated
circuits; e.g. a ROM or a RAM]
integrierter Kondensator *m*
integrated capacitor
integrierter Multichip *m*
multichip integrated circuit
integrierter Quarzoszillator *m*
integrated crystal oscillator
integrierter Sperrschichtkondensator *m*
integrated junction capacitor
integriertes Paket *n* [Programmsammlung mit
einer gemeinsamen Benutzeroberfläche und
einheitlichen Bedienung]
integrated package [collection of programs
with a common user interface and unified
handling]
Integrität *f*, Datenintegrität *f*
integrity, data integrity
intelligente Tastatur *f* [mit eingebautem
Mikroprozessor, z.B. für die Codeumwandlung]

intelligent keyboard [with built-in
microprocessor, e.g. for code conversion]
intelligentes Terminal n [mit eingebautem
Mikrorechner, z.B. für Textformatierung]
intelligent terminal [with built-in
microcomputer, e.g. for text formatting]
interaktiv, im Dialog
interactive, in dialog mode
interaktive graphische Datenverarbeitung f
interactive computer graphics
interaktive Programmierung f
interactive programming
interaktiver Betrieb m, Dialogbetrieb m
interactive mode, dialog mode
interaktives Terminal n [für den Dialogbetrieb]
interactive terminal [for dialog operation]
Interface n, Schnittstelle f, Nahtstelle f
[Verbindungsstelle zwischen Baustein-, Geräte-
oder Systemteilen für die Übertragung von
Daten und Steuerinformationen]
interface [connecting point between sections of
a device, equipment or system for transfer of
data and control information]
Interlaced-Modus m [Bildaufbau durch zwei
Teilbilder, im Gegensatz zu Non-interlaced-
Modus]
interlaced mode [screen image formed in two
passes, in contrast to non-interlaced mode]
interlaminar
interlaminar
Interleave-Wert m [Festplatte]
interleave value [hard disk]
intermittierende Störung f [unregelmäßig
auftretend]
intermittent fault [occurring at irregular
intervals]
intermittierender Ausfall m, sporadischer
Ausfall m [unregelmäßig auftretend]
sporadic failure, intermittent failure
[occurring at irregular intervals]
Intermodulationsverzerrung f
intermodulation distortion
intern gespeichertes Programm n
internally stored program
Internationale Elektrotechnische
Kommission f, IEC
IEC, International Electrotechnical
Commission
Internationale Organisation für die
Normung, ISO
ISO, International Organisation for
Standardization
interne Chiplogik f, chipintegrierte Logik f
on-chip logic
interne Rechnerdarstellung f [in CAD:
Darstellung im rechnerinternen Modell]
computer-internal representation [in CAD:
representation in computer-internal model]
interne Takterzeugung f

internal clocking
interner Befehl m
internal command
interner Datenbus m
internal data bus
interner Speicher m, Internspeicher m
internal storage
Interpolation f
interpolation
Interpreter m, Interpretierer m, Übersetzer m
Ein Programm, das ein in einer höheren
Programmiersprache geschriebenes Programm
in Maschinensprache bzw. Befehlscodes des
Rechners übersetzt. Im Gegensatz zu einem
Compiler, der die Übersetzung gesamthaft
durchführt, übersetzt der Interpreter jeweils
einzelne Programmanweisungen. Der
Interpreter benötigt deshalb einen größeren
Speicherplatz und hat wesentlich längere
Durchlaufzeiten.
interpreter
A program for converting a program written in
a higher programming language into machine
language or operation codes of a computer. In
contrast to a compiler, which converts and then
executes the entire program, the interpreter
converts and executes statement by statement.
An interpreter therefore requires more storage
space and is significantly slower.
Interpretiercode m
interpreter code
interpretieren
interpret, to
Interpretierer m, Interpreter m, Übersetzer m
interpreter
Interpunktionssymbol n
punctuation symbol
interstitionelle Diffusion f, interstitioneller
Einbau n [Dotierungstechnik]
Diffusionsmechanismus, bei dem Fremdatome
durch das Kristallgitter wandern, indem sie
von einem Zwischengitterplatz auf den
nächsten überspringen.
interstitial diffusion [doping technology]
Diffusion mechanism in which impurity atoms
wander through the crystal lattice by moving
from one interstitial site to the next.
Intervallzeitgeber m
interval timer
Inversion f [Halbleitertechnik]
Der Übergang von N- zu P-Leitung oder
umgekehrt.
inversion [semiconductor technology]
The transition from n-type conduction to p-type
conduction or vice-versa.
Inversion f, Umkehrer m, Negation f, NICHT-
Funktion f, Boolesche Komplementierung f
Logische Verknüpfung, die den Eingangswert
umkehrt, d.h. eine Eins am Eingang wird in

eine Null am Ausgang umgewandelt und
umgekehrt.
**negation, NOT operation, Boolean
complementation, inversion**
Logical operation that negates the input value,
i.e. a one at the input is converted into a zero at
the output and vice-versa.
Inversionsgebiet *n*
inversion region
Inversionskanal *m* [Halbleitertechnik]
inversion channel [semiconductor
technology]
Inversionsladung *f*
inversion charge
Inversionsschaltung *f,* NICHT-Schaltung *f,*
Inverter *m*
NOT circuit, inverting circuit, inverter
Inversionsschicht *f*
inversion layer
Inverter *m* [Analogrechentechnik: ein
Operationsverstärker, der den Eingangswert
mit -1 multipliziert]
inverter [analog computing: an operational
amplifier that multiplies the input value by -1]
Inverterschaltung *m,* NICHT-Schaltung *f,*
Inversionsschaltung *f*
inverting circuit, NOT circuit
Inverterstufe *f*
inverter stage
invertieren, umkehren
invert, to
invertierender Eingang *m*
inverting input
invertierte Datei *f* [Datei, die nach einem
Sekundärschlüssel über einen Index organisiert
ist]
inverted file [file organized according to a
secondary key via an index]
invertierte Liste *f* [Auflistung aller Adressen
von Sätzen, die einen Sekundärschlüssel
enthalten]
inverted list [lists all addresses of records
containing a secondary key]
Ion *n* [Halbleitertechnik]
Atom (z.B. in einem Halbleiterkristall), das
durch Aufnahme oder Abgabe eines oder
mehrerer Elektronen elektrisch geladen wird.
ion [semiconductor technology]
Atom (e.g. in a semiconductor crystal) which
becomes electrically charged by the gain or loss
of one or more electrons.
Ionenbeschuß *m*
ion bombardment
Ionenbeweglichkeit *f*
ion mobility
Ionenbindung *f,* ionische Bindung *f,*
heteropolare Bindung *f*
Chemische Bindung (z.B. in einem Halbleiterkristall), bei der Elektronen der äußersten

Schale (Valenzelektronen) bei zwei
verschiedenen, nahe beieinanderliegenden
Atomen von einem Atom zum anderen übergehen, wodurch Ionen entstehen, die durch
elektrostatische Kräfte zusammengehalten
werden.
**ionic bond, electrovalent bond, electrostatic
bond**
Chemical bond (e.g. in a semiconductor crystal),
in which electrons in the outer shell (valence
electrons) are transferred from one atom to a
neighbouring atom, thus forming ions which
are held together by electrostatic attraction.
Ionendrucker *m*
ion printer
Ionenhaftstelle *f*
ion trap
Ionenhalbleiter *m*
ionic semiconductor
Ionenimplantation *f* [Dotierungstechnik]
Ein Verfahren zum Einbringen von Fremdatomen in einen Halbleiterkristall durch
Ionenbeschuß. Mit dem Verfahren läßt sich
eine besonders genaue Dosierung der
Dotierung erzielen.
ion implantation [doping technology]
A process for introducing impurities into a
semiconductor crystal by ion bombardment.
The process allows precise dosage of the dopant
impurities.
Ionenleitung *f*
Ladungstransport in einem Halbleiterkristall
durch Ionenwanderung.
ion conduction
Charge transport in a semiconductor crystal by
the movement of ions.
Ionenprojektionslithographie *f*
ion projection lithography
Ionenstrahllithographie *f*
ion beam lithography
Ionenstrahlmischen *n*
ion beam mixing
Ionenstrahlätzen *n* [ein Trockenätzverfahren]
ion beam etching (IBE) [a dry etching
process]
ionische Bindung *f,* Ionenbindung *f,*
heteropolare Bindung *f*
**ionic bond, electrovalent bond, electrostatic
bond**
Ionisierung *f*
ionization
Ionisierungsenergie *f,* Austrittsarbeit *f*
[Halbleitertechnik]
ionization energy [semiconductor technology]
IRED, Infrarotlumineszenzdiode *f*
Lumineszenzdiode, meistens auf Galliumarsenidbasis, die im nahen infraroten Bereich
des Spektrums emittiert. Spezielle Infrarotlumineszenzdioden werden unter anderem für

die optische Datenübertragung über Lichtwellenleiter eingesetzt.
IRED (infrared-emitting diode)
Light-emitting diode, usually based on gallium
arsenide, that emits in the near infrared region
of the spectrum. Special infrared-emitting
diodes are used for optical data transmission
via fiber-optic cables.
IRQ-Signal n, Unterbrechungsaufforderung f
[ein Signal, das den Mikroprozessor auffordert,
das laufende Programm zu unterbrechen]
IRQ, interrupt request [a signal applied to a
microprocessor for interrupting the running
program]
irreversibler Prozeß m
irreversible process
Irrtum m, menschlicher Fehler m
mistake, human error
IS, integrierte Schaltung f
Elektronische Schaltung, bei der alle aktiven
und passiven Schaltungselemente auf einem
einzigen Halbleiterplättchen enthalten sind. Je
nach Integrationsgrad werden integrierte
Schaltungen in folgende Kategorien eingeteilt:
SSI (Kleinintegration), MSI (mittlere
Integration), LSI (Großintegration), VLSI
(Größtintegration), ULSI
(Ultragrößtintegration) und WSI
(Scheibenintegration). Integrierte Schaltungen
werden auch als Chips bezeichnet.
IC (integrated circuit)
Electronic circuit that contains all active and
passive circuit elements on a single piece of
semiconductor material. Depending on their
degree of integration, ICs belong to one of the
following categories: SSI (small scale
integration), MSI (medium scale integration),
LSI (large scale integration), VLSI (very large
scale integration), ULSI (ultra large scale
integration) and WSI (wafer scale integration).
Integrated circuits are also known as chips.
IS-Fertigung f, IS-Herstellung f
IC fabrication, IC manufacturing
IS-Fertigungstechnik f
IC manufacturing technology
ISA [Industrie-Standard-Architektur, 16-Bit-
Bussystem für die AT-Klasse des IBM PC]
ISA (Industry Standard Architecture) [16-bit
bus system for AT class of IBM PCs]
ISDN, dienstintegriertes Digitalnetzwerk n
[integriertes Netzwerk für Telephon, Texte,
Bilder und Daten]
ISDN (Integrated Services Digital Network)
[integrated network for telephone, texts,
images and data]
ISDN-Erweiterungskarte f
ISDN expansion board
ISFET [spezieller Isolierschicht-
Feldeffekttransistor]

ISFET (ion-sensitive field-effect transistor)
ISL-Technik f
Ein Gate-Array-Konzept für die Herstellung
von integrierten Semikundenschaltungen.
ISL technology (integrated Schottky logic
technology)
A gate array concept for producing semicustom
integrated circuits.
ISO, Internationale Organisation für die
Normung
ISO, International Organisation for
Standardization
ISO-7-Bit-Code m [von der ISO genormter Code
mit 128 Code-Kombinationen; durch nationale
Festlegung der freigehaltenen Kombinationen
erhält man z.B. den ASCII-Code und den Code
nach DIN 66003]
ISO 7-bit code [code with 128 combinations
standardized by ISO; national definition of free
combinations leads, for example, to the ASCII
code and the DIN 66003 code]
ISO-Referenzmodell n, OSI-Modell n
[Rechnerverbundmodell mit sieben
Funktionsschichten; typische Protokolle der
physikalischen (ersten) Schicht sind RS-232-C
und V.24]
ISO reference model, OSI model (Open
System Interconnection) [computer network
model based on seven layers; typical physical
(layer one) protocols are RS-232-C and V.24]
Isolation durch Basisdiffusion f,
Basisdiffusionsisolation f, BDI-Technik f
Isolationsverfahren für integrierte
Bipolarschaltungen.
base diffusion isolation technology, BDI
technology
Technique for achieving electrical isolation in
bipolar integrated circuits.
Isolation durch Kollektordiffusion f,
Kollektordiffusionsisolation f, CDI-Technik f
Spezielles Isolationsverfahren, das bei
integrierten Schaltungen eingesetzt wird.
collector diffusion isolation (CDI
technology)
Special isolation technique used in integrated
circuits.
Isolationswanne f, Wanne f
Isolationszone in einer integrierten Schaltung
zur Aufnahme von Transistoren, um sie von
anderen Elementen der Schaltung elektrisch zu
isolieren. So wird beispielsweise der N-Kanal-
Transistor einer CMOS-Schaltung in eine P-
leitende Wanne eindiffundiert.
well, isolation pocket
Isolated region in an integrated circuit into
which transistors are fabricated to separate
them electrically from other circuit elements.
For example, the n-type transistor of a CMOS
integrated circuit is constructed within a p-well

by a diffusion step.
Isolationswiderstand *m*
  insulating resistance
Isolator *m*
  insulator
Isolierschicht-Feldeffekttransistor *m*
  (IGFET)
  Feldeffekttransistor, bei dem das Gate durch
  eine dünne Isolierschicht vom stromführenden
  Kanal getrennt ist. Durch eine an die
  Gateelektrode angelegte Spannung wird der
  Strom im Kanal gesteuert. Man unterscheidet
  zwischen N- und P-Kanal-Typen sowie
  zwischen Anreicherungs- und Verarmungs-
  Typen.
  insulated-gate field-effect transistor
  (IGFET)
  Field-effect transistor in which the gate is
  separated from the conducting channel by a
  thin dielectric barrier. A voltage applied to the
  gate terminal controls the current in the
  channel. IGFETs can be classified as n- or p-
  channel types and also as enhancement-mode
  or depletion-mode types.
Isolierschlauch *m*
  insulating sleeve
Isolierung *f*
  insulation
Isoplanartechnik *f*
  Isolationsverfahren für bipolare integrierte
  Schaltungen, bei dem die einzelnen Strukturen
  der Schaltung durch lokale Oxidation von
  Silicium voneinander isoliert werden.
  isoplanar technology
  Isolation technique for bipolar integrated
  circuits which provides isolation between the
  various circuit structures by local oxidation of
  silicon.
Istwert *m*
  actual value, instantaneous value
ISZM, indiziert-sequentielle Zugriffsmethode *f*
  [basiert auf einer Kombination von direktem
  Zugriff auf einen Index und sequentiellem
  Zugriff auf Datensätze, die unter diesem Index
  gespeichert sind]
  ISAM, indexed sequential access method
  [based on a combination of direct access to an
  index and sequential access to the records
  stored under that index]
Iteration *f* [wiederholte Anwendung einer
  Rechenoperation, eines Programmteils oder
  eines Algorithmus]
  iteration [repeated execution of an arithmetic
  operation, of a program section or of an
  algorithm]
Iterationsschleife *f* [eines Programmes]
  iteration loop [of a program]
iterative Division *f,* schrittweise Division *f*
  iterative division

iterative Operation *f*
  iterative operation
IVPO-Verfahren *n* [Verfahren, das bei der
  Herstellung von Glasfasern eingesetzt wird]
  inside vapour-phase oxidation process
  (IVPO) [a process used for the production of
  glass fibers]

J

JEDEC [eine Normungsorganisation in den USA]
  JEDEC (Joint Electronic Device Engineering
  Council)
Jitter *n*, Zittern *n* [Schwankung der zeitlichen
  Lage eines Signals oder des Zustandswechsels
  bei Digitalsignalen; verallgemeinert: Zeit-,
  Amplituden-, Frequenz- oder
  Phasenschwankungen]
  jitter [fluctuation of the timing of a signal or of
  the change of state of digital signals;
  generalized: time, amplitude, frequency or
  phase fluctuations]
JK-Flipflop *n* [Flipflop mit zwei Eingängen, J
  und K, und einem Takteingang, der den
  Zustandswechsel auslöst; J = 1 und K = 0
  setzen das Flipflop (d.h. es geht in den Zustand
  1); J = 0 und K = 1 setzen das Flipflop zurück
  (d.h. es geht in den Zustand 0); sind beide
  Eingänge logisch 1, wechselt der Zustand]
  JK flip-flop [flip-flop with two inputs, J and K,
  and a clock input that triggers the change of
  state; J = 1 and K = 0 set the flip-flop (i.e. it
  goes to state 1); J = 0 and K = 1 reset the flip-
  flop (i.e. it goes to state 0); when both inputs
  are logical 1, the state changes]
Job *m*, Auftrag *m*
  job, order
Job-Anweisung *f*
  job statement
Job-Steuerung *f*
  job scheduling
Jobende *n*, Ende der Arbeit *n*
  end of job (EOJ)
Josephson-Effekt *m*
  Stromfluß infolge Tunnelung durch eine sehr
  dünne Isolationsschicht zwischen zwei
  Supraleitern (metallische Leiter nahe 0 K), an
  die eine Gleichspannung angelegt ist. Dieser
  Effekt kann für sehr schnelle Logikschaltungen
  (Schaltzeit < 100 ps) und Speicherzellen
  genutzt werden.
  Josephson effect
  Current flow due to tunneling through a very
  thin insulating layer between two
  superconductors (metal conductors near 0 K) on
  which a dc voltage is applied. This effect can be
  used in the design of high-speed logic circuits
  (switching time < 100 ps) and memory cells.
Josephson-Element *n* [Bauteil, das auf dem
  Josephson-Effekt basiert]
  Josephson junction circuit [circuit based on
  the Josephson effect]
Josephson-Übergang *m*
  Josephson junction
Joule *n* (J) [SI-Einheit der Energie und Arbeit]

joule (J) [SI unit of energy and work]
Jukebox *f* [automatischer Wechsler für optische
  Speicherplatten]
  juke box [automatic changer for optical disks]
Justierfehler *m*, Abgleichfehler *m*
  alignment error, adjustment error
Justiergenauigkeit *f*, Abgleichgenauigkeit *f*
  alignment accuracy, adjustment accuracy
Justierung *f*, Einstellung *f*
  adjustment

K

Kabel n [z.B. Flachkabel, Koaxialkabel, flexibles Kabel]
cable [e.g. flat cable, coaxial cable, flexible cable]
Kabelkanal m
cable duct
kabellose Maus f
cableless mouse
kalte Lötstelle f
cold solder connection
Kaltleiter m, PTC-Widerstand m, PTC-Thermistor m
Halbleiterelement mit positivem Temperaturkoeffizienten, d.h. dessen Widerstand mit steigender Temperatur zunimmt.
PTC resistor, PTC thermistor, thermistor (thermal resistor)
Semiconductor component with a positive temperature coefficient (PTC), i.e. whose resistance increases as temperature rises.
Kaltstart m [Aufstarten des Rechners durch Einschalten bzw. Aus- und Wiedereinschalten, im Gegensatz zum Warmstart]
cold boot [start up of computer by switching on or switching off and on again, in contrast to warm boot]
Kanal m [allgemein: ein Übertragungsweg für Signale, Daten, Steuerinformationen usw.]
channel, port [general: a path for the transmission of signals, data, control information, etc.]
Kanal m, leitender Kanal m [bei Feldeffekttransistoren der Pfad, durch den der Stromfluß zwischen Source und Drain erfolgt]
conductive channel, channel [in field-effect transistors, the path through which current flows between source and drain]
Kanalabstand m
channel spacing
Kanalbreite f
channel width
Kanaldotierung f [Dotierung des Kanalbereichs bei Feldeffekttransistoren]
channel doping [doping of the channel region in field-effect transistors]
Kanaldurchbruch m [Lawinendurchbruch des Kanals bei Feldeffekttransistoren]
channel breakdown [avalanche breakdown of the channel in field-effect transistors]
Kanaleinschnürung f [Verengung des leitenden Kanals bei Sperrschicht-Feldeffekttransistoren]
channel pinch-off [narrowing of the conductive channel in junction field-effect transistors]

Kanallänge f
channel length
Kanalrauschen n
channel noise
Kanalstatuswort n [Rechnertechnik]
channel status word [computer technology]
Kanalstrom m [der spannungsgesteuerte Strom im Kanal eines Feldeffekttransistors, der zwischen Source und Drain fließt]
channel current [the voltage-controlled current in the channel of a field-effect transistor flowing between source and drain]
Kanalwiderstand m
channel resistance
Kapazitanz f, kapazitive Reaktanz f
capacitive reactance
kapazitive Reaktanz f, Kapazitanz f
capacitive reactance
kapazitive Rückkopplung f
capacitive feedback
Kapazität f [eines Kondensators in F]
capacitance [of a capacitor in F]
Kapazität f [eines Speichers; Anzahl Speicherbits, z.B. in kB oder MB]
capacity [of a storage device; number of bits stored, e.g. in kB or MB]
Kapazitätsdiode f, Kapazitätsvariationsdiode f, Varaktor m [Halbleiterdiode mit spannungsabhängiger Kapazität]
varactor, varicap, variable capacitance diode [semiconductor diode with voltage-dependent capacitance]
Kapazitätsverhältnis n
capacitance ratio
Kappdiode f, Klemmdiode f, Klammerdiode f
clamping diode
Kapselung f [bei der objektorientierten Programmierung: die Einschließung von Daten und Funktionen in einer gemeinsamen Kapsel]
encapsulation [in object oriented programming: enclosing data and functions in a common capsule]
Kapselung f, Vergießen n, Verkappen n, Verkapselung f
Verfahren, bei dem Halbleiterbauelemente oder Baugruppen mit einer aushärtenden, isolierenden Gießmasse (meistens Kunstharz) umgossen werden, um sie vor mechanischer Beanspruchung und Verschmutzung zu schützen.
encapsulation, potting
Process of embedding semiconductor components or assemblies in a thermosetting fluid encapsulant (usually plastic resin) to protect them against mechanical stress and dirt.
Karnaugh-Diagramm n, Karnaugh-Veitch-Diagramm n [matrixförmige Darstellung einer Wahrheitstabelle]

Karnaugh map [matrix-like representation of a truth table]

Karte *f,* Leiterplatte *f*
board, printed circuit board

Karte *f,* Lochkarte *f*
card, punched card

Kartenstecker *m,* Steckerleiste *f*
[Steckverbindung für eine Leiterplatte]
edge connector [connector for a printed circuit board]

kartesische Koordinaten *f.pl.,* rechtwinklige Koordinaten *f.pl.*
cartesian coordinates

kaschiert [z.B. kupferkaschiert, mit Gewebe kaschiert]
clad, backed [e.g. copper-clad, fabric-backed]

Kaskade *f,* Reihenschaltung *f*
cascade

Kaskadenbetrieb *m*
cascaded operation

Kaskadenmischen *n,* Kaskadensortieren *n*
cascade merge, cascade sort

Kaskadenschaltung *f* [Reihenschaltung gleichartiger Verstärkerstufen oder Netzwerke]
cascade connection [series connection of identical amplifier stages or networks]

Kaskadensortieren *n,* Kaskadenmischen *n* [Verfahren für das Sortieren bzw. Mischen von Dateien]
cascade sort, cascade merge [method for sorting or merging files]

Kaskadenübertrag *m* [wiederholte Bildung des Übertrages]
cascaded carry [repeated carry process]

Kaskadenverstärker *m* [Verstärker in Kaskadenschaltung]
cascade amplifier [cascade connected amplifier]

Kaskadieren *n*
cascading

Kassette *f,* Cartridge *n,* Magnetbandkassette *f*
cassette, cartridge, magnetic tape cassette

Kassettengerät *n,* Kassettenrecorder *m*
cassette recorder

Kassettenschnittstelle *f*
cassette interface

Kassettenschriftart *f*
cartridge font

katalogisieren
catalog, to

Kathodenanschluß *m*
cathode terminal

kathodenseitig steuerbarer Thyristor *m*
p-gate thyristor

Kathodenstrahloszillograph *m*
cathode-ray oscilloscope (CRO)

Kathodenstrahlröhre *f,* Bildröhre *f*
cathode-ray tube (CRT), picture tube

Kathodenzerstäuben *n,* Kathodenzerstäubung

f, Sputtern *n*
Abscheideverfahren für die Herstellung von leitenden und dielektrischen Schichten bei der Fertigung von Halbleiterbauteilen und integrierten Schaltungen.
cathode sputtering, sputtering
A deposition process for forming conductive films and dielectric layers in semiconductor component and integrated circuit fabrication.

Keilkontaktierung *f*
Ein Thermokompressionsverfahren für die Kontaktierung integrierter Schaltungen, bei dem ein keilförmiges Werkzeug für die Herstellung der Verbindungen zwischen der Leiterbahnmetallisierung auf dem Chip und den Gold- oder Aluminiumanschlußdrähten verwendet wird.
wedge bonding
A thermocompression method for bonding integrated circuits which uses a wedge-shaped tool to make the electrical contact between the metallized conductive pattern on the chip and the gold or aluminium lead wires.

Kellerliste *f,* LIFO-Liste *f,* Stapel *m* [eine Liste, in der die letzte Eintragung als erste wiedergefunden wird]
push-down list, LIFO list [list in which the last item stored is the first to be retrieved (last-in/first-out)]

Kellerspeicher *m,* FILO-Speicher *m,* LIFO-Speicher *m,* Stapelspeicher *m*
Speicher, der ohne Adreßangabe arbeitet und dessen Daten in der umgekehrten Reihenfolge gelesen werden, in der sie zuvor geschrieben worden sind, d.h. das zuletzt geschriebene Datenwort wird als erstes gelesen; er wird mittels Schieberegister oder RAM insbesondere für die Bearbeitung von Unterprogrammen verwendet, d.h. für die Datenspeicherung vor einem Sprungbefehl.
FILO storage (first-in/last-out), LIFO storage (last-in/first-out), stack
Storage device operating without address specification and which reads out data in the reverse order as it was stored, i.e. the first data word is read out last; implemented as shift registers or RAM, it is particularly used for subroutines, i.e. for storing data prior to a jump instruction.

Kellerzeiger *m,* Stapelzeiger *m* [ein Adreßregister in einem Mikroprozessor; zeigt die Speicherstelle des Keller- bzw. Stapelspeichers an, auf die der letzte Zugriff erfolgte]
stack pointer [an address register in a microprocessor; points to the last-accessed storage location of a stack]

Kelvin-Effekt, Stromverdrängung *f* [die Eigenschaft des Wechselstromes, sich bei

hohen Frequenzen an der Oberfläche des Leiters zu konzentrieren; der Effekt nimmt bei steigender Frequenz zu und vergrößert den Leiterwiderstand]
skin effect, Kelvin effect [the property of alternating current to concentrate in the surface layer of a conductor at high frequencies; the effect increases with frequency and results in a higher conductor resistance]
Kenndaten *n.pl.*
characteristic data, characteristics
Kenndatenzusammenstellung *f,* technische Daten *n.pl.,* Spezifikation *f,* Pflichtenheft *n*
specifications
Kennlinie *f*
characteristic, curve, graph
Kennlinienfeld *n,* Kennlinienschar *f*
family of characteristics
Kennlinienknickpunkt *m*
breakpoint in a curve
Kennlinienschar *f,* Kennlinienfeld *n*
family of characteristics
Kennlinienschreiber *m*
curve tracer
Kennsatz *m,* Etikett *n* [kennzeichnet Beginn oder Ende eines Bandes bzw. einer Datei; identifiziert, beschreibt oder begrenzt das Band bzw. die Datei; Adressenteil für einen Sprungbefehl]
label, identifying label, label record [marks start or end of a tape or file; identifies, describes or delimits tape or file; address part of a jump instruction]
Kennung *f*
identification marker, identifier
Kennwort *n,* Paßwort *n* [verhindert den unerlaubten Zugriff auf ein Rechensystem bzw. auf gespeicherte Informationen]
password [prevents unauthorized access to computer or stored information]
Kennzeichen *n,* Identifizierungszeichen *n* [Zeichen, die den Beginn oder das Ende eines Feldes, eines Wortes oder einer Datenmenge kennzeichnen]
tag [symbols marking the beginning or the end of a field, word, item or data set]
Kennzeichnung *f*
identifier, label, designation, tag
Kennziffer *f*
code digit
Keramikgehäuse *n*
ceramic package
Keramiksubstrat *n*
ceramic substrate
keramisches DIP-Gehäuse *n,* Cerdip *n* [Keramikgehäuse mit zwei parallelen Reihen rechtwinklig abgebogener Anschlüsse]
ceramic dual in-line package, cerdip [ceramic package with two parallel rows of

terminals at right angles to the body]
keramisches Flachgehäuse *n,* Cerpac *n* [flaches Keramikgehäuse mit zwei parallelen Reihen bandförmiger Anschlüsse]
ceramic flat-pack, cerpac [flat ceramic package with two parallel rows of ribbon-shaped terminals]
Kern *m* [eines modularen Betriebssystems: liegt der Hardware am nächsten und ist zuständig für Grundfunktionen]
kernel [of a modular operating system: lies closest to the hardware and provides basic functions]
Kern *m,* Magnetkern *m*
magnetic core, core
Kernmatrix *f,* Kernspeichermatrix *f*
core array, core matrix
Kernspeicher *m,* Magnetkernspeicher *m*
core storage, core memory, magnetic core storage
Kernspeichermatrix *f,* Kernmatrix *f*
core array, core matrix
Kernumwandlung *f,* Neutronenbestrahlung *f,* Neutronendotierung *f* [Halbleiterdotierung] Ein Dotierungsverfahren, bei dem bestimmte Siliciumisotope durch Neutronenbestrahlung in einem Kernreaktor in Phosphorisotope umgewandelt werden. Das Verfahren erlaubt eine sehr homogene Dotierung.
neutron irradiation, transmutation, neutron transmutation [semiconductor doping] A doping process in which neutron irradiation of silicon in a nuclear reactor causes certain silicon isotopes to be changed into phosphorous isotopes. The process allows highly homogeneous doping.
ketten, verketten
chain, to; concatenate, to
Kettendaten *n.pl.*
string data
Kettennetzwerk *n,* Kettenschaltung *f*
ladder network
Kettenparameter *m*
chain parameter
Kettenschaltung *f,* Kettennetzwerk *n* [aneinandergereihte Glieder oder Vierpole]
ladder network [a sequence of two or four-pole elements]
Kettensuche *f,* Suchen in geketteter Liste *n*
chained search, chaining search
Kettung *f,* Verkettung *f* [von Adressen mit Zeigern]
chaining [of addresses with pointers]
KI, künstliche Intelligenz *f* [die Fähigkeit eines Rechnersystems, Aufgaben zu lösen, die dem Bereich der menschlichen Intelligenz angehören, z.B. Mustererkennung, Sprachübersetzung, Musikkomposition usw.]
AI, artificial intelligence [the ability of a

computer system to solve problems which are within the area of human intelligence, e.g. pattern recognition, language translation, music composition, etc.]

Killer-Programm *n,* trojanisches Pferd *n* [Programm, das unter falschem Namen in das System gelangt und bei der Ausführung Schaden anrichtet]

killer program, Trojan horse [program that enters the system under a false name and causes damage when executed]

Kilobaud *n* [Übertragungsgeschwindigkeit von 1000 Baud; bei binärer Übertragung = 1000 Bit/s]

kilobaud [transmission speed of 1000 baud; in the case of binary transmission = 1000 bit/s]

Kilobyte *n* (kB) [1000 Byte]

kilobyte (kB) [1000 bytes]

Kippdauer *f* [z.B. eines Flipflops]

switching time [e.g. of a flip-flop]

Kippglied *n,* Kippschaltung *f,* Multivibrator *m*

multivibrator

Kippimpuls *m* [Impuls für das Setzen einer Kippschaltung (Ausgangszustand = 1)]

set pulse [pulse for setting a multivibrator (output state = 1)]

Kipposzillator *m,* Kippschwinger *m,* Relaxationsoszillator *m*

relaxation oscillator

Kippschaltung *f,* Kippglied *n,* Multivibrator *m* [eine Schaltung mit zwei Ausgangszuständen, die von selbst oder durch ein Auslösesignal dazu veranlaßt, sprunghaft von einem in den anderen Zustand übergeht (kippt); man unterscheidet astabile (= freischwingende), bistabile (= Flipflop) und monostabile (= Monoflop) Kippschaltungen

multivibrator [a circuit having two output states, the transition between the two being spontaneous or triggered by an external signal; there are three types: astable (= free-running multivibrator), bistable (= flip-flop or bistable trigger circuit) and monostable (= mono-flop, monostable trigger circuit or one-shot multivibrator)]

Kippschwinger *m,* Kipposzillator *m,* Relaxationsoszillator *m*

relaxation oscillator

Kippspannung *f* [bei Thyristoren]

breakover voltage [in thyristors]

KIPS [Maß für die Rechnergeschwindigkeit in Kilobefehle/s, basiert üblicherweise auf 70% Additionen und 30% Multiplikationen]

KIPS [measure for computer operating speed in kilo-instructions per second, usually based on 70% additions and 30% multiplications]

Kissenverzerrung *f* [Bildschirm]

pin cushioning [screen]

Klammer *f* [z.B. runde oder eckige Klammer]

bracket [e.g. round or square bracket]

Klammerausdruck *m*

bracketted term, parenthesized term

Klammerdiode *f,* Klemmdiode *f,* Kappdiode *f*

clamping diode

klammerfreie Schreibweise *f,* Präfix- bzw. polnische Schreibweise *f,* Postfix- bzw. umgekehrte polnische Schreibweise *f* [eliminiert Klammern bei mathematischen Operationen, z.B. (a+b)c wird als *c+ab (Präfix) bzw. als cab+* (Postfix) geschrieben]

parenthesis-free notation, prefix or Polish notation, postfix or reversed Polish notation (RPN) [eliminates brackets in mathematical operations, e.g. (a+b)c is written *c+ab (prefix) or cab+* (postfix)]

Klarschrift *f,* OCR-Schrift *f,* Magnetschrift *f* [von Menschen und Maschinen lesbare Schrift]

optical characters (OCR characters), magnetic characters [characters readable by humans and machines]

Klarschriftcodierer *m*

character encoder

Klarschrifterkennung *f* OCR-Verfahren *n,* optische Zeichenerkennung *f*

optical character recognition (OCR), magnetic character recognition (MCR)

Klartext *m* [eine nicht codierte Mitteilung, z.B. eine Mitteilung für den Bediener]

plain language text, clear text [a message that is not coded, e.g. an operator message]

Klasse *f* [bei der objektorientierter Programmierung: Modellkategorie]

class [in object oriented programming: a model category]

klassifizieren, einordnen, ordnen [z.B. statistische Daten]

classify, to [e.g. statistical data]

Klassifizierung *f*

classification

klebebeschichtetes Laminat *n* [Leiterplatten]

adhesively coated laminate [printed circuit boards]

Klebefolie *f* [Leiterplatten]

bonding sheet [printed circuit boards]

Kleinbuchstabe *m*

lower case character

Kleinintegration *f* (SSI)

Integrationstechnik, bei der nur wenige Transistoren oder Gatterfunktionen (zwischen 5 und 100) auf einem Chip enthalten sind.

small-scale integration (SSI)

Technique for the integration of only a few transistors or logical functions (between 5 and 100) on the same chip.

Kleinrechner *m,* Minicomputer *m* [zwischen Mikrorechner und Großrechner]

minicomputer [between microcomputer and mainframe computer]

Kleinsignalansteuerung *f*
small-signal drive
Kleinsignalkapazität *f*
small-signal capacity
Kleinsignaltransistor *m*
small-signal transistor
Kleinsignalverstärker *m*
small-signal amplifier
Kleinsignalverstärkung *f* [von der
Signalamplitude unabhängige Verstärkung]
small-signal amplification [amplification
independent of the signal amplitude]
Kleinsignalwiderstand *m*
small-signal resistance
Kleinstbaugruppe *f*, Mikrominiaturbaugruppe
f, Mikromodul *m*
microminiature assembly, micromodule
kleinster gemeinsamer Nenner *m*
lowest common denominator (LCD)
Klemmdiode *f*, Klammerdiode *f*, Kappdiode *f*
clamping diode
Klemmenspannung *f*
terminal voltage
Klemmschaltung *f* [Schaltung, die den
Gleichstromanteil eines Signals
wiederherstellt]
clamping circuit [circuit for restoring the dc
level of a signal]
klicken, anklicken [Maustaste kurz drücken und
loslassen]
click, to [briefly depressing mouse button]
Klirrfaktor *m* [Verzerrung durch Oberwellen]
harmonic distortion [distortion due to
harmonics]
Klon *m* [kopiertes Gerät, z.B. IBM-PC-Klon]
clone [copied unit, e.g. IBM PC clone]
Knoten *m*, Verzweigungspunkt *m* [eines Netzes]
node [of a network]
Koaxialkabel *n*
coaxial cable
Koaxialstecker *m*
coaxial plug
Koaxialsteckverbinder *m*
coaxial connector
Kodierstift *m* [Steckverbinder]
coding pin, polarizing pin [connectors]
Kohleschichtwiderstand *m*,
Kohleschichtfestwiderstand *m*
carbon film resistor, fixed carbon film
resistor
Koinzidenzschaltung *f*, UND-Glied *n*, UND-
Schaltung *f* [verknüpft zwei oder mehr
Schaltvariablen entsprechend der UND-
Funktion, d.h. der Ausgangswert ist 1, wenn
und nur wenn alle Eingänge den Wert 1 haben]
coincidence circuit, AND element, AND
circuit [combines two or more switching
variables according to the AND function, i.e.
the output is 1, if and only if all inputs are 1]

Kollektor *m* [Bipolartransistoren]
Bereich des Bipolartransistors, in den die aus
dem Emitterbereich in den Basisbereich
injizierten Ladungsträger diffundieren.
collector [bipolar transistors]
Region of the bipolar transistor into which the
charge carriers, which have been injected from
the emitter region into the base region, move by
diffusion.
Kollektor-Basis-Diode *f*, Kollektor-Basis-
Übergang *m*
Ein PN- (bzw. NP-) Übergang zwischen
Kollektor- und Basiszone eines
Bipolartransistors. Bei bipolaren integrierten
Schaltungen die Diode, die aus dem Kollektor-
Basis-Übergang gebildet wird.
collector-base diode, collector-base junction
A pn- (or np-) junction between the collector
and base regions of a bipolar transistor. In
bipolar integrated circuits, the diode formed by
the collector-base junction.
Kollektor-Basis-Durchbruchspannung *f*
collector-base breakdown voltage
Kollektor-Basis-Kapazität *f*
collector-base capacitance
Kollektor-Basis-Reststrom *m*
collector-base cut-off current
Kollektor-Basis-Spannung *f* [Spannung
zwischen Kollektoranschluß und
Basisanschluß]
collector-base voltage [voltage between
collector terminal and base terminal]
Kollektor-Basis-Sperrschicht *f*, Kollektor-
Basis-Übergang *m*
depletion layer between collector and
base, collector-base junction
Kollektor-Basis-Strom *m*
collector-base current
Kollektor-Basis-Übergang *m*, Kollektor-Basis-
Diode *f*
collector-base diode, collector-base junction
Kollektor-Emitter-Dauerspannung *f*
collector-emitter sustaining voltage
Kollektor-Emitter-Durchbruchspannung *f*
collector-emitter breakdown voltage
Kollektor-Emitter-Kapazität *f*
collector-emitter capacitance
Kollektor-Emitter-Reststrom *m*
collector-emitter cut-off current
Kollektor-Emitter-Sättigungsspannung *f*
collector-emitter saturation voltage
Kollektor-Emitter-Spannung *f* [Spannung
zwischen Kollektoranschluß und
Emitteranschluß]
collector-emitter voltage [voltage between
collector terminal and emitter terminal]
Kollektor-Rückwirkungskapazität *f*
collector feedback capacitance
Kollektoranschluß *m*, Kollektorkontakt *m* [von

außen zugängliche Stelle für den Anschluß an den Kollektorbereich]
collector terminal, collector contact [terminal, accessible from the outside, making electrical contact with the collector region]
Kollektorbahnwiderstand m
collector series resistance
Kollektorbereich m, Kollektorzone f
collector region, collector zone
Kollektordiffusion f
Diffusion von Fremdatomen in den Kollektorbereich eines bipolaren Halbleiterbauteils.
collector diffusion step
Diffusion of impurities into the collector region of a bipolar semiconductor component.
Kollektordiffusionsisolation f, Isolation durch Kollektordiffusion f, CDI-Technik f
Spezielles Isolationsverfahren, das bei integrierten Schaltungen eingesetzt wird.
collector diffusion isolation (CDI technology)
Special isolation technique used in integrated circuits.
Kollektordiode f [Kurzform für Kollektor-Basis-Diode]
collector diode [short form for collector-base diode]
Kollektordotierung f
Dotierung des Kollektorbereiches bei der Fertigung von bipolaren Bauelementen oder bipolaren integrierten Schaltungen.
collector doping
Doping of the collector region in bipolar component and integrated circuit fabrication.
Kollektordurchbruch m
collector breakdown
Kollektordurchbruchspannung f
collector breakdown voltage
Kollektorelektrode f
collector electrode
Kollektorkapazität f
collector capacitance
Kollektorkontakt m, Kollektoranschluß m [von außen zugängliche Stelle für den Anschluß an den Kollektorbereich]
collector contact, collector terminal [terminal, accessible from the outside, making electrical contact with the collector region]
Kollektorschaltung f
[Transistorgrundschaltung]
Eine der drei Grundschaltungen des Bipolartransistors, bei dem die Kollektorelektrode die gemeinsame Bezugselektrode ist.
common collector connection [basic transistor configuration]
One of the three basic configurations of the bipolar transistor having the collector as a

common reference terminal.
Kollektorspannung f
collector voltage
Kollektorsperrschicht f, Kollektorübergang m [PN- (bzw. NP-) Übergang zwischen Kollektor- und Basiszone eines Bipolartransistors]
depletion layer between collector and base, collector junction [pn- (or np-) junction between collector zone and base zone of a bipolar transistor]
Kollektorsperrschichtkapazität f
collector depletion layer capacitance
Kollektorsperrstrom m
collector reverse current
Kollektorspitzenstrom m
collector peak current
Kollektorstrom m [über den Kollektoranschluß fließender Strom]
collector current [current flowing through the collector terminal]
Kollektorübergang m, Kollektorsperrschicht f
depletion layer between collector and base, collector junction
Kollektorverlustleistung f
collector dissipation
Kollektorvorspannung f
collector bias
Kollektorwiderstand m
collector resistance
Kollektorzone f, Kollektorbereich m
collector region, collector zone
Kollision f
collision
Kombinatorik f
combinatorics
kombinatorische Logik f [logische Verknüpfung ohne Speicherverhalten, im Gegensatz zur sequentiellen Logik; ergibt einen eindeutigen Ausgangswert für jede eindeutige Kombination von Eingangswerten]
combinational logic, combinatorial logic [a logical function without storage properties in contrast to sequential logic; provides unique output for each unique combination of inputs]
kombinatorische Schaltung f,
kombinatorisches Schaltwerk n
Eine logische Schaltung, deren Ausgangswerte nur von den augenblicklichen Eingangswerten abhängen, d.h. eine Schaltung bestehend aus Gattern (z.B. UND-Glieder) aber ohne Speicherelemente wie Flipflops.
combinational circuit, combinatorial circuit
A logic circuit whose output values depend only on the instantaneous input values, i.e. a circuit comprising gates (e.g. AND gates) but without storage elements such as flip-flops.
kombinierte Anzeige f, gemischte Anzeige f
[Anzeige von alphanumerischen Zeichen und Graphik]

mixed display, combined display [display of alphanumeric characters and graphics]

kombinierte Tastatur f [z.B. alphanumerische Tasten und getrennter Zahlenblock]
combined keyboard [alphanumeric keys and separate numeric keypad]

Komma n, Dezimalkomma n [bei Zahlen]
point, decimal point [in numbers]

Kommaeinstellung f
point setting

Kommando n, Steuerbefehl m [steuert den Programmablauf; löst eine Rechneroperation aus, die durch einen Befehl definiert ist]
command, control command, control instruction [controls the program sequence; initiates a computer operation defined by an instruction]

Kommandofolge f
command sequence

Kommandosprache f [Befehle des Betriebssystems für den Aufruf von Systemfunktionen; wird vom Bediener für Kommandos an den Rechner verwendet, z.B. um ein Programm zu laden]
command language [instructions of the operating system for calling up system functions; is used by the operator for giving commands to the computer, e.g. for loading a program]

Kommandozeile-Schnittstelle f [Kommandoeingabe auf DOS-Ebene]
command line interface [command entry at DOS level]

Kommaverschiebung f
point shifting, shifting of decimal point

Kommentar m, Bemerkung f [in einem Programm: erläutert den Programmierschritt und wird vom Rechner nicht verarbeitet]
comment, remark [in a program: explains the programming step and is not processed by the computer]

Kommentarzeile f
comment line

kommerzielle Datenverarbeitung f
business data processing, commercial data processing

Kommunikationsleitung f, Datenkommunikationsleitung f
communication channel, data communication channel

Kommunikationsnetz n, Nachrichtennetz n
communication network

Kommunikationsprotokoll n, Protokoll n [Regeln für den Austausch von Daten zwischen zwei Kommunikationspartnern, z.B. zwischen Terminal und Rechner]
communications protocol, protocol [rules for the interchange of data between two communication partners, e.g. between terminal

and computer]

Kommunikationssystem n, Nachrichtensystem n [Nachrichtentechnik]
communication system [telecommunications]

Kommunikationstechnik f, Telekommunikationstechnik f, Fernmeldetechnik f
communications, telecommunications

kompakt, dicht gedrängt
compact

Komparator m, Vergleicher m
comparator

kompatibel, verträglich [untereinander austauschbar, z.B. zwei Bausteine, Geräte oder Systeme]
compatible [replaceable one by the other, e.g. two devices, units or systems]

Kompatibilität f, Vereinbarkeit f, Verträglichkeit f [Austauschbarkeit von Hardware und Software]
compatibility [hardware], portability [software]

kompilieren, compilieren, übersetzen
compile, to

Kompilierer m, Compiler m, Übersetzer m
Ein Programm, das ein in einer höheren Programmiersprache geschriebenes Programm in Maschinensprache bzw. Befehlscodes des Rechners übersetzt. Im Gegensatz zu einem Interpreter, der jeweils einzelne Programmanweisungen übersetzt, führt der Compiler die Übersetzung gesamthaft durch. Der Compiler hat deshalb einen geringeren Speicherbedarf und wesentlich kürzere Durchlaufzeiten.
compiler
A program for converting a program written in a higher programming language into machine language or operation codes of a computer. In contrast to an interpreter, which converts individual program instructions, the compiler converts the entire program. A compiler therefore requires less storage space and is significantly faster.

Kompilierergenerator m, Compiler-Compiler m, Compilergenerator m, Übersetzergenerator m [erzeugt einen Compiler]
compiler-compiler, compiler generator [generates a compiler]

Komplement n, Zahlenkomplement n [dient der Darstellung einer negativen Zahl; für negative Binärzahlen verwendet man entweder das Einer- oder das Zweierkomplement, für negative Dezimalzahlen entweder das Neuner- oder das Zehnerkomplement]
complement [serves to represent a negative number; for negative binary numbers one uses either the ones or the twos complement and for negative decimal numbers either the nines or

the tens complement]
komplementäre Addition *f*
complement add
komplementäre Hochleistungs-MOS-Technik *f,* CHMOS-Technik *f* [Variante der CMOS-Technik]
complementary high-performance MOS technology (CHMOS technology) [variant of CMOS technology]
komplementäre Leistungstransistoren *m.pl.* [Transistorpaar vom komplementären Typ, z.B. ein PNP- und ein NPN-Transistor; häufig als Gegentaktendstufe verwendet]
complementary power transistors [transistor pair of complementary type, e.g. a pnp- and a npn-transistor; often used as push-pull power amplifier stage]
komplementäre MOS-Technik *f,* CMOS-Technik *f,* Komplementärtechnik *f* Technik, bei der komplementäre-MOS-Transistorpaare gebildet werden, indem je ein N-Kanal- und ein P-Kanal-MOS-Transistor des Anreicherungstyps auf dem gleichen Chip kombiniert werden.
complementary MOS technology, CMOS technology (complementary MOS technology) Technique for forming complementary MOS transistor pairs by combining an n-channel and a p-channel enhancement-mode MOS transistor on the same chip.
Komplementärtechnik *f* [z.B. die CMOS-Technik]
complementary technology [e.g. CMOS technology]
Komplementärtransistoren *m.pl.* [Transistorpaar vom komplementären Typ, z.B. ein PNP- und ein NPN-Transistor]
complementary transistors [transistor pair of complementary type, e.g. a pnp- and a npn-transistor]
Komplementärverstärker *m* [aus Komplementärtransistoren gebildet]
complementary transistor amplifier [formed of complementary transistors]
komplementieren, ergänzen [das Komplement einer Zahl bilden]
complement, to [to form the complement of a number]
Komplementübertrag *m,* Rückübertrag *m,* Ringübertrag *m* [Verschieben einer Übertragsziffer von der höchstwertigen zur niedrigstwertigen Stelle]
end-around carry, complement carry [shifting a carry digit from the most significant to the least significant place]
komplexe Schreibweise *f* [z.B. Z = X + jY]
complex notation [e.g. Z = X + jY]
Komprimierung *f* [Daten]
compression [data]

Komprimierungsrate *f*
compression rate
Kondensator *m*
capacitor
kondensatorgekoppelte FET-Logik *f* (CCFL) Integrierte Schaltungsfamilie, die mit Galliumarsenid-D-MESFETs realisiert ist.
capacitor-coupled FET logic (CCFL) Family of integrated circuits based on gallium arsenide D-MESFETs.
Kondensatorspeicher *m,* elektrostatischer Speicher *m*
electrostatic storage
Konduktanz *f,* Leitwert *m,* reeller Leitwert *m* [Reziprokwert des Widerstandes; SI-Einheit: Siemens]
conductance [reciprocal value of resistance; SI unit: siemens]
Konfiguration *f,* Auslegung *f*
configuration, design
konformaler Überzug *m* [Leiterplatten]
conformal coating [printed circuit boards]
Konformitätsprüfung *f*
conformance testing
Konjunktion *f,* UND-Verknüpfung *f* [logische Verknüpfung mit dem Ausgangswert (Ergebnis) 1, wenn und nur wenn alle Eingäng (Operanden) den Wert 1 haben; für alle anderen Eingangswerte ist der Ausgangswert 0]
AND function, AND operation [logical operation having the output (result) 1, if and only if all inputs (operands) are 1; for all other input values the output is 0]
konjunktiv verknüpfen, UND-mäßig verknüpfen
AND, to
konkurrent, gleichzeitig
concurrent
Konkurrenzverfahren *n* [Betriebsart, bei der mehrere Benutzer konkurrierend auf gemeinsame Einrichtungen zugreifen, z.B. auf Magnetbandspeicher]
contention mode [multiple users contending for shareable facilities, e.g. magnetic tape storage]
Konnektor *m* [Symbol für die Fortsetzung von Ablaufdiagrammen]
connector symbol [symbol used for continuing flow charts]
Konsole *f,* Bedienkonsole *f,* Bedienungskonsole *f*
console, operator console, operator's console
Konstante mit Vorzeichen *f*
signed constant
Konstante ohne Vorzeichen *f*
unsigned constant
konstante Vorspannung *f*
constant bias voltage
Konstantspannungsquelle *f*

constant voltage source
Konstantstromquelle *f*
constant current source
Konstruktor *m* [Initialisierungsfunktion in C++]
constructor [initialization function in C++]
Konsumelektronik *f,* Unterhaltungselektronik *f*
consumer electronics
Kontaktfläche *f*
contact area
Kontaktieren *n,* Bonden *n*
Verfahren zum Herstellen von elektrischen
Verbindungen zwischen den Kontaktflecken
auf dem Chip und den Außenanschlüssen des
Gehäuses.
bonding
Process for providing electrical connections
between the bonding pads on the chip and the
external leads of the package.
Kontaktierungsfleck *m,* Bondinsel *f,*
Anschlußfleck *m* [integrierte Schaltungen]
bonding pad, external bonding pad
[integrated circuits]
Kontaktloch *n,* Verbindungsloch *n*
[durchkontaktierte Bohrung für Verbindungen
und nicht für Bauteilmontage auf
Leiterplatten]
via hole [plated-through hole for through
connection and not used for component
insertion in a PCB]
Kontaktprellen *n,* Prellen *n*
contact bounce, bounce
Kontaktwiderstand *m,* Übergangswiderstand
contact resistance
Kontaktwiderstandsmethode *f,*
Ausbreitungswiderstandsmethode *f*
Meßmethode zur Bestimmung des spezifischen
Widerstandes eines Halbleiters.
spreading resistance method
Method for measuring the resistivity of a
semiconductor.
Kontamination *f,* Verunreinigung *f*
[unerwünschte Partikel auf Prozeßanlagen oder
Halbleiterscheiben, die die Ausbeute bei der
Herstellung von Halbleiterbauelementen
verringern]
contamination [unwanted particles on
process equipment or wafers affecting the yield
in semiconductor component fabrication]
Kontrasteinstellung *f*
contrast adjustment
Kontroll-Leseverfahren *n,* RAW-Verfahren *n*
[Kontrolle der Speicherung durch Lesen nach
dem Schreiben]
RAW technique (Read-After-Write) [verifying
procedure for data storage]
Kontrollbit *n,* Prüfbit *n* Paritätsbit *n*
[zusätzliches Bit, das jeder Informationseinheit, z.B. Zeichen, Byte oder Wort, zugefügt
wird, um eine ungerade bzw. gerade Summe

aller Bits in dieser Einheit zu erhalten; damit
lassen sich Übertragungsfehler erkennen]
check bit, parity bit [a check bit added to a
unit of data, e.g. character, byte or word, to
obtain an odd or even sum of all bits in the unit
of data; serves to detect transmission errors]
Kontrolldrucker *m*
monitor printer
Kontrolle *f,* Prüfung *f*
check, test
Kontrolle der Programmierung *f* [Betriebsart
bei Speichern]
verify mode [operational mode of memories]
kontrollieren, prüfen
check, to; test, to
kontrolliert abbrechen, abbrechen
[Unterbrechung eines laufenden Programmes
durch den Bediener]
abort, to [interruption of a running program
by the operator]
Kontrollsumme *f,* Überschlagssumme *f*
check sum, check total, hash total
Kontrollzeichen *n,* Prüfzeichen *n*
check character
Kontrollzeichnung *f* [Schaltungsentwurf]
Die von einer rechnergesteuerten
Zeichenmaschine zu Kontrollzwecken erstellte
topologische Gesamtübersicht einer
integrierten Schaltung.
check plot [circuit design]
A topological overview of an integrated circuit
produced for checking purposes with the aid of
a computer-controlled drafting machine.
konventioneller Speicher *m* [das erste
Megabyte des Hauptspeichers; nach Abzug des
oberen Speicherbereiches (für die System-
verwaltung reserviert und für Programme
nicht verfügbar) bleiben 640 kB in DOS
verfügbar]
conventional memory [the first Megabyte of
main memory; after deducting the upper
memory area (used for system management
and not available to programs) this leaves 640
kB in DOS]
Konvertierung *f,* Umsetzung *f,* Umsetzen *n*
conversion
Konzentrator *m* [verringert die Anzahl der
Kanäle bei der Datenübertragung]
concentrator [reduces the number of channels
in data transmission]
Koordinatenschreiber *m,* XY-Schreiber *m*
[elektromechanisches Registriergerät, dessen
Schreiber durch die kombinierte Wirkung von
je einem Antrieb in der X- und in der Y-Achse
bewegt wird]
xy-plotter, xy-recorder, coordinate plotter
[electromechanical recorder whose stylus is
moved by the combined effect of drives in the x
and y axes]

Koordinatensystem *n*
coordinate system
Kopfanweisung *f*
heading statement
Kopfaufsetzer *m* [Festplattenlaufwerk]
head crash [hard disk drive]
Kopfausrichtung *f* [Laufwerk]
head alignment [disk drive]
Kopfparken *n* [Festplattenlaufwerk]
head parking [hard disk drive]
Kopfzeile *f* [Text am oberen Rand jeder
gedruckten Seite]
header [text at top of every printed page]
Kopieranweisung *f*
copy statement
Kopieren eines Blocks *n*
block copy
kopieren
copy, to
Kopierschutz *m*
copy protection
Kopierschutzstecker *m* [wird meistens in den
Druckeranschluß eingesteckt]
hardware key, dongle [hardware-based copy
protection, usually inserted in printer port]
Kopierschutzvorrichtung *f*
copy protection device
koppeln [Rechner, Geräte usw.]
link, to [computers, devices, etc.]
Kopplungsdiode *f*
coupling diode
Kopplungseinrichtung *f*,
Nahtstelleneinrichtung *f*
interface equipment
Kopplungskondensator *m*
coupling capacitor
Kopplungsverstärker *m*
coupling amplifier
Kopplungswirksamkeit *f*
coupling efficiency
Korngrenze *f* [ein Gitterfehler]
grain boundary [a lattice imperfection]
Korrektur über Tastatur *f*
keyboard correction, correction entered on
keyboard
Korrekturlader *m*
patch loader
Korrekturtaste *f*
error reset key
korrigierbarer Code *m* [ein Code mit
ausreichender Redundanz für die
Fehlerkorrektur]
correctable code [a code with sufficient
redundancy for error correction]
korrigieren [ein Programm behelfsmäßig
korrigieren, meistens im Maschinencode]
patch, to [to modify a program temporarily,
usually in machine code]
korrigieren, editieren, aufbereiten

edit, to
Kosinussatz *m*
cosine law
Kosinuswelle *f*
cosine wave
Kostenfunktion *f*
cost function
kovalente Bindung *f*, homöopolare Bindung *f*
Chemische Bindung (z.B. in einem
Halbleiterkristall), bei der die Bindungskräfte
durch Elektronen entstehen, die zwei
benachbarten Atomen gleicherweise angehören
covalent bond, homopolar bond
Chemical bond (e.g. in a semiconductor crystal)
in which the binding forces result from the
sharing of electrons by a pair of neighbouring
atoms.
Kovarianz *f*
covariance
Kreisgraphik *f*, Tortengraphik *f* [Darstellung
numerischer Werte durch Kreissektoren]
pie chart, pie diagram [representation of
numerical values by circular segments]
Kreuzparität *f*, Kreuzsicherung *f* [Methode zur
Erkennung von Übertragungsfehlern mittels
Paritätsbit für jedes Zeichen (Querparität) und
Paritätszeichen für jeden Block (Längsparität)
cross-parity, cross-checking [method for
detecting transmission errors by means of a
parity bit for each character (vertical parity)
and a parity character for each block
(longitudinal parity)]
Kriechstrecke *f*
leakage current path
Kriechstrom *m*, Leckstrom *m*, Ableitstrom *m*
leakage current
Kriechweg *m*
leakage path
Kristall *m*
Festkörper mit sich regelmäßig wiederholender
Anordnung von Atomen, Ionen oder Molekülen
im dreidimensionalen Raum.
crystal
Solid in which the atoms, ions or molecules are
arranged in a repetitive three-dimensional
structure.
Kristallachse *f*
crystallographic axis
Kristallalterung *f*
crystal aging
Kristallaufbau *m*, Kristallstruktur *f*
crystal structure
Kristallaufbaufehler *m*, Gitterfehler *m*
Abweichung vom regelmäßigen Aufbau eines
Kristalls, z.B. infolge von Fremdatomen,
Leerstellen, Versetzungen, Korngrenzen usw.
crystal lattice imperfection, lattice
imperfection
Deviation from a homogeneous structure in a

crystal, e.g. as a result of impurities, vacancies, dislocations, grain boundaries, etc.
Kristallebene f
    crystal plane, crystallographic plane
Kristallfehler m
    crystal defect
Kristallfläche f
    crystal surface, crystal face
Kristallgitter n, Gitter n [Halbleitertechnik]
    Regelmäßige Anordnung der Atome in einem Halbleiterkristall.
    crystal lattice, lattice [semiconductor technology]
    Orderly arrangement of atoms in a semiconductor crystal.
Kristallgitterplatz m, Gitterplatz m
    crystal lattice site, lattice site
Kristallgitterstruktur f
    crystalline lattice structure
kristalliner Festkörper m
    crystalline solid
kristalliner Halbleiter m
    crystalline semiconductor
Kristallkeim m [Halbleiterkristalle]
    Kleiner Einkristall, der als Kristallisationskern bei der Züchtung von Einkristallen verwendet wird.
    seed crystal [semiconductor crystals]
    Small single crystal used to initiate crystallization in single crystal growing.
Kristallorientierung f
    crystal orientation, crystallographic orientation
Kristalloszillator m, Quarzoszillator m
    crystal oscillator, quartz oscillator
Kristallstruktur f, Kristallaufbau m
    crystal structure
Kristallwachstum n
    crystal growth
Kristallzelle f [kleinste geometrische Einheit eines Kristalls]
    crystal cell [smallest geometrical unit cell of a crystal]
Kristallzucht f, Kristallzüchtung f, Kristallzüchten n
    Verfahren zur Herstellung von Einkristallen (z.B. Halbleiterkristalle) aus Schmelzen oder Lösungen.
    crystal growing
    Process for forming single crystals (e.g. semiconductor crystals) from melts or solutions.
Kristallzüchten n, Züchtungsverfahren n
    crystal growing, growing process
kritische Kopplung f [z.B. zwischen zwei Schaltungen]
    critical coupling [e.g. between two circuits]
kritischer DOS-Fehler m [zeigt Versagen eines Peripheriegerätes an]
    critical DOS error [indicates failure of

peripheral device]
kritischer Fehler m
    critical defect
krummlinige Koordinaten f.pl.
    curvilinear coordinates
Krümmung f [einer Kurve]
    curvature [of a curve]
kryogener Speicher m, Tieftemperaturspeicher m, Kryogenspeicher m, Kryotronspeicher m, Supraleitungsspeicher m [Speicher, der die Eigenschaften von supraleitenden Werkstoffen nutzt]
    cryogenic storage, cryotron storage [storage device based on the properties of superconducting materials]
Kryotronspeicher m, kryogener Speicher m
    cryogenic storage, cryotron storage
Kryptologie f, Kryptographie f
    cryptography, cryptology
Kugelkoordinaten f.pl.
    spherical coordinates
Kühlkörper m, Wärmeableiter m
    Metallischer Körper zur Aufnahme und Ableitung von Verlustwärme aus elektronischen Bauelementen.
    heat sink
    Metal body used to absorb and dissipate heat from electronic components.
Kundenschaltung f, kundenspezifische Schaltung f, Vollkundenschaltung f
    Integrierte Schaltung für eine bestimmte Aufgabe, die nach Kundenwünschen völlig neu entworfen wird.
    custom circuit, fully custom circuit
    Integrated circuit for a specific application of completely new design according to customer's specifications.
künstliche Intelligenz f (KI) [die Fähigkeit eines Rechnersystems, Aufgaben zu lösen, die dem Bereich der menschlichen Intelligenz angehören, z.B. Mustererkennung, Sprachübersetzung, Musikkomposition usw.]
    artificial intelligence (AI) [the ability of a computer system to solve problems which are within the area of human intelligence, e.g. pattern recognition, language translation, music composition, etc.]
künstliche Sprache f [Maschinen- oder Programmiersprache (z.B. FORTRAN) im Gegensatz zu einer natürlichen Sprache (z.B. Deutsch)]
    artificial language [machine or programming language (e.g. FORTRAN) in contrast with a natural language (e.g. English)]
Kunststoffgehäuse n
    plastic package
Kunststofffolienkondensator m
    plastic film capacitor
kupferkaschierte Preßstoffplatte f [für

Leiterplatten]
copper-clad laminate [for printed circuit
boards]
Kursivschrift *f,* Schrägschrift *f*
italics
Kurvengenerator *m*
curve generator
Kurvenschar *f*
family of curves
kurzschließen
short-circuit, to
Kurzschluß *m*
short-circuit
Kurzschluß-Ausgangsadmittanz *f,*
Kurzschluß-Ausgangsleitwert *m*
[Transistorkenngrößen: *y*-Parameter]
short-circuit output admittance [transistor
parameters: *y*-parameter]
Kurzschluß-Ausgangsleitwert *m,* Kurzschluß-
Ausgangsadmittanz *f* [Transistorkenngrößen:
y-Parameter]
short-circuit output admittance [transistor
parameters: *y*-parameter]
Kurzschluß-Eingangsadmittanz *f,*
Kurzschluß-Eingangsleitwert *m*
[Transistorkenngrößen: *y*-Parameter]
short-circuit input admittance [transistor
parameters: *y*-parameter]
Kurzschluß-Eingangsimpedanz *f,* Kurzschluß-
Eingangswiderstand *m* [Transistorkenngrößen:
h-Parameter]
short-circuit input impedance [transistor
parameters: *h*-parameter]
Kurzschluß-Eingangsleitwert *m,* Kurzschluß-
Eingangsadmittanz *f* [Transistorkenngrößen: *y*-
Parameter]
short-circuit input admittance [transistor
parameters: *y*-parameter]
Kurzschluß-Eingangswiderstand *m,*
Kurzschluß-Eingangsimpedanz *f*
[Transistorkenngrößen: *h*-Parameter]
short-circuit input impedance [transistor
parameters: *h*-parameter]
Kurzschluß-Rückwärtssteilheit *f,* Kurzschluß-
Übertragungsadmittanz rückwärts *f,*
Remittanz *f* [Transistorkenngrößen: *y*-
Parameter]
short-circuit reverse transfer admittance
[transistor parameters: *y*-parameter]
Kurzschluß-Stromempfindlichkeit *f*
short-circuit current sensitivity
Kurzschluß-Stromverstärkung *f,* Kurzschluß-
Vorwärtsstromverstärkung *f*
[Transistorkenngrößen: *h*-Parameter]
**short-circuit forward current transfer
ratio** [transistor parameters: *h*-parameter]
Kurzschluß-Übertragungsadmittanz
rückwärts *f,* Remittanz *f,* Kurzschluß-
Rückwärtssteilheit *f* [Transistorkenngrößen: *y*-

Parameter]
short-circuit reverse transfer admittance
[transistor parameters: *y*-parameter]
Kurzschluß-Übertragungsadmittanz
vorwärts *f,* Transmittanz *f,* Kurzschluß-
Vorwärtssteilheit *f* [Transistorkenngrößen: *y*-
Parameter]
short-circuit forward transfer admittance
[transistor parameters: *y*-parameter]
Kurzschluß-Vorwärtssteilheit *f,* Kurzschluß-
Übertragungsadmittanz vorwärts *f,*
Transmittanz *f* [Transistorkenngrößen: *y*-
Parameter]
short-circuit forward transfer admittance
[transistor parameters: *y*-parameter]
Kurzschluß-Vorwärtsstromverstärkung *f,*
Kurzschluß-Stromverstärkung *f*
[Transistorkenngrößen: *h*-Parameter]
**short-circuit forward current transfer
ratio** [transistor parameters: *h*-parameter]
Kurzschlußdauer *f*
short-circuit duration
Kurzschlußimpedanz *f*
short-circuit impedance
Kurzschlußspannung *f*
short-circuit voltage
Kurzschlußstecker *m*
short-circuit plug, short-circuit connector
Kurzschlußstrom *m*
short-circuit current
Kurzschlußwiderstand *m*
short-circuit resistance
Kurzverbindung *f,* Brücke *f,* Drahtbrücke *f*
[Verbindung zwischen zwei Anschlüssen]
jumper, strap [connection between two
terminals]
Kurzzeitausheilung *f* [Halbleitertechnik]
rapid thermal annealing (RTA)
[semiconductor technology]
kurzzeitig beanspruchter Speicher *m,*
Zwischenspeicher *m,* Pufferspeicher *m*
temporary storage, buffer storage
kurzzeitig, vorübergehend
temporary
Kybernetik *f* [vergleichende Studie der
Methoden der Nachrichtenübertragung und de
Regelung in Maschinen und in lebenden
Organismen]
cybernetics [comparative study of the
methods of communication and automatic
control in machines and living organisms]

L

‚-Bereich m [der untere Bereich eines binären Signals]
L-range [the low range of a binary signal]
‚-Pegel m, **L-Signal** n [Niedrigpegel bei Logikschaltungen; bei der positiven Logik entspricht der Niedrigpegel dem Zustand logisch 0, bei der negativen Logik dem Zustand logisch 1]
L-level [low level in logic circuits; in positive logic the low level corresponds to logical 0, in negative logic to logical 1]
‚-Signalausgang m
L-level output
‚ack m
lacquer
‚ackmaske f, **Abdeckmaske** f
resist mask, resist, mask
‚acküberzug m
lacquer coating
‚adbare Schriftart f
downloadable font, soft font
‚adeadresse f
loading address
‚adebefehl m
load instruction
‚adeleitung f [Steuerleitung eines Zählers oder Schieberegisters]
load line [control line of a counter or shift register]
‚aden [Übertragen eines Programmes aus einem externen Speicher in den Haupt- bzw. Arbeitsspeicher]
load, to [to transfer a program from an external storage into main or working storage]
‚aden eines Programmes n, Einspeichern eines Programmes n
program load
‚aden und Ausführen n [einmaliges Laden des Compilers für die Übersetzung mehrerer Programme]
load-and-go [single loading of compiler for the conversion of multiple programs]
‚adeprogramm n, **Lader** m, **Programmlader** m [Programm zum Laden von Programmen in den Arbeitsspeicher]
loading routine, loading program [program used for loading programs into working storage]
‚ader m, **Ladeprogramm** n, **Programmlader** m
loading routine, loading program
‚ader für Programme im Maschinen-code m
absolute program loader, binary program loader
‚ader für verschiebbare Programme m, Relativlader m [ein Programmlader, der die im

Programm angegebenen Adressen um eine Ladeadresse (Programmanfang) erhöht; im Gegensatz zu einem Absolutlader]
relocating loader [a program loader which increases the addresses contained in a program by an amount corresponding to the loading address (program start); in contrast to an absolute loader]
Ladung f
charge
Ladungsdichte f, **Dichte** f
charge density, density
ladungsgekoppelte Schaltung mit vergrabenem Kanal f (BCCD)
buried-channel charge-coupled device (BCCD)
ladungsgekoppeltes Schaltelement n, Ladungstransferelement n, Ladungs-verschiebeelement n, CCD-Element n
Integrierte Halbleiterschaltung in MOS-Struktur, deren Arbeitsweise auf dem schrittweisen Transport von Ladungen basiert.
charge-coupled device (CCD)
Integrated semiconductor device in MOS structure that operates basically by passing along electric charges from one stage to the next.
Ladungsspeicherdiode f
charge storage diode
Ladungsspeicherung f
charge storage
Ladungstransferelement n, ladungsgekoppeltes Schaltelement n, Ladungsverschiebeelement n, CCD-Element n
charge-coupled device (CCD)
Ladungstransport m, Ladungsträgertransport m
charge transport
Ladungsträger m [Halbleitertechnik]
Ein bewegliches Leitungselektron oder ein bewegliches Defektelektron, dessen Bewegung den Ladungstransport innerhalb eines Halbleiters bewirkt. Elektronen sind negative, Defektelektronen positive Ladungsträger.
carrier, charge carrier [semiconductor technology]
A mobile conduction electron or a mobile hole whose movement effects charge transport within a semiconductor. Electrons are negative, holes are positive carriers.
Ladungsträgerbeweglichkeit f
carrier mobility, charge carrier mobility
Ladungsträgerdichte f
charge carrier density, carrier density
Ladungsträgerdiffusion f, Diffusion von Ladungsträgern f [Halbleitertechnik]
Die Bewegung von Ladungsträgern in einem Halbleiter, insbesondere an der Grenze zwischen P- und N-dotierten Bereichen. Sie entsteht infolge unterschiedlicher Dichte der

Ladungsträger.
carrier diffusion [semiconductor technology]
The movement of charge carriers in a
semiconductor, particularly at boundaries
between p-type and n-type regions. Carrier
diffusion results from concentration gradients.
Ladungsträgerhaftstelle f
charge carrier trap, carrier trap
Ladungsträgerinjektion f, Injektion f
[Halbleitertechnik]
Das Einbringen zusätzlicher Ladungsträger in
einen Halbleiter.
charge carrier injection, injection
[semiconductor technology]
The introduction of additional charge carriers
into a semiconductor.
Ladungsträgerkonzentration f
carrier concentration
Ladungsträgerlebensdauer f
carrier lifetime
Ladungsträgerrekombination f
[Wiedervereinigung von Elektronen mit
Defektelektronen]
carrier recombination [reunion of electrons
and holes]
Ladungsträgertransport m, Ladungstransport
charge transport
Ladungsverschiebeelement n,
ladungsgekoppeltes Schaltelement n,
Ladungstransferelement n, CCD-Element n
Integrierte Halbleiterschaltung in MOS-
Struktur, deren Arbeitsweise auf dem schritt-
weisen Transport von Ladungen basiert.
charge-coupled device (CCD)
Integrated semiconductor device in MOS
structure that operates basically by passing
along electric charges from one stage to the
next.
Lagegenauigkeit f [Leiterplatten]
registration [printed circuit boards]
Lagenverbindung f [Leiterplatten]
interlayer connection [printed circuit
boards]
Lageregelsystem n, Positionsregelung f
positioning control system
Lagerungstemperatur f [z.B. von
Halbleiterbauteilen]
storage temperature [e.g. of semiconductor
components]
Lagerungstemperaturbereich m
storage temperature range
Laminat n, Schichtstoff m
laminate
laminieren
laminate, to
laminiert, beschichtet
laminated
LAN n, lokales Netz n [ein Netz innerhalb eines
begrenzten Bereiches, z.B. Gebäude oder

Unternehmensgelände, für den dezentralen
Anschluß von Bildschirm- und
Peripheriegeräten; man unterscheidet zwische
Konkurrenz- (z.B. CSMA/CD, Ethernet) und
Sendeberechtigungs-Verfahren (Token-
Zugriffsprotokoll) nach IEEE-802 und ECMA]
LAN, local area network [a network within a
limited area, e.g. building or company grounds
for the decentral connection of terminals and
peripheral equipment; one differentiates
between contention accessing (e.g. CSMA/CD,
carrier-sense multiple access with collision
detection, Ethernet) and token-passing
accessing according to IEEE-802 and ECMA]
LAN-Manager [von Microsoft entwickeltes
Betriebssystem für lokale Netzwerke (LAN)]
LAN Manager [operating system developed b
Microsoft for local area networks (LAN)]
Landmark-Test m [Rechner-
Bewertungsprogramm]
Landmark test [computer benchmark
program]
langsame störsichere Logik f (LSL)
Bipolare Schaltungsfamilie, die sich durch hoh
Störsicherheit auszeichnet.
low-speed logic (LSL)
Family of bipolar logic circuits characterized b
high noise immunity.
langsamer Speicher m, Speicher mit hoher
Zugriffszeit m, Speicher mit langsamer
Zugriffszeit m
slow-access storage
Längsparität f, Blockparität f [Parität eines
Datenblocks nach Ergänzung durch ein
Blockprüfzeichen; im Gegensatz zur Quer- bzv
Zeichenparität]
longitudinal parity, block parity [parity of a
data block after completing with a block parity
bit; in contrast to vertical parity or character
parity]
Längsparitätszeichen n, LRC-Zeichen n
[Paritätsprüfung z.B. bei
Magnetbandaufzeichnungen]
longitudinal redundancy check characte
(LRC character) [parity check, e.g. with
magnetic tape recording]
Längssummenkontrolle f
summation check
Langzeitdrift f
longtime drift
Laptop-Computer m [kleiner Rechner, der auf
dem Schoß gehalten werden kann]
laptop computer [small computer for holdin
on the lap]
LARAM m, linienadressierbarer Speicher mit
wahlfreiem Zugriff m
LARAM (line-addressable random-access
memory)
Laser m (Lichtverstärkung durch angeregte

Strahlungsemission) [wird in der
Optoelektronik, Metallverarbeitung,
Interferometrie und bei medizinischen
Anwendungen eingesetzt]
laser (light amplification by stimulated
emission of radiation) [is used in optoelectronics, metalworking, interferometry, and
medical applications]
aser-Plotter m, Laser-Zeichengerät n
laser plotter
aser-Zeichengerät n, Laser-Plotter m
laser plotter
aserausheilen n
Laserausheilung f
Restaurierung, mit Hilfe von Laserstrahlen,
einer durch Ionenimplantation geschädigten
Kristallgitterstruktur eines Halbleiterbereiches.
laser healing, laser annealing [semiconductor
technology]
Removal of structural damage to the crystal
lattice in a semiconductor region resulting from
ion implantation by the use of a laser beam.
aserdiode f, Halbleiterlaser m
Halbleiterbauteil, das kohärentes Licht
emittiert. Die Lichterzeugung erfolgt durch
induzierte Emission an einem PN-Übergang.
Sie entsteht durch Ladungsträgerinjektion oder
Elektronenstrahlanregung. Als
Ausgangsmaterialien dienen vorwiegend
Galliumarsenid und
Galliumaluminiumarsenid.
laser diode, semiconductor laser, diode laser
Semiconductor device that emits coherent light.
Light generation occurs at a pn-junction due to
carrier injection or electron-beam excitation.
The most widely used materials are gallium
arsenide and gallium aluminium arsenide.
aserdrucker m [Hochgeschwindigkeitsdrucker,
der einen Laserstrahl für die Aufzeichnung auf
Papier benutzt]
laser printer [high-speed printer using a laser
beam for recording on paper]
aserspeicher m
laser storage
aserstrahl m
laser beam
aserstrahlabtastung f
laser beam scanning
aserstrahltrimmen n, Lasertrimmen n
Verfahren, mit dem sich ein automatischer
Abgleich von Schichtwiderständen und -
kondensatoren durchführen läßt.
laser beam trimming
Method used for automatic adjustment of film
resistors and capacitors with the aid of a laser
beam.
ASOS-Technik f
Verfahren zur Ausheilung von Silicium-auf-

Saphir-Strukturen mit Hilfe von Laserstrahlen.
LASOS technology (laser annealed silicon-on-
sapphire technology)
Process for removing crystal lattice damage to
silicon-on-sapphire structures by the use of a
laser beam.
Last f, Belastung f
load
Lastfaktor m
load factor
Lastfehler m [Fehler infolge Belastung eines
Rechenelements]
load error [error due to loading of a computing
element]
Lastwiderstand m
load resistor
Latch n, Auffang-Flipflop n, Speicher-Flipflop n
Ein spezieller Pufferspeicher, der zur
Informationsspeicherung während eines vorgegebenen Zeitintervalls verwendet wird. Er
gleicht die unterschiedlichen Übertragungsgeschwindigkeiten im Datenverkehr zwischen
Peripheriebausteinen und Mikroprozessor aus.
latch, set-reset latch, SR latch
A special type of buffer storage used for
information storage during a specific time
interval. It compensates for differing data
transfer speeds between peripheral devices and
the microprocessor.
Latenzzeit f, Zugriffswartezeit f, Wartezeit f
[rotationsbedingte Verzögerungszeit beim
Lesen oder Schreiben eines Datensatzes auf
einer Platte oder Diskette; die maximale
Latenzzeit ist die Zeit für eine Umdrehung; die
mittlere ist die Hälfte des Maximalwertes]
latency [rotational delay in reading or writing
a record to a disk or floppy disk storage;
maximum latency is the time for a complete
revolution of the disk, average latency is half
the maximum value]
laterale Diffusion f, Unterdiffusion f
Die seitliche Ausbreitung von Dotierungsatomen unter die Oxidschutzschicht an den
Kanten der Diffusionsfenster.
lateral diffusion, side diffusion
The lateral penetration of impurity atoms
below the protective oxide layer at the edges of
diffusion windows.
lateraler Diffusionseffekt m,
Unterdiffusionseffekt m
lateral diffusion effect, side diffusion effect
Lateraltransistor m
Bipolartransistor, bei dem die Emitter- und
Kollektor-Basis-Übergänge in voneinander
getrennten Bereichen gebildet werden. Der
Stromfluß zwischen den Übergängen erfolgt in
einer Ebene, die parallel zur Transistoroberfläche verläuft.
lateral transistor

Bipolar transistor in which the emitter- and collector-base junctions are formed in separate areas. The current between the junctions flows in a plane parallel to the transistor surface.

Lauf *m*
run

laufendes Programm *n*
running program

Laufwerk *n*, Plattenlaufwerk *n*, Diskettenlaufwerk *n*
drive, disk drive, floppy disk drive

laufwerkloser Netzwerkrechner *m* [Netzwerkrechner ohne Disketten- oder Festplattenlaufwerke]
diskless LAN station [local area network computer without floppy or hard disk drives]

Laufwerksbezeichnung *f* [für den Zugriff auf das Laufwerk, z.B. " C: " in DOS]
drive identifier [for accessing drive, e.g. " C: " in DOS]

Laufzeit *f* [Ausführungszeit eines Programmes]
run-time, runtime [time during which a program runs]

Laufzeit *f* [eines Signales]
propagation time, delay time, transit time [of a signal]

Laufzeit bei H/L-Pegelwechsel *f*
high-level to low-level propagation time

Laufzeit bei L/H-Pegelwechsel *f*
low-level to high-level propagation time

Laufzeitbibliothek *f* [eine Sammlung von externen Funktionen, die beim Programm-ablauf eingebunden werden]
run-time library, runtime library [a collection of functions external to a program and included when the program is run]

Laufzeitfehler *m* [Fehler während des Programmablaufes]
run-time error, runtime error [error made while a program is running]

Laufzeitregister *n*
delay-line register

Laufzeitspeicher *m*, Verzögerungsspeicher *m*
delay-line storage

Laufzeitsystem *n* [Prozeduren, die für den Programmablauf benötigt werden]
run-time system, runtime system [procedures needed for running a program]

Laufzeitüberwachung *f*
watchdog timing

Lawinenabfall *m*, Abfall *m*
avalanche decay, decay

Lawinendiode *f* [Diode, die den Lawineneffekt nutzt; wird, wie die Zenerdiode, die einen ähnlichen Effekt (den Zenereffekt) nutzt, für die Erzeugung einer stabilen Bezugsspannung verwendet und deshalb auch oft Zenerdiode genannt]
avalanche diode [diode utilizing the

avalanche effect; is used, like the Zener diode, which is based on a similar effect (the Zener effect), for obtaining a stable reference voltage and is hence often also called Zener diode]

Lawinendurchbruch *m* [Durchbruch, der durc eine lawinenartige Zunahme von Ladungsträgern in einem Halbleiter infolge vo Ionisation verursacht wird]
avalanche breakdown [breakdown due to ar avalanche-like increase in charge carriers in a semiconductor due to ionization]

Lawinendurchbruchspannung *f*
avalanche breakdown voltage

Lawinendurchbruchstrom *m*
avalanche breakdown current

Lawineneffekt *m*
Lawinenartige Vervielfachung von Ladungs-trägern durch Stoßionisation. Der anschließende Durchbruch ist reversibel, solange keine thermischen Schäden auftreten. Der Lawineneffekt wird in verschiedenen Halbleiterbauteilen genutzt: Lawinendiode, Z-bzw. Zenerdiode, Photodiode usw.
avalanche effect
Avalanche-like increase of charge carriers due to impact ionization with subsequent breakdown. This is reversible as long as no thermal damage occurs. The avalanche effect i utilized in several semiconductor devices: avalanche diode, Zener diode, photodiode, etc.

Lawinenlaufzeitdiode *f*, IMPATT-Diode *f* [Halbleiterbauteil für den Mikrowellenbereich
impact avalanche transit-time diode (IMPATT diode) [microwave semiconductor device]

Lawinenphotodiode *f*
avalanche photodiode (APD)

Lawinentransistor *m*
avalanche transistor

Layout *n*, geometrischer Entwurf *m*, Strukturentwurf *m*
layout

Layoutkontrolle *m* [Textverarbeitung, Desktoj Publishing]
preview mode [word processing, desktop publishing]

LBV, Lokalbus-Video *n* [schneller Bus für den Anschluß des Bildschirms]
LBV (local bus video) [fast bus for connecting video display]

LC²MOS-Technik *f*
Verbesserte CMOS-Technik, die vorwiegend fü die Herstellung von monolithisch integrierten Digital-Analog-Umsetzern verwendet wird.
LC²MOS technology (linear compatible complementary MOS technology)
Improved CMOS technology, mainly used for fabricating monolithic integrated digital-to-analog converters.

CC-Laser m [Halbleiterlaser]
LCC laser (laterally-coupled cavity laser)
[semiconductor laser]
CC-Technik f [Montagetechnik für VLSI
integrierte Schaltungen, bei der Gehäusetypen
hoher Packungsdichte verwendet werden]
LCC technique (leadless chip carrier
technique) [a mounting technique for VLSI
integrated circuits using high-density
packages]
CCC-Technik f [eine Variante der LCC-
Technik]
LCCC technique (leadless ceramic chip
carrier technique) [a variant of the LCC
technique]
CD-Anzeige f, Flüssigkristallanzeige f
[optoelektronische Anzeige, die aus Flüssigkristallen zwischen zwei Glasplatten besteht,
die mit einer durchsichtigen, leitfähigen
Beschichtung in Form der darzustellenden
Zeichen versehen sind]
LCD (liquid crystal display) [an optoelectronic
display consisting of liquid crystals between
two glass plates covered by transparent
conductive coatings having the shape of the
characters to be displayed]
CDTL [spezielle DTL-Schaltungsfamilie, die
sich durch geringen Stromverbrauch
auszeichnet]
LCDTL (low-current diode-transistor logic)
[special type of diode-transistor logic family,
characterized by low current consumption]
ebensdauer f
life, lifetime
ebensdauerprüfung f
life test
ebensdauerraffungsprüfung f, beschleunigte
Lebensdauerprüfung f
accelerated life test
eckstrom m, Kriechstrom m, Ableitstrom m
leakage current
eckstromrauschen n
leakage current noise
eckwiderstand m, Ableitwiderstand m
leakage resistance
ED, lumineszenzdiode f, Leuchtdiode f,
lichtemittierende Diode f
Halbleiterbauelement, bei dem elektrische
Energie in Licht oder Infrarotstrahlung
umgesetzt wird. Durch Rekombination von
Elektronen und Defektelektronen an einem in
Vorwärtsrichtung betriebenem PN-Übergang
wird Energie frei, die als Licht abgestrahlt
wird. LEDs emittieren im sichtbaren
Spektralbereich in den Farben rot, grün, gelb
und blau sowie im nahen Infrarotbereich.
LED (light-emitting diode)
Semiconductor component which converts
electric energy into light or infrared radiation.

By recombination of electrons and holes at a
forward biased pn-junction, energy is set free
which is emitted as radiation. LEDs emit red,
green, yellow and blue light in the visible
spectral region and produce radiation in the
near infrared region.
LED-Anzeige f
LED display (light-emitting diode display)
LED-Drucker m [Seitendrucker mit
Leuchtdiodenanordnung anstatt Laserstrahl]
LED printer [page printer using a light-
emitting diode array instead of a laser beam]
Leeradresse f
blank address, null statement
Leeradreßbefehl m, Nulladreßbefehl m
zero-address instruction
Leeranweisung f, Scheinanweisung f
[Anweisung ohne Wirkung]
dummy statement [statement having no
effect]
Leerbefehl m, Überspringbefehl m, No-Op-
Befehl m
blank instruction, skip instruction, no-
operation instruction, no-op instruction, do-
nothing instruction
Leerbit n [Bit ohne Informationsgehalt]
blank bit [bit containing no information]
leere Zeichenkette f, Null-Zeichenkette f
empty string, null string
Leerlauf-Ausgangsimpedanz f
[Ausgangsimpedanz eines Transistors bei
leerlaufendem Eingang]
open-circuit output impedance [output
impedance of a transistor with open-circuit
input]
Leerlauf-Ausgangsleitwert m
[Transistorkenngrößen: h-Parameter]
open-circuit output admittance [transistor
parameters: h-parameter]
Leerlauf-Eingangsimpedanz f
[Eingangsimpedanz eines Transistors bei
leerlaufendem Ausgang]
open-circuit input impedance [input
impedance of a transistor with open-circuit
output]
Leerlauf-Spannungsrückwirkung f
[Transistorkenngrößen: h-Parameter]
open-circuit reverse voltage transfer ratio
[transistor parameters: h-parameter]
Leerlauf-Spannungsverstärkung f,
Leerlaufverstärkung f
open-loop gain
Leerlaufimpedanz f
open-circuit impedance
Leerlaufspannung f
open-circuit voltage
Leerlaufverstärkung f, Leerlauf-
Spannungsverstärkung f
open-loop gain

Leerlaufwiderstand *m*
  open-circuit resistance
Leerspalte *f*
  blank column
Leerstelle *f*
  blank, blank character, blank space
Leerstellenfolge *f*
  blank string
Leertaste *f*
  space bar
Leerzeichen *n*, Zwischenraum *m* [Codezeichen
  ohne Bedeutung und das oft nicht geschrieben,
  gedruckt oder gelocht wird; wirkt als
  Zwischenraum zwischen gespeicherten Daten]
  blank character, blank, space character,
  space [code character without meaning and
  often not written, printed or punched; serves as
  a separator between stored data]
Leerzeile *f*
  blank line
Leerzeit *f*
  idle time
Legieren *n* [Halbleitertechnik]
  Ein Dotierungsverfahren, bei dem das
  Dotierungselement auf den Halbleiterkristall
  aufgeschmolzen wird. Es wird vorwiegend bei
  der Herstellung von Germanium-Leistungs-
  transistoren sowie bei der Herstellung von PN-
  Übergängen eingesetzt.
  alloying [semiconductor technology]
  A doping process in which dopant impurities
  are added to the semiconductor crystal by
  melting. It is mainly used in germanium power
  transistor fabrication as well as for forming pn-
  junctions.
legierter Übergang *m*
  Ein PN- (bzw. NP-) Übergang zwischen zwei
  Halbleiterzonen, bei dem Fremdatome mittels
  des Legierungsverfahrens eingebaut werden.
  alloy junction, alloyed junction
  A pn- (or np-) junction between two
  semiconductor regions into which impurity
  atoms are introduced by the alloying process.
Legierungshalbleiter *m*
  alloy semiconductor
Legierungstechnik *f*
  alloying technology
Legierungstiefe *f*
  alloying depth
Legierungstransistor *m*
  alloy transistor
Legierungsverfahren *n*
  alloy process, alloying process
leicht dotiert, schwach dotiert, niedrigdotiert
  lightly doped
Leistung *f* [physikalisch]
  power [physical]
Leistungsanpassung *f*, Anpassung *f* [elektrisch]
  matching [electrical]

Leistungsaufnahme *f*, Stromverbrauch *m*
  power consumption, current consumption
Leistungsdaten *n.pl.*
  performance data, performance
  characteristics
Leistungsdiode *f*
  power diode
Leistungselektronik *f*
  power electronics
Leistungsendstufe *f*, Verstärkerendstufe *f*
  power amplifier stage
Leistungsentnahme *f* [aus einer Batterie]
  power drain [from a battery]
Leistungsfaktor *m*
  power factor
Leistungsfähigkeit *f*
  capability, performance
Leistungsgleichrichter *m*
  power rectifier
Leistungsglied *n*
  power element
Leistungshalbleiter *m*
  power semiconductor
Leistungsherabsetzung *f*, Güteverlust *m*
  [langsamer Abfall der Leistung]
  degradation [gradual deterioration of
  performance]
Leistungspegel *m*
  power level
Leistungsquelle *f*
  power source
Leistungsschalter *m*, Netzschalter *m*
  power switch, mains switch
Leistungssignal *n*
  power signal
Leistungsstufe *f* [z.B. eines Verstärkers]
  power stage [e.g. of an amplifier]
Leistungsstufe, Endstufe *f* [eines Antriebes,
  Verstärkers usw.]
  final stage, power stage [of a drive, amplifier,
  etc.]
Leistungsthyristor *m*
  power thyristor
Leistungstransistor *m*
  power transistor
Leistungstreiberstufe *f*
  power driver stage
Leistungsübertragung *f*
  power transmission
Leistungsübertragungsfaktor *m*
  power transmission factor
Leistungsverlust *m*, Verlustleistung *f*
  power dissipation, power loss
Leistungsverstärker *m*
  power amplifier
Leistungsverstärkung *f*
  power amplification, power gain
Leitbahn *f*, Leiterbahn *f*, Verbindung *f*
  interconnect path, interconnection

eitend, stromführend
conducting, conductive
eitende Folie f [Leiterplatten]
conductive foil [printed circuit boards]
eitende Schicht f
conductive layer, conductive film
eitender Kanal m, Kanal m [bei
Feldeffekttransistoren der Pfad, durch den der
Stromfluß zwischen Source und Drain erfolgt]
conductive channel, channel [in field-effect
transistors, the path through which current
flows between source and drain]
eiter m, Stromleiter m
conductor
eiterabstand m [Leiterplatten]
conductor spacing [printed circuit boards]
eiterbahn f
interconnect path, conducting path,
interconnection
eiterbild n, Leiterstruktur f,
Verdrahtungsmuster n [bei integrierten
Schaltungen und Leiterplatten]
conductive pattern [of integrated circuits or
printed circuit boards]
eiterplatte f [isolierende Trägerplatte mit
aufgedruckten oder geätzten Leiterbahnen für
die aufgesetzten Bauelemente; kann als starre
oder flexible, einseitige oder doppelseitige,
einlagige oder mehrlagige Leiterplatte
ausgeführt werden]
printed circuit board (PCB), printed-wiring
board [insulating board with printed or etched
conductive patterns for components mounted
on it; types include rigid or flexible, single or
double-sided, single-layer or multilayer boards]
eiterplatten-Layout n
printed circuit board layout
eiterplatten-Siebdruckautomat m
circuit board silk-screen printer
eiterplattengehäuse n, Platinenmodell n,
Baugruppenträger m
card cage, printed circuit board cage, module
cage
eiterplattenprüfgerät n
board tester
eiterseite f, Schichtseite f [einer Leiterplatte;
im Gegensatz zur Bauteilseite]
conductor side [of a printed circuit board; in
contrast to component side]
eiterstruktur f, Leiterbild n,
Verdrahtungsmuster n [bei integrierten
Schaltungen und Leiterplatten]
pattern, conductive pattern [of integrated
circuits or printed circuit boards]
eitfähigkeit f
conductivity
eitfähigkeitsmodulation f
conductivity modulation
eitfähigkeitsmodulationstechnik f (CMD-

Technik)
Integrierte Schaltungstechnik für
Leistungshalbleiter, die auf dem Prinzip der
Leitfähigkeitsmodulation basiert. Schaltungen
dieses Typs (bekannt unter den Namen
COMFET, GEMFET, IGT, MOSBIP) sind mit
MOS-Eingangsstufen und bipolaren Ausgangsstufen auf dem gleichen Chip realisiert und
zeichnen sich durch die Fähigkeit aus, hohe
Leistungen bei hohen Spannungen zu schalten.
conductivity-modulated device technology
(CMD technology)
Integrated circuit technology for power
semiconductors based on the principle of
conductivity modulation. Circuits in that class
(known as COMFET, GEMFET, IGT, MOSBIP)
combine MOS input stages with bipolar output
stages on the same chip and are characterized
by high power and voltage switching capability.
**leitfähigkeitsmodulierter
Feldeffekttransistor** m (COMFET)
Integrierte Schaltungsfamilie der
Leistungselektronik in CMD-Technik
(Leitfähigkeitsmodulation), die mit Bipolar-
und MOS-Strukturen auf einem Chip realisiert
ist.
**conductivity-modulated field-effect
transistor** (COMFET)
Family of power control integrated circuits
using the conductivity-modulated device
technology, which combines bipolar and MOS-
structures on the same chip.
Leitimpuls m, Hauptimpuls m
master pulse
Leitrechner m
supervisory computer, master computer
Leitung f
conduction
Leitungsband n [Halbleitertechnik]
Energieband im Bändermodell, in dem sich
Elektronen frei bewegen können und somit
einen Stromfluß im Halbleiter ermöglichen.
conduction band [semiconductor technology]
Energy band in the band diagram in which
electrons can move freely, thus permitting
current flow in a semiconductor.
Leitungselektron n [semiconductor technology]
Elektron, dessen Energieniveau im
Leitungsband liegt und das unter der Wirkung
eines elektrischen Feldes zur elektrischen
Leitung im Halbleiter beiträgt.
conduction electron [semiconductor
technology]
Electron whose energy level is situated in the
conduction band and which, under the
influence of an electric field, contributes to
electrical conduction in a semiconductor.
Leitungsprüfer m, Durchgangsprüfer m
continuity tester

Leitungsschaltung *f*, Leitungsvermittlung *f* [in
der Kommunikationstechnik]
circuit switching, line switching [in data
communications]
Leitungstreiber *m* [Verstärkerschaltung für den
Anschluß und die Anpassung von
Signalleitungen an eine Logikschaltung]
line driver [amplifier circuit for connecting
and matching signal lines to a logic circuit]
Leitungsunterbrechung *f*
discontinuity
Leitungsvermittlung *f*, Leitungsschaltung *f* [in
der Kommunikationstechnik]
circuit switching, line switching [in data
communications]
Leitwerk *n*, Steuerwerk *n* [Funktionsteil eines
Rechners; steuert die Befehlsfolge, decodiert
die Befehle und erzeugt die Signale, die im
Rechenwerk, Arbeitsspeicher und Ein-Ausgabe-
Werk benötigt sind]
control unit [functional unit of a computer;
controls the sequence of instructions, decodes
the instructions and generates the signals
required by the arithmetic and logical unit, the
working storage and the input-output device]
Leitwert *m*, reeller Leitwert *m*, Konduktanz *f*
[Reziprokwert des Widerstandes; SI-Einheit:
Siemens]
conductance [reciprocal value of resistance;
SI unit: siemens]
Leporello-Formular *n*, Endlosformular *n*
[fortlaufend hergestellte Vordrucke in
Zickzackfaltungen (Leporello) oder Rollenform;
das Papier kann randgelocht und die Vordrucke
können perforiert sein]
continuous forms, continuous stationery
[continuous strip of paper in zigzag (fanfold) or
roll form; it can be marginally punched and the
individual forms can be perforated]
Leporello-Papier *n*
fanfold paper
Leporello-Papierstapel *m*
fanfold paper stack
Leporellogefaltet
fanfolded
Lernprozeß *m*, lernender Prozeß *m*
learning process
Lese-Schreib-Eingang *m*
read-write input
Lese-Schreib-Impuls *m*
read-write pulse
Lese-Schreib-Register *n*
read-write register
Lese-Schreib-Speicher *m*
read-write memory (R/W memory)
Lese-Schreib-Verstärker *m*
read-write amplifier
Lese-Schreib-Zyklus *m*
read-write cycle

Lese-Schreib-Zykluszeit *f*
read-write cycle time
Lese-Schreibkopf *m*
read-write head
Lese-Änderungs-Schreibzyklus *m*, Zyklus für
Lesen mit modifiziertem Rückschreiben *m*
read modify-write cycle
Leseanweisung *f*
read statement
Lesebefehl *m*, Eingabebefehl *m* [für den
Datentransfer aus einem externen Speicher
oder Eingabegerät in den Haupt-speicher]
input instruction, read instruction [for data
transfer, e.g. from external storage or input
unit into main storage]
Lesebetrieb *m* [Betriebsart bei Speichern]
read mode [operational mode of memories]
Lesedraht *m*, Leseleitung *f* [eines
Kernspeichers]
sense wire [of a core memory]
Leseerholzeit *f* [integrierte
Speicherschaltungen]
sense recovery time [integrated circuit
memories]
Lesefehler *m*
rear error
Lesegeschwindigkeit *f*
reading speed
Leseimpuls *m*
read pulse, read-out pulse
Lesekommandohaltezeit *f* [integrierte
Speicherschaltungen]
read command hold time [integrated circuit
memories]
Lesekommandovorlaufzeit *f*
read command set-up time
Lesekopf *m*
read head
Leseleitung *f*, Lesedraht *m* [eines
Kernspeichers]
sense wire [of a core memory]
lesen [Datenentnahme aus einer Speicherzelle
bzw. aus einem Speicher]
read, to [fetch data from a storage location or
from a storage]
Lesen *n*
reading
Lesen mit modifiziertem Rückschreiben *n*
read modify-write mode, read-modify-write
(RMW)
Lesen-während-Schreiben *n* [integrierte
Speicherschaltungen]
read-while-write mode [integrated circuit
memories]
Lesesignal *n*
read signal
Lesespur *f*
reading track
Leseverstärker *m*

sense amplifier
Lesevorgang *m*
  read operation
Lesezeit *f*
  read time
Lesezugriffszeit *f*
  read access time
Lesezyklus *m*
  read cycle
Lesezykluszeit *f*
  read cycle time
letzte Anweisung *f*
  terminal statement
Leuchtdiode *f,* Lumineszenzdiode *f,*
  lichtemittierende Diode *f* (LED)
  Halbleiterbauelement, bei dem elektrische
  Energie in Licht oder Infrarotstrahlung
  umgesetzt wird. Durch Rekombination von
  Elektronen und Defektelektronen an einem in
  Vorwärtsrichtung betriebenem PN-Übergang
  wird Energie frei, die als Licht abgestrahlt
  wird. LEDs emittieren im sichtbaren Spektralbereich in den Farben rot, grün, gelb und blau
  sowie in nahen Infrarotbereich.
  light emitting diode (LED)
  Semiconductor component which converts
  electric energy into light or infrared radiation.
  By recombination of electrons and holes at a
  forward-biased pn-junction, energy is set free
  which is emitted as radiation. LEDs emit red,
  green, yellow and blue light in the visible
  spectral region and produce radiation in the
  near infrared region.
Leuchtpunkt *m,* Leuchtfleck *m* [Lichtfleck auf
  dem Bildschirm]
  luminous spot [on the screen]
lexikalischer Analysator *m,* Scanner *m*
  [Compiler]
  lexical analyzer [LEX in UNIX], scanner
  [compiler]
lichtelektrischer Effekt *m,* Photoeffekt *m,*
  photoelektrischer Effekt *m*
  Wechselwirkung zwischen Strahlung und
  Materie, bei der durch Photonenabsorption
  bewegliche Ladungsträger erzeugt werden.
  Man unterscheidet zwischen äußerem Photoeffekt (z.B. bei Photozellen) und dem inneren
  Photoeffekt (z.B. bei Photoelementen und
  Phototransistoren).
  photoelectric effect
  The exchange interaction between radiation
  and matter in which mobile charge carriers are
  generated as a result of photon absorption. The
  photoelectric effect can be defined as extrinsic
  (e.g. in photocells) or intrinsic (e.g. in
  photovoltaic cells and phototransistors).
lichtemittierende Diode *f,* Lumineszenzdiode *f,*
  Leuchtdiode *f* (LED)
  light emitting diode (LED)

lichtempfindliches Bauelement *n,*
  lichtempfindlicher Baustein *m*
  photosensitive device, photosensitive
  component
Lichtgriffel *m,* Lichtstift *m,* elektronischer Stift
  light pen, electronic pen
lichtleitend, photoleitend
  photoconductive
Lichtleitertechnik *f,* Faseroptik *f*
  fiber optics
Lichtleiterverbindung *f*
  fiber-optic link
Lichtleitfaser *f,* optische Faser *f,*
  Lichtwellenfaser *f* [Faden aus lichtdurchlässigem Material für die optische
  Nachrichtenübertragung und für die optische
  Abtastung in der Datenverarbeitung]
  optical fiber (OF) [fiber of transparent
  material for optical data transmission and for
  optical scanning in data processing]
Lichtpunktabtaster *m*
  flying-spot scanner
Lichtquant *n,* Photon *n*
  photon
Lichtsatz *m,* Photosatz *m*
  photo typesetting
Lichtsatzmaschine *f,* Photosatzmaschine *f*
  photo typesetter
Lichtstift *m,* Lichtgriffel *m,* elektronischer Stift
  m [ein Stift mit lichtempfindlicher Spitze zur
  direkten Dateneingabe auf dem Bildschirm; der
  mit dem Rechner verbundene Stift ermöglicht
  die genaue Markierung bzw. Identifizierung
  bestimmter Stellen der Bildschirmanzeige]
  light pen, electronic pen [a light-sensitive
  stylus used for direct data input on the screen;
  the stylus is connected to the computer and
  enables display elements to be precisely
  marked or identified]
Lichtstrom *m* [Optoelektronik]
  luminous flux [optoelectronics]
Lichtstärke *f*
  light intensity
Lichtventil *n* [Optoelektronik]
  light valve [optoelectronics]
Lichtverstärkung durch angeregte
  Strahlungsemission (Laser) [wird in der
  Optoelektronik, Metallverarbeitung, Interferometrie und bei medizinischen
  Anwendungen eingesetzt]
  light amplification by stimulated emission
  of radiation (laser) [is used in optoelectronics,
  metalworking, interferometry, and medical
  applications]
Lichtwellenfaser *f,* Lichtleitfaser *f,* optische
  Faser *f*
  optical fiber (OF)
Lichtwellenleiter *m* [Leitung für die optische
  Übertragung von Signalen]

optical cable, fiber-optic cable, fiber optics
[line for optical transmission of signals]
LIFO-Liste *f*, Kellerliste *f*, Stapel *m* [eine Liste,
in der die letzte Eintragung als erste
wiedergefunden wird]
push-down list, LIFO list [list in which the
last item stored is the first to be retrieved (last-
in/first-out)]
LIFO-Speicher *m*, FILO-Speicher *m*,
Kellerspeicher *m*, Stapelspeicher *m*, Stack *m*
[Speicher, der ohne Adreßangabe arbeitet und
dessen Daten in der umgekehrten Reihenfolge
gelesen werden, in der sie zuvor geschrieben
worden sind, d.h. das zuletzt geschriebene
Datenwort wird als erstes gelesen; er wird
mittels Schieberegister oder RAM insbesondere
für die Bearbeitung von Unterprogrammen
verwendet, d.h. für die Datenabspeicherung vor
einem Sprungbefehl]
LIFO memory (last in/first out memory),
FILO (first-in/last-out memory), stack [storage
device operating without address specification
and which reads out data in the reverse order
as it was stored, i.e. the first data word is read
out last; implemented as shift registers or
RAM, it is particularly used for subroutines, i.e.
for storing data before a jump instruction]
LIM *m* [von Lotus, Intel und Microsoft definierte
Norm]
LIM (Lotus, Intel, Microsoft) [standard defined
by Lotus, Intel and Microsoft]
LIM-EMS, LIM-Expansionsspeicher *m* [verwaltet
Zusatzspeicher nach Norm von Lotus/Intel/-
Microsoft (LIM)]
LIM EMS (LIM Expanded Memory
Specification) [manages additional memory as
expanded memory according to Lotus/Intel/-
Microsoft (LIM) standard]
lineare integrierte Schaltung *f*
linear integrated circuit
linearer Unterlastungsgrad *m*
linear derating factor
Linearität *f*
linearity
Linearitätsfehler *m*
linearity error
Linearverstärker *m* [Verstärker hoher
Linearität]
linear amplifier [amplifier of high linearity]
linienadressierbarer Speicher mit
wahlfreiem Zugriff *m* (LARAM)
line addressable random-access memory
(LARAM)
Liniengraphik *f*, Strichgraphik *f*
line graphics
linke Klammer *f*
left parenthesis
linker Rand *m*
left margin

links ausgeglichen, linksbündig
left-justified
links- oder rechtsbündig ausrichten, den
Rand ausgleichen [Textverarbeitung]
justify, to [word processing]
Linksausrichtung *f*
left justification
linksbündig, links ausgeglichen
left-justified
linksbündig ausführen, links ausgleichen
left-justify, to
linksbündig ausrichten
flush left, to; left justify, to
linksbündiger Flattersatz *m* [linksbündige
Textformatierung ohne Ausgleich des rechten
Randes]
ragged right margin [text formatting withou
alignment of right margin]
linksdrehend
counter-clockwise
Linksverschiebung [Versetzen von Bitmuster
nach links]
left shift [move bit patterns to the left]
LIPS (logische Schlußfolgerungen pro Sekunde)
[künstliche Intelligenz]
LIPS (logical inferences per second) [artificial
intelligence]
LISP [höhere Programmiersprache, die
hauptsächlich für Aufgaben im Zusammenhan
mit künstlicher Intelligenz, symbolischer
Mathematik und Rechnertheorie angewendet
wird]
LISP (list-processing language) [high-level
programming language mainly used for
applications connected with artificial
intelligence, symbolic mathematics and
computing theory]
Liste *f*
list
Liste der fehlerhaften Blöcke *f* [für
Festplatten]
bad block list [for hard disks]
Listendatei *f*
report file
Listenelement *n*
report item
Listengenerator *m*, Listenprogrammgenerator
m [Programm mit Formatier- und
Rechenbefehlen zur Erstellung von
anwenderspezifischen Listen]
list program generator (LPG), report
program generator (RPG) [program with
formatting and computational functions for th
output of user-specific lists or reports]
listengesteuert
· list-directed
Listenprogrammgenerator *m*, Listengenerato
list program generator (LPG), report
program generator (RPG)

Literal n, Operand an Adreßposition m [eine numerische oder alphanumerische Konstante als Operand im Adreßfeld eines Befehls; wird vor allem in Assemblersprachen verwendet]
literal, literal operand [a numerical or alphanumerical constant used as operand in the address field of an instruction; employed primarily in assembler languages]

Lithographie f, Photolithographie f
Verfahren zum Übertragen des Musters einer Maske auf die Halbleiterscheibe. Hierzu werden verschiedene Prozeßschritte benötigt: z.B. Auftragen eines Photolackes; Auflegen der Maske; Justieren der Maske; Belichtung des Photolackes durch die Maske hindurch; Entfernung der unerwünschten Lackstellen usw. Es gibt verschiedene Verfahren der Lithographie. Die häufigste Anwendung findet die Photolithographie. Zu den Verfahren für besondere Anwendungen gehören die Elektronenstrahllithographie, die Ionenstrahllithographie und die Ionenprojektionslithographie.
lithography, photolithography
Process for reproducing the pattern of a mask on the wafer. This requires several processing steps: e.g. coating of the wafer with a photoresist; placing the mask over the wafer; alignment of the mask; exposure of the photoresist through the mask; removal of the unwanted portions of the resist, etc. There are several lithographic processes. The most commonly used is photolithography. Processes for special applications include electron beam lithography, ion beam lithography and ion projection lithography.

LOC-Laser m [Halbleiterlaser mit relativ breitem optischen Resonator]
LOC laser (large optical-cavity laser) [semiconductor laser having a relatively wide optical cavity]

Loch n, Defektelektron n, Elektronenlücke f [Halbleitertechnik]
Fehlendes Elektron im Valenzband eines Halbleiters, das wie eine bewegliche positive Ladung wirkt.
hole [semiconductor technology]
Vacancy left by an electron in the valence band of a semiconductor and behaving like a mobile positive charge.

Lochabstand m [einer Farbbildschirm-Maske]
dot pitch [of a colour display mask]

Lochband n
punched strip

Lochbild n [Leiterplatten]
hole pattern [printed circuit boards]

Löcherbeweglichkeit f, Defektelektronenbeweglichkeit f
hole mobility

Löcherdichte f, Defektelektronendichte f
Die Dichte der fehlenden Elektronen im Valenzband eines Halbleiters.
hole density
The density of holes in the valence band of a semiconductor.

Löcherleitung f, Defektelektronenleitung f, Defektleitung f, P-Leitung f
Ladungstransport in einem Halbleiter durch Defektelektronen (Löcher).
hole conduction, p-type conduction
Charge transport by holes in a semiconductor.

Löcherstrom m, Defektelektronenstrom m
Der elektrische Strom in einem Halbleiter, der durch Löcher (Defektelektronen) hervorgerufen wird. Löcher sind positive Ladungsträger.
hole current
The electric current in a semiconductor due to the migration of holes. Holes are positive carriers.

Lochkarte f, Karte f
punched card, card

Lochkartenlesegerät n, Lochkartenleser m
card reader

Lochkartenstanzer m
card punch, card perforator

Lochstreifen m
punched tape

Lochstreifen-Magnetband-Umsetzer m
tape-to-tape converter, paper-tape-to-magnetic-tape converter

Lochstreifencode m
punched tape code

Lochstreifenleser m
tape reader

Lochstreifenstanzer m
tape punch, tape perforator

Lochung f
perforation, punched hole

Lochungsabfall m, Stanzabfall m [bei Lochstreifen oder Lochkarten]
chad [of punched tapes or punched cards]

LOCMOS-Technik f, oxidisolierte CMOS-Technik f
Isolationsverfahren für integrierte komplementäre MOS-Schaltungen, bei dem die einzelnen Schaltungsstrukturen durch lokale Oxidation von Silicium voneinander isoliert werden.
locally oxidized CMOS technology (LOCMOS technology)
Isolation technique for complementary MOS integrated circuits which provides isolation between the circuit structures by local oxidation of silicon.

LOCOS-Technik f
Isolationsverfahren für integrierte Bipolar- und MOS-Schaltungen, bei dem die einzelnen Schaltungsstrukturen durch lokale Oxidation

von Silicium voneinander isoliert werden.
LOCOS technology (local oxidation of silicon)
Isolation technique for both bipolar and MOS
integrated circuits which provides isolation
between the circuit structures by local
oxidation of silicon.
logarithmischer Verstärker *m* [Verstärker,
dessen Ausgangssignal dem Logarithmus des
Eingangssignales entspricht]
logarithmic amplifier [amplifier whose
output signal corresponds to the logarithm of
the input signal]
Logarithmusfunktion *f*
logarithm function, log function
Logging *n* [Aufzeichnen von Veränderungen
eines Datenbestandes]
logging [recording of updates of a data file]
Logik *f*
logic
Logik mit hoher Schwellwertspannung *f*
(HTL)
Logikfamilie, bei der höhere Versorgungsspannungen (15 V) als bei anderen Logikfamilien verwendet werden; zeichnet sich durch
einen hohen Störabstand aus.
high-threshold logic (HTL)
Logic family using higher supply voltages (15
V) than other logic families; characterized by
high noise immunity.
Logik-Array *n*
Integrierte Schaltung, die aus einer
regelmäßigen Anordnung von vorfabrizierten,
über Durchschmelzverbindungen miteinander
verdrahteten Gattern besteht. Logik-Arrays
sind feldprogrammierbar, d.h. die logischen
Funktionen können durch Wegbrennen der
Durchschmelzverbindungen festgelegt werden,
im Gegensatz zu den maskenprogrammierbaren Gate-Arrays, bei denen die Festlegung
der gewünschten Funktionen mittels
Verdrahtungsmasken erfolgt.
logic array
Integrated circuit containing a regular pattern
of prefabricated gates interconnected by fusible
links. Logic arrays are field-programmable, i.e.
logic functions can be implemented by blowing
the fusible links, in contrast to mask-
programmable gate arrays which require
interconnection masks for implementing the
desired functions.
Logikanalysator *m* [Prüfgerät für logische
Schaltungen, das Binärmuster verwendet]
logic analyzer [test unit for logic circuits
using binary patterns]
Logikbaustein *m*
logic device
Logikelement *n*
logic element, logical element
Logikfamilie *f,* Schaltungsfamilie *f,*

Logikschaltungsfamilie *f*
Gruppe von Schaltungen, die nach dem
gleichen Verfahren hergestellt sind und gleiche
oder vergleichbare Kenngrößen aufweisen wie
z.B. Durchlaufverzögerungszeiten, logische
Pegel, Verlustleistungen usw. Typische
Schaltungsfamilien sind ECL und TTL.
logic family, logic circuit family
A group of circuits fabricated by the same
process and exhibiting similar or comparable
characteristics such as propagation delay, logic
levels, power dissipation, etc. Typical logic
families are ECL and TTL.
Logikpegel *m* [der Pegel H oder L für den
logischen Zustand 1 oder 0 bei positiver Logik
bzw. 0 oder 1 bei negativer Logik]
logic level [the level H or L for the logical
state 1 or 0 in the case of positive logic and 0 or
1 in the case of negative logic]
Logikschaltung *f*
logic circuit
Logikschaltungsfamilie *f,* Schaltungsfamilie *f,*
Logikfamilie *f*
logic family, logic circuit family
Logiksymbol *n,* Zeichen der Schaltalgebra *n*
logic symbol
Logiksystem *n*
logic system
Logiktastkopf *m,* Logiktester *m* [zur Feststellung des logischen Pegels an einer
beliebigen Stelle einer Schaltung]
logic probe, logic tester [for determining the
logic level of any point in a circuit]
logisch fortlaufende Verarbeitung *f*
sequential processing
logische Entscheidung *f*
logic decision
logische Funktion *f,* logische Verknüpfung *f,*
Verknüpfung *f*
logic function, logical operation
logische Multiplikation *f,* Boolesche
Multiplikation *f,* UND-Verknüpfung *f*
Boolean multiplication, logical
multiplication, AND operation
logische Negation *f,* Boolesche
Komplementierung *f,* Umkehrfunktion *f,*
NICHT-Verknüpfung *f*
Boolean complementation, logical negation,
inversion function, NOT operation
logische Operation *f*
logic operation
logische Prüfung *f*
logic test
logische Schlußfolgerungen pro Sekunde
(LIPS) [künstliche Intelligenz]
logical inferences per second
(LIPS)[artificial intelligence]
logische Summe *f*
logic sum

logische Verknüpfung f, **Verknüpfungsglied** n
Eine logische Verknüpfung führt eine logische
Operation aus, d.h. sie verknüpft zwei oder
mehr Eingangssignale zu einem Ausgangs-
signal. Es gibt Verknüpfungen für die logischen
Operationen UND (=Konjunktion), exklusives
ODER (= Antivalenz), inklusives ODER (=
Disjunktion), NICHT (= Negation), NAND (=
Sheffer-Funktion), NOR (= Peirce-Funktion),
Äquivalenz, Implikation und Inhibition.
basic logic function, logic gate
A basic logic function is a logic operation which
combines two or more input signals into one
output signal. Basic logic operations are: AND
(= conjunction), EXCLUSIVE-OR (= non-
equivalence), INCLUSIVE-OR (= disjunction),
NOT (= negation), NAND (= non-conjunction or
Sheffer function), NOR (= non-disjunction or
Peirce function), IF-AND-ONLY-IF (=
equivalence), IF-THEN (= implication) and
NOT-IF-THEN (= exclusion).
logische Verschiebung f, **binäres Schieben** f
[eine Verschiebung, die auf alle Zeichen eines
Wortes die gleiche Wirkung hat]
logical shift [a shift having the same effect on
all characters of a word]
logischer Befehl m
logical instruction
logischer Zustand m [logisch 1 oder logisch 0]
logic state [logic 1 or logic 0]
logisches Laufwerk n [entsteht durch
Aufteilung eines physikalischen Laufwerkes]
logical drive [the result of partitioning a
physical drive]
Lokalbetrieb m
local mode
Lokalbus m [schneller bus mit höherer
Taktfrequenz verglichen mit dem Systembus]
local bus [fast bus with higher clock frequency
than system bus]
Lokalbus-Technik f
local bus technology
Lokalbus-Video n, LBV [schneller Bus für den
Anschluß des Bildschirms]
local bus video, LBV [fast bus for connecting
video display]
lokale Oxidation f, örtlich gezielte Oxidation f
Technik für die Isolation der einzelnen
Strukturen einer integrierten Schaltung, bei
der Oxidschichten selektiv, d.h. örtlich gezielt,
mit Hilfe von Siliciumnitridmasken auf die
Halbleiterscheibe aufgebracht werden. Es
werden verschiedene Verfahren eingesetzt, z.B.
Isoplanar, LOCMOS, LOCOS, LOSOS,
MOSAIC, OXIM, OXIS, PLANOX und SATO.
local oxidation
Isolation technique for integrated circuits in
which isolation regions between the circuit
structures are formed by selective localized

deposition of oxide layers on the semiconductor
wafer with the aid of silicon nitride masks.
Several processes are used, e.g. Isoplanar,
LOCMOS, LOCOS, LOSOS, MOSAIC, OXIM,
OXIS, PLANOX and SATO.
lokale Variable f
local variable
lokales Netz n (LAN) [ein Netz innerhalb eines
begrenzten Bereiches, z.B. Gebäude oder
Unternehmensgelände, für den dezentralen
Anschluß von Bildschirm- und
Peripheriegeräten; man unterscheidet zwischen
Konkurrenz- (z.B. CSMA/CD, Ethernet) und
Sendeberechtigungs-Verfahren (Token-
Zugriffsprotokoll) nach IEEE-802 und ECMA]
local area network (LAN) [a network within
a limited area, e.g. building or company
grounds, for the decentral connection of
terminals and peripheral equipment; one
differentiates between contention-accessing
(e.g. CSMA/CD, carrier-sense multiple access
with collision detection, Ethernet) and token-
passing accessing according to IEEE-802 and
ECMA]
Lokalisierer m
locator
Look-and-feel [Benutzersicht einer graphischen
Schnittstelle]
look-and-feel [user's view of a graphical
interface]
Los n [Fabrikations- bzw. Prüfmenge]
lot [production or test quantity]
lösbares Problem n
solvable problem
Löschanzeiger m
clear indicator
löschbar
erasable
**löschbarer programmierbarer
Festwertspeicher** m, elektrisch
programmierbarer Festwertspeicher m
(EPROM)
Festwertspeicher, der vom Anwender mit
Ultraviolettlicht gelöscht und elektrisch wieder
neu programmiert werden kann. Auch
REPROM genannt.
**electrically programmable read-only
memory** (EPROM)
Read-only memory that can be erased by
ultraviolet light and reprogrammed electrically
by the user. Sometimes called REPROM.
löschbarer Speicher m
erasable memory, erasable storage
Löscheingang m, Rücksetzeingang m [Eingang,
über den z.B. ein Flipflop zurückgesetzt
(gelöscht) werden kann]
erase input, reset input [input for resetting
e.g a flip-flop
löschen

erase, to; clear, to; delete, to; cancel, to
Löschen n [Daten]
clearing, cleaning-up [data]
Löschen n, Löschvorgang m
erasing procedure, erasing
Löschen des Bildschirms n
clearing the screen
Löschen eines Blocks n
block delete
Löschen mit ultraviolettem Licht n
[Löschvorgang für EPROMs]
ultraviolet light erasing [erasing method for
EPROMs]
löschende Rücktaste f
destructive backspace key
löschendes Lesen n [ein Lesevorgang, z.B. bei
einem Kernspeicher, der die gespeicherten
Daten löscht; im Gegensatz zu nichtlöschendem
Lesen, z.B. bei einigen Halbleiterspeichern]
destructive readout, (DRO) [a reading
operation, e.g. in a core memory, which
destroys the stored data; in contrast to non-
destructive readout (NDRO), e.g. in some
semiconductor memories]
Löschfunktion f
clean-up function
Löschgeschwindigkeit f
erasing speed
Löschimpuls m
erasing pulse
Löschkopf m
erase head
Löschregister n [enthält gelöschte Daten]
deletion record [containing deleted data]
Löschsignal n
erase signal, clearing signal
Löschtaste f
delete key (DEL key)
Löschvorgang m, Löschen n
erasing procedure, erasing
Löschzeichen n
delete character (DEL), erase character, rub-
out character
Löschzeit f
erasing time
Löschziffer f [zur Löschung gespeicherter
Daten]
erase bit [for erasing stored data]
lose Kopplung f [z.B zwischen zwei
magnetischen Kreisen]
loose coupling [e.g. between two magnetic
circuits]
LOSOS-Technik f
Isolationsverfahren für integrierte Schaltungen
mit Silicium-auf-Saphir-Strukturen, bei dem
die einzelnen Strukturen der Schaltung durch
lokale Oxidation von Silicium voneinander
isoliert werden.
LOSOS technology (local oxidation of silicon-

on-sapphire)
Isolation technique for integrated circuits with
silicon-on-sapphire structures which provides
isolation between the circuit structures by local
oxidation of silicon.
Lot n
solder
Lötabdecklack m, Lötstopplack m
[Leiterplatten]
solder resist [printed circuit boards]
Lötauge n, Öse f [allgemein]
eyelet [general]
Lötauge n, Anschlußauge n [für die Montage von
Bauteilen vorgesehener Teil des Leiterbildes
bei Leiterplatten]
land, terminal pad [conductive pattern used for
connecting components on PCB]
lötaugenloses Loch n [Leiterplatten]
landless hole [printed circuit boards]
Lötbarkeit f
solderability
Lötbrücke f
solder strap
Löten n
soldering
Lötfahne f
solder lug
lötfreie Verbindung f, Drahtwickeltechnik f,
Wirewrap-Technik f, Wickeltechnik f
Verfahren zum Herstellen einer lötfreien
Verbindung durch Umwickeln eines
vierkantigen Anschlußstiftes mit einem Draht
unter Zugspannung mit Hilfe eines
Werkzeuges.
solderless connection, wire-wrap technique
Method of making a solderless connection by
wrapping a wire under tension around a
rectangular terminal with the aid of a tool.
lötfreies Wickeln n
solderless wrap
Lötseite f [Leiterplatten]
solder side [printed circuit boards]
Lötstelle f, Lötverbindung f
solder joint
Lötstopplack m, Lötabdecklack m
[Leiterplatten]
solder resist [printed circuit boards]
Löttemperatur f
soldering temperature, lead temperature
Lötverbindung f, Lötstelle f
solder joint
Lötzinn m
tin solder
Lötzinnspritzer m, Spritzer m, Zinnspritzer m
solder splash, splash, tin solder splash
Lötösen-Einsetzmaschine f
eyelet inserting machine
LPDTL, Dioden-Transistor-Logik mit niedriger
Verlustleistung f [Variante der DTL-

Schaltungsfamilie]
LPDTL (low power diode-transistor logic)
[variant of the DTL logic family]
LPE-Verfahren *n*, Flüssigphasenepitaxie *f* [ein
Verfahren zur Herstellung epitaktischer
Schichten bei der Fertigung von
Halbleiterbauelementen und integrierten
Schaltungen]
LPE (liquid phase epitaxy) [a process for
growing epitaxial layers in semiconductor
component and integrated circuit fabrication]
LQ-Modus *m*, Schönschrift-Modus *m* [Drucker-
Betriebsart]
LQ mode (Letter Quality) [printer mode]
LRC-Zeichen *n*, Längsparitätszeichen *n*
[Paritätsprüfung z.B. bei
Magnetbandaufzeichnungen]
LRC character (longitudinal redundancy
check character) [parity check, e.g. with
magnetic tape recording]
LRU-Algorithmus *m* [wählt das Objekt aus, das
die längste Zeit nicht benutzt worden ist]
LRU algorithm (Least Recently Used) [selects
object that has not been used for the longest
time]
LSB, Binärstelle mit der niedrigsten Wertigkeit *f*
LSB (least significant bit)
LSD [Stelle einer Zahl mit der niedrigsten
Wertigkeit]
LSD (least significant digit)
LSI, Großintegration *f*
Integrationstechnik, bei der rund 10^5
Transistoren oder Gatterfunktionen auf einem
Chip realisiert sind.
LSI (large scale integration)
Technique providing for the integration of
about 10^5 transistors or logical functions on a
single chip.
LSL, langsame störsichere Logik *f*
Bipolare Schaltungsfamilie, die sich durch hohe
Störsicherheit auszeichnet.
LSL (low-speed logic)
Family of bipolar logic circuits characterized by
high noise immunity.
**LSTTL, Schottky-TTL mit niedriger
Verlustleistung** *f*
TTL-Schaltungsfamilie, die integrierte
Schottky-Dioden zur Vermeidung der Sättigung
der Transistoren verwendet. Dadurch wird die
Verlustleistung erheblich herabgesetzt.
LSTTL (low power Schottky TTL)
Family of TTL circuits using integrated
Schottky diodes to prevent the transistors from
saturating. This results in considerably reduced
power dissipation.
Lücke *f*, Gitterlücke *f* [Halbleiterkristalle]
Unbesetzter Platz im Kristallgitter eines
Halbleiters.
vacancy [semiconductor crystals]

An unoccupied lattice position in a
semiconductor crystal.
Lückenzeit *f* [Zeitverlust als Folge ungenutzen
Speicherraums]
blackout time [time loss due to unused
storage space]
Luftfahrtelektronik *f*
avionics
Luftkühlung *f*
air cooling
Lumen *n* (lm) [SI-Einheit des Lichtstromes]
lumen (lm) [SI unit of luminous flux]
Lumineszenzdiode *f*, Leuchtdiode *f*,
lichtemittierende Diode *f*, (LED)
Halbleiterbauelement, bei dem elektrische
Energie in Licht oder Infrarotstrahlung
umgesetzt wird. Durch Rekombination von
Elektronen und Defektelektronen an einem in
Vorwärtsrichtung betriebenem PN-Übergang
wird Energie frei, die als Licht abgestrahlt
wird. LEDs emittieren im sichtbaren Spektralbereich in den Farben rot, grün, gelb und blau
sowie in nahen Infrarotbereich.
light emitting diode (LED)
Semiconductor component which converts
electric energy into light or infrared radiation.
By recombination of electrons and holes at a
forward-biased pn-junction, energy is set free
which is emitted as radiation. LEDs emit red,
green, yellow and blue light in the visible
spectral region and produce radiation in the
near infrared region.
Lumineszenzplatte *f* [Optoelektronik]
electroluminescent panel [optoelectronics]
Luminosität *f*
luminosity
Lux *n* (lx) [SI-Einheit der Beleuchtungsstärke]
lux (lx) [SI unit of light intensity]u

M

MAC-Dateiformat *n* [Graphik-Dateiformat für den Apple Macintosh]
MAC file format [graphical file format for Apple Macintosh]
Macintosh-Rechner *m*, Apple-Macintosh-Rechner *m* [auf Basis der Motorola-68000-Prozessorfamilie von Apple entwickelt]
Macintosh computer, Apple Macintosh computer [developed by Apple, based on the Motorola 68000 processor family]
Magnetband *n*
magnetic tape
Magnetband zur Meßwertspeicherung *n*
instrumentation magnetic tape
Magnetbandaufzeichnung *f*
magnetic tape recording
Magnetbandfehler *m* [wird durch verlorenes bzw. zusätzliches Bit, d.h. durch Signalausfall (drop-out) bzw. Störsignal (drop-in), verursacht]
magnetic tape error [due to loss of a bit (drop-out) or addition of a bit (drop-in)]
Magnetbandgerät *n*
magnetic tape unit, tape unit, magnetic tape device
Magnetbandkassette *f*, Kassette *f*, Cartridge *n*
magnetic tape cassette, cassette, cartridge
Magnetbandkennsatz *m*
magnetic tape label
Magnetbandlaufwerk *n*
magnetic tape drive, tape drive
Magnetbandleser *m*
magnetic tape reader
Magnetbandnachspann *m*
magnetic tape trailer
Magnetbandspeicher *m*, Bandspeicher *m*
magnetic tape storage, tape storage
Magnetblasenspeicher *m*, Blasenspeicher *m*
Nichtflüchtiger Massenspeicher mit sehr hoher Speicherdichte. Die Speicherung der Daten erfolgt in kleinen zylindrischen Domänen (Blasen) in einer dünnen magnetischen Schicht, die auf ein nichtmagnetisches Substrat aufgebracht ist.
magnetic bubble memory, bubble memory
Non-volatile mass storage device with very high storage density. Storage of data is effected in small cylindrical domains (bubbles) in a magnetic thin film deposited on a non-magnetic substrate.
Magnetblasenspeicherkassette *f*,
Blasenspeicherkassette *f*
magnetic bubble memory cassette, bubble memory cassette
Magnetdrahtspeicher *m*
magnetic wire strorage

Magnetfeld *n*, magnetisches Feld *n*
magnetic field
Magnetfilmspeicher *m*, Magnetschichtspeicher *m*
magnetic film memory, magnetic film storage
Magnetfluß *m*, magnetischer Fluß *m*
magnetic flux
magnetische Aufzeichnung *f*
magnetic recording
magnetische Hysterese *f*
magnetic hysteresis
magnetische Streuung *f*
magnetic leakage
magnetische Suszeptibilität *f*
magnetic susceptibility
magnetische Zeichenerkennung *f*,
Magnetschrifterkennung *f* [durch optische oder magnetische Abtastung einer Magnetschrift]
magnetic ink character recognition (MICR) [by optical or magnetic scanning of magnetic characters]
magnetischer Fluß *m*, Magnetfluß *m*
magnetic flux
magnetischer Kreis *m*
magnetic circuit
magnetisches Feld *n*, Magnetfeld *n*
magnetic field
Magnetisierungsfehlstelle *f*
[Magnetbandfehler]
magnetic drop-out, drop-out [magnetic tape error]
Magnetkarte *f*
magnetic card
Magnetkartenspeicher *m*
magnetic card storage
Magnetkern *m*, Kern *m*
magnetic core, core
Magnetkernspeicher *m*, Kernspeicher *m*
magnetic core storage, core storage, core memory
Magnetkontenautomat *m*,
Magnetkontenrechner *m*
magnetic ledger-card computer
Magnetkopf *m*
magnetic head, head
Magnetplatte *f*, Platte *f*
magnetic disk, disk
Magnetplattenkassette *f*, Einzelplattenkassette *f* [von oben einsetzbare bzw. von vorne einschiebbare Kassette]
magnetic disk cartridge, single-disk cartridge [top loaded or front loaded]
Magnetplattenlaufwerk *n*, Plattenlaufwerk *n*
magnetic disk drive, disk drive
Magnetplattenspeicher *m*, Plattenspeicher *m*
Man unterscheidet hauptsächlich zwischen Fest- und Wechselplattenspeicher. Der Winchester-Plattenspeicher ist eine besondere Ausführung des Festplattenspeichers mit hoher

Aufzeichnungsdichte. Bei den Wechselplatten unterscheidet man zwischen Plattenstapel und Einzelplattenkassette.
magnetic disk storage, disk storage, disk memory
Disk storages can be of the fixed or removable type. The Winchester drive is a special fixed-disk storage with high recording density. Removable-disk storages can be of the disk pack or single-disk cartridge type.

Magnetplattenstapel m
magnetic disk pack, disk pack

Magnetringkern m, Ferritringkern m
ferrite ring core, magnetic ring core

Magnetschicht f
magnetic film, magnetic coating

Magnetschichtspeicher m, Magnetfilmspeicher
magnetic film memory, magnetic film storage

Magnetschrift f, Klarschrift f, OCR-Schrift f
[von Menschen und Maschinen lesbare Schrift]
optical characters (OCR characters), magnetic characters [characters readable by humans and machines]

Magnetschrifterkennung f, magnetische Zeichenerkennung f [durch optische oder magnetische Abtastung einer Magnetschrift]
magnetic ink character recognition (MICR) [by optical or magnetic scanning of magnetic characters]

Magnetschriftleser m
magnetic character reader

Magnetspeicher m
magnetic storage device, magnetic memory

Magnetspur f
magnetic track

Magnettrommelspeicher m, Trommelspeicher m
magnetic drum storage, drum storage

Mailbox f, elektronischer Briefkasten m
[Speicherplatz für eingehende Mitteilungen]
mailbox, electronic mailbox [storage space for incoming messages]

Mailbox-Dienst m, elektronischer Briefkasten m
mailbox service, E mailbox service, electronic mailbox service

Majoritätsladungsträger m
Der in einem Halbleiter bzw. Halbleiterbereich vorherrschende Ladungsträgertyp; d.h. der Lagungsträgertyp, dessen Dichte größer ist als die Hälfte der gesamten Trägerdichte in dem betreffenden Bereich. In einem N-leitenden Halbleiter sind die Elektronen Majoritätsladungsträger; in einem P-leitenden Halbleiter sind es die Defektelektronen.
majority carrier, majority charge carrier
The predominant type of charge carrier in a semiconductor or a semiconductor region; i.e. the type of carrier that constitutes more than half of the total number of carriers in that particular region. In n-type material, electrons are majority carriers; in p-type materials, holes are majority carriers.

Makroanweisung f
macro statement

Makroassembler m [Assembler, der wiederholt verwendete Befehlsfolgen, die vom Programmierer als Makros definiert sind, automatisch in die entsprechenden Maschinenbefehlsfolgen umsetzt]
macroassembler [assembler that automatically converts repetitively used instruction sequences, defined by the programmer as macros, into corresponding sequences of machine instructions]

Makroaufruf m [Aufruf einer Befehlsfolge, die in einer symbolischen Programmiersprache als Makro definiert ist, sowie die Zuweisung von aktuellen Werten für die Parameter]
macro call [calling an instruction sequence defined as a macro in a symbolic programming language and assigning current values to parameters]

Makrobefehl m [Folge von Befehlen]
macro instruction, macro [sequence of instructions]

Makrobefehlsspeicher m
macro instruction storage

Makrobibliothek f [Sammlung von definierten Makros]
macro library [collection of defined macros]

Makrodefinition f
macro definition, macro declaration

Makroelement n
macro element

Makroprogrammierung f
macro programming

Makroprozessor m [ein Programm, das die Maschinenbefehlsfolgen von definierten Makros erzeugt und den Parametern aktuelle Werte zuweist]
macro processor [a program that generates the machine instruction sequences corresponding to defined macros and assigns current values to parameters]

Makrozelle f [Halbleitertechnik]
Eine Kombination von vorfabrizierten funktionellen, aber nicht miteinander verdrahteten Grundzellen, die ihrerseits aus integrierten Elementen wie Gattern, Transistoren, Widerständen und Dioden bestehen. Makrozellen werden nur in Bipolartechnik, vorwiegend in ECL- und ALSTTL-Logik, hergestellt.
macrocell [semiconductor technology]
A combination of prediffused functional but not interconnected basic cells, each containing a cluster of integrated circuit elements such as gates, transistors, resistors and diodes.

Macrocells are limited to bipolar technology
and are usually fabricated in ECL and ALSTTL
logic.

Makrozellen-Array *n*
Höchstintegrierte Schaltung, die aus einer
regelmäßigen Anordnung von vorfabrizierten
Makrozellen besteht. Mit Hilfe von Verdrahtungsmasken lassen sich, ähnlich wie mit
Gate-Arrays, integrierte Semikundenschaltungen realisieren, die jedoch im Vergleich
zu Gate-Arrays einen höheren
Komplexitätsgrad aufweisen.
  macrocell array
Large-scale integrated circuit containing a
regular prediffused pattern of macrocells.
Similar to gate arrays, macrocell arrays allow
semicustom integrated circuits to be produced
with the aid of interconnection masks. In
contrast to gate arrays, however, their degree
of complexity is much higher.

Managementinformationssystem *n* (MIS) [ein
rechnergestütztes System zur Unter-stützung
der Unternehmungsleitung durch ausgewählte
Informationen in aktualisierter und
konzentrierter Form]
  management information system (MIS) [a
computer-based system for supporting
management functions by providing selected
information in an updated and concentrated
form]

manipulieren
  manipulate, to

Mann-Jahr *n*
  man-year

Mantisse *f* [bei der Gleitpunktdarstellung: der
Zahlenwert einer Zahl, z.B. kann die Zahl 123
durch die Mantisse 0,123 und den Exponenten
3 (= 0,123 x 10^3) dargestellt werden]
  mantissa, fixed-point part [in floating point
notation: the numerical value of a number, i.e.
the number 123 can be represented by the
mantissa 0.123 and the exponent 3 (= 0.123 x
10^3)]

manuell eingegebene Daten *n.pl.*
  manual input data

manuelle Vorlagenerstellung *f*
  manual artwork generation

manueller Betrieb *m*
  manual operation

Mapping-ROM *m* [Codeumsetzer auf ROM-
Speicherbasis, der z.B. den Codeteil eines
Maschinenbefehls in die Startadresse des
Mikroprogramms umsetzt]
  mapping ROM [code converter based on
ROMs, e.g. for converting the code part of a
machine instruction into the starting address of
a microprogram]

Marke *f*, Programmmarke *f*
  label, program label

Markierung *f*
  mark

Markierung löschen
  unmark, to

maschinell lesbarer Datenträger *m*
  machine-readable data medium, machine-
readable medium

maschinelle Programmierung *f*
  computer-aided programming

maschinenabhängig [z.B.
Programmiersprache]
  machine-dependent [e.g. programming
language]

Maschinenadresse *f*, absolute Adresse *f*,
physikalische Adresse *f* [tatsächliche oder
permanente Adresse eines Speicher-platzes; im
Gegensatz zur relativen, symbolischen oder
virtuellen Adresse]
  absolute address, machine address, physical
address [actual or permanent address of a
storage location; in contrast to relative,
symbolic or virtual address]

Maschinenbefehl *m* [im Maschinencode
geschriebener Befehl, der von der Zentraleinheit eines Rechners bzw. vom Mikroprozessor erkannt wird]
  machine instruction [instruction written in
machine code that can be recognized by the
central processing unit of a computer or by a
microprocessor]

Maschinenbefehlcode *m*, Maschinencode *m*
[maschineninterne Codierung in Binär- oder
Dezimalziffern (mit hexadezimaler oder oktaler
Darstellung) für die Maschinenbefehle eines
Mikroprozessors bzw. Rechners]
  machine code, machine instruction code
[coding in binary or decimal digits (with
hexadecimal or octal representation) for
machine instructions of a microprocessor or of a
computer]

Maschinenfehler *m*, Hardware-Fehler *m*
  hardware error, malfunction

maschinenlesbar [z.B. Zeichen]
  machine-readable [e.g. characters]

maschinenorientierte Programmiersprache
f [symbolische Programmiersprache, die eng an
die Struktur der Maschinensprache angelehnt
und deshalb maschinenabhängig ist]
  machine-oriented language, computer-
oriented language [symbolic programming
language closely related to machine language
structure and hence machine-dependent]

Maschinenprogramm *n* [ein Programm in
Maschinensprache]
  machine program [a program in machine
language]

Maschinensprache *f* [Gesamtheit der
Maschinenbefehle eines Mikroprozessors bzw.
eines Rechners]

machine language [the complete set of machine instructions of a microprocessor or computer]

Maschinenstatus *m*, **Maschinenzyklusstand** *m*
machine cycle status

maschinenunabhängig [z.B. Programmiersprache]
machine-independent [e.g. programming language]

Maschinenwort *n* [im Maschinencode geschriebene Zeichenfolge, die als Einheit behandelt wird]
machine word [character string written in machine code and treated as a unit]

Maschinenzeit *f*, **Rechnerbelegungszeit** *f*
machine time, computer time

Maschinenzyklus *m* [Ausführungszeit einer elementaren Operation in einem Mikroprozessor oder Rechner]
machine cycle [execution time for an elementary operation in a microprocessor or computer]

Maschinenzyklusstand *m*, **Maschinenstatus** *m*
machine cycle status

Maser [Mikrowellenverstärkung durch angeregte Strahlungsemission]
maser (microwave amplification by stimulated emission of radiation)

MASFET, **Feldeffekttransistor mit Metall-Aluminiumoxid-Silicium-Aufbau** *m* Feldeffekttransistor, dessen Gate (Steuerelektrode) durch eine Aluminiumoxidschicht vom Kanal isoliert ist. Wird zur Herstellung von Speichern, z.B. EPROMs, verwendet.
MASFET (metal-alumina-silicon FET) Field-effect transistor in which the gate is isolated from the channel by an aluminium oxide. Is used for fabricating memories, e.g. EPROMs.

Maske *f* [auf einer UND-Operation basierendes Verfahren zur Abdeckung von nichtbenötigten Teilen eines Maschinenwortes, z.B. die Maske mit den Binärzeichen 00111100 läßt die mittleren vier Stellen eines 8-Bit-Wortes durch und deckt die anderen vier Stellen ab]
mask [procedure based on an AND operation for covering up unwanted parts of a machine word, e.g. the mask 00111100 passes the middle four bits of an 8-bit word and covers up the remaining four bits]

Maske *f*, **Photomaske** *f* Schablone, die bei der Herstellung von integrierten Schaltungen verwendet wird, um eine selektive Dotierung, Oxidation, Ätzung, Metallisierung usw. zu ermöglichen. Für eine integrierte Schaltung werden 5 bis 16 unterschiedliche Masken für die vom angewendeten Fertigungsprozeß abhängenden Maskierungsschritte benötigt.
mask, photomask
Patterned screen used in integrated circuit fabrication to permit selective doping, oxidation, etching, metallization, etc. to be carried out. For the manufacture of an integrated circuit 5 to 16 different mask patterns are required corresponding to the various masking steps associated with the fabrication process used.

Maske löschen *f* [bei der maskierbaren Unterbrechung]
unmask, to [in the case of a maskable interrupt]

Maskenherstellung *f* [die Fertigung von Masken für die Herstellung integrierter Schaltungen]
mask fabrication, mask-making [the production of masks for integrated circuit fabrication]

Maskenjustierung *f*
mask alignment

Maskenjustiervorrichtung *f*
mask aligner

maskenprogrammierbar
mask programmable

maskenprogrammierter Festwertspeicher *m* [Festwertspeicher, dessen Inhalt mittels einer Verdrahtungsmaske während der Herstellung festgelegt wird]
mask programmed read-only memory [read-only memory whose contents are determined by an interconnection mask during manufacture]

Maskenprogrammierung *f* [Programmierung eines Festwertspeichers mittels einer Verdrahtungsmaske während der Herstellung]
mask programming [programming of a read-only memory by means of an interconnection mask during manufacture]

Maskenregister *n* [bei der maskierbaren Unterbrechung verwendetes Register]
mask register [register employed for maskable interrupts]

Maskenreproduktion *f*
mask reproduction

Maskensatz *m*, **Photomaskensatz** *m* Die Gesamtheit der Masken (5 bis 16), die für die Herstellung einer integrierten Schaltung benötigt wird.
set of masks, set of photomasks The total number of masks (5 to 16) required for the manufacture of an integrated circuit.

Maskentechnik *f* Verfahren (z.B. Photolithographie, Elektronenstrahlschreiber, Ätztechniken usw.) für die Herstellung von Masken, die für die Fertigung integrierter Schaltungen benötigt werden.

masking technology, masking process
Processes (e.g. photolithography, electron beam
writers, etching processes, etc.) for producing
masks required in integrated circuit
fabrication.
Maskenvorlage *f*
Vorlage für die Maskenherstellung, die anhand
des Schaltkreislayouts erstellt wird und 100 bis
1000 mal größer ist, als die endgültige Maske.
mask pattern, artwork
Artwork for the production of masks, based on
the circuit layout, which is 100 to 1000 times
larger than the final mask.
maskierbare Unterbrechung *f*
[Unterbrechungsart, die ein Maskierbit für
Freigabe bzw. Sperrung einer Unterbrechung
verwendet]
maskable interrupt [interrupt technique
employing a masking bit to enable or disable an
interrupt]
maskierbarer Vektor-
Unterbrechungsanschluß *m*
maskable vector interrupt pin
Maskierbit *n* [für die Freigabe bzw. Sperrung
einer maskierbaren Unterbrechung]
masking bit [for enabling or disabling a
maskable interrupt]
maskieren [abdecken, z.B. die Struktur einer
integrierten Schaltung bei der Herstellung;
Binärstellen eines Maschinenwortes; Bildteile
bei der graphischen Datenverarbeitung]
mask, to [cover up, e.g. the structure of an
integrated circuit during manufacture; binary
digits of a machine word; pictorial segments in
computer graphics]
Maskierung *f* [bei der Herstellung integrierter
Schaltungen]
masking, masking operation [in integrated
circuit fabrication]
Maskierungsschritt *m*
masking step, photomasking step
Masse *f*
ground
Masseebene *f* [Leiterplatten]
ground plane [printed circuit boards]
Massendaten *n.pl.*
mass data
Massendichte *f,* Dichte *f*
mass density, density
Massenproduktion *f,* Herstellung in großen
Zahlen *f*
volume production, mass production
Massenspeicher *m* [Speicher mit großer
Kapazität, z.B. Plattenspeicher]
mass storage, mass memory [storage device
with large capacity, e.g. disk storage]
massiver Einkristall *m*
bulk single-crystal
maßstäblich

full-scale
Master-Slave-Anordnung *f* [Flipflop: Schaltung
mit zwei Flipflop-Stufen; die erste (Master)
ändert ihren Zustand mit der Vorderflanke des
Taktimpulses und die zweite (Slave)
übernimmt dieses Signal und ändert ihren
Zustand mit der Rückflanke des Taktimpulses]
master-slave arrangement [flip-flops: a
circuit with two flip-flop stages; the first
(master) changes its state with the rising edge
of the clock pulse, the second (slave) accepts
this signal and changes its state with the
falling edge of the clock pulse]
Master-Slave-Anordnung *f* [Mikroprozessoren
oder Rechner: eine Anordnung, bei der ein
Prozessor (Master) die Steuerung der anderen
(Slaves) übernimmt]
master-slave arrangement [microprocessors
or computers: an arrangement in which one
unit (master) controls the others (slaves)]
Master-Slave-Flipflop *n,* MS-Flipflop *n,*
Master-Slave-Speicherglied *n* [Flipflop-
Schaltung, die von beiden Flanken des
Taktimpulses gesteuert wird, z.B. ein JK-
Flipflop oder zwei getaktete RS-Flipflops]
master-slave flip-flop, MS flip-flop [flip-flop
circuit controlled by both edges of the clock
pulse, e.g. a JK flip-flop or two triggered RS
flip-flops]
mathematische Logik *f,* symbolische Logik *f*
mathematical logic
mathematischer Ausdruck *m*
mathematical expression, mathematical
term
Matrix *f* [zweidimensionale (oder
mehrdimensionale) Anordnung von Datenelementen oder Bauteilen in Spalten und
Zeilen, z.B. Diodenmatrix, Speichermatrix]
matrix, array [two-dimensional (or multi-
dimensional) arrangement of data elements or
components in columns and rows, e.g. diode
matrix, memory matrix]
Matrixdrucker *m,* Punktmatrixdrucker *m,*
Nadeldrucker *m,* Mosaikdrucker *m*
Drucker, bei dem durch matrixförmig
angeordnete Drahtstifte (z.B. 5x7 oder 7x9
Matrix) aus Punkten zusammengesetzte
Zeichen gebildet werden. Die Bewegung der
Drahtstifte gegen das Farbband bzw. gegen das
Papier erfolgt durch Elektromagnete.
matrix printer, dot-matrix printer
Printer which uses a matrix of wires (e.g. 5x7
or 7x9 matrix) to form alphanumeric characters
composed of dots. The wires are driven against
an inked ribbon or paper by solenoids.
Matrixschreibweise *f*
matrix notation
Matrixspeicher *m* [Speicher, dessen Elemente
matrixförmig angeordnet sind, so daß der

Zugriff auf ein Element über zwei (oder mehr)
Koordinaten erfolgt, z.B. ein Kernspeicher]
matrix storage, matrix memory [storage
whose elements are arranged in a matrix so
that an element is accessed over two (or more)
coordinates, e.g. core storage]
Matrixvariable *f,* Feldvariable *f* [ein geordneter
Satz von Daten]
array [an ordered set of data]
Matrixzeichen *n* [Zeichen, das aus einer
Punktmatrix aufgebaut ist]
matrix character [character formed by a
matrix of dots]
Maus *f* [eine Einrichtung, mit der ein Zeiger (der
Cursor) auf dem Bildschirm bewegt werden
kann]
mouse [a device for positioning the cursor on a
display]
Mausklick *m* [Maustaste kurz drücken und
loslassen]
mouse click [briefly depressing mouse button]
Maximalverstärkung *f*
maximum gain
MB, MByte, Megabyte *n* [Maß für die
Speicherkapazität; 10^6 Byte]
MB, Mbyte, megabyte [measure for storage
capacity; 10^6 bytes]
MB/s, MByte/s, Megabyte/s [Maß für die
Datenübertragung; 10^6 Byte/s]
MB/s, Mbytes/s, megabytes/s [measure for data
transfer rate; 10^6 bytes/s]
MBE-Verfahren *n,* Molekularstrahlepitaxie *f*
Verfahren zur Herstellung epitaktischer
Schichten mit Hilfe von Molekularstrahlen;
wird vorwiegend für hoch- und
höchstintegrierte Schaltungen eingesetzt.
MBE process (molecular beam epitaxy)
Process using molecular beams for producing
epitaxial layers; is mainly used in large-scale
and very large-scale integrated circuit
fabrication.
MCA [Mikrokanal-Architektur, 32-Bit-Bussystem
für IBM PS/2-Rechner]
MCA (Micro Channel Architecture) [32-bit bus
system for IBM PS/2 computers]
MCBF [Anzahl der fehlerfreien Zyklen zwischen
zwei Ausfällen]
MCBF (mean cycles between failures)
MCM-Baustein *m,* Multichipmodul *m* [Baustein
mit mehreren integrierten Schaltungen auf
einem Substrat für Hochgeschwindigkeits-
Übertragungen]
MCM (multi-chip module) [package of ICs
bonded directly to substrate for high-speed
transmission]
MCU, Mikrosteuereinheit *f* [steuert bei der
Mikroprogrammierung die Sequenz von
Mikrobefehlen]
MCU (microprogram control unit) [controls the

sequence of microinstructions in
microprogramming]
MCVD-Verfahren *n*
[Schichtabscheidungsverfahren, das bei der
Herstellung von Glasfasern eingesetzt wird]
MCVD process (modified chemical vapour
deposition process) [a vapour deposition process
used in glass fiber fabrication]
MDI-Schnittstelle *f* [für den Datenaustausch
zwischen Dokumenten]
MDI (Multiple Document Interface) [for data
exchange between documents]
mechanischer Drucker *m* [z.B. Matrixdrucker
oder Typenraddrucker]
impact printer [e.g. matrix printer or daisy-
wheel printer]
Megabyte, MByte, MB *n* [Maß für die
Speicherkapazität; 10^6 Byte]
megabyte, Mbyte, MB [measure for storage
capacity; 10^6 bytes]
Megabyte/s, MByte/s, MB/s [Maß für die
Datenübertragung; 10^6 Byte/s]
megabytes/s, Mbytes/s, MB/s [measure for
data transfer rate; 10^6 bytes/s]
Megaflop *n* (MFLOP) [10^6
Gleitpunktoperationen pro Sekunde]
Megaflop (MFLOP) [10^6 floating-point
operations per second]
MegaPAL [ein programmierbares Logik-Array-
Konzept für die Realisierung von integrierten
Semikundenschaltungen]
MegaPAL [a programmable logic-array
concept for producing semicustom integrated
circuits]
Mehradreßbefehl *m* [ein Befehl mit mehreren
(meistens zwei) Adreßteilen]
multiaddress instruction [an instruction
with several (usually two) address parts]
Mehradressencode *m*
multiple-address code
Mehrbenutzersystem *n* [Rechnersystem mit
gleichzeitigem Zugriff für mehrere Benutzer; in
der Regel findet in kurzen Zeitintervallen ein
Benutzerwechsel statt
(Zeitmultiplexverfahren)]
multiuser system [computer system with
simultaneous access for numerous users; as a
rule, the users are switched on a time-sharing
basis]
Mehrdeutigkeit *f*
ambiguity
Mehrebenen-Unterbrechung *f,* mehrstufige
Programmunterbrechung *f*
[Programmunterbrechung mit mehreren
Prioritätsstufen]
multilevel interrupt [interrupt with several
priority levels]
Mehrebenenverdrahtung *f,*
Mehrlagenverdrahtung *f*

Technik bei integrierten Schaltungen (z.B. bei
Gate- oder Logik-Arrays), bei der zwei (oder
mehr) Verdrahtungsebenen zur Optimierung
der Flexibilität und der Platzausnutzung
angewendet werden.
multilevel interconnections, multilayer
interconnections
Technique using two (or more) layers of metal
interconnections in an integrated circuit (e.g. in
gate or logic arrays) to optimize flexibility and
space utilization.
Mehrfachbusstruktur f, Multibusstruktur f
multiple-bus structure
Mehrfachdiode f [mehrere Dioden in einem
Gehäuse]
multiple diodes [a number of diodes in one
case]
mehrfache Genauigkeit f,
Mehrfachgenauigkeit f [Erhöhung der
Rechnergenauigkeit durch Verwendung
mehrerer Rechnerwörter, z.B. doppelte
Genauigkeit durch zwei Wörter]
multiple precision [increasing computing
precision by using multiple-length computer
words, e.g. double precision by using double
words]
Mehrfachemittertransistor m,
Multiemittertransistor m
Integrierte Bipolarschaltung, bei der die
Transistoren mehrere Emitterbereiche und
einen gemeinsamen Kollektor- und
Basisanschluß haben.
multiemitter transistor
Bipolar integrated circuit in which the
transistors have several emitter regions with a
common collector and base terminal.
Mehrfachgenauigkeit f, mehrfache
Genauigkeit f
multiple precision
Mehrfachkollektortransistor m,
Multikollektortransistor m
Integrierte Bipolarschaltung mit Transistoren,
die mehrere Kollektorbereiche mit einem
gemeinsamen Emitter- und Basisanschluß
haben.
multicollector transistor
Bipolar integrated circuit in which the
transistors have several collector regions with a
common emitter and base contact.
Mehrfachmeßgerät n, Universalmeßgerät n,
Vielfachmeßgerät n
multimeter, universal measuring instrument,
multipurpose instrument
Mehrfachreflexion f
multiple reflection
Mehrfachschalter m
multiswitch, multiple switch, ganged switch
Mehrfachschicht f
multilayer

Mehrfachstecker m, Mehrfachsteckverbinder m
multiconnector, multiple-pole connector
Mehrfachsubtrahierer m
multiple subtracter
Mehrfachvererbung f [bei der
objektorientierten Programmierung: die
Generierung einer abgeleiteten Klasse aus
mehreren Basisklassen]
multiple inheritance [in object oriented
programming: creating a derived class from
more than one base class]
Mehrfachvergleich m
multiple match
Mehrfachzugriff m [Zugriff über mehrere
Schlüssel in einem Datenbanksystem]
multiple access [access via numerous keys in
a data base system]
Mehrfachzugriffsnetz n
multiaccess network
Mehrfachzugriffsprotokoll n
multiaccess protocol
Mehrfrequenz-Bildschirmgerät n, Multiscan-
Monitor m, Multisync-Monitor m [paßt sich
automatisch and die Bildwiederhol- und
Zeilenfrequenz (Abtastfrequenz) der
Graphikkarte an]
multiscan display unit, multiscan monitor
[automatically adjusts itself to the refresh rate
and the scanning frequency of the graphics
adapter]
Mehrkanalmeßschreiber m
multichannel recorder
Mehrkanalmikrowellensystem n
multichannel microwave system
Mehrkanalmodem m
multiport modem
Mehrkanalverstärker m
multichannel amplifier
Mehrkathodenzerstäubung f [ein
Abscheideverfahren]
multitarget sputtering [a deposition process]
Mehrlagenbasismaterial n [für die Fabrikation
von Leiterplatten]
multilayer laminate [for printed circuit board
manufacture]
Mehrlagenleiterplatte f, mehrschichtige
Leiterplatte f
multilayer printed circuit board,
multilayer PCB
Mehrlagenverdrahtung f [Leiterplatten]
multilayer wiring [printed circuit boards]
Mehrlagenverdrahtung f,
Mehrebenenverdrahtung f
Technik bei integrierten Schaltungen (z.B. bei
Gate- oder Logik-Arrays), bei der zwei (oder
mehr) Verdrahtungsebenen zur Optimierung
der Flexibilität und der Platzausnutzung
angewendet werden.
multilevel interconnections, multilayer

interconnections
Technique using two (or more) layers of metal
interconnections in an integrated circuit (e.g. in
gate or logic arrays) to optimize flexibility and
space utilization.

mehrlagig, mehrschichtig
multilayered, multiply

Mehrleiterkabel n
multiconductor cable, multicore cable

mehrmals lesbar, einmal beschreibbar, WORM
write once, read many times (WORM)

Mehrprogrammbetrieb m,
Multiprogrammbetrieb m [gleichzeitige
Ausführung mehrerer Programme in einem
Rechner durch eine zeitlich verzahnte
Verarbeitung der einzelnen Programme]
multiprogramming mode,
multiprogramming [simultaneous execution of
several programs in a computer by interleaved,
time-shared processing of individual programs]

Mehrprozeßbetrieb m, Multitasking n
[gleichzeitige Bearbeitung mehrerer Aufgaben
bzw. Prozesse durch einen Rechner]
multitasking [simultaneous processing of
several tasks or processes by a computer]

Mehrprozessorsystem n, Multiprozessorsystem
Die Kopplung mehrerer Prozessoren bzw.
Mikroprozessoren, von denen jeder bestimmte
Funktionen innerhalb des Systems ausführt
(z.B. arithmetische Operationen, Ein-Ausgabe-
Funktionen usw.) aber auf gemeinsame
Systemteile wie Speicher oder Peripheriegeräte
zugreifen kann.
multiprocessor system
Several processors or microprocessors linked
together to form a system in which each
processor performs specific functions (e.g.
arithmetic operations, input-output functions,
etc.) but has access to parts which are common
to the system such as memories or peripheral
equipment.

Mehrprozessorsystem mit verteilter
Steuerung n
distributed multiprocessor system

Mehrrechnersystem n, Multirechnersystem n
[Kopplung mehrerer Rechner zwecks Erhöhung
der Kapazität und Vermeidung von
Systemausfällen]
multicomputer system [linking of several
computers for increasing capacity and avoiding
system failure]

Mehrschicht-Dünnfilmmetallisierung f
multilayer thin-film metallization

mehrschichtig, mehrlagig
multilayered, multiply

mehrschichtige Leiterplatte f,
Mehrlagenleiterplatte f
multilayer printed circuit board,
multilayer PCB

Mehrschichtsolarzelle f
multilayer solar cell

mehrstellige Zahl f
multiple-digit number, multidigit number

mehrstelliger Code m
multiple-digit code, multidigit code

Mehrstrahloszillograph m,
Mehrstrahloszilloskop n
multitrace oscilloscope

mehrstufige Adresse f
multilevel address

mehrstufige Programmunterbrechung f,
Mehrebenen-Unterbrechung f
[Programmunterbrechung mit mehreren
Prioritätsstufen]
multilevel interrupt [interrupt with several
priority levels]

Mehrwegeausbreitung f
multipath propagation

mehrwertige Logik f, Fuzzy-Logik f, unscharfe
Logik f [verwendet den Grad der Zugehörigkeit
zu einer Menge; im Gegensatz zur binären
Logik die nur zwei Möglichkeiten kennt
(wahr/falsch)]
fuzzy logic [uses the degree of membership to
a set; in contrast to binary logic which has only
two possibilities (true/false)]

Mehrwortbefehl m
multiword instruction

Mehrzweckdatenstation f
multipurpose data station

Mehrzweckrechner m, Universalrechner m
multipurpose computer, universal computer

Mehrzweckregister n
general-purpose register

melden
report, to; indicate, to; signal, to

Meldesignal n, Zustandssignal n
status signal

Meldung f, Nachricht f
message

Meldungsfeld n [Feld zur Anzeige von
Meldungen des Anwendungsprogrammes]
message box [field for displaying messages
from application program]

Membranschalter m, Folienschalter m
membrane switch

Membrantastatur f, Folientastatur f
membrane keyboard

Memory-Mapping f, Speicherabbild n,
Speicheraufteilung f [Zuordnung bestimmter
Bereiche des Hauptspeichers]
memory map, memory mapping [assigning
defined areas of main storage]

Menge f
set

Mengenalgebra f
set algebra

Mengendifferenz f

set difference
Mengenlehre *f*
set theory
Mengenoperation *f*
operation on sets
Mensch-Maschine-Schnittstelle *f*
man-machine inferface [MMI]
Mensch-Rechner-Schnittstelle *f*
human-computer interface (HCI)
menschlicher Fehler *m*, **Irrtum** *m*
human error, mistake
Menü *n* [Funktionsauswahltabelle, insbesondere auf dem Bildschirm oder auf einem Graphiktablett]
menu [functional selection table, specially that shown on a display or on a graphics tablet]
Menübalken *m*
menu bar
menügesteuertes Programm *n*
menu-driven program
Merker *m*, **Flag** *n*, **Zustandsbit** *n*
Besonders in Mikroprozessoren häufig verwendetes Steuerbit zur Anzeige eines bestimmten Zustandes bzw. Erfüllung einer Bedingung, z.B. Carry-Flag (Übertragsmerker). Jedes Flag hat zwei Zustände: 1 = Bedingung erfüllt; 0 = nicht erfüllt.
flag
Control bit often used, particularly in microprocessors, for indicating a certain state or fulfilment of a condition, e.g. carry-flag. Each flag has two states: 1 = condition fulfilled; 0 = not fulfilled.
Merkmalerkennung *f* [OCR]
feature recognition [OCR]
Mesabaustein *m*, **Mesabauteil** *n*
Bauteil bzw. Baustein, bei dessen Herstellung die Mesatechnik angewendet wird.
mesa device, mesa-structured component
Component or device which has been fabricated by mesa technology.
Mesaphotodiode *f*
Photodiode, bei deren Herstellung die Mesatechnik angewendet wurde.
mesa photodiode, mesa-structured photodiode
Photodiode which has been fabricated by mesa technology
Mesatechnik *f*
Technik, bei der dotierte Bereiche nach der Diffusion bzw. Legierung an beiden Seiten bis zum Substrat weggeätzt werden, so daß tafelbergähnliche Erhebungen (Mesas) entstehen. Wird vorwiegend für die Herstellung von Germaniumtransistoren für den Hochfrequenzbereich angewendet.
mesa technology
Technique in which doped regions are etched after diffusion or alloying on both sides down to the substrate, thus leaving plateaus (mesas). Is mainly used for the manufacture of germanium transistors for high frequency applications.
Mesatransistor *m*
Bipolartransistor, bei dem Emitter- und Basisbereich als tafelbergähnliche Erhebungen über dem Kollektorbereich aus dem Halbleiterkristall herausgeätzt sind.
mesa transistor
Bipolar transistor in which the emitter and base regions have been etched to appear as plateaus above the collector region.
MESFET, Metall-Halbleiter-Feldeffekttransistor *m*, **Metall-Gate-Feldeffekttransistor** *m*
Feldeffekttransistor, dessen Gate (Steuerelektrode) aus einem Schottky-Kontakt (Metall-Halbleiter-Übergang) besteht.
MESFET (metal-semiconductor field-effect transistor)
Field-effect transistor with a gate formed by a Schottky barrier (metal-semiconductor junction).
Meßanordnung *f*, **Meßaufbau** *m*
measurement setup
Meßausrüstung *f*, **Meßeinrichtung** *f*
measuring equipment
Meßbereich *m*
measuring range
Meßbrücke *f*
measuring bridge
Meßeinrichtung *f*, **Meßausrüstung** *f*
measuring equipment
messen
measure, to; gauge, to
Meßergebnis *n*, **Prüfergebnis** *n*
measuring result, test result
Meßfehler *m*
measurement error
Meßfilter *n*, **Referenzfilter** *n*
reference filter
Meßfühler *m*, **Sensor** *m*
sensing element, sensor
Meßgerät *n*
measuring unit, measuring device
Meßgröße *f*
measured quantity
Meßsender *m*
signal generator
Meßsignalverarbeitung *f*, **Signalverarbeitung** *f*
signal processing
Meßsonde *f*
probe, measuring probe
Meßverstärker *m*, **Signalverstärker** *m*
signal amplifier
Meßwandler *m*
instrument transformer
Meßwert *m*
measured value
Meßwerterfassung *f*, **Datenerfassung** *f*

data acquisition
Metall-Dicknitrid-Halbleiter-Struktur *f,*
MTNS-Aufbau *m*
Halbleiterstruktur, bei der die Isolierschicht
zwischen dem Metallanschluß und dem
Halbleiterkristall aus einer dickeren
Nitridschicht besteht als bei Standard-MNS-
Strukturen.
MTNS structure (metal-thick-nitride-
semiconductor structure)
Semiconductor structure in which the
insulating layer between the metal contact and
the semiconductor crystal consists of a nitride
layer which is thicker than that used in
standard MNS structures.
Metall-Dickoxid-Halbleiter-Struktur *f,*
MTOS-Aufbau *m*
Halbleiterstruktur, bei der die Isolierschicht
zwischen dem Metallanschluß und dem
Halbleiterkristall aus einer dickeren
Oxidschicht besteht als bei Standard-MOS-
Strukturen.
MTOS structure, (metal-thick-oxide-
semiconductor structure)
Semiconductor structure in which the
insulating layer between the metal contact and
the semiconductor crystal consists of a thicker
oxide layer than that used in standard MOS
structures.
Metall-Gate-Feldeffekttransistor *m,* Metall-
Halbleiter-Feldeffekttransistor *m* (MESFET)
Feldeffekttransistor, dessen Gate
(Steuerelektrode) aus einem Schottky-Kontakt
(Metall-Halbleiter-Übergang) besteht.
**metal-semiconductor field-effect
transistor** (MESFET)
Field-effect transistor with a gate formed by a
Schottky barrier (metal-semiconductor
junction).
Metall-Halbleiter-Diode *f,* Schottky-Diode *f*
Halbleiterdiode mit gleichrichtenden
Eigenschaften, die durch einen Metall-
Halbleiterübergang gebildet wird.
metal-semiconductor diode, Schottky-
barrier diode, hot-carrier diode
Semiconductor diode with rectifying
characteristics, formed by a metal-
semiconductor junction.
Metall-Halbleiter-Feldeffekttransistor *m*
(MESFET), Metall-Gate-Feldeffekttransistor *m*
**metal-semiconductor field-effect
transistor** (MESFET)
Metall-Halbleiter-Kontakt *m,* Metall-
Halbleiter-Übergang *m*
Übergang, der durch den Kontakt einer
Metallschicht mit einer Halbleiterschicht
entsteht. Metall-Halbleiter-Übergänge können
entweder gleichrichtende Eigenschaften haben
(Schottky-Diode) oder als niederohmige

Kontakte wirken.
metal-semiconductor contact, metal-
semiconductor junction
Junction formed by the contact between a
metal layer and a semiconductor layer. Metal-
semiconductor junctions can either have
rectifying characteristics (Schottky diodes) or
act as low-resistance ohmic contacts.
Metall-Halbleiter-Übergang *m,* Metall-
Halbleiter-Kontakt *m*
metal-semiconductor junction, metal-
semiconductor contact
Metall-Isolator-Halbleiter-Aufbau *m,* MIS-
Struktur *f*
Halbleiterstruktur, bei der eine Isolierschicht
zwischen dem Metallanschluß und dem
Halbleiter liegt. Wird bei
Feldeffekttransistoren, Dioden,
Lumineszenzdioden und Kondensatoren
angewendet.
metal insulator-semiconductor structure
(MIS structure)
A semiconductor structure with an insulating
layer between the metal contact and the
semiconductor material. Applications include
field-effect transistors, diodes, light-emitting
diodes and capacitors.
Metall-Nitrid-Halbleiter-Aufbau *m,* MNS-
Struktur *f*
Halbleiterstruktur mit einer isolierenden
Nitridschicht zwischen Metallanschluß and
Halbleiterkristall.
metal-nitride-semiconductor structure
(MNS structure)
Semiconductor structure with an insulating
layer between the metal contact and the
semiconductor crystal.
Metall-Nitrid-Oxid-Halbleiter-Aufbau *m,*
MNOS-Struktur *f*
Halbleiterstruktur mit einer doppelten
Isolierschicht zwischen dem Gateanschluß und
dem Halbleiterkristall. In der Doppelschicht,
die aus Siliciumdioxid und Siliciumnitrid
besteht, können Ladungen gespeichert werden,
was für die Herstellung von
Speichertransistoren genutzt wird.
**metal nitride-oxide-semiconductor
structure** (MNOS structure)
Semiconductor structure with a double
insulating layer between the gate contact and
the semiconductor crystal. The ability of the
double insulating layer consisting of silicon
dioxide and silicon nitride to store charges is
used in memory transistors.
Metall-Oxid-Halbleiter-Aufbau *m,* MOS-
Struktur *f*
Halbleiterstruktur mit einer isolierenden
Oxidschicht (meistens Siliciumdioxid) zwischen
dem Metallanschluß und dem

Halbleiterkristall.
metal-oxide-semiconductor structure
(MOS structure)
Semiconductor structure with an insulating
oxide layer (usually silicon dioxide) between the
metal contact and the semiconductor crystal.
**Metall-Oxid-Halbleiter-Transistor mit
schwebendem Gate und Lawineninjektion**
m, FAMOS-Transistor *m*
Feldeffekttransistor in MOS-Struktur mit
schwebendem Gate und Lawineninjektion; wird
als Speicherzelle bei EPROMs verwendet.
**floating gate avalanche-injection MOS
transistor** (FAMOS transistor)
MOS field-effect transistor using a floating gate
structure and avalanche injection; used as a
memory cell in EPROMs]
Metallbindung *f*, metallische Bindung *f*
[Halbleiterkristalle]
metallic bond [semiconductor crystals]
Metallgehäuse *n*
metal package, metal case
metallische Bindung *f*, Metallbindung *f*
[Halbleiterkristalle]
Chemische Bindung, bei der die
Bindungskräfte auf der Wechselwirkung von
Elektronengas und Ionengitter beruhen.
metallic bond [semiconductor crystals]
Chemical bond in which the binding forces
result from the interaction of the electron gas
with the ionic lattice.
metallisieren [Leiterplatten]
plate, to [printed circuit boards]
Metallisierung *f* [Halbleitertechnik]
Das selektive Aufbringen einer Metallschicht
(meistens Aluminium) auf eine
Halbleiterscheibe (Wafer) zur Herstellung der
Leiterbahnen zwischen den einzelnen
integrierten Schaltungselementen und den
Kontaktstellen für die Zuleitungen zum
Gehäuse. Die Metallschicht wird im Vakuum
aufgedampft oder mittels
Kathodenzerstäubung aufgebracht.
metallization [semiconductor technology]
Selective deposition of a metal film (usually
aluminium) on a semiconductor wafer to form
conductive interconnections between the
integrated circuit elements and contact areas
for the connections to the package. Deposition
of the metal film can be effected by vacuum
evaporation or cathode sputtering.
metallkaschiertes Basismaterial *n*
[Leiterplatten]
metal clad base material [printed circuit
boards]
Metallkaschierung *f* [Leiterplatten]
metal cladding [printed circuit boards]
Metallkeramik *f*
metal ceramic

Metallkernlaminat *n* [für die Herstellung von
Leiterplatten]
metal core laminate [for printed circuit board
manufacture]
Metallpapierkondensator *m*
metallized-paper capacitor
Metallschicht *f*
metal layer
Metallschichtwiderstand *m*
metal film resistor
Metallsilicid *n*, Silicid *n*
Verbindung zwischen einem Metall und
Silicium. Silicide, z.B. MoS₂, TaS₂, TiS₂ oder
WS₂ kommen bei der Metallisierung für
Gateelektroden und Leiterbahnen in VLSI-
Schaltungen zur Anwendung.
silicide
Compound of a metal with silicon. Silicides, e.g
MoS_2, TaS_2, TiS_2 or WS_2, are used to form
gates and conductive interconnections by
metallization in VLSI applications.
Metasprache *f* [eine Sprache, die zur
Beschreibung einer anderen verwendet wird]
meta language [a language used to describe
another language]
metastabil [zeitlich begrenzt stabil]
metastable [temporarily stable]
metastabile Ausgangskonfiguration *f*
metastable output configuration
Meter *n* (m) [SI-Einheit der Länge]
meter (m) [SI unit of length]
MFLOP *n*, Megaflop *n* [10⁶
Gleitpunktoperationen pro Sekunde]
MFLOP, Megaflop [10^6 floating-point
operations per second]
MFM-Aufzeichnung *f* [modifizierte
Frequenzmodulation; Aufzeichnungsmethode
für Festplatten]
MFM recording [modified frequency
modulation; hard disk recording method]
MIC *f*, integrierte Mikrowellenschaltung *f* [für
Hochfrequenzanwendungen; wird meistens in
Hybridtechnik oder als Multichip-Schaltung
ausgeführt]
MIC (microwave integrated circuit) [for high
frequency applications; usually fabricated as
hybrid or multichip circuit]
microCMOS-Technik *f* [eine Variante der
CMOS-Technik]
microCMOS technology [a variant of CMOS
technology]
Microcom-Protokoll *n* (MNPN) [Protokoll für
Fehlerkorrektur und Datenkompression bei
Modem]
Microcom protocol (MNPN) [Microcom
Protocol for error correction and data
compression for modems]
Mietleitung *f*, Standleitung *f* [für
Datenübertragung]

leased line [for data transmission]
Mietrechner *m*
rental computer
Mikroadresse *f*
microaddress
Mikrobaustein *m*, zusammengesetzte
Mikroschaltung *f*
micro assembly
Mikrobefehl *m* [steuert die Ausführung einer
Elementaroperation, d.h. einer logischen
Verknüpfung; eine Mikrobefehlsfolge führt zur
Ausführung eines Maschinenbefehls]
microinstruction [controls the execution of an
elementary (logical) operation; a sequence of
microinstructions leads to the execution of a
machine instruction]
Mikrobefehlscode *m*, Mikrocode *m*
microinstruction code, microcode
Mikrocomputer *m*, Mikrorechner *m* [ein
Rechner mit einem Mikroprozessor als
Zentraleinheit]
microcomputer [a computer employing a
microprocessor as the central processing unit]
Mikrocomputer-Entwicklungssystem *n*,
Mikrorechner-Entwicklungssystem *n*
Rechnersystem für die Entwicklung von Hard-
und Software für Mikrorechnersysteme.
microcomputer development system
Computer system for the development of
hardware and software for microcomputer
systems.
Mikrodiskette *f* [Diskette mit einem
Durchmesser von 3,5 Zoll]
microdiskette, microfloppy, microfloppy disk
[diskette of 3.5" diameter]
Mikroelektronik *f*
Entwicklung, Herstellung und Anwendung von
Halbleiterbauelementen und integrierten
Schaltungen mit dem Ziel, elektronische und
logische Funktionen mit immer kleineren
Bausteinen zu realisieren.
microelectronics
Development, fabrication and application of
semiconductor components and integrated
circuits with the objective of implementing
electronic and logical functions in continuously
smaller devices.
mikroelektronische Schaltung *f*
microelectronic circuit
Mikrokanal-Architektur *f* MCA [von IBM
entwickelte Architektur für 80386- und 80486-
Prozessoren]
microchannel architecture, (MCA)
[developed by IBM for 80386 and 80486
processors]
Mikrokanal-Bus *m*
microchannel bus
Mikrokanal-Rechner *m*
microchannel computer

Mikromanipulator *m*
micromanipulator
Mikromechanik *f*
micromechanics
Mikrominiaturbaugruppe *f*, Kleinstbaugruppe
f, Mikromodul *m*
microminiature assembly, micromodule
Mikromodul *m*, Kleinstbaugruppe *f*,
Mikrominiaturbaugruppe *f*
microminiature assembly, micromodule
Mikromodultechnik *f*
micromodule technique
Mikroprogramm *n* [Folge von
Elementaroperationen (logischen
Verknüpfungen), die zur Ausführung eines
Maschinenbefehls führen]
microprogram [sequence of elementary
(logical) operations which lead to the execution
of a machine instruction]
mikroprogrammierbar
microprogrammable
Mikroprogrammiersprache *f*
microprogramming language
mikroprogrammierter Prozessor *m*
microprogrammed processor
Mikroprogrammierung *f*
microprogramming
Mikroprogrammspeicher *m*
microprogram memory
Mikroprozessor *m*
In der Regel auf einem integrierten Baustein
untergebrachter vollständiger Prozessor,
funktionsmäßig vergleichbar mit der
Zentraleinheit eines Rechners. Er besteht aus
einem Steuerwerk (mit Befehlsregister,
Decodierer und Steuerung) zur Decodierung
und Ausführung der Befehle, einem
Rechenwerk (arithmetisch-logische Einheit) zur
Verarbeitung der Daten und einem
Speicherwerk (mit Befehlszähler, Registern
und Stapelzeiger). Weitverbreitet sind 16-Bit-
und 32-Bit-Mikroprozessoren; im Aufkommen
sind 64-Bit-Versionen.
microprocessor, microprocessing unit (MPU)
A complete processor built on a semiconductor
chip, functionally comparable with the central
processing unit (CPU) of a computer. It
comprises a control unit (with instruction
register, decoder and control) for decoding and
execution of instructions, an arithmetic logic
unit for processing the data, and a storage unit
(with instruction counter, registers and stack
pointer). 16-bit and 32-bit microprocessors are
widely used; 64-bit versions have been
introduced.
Mikroprozessor-Entwicklungssystem *n*
[Rechnersystem für die Entwicklung von Hard-
und Software für Mikroprozessorsysteme; die
Hardware wird durch einen In-Circuit-

Emulator simuliert]
microprocessor development system
[computer system for developing hardware and
software for microprocessor systems; hardware
is simulated by an in-circuit emulator]
Mikroprozessorbefehlssatz *m*
microprocessor instruction set
Mikroprozessorschaltung *f*
microprocessor circuit
Mikroprozessorschnittstelle *f*
microprocessor interface
Mikrorechner *m*, Mikrocomputer *m* [ein
Rechner mit einem Mikroprozessor als
Zentraleinheit]
microcomputer [a computer employing a
microprocessor as the central processing unit]
Mikrorechner-Entwicklungssystem *n*,
Mikrocomputer-Entwicklungssystem *n*
Rechnersystem für die Entwicklung von Hard-
und Software für Mikrorechnersysteme.
microcomputer development system
Computer system for the development of
hardware and software for microcomputer
systems.
Mikroschaltung *f*
microcircuit
Mikrosensorik *f*
microsensors
Mikrosteuereinheit *f*, MCU [steuert bei der
Mikroprogrammierung die Sequenz von
Mikrobefehlen]
microprogram control unit (MCU) [controls
the sequence of microinstructions in
microprogramming]
Mikrostreifenleiter *m* [miniaturisierter
Streifenleiter]
microstrip [miniature stripline]
Mikrowelle *f*
microwave
Mikrowellenbauelement *n*
microwave component
Mikrowellendiode *f* [Halbleiterdiode zur
Verwendung bei hohen Frequenzen, z.B.
IMPATT-, TRAPATT-, PIN- und Tunneldioden]
microwave diode [semiconductor diode used
in high-frequency applications, e.g. IMPATT,
TRAPATT, PIN and tunnel diodes]
Mikrowellenempfänger *m*
microwave receiver
Mikrowellenendstelle *f*
microwave terminal
Mikrowellenenenergie *f*
microwave energy
Mikrowellengenerator *m*
microwave generator
Mikrowellenoszillator *m*
microwave oscillator
Mikrowellensignal *n*
microwave signal

Mikrowellenstreuung *f*
microwave scattering
Mikrowellentransistor *m* [wird für
Anwendungen im Höchstfrequenzbereich
eingesetzt]
microwave transistor [is used in very high
frequency applications]
Mikrowellenverbindung *f*
microwave link
Mikrowellenübertragung *f*
microwave transmission
Miller-Effekt *m*
Die Veränderung der Eingangsimpedanz eines
Verstärkers infolge parasitärer Kapazität
zwischen Eingang und Ausgang.
Miller effect
The change in input impedance of an amplifier
due to a parasitic capacitance between input
and output.
Miller-Integrator *m*
Miller integrator
Miller-Kapazität *f*
Kapazität zwischen dem Eingang und dem
Ausgang eines Verstärkers, die den Miller-
Effekt bewirkt.
Miller capacitance
The capacitance between input and output of
an amplifier which causes the Miller effect.
Miller-Kompensation *f*
Miller compensation
Millersche Indizes *m.pl.* [Kennzeichnung der
Kristallflächen- und Kristallrichtungen]
Miller indices [notation defining crystal faces
and crystal orientation]
Millionen Operationen pro Sekunde, MOPS
MOPS, Million Operations per Second
Mindestverarbeitungszeit *f*
minimum processing time
Mini-Kassette *f*, DC2000-Kassette *f* [ein
genormtes Viertel-Zoll-Band vom QIC-Format]
DC2000 cartridge , mini cartridge [a standar
quarter-inch tape using the QIC format]
Miniaturisierung *f*
miniaturization
Minicomputer *m*, Kleinrechner *m* [zwischen
Mikrorechner und Großrechner]
minicomputer [between microcomputer and
mainframe computer]
Minidiskette *f* [Diskette mit einem Durchmesse
von 5,25" Zoll]
minidiskette, minifloppy, mini floppy disk
[diskette of 5.25" diameter]
Minoritätsladungsträger *m*
Der Ladungsträgertyp, dessen Dichte in einem
Halbleiter bzw. in einem Halbleiterbereich
kleiner ist als die Hälfte der gesamten
Trägerdichte in dem betreffenden Bereich. In
einem N-leitenden Halbleiter sind die
Defektelektronen (Löcher)

Minoritätsladungsträger; in einem P-leitenden
Halbleiter sind es die Elektronen.
minority carrier, minority charge carrier
The type of charge carrier that constitutes less
than half of the total number of carriers in a
semiconductor or a semiconductor region. In n-
type materials, holes are the minority carriers;
in p-type materials, electrons are the minority
carriers.
MIPS [Millionen Befehle pro Sekunde; Maß für
die Rechengeschwindigkeit von Großrechnern,
basierend auf 70% Additionen und 30%
Multiplikationen; üblicherweise im Bereich 10-
100 MIPS]
MIPS (mega-instructions per second) [measure
for the computing speed of very large
computers, based on 70% additions and 30%
multiplications; usually in the range 10-100
MIPS]
MIS (Managementinformationssystem) [ein
rechnergestütztes System zur Unterstützung
der Unternehmungsleitung durch ausgewählte
Informationen in aktualisierter und
konzentrierter Form]
MIS (management information system) [a
computer-based system for supporting
management functions by providing selected
information in an updated and concentrated
form]
MIS-Struktur f, Metall-Isolator-Halbleiter-
Aufbau m
Halbleiterstruktur, bei der eine Isolierschicht
zwischen dem Metallanschluß und dem
Halbleiter liegt. Wird bei
Feldeffekttransistoren, Dioden,
Lumineszenzdioden und Kondensatoren
angewendet.
MIS structure (metal-insulator-semiconductor
structure)
A semiconductor structure which has an
insulating layer between the metal contact and
the semiconductor material. Applications
include field-effect transistors, diodes, light-
emitting diodes and capacitors.
Mischanweisung f
merge statement
Mischbefehl m
merge instruction
Mischdatei f
merge file
Mischdiode f
mixer diode
mischen [das Zusammenführen von zwei oder
mehreren geordneten Dateien]
merge, to [combine two or more ordered files]
Mischer m, Mixer m
mixer
Mischkristall m
mixed crystal

Mischoperation f
merge operation
Mischprogramm n
merge program
Mischsortieren n
merged sort
Mischstufe f
mixer stage
Mischverstärker m
mixer amplifier
MISFET, Feldeffekttransistor mit Metall-
Isolator-Halbleiter-Aufbau m
Oberbegriff für Isolierschicht-
Feldeffekttransistoren, deren Steuerelektroden
durch eine Isolierschicht vom stromführenden
Kanal getrennt sind.
MISFET (metal-insulator-semiconductor field-
effect transistor)
Generic term for insulated-gate field-effect
transistors which have an insulating layer
between the gate and the conductive channel.
Mißbrauch m, Datenmißbrauch m,
mißbräuchliche Nutzung von Daten f
abuse, data abuse
mit Nullen aufgefüllt
zero-filled
mitgeschleppter Fehler m
inherited error
mithören
monitor, listen-in
Mitkopplung f, positive Rückkopplung f
positive feedback
Mittelwert m
mean value, average value
Mittelwertsatz m
law of the mean
mittlere Fertigungsgüte f
process average, durchschnittliche
Herstellqualität f [average manufacturing
quality]
mittlere Instandsetzungszeit f, mittlere
Reparaturzeit f
mean time to repair, (MTTR)
mittlere Integration f (MSI)
Integrationstechnik, bei der rund 1000
Transistoren oder Gatterfunktionen auf einem
Chip realisiert sind.
medium scale integration (MSI)
Technique resulting in the integration of about
1000 transistors or logical functions on a single
chip.
mittlere Rauschzahl f
average noise figure
mittlere Reparaturzeit f, mittlere
Instandsetzungszeit f
mean time to repair, (MTTR)
mittlere störungsfreie Zeit f
mean time between failures (MTBF)
mittlere Zugriffszeit f

average access time
mittlerer Rauschfaktor *m*
average noise factor
Mix *m*, Befehlsmix *m* [repräsentative
Mischungen von Befehlen für den
Leistungsvergleich verschiedener Rechner]
mix, instruction mix [a representative mixture
of instructions used for comparing the
performance of different computers]
Mixer *m*, Mischer *m*
mixer
MMIC *f*, monolithisch integrierte
Mikrowellenschaltung *f*
[Mikrowellenschaltung, die durch
monolithische Integration, hauptsächlich mit
Galliumarsenid-Techniken hergestellt wird]
MMIC (monolithic microwave integrated
circuit) [microwave circuit produced by
monolithic integration using mainly gallium
arsenide technologies]
mnemonisches Symbol *n*
mnemonic symbol
mnemotechnischer Code *m* [Code, der eine
sprachlich einprägsame Bezeichnung
verwendet, z.B. ADD für einen Additionsbefehl]
mnemonic code [a code using easily
recognizable designations, e.g. ADD for an
adding instruction]
MNOS-Aufbau *m*, Metall-Nitrid-Oxid-
Halbleiter-Aufbau *m*, Metall-Nitrid-Oxid-
Halbleiter-Struktur *f*
Halbleiterstruktur mit einer doppelten
Isolierschicht zwischen dem Gateanschluß und
dem Halbleiterkristall. In der doppelten
Isolierschicht, die aus Siliciumdioxid und
Siliciumnitrid besteht, können Ladungen
gespeichert werden, die bei der Herstellung von
Speichertransistoren genutzt werden.
MNOS structure (metal-nitride-oxide-
semiconductor structure)
Semiconductor structure with a double
insulating layer between the gate contact and
the semiconductor crystal. The ability of the
double insulating layer, which consists of
silicon dioxide and silicon nitride, to store
charges is used for the manufacture of memory
transistors.
MNOS-FET *m*, Feldeffekttransistor mit Metall-
Nitrid-Oxid-Halbleiter-Aufbau *m*
Feldeffekttransistor, dessen Gate
(Steuerelektrode) durch eine doppelte
Isolierschicht aus Siliciumdioxid und
Siliciumnitrid vom Kanal isoliert ist.
MNOS-FET (metal-nitride-oxide-
semiconductor FET)
Field-effect transistor in which the gate is
isolated from the channel by a double
insulating layer of silicon dioxide and silicon
nitride.

MNOS-Struktur *f*, Metall-Nitrid-Oxid-
Halbleiter-Aufbau *m*
metal nitride-oxide-semiconductor
structure (MNOS structure)
MNPN, Microcom-Protokoll *n* [Protokoll für
Fehlerkorrektur und Datenkompression bei
Modem]
MNPN [Microcom Protocol for error correction
and data compression for modems]
MNS-Aufbau *m*, Metall-Nitrid-Halbleiter-
Aufbau *m*, Metall-Nitrid-Halbleiter-Struktur *f*
Halbleiterstruktur mit einer isolierenden
Nitridschicht zwischen dem Gateanschluß und
dem Halbleiterkristall.
MNS structure (metal-nitride-semiconductor
structure)
Semiconductor structure with an insulating
nitride layer between the gate contact and the
semiconductor crystal.
MNS-FET, Feldeffekttransistor mit Metall-
Nitrid-Halbleiter-Aufbau *m*
Isolierschicht-Feldeffekttransistor, dessen Gate
(Steuerelektrode) durch eine Nitridschicht vom
Kanal isoliert ist.
MNS-FET (metal-nitride-semiconductor FET)
Insulated-gate field-effect transistor in which
the gate is isolated from the channel by a
nitride layer.
MNS-Struktur *f*, Metall-Nitrid-Halbleiter-
Aufbau *m*
MNS structure (metal-nitride-semiconductor
structure)
MO (magneto-optisch)
MO (Magneto-Optical)
Mo *n* (Molybdän) [metallisches Element mit
hohem Schmelzpunkt, das bei einigen MOS-
Strukturen als Gateelektrode verwendet wird]
Mo (molybdenum) [metallic element having a
high melting point used as the gate electrode in
some MOS structures]
MO-Wechselplatte *f*
MO replaceable disk
Mobilität *f*, Beweglichkeit *f*
mobility
MOCVD-Verfahren *n* [Variante der
Schichtabscheidung aus der Gasphase, die
vorwiegend bei der Herstellung von
integrierten Schaltungen auf GaAs-Basis
eingesetzt wird]
MOCVD (metal organic chemical vapour
deposition) [a variant of the chemical vapour
deposition process, mainly used for producing
integrated circuits based on GaAs]
Modem *m* (Modulator-Demodulator)
[Einrichtung zur Datenübertragung auf
Fernsprechleitungen; die Übertragung kann
synchron oder asynchron, im Halb- oder
Vollduplexbetrieb erfolgen]
modem (modulator-demodulator) [device for

data transmission over telephone lines; the transmission can be synchronous or asynchronous and be effected in half-duplex or full-duplex mode]

Modemkarte *f*
modem board

MODFET (modulationsdotierter Feldeffekttransistor)
Extrem schneller Feldeffekttransistor mit Heterostruktur. Auf undotiertem Galliumarsenid wird mit Hilfe der Molekularstrahlepitaxie eine dotierte Aluminium-Galliumarsenid-Schicht aufgebracht. Der Heteroübergang zwischen den beiden Strukturen hält die Elektronen, die aus der AlGaAs-Schicht diffundieren, in der undotierten GaAs-Schicht zurück, in der sie sich mit hoher Geschwindigkeit bewegen können. Sehr schnelle Transistoren auf dieser Basis (mit Schaltverzögerungszeiten von < 10 ps/Gatter) werden weltweit von verschiedenen Herstellern unter den Namen HEMT, TEGFET und SDHT entwickelt.

MODFET (modulation-doped field-effect transistor)
Extremely fast field-effect transistor with a heterostructure. A doped aluminium gallium arsenide layer is deposited by molecular beam epitaxy on undoped gallium arsenide. The heterojunction between them confines the electrons which diffuse from the AlGaAs layer to the undoped GaAs, where they can move with great speed. Very fast transistors (with switching delay times of < 10 ps/gate) based on this principle and called HEMT, TEGFET and SHDT are being developed worldwide by various manufacturers.

Modifikation *f*, Änderung *f*
modification, change

modifizieren
modify, to

modifizierte Adresse *f*
modified address

Modul *m*, Baustein *m*
module, device

MODULA-2 [Programmiersprache, die auf PASCAL aufbaut und ein modulares Konzept aufweist]
MODULA-2 [programming language based on PASCAL and featuring an extensive modular concept]

modulare Programmierung *f*
modular programming

Modularität *f*, Baukastenprinzip *n*
modularity, building-block principle

Modulation *f*
modulation

Modulationsfrequenz *f*
modulation frequency

Modulationskennlinie *f*
modulation characteristic

Modulationsunterdrücker *m*
modulation eliminator

Modulationsverstärker *m*
modulation amplifier

Modulator *m*
modulator

Modulatortreiberschaltung *f*
modulator driver circuit

modulieren
modulate, to

Modulo-n [Basis eines Zahlensystems; z.B. für das Dezimalsystem ist Modulo-n = 10]
modulo-n [base of a number system, e.g. for the decimal system modulo-n = 10]

Modulo-n-Kontrolle *f*, Modulo-n-Prüfung *f* [eine Gültigkeitsprüfung, bei der ein Operand durch eine Zahl dividiert wird; der resultierende Rest wird zur Kontrolle herangezogen]
modulo-n check, residue check [a validation check in which an operand is divided by a number; the resulting remainder is used for checking]

Modulo-n-Zähler *m* [Zähler mit n Schritten, z.B. ein Dezimalzähler ist ein Modulo-10-Zähler]
modulo-n counter [counter for n steps, e.g. a decimal counter is a modulo-10 counter]

Modulprüfung *f*
module testing, unit testing

Modus *m*, Betriebsart *f*
mode, operating mode

Molekularstrahlepitaxie *f*, MBE-Verfahren *n*
Verfahren zur Herstellung epitaktischer Schichten mit Hilfe von Molekularstrahlen; wird vorwiegend für hoch- und höchstintegrierte Schaltungen eingesetzt.
molecular beam epitaxy (MBE process)
Process using molecular beams for producing epitaxial layers; is mainly used in large-scale and very large-scale integrated circuit fabrication.

Molybdän *n* (Mo) [metallisches Element mit hohem Schmelzpunkt, das bei einigen MOS-Strukturen als Gateelektrode verwendet wird]
molybdenum (Mo) [metallic element having a high melting point used as the gate electrode in some MOS structures]

momentanes Befehlsregister *n*
current instruction register

Momentanwert *m*
instantaneous value

Momentanwertspeicher *m*, Abtast- und Halteschaltung *f*
Eine Schaltung, bei der ein analoges Signal zwischengespeichert wird und zur Weiterverarbeitung abgefragt werden kann. Sie wird unter anderem bei Analog-Digital-Umsetzern eingesetzt.

sample-and-hold circuit (S/H circuit)
A circuit used to hold an analog signal until it is needed for further processing. A typical application is in analog-to-digital converters.
Momentanzustand m
current status
monadische Verknüpfung f, monadische Operation f
monadic operation, unary operation
Monitor m [Bildschirmgerät]
monitor [display unit]
Monitor-Programm n [in Maschinensprache geschriebenes und in der Regel in einem ROM gespeichertes Programm für die Grundfunktionen eines Mikrorechners (z.B. Ein-Ausgabe-Steuerung), d.h. praktisch ein kleines Betriebssystem]
monitor program [a program for basic functions of a microcomputer, e.g. input-output control, written in machine language and usually stored in a ROM, i.e. practically a small operating system]
Monochrom-Bildschirm m
monochrome display
Monoflop n, monostabile Kippschaltung f, monostabiler Multivibrator m, Univibrator m [eine Kippschaltung mit einem einzigen stabilen Zustand]
mono-flop, monostable flip-flop, monostable multivibrator, one-shot multivibrator [a multivibrator with a single stable state]
monokristallines Silicium n, einkristallines Silicium n
single-crystal silicon
monolithisch
monolithic
monolithisch integrierte Schaltung f
Schaltung, bei der alle aktiven und passiven Elemente sowie ihre elektrischen Verbindungen in einem gemeinsamen Fertigungsprozeß in einem einkristallinen Halbleiter hergestellt sind.
monolithic integrated circuit
Circuit in which all the active and passive elements and the interconnections are fabricated within a single-crystal semiconductor by the same manufacturing process.
monolithisch integrierte Mikrowellenschaltung f (MMIC) [Mikrowellenschaltung, die durch monolithische Integration, hauptsächlich mit Galliumarsenid-Techniken hergestellt wird]
monolithic microwave integrated circuit (MMIC) [microwave circuit produced by monolithic integration using mainly gallium arsenide technologies]
Monomode-Faser f [Lichtleitfaser]
monomode fiber [optical fiber]

monostabile Kippschaltung f, monostabiler Multivibrator m, Monoflop n, Univibrator m
mono-flop, monostable flip-flop, monostable multivibrator, one-shot multivibrator
Montage f, Baugruppe f
assembly
Montage am Einsatzort f [z.B. eines Rechners]
field installation [e.g. of a computer]
Montageautomat m [z.B. für Bauelemente auf Leiterplatten]
automatic assembly machine [e.g. for components on printed circuit boards]
Montageroboter m
assembly robot, assembling robot
Montagetechnik f
assembly technique
Monte-Carlo-Technik f [die Simulation eines komplexen Systems durch Verwendung eines mathematischen Modells und Anwendung der Wahrscheinlichkeitsgesetze]
Monte-Carlo method [the simulation of a complex system by a mathematical model and the application of the laws of probability]
MOPS, Millionen Operationen pro Sekunde
MOPS, Million Operations per Second
MOS-Aufbau m, Metall-Oxid-Halbleiter-Aufbau m, Metall-Oxid-Halbleiter-Struktur f
Halbleiterstruktur mit einer isolierenden Oxidschicht zwischen dem Metallanschluß und dem Halbleiterkristall.
MOS structure, metal-oxide-semiconductor structure
Semiconductor structure with an insulating oxide layer between the metal contact and the semiconductor crystal.
MOS-Baustein m, MOS-Bauteil n
Integriertes Bauteil bzw. integrierter Baustein bei dem nur MOS-Strukturen verwendet werden.
MOS device, MOS component
Integrated circuit device in which MOS structures are used exclusively.
MOS-Schaltung f
Integrierte Schaltung, bei der nur MOS-Strukturen verwendet werden.
MOS circuit
Integrated circuit in which MOS structures are used exclusively.
MOS-Speicher m
Integrierte Speicherschaltung, die mit MOS-Feldeffekttransistoren realisiert ist (z.B. EPROMs mit FAMOS-Speicherzellen).
MOS memory, MOS memory device
Integrated circuit memory based on MOS field effect transistors (e.g. an EPROM using FAMOS memory cells).
MOS-Struktur f, Metall-Oxid-Halbleiter-Struktur f Metall-Oxid-Halbleiter-Aufbau m
metal-oxide-semiconductor structure

(MOS structure)

MOS-Technik *f*
Technik für die Herstellung von integrierten Schaltungen, bei denen Feldeffekttransistoren die Grundzellen bilden. Mit der MOS-Technik, die sich im Vergleich zur Bipolartechnik durch einen einfacheren Fertigungsprozeß auszeichnet, lassen sich Schaltungen mit hoher Integrationsdichte und niedrigen Verlustleistungen realisieren.
MOS technology (metal-oxide-semiconductor technology)
Technology for producing integrated circuits in which field-effect transistors constitute the basic cells. As compared to bipolar technology, MOS technology is characterized by simplified processing steps and permits high packing density of circuit functions with low power dissipation.

MOS-Transistor (MOST) [Feldeffekt-transistoren mit MOS-Strukturen]
MOS transistor (MOST) [field-effect transistor using MOS structures)

MOS-Transistor mit selbstjustierender Gateelektrode *m*, SAGMOS-Transistor *m*
SAGMOS transistor (self-aligning gate MOS transistor)

MOSAIC-Technik *f*
Isolationsverfahren für integrierte Bipolarschaltungen, insbesondere ALSTTL-Schaltungen, bei dem die einzelnen Strukturen der Schaltung durch lokale Oxidation von Silicium voneinander isoliert sind.
MOSAIC technology
Isolation technique for bipolar integrated circuits, particularly ALSTTL circuits, which provides isolation between the circuit structures by local oxidation of silicon.

Mosaikdrucker *m*, Matrixdrucker *m*, Nadeldrucker *m*
Drucker, bei dem durch matrixförmig angeordnete Drahtstifte (z.B. 5x7 oder 7x9 Matrix) aus Punkten zusammengesetzte Zeichen gebildet werden. Die Bewegung der Drahtstifte gegen das Farbband bzw. gegen das Papier erfolgt durch Elektromagnete.
matrix printer, dot-matrix printer
Printer which uses a matrix of wires (e.g. 5x7 or 7x9 matrix) to form alphanumeric characters composed of dots. The wires are driven against an inked ribbon or paper by solenoids.

Mosaikschicht *f* [lichtempfindliche Schicht auf einer Bildaufnahmeröhre]
mosaic, mosaic layer [light-sensitive layer on a picture tube]

MOSBIP
Integrierte Schaltungsfamilie der Leistungselektronik, die mit Bipolar- und MOS-Strukturen auf dem gleichen Chip

realisiert ist.
MOSBIP
Family of power control integrated circuits which combines bipolar and MOS structures on the same chip.

MOSFET *m*, Feldeffekttransistor mit Metall-Oxid-Halbleiter-Aufbau *m*
Feldeffekttransistor, dessen Gate (Steuerelektrode) durch eine Oxidschicht vom Kanal isoliert ist.
MOSFET (metal-oxide-semiconductor field-effect transistor)
Field-effect transistor in which the gate is isolated from the channel by an oxide layer.

MOSFET mit zwei Steuerelektroden *m*
dual-gate MOSFET

MOSFET-Leistungstransistor *m*
power MOSFET

Motif [graphische Benutzeroberfläche für UNIX]
Motif [graphical user interface for UNIX]

MPU [Synonym für Mikroprozessor]
MPU (microprocessing unit) [synonym for microprocessor]

MS-DOS [von Microsoft entwickeltes Betriebssystem (DOS)]
MS-DOS (Microsoft Disk Operating System) [operating system developed by Microsoft]

MS-Flipflop *n*, Master-Slave-Flipflop *n*, Master-Slave-Speicherglied *n* [Flipflop-Schaltung, die von beiden Flanken des Taktimpulses gesteuert wird, z.B. ein JK-Flipflop oder zwei getaktete RS-Flipflops]
MS flip-flop, master-slave flip-flop [flip-flop circuit controlled by both edges of the clock pulse, e.g. a JK flip-flop or two triggered RS flip-flops]

MS-Windows, Windows [von Microsoft entwickelte graphische Benutzerschnittstelle und Betriebssystemerweiterung für DOS; sie beinhaltet eine fensterorientierte, mehrbetriebsfähige Programmumgebung für Anwenderprogramme]
MS-Windows, Windows [graphical user interface and operating system extension developed by Microsoft for DOS; it gives applications a windowing and multitasking program environment]

MSB, Binärstelle mit der höchsten Wertigkeit *f*
MSB (most significant bit)

MSI (mittlere Integration)
Integrationstechnik, bei der rund 1000 Transistoren oder Gatterfunktionen auf einem Chip realisiert sind.
MSI (medium scale integration)
Technique resulting in the integration of about 1000 transistors or logical functions on a single chip.

MTBF, mittlere störungsfreie Zeit *f*
MTBF (mean time between failures)

MTL-Technik f [auch integrierte Injektionslogik genannt]
Bipolare Technik, die die Herstellung von hochintegrierten Logikschaltungen mit hoher Packungsdichte, kurzen Schaltzeiten und kleinen Verlustleistungen ermöglicht. Die Grundschaltung verwendet einen vertikalen NPN-Transistor mit mehreren Kollektoren als Inverter und einen lateralen PNP-Transistor als Stromquelle, von der Minoritätsladungsträger in den Emitterbereich des NPN-Transistors injiziert werden.
MTL technology (merged transistor logic) [also called integrated injection logic]
Bipolar technology enabling large-scale integrated circuits with high packing density, high switching speeds and low power consumption to be produced. The basic circuit configuration uses a vertical npn transistor with multiple collectors as an inverter and a lateral pnp transistor as current source from which minority carriers are injected into the emitter region of the npn transistor.
MTNS-Aufbau m, Metall-Dicknitrid-Halbleiter-Struktur f
Halbleiterstruktur, bei der die Isolierschicht zwischen dem Metallanschluß und dem Halbleiterkristall aus einer dickeren Nitridschicht besteht als bei Standard-MNS-Strukturen.
MTNS structure (metal-thick-nitride-semiconductor structure)
Semiconductor structure in which the insulating layer between the metal contact and the semiconductor crystal consists of a nitride layer which is thicker than that used in standard MNS structures.
MTNS-FET, Feldeffekttransistor mit Metall-Dicknitrid-Halbleiter-Aufbau m
Variante des MNS-Feldeffekttransistors, bei dem die Isolierschicht zwischen dem Gateanschluß und dem Kanal dicker ist als bei Standard-MNS-Feldeffekttransistoren.
MTNS-FET, (metal-thick-nitride-semiconductor field-effect transistor)
Variant of the MNS field-effect transistor which uses a thicker nitride insulating layer between the gate and the channel than in standard MNS field-effect transistors.
MTOS-Aufbau m, Metall-Dickoxid-Halbleiter-Struktur f
Halbleiterstruktur, bei der die Isolierschicht zwischen dem Metallanschluß und dem Halbleiterkristall aus einer dickeren Oxidschicht besteht als bei Standard-MOS-Strukturen.
MTOS structure, (metal-thick-oxide-semiconductor structure)
Semiconductor structure in which the

insulating layer between the metal contact and the semiconductor crystal consists of a thicker oxide layer than that used in standard MOS structures.
MTOS-FET, Feldeffekttransistor mit Metall-Dickoxid-Halbleiter-Aufbau m
Variante des MOSFET, bei dem die Isolierschicht zwischen dem Gateanschluß und dem Kanal dicker ist als bei Standard-MOSFETs.
MTOS-FET, (metal-thick-oxide-semiconductor field-effect transistor)
Variant of the MOSFET which uses a thicker oxide insulating layer between the gate and channel than in standard MOSFETs.
MTTR, mittlere Reparaturzeit f, mittlere Instandsetzungszeit f
MTTR (mean time to repair)
Multibus m
multiple bus
Multibusstruktur f, Mehrfachbusstruktur f
multiple-bus structure
Multichip m, Multichiptechnik f
multichip, multichip integrated circuit technology
Multichipmodul m, MCM-Baustein m [Baustein mit mehreren integrierten Schaltungen auf einem Substrat für Hochgeschwindigkeits-Übertragungen]
multichip module (MCM) [package of ICs bonded directly to substrate for high-speed transmission]
Multichiptechnik f, Multichip m
multichip integrated circuit technology, multichip
Multiemittertransistor m, Mehrfachemittertransistor m
Integrierte Bipolarschaltung, bei der die Transistoren mehrere Emitterbereiche und einen gemeinsamen Kollektor- und Basisanschluß haben.
multiemitter transistor
Bipolar integrated circuit in which the transistors have several emitter regions with a common collector and base terminal.
Multifunktionsbaustein m
multifunction device
Multikollektortransistor m, Mehrfachkollektortransistor m
Integrierte Bipolarschaltung mit Transistoren, die mehrere Kollektorbereiche mit einem gemeinsamen Emitter- und Basisanschluß haben.
multicollector transistor
Bipolar integrated circuit in which the transistors have several collector regions with common emitter and base contact.
Multimedia n.pl. [Kombination und Integration von verschiedenen Medien wie z.B. Text, Bild,

Ton und Video im Rechner]
multimedia [combination and integration of different media such as text, image, sound and video in the computer]
Multimikroprozessorsystem *n*
Die Kopplung mehrerer Mikroprozessoren, von denen jeder bestimmte Funktionen innerhalb des Systems ausführt (z.B. arithmetische Operationen, Ein- und Ausgabe-Funktionen usw.) aber auf gemeinsame Systemteile wie Speicher oder Peripheriegeräte zugreifen kann.
multimicroprocessor system
Several microprocessors linked together to form a system in which each microprocessor performs specific functions (e.g. arithmetic operations, input-output functions, etc.) but has access to parts which are common to the system such as memories or peripheral equipment.
Multimode-Faser *m* [Lichtleitfaser]
multimode fiber [optical fiber]
Multiplexbetrieb *m*, Zeitmultiplexbetrieb *m* [zeitlich verzahnte Bearbeitung mehrerer Aufgaben durch eine Funktionseinheit]
multiplex operation, time division multiplex operation [interleaved, time-shared processing of several tasks by a single functional unit]
Multiplexer *m*
multiplexer (MUX)
Multiplexkanal *m*
multiplex channel
Multiplexleitung *f*, Vielfachleitung *f*
highway
Multiplexschaltung *f*
multiplex circuit
Multiplikation mit beliebiger Stellenzahl *f*
arbitrary-precision multiplication
Multiplikationsanweisung *f*
multiply statement
Multiplikationsregister *n*
multiplier register
Multiplikationszeichen *n*
multiply symbol
Multiplizierer *m*
multiplier
Multiprogrammbetrieb *m*,
Mehrprogrammbetrieb *m* [gleichzeitige Ausführung mehrerer Programme in einem Rechner durch eine zeitlich verzahnte Verarbeitung der einzelnen Programme]
multiprogramming mode,
multiprogramming [simultaneous execution of several programs in a computer by interleaved, time-shared processing of individual programs]
Multiprozessorsystem *n*, Mehrprozessorsystem
Die Kopplung mehrerer Prozessoren bzw. Mikroprozessoren, von denen jeder bestimmte Funktionen innerhalb des Systems ausführt (z.B. arithmetische Operationen, Ein-Ausgabe-Funktionen usw.) aber auf gemeinsame

Systemteile wie Speicher oder Peripheriegeräte zugreifen kann.
multiprocessor system
Several processors or microprocessors linked together to form a system in which each processor performs specific functions (e.g. arithmetic operations, input-output functions, etc.) but has access to parts which are common to the system such as memories or peripheral equipment.
Multiquantum-Well-Struktur *f* [Struktur eines Halbleiterbauelements, das mehrere Quantum-Wells umfaßt]
multiquantum well structure [a semiconductor component structure comprising several quantum wells]
Multirechnersystem *n*, Mehrrechnersystem *n* [Kopplung mehrerer Rechner zwecks Erhöhung der Kapazität und Vermeidung von Systemausfällen]
multicomputer system [linking of several computers for increasing capacity and avoiding system failure]
Multiscan-Monitor *m*, Mehrfrequenz-Bildschirmgerät *n*, Multisync-Monitor *m* [paßt sich automatisch an die Bildwiederhol- und Zeilenfrequenz (Abtastfrequenz) der Graphikkarte an]
multiscan display unit, multiscan monitor [automatically adjusts itself to the refresh rate and the scanning frequency of the graphics adapter]
Multitasking *n*, Mehrprozeßbetrieb *m* [gleichzeitige Bearbeitung mehrerer Aufgaben bzw. Prozesse durch einen Rechner]
multitasking [simultaneous processing of several tasks or processes by a computer]
MultiTOS [Weiterentwicklung des Betriebssystems TOS von Atari]
MultiTOS [further development of TOS, Atari's operating system]
multivariable Analyse *f* [Stichprobe]
multivariate analysis [sampling]
Multivibrator *m*, Kippschaltung *f*, Kippglied *n* [eine Schaltung mit zwei Ausgangszuständen, die von selbst oder durch ein Auslösesignal dazu veranlaßt, sprunghaft von einem in den anderen Zustand übergeht (kippt); man unterscheidet astabile (= freischwingende), bistabile (= Flipflop) und monostabile (= Monoflop) Kippschaltungen
multivibrator [a circuit having two output states, the transition between the two being spontaneous or triggered by an external signal; there are three types: astable (= free-running multivibrator), bistable (= flip-flop or bistable trigger circuit) and monostable (= mono-flop, monostable trigger circuit or one-shot multivibrator)]

Muß-Anweisung *f*
  mandatory instruction
Muster *n*, Abbild *n*
  image, pattern
Mustererkennung *f*
  pattern recognition
Mustervergleich *m* [OCR]
  pattern matching [OCR]
Muttermaske *f*
  Maske, auf der die Gesamtstrukturen einer
  integrierten Schaltung mit Hilfe eines Step-
  and-Repeat-Verfahrens oder eines Elektronenstrahlschreibers 100 bis 1000fach abgebildet
  sind, so daß die ganze Fläche der Halbleiterscheibe (Wafer) abgedeckt ist. Von der Muttermaske werden Kopien als Tochtermasken
  gefertigt, von denen die eigentlichen Arbeitsmasken hergestellt werden.
  master mask
  Mask on which the complete pattern of an
  integrated circuit has been reproduced 100 to
  1000 times to cover the entire surface of the
  wafer. Reproduction is effected with the aid of a
  step-and-repeat process or an electron beam
  writer. The master mask is copied to produce
  submasters which are used to produce the
  actual working masks (or working plates).
Mutterplatine *f*, Grundplatine *f*, Trägerplatine *f*
  [Leiterplatte mit Steckvorrichtungen für das
  Einsetzen weiterer Karten]
  mother board [printed circuit board with
  connectors for inserting further boards]

N

N-Bereich *m,* N-Gebiet *n,* N-Zone *f*
[Halbleitertechnik]
Bereich in einem Halbleiter, in dem der
Ladungstransport vorwiegend durch
Elektronen erfolgt.
n-type region, n-type zone [semiconductor
technology]
A region in a semiconductor in which charge
transport is effected essentially by electrons.
N-Dotierung *f* [Halbleitertechnik]
Der Einbau von Donatoratomen in einen
Halbleiter, z.B. Phosphoratome in Silicium.
Dadurch werden zusätzliche Elektronen frei
und der entsprechend dotierte Bereich wird N-
leitend. Stark N-dotierte Bereiche werden mit
N$^+$ bezeichnet.
n-type doping [semiconductor technology]
The introduction of donor impurity atoms into a
semiconductor, e.g. phosphorous atoms into
silicon. This increases the number of free
electrons and produces n-type conduction in the
correspondingly doped region. Highly doped n-
type regions are denoted by n$^+$.
N-Gebiet *n,* N-Bereich *m,* N-Zone *f*
[Halbleitertechnik]
n-type region, n-type zone [semiconductor
technology]
N-Grundmaterial *n,* N-Substrat *n*
[Halbleitertechnik]
Substrat mit Elektronenleitung (N-Leitung).
n-type substrate [semiconductor technology]
A substrate with electron conduction (n-type
conduction).
N-Halbleiter *m* [Halbleiter mit
Elektronenleitung (N-Leitung)]
n-type semiconductor [semiconductor with
electron conduction (n-type conduction)]
N-Kanal *m* [Halbleitertechnik]
Der stromführende Kanal in einem Feld-
effekttransistor, in dem der Ladungstransport
durch Elektronen erfolgt.
n-channel [semiconductor technology]
The conducting channel in a field-effect
transistor in which charge transport is effected
by electrons.
N-Kanal-Feldeffekttransistor *m* (NFET)
Feldeffekttransistor, der einen N-leitenden
Kanal besitzt, d.h. einen Kanal, in dem die
Majoritätsladungsträger Elektronen sind.
n-channel field-effect transistor (NFET)
Field-effect transistor with an n-type
conducting channel, i.e. a channel in which the
majority carriers are electrons.
**N-Kanal-Feldeffekttransistor mit Metall-
Oxid-Halbleiter-Struktur** *m* (NMOSFET)

**n-channel metal-oxide-semiconductor
field-effect transistor** (NMOSFET)
N-Kanal-MOS-Technik *f,* NMOS-Technik *f*
Technik für die Herstellung von Feldeffekttransistoren mit Metall-Oxid-Halbleiter-
Struktur und einem N-leitenden Kanal, bei der
N-dotierte Bereiche (Source und Drain) in ein
P-leitendes Substrat eindiffundiert werden.
n-channel MOS technology, NMOS
technology
Process for fabricating field-effect transistors
with a metal-oxide-semiconductor structure
and an n-type conductive channel, in which n-
type regions (source and drain) are formed in a
p-type substrate by diffusion.
N-Kanal-MOS-Technik mit Aluminium-Gate *f*
Technik für die Herstellung von NMOS-
Feldeffekttransistoren, bei denen das Gate (die
Steuerelektrode) aus Aluminium besteht.
**n-channel aluminium-gate MOS
technology**
Process for fabricating n-channel MOS field-
effect transistors in which the gate consists of
aluminium.
N-Kanal-MOS-Technik mit Silicium-Gate *f*
Technik für die Herstellung von NMOS-
Feldeffekttransistoren, bei denen das Gate (die
Steuerelektrode) aus einem leitfähigen Poly-
silicium besteht.
n-channel silicon-gate MOS technology
Process for fabricating n-channel MOS field-
effect transistors in which the gate consists of a
conductive polysilicon material.
N-Kanal-Transistor *m*
n-channel transistor
N-Leiter *m*
n-conductor
N-Leitung *f,* Elektronenleitung *f,*
Überschußleitung *f*
Ladungstransport in einem Halbleiter durch
Leitungselektronen.
electron conduction
Charge transport in a semiconductor by
conduction electrons.
N-Substrat *n,* N-Grundmaterial *n*
[Halbleitertechnik]
Substrat mit Elektronenleitung (N-Leitung).
n-type substrate [semiconductor technology]
A substrate with electron conduction (n-type
conduction).
N-Zone *f,* N-Bereich *m,* N-Gebiet *n*
[Halbleitertechnik]
Bereich in einem Halbleiter, in dem der
Ladungstransport vorwiegend durch
Elektronen erfolgt.
n-type region, n-type zone [semiconductor
technology]
A region in a semiconductor in which charge
transport is effected essentially by electrons.

nach links verschieben
 left shift, to
nach rechts verschieben
 right shift, to
nachbilden, simulieren, abbilden
 simulate, to
Nachbildung *f,* Simulation *f,* Abbildung *f*
 [Abbilden eines wirklichen Systems durch ein
 Modell]
 simulation [representation of a real world
 system by a model]
Nachdiffusion *f* [Dotierungstechnik]
 Bei der Zweischrittdiffusion der zweite
 Diffusionsvorgang, der sich an den ersten
 sogenannten Belegungsvorgang anschließt, um
 die gewünschte Diffusionstiefe und das
 gewünschte Dotierungsprofil zu erhalten.
 drive-in cycle [doping technology]
 In two-step diffusion, the second diffusion step
 which follows the first "predeposition" step in
 order to obtain the desired diffusion depth and
 dopant concentration profile.
nachfolgendes Füllzeichen *n* [ein Füllzeichen,
 das rechts von einer linksbündigen Datei
 gespeichert wird]
 trailing filler, trailing pad [a fill or pad
 character stored to the right of a left-justified
 file]
nachführen [Regeltechnik]
 track, to [control]
Nachlauf *m,* Pendeln *n*
 hunting
Nachleuchtdauer *f* [eines Bildschirmes]
 persistence [of a screen]
Nachricht *f* [bei der objektorientierten
 Programmierung: Signal von einem Objekt zu
 einem anderen]
 message [in object oriented programming:
 signal from one object to another]
Nachrichtennetz *n,* Kommunikationsnetz *n*
 communication network
Nachrichtenspeicher *m*
 message storage
Nachrichtensystem *n,* Kommunikationssystem
 n [Nachrichtentechnik]
 communication system [telecommunications]
nachrüsten
 retrofit, to
Nachrüstsatz *m*
 add-on kit
Nachsatz *m*
 trailer
Nachsatzadresse *f*
 trailer address
Nachschaltrechner *m,* Backend-Rechner *m*
 back-end processor
Nachspann *m,* Endeetikett *n,* Schlußetikett *n*
 [bei Magnetbändern]
 trailer label [for magnetic tapes]

nächste ausführbare Anweisung *f*
 next executable statement
nächster Datensatz *m*
 next record
Nachstimmen *n*
 retuning
Nadeldrucker *m,* Punktmatrixdrucker *m,*
 Matrixdrucker *m,* Mosaikdrucker *m*
 Drucker, bei dem durch matrixförmig
 angeordnete Drahtstifte (z.B. 5x7 oder 7x9
 Matrix) aus Punkten zusammengesetzte
 alphanumerische Zeichen gebildet werden. Die
 Bewegung der Drahtstifte gegen das Farbband
 bzw. das Papier erfolgt durch Elektromagnete.
 dot-matrix printer, matrix printer
 Printer which uses a matrix of wires (e.g. 5x7
 or 7x9 matrix) to form alphanumeric character
 composed of dots. The wires are driven against
 an inked ribbon or paper by solenoids.
Nadelimpuls *m*
 pulse spike, spike
Nadelimpulsgenerator *m*
 spike-pulse generator
Nadelloch *n* [kleines Loch in der Isolierschicht
 auf einer Halbleiteroberfläche]
 pin hole [small hole in the insulating layer on
 the surface of a semiconductor]
Nagelkopfkontaktierung *f*
 Ein Thermokompressionsverfahren, bei dem
 ein Golddraht durch eine Kapillare geführt und
 mit Hilfe einer Flamme abgeschmolzen wird.
 Das geschmolzene Drahtende bildet eine Kugel
 die auf den Kontaktfleck der integrierten
 Schaltung gepreßt wird.
 nailhead bonding, ball bonding
 A thermocompression method in which a gold
 wire, fed through a capillary tube, is melted by
 a flame. The molten wire end forms a ball
 which is pressed against the bonding pad on
 the integrated circuit.
Näherung *f,* Approximation *f,* Annäherung *f*
 approximation
Näherungsfehler, Approximationsfehler *m*
 approximation error, truncation error
Näherungsschalter *m,* Annäherungsschalter *m*
 proximity switch
Näherungssensor *m*
 proximity sensor
Nahtstelle *f,* Schnittstelle *f,* Interface *n*
 [Verbindungsstelle zwischen Baustein-, Geräte
 oder Systemteilen für die Übertragung von
 Daten und Steuerinformationen]
 interface [connecting point between sections o
 a device, equipment or system for transfer of
 data and control information]
Nahtstelleneinrichtung *f,*
 Kopplungseinrichtung *f*
 interface equipment
NAND-Funktion *f,* NAND-Verknüpfung *f*

NAND function, NAND operation
NAND-Gatter n, NAND-Glied n
NAND gate, NAND element
NAND-Schaltung f
   NAND circuit
NAND-Verknüpfung f, Sheffer-Verknüpfung f
   [logische Verknüpfung mit dem Ausgangswert
   (Ergebnis) 0, wenn und nur wenn alle Eingänge
   (Operanden) den Wert 1 haben; für alle
   anderen Eingangswerte ist der Ausgangs-
   wert 1]
   NAND operation, Sheffer function, non-
   conjunction [logical operation having the output
   (result) 0 if and only if all inputs (operands) are
   1; for all other input values the output is 1]
Nanosekunde f (ns) [eine Milliardstelsekunde,
   d.h. 10^{-9} s]
   nanosecond (ns) [one thousand millionth of a
   second, i.e. 10^{-9} s]
Nassi-Shneiderman-Diagramm n,
   Struktogramm n [zur Darstellung der
   Ausführungsreihenfolge eines Programmes]
   Nassi-Shneiderman chart, NS chart [for
   representing sequence of operations in a
   program]
natürliche Sprache f [z.B. Deutsch, im
   Gegensatz zu einer künstlichen Sprache, z.B.
   FORTRAN]
   natural language [e.g. English, in contrast to
   an artificial language, e.g. FORTRAN]
natürlicher Logarithmus m
   natural logarithm, hyperbolic logarithm,
   Naperian logarithm
NC-Steuerung f, numerische Steuerung f [die
   Steuerung von Maschinen durch Eingabe der
   Weg- und Schaltbefehle in Form
   verschlüsselter numerischer Daten]
   NC (numerical control) [the control of machines
   by means of encoded numerical data for
   positioning and switching function commands]
NC-Technik f [Steuerung von Maschinen]
   NC technology (numerical control technology)
   [control of machines]
Nebenschleife f [bei Magnetblasenspeichern]
   minor loop [in magnetic bubble memories]
Nebenschluß m
   shunt, bypass
Nebenschlußwiderstand m, Querwiderstand m
   shunt resistor, shunt
Nebensprechen n [Kommunikationstechnik]
   crosstalk [communications]
Nebenstation f, Nebenstelle f
   slave station
Nebenzeit f
   incidental time
Negation f, NICHT-Funktion f, Boolesche
   Komplementierung f, Inversion f, Umkehrer m
   Logische Verknüpfung, die den Eingangswert
   umkehrt, d.h. eine Eins am Eingang wird in

eine Null am Ausgang umgewandelt und
umgekehrt.
negation, NOT operation, Boolean
complementation, inversion
Logical operation that negates the input value,
i.e. a one at the input is converted into a zero at
the output and vice-versa.
Negationsglied n, NICHT-Glied n, Negator m
   [Digitalrechentechnik: führt die Negation bzw.
   die NICHT-Funktion aus]
   inverter, NOT element, negation element
   [digital computing: carries out the NOT
   function, i.e. the logical operation of inversion]
negative Bildschirmdarstellung f,
   umgekehrte Bildschirmdarstellung f [dunkle
   Schrift auf hellem Hintergrund, im Gegensatz
   zur normalen Bildschirmdarstellung mit einer
   hellen Schrift auf dunklem Hintergrund]
   inverse video, reverse video [dark characters
   on a bright background, in contrast to normal
   video display using light characters on a dark
   background]
negative Flanke f, abfallende Flanke f, fallende
   Flanke f
   Abfall eines digitalen Signals oder eines
   Impulses.
   falling edge
   Decay of a digital signal or a pulse.
negative Logik f [logische Schaltung, die den
   Zustand logisch 1 durch einen negativen
   Spannungspegel darstellt; ein positiverer
   Spannungspegel entspricht dem Zustand
   logisch 0]
   negative logic, negative-true logic [logic
   circuit employing a negative voltage level to
   represent logic state 1; a more positive voltage
   level represents logic state 0]
negative Quittung f, negative Rückmeldung f
   negative acknowledgement
negative Rückkopplung f, Gegenkopplung f
   negative feedback
negative Rückmeldung f, negative Quittung f
   negative acknowledgement
negative Vorspannung f
   negative bias voltage, negative bias
negativer Impuls m
   negative pulse
negativer Ladungsträger m
   negative carrier, negative charge carrier
negativer Leitwert m
   negative conductance
negativer Widerstand m
   negative resistance
negatives Leiterbild n [Leiterplatten]
   negative conductive pattern [printed circuit
   boards]
negatives Signal n
   negative signal
Negator m, Negationsglied n, NICHT-Glied n

[Digitalrechentechnik: führt die Negation bzw.
die NICHT-Funktion aus]
inverter, NOT element, negation element
[digital computing: carries out the NOT
function, i.e. the logical operation of inversion]
negieren
negate, to
Neigung eines Zeichens *f,* **Zeichenschräge** *f*
character skew, tilt of a character
nematischer Flüssigkristall *m* [die in
Flüssigkristallanzeigen hauptsächlich
verwendete Flüssigkristallart, deren Moleküle
so angeordnet sind, daß die Längsachsen
parallel zueinander stehen; im Gegensatz zu
smektischen Flüssigkristallen, bei denen die
Moleküle in Schichten angeordnet sind]
nematic liquid crystal [commonly used type
of crystal in liquid crystal displays whose
molecules are arranged with their longitudinal
axes parallel to one another; in contrast to
smectic liquid crystals which have their
molecules arranged in layers]
Nennlast *f*
rated load, load rating
Nennleistung *f*
rated power, power rating
Nennmaß *n,* **Sollmaß** *n*
nominal value
Nennspannung *f*
rated voltage, voltage rating
Nennstrom *m*
rated current, current rating
Nennwert *m*
rated value
NERFET *m* [ein modulationsdotierter
Feldeffekttransistor]
NERFET (negative differential resistance
field-effect transistor) [a modulation-doped field
effect transistor]
NetBIOS [BIOS für den Zugriff auf lokale
Netzwerke]
NetBIOS [BIOS for accessing local area
networks]
NetWare [von Novell entwickeltes Betriebs-
system für lokale Netzwerke (LAN)]
NetWare [operating system developed by
Novell for local area networks (LAN)]
Netzausfall *m,* **Stromausfall** *m*
mains failure, power failure, outage
Netzausfallschutz *m* [z.B. durch eine
Reservebatterie]
power-failure protection [e.g. with standby
battery]
Netzbetrieb *m*
power line operated, mains operated
Netzbrummen *n*
power line hum, mains hum
Netzfrequenz *f*
power frequency, mains frequency

Netzgerät *n,* **Netzteil** *m,* **Stromversorgungsteil** *n*
power supply unit, power pack, power unit
Netzkabel *n*
power cable
Netzknoten *m*
network node, node
Netzplantechnik nach CPM *f,* **CPM**
critical path method, CPM
Netzplantechnik nach PERT *f,* **PERT** *f*
program evaluation and review technique
(PERT)
Netzschalter *m,* **Leistungsschalter** *m*
power switch, mains switch
Netzspannung *f*
mains voltage, line voltage
Netzstruktur *f*
network structure
Netzteil *m,* **Netzgerät** *n,* **Stromversorgungsteil** *n*
power supply unit, power pack, power unit
Netzunterdrückung *f*
power supply rejection
Netzwerk *n*
network
Netzwerk-Dateidienst *m* [erlaubt einem
Lokalrechner den Netzwerkrechner als
Erweiterung der lokalen Festplatten zu
verwenden]
NFS (Network File System) [enables local
computer to use network computer as extension
of local hard disk]
Netzwerkanalyse *f*
network analysis
Netzwerkebene *f* [eine der sieben
Funktionsschichten des ISO-Referenzmodells
für den Rechnerverbund]
network layer [one of the seven functional
layers of the ISO reference model for computer
networks]
Netzwerktheorie *f*
network theory
Netzwerktopologie *f* [die Struktur eines
Rechnernetzes, z.B. eine Bus-, Ring- oder
Sternstruktur]
network topology [the structure of a
computer network, e.g. a bus, ring or star
structure]
Netzwerkverbund *m* [Verbund mehrerer
Netzwerke]
internetworking [connection of several
networks]
neu benennen, umbenennen
rename, to
neu formatieren, umformatieren
reformat, to
neu speichern, umspeichern, wieder speichern
re-store, to; restore, to
Neunerkomplement *n* [dient der Darstellung
von negativen Dezimalzahlen]
Das Neunerkomplement einer Zahl erhält man

durch stellenweises Ergänzen auf 9; die
Subtraktion der Zahl wird dann durch die
Addition des Komplementes ersetzt; der
auftretende Übertrag wird zur niedrigsten
Stelle addiert. Beispiel: die Zahl 123 hat das
Komplement 876; die Addition 555 - 123 wird
somit durch die Addition 555 + 876 = (1)431 =
432 ersetzt.

nines complement [serves to represent a
negative decimal number]
The nines complement of a number is obtained
by forming the difference to a number having a
nine in each decimal place; subtraction of the
number is then replaced by adding the
complement, the carry being added to the
lowest digit. Example: the number 123 has the
complement 876; the subtraction 555 - 123 is
thus replaced by the addition 555 + 876 =
(1)431 = 432.

neuronales Netzwerk *n,* neuronales Netz *n* [ein
selbstorganisierendes lernfähiges Netzwerk,
das allgemeinern kann und von der
Struktur und Funktion des Gehirnes inspiriert
wurde; es besteht im wesentlichen aus
zusammengeschalteten Elementen (Neuronen)
in mehreren Schichten (Eingangs-, Ausgangs-
und verdeckte Schichten), deren Verbindungen
entsprechend einem optimierenden Lernalgorithmus gewichtet sind]
neural network, neural net [a self-organizing
computation model having the ability to learn
and to generalize and inspired by the structure
and function of the brain; in essence it consists
of interconnected elements (neurons) in several
layers (input, output and hidden layers) whose
links are weighted according to an optimizing
learning algorithm]

Neustart *m,* Wiederanlauf *m* [eines Programmes
nach einer Unterbrechung]
restart (RST) [of a program after an
interruption]

Neutralisation *f* [Kompensation, z.B. der
Rückwirkung vom Ausgang auf den Eingang
einer Verstärkerschaltung]
neutralization [compensation, e.g. of feedback
from output to input of an amplifier circuit]

Neutronenbestrahlung *f,* Neutronendotierung
f, Kernumwandlung *f* [Halbleiterdotierung]
neutron irradiation, transmutation, neutron
transmutation [semiconductor doping]

Neutronendotierung *f,* Neutronenbestrahlung
f, Kernumwandlung *f* [Halbleiterdotierung]
Ein Dotierungsverfahren, bei dem bestimmte
Siliciumisotope durch Neutronenbestrahlung in
einem Kernreaktor in Phosphorisotope
umgewandelt werden. Das Verfahren erlaubt
eine sehr homogene Dotierung.
neutron irradiation, transmutation, neutron
transmutation [semiconductor doping]

A doping process in which neutron irradiation
of silicon in a nuclear reactor causes certain
silicon isotopes to be changed into phosphorous
isotopes. The process allows highly
homogeneous doping.

Newton *n* (N) [SI-Einheit der Kraft]
newton (N) [SI unit of force]

NF-Verstärker *m,* Niederfrequenzverstärker *n*
low-frequency amplifier

NFET *m,* N-Kanal-Feldeffekttransistor *m*
Feldeffekttransistor, der einen N-leitenden
Kanal besitzt, d.h. einen Kanal, in dem die
Majoritätsladungsträger Elektronen sind.
NFET (n-channel field-effect transistor)
Field-effect transistor with an n-type
conduction channel, i.e. a channel in which the
majority carriers are electrons.

NI-Übergang *m*
Übergang zwischen einem N-leitenden und
einem eigenleitenden Bereich in einem
Halbleiter.
ni-junction
Junction between an n-type region and an
intrinsic region in a semiconductor.

Nibble *n,* Halbbyte *n* [4 Bits]
nibble, half-byte [4 bits]

nicht berechenbar, nicht algorithmisch,
heuristisch
non-algorithmic, heuristic, non-calculable

nicht plausibel
implausible

nicht verfügbare Betriebszeit *f*
non-available time

NICHT-Bedingung *f*
NOT condition

NICHT-Funktion *f,* NICHT-Verknüpfung *f,*
Negation *f,* Boolesche Komplementierung *f,*
Inversion *f*
Logische Verknüpfung, die den Eingangswert
umkehrt, d.h. eine Eins am Eingang wird in
eine Null am Ausgang umgewandelt und
umgekehrt.
NOT operation, negation, Boolean
complementation, inversion
Logical operation that negates the input value,
i.e. a one at the input is converted into a zero at
the output and vice-versa.

NICHT-Gatter *n,* NICHT-Glied *n,*
Negationsglied *n,* Negator *m*
[Digitalrechentechnik: führt die Negation bzw.
die NICHT-Funktion aus]
NOT gate, NOT element, negation element,
inverter [digital computing: carries out the
NOT function, i.e. the logical operation of
inversion]

NICHT-Schaltung *f,* Inversionsschaltung *f,*
Inverter *m,* Umkehrer *m*
NOT circuit, inverting circuit, inverter

NICHT-Verknüpfung *f,* NICHT-Funktion *f,*

Boolesche Komplementierung *f,* Negation *f,*
Inversion *f*
NOT function, Boolean complementation,
inversion, negation
nichtadressierbarer Speicher *m,*
Schattenspeicher *m*
non-addressable memory, shaded memory
nichtadressierter Operand *m* [Operand,
bestehend aus Befehl ohne Adresse]
immediate operand [operand consisting of
instruction without address]
nichtbehebbarer Fehler *m*
irrecoverable error, fatal error
nichtbenachbartes Datenfeld *n*
non-contiguous item
nichtdruckendes Steuerzeichen *n* [z.B.
Wagenrücklauf-, Zeilenvorschub- oder
Zwischenraumzeichen]
non-printing control character [e.g.
carriage return, line feed or space character]
nichtflüchtiger RAM *m,* nichtflüchtiger
Speicher mit wahlfreiem Zugriff *m*
non-volatile random access memory
(NOVRAM, NV-RAM)
nichtflüchtiger Speicher *m*
Speicher, dessen Speicherinhalt auch bei
Ausfall der Versorgungsspannung erhalten
bleibt, z.B. Magnetblasenspeicher,
Magnetbandspeicher, Halbleiterspeicher wie
ROMs, EAROMs, PROMs, einige RAMs usw.
non-volatile memory (NVM)
Memory in which stored information is retained
when power is turned off, e.g. bubble memories,
magnetic tape, semiconductor memories such
as ROMs, EAROMs, PROMs, some RAMs, etc.
nichtflüchtiger Speicher mit wahlfreiem
Zugriff *m,* nichtflüchtiger RAM *m*
non-volatile random access memory
(NOVRAM, NV-RAM)
nichtformatiert, unformatiert
unformatted
nichtindiziert
non-subscripted
nichtinvertierender Eingang *m*
non-inverting input
nichtinvertierender Puffer *m*
non-inverting buffer
nichtiterativer Prozeß *m* [ein sich nicht
wiederholender Prozeß]
non-iterative process [non-repetitive process]
Nichtleiter *m*
non-conductor
Nichtleiterbild *n* [Leiterplatten]
non-conductive pattern [printed circuit
boards]
nichtlineare Kennlinie *f*
nonlinear characteristic
nichtlineare Verzerrung *f*
nonlinear distortion

nichtlinearer Widerstand *m*
nonlinear resistor
Nichtlinearität *f*
nonlinearity
nichtlöschbarer Speicher *m,*
Permanentspeicher *m*
permanent storage, permanent memory
nichtlöschendes Lesen *n* [ein Lesevorgang, der
die gespeicherte Information nicht löscht oder
verändert]
non-destructive read (NDR), non-destructive
readout (NDRO) [a reading operation that does
not destroy or change the stored information]
nichtmarkierter Block *m*
unlabeled block
nichtmaskierbare Unterbrechung *f* [Anschluß
am Mikroprozessor, der es gestattet, eine
Unterbrechung auszulösen, unabhängig vom
Maskierungsbit]
non-maskable interrupt (NMI)
[microprocessor terminal which enables an
interrupt to be initiated independently of a
masking or interrupt-disable bit]
nichtmaskierbarer Unterbrechungseingang
non-maskable interrupt input
nichtmechanischer Drucker *m* [z.B. ein
Laserdrucker]
non-impact printer [e.g. a laser printer]
nichtnumerisch
non-numeric
nichtnumerisches Literal *n*
non-numeric literal
nichtprozedurale Programmiersprache *f,*
deklarative Programmiersprache *f* [im
Gegensatz zur prozeduralen
Programmiersprache]
non-procedural programming language,
declarative programming language [in contrast
to procedural programming language]
nichtverfahrensorientierte
Programmiersprache *f*
non-procedural language, non-procedure-
oriented language
nichtverriegelnd [z.B. ein Schalter]
non-locking [e.g. a key]
Niederfrequenz *f,* (NF)
low frequency
Niederfrequenzverstärker *n,* NF-Verstärker *m*
low-frequency amplifier
niederohmig
low-impedance
Niederspannung *f*
low voltage
niederwertige Adresse *f*
low address
niederwertige Bitstelle *f*
low-order bit position
niederwertige Ziffer *f*
low-order digit

niederwertiges Bit *n*
low-order bit
niederwertiges Byte *n*
low-order byte
niedrigdotiert, leicht dotiert, schwach dotiert
lightly doped
niedriger Integrationsgrad *m*, SSI,
Kleinintegration *f*
Integrationstechnik, bei der nur wenige
Transistoren oder Gatterfunktionen (zwischen
5 und 100) auf einem Chip enthalten sind.
small scale integration (SSI)
Technique for the integration of only a few
transistors or logical functions (between 5 and
100) on the same chip.
niedriger Wert *m*
low value
niedrigstwertig
least significant
niedrigstwertig
rightmost
niedrigstwertige Stelle *f*, Stelle einer Zahl mit
der niedrigsten Wertigkeit *f*
least significant digit (LSD)
niedrigstwertiges Bit *n*, Binärstelle mit der
niedrigsten Wertigkeit *f* (LSB) [Bit mit dem
niedrigsten Stellenwert in einer Binärzahl, z.B.
1 in der Binärzahl 0001]
least significant bit (LSB) [bit with the
lowest value in a binary number, e.g. 1 in the
number 0001]
Nietautomat *m* [für Bauteilmontage]
automatic riveting machine [for component
assembly]
NIPI-Struktur *f* [Halbleiterstruktur mit
eigenleitenden Schichten zwischen einer
periodischen Folge von hochdotierten N- und P-
Schichten]
nipi-structure [semiconductor structure with
intrinsic layers between a sequence of
alternately arranged highly doped n-type and
p-type layers]
Nixie-Röhre *f* [Gasentladungsanzeige]
Nixie tube [gas discharge display]
NKRO, Tastenverriegelung *f* [verhindert bei
Tastaturen Eingabefehler, die durch
gleichzeitige Betätigung mehrerer Tasten
entstehen könnten]
NKRO (n-key roll over) [in keyboards prevents
incorrect input when several keys are
simultaneously depressed]
NLQ-Modus *m* [für nahezu Briefqualität beim
Drucker]
NLQ mode (Near-Letter Quality)
NMOS-Technik *f*, N-Kanal-MOS-Technik *f*
Technik für die Herstellung von
Feldeffekttransistoren mit Metall-Oxid-
Halbleiter-Struktur und einem N-leitenden
Kanal, bei der die N-dotierte Bereiche (Source und

Drain) in ein P-leitendes Substrat
eindiffundiert werden.
NMOS technology, n-channel MOS
technology
Process for fabricating field-effect transistors
with a metal-oxide-semiconductor structure
and an n-type conductive channel, in which n-
type regions (source and drain) are formed in a
p-type substrate by diffusion.
NMOS-Technik mit Silicium-Gate *f*
Technik für die Herstellung von NMOS-
Feldeffekttransistoren, bei denen das Gate (die
Steuerelektrode) aus einem leitfähigen
Polysilicium besteht.
silicon-gate NMOS technology
Process for fabricating n-channel MOS field-
effect transistors in which the gate consists of a
conductive polysilicon material.
NMOSFET *m*, N-Kanal-Feldeffekttransistor mit
Metall-Oxid-Halbleiter-Struktur *m*
NMOSFET, n-channel metal-oxide-
semiconductor field-effect transistor
No-Op-Befehl *m*, Leerbefehl *m*,
Überspringbefehl *m*
no-op instruction, no-operation instruction,
blank instruction, skip instruction
nochmalige Übertragung *f*
retransmission
Non-interlaced-Modus *m* [Bildaufbau ohne
Zeilensprung, im Gegensatz zu Interlaced-
Modus]
non-interlaced mode [screen image
formation in a single pass, in contrast to
interlaced mode]
Non-Karbon-Papier *n* [Durchschriftspapier
ohne Kohlepapier]
non-carbon paper [copy without carbon
paper]
NOR-Funktion *f*, NOR-Verknüpfung *f*
NOR function, NOR operation
NOR-Gatter *n*, NOR-Glied *n*
NOR gate, NOR element
NOR-Schaltung *f*
NOR circuit
NOR-Verknüpfung *f*, Peirce-Funktion *f*
[logische Verknüpfung mit dem Ausgangswert
(Ergebnis) 1, wenn und nur wenn alle Eingänge
(Operanden) den Wert 0 haben; für alle
anderen Eingangswerte ist der Ausgangs-
wert 0]
NOR operation, Peirce function, non-
disjunction [logical operation having the output
(result) 1 if and only if all inputs (operands) are
1; for all other input values the output is 0]
Normalbetrieb *m*
normal operating mode
Normalform *f*
normalized form, standardized form
Normalfrequenz *f*

standard frequency
Normalfrequenzgenerator m
standard frequency generator
Normalgenerator m [Generator mit einer
Leistungsabgabe von 1 mW]
one-milliwatt generator
normalisieren, vereinheitlichen [in der
Gleitpunktdarstellung das Verschieben der
Mantissa bis sie innerhalb eines
vorgeschriebenen Bereichs liegt; in der Praxis
wird das Dezimalkomma nach links verschoben
bis es vor der ersten Ziffer steht, z.B. 123,45
wird $0{,}12345 \times 10^3$ in der normalisierten
Darstellung]
normalize, to; standardize, to [in floating
point representation to adjust the mantissa so
that it lies within a prescribed range; usually
the decimal point is shifted to the left until it
stands in front of the first digit, e.g. 123.45
becomes 0.12345×10^3 in the normalized
representation]
Normalverteilung f, Gaußsche Verteilung f
[statistische Verteilung von Zufallswerten um
einen Mittelwert]
Gaussian distribution [statistical
distribution of random values around a center
value]
normieren, initialisieren [Setzen von Adressen,
Zählern usw. auf einen Startwert, z.B. auf
Null]
initialize, to [set addresses, counters, etc. to
an initial value, e.g. to zero]
Normsteckerverbindung f
standard plug connection ·
NOT-IF-THEN-Funktion f, NOT-IF-THEN-
Verknüpfung f, Inhibition f [logische
Verknüpfung mit dem Ausgangswert
(Ergebnis) 1, wenn und nur wenn der erste
Eingang (Operand) den Wert 1 und der zweite
den Wert 0 hat; für alle anderen Eingangswerte
(Operandenwerte) ist der Ausgangswert (das
Ergebnis) 0]
NOT-IF-THEN function, NOT-IF-THEN
operation, exclusion [logical operation having
the output (result) 1 if and only if the first
input (operand) is 1 and the second 0; for all
other input (operand) values the output (result)
is 0]
Notausschalter m
emergency switch, emergency off
Notebook-Computer m, Notizbuchrechner m
[A4-großer Rechner, kleiner als ein Laptop-
Rechner]
notebook computer [A4-sized computer,
smaller than laptop computer]
Notizblockfunktion f
scratch-pad facility
Notizblockregister [Hilfsregister im
Mikroprozessor]

scratch-pad register [auxiliary register in a
microprocessor]
Notizblockspeicher m, Scratch-Pad-Speicher m
[schneller Speicher zur Zwischenspeicherung
von Daten (Zwischenergebnisse) bzw.
Steuerung des Programmablaufes]
scratch-pad memory [fast temporary storage
for data (intermediate results) or for controlling
program execution]
Notizbuchrechner m, Notebook-Computer m
[A4-großer Rechner, kleiner als ein Laptop-
Rechner]
notebook computer [A4-sized computer,
smaller than laptop computer]
Notspeicherauszug m
emergency memory dump
Notstromversorgung f
emergency power supply
NOVRAM m, NV-RAM m, nichtflüchtiger
Speicher mit wahlfreiem Zugriff m
NOVRAM, NV-RAM (non-volatile random
access memory)
NP-Übergang m
Der Übergang zwischen einem N-leitenden und
einem P-leitenden Bereich in einem Halbleiter
np-junction
The junction between an n-type region and a p-
type region in a semiconductor.
NPIN-Transistor m
Ein Transistor, bei dem sich zwischen dem P-
dotierten Basisbereich und dem N-dotierten
Kollektorbereich eine eigenleitende
Halbleiterzone befindet.
npin transistor
A transistor in which an intrinsic
semiconductor region is situated between the p-
type base region and the n-type collector region
NPN-Schaltung f, NPN-Schaltkreis m
npn circuit
NPN-Siliciumplanartransistor m
npn silicon planar transistor
NPN-Transistor m
Bipolartransistor, bei dem der Basisbereich P-
dotiert ist und die Emitter- und
Kollektorbereiche N-dotiert sind.
npn transistor
A bipolar transistor which has a p-type base
region and n-type emitter and collector regions
NRZ-Schrift f, Wechselschrift f, Richtungsschrift
f [Schreibverfahren für die
Magnetbandaufzeichnung; Aufzeichnung ohne
Rückkehr nach Null]
non-return-to-zero recording (NRZ)
[magnetic tape recording method]
NTC-Thermistor m, Heißleiter m, NTC-
Widerstand m
NTC resistor, NTC thermistor (negative
temperature coefficient resistor)
NTC-Widerstand m, Heißleiter m, NTC-

Thermistor *m*
Halbleiterbauelement mit hohem negativen
Temperaturkoeffizienten, d.h. dessen
Widerstand mit steigender Temperatur
abnimmt.
NTC resistor, NTC thermistor (negative
temperature coefficient resistor)
Semiconductor component with a high negative
temperature coefficient (NTC), i.e. whose
resistance decreases as temperature rises.

Null-Flag *n,* Nullmerker *m,* Nullkennzeichnung *f*
[Statusmerker, der gesetzt wird, wenn eine
Operation eine Null ergibt]
zero flag [status flag which is set when the
result of an operation is zero]

Null-Zeichenkette *f,* leere Zeichenkette *f*
null string, empty string

Null-Zeiger *m*
null pointer

Null-Zeiger-Zuweisung *f*
null pointer assignment

Nullabgleich *m* [z.B. einer Meßbrücke]
zero balance, null balance [e.g. of a measuring
bridge]

Nulladreßbefehl *m,* Leeradreßbefehl *m*
zero-address instruction

Nulladresse *f*
zero-address

Nulleinstellung *f*
zero adjustment

Nullen einsetzen
fill with zeroes, to

nullen
zero, to; null, to

Nullenunterdrückung *f,* Nullunterdrückung *f,*
Unterdrückung von führenden Nullen *f*
zero suppression, leading zero suppression

Nullkennzeichnung *f,* Nullmerker *m,* Null-
Flag *n*
zero flag

Nullmenge *f* [Mengenlehre]
zero set [set theory]

Nullmerker *m,* Null-Flag *n,* Nullkennzeichnung
f [Statusmerker, der gesetzt wird, wenn eine
Operation eine Null ergibt]
zero flag [status flag which is set when the
result of an operation is zero]

Nullpegel *m*
zero level

Nullpunktabweichung *f,* Nullpunktfehler *m*
zero error, zero deviation, offset

Nullpunktdrift *f,* Nullpunktwanderung *f*
zero drift

Nullpunktfehler *m,* Nullpunktabweichung *f*
zero error, zero deviation, offset

Nullpunktkorrektur *f*
zero correction

Nullpunktstabilität *f*
zero stability

Nullpunktverschiebung *f*
zero shift, zero offset

Nullpunktwanderung *f,* Nullpunktdrift *f*
zero drift

Nullsetzen *n* [einer Variablen]
zero setting [of a variable]

Nullsignallogik *f*
active zero logic

Nullspannung *f*
zero voltage

Nullstrom *m*
zero current

Nullunterdrückung *f,* Nullenunterdrückung *f,*
Unterdrückung von führenden Nullen *f*
zero suppression, leading zero suppression

Nullzeichen *n*
null character

Nullzugriff *m* [verzögerungsfreier Zugriff]
zero-access [undelayed access]

Nullzustand *m* [allgemein]
zero state [general]

numerisch
numeric, numerical

numerisch gesteuerte Maschine *f,* NC-
Maschine *f*
numerically controlled machine, NC
machine

numerische Daten *n.pl.*
numeric data

numerische Steuerung *f,* NC-Steuerung *f* [die
Steuerung von Maschinen durch Eingabe der
Weg- und Schaltbefehle in Form
verschlüsselter numerischer Daten]
NC (numerical control) [the control of machines
by means of encoded numerical data for
positioning and switching function commands]

numerische Tastatur *f,* Zehnertastatur *f*
[Tastatur mit den Ziffern 0 bis 9, evtl. mit
Sonderzeichen (z.B. für die
Grundrechenoperationen)]
numeric keyboard [keyboard with the digits
0 to 9, possibly with special characters (e.g. for
the basic arithmetic operations)]

numerische Zeichenfolge *f*
numeric string

numerischer Tastenblock *m,*
Zehnertastenblock *m* [separates Tastenfeld für
die Eingabe von Ziffern]
numeric keypad [separate keypad for
entering digits]

numerisches Datenfeld *n*
numeric item

numerisches Zeichen *n*
numeral, numeric character

Nur-Lese-Speicher *m,* Festwertspeicher *m,*
ROM *m*
Speicher, dessen Inhalt nur gelesen und im
normalen Betrieb weder gelöscht noch
verändert werden kann.

read-only memory (ROM)
Memory from which stored information can
only be read out and which, in normal
operation, cannot be erased or altered.
NUR-Verknüpfung *f*, NOR-Verknüpfung *f*,
Peirce-Funktion [logische Verknüpfung mit
dem Ausgangswert (Ergebnis) 1, wenn und nur
wenn alle Eingänge (Operanden) den Wert 0
haben; für alle anderen Eingangswerte ist der
Ausgangswert 0]
NOR function, NOR operation [logical
operation having the output (result) 1 if and
only if all inputs (operands) are 1; for all other
input values the output is 0]
nutzbar machen
utilize, to
nutzbare Maschinenzeit *f*, Nutzzeit *f*
[verfügbare Betriebszeit eines Systems]
available machine time, available time,
operable time, uptime [available operating time
of a system]
nutzbare Zeilenlänge *f*
usable line length
Nutzbarkeit *f*
usefulness, serviceability
nutzbringend
useful
Nutzfrequenz *f*
usable frequency
Nutzleistung *f*
useful power
Nutzsignal *n*
useful signal
Nutzungsdauer *f*
service life, useful life
nutzungsinvariantes Programm *n*
reusable program
Nutzungsrecht *n*
right to use
Nutzungsvertrag *m*, Lizenzvertrag *m*
licence agreement, license agreement
Nutzzeit *f*, nutzbare Maschinenzeit *f*
available time, available machine time,
operable time, uptime
NV-RAM *m*, NOVRAM *m*, nichtflüchtiger
Speicher mit wahlfreiem Zugriff *m*
NV-RAM, NOVRAM (non-volatile random
access memory)
NZR-Schrift *f*, Wechselschrift *f*, Richtungsschrift
f [Schreibverfahren für die Magnetbandaufzeichnung; Aufzeichnung ohne Rückkehr
nach Null]
NRZ (non-return-to-zero recording) [magnetic
tape recording method]

O

oberer Bereich eines binären Signals *m*, H-Bereich *m* [der positivere der beiden Pegel eines binären Signales]
high range of a binary signal, H-range [the more positive of the two levels of a binary signal]

oberer Rand *m*
top margin

oberer Speicherbereich *m* [Speicherbereich oberhalb des konventionellen Hauptspeicher, d.h. oberhalb 640 kB]
upper memory area (UMA) [main memory above conventional memory, i.e. above 640 kB]

Oberflächendefekt *m* [Halbleiterkristalle]
surface defect [semiconductor crystals]

Oberflächendotierung *f*
surface doping

Oberflächeninversion *f*
surface inversion

Oberflächenkoeffizient *m*
surface coefficient

Oberflächenladungstransistor *m*
Integriertes Transistorbauteil, bei dem gespeicherte Ladungen durch Anlegen einer Gatespannung an der Oberfläche des Halbleiters entlang verschoben werden können.
surface-charge transistor (SCT)
Integrated transistor element in which stored electric charges can be transferred along the surface of the semiconductor by applying a gate voltage.

Oberflächenmontage *f*, Aufsetztechnik *f*, SMD-Technik *f*
Technik zur automatischen Bestückung von Leiterplatten mit Bauelementen und integrierten Schaltungen, wobei die Leiterplatten keine Bohrlöcher benötigen.
surface-mounted device technique, SMD technique
Technique for automatic mounting of semiconductor components and integrated circuits on printed circuit boards without the need for drilled holes.

oberflächenmontierbares Bauteil *n*
surface-mounted device (SMD)

Oberflächenpassivierung *f* [Halbleitertechnik]
Das Aufbringen oder Aufwachsen von Schutzschichten (z.B. Siliciumdioxid, Siliciumnitrid, Glas oder Polyimid) auf die Oberfläche eines Halbleiters, um sie vor Feuchtigkeit, Verunreinigungen und dem Eindringen von Ionen zu schützen.
surface passivation [semiconductor technology]
Deposition or growing of protective films (e.g.

silicon dioxide, silicon nitride, glass or polyimide) on the surface of a semiconductor to provide protection from contamination, moisture and the penetration of ions.

Oberflächenraumladedetektor *m*
surface barrier detector

Oberflächenrekombination *f*
[Halbleitertechnik]
Die Wiedervereinigung freier Elektronen und Defektelektronen an der Oberfläche eines Halbleiters.
surface recombination [semiconductor technology]
The reunion of free electrons and holes at the surface of a semiconductor.

Oberflächenrekombinations-Geschwindigkeit *f*
Die Geschwindigkeit, mit der sich freie Elektronen und Defektelektronen an der Oberfläche eines Halbleiters wiedervereinigen.
surface recombination velocity
The speed with which free electrons and holes reunite at the surface of a semiconductor.

Oberflächenzone *f*
surface region

Oberschwingungen *f.pl.*
harmonics

Oberwellenfilter *n*, Glättungsfilter *n* [zum Aussieben der Brummspannung (Oberwellen) in Gleichstromversorgungen]
ripple filter [for filtering out ripple voltage (harmonics) in dc power supplies]

Oberwellengehalt *m*
harmonic content

Objekt *n* [bei der objektorientierten Programmierung: ein Objekt ist eine Instanz, d.h. ein konkretes Beispiel, einer Klasse und besteht aus Daten und Funktionen]
object [in object oriented programming: an object is an instance, i.e. a concrete example, of a class and consists of data and functions]

Objektcode *m* [Maschinencode, der vom Mikroprozessor bzw. Rechner verarbeitet werden kann; entsteht durch Übersetzung in Maschinensprache mittels Assembler oder Compiler]
object code [machine code which can be processed by a microprocessor or computer; is the result of translation into machine language by an assembler or compiler]

Objektmodul *m* [ein durch einen Assembler in Maschinensprache übersetzter Programmmodul; vor dem Ablauf muß er zuerst mit den anderen Moduln mittels eines Bindeladers verbunden werden]
object module [a program module translated into machine language by an assembler; before it can be run it must be combined with other program modules by a linking loader]

objektorientierte Programmiersprache f,
OOP-Sprache f
object oriented programming language
(OOPL)
objektorientierte Programmierung f (OOP)
[verwendet die folgenden Grundelemente:
Objekte (Softwarebausteine), Nachrichten
(Signale), Klassen (Modellkategorien) und
Klassenvererbung (Vererbung von
Klasseneigenschaften)]
  object oriented programming (OOP) [uses
following basic elements: objects (software
modules), messages (signals), classes (model
categories) and class inheritance (inheritance of
class properties)]
objektorientiertes Programmiersystem n,
OOP-System n
  object oriented programming system
(OOPS)
Objektprogramm n, Zielprogramm n [ein durch
einen Assembler oder Compiler in
Maschinensprache übersetztes Programm]
  object program, target program [a program
translated into machine language by an
assembler or compiler]
obligatorisch
  mandatory
OCCAM [Programmiersprache für Transputer-
Systeme]
  OCCAM [programming language for
transputer systems]
OCR-Leser m, optischer Zeichenleser m
  OCR reader, optical character reader
OCR-Schrift f [von der ISO empfohlene
Normschrift für optische Schrifterkennung; es
gibt zwei Typen, OCR-A und OCR-B]
  OCR characters [standard characters for
optical character recognition recommended by
ISO; there are two types, OCR-A and OCR-B]
ODA [offene Dokumentarchitektur]
  ODA (Open Document Architecture)
ODER-Funktion f, ODER-Verknüpfung f,
inklusives ODER n, Disjunktion f, exklusives
ODER n, Antivalenz f
Es gibt zwei Varianten der ODER-
Verknüpfung, das inklusive und das exklusive
ODER. Spricht man von der ODER-
Verknüpfung ohne Zusatz, so meint man in der
Regel das inklusive ODER. Dies ist eine
logische Verknüpfung mit dem Ausgangswert
(Ergebnis) 0, wenn und nur wenn jeder
Eingang (Operand) den Wert 0 hat; für alle
anderen Eingangswerte ist der Ausgang 1.
  OR function, OR operation, inclusive OR,
disjunction; exclusive OR, non-equivalence
There are two variants of the OR function, the
inclusive and the exclusive OR. As a rule, the
OR function (without the addition of inclusive
or exclusive) refers to the inclusive variant.

This is a logical operation having the output
(result) 0 if and only if each input (operand) is
0; for all other input values the output is 1.
ODER-Gatter n, ODER-Glied n
  OR gate, OR element
ODER-Schaltung f
  OR circuit
ODER-Verknüpfung f, inklusives ODER n,
Disjunktion f, exklusives ODER n, Antivalenz f
  OR function, inclusive OR, disjunction;
exclusive OR, non-equivalence
ODIF [offenes Dokumentenformat]
  ODIF (Open Document Interchange Format)
OEM m, Erstausrüster m [im Gegensatz zum
Endverbraucher oder Wiederverkäufer]
  OEM (original equipment manufacturer) [in
contrast to end user or distributor]
Off-line-Aufzeichnung f
  off-line recording
Off-line-Betrieb m [Datenverarbeitung]
  off-line processing [data processing]
Off-line-Datenübertragung f
  off-line data transmission
Off-line-Drucker m
  off-line printer
offene Leitung f
  open-circuited line
offene Prozeßkopplung f
  on-line open loop
offene Schleife f
  open loop
offener Betrieb m, Openshop-Betrieb m
[Rechnerbetrieb mit Zutritt für den
Auftraggeber bzw. Anwender; im Gegensatz
zum geschlossenen Betrieb, der dem Anwender
keinen Zutritt gewährt]
  open-shop operation [computer operation
with access for the user; in contrast to closed-
shop operation in which the user has no access]
offener Emitterausgang m
  open-emitter output
offener Kollektorausgang m
  open-collector output
offener Stromkreis m
  open-circuit
offenes Unterprogramm n [ein
Unterprogramm, das mehrfach in einem
Programm enthalten ist; im Gegensatz zum
allgemein verwendeten geschlossenen
Unterprogramm, das nur einmal im Programm
enthalten ist, aber mehrmals aufgerufen wird]
  open subroutine, in-line subroutine [a
subroutine which is contained several times in
a program; in contrast to the generally used
closed subroutine which is contained in the
program only once but called up several times]
Offline-Status m
  off-line status
öffnen, eröffnen [einer Datei, eines Fensters,

eines Anwendungsprogrammes]
open, to [a file, a window, an application program]
Offsetadresse *f*
  offset address
Offsetdiode *f* [zur Verschiebung des Gleichspannungspegels verwendete Diode]
  offset diode [a diode used for shifting the dc voltage level]
Offsetspannung *f* [bei Operationsverstärkern die Eingangsspannung, die benötigt wird, um eine Ausgangsspannung von 0 V zu erhalten]
  offset voltage [in operational amplifiers the input voltage required to obtain an output voltage of 0 V]
Offsetspannungsdrift *f*
  offset voltage drift
Offsetstrom *m*
  offset current
Offsetstromdrift *f*
  offset current drift
Ohm *n* (Ω) [SI-Einheit des elektrischen Widerstandes]
  ohm (Ω) [SI unit of electrical resistance]
Ohmmeter *n,* Widerstandsmeßgerät *n*
  ohmmeter
ohmsche Belastung *f,* ohmsche Last *f*
  resistive load
ohmsche Komponente *f* [der reelle Teil einer Impedanz]
  resistive component [the real part of an impedance]
ohmsche Last *f* [enthält weder Kapazität noch Induktivität]
  ohmic load, resistive load [contains neither capacity nor inductance]
ohmscher Kontakt *m* [bei Halbleitern ein widerstandsbehafteter Kontakt zwischen zwei Materialien, bei denen der durchtretende Strom proportional der Spannungsdifferenz am Eingang ist]
  ohmic contact [in semiconductors, a resistive contact between two materials in which the penetrating current is proportional to the voltage difference at the input]
ohmscher Spannungsabfall *m*
  ohmic voltage drop, ohmic drop
ohmscher Widerstand *m,* Wirkwiderstand *m*
  ohmic resistance
Ohmsches Gesetz *n* [die Beziehung zwischen Spannung (U), Strom (I) und Widerstand (R): U = I x R]
  Ohms law [the relationship between voltage (V), current (I) and resistance (R): V = I x R]
ohne Vorspannung *f*
  unbiased
oktales Zahlensystem *n*
  octal number system, octal notation
Oktalschreibweise *f* [Zahlensystem mit der

Basis 8, das eine einfache Beziehung zu Binärzahlen aufweist, wenn sie in Dreiergruppen aufgeteilt werden, z.B. die Binärzahl 101 010 011 entspricht der kürzeren und einfacheren Oktalzahl 523]
  octal notation [number system with the basis 8 having a simple relation to binary numbers when grouped in three, e.g. the binary number 101 010 011 has the shorter and simpler octal equivalent 523]
Oktalziffer *f*
  octal digit
OLE [bei der Programmierung in Windows: Verknüpfen und Einfügen von Objekten wie z.B. Graphiken]
  OLE (Object Linking and Embedding) [in Windows programming: linking and embedding of objects, e.g. graphics]
On-line-Betrieb *m,* direkte Verarbeitung *f* [Datenverarbeitung]
  on-line processing [data processing]
On-line-Datenübertragung *f*
  on-line data transmission
On-line-Drucker *m*
  on-line printer
On-line-Eingabegerät *n*
  on-line input device
On-line-Status *m*
  on-line status
OOP, objektorientierte Programmierung *f* [verwendet die folgenden Grundelemente: Objekte (Softwarebausteine), Nachrichten (Signale), Klassen (Modellkategorien) und Klassenvererbung (Vererbung von Klasseneigenschaften)]
  OOP (object oriented programming) [uses following basic elements: objects (software modules), messages (signals), classes (model categories) and class inheritance (inheritance of class properties)]
OOP-Sprache *f,* objektorientierte Programmiersprache *f*
  OOPL (object oriented programming language)
OOP-System *n,* objektorientiertes Programmiersystem *n*
  OOPS (object oriented programming system)
Op-Code *m,* Operationscode *m* [codierte Darstellung der Operation, die von einem Befehl ausgelöst werden soll; der Operationscode ist im Operationsteil des Befehls enthalten]
  op code, operation code [code representing the operation to be initiated by an instruction; the operation code is contained in the operation part of the instruction]
Op-Register *n,* Operationsregister *n*
  op register, operation register
Open Look [graphische Benutzeroberfläche für UNIX]

Open Look [graphical user interface for UNIX]

Openshop-Betrieb *m*, offener Betrieb *m* [Rechnerbetrieb mit Zutritt für den Auftraggeber bzw. Anwender; im Gegensatz zum geschlossenen Betrieb, der dem Anwender keinen Zutritt gewährt]
open-shop operation [computer operation with access for the user; in contrast to closed-shop operation in which the user has no access]

Operand *m*, Rechengröße *f* [auszuführende Operation bzw. eine Information, die zur Ausführung eines Befehls geholt werden muß]
operand [operation to be carried out or an information which has to be fetched for carrying out an instruction]

Operand an Adreßposition *m*, Literal *n* [eine numerische oder alphanumerische Konstante als Operand im Adreßfeld eines Befehls; wird vor allem in Assemblersprachen verwendet]
literal operand, [a numerical or alphanumerical constant used as operand in the address field of an instruction; employed primarily in assembler languages]

Operandenadresse *f*
operand address

Operandenregister *n*
operand register

Operandenteil *m* [der Teil eines Befehls, der für den Operanden bzw. für das Auffinden des Operanden vorgesehen ist]
operand part [that part of an instruction which is reserved for the operand or for finding the operand]

Operation *f*
operation

Operationscode *m*, Op-Code *m* [codierte Darstellung der Operation, die von einem Befehl ausgelöst werden soll; der Operationscode ist im Operationsteil des Befehls enthalten]
operation code, op code [code representing the operation to be initiated by an instruction; the operation code is contained in the operation part of the instruction]

Operationsregister *n*, Op-Register *n*
op register, operation register

operationsteilloses Befehlsformat *n*
functional address instruction format

Operationsverstärker *m*
Linearer Gleichspannungsverstärker mit hohem Verstärkungsfaktor, hohem Eingangs- und kleinem Ausgangswiderstand. Wird meistens als Differenzverstärker mit zwei Eingängen (einem invertierenden und einem nicht invertierenden Eingang) und mit Gegenkopplung ausgeführt. Wurde ursprünglich als Rechenverstärker für Analogrechner entwickelt, wird aber heute praktisch universell als Verstärkerbaustein in vielen Bereichen eingesetzt.
operational amplifier (op amplifier, op amp) Linear dc voltage amplifier with high gain, high input and low output resistance. Usually designed as a differential amplifier with two inputs (an inverting and a non-inverting input) and negative feedback. Was originally developed for mathematical operations in analog computers but is now practically universally used in a wide range of applications.

Operationszyklus *m*
operation cycle

Operator *m*
operator

optimal codiertes Programm *n*, optimales Programm *n*
optimum program, optimally coded program

optimales Programm *n*, Bestzeitprogramm *n* [optimal codiertes Programm]
minimum access program [optimally coded program]

optimieren
optimize, to

Optimierung *f*
optimization

Option *f* [Auswahlmöglichkeit]
option [selection choice]

optisch gekoppelt
optically coupled

optische Abtastung *f*
optical scanning

optische Achse *f*
optical axis

optische Anzeige *f*, Sichtanzeige *f*
visual display

optische Faser *f*, Lichtwellenfaser *f* [Faser aus lichtdurchlässigem Material, z.B. Glas- oder Kunststoffaser, für die optische Übertragung von Signalen]
optical fiber (OF) [fiber of transparent material, e.g. glass or plastic fiber, for optical transmission of signals]

optische Kopplung *f* [Kopplung von zwei Schaltkreisen (meistens mit unterschiedlichem Spannungspotential) mittels Lichtstrahlen zum Zwecke der galvanischen Trennung]
optical coupling [coupling between two circuits (normally having differing voltage potentials) by light beams to provide electrical isolation]

optische Maus *f*
optical mouse

optische Speicherplatte *f* [ein Massenspeicher]
optical disk [a mass storage device]

optische Zeichenerkennung *f*, Klarschrifterkennung *f* OCR-Verfahren *n*
optical character recognition (OCR),

magnetic character recognition (MCR)
optischer Abtaster *m*
optical scanner
optischer Belegleser *m*
videoscan document reader
optischer Lochstreifenleser *m*
optical tape reader, optical punched tape reader
optischer Speicher *m*
optical storage
optischer Zeichenleser *m,* OCR-Leser *m*
optical character reader, OCR reader
optisches Koppelelement *n,* Optokoppler *m*
optocoupler, optical isolator, photocoupler, photoisolator
Optoelektronik *f*
Das Gebiet der Elektronik, das sich mit Bauteilen befaßt, die der Erzeugung, Modulation und Übertragung von elektromagnetischer Strahlung im ultravioletten, sichtbaren und infraroten Spektralbereich dienen; d.h. mit Bauteilen, die Licht aussenden oder empfangen können.
optoelectronics
The branch of electronics which deals with devices for generating, modulating and transmitting electromagnetic radiation in the ultraviolet, visible and infrared spectral regions; i.e. devices that can emit or detect light.
optoelektronische Anzeige *f*
optoelectronic display
optoelektronische integrierte Schaltung *f,* integrierte optoelektronische Schaltung *f*
optoelectronic integrated circuit (OEIC)
optoelektronischer Chip *m*
optoelectronic chip
optoelektronisches Halbleiterbauelement *n*
optoelectronic semiconductor device
Optokoppler *m,* optisches Koppelelement *n*
Elektronisches Bauteil für die optische Signalübertragung zwischen zwei galvanisch getrennten Schaltkreisen. Es besteht aus einem Sender (z.B. Lumineszenzdiode) und einem Empfänger bzw. einem Photodetektor (z.B. Phototransistor), die optisch miteinander gekoppelt sind.
optocoupler, optical isolator, photocoupler, photoisolator
Electronic device for the optical transmission of signals between two electrically isolated circuits. It consists of an emitter (e.g. a light-emitting diode) optically coupled to a photodetector (e.g. a phototransistor).
Optotransistor *m,* Phototransistor *m*
Bipolartransistor, der als Photoempfänger mit eingebautem Verstärker wirkt, bei dem sich durch Lichteinstrahlung in den Basisbereich Ladungsträgerpaare bilden, die den Stromfluß

vergrößern.
phototransistor
Bipolar transistor, acting as a photodetector with internal gain, in which electron-hole pairs are generated by exposing the base region to light, thus increasing current flow.
ordnen [allgemein]
order, to [general]
ordnen, einordnen, klassifizieren [z.B. statistische Daten]
classify, to [e.g. statistical data]
Ordnungsbegriff *m,* Hauptordnungsbegriff *m,* Primärschlüssel *m*
key, primary key
Ordnungseinrichtung *f,* Sortiereinrichtung *f* [für Bauteile]
sorting device [for components]
Ordnungszahl *f*
ordinal number
organischer Halbleiter *m*
organic semiconductor
Orgware *f* [verfügbares personell-organisatorisches Potential]
orgware (organizational ware) [available personnel-organizational resources]
Originalbeleg *m*
source document
Originalvorlage *f* [Leiterplatten]
master artwork [printed circuit boards]
Orthographiefehler *m,* Rechtschreibfehler *m*
spelling error
Orthographieprogramm *n,* Rechtschreibprogramm *n*
spell checker, spellchecker, spelling checker
Orthographieüberprüfung *f,* Rechtschreibüberprüfung *f*
spell checking, spellchecking, spelling check
örtlich gezielt dotiert, selektiv dotiert
selectively doped
örtlich gezielte Dotierung *f,* selektive Dotierung *f*
Wichtiger Verfahrensschritt der Planartechnik. Dabei werden Dotierstoffe zur Erzeugung von N- und P-leitenden Bereichen örtlich gezielt durch Fenster eindiffundiert, die in eine die Kristalloberfläche abschirmende Oxidschicht geätzt werden.
selective doping, localized doping
Major process step in planar technology. It involves localized introduction of dopant impurities into the semiconductor to generate n-type and p-type conductive regions through windows etched in a protective oxide layer covering the crystal surface.
örtlich gezielte Oxidation *f,* lokale Oxidation *f*
Technik für die Isolation der einzelnen Strukturen einer integrierten Schaltung, bei der Oxidschichten selektiv, d.h. örtlich gezielt, mit Hilfe von Siliciumnitridmasken auf die

Halbleiterscheibe aufgebracht werden. Es werden verschiedene Verfahren eingesetzt, z.B. Isoplanar, LOCMOS, LOCOS, LOSOS, MOSAIC, OXIM, OXIS, PLANOX und SATO.

local oxidation
Isolation technique for integrated circuits in which isolation regions between the circuit structures are formed by selective localized deposition of oxide layers on the semiconductor wafer with the aid of silicon nitride masks. Several processes are used, e.g. Isoplanar, LOCMOS, LOCOS, LOSOS, MOSAIC, OXIM, OXIS, PLANOX and SATO.

ortsfest [z.B. Gerät]
stationary [e.g. equipment]

OS/2 [von IBM und Microsoft gemeinsam entwickeltes 32-Bit-Betriebssystem für 80386- und 80486-Prozessoren insbesondere für die IBM PS/2-Reihe]
OS/2 [32-bit protected-mode multitasking operating system developed by IBM and Microsoft for 80386 and 80486 processors, in particular for the IBM PS/2 series]

OSA [offene Systemarchitektur von Olivetti]
OSA [Open Systems Architecture developed by Olivetti]

Öse f, Lötauge n [für die Befestigung bzw. Lötung von Bauteilen, z.B. auf gedruckte Schaltungen]
eyelet [for mounting or soldering components, e.g. on printed circuits]

OSF [Konsortium für offene Software]
OSF (Open Software Foundation) [software consortium]

OSI-Modell n, ISO-Referenzmodell n [Rechnerverbundmodell mit sieben Funktionsschichten; typische Protokolle der physikalischen (ersten) Schicht sind RS-232-C und V.24]
OSI (Open System Interconnection), ISO reference model [computer network model based on seven layers; typical physical (layer one) protocols are RS-232-C and V.24]

Oszillator m
oscillator

Oszillogramm n
oscillogram

Oszillograph m, Oszilloskop n
oscilloscope, cathode-ray oscilloscope (CRO)

OVD-Verfahren n, Außenabscheideverfahren n [ein Abscheideverfahren, das bei der Herstellung von Glasfasern eingesetzt wird]
OVD process (outside vapour deposition process) [a deposition process used in glass fiber manufacturing]

Overlay-Technik f, Speicherüberlagerung f, Überlagerungstechnik f [das Unterteilen eines Programmes in Segmente (Überlagerungssegmente oder Overlays), die nach Bedarf in den Hauptspeicher geladen

werden; somit benötigt die Ausführung eines Programmes weniger Platz im Hauptspeicher]
overlay technique [dividing a program into segments (overlays) which are loaded into the main memory as they are required; hence execution of a program requires less space in the main memory]

Overlay-Transistor m
Bipolartransistor für hohe Frequenzen (bis 10 GHz), bei dem die Emitterzone in eine Vielzahl kleiner Emitterbereiche (über 100) unterteilt ist. Die Emitterbereiche sind durch Metallkontaktstreifen über einer mit Fenstern versehenen isolierenden Oxidschicht miteinander verbunden.

overlay transistor
Bipolar transistor for high frequency applications (up to 10 GHz) in which the emitter area is divided into a large number of small emitter regions (over 100). The emitter regions are interconnected by an overlay of metal film on an insulating oxide layer which is provided with windows for making contacts.

OVPO-Verfahren n, Außenoxidationsverfahren n [ein Oxidationsverfahren, das bei der Herstellung von Glasfasern eingesetzt wird]
OVPO process (outside vapour-phase oxidation process) [an oxidation process used in glass fiber production]

oxid-isoliert
oxide isolated

Oxidation f [Verfahren für das Aufwachsen von Oxidschichten auf Silicium]
oxidation [a process for growing oxide layers on silicon]

Oxidätzung f
oxide etching

Oxiddicke f
oxide thickness

oxidisolierte CMOS-Technik f, LOCMOS-Technik f
Isolationsverfahren für integrierte komplementäre MOS-Schaltungen, bei dem die einzelnen Schaltungsstrukturen durch lokale Oxidation von Silicium voneinander isoliert werden.

locally oxidized CMOS technology (LOCMOS technology)
Isolation technique for complementary MOS integrated circuits which provides isolation between the circuit structures by local oxidation of silicon.

Oxidmaske f
oxide mask

Oxidmaskierung f, Diffusionsmaskierung f
Wichtiger Verfahrensschritt der Planartechnik. Dabei wird eine Halbleiterscheibe (Wafer) mit einer dünnen Oxidschicht überzogen. In das Oxid werden mit Hilfe von Kontaktmasken

Fenster geätzt, durch die der Dotierstoff in die
Halbleiterscheibe eindiffundieren kann.
Gleichzeitig schützt die verbleibende
Oxidschicht vor dem Eindringen von
Dotierstoffen in unerwünschte Bereiche des
Wafers.

oxide masking, diffusion masking
Major process step in planar technology. It
consists of growing a thin layer of oxide on the
surface of the wafer. With the aid of contact
masks, diffusion windows are etched on the
oxide layer to allow selective diffusion of
dopants. At the same time, the remaining oxide
prevents penetration of dopants into undesired
regions of the wafer.

Oxidpassivierung f
Das Aufwachsen von isolierenden
Oxidschichten (meistens Siliciumdioxid) auf der
Oberfläche eines Halbleiters, um sie vor
Verunreinigungen zu schützen.

oxide passivation
Growing a layer of insulating oxide (usually
silicon dioxide) on the surface of a
semiconductor to provide protection from
contamination.

Oxidschicht f
oxide coating, oxide layer

Oxidwallisolation f [Isolationsverfahren für
integrierte Bipolarschaltungen]
oxide isolation [isolation technique for bipolar
integrated circuits]

OXIM-Technik f [Isolationsverfahren, ähnlich
der OXIS-Technik]
OXIM technology (oxide isolated monolithic
technology) [isolation process similar to the
OXIS technology]

OXIS-Technik f Oxidisolationstechnik f
Isolationsverfahren für integrierte
Bipolarschaltungen, bei der die einzelnen
Strukturen der Schaltung durch lokale
Oxidation von Silicium voneinander isoliert
werden.

OXIS technology (oxide isolation technology)
Isolation technique for bipolar integrated
circuits which provides isolation between the
circuit structures by local oxidation of silicon.

P

P-Bereich *m*, P-Gebiet *n*, P-Zone *f*
[Halbleitertechnik]
Bereich in einem Halbleiter, in dem der
Ladungstransport vorwiegend durch
Defektelektronen (Löcher) erfolgt.
p-type region, p-type zone [semiconductor
technology]
A region in a semiconductor in which charge
transport is effected essentially by holes.
P-Dotierung *f* [Halbleitertechnik]
Der Einbau von Akzeptoratomen in einen
Halbleiter, z.B. Boratome in Silicium. Dadurch
werden Defektelektronen (Löcher) erzeugt und
der entsprechend dotierte Bereich wird P-
leitend. Stark P-dotierte Bereiche werden mit
P$^+$ bezeichnet.
p-type doping [semiconductor technology]
The introduction of acceptor impurity atoms
into a semiconductor, e.g. boron into silicon.
This generates holes and produces p-type
conduction in the correspondingly doped region.
Highly doped p-type regions are denoted by p$^+$.
P-Gebiet *n*, P-Bereich *m*, P-Zone *f*
[Halbleitertechnik]
p-type region, p-type zone [semiconductor
technology]
P-Grundmaterial *n*, P-Substrat *n*
[Halbleitertechnik]
Substrat mit Defektelektronenleitung (P-
Leitung).
p-type substrate [semiconductor technology]
A substrate with hole conduction (p-type
conduction).
P-Halbleiter *m* [Halbleiter mit
Defektelektronenleitung (P-Leitung)]
p-type semiconductor [semiconductor with
hole conduction (p-type conduction)]
P-Kanal *m* [Halbleitertechnik]
Der stromführende Kanal in einem
Feldeffekttransistor, in dem der
Ladungstransport durch Defektelektronen
(Löcher) erfolgt.
p-channel [semiconductor technology]
The conducting channel in a field-effect
transistor in which charge transport is effected
by holes.
P-Kanal-Feldeffekttransistor *m* (PFET)
Feldeffekttransistor, der einen P-leitenden
Kanal besitzt, d.h. einen Kanal, in dem die
Majoritätsladungsträger Defektelektronen
(Löcher) sind.
p-channel field-effect transistor (PFET)
Field-effect transistor with a p-type conducting
channel, i.e. a channel in which the majority
carriers are holes.

**P-Kanal-Feldeffekttransistor mit Metall-
Oxid-Halbleiter-Struktur** *m* (PMOSFET)
**p-channel metal-oxide-semiconductor
field-effect transistor** (PMOSFET)
P-Kanal-MOS-Technik *f*, PMOS-Technik *f*
Technik für die Herstellung von
Feldeffekttransistoren mit Metall-Oxid-
Halbleiter-Struktur und einem P-leitenden
Kanal, bei der P-dotierte Bereiche (Source und
Drain) in ein N-leitendes Substrat
eindiffundiert werden.
p-channel MOS technology, PMOS
technology
A process for fabricating field-effect transistors
with a metal-oxide-semiconductor structure
and a p-type conducting channel. The p-type
regions (source and drain) are formed by
diffusion in an n-type substrate.
P-Kanal-MOS-Technik mit Aluminium-Gate *f*
Technik für die Herstellung von PMOS-
Feldeffekttransistoren, bei denen das Gate (die
Steuerelektrode) aus Aluminium besteht.
**p-channel aluminium-gate MOS
technology**
Process for fabricating p-channel MOS field-
effect transistors in which the gate consists of
aluminium.
P-Kanal-MOS-Technik mit Silicium-Gate *f*
Technik für die Herstellung von PMOS-
Feldeffekttransistoren, bei denen das Gate (die
Steuerelektrode) aus einem leitfähigen
Polysilicium besteht.
p-channel silicon-gate MOS technology
Process for fabricating p-channel MOS field-
effect transistors in which the gate consists of a
conductive polysilicon material.
P-Kanal-Transistor *m*
p-channel transistor
P-Leiter *m*
p-conductor
P-Leitung *f*, Defektelektronenleitung *f*,
Defektleitung *f*, Löcherleitung *f*
Ladungstransport in einem Halbleiter durch
Defektelektronen (Löcher).
hole conduction, p-type conduction
Charge transport by holes in a semiconductor.
P-Substrat *n*, P-Grundmaterial *n*
[Halbleitertechnik]
Substrat mit Defektelektronenleitung (P-
Leitung).
p-type substrate [semiconductor technology]
A substrate with hole conduction (p-type
conduction).
P-Zone *f*, P-Bereich *m*, P-Gebiet *n*
[Halbleitertechnik]
Bereich in einem Halbleiter, in dem der
Ladungstransport vorwiegend durch
Defektelektronen (Löcher) erfolgt.
p-type region, p-type zone [semiconductor

technology]
A region in a semiconductor in which charge
transport is effected essentially by holes.

Paarbildung *f,* Elektron-Defektelektron-Paar-
Erzeugung *f*
Bildung eines Elektron-Loch-Paares, z.B. durch
Temperaturanstieg. Dabei wird ein Elektron
aus dem Valenzband in das Leitungsband
gehoben, während ein Loch im Valenzband
zurückbleibt.

pair generation, electron-hole-pair generation
Generation of an electron-hole pair, e.g. by
increasing temperature. This causes an
electron to be released from the valence band
into the conduction band, thereby leaving a
hole in the valence band.

paarig
matched

paarige Datensätze *m.pl.*
matched records

Paarigkeit *f* [Daten]
matching [data]

packen [Daten komprimieren für die
Speicherung, z.B. auf einem Magnetband,
durch Weglassen überflüssiger Zeichen]

pack, to [to compress data for storage, e.g. on a
magnetic tape, by eliminating superfluous
characters]

Packungsdichte *f,* Bauelementendichte *f*
Die Anzahl der Bauelemente pro Flächen- bzw.
Volumeneinheit. Bei integrierten Schaltungen
die Anzahl der Bauelemente pro Chip.

packaging density, component density
The number of components per unit area or
unit volume. In integrated circuits, the number
of components per chip.

Packungsdichte *f,* Schreibdichte *f,* Bitdichte *f*
[Aufzeichnungsdichte eines Datenträgers,
insbesondere eines Magnetbandes, in der Regel
ausgedrückt in Bits/Zoll (BPI) bzw. Bits/cm;
gebräuchliche Aufzeichnungsdichten sind 800,
1600 und 6250 BPI bzw. 315, 630 und 2460
Bits/cm]

packing density, recording density, bit
density [storage density of a data medium,
particularly of a magnetic tape, usually
expressed in bits/inch (BPI); commonly used
recording densities are 800, 1600 and 6250
BPI]

PACVD-Verfahren *n,* PCVD-Verfahren *n* [ein
Abscheideverfahren, das bei der Herstellung
von Glasfasern eingesetzt wird]

PACVD, PCVD (plasma-activated chemical
vapour deposition) [a deposition process used in
glass fiber production]

PageMaker [Desktop-Publishing- bzw. DTP-
Programm]

PageMaker [desktop publishing (DTP)
program]

Paging *n,* Seitenaufteilung *f* [Speicheraufteilung
in Segmente gleicher Länge (Seiten); wird
besonders bei Rechnern mit virtuellem
Speicher für die Übernahme von
Programmteilen aus einem Externspeicher
(Seitenspeicher) in den Hauptspeicher
verwendet]

paging [dividing memory into equal segments
(pages); used particularly in virtual memory
systems for transferring program segments
from an external storage (page storage) into
main memory]

PAL, programmierbare Array-Logik *f,*
programmierbare Feld-Logik *f*
Integrierte Schaltung mit einer
programmierbaren UND-Matrix und einer
festgelegten ODER-Matrix. Einige PALs
enthalten zusätzlich Flipflops und Register. Die
logischen Funktionen lassen sich nach
Kundenwünschen programmieren.

PAL (programmable array logic)
Integrated circuit with a programmable AND
array and a fixed OR array. Some PALs also
include flip-flops and registers. The logic
functions can be programmed to customers'
specifications.

Palmtop-Computer *m* [kleiner Rechner, der auf
der Handfläche gehalten werden kann]

palmtop computer [small computer that can
be held on the palm of a hand]

PAM, Pulsamplitudenmodulation *f*
PAM (pulse amplitude modulation)

Papierkopie *f,* Hardcopy *f* [gedruckte Ausgabe
einer im Rechner gespeicherten Datei, z.B.
Programmauflistung]

hard copy [printed copy of file stored in
computer, e.g. program listing]

Papierkorb *m* [graphisches Symbol für Löschen
von Dateien]

trash can [icon for deleting files]

Papiervorschub *m* [für Drucker]
paper feed [for printer]

Parallel-Serien-Übertragung *f* [gleichzeitiges
Übertragen mehrerer Zeichen, aber
sequentielles Übertragen der einzelnen Bits]

parallel-serial transmission, parallel-serial
transfer [simultaneous transmission of several
characters but individual transmission of the
bits in each character]

Parallel-Serien-Umsetzer *m* [wandelt ein
parallel anliegendes Datenwort in eine Serie
von Bits um; beispielsweise kann ein 8-Bit-
Schieberegister ein Byte in einzelne Bits
umsetzen]

parallel-serial converter [converts parallel
data into a series of bits; for example, an 8-bit
shift register can convert a byte into a sequence
of bits]

Parallel-Serien-Umsetzung *f*

parallel-serial conversion
Parallelabtaster m
parallel scanner
Paralleladdierer m [summiert die
entsprechenden Stellen zweier Zahlen
gleichzeitig]
parallel adder, parallel full-adder [adds the
corresponding digits of two numbers
simultaneously]
Parallelausgabe f
parallel output
Parallelbetrieb m, Simultanbetrieb m
parallel mode, parallel operation,
simultaneous operation
Paralleldatenverarbeitung f
parallel data processing
Paralleldrucker m, Zeilendrucker m
parallel printer, line printer
parallele Ein-Ausgabe f
parallel input/output (PIO)
parallele Schnittstelle f
parallel interface
paralleler Anschluß m
parallel port
Parallelhalbaddierer m
parallel half-adder
Parallelhalbsubtrahierer m
parallel half-subtracter
Parallelrechner m [Rechner für die
Parallelverarbeitung]
parallel computer [computer for parallel
processing]
Parallelregister n
parallel register
Parallelschaltung f
parallel connection
Parallelspeicher m
parallel memory, parallel storage
Parallelsubtrahierer m
parallel subtracter, parallel full-subtracter
Parallelübertrag m,
Übertragsvorausberechnung f [parallele
Bildung der Überträge aller Stellen; im
Gegensatz zum durchlaufenden Übertrag, bei
dem die Überträge nacheinander gebildet
werden]
carry look-ahead, anticipatory carry [parallel
computation of carries of all digits; in contrast
to ripple carry in which the carries are formed
one after the other]
Parallelübertragssignal n
parallel transfer signal
Parallelübertragung f [gleichzeitige
Übertragung aller Bits eines Zeichens]
parallel transmission [simultaneous
transmission of all bits of a character]
Parallelverarbeitung f [Simultanverarbeitung
mehrerer Prozesse]
parallel processing [simultaneous processing

of several tasks]
Parallelvervielfacher m
parallel multiplier
Parallelwiderstand m, Shuntwiderstand m,
Shunt m
parallel resistor, shunt resistor, shunt
Parallelzugriff m
simultaneous access, parallel access
Parameter m
parameter, argument
Parameter für wechselnden Rücksprung
alternate return specifier
Parameteradresse f
parameter address
Parametereingabe f
parameter entry
Parameterfolge f
parameter string
Parameterliste f
parameter list, argument list
Parameterübergabe f
parameter passing
parametrischer Verstärker m,
Reaktanzverstärker m
parametric amplifier, variable reactance
amplifier
parasitäre Frequenz f, Störfrequenz f
parasitic frequency
parasitäre Kapazität f
parasitic capacitance
Parität f
parity
Paritäts-Flag n, Paritätsmerker m
parity flag
Paritätsbit n, Kontrollbit n, Prüfbit n
[zusätzliches Bit, das jeder
Informationseinheit, z.B. Zeichen, Byte oder
Wort, zugefügt wird, um eine ungerade bzw.
gerade Summe aller Bits in dieser Einheit zu
erhalten; damit lassen sich Übertragungsfehler
erkennen]
parity bit , check bit [a check bit added to a
unit of data, e.g. character, byte or word, to
obtain an odd or even sum of all bits in the unit
of data; serves to detect transmission errors]
Paritätsfehler m
parity error
Paritätsgenerator m
parity generator
Paritätsmerker m, Paritäts-Flag n
parity flag
Paritätsprüfer m
parity checker
Paritätsprüfung f [Schutzmethode gegen
Übertragungsfehler; jeder Informationseinheit
(z.B. Zeichen) wird ein zusätzliches Bit
(Paritätsbit) hinzugefügt, so daß die Summe
aller Bits in dieser Einheit gerade oder
ungerade wird (gerade Parität bzw. ungerade

Parität)]
parity check [method of protecting data
against transmission errors; each unit of data
(e.g. character) is given an additional bit (parity
bit) so that the sum of all bits in this unit is
even or odd (even parity or odd parity)]
Parkspur f [verhindert Beschädigung der
Festplatte durch den Schreib-Lese-Kopf]
parking track [prevents head crash on a hard
disk drive]
Parse-Baum m, Syntax-Baum m
parse tree, syntax tree
Parser m [analysiert die Syntax eines
Programmes]
parser [analyzes syntax of a program]
Partialbruch m
partial fraction
Partition f, Speicherbereich m [einer Festplatte]
partition [of a hard disk]
Partitionierung f, Aufteilung f [Festplatten:
Aufteilung in mehrere logische Laufwerke]
partitioning [hard disks: subdividing into
several logical drives]
Partitionsgröße f
partition size
PASCAL [Programmiersprache]
Eine höhere, problemorientierte
Programmiersprache auf der Basis von ALGOL
für technisch-wissenschaftliche Aufgaben. Sie
zeichnet sich vor allem durch strukturierte
Programmiertechnik und leichte Erlernbarkeit
aus.
PASCAL [programming language]
A high-level problem-oriented programming
language based on ALGOL for engineering and
scientific purposes. It is characterized by a
structured programming technique and is easy
to learn.
Pascal n (Pa) [SI-Einheit des Druckes]
pascal (Pa) [SI unit of pressure]
passive LCD-Anzeige f [passive
Flüssigkristallanzeige mit externer Elektronik]
passive LCD [liquid crystal display with
external electronics]
passive Schaltung f
passive circuit
passiver Vierpol m
passive two-port network
passives Element n
Ein Bauelement, das die ihm zugeführten
Signale nicht verstärkt, z.B. ein Widerstand
oder ein Kondensator.
passive element
An element which does not amplify the signals
applied to it, e.g. a resistor or a capacitor.
passives Halbleiterbauelement n
passive semiconductor component
Passivierung f [Halbleitertechnik]
Das Aufbringen oder Aufwachsen von

Schutzschichten (z.B. Siliciumdioxid,
Siliciumnitrid, Glas oder Polyimid) auf die
Oberfläche eines Halbleiters, um sie vor
Feuchtigkeit, Verunreinigungen und dem
Eindringen von Ionen zu schützen.
passivation [semiconductor technology]
Deposition or growing of protective films (e.g.
silicon dioxide, silicon nitride, glass or
polyimide) on the surface of a semiconductor to
provide protection from contamination,
moisture, and the penetration of ions.
Paßwort n, Kennwort n [verhindert den
unerlaubten Zugriff auf ein Rechensystem bzw.
auf gespeicherte Informationen]
password [prevents unauthorized access to
computer or stored information]
Patterngenerator m, Bitmustergenerator m
pattern generator
Pause f [vorübergehende Unterbrechung eines
Programmes]
pause [temporary interruption of a program]
PC m, Personal-Computer m [gebräuchliche
Bezeichnung für einen Mikrorechner mit
minimaler Konfiguration, entweder für den
privaten Einsatz (Heimrechner) oder für den
Einsatz am Arbeitspult; im Gegensatz zu
Arbeitsstation, Minirechner usw.]
PC (personal computer) [generally used term
for a microcomputer with minimum
configuration, either for private use (home
computer) or for use on office desk; in contrast
to workstation, minicomputer, etc.]
PC-DOS [von Microsoft für IBM entwickelte
Sonderversion von MS-DOS]
PC-DOS [special version of MS-DOS developed
by Microsoft for IBM]
PC-Exchange-Programm n [Programm für den
Datenaustausch zwischen DOS-PC und
Macintosh]
PC Exchange program [program for data
exchange between a DOS PC and a Macintosh]
PC-UNIX-Derivate n.pl. [von UNIX speziell für
den PC abgeleitete Betriebssysteme]
PC UNIX derivates [operating systems
derived from UNIX specially for PC
installation]
PCI f, programmierbare Kommunikations-
Schnittstelle f
PCI (programmable communications interface)
PCL-Druckerbefehl m
PCL printer command
PCL-Druckersteuersprache f [von Hewlett-
Packard entwickelte Druckersteuersprache]
PCL (Printer Command Language) [developed
by Hewlett-Packard]
PCL-Format n
PCL format
PCM f, Pulscodemodulation f
PCM (pulse-code modulation)

PCVD-Verfahren n, PACVD-Verfahren n [ein Abscheideverfahren, das bei der Herstellung von Glasfasern eingesetzt wird]
PCVD, PACVD (plasma-activated chemical vapour deposition) [a deposition process used in glass fiber production]
PCX-Dateiformat n [Graphik-Dateiformat erzeugt von PC Paintbrush (ZSoft)]
PCX file format [graphic file format generated by PC Paintbrush (ZSoft)]
PDM f, Pulsdauermodulation f
PDM (pulse-duration modulation)
PEARL [Programmiersprache]
Eine höhere, problemorientierte Programmiersprache für Anwendungen im Bereich der Prozeßsteuerung.
PEARL (Process and Experiment Automation Real-time Language)
A high-level problem-oriented programming language for process control applications.
PECVD-Verfahren n, Abscheidung aus einem Plasma f
Ein Verfahren zur Abscheidung von Isolierschichten bei der Herstellung integrierter Schaltungen, das niedrigere Abscheidetemperaturen ermöglicht als das konventionelle CVD-Verfahren.
PECVD process (plasma-enhanced chemical vapour deposition)
A process used for forming dielectric layers in integrated circuit fabrication that allows lower deposition temperatures to be used than the conventional CVD process.
Peer-to-Peer-Verbindung f [Verbindung zwischen gleichrangigen Rechnern, im Gegensatz zu Client-Server-Verbindung]
peer-to-peer link [link between computers of equal rank, in contrast to client-server link]
Pegel m
level
pegelgesteuerter Eingang m
level-operated input
Pegelumsetzer m
level converter
Peirce-Funktion, NOR-Verknüpfung f [logische Verknüpfung mit dem Ausgangswert (Ergebnis) 1, wenn und nur wenn alle Eingänge (Operanden) den Wert 0 haben; für alle anderen Eingangswerte ist der Ausgangs-wert 0]
NOR function, NOR operation [logical operation having the output (result) 1 if and only if all inputs (operands) are 1; for all other input values the output is 0]
Pen-Computer m, Stift-Computer m [kleiner Rechner mit Tablett und Stift für Handschrift-Eingabe]
pen computer, pen-based computer, notepad computer [small computer with tablet and pen for handwritten entry]
Pen-Screen m [Tablett des Pen-Computers]
pen screen [tablet screen of pen computer]
Pendeln n, Nachlauf m
hunting
Periodensystem n, periodisches System der Elemente n
Die Anordnung der chemischen Elemente nac steigendem Atomgewicht und den daraus folgenden chemischen und physikalischen Eigenschaften. Elemente mit ähnlichen Eigenschaften sind untereinanderstehend in ♀ Gruppen angeordnet. Silicium und Germaniu gehören der Gruppe IV an (die Atome besitzer 4 Elektronen in der äußeren Schale). Von steigender Bedeutung für die Halbleiterfabrikation sind Verbindungshalbleiter der Gruppen III-V, z.B Galliumarsenid.
periodic system, periodic table
Arrangement of the chemical elements in the order of their increasing atomic weight and corresponding chemical and physical properties. Elements of similar properties are placed under each other, forming 9 basic groups. Silicon and germanium belong to grou IV (the atoms have 4 electrons in the outer shell). Compound semiconductors belonging to the groups III-V such as gallium arsenide are growing importance to the semiconductor industry.
periodische Sicherung f
periodic backup
periodischer Dezimalbruch m
repeating decimal
periodischer Vorgang m, zyklischer Vorgang cyclic process
periodisches Auffrischen n
Das Auffrischen von Informationen in regelmäßigen Zeitabständen (z.B. alle 2 ms) i dynamischen Schreib-Lese-Speichern (DRAM um Ladungsverluste auszugleichen.
periodic refreshing
Refreshing at regular time intervals (e.g. ever 2 ms) of data stored in dynamic random acces memories (DRAMs) to compensate for charge losses.
periodisches System der Elemente n, Periodensystem n
periodic system, periodic table
peripherer Schnittstellenadapter-Baustein m, PIA-Baustein m
peripheral interface adapter (PIA)
peripheres Gerät n, Peripheriegerät n, Anschlußgerät n [für Dateneingabe, -ausgabe oder -speicherung]
peripheral device, peripheral unit, peripher [for data input, output or storage]
Peripherie f

peripheral equipment
permanenter Fehler *m*
permanent error
Permanentspeicher *m*, nichtlöschbarer
Speicher *m*
permanent storage, permanent memory
Permeabilität *f*
permeability
Permittivität *f*, Dielektrizitätskonstante *f*
permittivity
Personal-Computer *m*, PC *m* [gebräuchliche
Bezeichnung für einen Mikrorechner mit
minimaler Konfiguration, entweder für den
privaten Einsatz (Heimrechner) oder für den
Einsatz am Arbeitspult; im Gegensatz zu
Arbeitsstation, Minirechner usw.]
personal computer) (PC) [generally used
term for a microcomputer with minimum
configuration, either for private use (home
computer) or for use on office desk; in contrast
to workstation, minicomputer, etc.]
Petri-Netz *n*
Petri net
Pfad *m*
path
Pfadbildung *f*
threading
Pfadname *m*
path name
Pfeiltaste *f*, Richtungstaste *f* [zur Bewegung des
Zeigers (Cursors) auf dem Bildschirm]
arrow key [key for moving cursor on display]
PFET, P-Kanal-Feldeffekttransistor *m*
Feldeffekttransistor, der einen P-leitenden
Kanal besitzt, d.h. einen Kanal, in dem die
Majoritätsladungsträger Defektelektronen
(Löcher) sind.
PFET (p-channel field-effect transistor)
Field-effect transistor with a p-type conducting
channel, i.e. a channel in which the majority
carriers are holes.
Pflichtenheft *n*, technische Daten *n.pl.*,
Kenndatenzusammenstellung *f*, Spezifikation *f*
specifications
PFM *f*, Pulsfrequenzmodulation *f*
PFM (pulse-frequency modulation)
PGA, programmierbares Gate-Array *n*,
programmierbare Gate-Matrix *f*
Integrierte Schaltung mit einer
programmierbaren UND- und NAND-Matrix,
die sich durch Wegbrennen der
Durchschmelzverbindungen nach
Kundenwünschen programmieren läßt.
PGA (programmable gate array)
Integrated circuit with a programmable AND
and NAND array which can be programmed to
customers' specifications by blowing the fusible
links.
Phasendifferenz *f*

phase difference
Phasendiskriminator *m*
phase discriminator
Phasengang *m* [Phasenwinkel in Abhängigkeit
der Frequenz]
phase response [phase angle as a function of
frequency]
Phasenlaufzeit *f*
phase delay time
Phasenmodulation *f*
phase modulation
Phasennacheilung *f*
phase lag
phasenstarrer Oszillator *m*
phase-locked oscillator
phasensynchronisiert
phase-locked
phasensynchronisierte Schleife *f*
phase-locked loop (PLL)
Phasenumkehr *f*
phase reversal
Phasenumkehrschaltung *f*
phase-reversal circuit
Phasenumtastung *f* (PSK)
phase-shift keying (PSK)
Phasenvergleicher *m*
phase comparator
Phasenverschiebungsoszillator *m*
phase-shift oscillator
Phasenvoreilung *f*
phase lead
Phasenwinkel *m*
phase angle
PHIGS [hierarchischer und interaktiver
Graphikstandard für Programmierer]
PHIGS (Programmable Hierarchical
Interactive Graphics Standard)
Phosphor *m* (P)
Nichtmetallisches Element, das als Dotierstoff
(Donatoratom) verwendet wird.
phosphorous (P)
Non-metallic element used as a dopant
impurity (donor atom).
Photodetektor *m*
photodetector
Photodiode *f*
In Sperrichtung betriebene Halbleiterdiode, bei
der durch Lichteinstrahlung in den PN-
Übergang Ladungsträgerpaare erzeugt werden,
die den Stromfluß vergrößern.
photodiode
Reverse-biased semiconductor diode in which
electron-hole pairs are generated by exposing
the pn-junction to light, thus increasing current
flow.
Photodiodenfeld *n*
photodiode array
Photoeffekt *m*, photoelektrischer Effekt *m*,
lichtelektrischer Effekt *m*

Wechselwirkung zwischen Strahlung und Materie, bei der durch Photonenabsorption bewegliche Ladungsträger erzeugt werden. Man unterscheidet zwischen äußerem Photoeffekt (z.B. bei Photozellen) und dem inneren Photoeffekt (z.B. bei Photoelementen und Phototransistoren).
photoelectric effect
The exchange interaction between radiation and matter in which mobile charge carriers are generated as a result of photon absorption. The photoelectric effect can be defined as extrinsic (e.g. in photocells) or intrinsic (e.g. in photovoltaic cells and phototransistors).
photoelektrische Abtastung f
  photoelectric scanning
photoelektrischer Effekt m, Photoeffekt m
  photoelectric effect
Photoelektron n [Elektron, das durch elektromagnetische Strahlung aus einen Atom ausgelöst wurde]
  photoelectron [an electron released from an atom by electromagnetic radiation]
Photoelement n, Halbleiterphotoelement n, Sperrschichtphotoelement n
Halbleiterbauelement, das Lichtenergie oder andere Strahlungsenergie in elektrische Energie umsetzt, ohne eine äußere Spannungsquelle zu benötigen (z.B. Solarzellen).
  photovoltaic cell
Semiconductor component that converts light energy or other radiant energy into electrical energy without the need for an external voltage source (e.g. solar cells).
Photoemission f [das Freisetzen von Elektronen durch Lichteinstrahlung]
  photoelectric emission [the emission of electrons as a result of incident light]
Photoemitter m
  photoemitter
photoempfindlicher Feldeffekttransistor m
  photosensitive field-effect transistor
Photoempfindlichkeit f,
Ansprechempfindlichkeit f [Optoelektronik]
  photoresponsivity, responsivity [optoelectronics]
Photolack m
Strahlungsempfindlicher Lack, der in der Photolithographie zum Beschichten der Halbleiterscheibe benutzt wird. Nach der Bestrahlung des Photolackes (meistens mit UV-Licht) durch eine Kontaktmaske hindurch und Entfernung der unerwünschten Lackstellen entsteht auf der Scheibe das gewünschte Muster für den Ätzvorgang und den anschließenden Verfahrensschritt, z.B. die Dotierung.
  photoresist, resist

A photosensitive coating used in photolithography to cover the surface of the wafer to be masked. After exposure of the resist (usually with ultraviolet light) through a contact mask and removal of the unwanted portions of the resist, the required pattern for the etching process and the subsequent processing step, e.g. doping, is left on the wafer.
photoleitend, lichtleitend
  photoconductive
Photoleitung f
  photoconductive effect
Photoleitungsdetektor m
  photoconductive detector
Photolithographie f, Lithographie f
Verfahren zum Übertragen des Musters einer Maske auf die Halbleiterscheibe. Hierzu werden verschiedene Prozeßschritte benötigt: z.B. Auftragen eines Photolackes; Auflegen der Maske; Justieren der Maske; Belichtung des Photolackes durch die Maske hindurch; Entfernung der unerwünschten Lackstellen usw. Es gibt verschiedene Verfahren der Lithographie. Die häufigste Anwendung findet die Photolithographie. Zu den Verfahren für besondere Anwendungen gehören die Elektronenstrahllithographie, die Ionenstrahllithographie und die Ionenprojektionslithographie.
  photolithography, lithography
Process for reproducing the pattern of a mask on the wafer. This requires several processing steps: e.g. coating of the wafer with a photoresist; placing the mask over the wafer; alignment of the mask; exposure of the photoresist through the mask; removal of the unwanted portions of the resist, etc. There are several lithographic processes. The most commonly used is photolithography. Processes for special applications include electron beam lithography, ion beam lithography and ion projection lithography.
Photomaske f, Maske f
Schablone, die bei der Herstellung von integrierten Schaltungen verwendet wird, um eine selektive Dotierung, Oxidation, Ätzung, Metallisierung usw. zu ermöglichen. Für eine integrierte Schaltung werden 5 bis 16 unterschiedliche Masken für die vom angewendeten Fertigungsprozeß und der Schaltungskomplexität abhängenden Maskierungsschritte benötigt.
  photomask, mask
Patterned screen used in integrated circuit fabrication to permit selective doping, oxidation, etching, metallization, etc. For the manufacture of an integrated circuit 5 to 16 different masks patterns are required corresponding to the various masking steps

associated with the fabrication process used and circuit complexity.

Photomaskensatz m, Maskensatz m
Die Gesamtheit der Masken (5 bis 16), die für die Herstellung einer integrierten Schaltung benötigt wird.
set of masks, set of photomasks
The total number of masks (5 to 16) required for the manufacture of an integrated circuit.

Photomaskenvorlage f
Vorlage für die Photomaskenherstellung, die anhand des Schaltkreislayouts erstellt wird und 100 bis 1000 mal größer ist als die endgültige Maske.
photomask artwork, photomask pattern
Artwork for the production of photomasks (based on the circuit layout) which is 100 to 1000 times larger than the final mask.

Photon n, Lichtquant n
photon

Photonenenergie f
photon energy

Photonenzählung f
photon counting

Photosatz m, Lichtsatz m
photo typesetting

Photosatzmaschine f, Lichtsatzmaschine f
photo typesetter

photoselektive Metallisierung f
[Leiterplatten]
photo-selective metallizing [printed circuit boards]

Photospannung f
photovoltage

Photostrom m
photocurrent

Photothyristor m
Halbleiterbauelement mit PNPN-Struktur, bei dem durch Lichteinstrahlung Ladungsträgerpaare erzeugt werden, die den Thyristor durchschalten.
photothyristor, light-activated silicon controlled rectifier
Semiconductor component with a pnpn structure in which incident light generates electron-hole pairs that cause a switching action.

Phototransistor m, Optotransistor m
Bipolartransistor, der als Photoempfänger mit eingebautem Verstärker wirkt, bei dem sich durch Lichteinstrahlung in den Basisbereich Ladungsträgerpaare bilden, die den Stromfluß vergrößern.
phototransistor
Bipolar transistor, acting as a photodetector with internal gain, in which electron-hole pairs are generated by exposing the base region to light, thus increasing current flow.

Phototrommel f [Laserdrucker]

photo drum [laser printer]

Photovervielfacher m
photomultiplier

photovoltaischer Detektor m [Sensor, der mit Photoelementen aufgebaut ist]
photovoltaic detector [sensor based on photovoltaic cells]

Photowiderstand m
photoresistor

Photozelle f
Bauelement, dessen Strom-Spannungs-Kennlinie vom Lichteinfall abhängt.
photocell, photoelectric cell
Component whose current-voltage characteristic is a function of incident light.

physikalische Adresse f, absolute Adresse f, Maschinenadresse f [tatsächliche oder permanente Adresse eines Speicherplatzes; im Gegensatz zur relativen, symbolischen oder virtuellen Adresse]
absolute address, machine address, physical address [actual or permanent address of a storage location; in contrast to relative, symbolic or virtual address]

physische Adresse f [eine Adresse, die sich auf einen physikalisch vorhandenen Speicher bezieht; im Gegensatz zur virtuellen Adresse, die sich auf einen virtuellen Speicher bezieht]
physical address [an address referring to a physically existing storage; in contrast to a virtual address which refers to a virtual storage]

physische Datei f
physical file

physische Datenbank f
physical data base

physische Zugriffsebene f
physical access level

physischer Aufbau m
physical structure

physischer Satz m
physical record

PIA-Baustein m, peripherer Schnittstellenadapter-Baustein m
PIA (peripheral interface adapter)

PICVD-Verfahren n [ein Abscheideverfahren, das bei der Herstellung von Glasfasern eingesetzt wird]
PICVD (plasma impulse chemical vapour deposition) [a deposition process used in glass fiber production]

piezoelektrischer Effekt m
piezoelectric effect

piezoelektrisches Bauelement n
piezoelectric component

PIF-Datei f [Programminformationsdatei für MS-Windows]
PIF (Program Information File) [for MS-Windows]

Piktogramm *n*, Ikon *n*, Sinnbild *n*, Symbolbild *n* [graphisches Symbol z.B. für ein Anwendungsprogramm]
icon, pictogram [graphical symbol, e.g. for an application program]
PIN [persönliche Identifizierungsnummer]
PIN (Personal Identification Code)
PIN-Aufbau *m*, PIN-Struktur *f*
Halbleiterstruktur mit einem eigenleitenden Bereich zwischen den hochdotierten P- und N-Bereichen.
pin structure
Semiconductor structure with an intrinsic region between the highly doped p-type and n-type regions.
PIN-Diode *f*
Halbleiterdiode mit einem eigenleitenden Bereich zwischen dem P-dotierten und dem N-dotierten Bereich. Wird im Mikrowellenbereich eingesetzt.
pin diode
Semiconductor diode which has an intrinsic region between the p-type and the n-type regions. Is used in microwave applications.
PIN-Modulator *m* [Modulator mit PIN-Struktur]
pin modulator [modulator with pin structure]
PIN-Struktur *f*, PIN-Aufbau *m*
pin structure
Pipe-Operator *m*, Befehlsverkettung *f* [erlaubt die Verkettung von mehreren DOS-Befehlen]
pipe operator [allows several DOS commands to be cascaded]
Pipeline-Verarbeitung *f*,
Fließbandverarbeitung *f* [ein Verfahren zur Erhöhung der Arbeitsgeschwindigkeit von Prozessoren und Mikroprozessoren durch Aufspalten und Parallelverarbeitung der Operationen (Befehle); die Befehlsabschnitte durchlaufen eine Reihe von Verarbeitungseinheiten, wobei jede Einheit, wie bei einem Fließband, einen bestimmten Verarbeitungsschritt ausführt]
pipelining, pipeline processing [a technique used for increasing the operating speed of processors and microprocessors by splitting instructions (operations) into segments and processing them in parallel; the instruction segments pass through a series of processor segments, each carrying out a specified amount of processing, like in an assembly line]
Pixel *n*, Bildpunkt *m*, Bildelement *n*
pixel, picture element
PL/1 [Programmiersprache]
Eine höhere Programmiersprache auf der Basis von ALGOL, COBOL und FORTRAN, die sich sowohl für technisch-wissenschaftliche als auch für kaufmännische Aufgaben eignet.
PL/1 (Programming Language One)

A high-level programming language based on ALGOL, COBOL and FORTRAN which is suitable for engineering and scientific purposes as well as for commercial applications.
PL/M [Programmiersprache]
Eine höhere Programmiersprache, die speziell für Mikroprozessorsysteme entwickelt wurde.
PL/M (Programming Language Microprocessor)
A high-level programming language which has been developed specifically for microprocessor systems.
PLA, programmierbares Logik-Array *n*, programmierbare Logik-Matrix *f*
Integrierte Schaltung mit einer programmierbaren UND-Matrix und einer programmierbaren ODER-Matrix. Einige PLAs enthalten zusätzlich Flipflops und Register. Durch Verbindung der Elemente über Verdrahtungsmasken lassen sich integrierte Semikundenschaltungen realisieren.
PLA (programmable logic array)
Integrated circuit with a programmable AND array and a programmable OR array. Some PLAs also include flip-flops and registers. By connecting the circuit elements with the aid of interconnection masks semicustom integrated circuits can be produced.
Planar-Epitaxialtransistor *m*
planar epitaxial transistor
Planarstruktur *f*
planar structure
Planartechnik *f*
Das bedeutendste Verfahren zur Herstellung von bipolaren und unipolaren Halbleiterbauelementen und integrierten Schaltungen. Die Planartechnik ist dadurch gekennzeichnet, daß sie einen selektiven, örtlich gezielten Einbau von Dotierstoffen zur Bildung von N- und P-leitenden Bereichen im Halbleiterkristall durch Diffusionsfenster in einer die Kritalloberfläche abschirmenden Deckschicht ermöglicht (Oxid- bzw. Nitridmaskierung). Ein weiteres Merkmal besteht darin, daß die Halbleiterstrukturen unterhalb der planen Oberfläche des Kristalls angeordnet sind (im Gegensatz zur Mesatechnik). Das Verfahren besteht aus einer Reihe von Einzelprozessen wie z.B. Epitaxie, Aufdampfung bzw. Abscheidung, Photolithographie, Ätztechnik, Diffusion bzw. Ionenimplantation, Metallisierung usw.
planar technology
The most important process used in the fabrication of bipolar and unipolar semiconductor components and integrated circuits. Planar technology is characterized by selective, localized introduction of dopant impurities into the semiconductor to produce n-

type and p-type conductive regions through
diffusion windows in a protective layer covering
the crystal surface (oxide or nitride masking).
Another characteristic is that the
semiconductor structures are arranged below
the plane surface of the crystal (in contrast to
mesa technology). The technology requires a
sequence of independent processing steps such
as epitaxial growth, deposition or vacuum
evaporation, photolithography, etching
technique, diffusion or ion implantation,
metallization, etc.

Planartransistor *m*
  planar transistor
planmäßige Wartung *f*
  scheduled maintenance
planmäßige Wartungszeit *f*
  scheduled maintenance time
PLANOX-Technik *f*
  Isolationsverfahren für integrierte
  Bipolarschaltungen, bei dem die einzelnen
  Strukturen der Schaltung durch lokale
  Oxidation von Silicium voneinander isoliert
  werden.
  PLANOX technology (plane-oxide technology)
  Isolation technique for bipolar integrated
  circuits which provides isolation between the
  circuit structures by local oxidation of silicon.
Plasma-Ätzen *n*, Plasma-Ätzverfahren *n* [ein
  Trockenätzverfahren]
  plasma etching (PE) [a dry etching process]
Plasma-Nitrid-Passivierung *f*
  plasma-nitride passivation
Plasma-Oxidation *f* [Oxidationsverfahren, bei
  dem niedrigere Prozeßtemperaturen eingesetzt
  werden können als bei der thermischen
  Oxidation]
  plasma oxidation [an oxidation process
  allowing lower process temperatures than
  thermal oxidation]
Plasmaanzeige *f*
  plasma display, gas plasma display
Plasmabildschirm *m*, Plasmasichtgerät *n*
  plasma panel, gas plasma panel
Platine *f*, Leiterplatte *f*
  card, printed circuit board (PCB)
Platinengehäuse *n*, Leiterplattengehäuse *n*,
  Baugruppenträger *m*
  card cage, printed circuit board cage, module
  cage
Platte *f*, Magnetplatte *f*
  disk, magnetic disk
Plattenadresse *f*
  disk address
Plattenbereich *m*, Plattenspeicherbereich *m*
  disk area
Plattenbetriebssystem *n* (DOS)
  disk operating system (DOS)
Plattenbibliothek *f* [Kassette mit mehreren

optischen Platten]
  optical disk library [cassette with several
  optical disks]
Plattendatei *f*
  disk file
Platteneinheit *f*
  disk unit
Plattenfehler *m*
  disk error
Plattenformat *n*
  disk format
Plattenkassette *f*
  disk cartridge
Plattenkennsatz *m*, Plattenkennung *f*
  disk label
Plattenlaufwerk *n*, Laufwerk *n*
  disk drive, drive
Plattenlaufwerk *n*, Magnetplattenlaufwerk *n*
  magnetic disk drive, disk drive
Plattensektor *m* [Teil einer Spur auf einer
  Magnetplatte]
  disk sector, sector [part of a disk track]
Plattenspeicher *m*, Magnetplattenspeicher *m*
  Man unterscheidet hauptsächlich zwischen
  Fest- und Wechselplattenspeicher. Der
  Winchester-Plattenspeicher ist eine besondere
  Ausführung des Festplattenspeichers mit hoher
  Aufzeichnungsdichte. Bei den Wechselplatten
  unterscheidet man zwischen Plattenstapel und
  Einzelplattenkassette.
  magnetic disk storage, disk storage, disk
  memory
  Disk storages can be of the fixed or removable
  type. The Winchester drive is a special fixed-
  disk storage with high recording density.
  Removable-disk storages can be of the disk
  pack or single-disk cartridge type.
Plattenspeicher mit beweglichem Kopf *m*
  disk storage with moving-head
Plattenspeicher-Controller,
  Plattenspeichersteuerteil *m*
  disk controller
Plattenspeicherbereich *m*, Plattenbereich *m*
  disk area
Plattenspeicherorganisation *f*
  disk file organization
plattenspeicherresident
  disk-resident
Plattenspur *f*
  disk track
Plattenstapel *m*
  disk pack
Plattenverdoppler-Software *f*
  disk doubling software
Platzbedarf *m*, Flächenbedarf *m* [z.B. eines
  Bildschirmgerätes]
  footprint, space requirement [e.g. of a display]
Platzhalterzeichen *n* [steht für ein anderes
  Zeichen, z.B. in DOS steht der Stern (*) für eine

beliebige Zeichengruppe und das Fragezeichen
(?) für ein einzelnes Zeichen]
wild card character [represents another
character, e.g. in DOS the star (*) stands for
any character group and the question mark (?)
for any single character]
plausibel
  plausible
Plausibilitätskontrolle *f* [Überprüfung der
zulässigen Zeichenkombinationen sowie
Prüfung, ob die Eingaben innerhalb der
vorgegebenen Grenzen liegen]
  plausibility check [check for invalid
character combinations and whether data
entered lie within given limits]
PLD *f*, programmierbare Logik *f*,
programmierbare Logikschaltung *f*
Oberbegriff für digitale integrierte Schaltungen
(z.B. ROMs, PROMs, Gate-Arrays, FPLAs,
PALs usw.), die kundenspezifisch bzw. als
Semikundenschaltung beim
Halbleiterhersteller oder beim Anwender mit
Hilfe von Verdrahtungsmasken
(maskenprogrammierbar) oder durch
Wegbrennen von Durchschmelzverbindungen
(Fusible-Link-Technik) programmiert werden
können.
  PLD (programmable logic device),
programmable logic
Generic term for digital integrated circuits (e.g.
ROMs, PROMs, gate arrays, FPLAs, PALs,
etc.) which are programmed to customers'
specifications or produced as semicustom
integrated circuits with the aid of
interconnection masks (mask-programmable)
or by blowing fuses (fusible-link technique),
either at the semiconductor manufacturer's
premises or at the user's location.
PLDS *n*, programmierbares Logik-
Entwicklungssystem *n*
Programmiergerät mit entsprechender
Software, mit dem sich integrierte
Semikundenschaltungen auf der Basis von
Bauelementen wie z.B. FPLAs, IFLs, PALs
usw. entwickeln, programmieren und testen
lassen.
  PLDS (programmable logic development
system)
Programming unit with corresponding software
for the development, programming and testing
of semicustom integrated circuits based on
devices such as FPLAs, IFLs, PALs, etc.
PLL-Baustein *m*, Schaltung mit phasenstarrer
Schleife *f*
  PLL circuit (phase-locked loop circuit)
Plotter *m*, Zeichengerät *n*
  plotter
PMOS-Technik *f*, P-Kanal-MOS-Technik *f*
Technik für die Herstellung von

Feldeffekttransistoren mit Metall-Oxid-
Halbleiter-Struktur und einem P-leitenden
Kanal, bei der P-dotierte Bereiche (Source und
Drain) in ein N-leitendes Substrat
eindiffundiert werden.
  PMOS technology, p-channel MOS
technology
Process for fabricating field-effect transistors
with a metal-oxide-semiconductor structure
and a p-type conducting channel. The p-type
regions (source and drain) are formed in an n-
type substrate by diffusion.
PMOS-Technik mit Aluminium-Gate *f*
Technik für die Herstellung von PMOS-
Feldeffekttransistoren, bei denen das Gate (die
Steuerelektrode) aus Aluminium besteht.
  aluminium-gate PMOS technology
Process for fabricating p-channel MOS field-
effect transistors in which the gate consists of
aluminium.
PMOS-Technik mit Silicium-Gate *f*
Technik für die Herstellung von PMOS-
Feldeffekttransistoren, bei denen das Gate (die
Steuerelektrode) aus einem leitfähigen
Polysilicium besteht.
  silicon-gate PMOS technology
Process for fabricating p-channel MOS field-
effect transistors in which the gate consists of a
conductive polysilicon material.
PMOSFET, P-Kanal-Feldeffekttransistor mit
Metall-Oxid-Halbleiter-Struktur *m*
  PMOSFET (p-channel metal-oxide-
semiconductor field-effect transistor)
PN-Diode *f* [Halbleiterdiode mit einem PN-
Übergang, bzw. Halbleiterdiode, die aus einem
PN-Übergang gebildet wird]
  pn-diode [semiconductor diode with a pn-
junction or semiconductor diode formed by a
pn-junction]
PN-Grenzfläche *f*
  pn-boundary
PN-Übergang *m*
Der Übergang zwischen einem P-leitenden und
einem N-leitenden Bereich in einem Halbleiter.
  pn-junction
The junction between a p-type and an n-type
region in a semiconductor.
PNIP-Transistor *m*
Ein Transistor, bei dem sich zwischen dem N-
dotierten Basisbereich und dem P-dotierten
Kollektorbereich eine eigenleitende
Halbleiterzone befindet.
  pnip transistor
A transistor in which an intrinsic
semiconductor region is situated between the n-
type base region and the p-type collector region.
PNP-Schaltung *f*, PNP-Schaltkreis *m*
  pnp circuit
PNP-Silicium-Planar-Transistor *m*

pnp silicon planar transistor
PNP-Transistor *m*
Bipolartransistor, bei dem der Basisbereich N-
dotiert ist und die Emitter- und
Kollektorbereiche P-dotiert sind.
pnp transistor
A bipolar transistor which has a p-type base
and n-type emitter and collector regions.
PNPN-Struktur *f*
Halbleiterstruktur, die aus vier abwechselnd P-
und N-leitenden Schichten besteht (z.B. bei
Vierschichtdioden, GTO-Thyristoren usw.).
pnpn structure
Semiconductor structure which consists of four
alternate layers of p-type and n-type conductive
material (e.g. in four-layer diodes, GTO
thyristors, etc.).
Polarisation *f*
polarization
Polieren *n* [z.B. von Halbleiterscheiben]
polishing [e.g. of wafers]
Pollingmethode *f*, Abfrageverfahren *n* [Abfrage
der Bereitschaft Daten zu senden oder zu
empfangen, z.B. Abfrage von
Peripheriebausteinen durch die Zentraleinheit;
im Gegensatz zum Interrupt- bzw.
Unterbrechungsverfahren]
polling method [technique of interrogating
readiness to transmit or receive data, e.g.
interrogation of peripheral devices by central
processing unit; in contrast to interrupt
technique]
polnische Schreibweise *f*, Präfix-Schreibweise
f, klammerfreie Schreibweise *f* [eliminiert
Klammern bei mathematischen Operationen,
z.B. (a+b) wird +ab und c(a+b) wird *c+ab
geschrieben]
prefix notation, Polish notation, parenthesis-
free notation [eliminates brackets in
mathematical operations, e.g. (a+b) is written
+ab and c(a+b) is written *c+ab]
polykristalline Struktur *f* [z.B. Polysilicium]
polycrystalline structure [e.g. polysilicon]
polykristallines Germanium *n*
polycrystalline germanium
polykristallines Silicium *n*, Polysilicium *n*
polycrystalline silicon, polysilicon
polymorph [vielgestaltig]
polymorphic [of variable type]
Polymorphismus *m* [Vielgestaltigkeit]
polymorphism [property of exhibiting
variable types]
Polysilicium *n*, polykristallines Silicum *n*
[Ausgangsmaterial, das bei der Herstellung von
Halbleiterbauelementen und integrierten
Schaltungen sehr häufig verwendet wird]
polysilicon [a widely used base material in
semiconductor and integrated circuit
fabrication]

Portabilität *f*, Software-Kompatibilität *f*
portability, software compatibility
positionieren, suchen
seek, to
Positionierzeit *f* [die vom Lese-Schreibkopf
benötigte Zeit, um sich auf die gesuchte Spur
einer Platte oder Diskette zu positionieren]
seek time [time taken by read-write head to
position on required track on disk]
Positionsabweichung *f*
position deviation
Positionsregelkreis *m*
position control loop
Positionsregelung *f*, Lageregelsystem *n*
positioning control system
Positionsregler *m*
position control
Positionssensor *m*
position sensor
positive Flanke *f*, ansteigende Flanke *f*,
steigende Flanke *f*
Anstieg eines digitalen Signals oder eines
Impulses.
rising edge
Rise of a digital signal or a pulse.
positive ganze Zahl *f*, positive Ganzzahl *f*
positive integer
positive Logik *f* [logische Schaltung, die den
Zustand logisch 1 durch einen positiven
Spannungspegel darstellt; ein negativerer
Spannungspegel entspricht dem Zustand 0]
positive logic, positive-true logic [logic circuit
employing a positive voltage level to represent
logic state 1; a more negative voltage level
represents logic state 0]
positive Rückkopplung *f*, Mitkopplung *f*
positive feedback
positive Vorspannung *f*
positive bias voltage, positive bias
positiver Ladungsträger *m*
positive charge carrier, positive carrier
positives Leiterbild *n* [Leiterplatten]
positive conductive pattern [printed circuit
boards]
Positivkopie *f* [Kopie mit Helligkeitswerten
entsprechend denjenigen der Vorlage]
positive copy [copy having tonal values
corresponding to those of original]
POSIX-Norm *f* [portierbares Betriebssystem für
Rechnerumgebungen; von IEEE definierte
Norm]
POSIX (Portable Operating System for
Computer Environments) [Standard defined by
IEEE]
POST [Testprogramm im BIOS]
POST (Power-On Self Test) [test program in
BIOS]
Postfixschreibweise *f*, umgekehrte polnische
Schreibweise *f*, klammerfreie Schreibweise *f*

[eliminiert Klammern bei mathematischen
Operationen, z.B. wird (a+b) als ab+ und c(a+b)
als cab+* geschrieben]
postfix notation, reverse Polish notation
(RPN), parenthesis-free notation [eliminates
brackets in mathematical operations, e.g. (a+b)
is written as ab+ and c(a+b) as cab+*]
Postprozessor *m*
  postprocessor
Postprozessorausdruck *m*
  postprocessor print
Postprozessorfunktion *f*
  postprocessor function
PostScript [von Adobe entwickelte
Seitenbeschreibungssprache für Drucker]
  PostScript [page description language
  developed by Adobe for printers]
PostScript-Emulation *f* [softwaremäßige
Nachbildung von PostScript für Drucker ohne
PostScript]
  PostScript emulation [software emulation of
  PostScript for non-PostScript printers]
Potenz *f* [Mathematik]
  power [mathematics]
Potenzierung *f*
  exponentiation, raise to a power
PPI-Baustein *m* [programmierbare Ein-
Ausgabe-Schnittstelle]
  PPI (programmable peripheral interface)
PPM *f*, Pulsphasenmodulation *f*
  PPM (pulse-phase modulation)
Prädikatenlogik *f* [Schreibweise für die
Darstellung und Folgerung logischer
Ausdrücke; Basis von PROLOG]
  predicate logic [notation for representing and
  deriving logical expressions; basis of PROLOG]
Präfixschreibweise *f*, polnische Schreibweise *f*,
klammerfreie Schreibweise *f* [eliminiert
Klammern bei mathematischen Operationen,
z.B. (a+b) wird +ab und c(a+b) wird *c+ab
geschrieben]
  prefix notation, Polish notation, parenthesis-
  free notation [eliminates brackets in
  mathematical operations, e.g. (a+b) is written
  +ab and c(a+b) is written *c+ab]
Präsentationsgraphik *f*, Geschäftsgraphik *f*
[Erstellung von Linien-, Balken- und
Kreisdiagrammen]
  business graphics, presentation graphics
  [generating line, bar and pie charts or
  diagrams]
Präsentationsschicht *f* [eine der sieben
Funktionsschichten des ISO-Referenzmodelles
für den Rechnerverbund]
  presentation layer [one of the seven
  functional layers of the ISO reference model for
  computer networks]
Präzedenzregel *f*
  precedence rule

Prefix *n*, Vorauszeichen *f*
  prefix
Prellen *n*, Kontaktprellen *n*
  bounce, contact bounce, chatter
prellfrei [frei von Kontaktprellen]
  bounce-free [free of contact bounce]
Prepreg [mit Harz imprägnierter
Trägerwerkstoff einer Leiterplatte]
  prepreg [impregnated sheet material for a
  PCB]
Preprozessor *m*
  preprocessor
Presentation Manager [von IBM und Microsoft
entwickelte graphische Benutzerschnittstelle
für OS/2]
  Presentation Manager [graphical user
  interface developed by IBM and Microsoft for
  OS/2]
Primzahl *f*
  prime number
Primärausfall *m*
  primary fault
Primärdaten *n.pl.* [Anwenderdaten in einer
Datenbank]
  primary data [user data in a data base]
primäre DOS-Partition *f*, primärer DOS-
Speicherbereich [Festplatte]
  primary DOS partition [hard disk]
primärer Datensatzschlüssel *m*,
Primärschlüssel *m*
  primary key, primary record key
Primärspeicher *m* [z.B. Hauptspeicher]
  primary storage [e.g. main memory]
Prinzip der größten Übereinstimmung *f*
  longest-match principle
Prinzipschaltbild *n*, Prinzipschaltung *f*
  schematic circuit diagram, basic circuit
Priorität *f*, Rangfolge *f* [Dringlichkeit eines
Ereignisses]
  priority [urgency of an event]
Prioritätsanwahl *f*
  priority selection
Prioritätsanzeiger *m*
  priority indicator
Prioritätsbetrieb *m*
  priority mode
Prioritätscodierer *m*
  priority encoder
Prioritätscodierung *f*
  priority encoding
Prioritätsebene *f*, Prioritätsstufe *f* [bei der
Programmunterbrechung]
  priority level [in interrupts]
Prioritätsreihenfolge *f*
  priority sequence
Prioritätssteuerung *f*
  priority control
Prioritätsstufe *f*, Prioritätsebene *f* [bei der
Programmunterbrechung]

priority level [in interrupts]
rioritätsunterbrechung *f,*
Vorrangunterbrechung *f,* Vektorunterbrechung
f [Programmunterbrechung versehen mit einem
Vektor zur Angabe der Priorität; im Gegensatz
zum Abfrageverfahren]
priority interrupt, vectored interrupt
[program interruption provided with a vector
designating the priority; in contrast to polling]
rioritätsunterbrechungssteuerung *f*
priority interrupt control (PIC)
rioritätsunterbrechungstabelle *f*
priority interrupt table
rioritätsvergleicher *m*
priority comparator
rioritätszuteilung *f*
priority dispatching
rivilegierter Befehl *m*
priviledged instruction
robe *f*
trial
robedurchlauf *m* [eines Programmes]
trial run [of a program]
roblemorientierte Programmiersprache *f*
Eine höhere, rechnerunabhängige
Programmiersprache zur Lösung eines
bestimmten Aufgabenbereichs, z.B. ALGOL,
COBOL, PASCAL usw.
problem-oriented language
A high-level computer-independent
programming language for solving a specific
class of problems, e.g. ALGOL, COBOL,
PASCAL, etc.
roduktionsregel *f* [Wenn-dann-Regel]
production rule [if-then-rule]
rogramm *n*
program
rogramm für Stapelbetrieb *m*
batch program
rogramm im Maschinencode *n*
absolute program, machine code program
rogramm zur Datenbankwiederherstellung
data base recovery program
rogrammabarbeitung *f,*
Programmausführung *f,* Programmlauf *m*
program execution, program run
rogrammabarbeitungszeit *f,*
Programmausführungszeit *f,* Programmlaufzeit
program execution time, program run time
rogrammabbruch *m,* Abbrechen *n,* Abbruch
m, vorzeitige Beendigung *f*
abortion, abnormal termination, program
abortion
rogrammabbruchbedingung *f,*
Abbruchbedingung *f*
abort condition, program abort condition
rogrammabhängige Störung *f,*
programmbedingte Störung *f*
program-sensitive fault

programmabhängiger Fehler *m,*
programmbedingter Fehler *m*
program-sensitive error
Programmablauf *m*
program flow
Programmablaufplan *m,* Flußdiagramm *n,*
Ablaufplan *m,* Ablaufdiagramm *n* [Darstellung
des Verarbeitungsablaufes mit genormten
graphischen Symbolen]
flow chart [representation of the processing
sequence with the aid of standard graphical
symbols]
Programmänderung *f*
program change, program modification
Programmanweisung *f*
program statement
Programmarke *f,* Marke *f*
label, program label
Programmauflistung *f*
program listing
Programmaufruf *m*
program start
Programmausführung *f,* Programmlauf *m,*
Programmdurchlauf *m,* Rechnerlauf *m*
program run, computer run
Programmausführungszeit *f,*
Programmlaufzeit *f,*
Programmabarbeitungszeit *f*
program execution time, program run time
Programmausführungszyklus *m,*
Abarbeitungszyklus *m,* Ausführungszyklus *m*
execution cycle, program execution cycle
Programmband *n*
program tape
Programmbaustein *m,* Programmodul *m*
program module
programmbedingte Störung *f,*
programmabhängige Störung *f*
program-sensitive fault
programmbedingter Fehler *m,*
programmabhängiger Fehler *m*
program-sensitive error
Programmbeendigung *f*
program termination
Programmbibliothek *f*
program library
Programmbinder *m,* Bindelader *m* [Programm
zum Zusammenfügen von mehreren
unabhängigen Programmsegmenten und für
das anschließende Laden]
linking loader, linker [program for linking
several independent program segments and for
loading them subsequently]
Programmdatei *f*
program file
Programmdefinition *f* [Festlegung der
Variablen in einem Programm]
program definition [defining variables in a
program]

Programmdurchlauf m, Programmlauf m,
Programmausführung f, Rechnerlauf m
program run, computer run
Programmentwicklung f
program development
programmerzeugter Parameter m
program-generated parameter, dynamic
parameter
Programmfehler m, Programmierfehler m
bug, program error, programming error
Programmfehlerbeseitigung f,
Fehlerbeseitigung f, Fehlersuchen n
program debugging, debugging,
troubleshooting
Programmfolge f
program sequence
programmgesteuerter Taktgeber m
programmable clock
Programmhaltepunkt m, Haltepunkt m,
Breakpoint m [Unterbrechungspunkt in einem
Programm zwecks externem Eingriff, in der
Regel in Verbindung mit einem
Fehlersuchprogramm]
breakpoint [program interruption for an
external intervention, usually associated with
program debugging]
programmierbar
programmable
programmierbare Array-Logik f (PAL),
programmierbare Feld-Logik f
programmable array logic (PAL)
programmierbare Feld-Logik f, PAL,
programmierbare Array-Logik f
Integrierte Schaltung mit einer
programmierbaren UND-Matrix und einer
festgelegten ODER-Matrix. Einige PALs
enthalten zusätzlich Flipflops und Register. Die
logischen Funktionen lassen sich nach
Kundenwünschen programmieren.
programmable array logic (PAL)
Integrated circuit with a programmable AND
array and a fixed OR array. Some PALs also
include flip-flops and registers. The logic
functions can be programmed to customers'
specifications.
programmierbare Gate-Matrix f (PGA),
programmierbares Gate-Array n
Integrierte Schaltung mit einer
programmierbaren UND- und NAND-Matrix,
die sich durch Wegbrennen der
Durchschmelzverbindungen nach
Kundenwünschen programmieren läßt.
programmable gate array (PGA)
Integrated circuit with a programmable AND
and NAND array which can be programmed to
customers' specifications by blowing the fusible
links.
**programmierbare Kommunikations-
Schnittstelle** f, programmierbarer

Übertragungsschnittstellenbaustein m
programmable communications interface
(PCI)
programmierbare Logik f, programmierbare
Logikschaltung f
Oberbegriff für digitale integrierte Schaltung
(z.B. ROMs, PROMs, Gate-Arrays, FPLAs,
PALs usw.), die kundenspezifisch bzw. als
Semikundenschaltung beim
Halbleiterhersteller oder beim Anwender mit
Hilfe von Verdrahtungsmasken
(maskenprogrammierbar) oder durch
Wegbrennen von Durchschmelzverbindungen
(Fusible-Link-Technik) programmiert werden
können.
programmable logic, programmable logic
device (PLD)
Generic term for digital integrated circuits (e.
ROMs, PROMs, gate arrays, FPLAs, PALs,
etc.) which are programmed to customers'
specifications or produced as semicustom
integrated circuits with the aid of
interconnection masks (mask-programmable)
or by blowing fuses (fusible-link technique),
either at the semiconductor manufacturer's
premises or at the user's location.
programmierbare Logik-Matrix f,
programmierbares Logik-Array n (PLA)
Integrierte Schaltung mit einer
programmierbaren UND-Matrix und einer
programmierbaren ODER-Matrix. Einige PLA
enthalten zusätzlich Flipflops und Register.
Durch Verbindung der Elemente über
Verdrahtungsmasken lassen sich integrierte
Semikundenschaltungen realisieren.
programmable logic array, (PLA)
Integrated circuit with a programmable AND
array and a programmable OR array. Some
PLAs also include flip-flops and registers. By
connecting the circuit elements with the aid of
interconnection masks semicustom integrated
circuits can be produced.
programmierbare Logikschaltung f,
programmierbare Logik f
programmable logic, programmable logic
device (PLD)
programmierbare Schaltung f
programmable circuit
programmierbare Steuerung f,
speicherprogrammierbare Steuerung f (SPS)
Folgesteuerung mit rechnerähnlicher Struktur
Sie besteht aus der Zentraleinheit mit
Prozessor bzw. Mikroprozessor, dem
Programmspeicher und der Ein-Ausgabe-
Einheit.
programmable controller (PC),
programmable logic controller (PLC)
A sequence control with a computer-like
structure. It consists of a central processing

unit with the processor or microprocessor and the program storage as well as an input-output unit.

ogrammierbare Tastatur *f*
programmable keyboard, user-defined keyboard

ogrammierbarer Ein-Ausgabe-Baustein *m*
programmable input-ouput device (PIO)

ogrammierbarer Festwertspeicher *m*
(PROM)
Festwertspeicher, der vom Anwender durch Wegbrennen von Durchschmelzverbindungen programmiert werden kann. Der Speicherinhalt kann nur einmal programmiert und danach nicht mehr verändert werden.
programmable read-only memory (PROM)
Read-only memory which can be programmed by the user by blowing fusible links. The memory content can be programmed only once and cannot be altered subsequently.

ogrammierbarer peripherer Ein-Ausgabe-Baustein *m*
programmable peripheral interface (PPI)

ogrammierbarer Taschenrechner *m*
programmable hand-held calculator

ogrammierbarer Übertragungs-schnittstellenbaustein *m*, programmierbare Kommunikations-Schnittstelle *f*
programmable communications interface (PCI)

ogrammierbares Gate-Array *n* (PGA), programmierbare Gate-Matrix *f*
Integrierte Schaltung mit einer programmierbaren UND- und NAND-Matrix, die sich durch Wegbrennen der Durchschmelzverbindungen nach Kundenwünschen programmieren läßt.
programmable gate array (PGA)
Integrated circuit with a programmable AND and NAND array which can be programmed to customers' specifications by blowing the fusible links.

ogrammierbares Logik-Array *n* (PLA), programmierbare Logik-Matrix *f*
Integrierte Schaltung mit einer programmierbaren UND-Matrix und einer programmierbaren ODER-Matrix. Einige PLAs enthalten zusätzlich Flipflops und Register. Durch Verbindung der Elemente über Verdrahtungsmasken lassen sich integrierte Semikundenschaltungen realisieren.
programmable logic array (PLA)
Integrated circuit with a programmable AND array and a programmable OR array. Some PLAs also include flip-flops and registers. By connecting the elements with the aid of interconnection masks semicustom integrated circuits can be produced.

ogrammierbares Logik-

Entwicklungssystem *n*, PLDS *n*
Programmiergerät mit entsprechender Software, mit dem sich integrierte Semikundenschaltungen auf der Basis von Bauelementen wie z.B. FPLAs, IFLs, PALs usw. entwickeln, programmieren und testen lassen.
programmable logic development system (PLDS)
Programming unit with corresponding software for the development, programming and testing of semicustom integrated circuits based on devices such as FPLAs, IFLs, PALs, etc.

Programmierbetrieb *m*, Programmierung *f*
[Betriebsart bei Speichern]
program mode, programming mode
[operational mode of memories]

Programmierer *m*
programmer

Programmierfehler *m*, Programmfehler *m*
bug, program error, programming error

Programmiergerät *n*
programming unit

Programmierhandbuch *n*
programming manual, programming handbook

Programmierimpulsbreite *f*
programming pulse width

Programmierlogik *f*
programming logic

Programmiermethode *f*, Programmierverfahren *n*
programming method, programming technique

Programmierschleife *f*, Programmschleife *f*
program loop, loop

Programmiersperre *f* [Betriebsart bei Speichern]
program inhibit mode [operating mode with memories]

Programmiersprache *f*
programming language

Programmiersystem *n*
programming system

programmierte Zugriffssperre *f*
programmed interlock

programmierter Stopp *m*
programmed stop

Programmierung *f*
programming

Programmierung *f*, Programmierbetrieb *m*
[Betriebsart bei Speichern]
program mode, programming mode
[operational mode of memories]

Programmierung mit absoluten Adressen *f*, absolute Programmierung *f*
Programmierung mit Maschinenadressen und maschineninternen Codes, im Gegensatz zu symbolischer Programmierung.

absolute programming
Programming with machine addresses and
machine-internal operation codes, in contrast to
symbolic programming.
Programmierung mit relativen Adressen *f*
relative programming
Programmierverfahren *n,*
Programmiermethode *f*
programming method, programming
technique
Programmiervordruck *m*
coding sheet
Programmierwort *n*
user-defined word
Programmierzentrale *f*
programming center
Programmkompatibilität *f*
program compatibility
Programmkorrektur *f,* behelfsmäßige
Programmkorrektur *f*
program correction, patch
Programmlader *m,* Ladeprogramm *n,* Lader *m*
[Programm zum Laden von Programmen in den
Arbeitsspeicher]
loading routine, loading program [program
used for loading programs into working
storage]
Programmlauf *m,* Programmausführung *f,*
Programmdurchlauf *m,* Rechnerlauf *m*
program run, computer run
Programmlaufzeit *f,* Programmausführungszeit
f, Programmabarbeitungszeit *f*
program execution time, program run time
Programmlaufzeitzähler *m*
program run time counter
Programmodul *m,* Programmbaustein *m*
program module
Programmpflege *f,* Programmwartung *f*
program maintenance
Programmrumpf *m*
program body
Programmschleife *f,* Schleife *f* [eine Reihe von
Befehlen, die mehrmals durchlaufen wird]
program loop, loop [a series of instructions
repeatedly carried out]
Programmschritt *m*
program step
Programmsegment *n,* Segment *n* [Teil eines
Programmes]
segment, program segment [part of a program]
Programmsegmentierung *f,* Segmentierung *f*
segmentation, program segmenting
Programmspeicher *m*
program memory, program storage
Programmsprung *m*
program skip, transfer of control
Programmstartbefehl *m,* Run-Befehl *m*
[Startbefehl für im Hauptspeicher geladenes
Programm]

run instruction [instruction for starting
program loaded in main memory]
Programmstatus *m*
program status
Programmstatuswort *n* (PSW)
program status word (PSW)
Programmsteuerung *f*
program control
Programmstopbefehl *m*
stop instruction, program stop instruction
Programmstufenzähler *m*
program level counter
Programmtesten *n*
program checkout
Programmüberlagerung *f*
program overlay
Programmübersetzung *f*
program translation
Programmunterbrechung *f,* Unterbrechung *f*
[Unterbrechung eines laufenden Programmes,
der Programmablauf wird nach der
Unterbrechung fortgesetzt]
program interrupt, interrupt [interruption
a running program; the program sequence is
continued after the interruption]
Programmunterbrechungsebene *f*
program interrupt level
Programmunterteilung *f*
program segmentation
Programmverkettung *f*
program linkage, linkage
Programmverknüpfung *f*
program linking
Programmverschiebung *f*
program relocation
Programmverzahnung *f*
program interleaving
Programmverzweigung *f,* Programmzweig *m*
program branch, branch, program jump,
jump
Programmwartung *f,* Programmpflege *f*
program maintenance
Programmzähler *m,* Befehlszähler *m*
[Mikroprozessorsysteme]
program counter [microprocessor systems]
Programmzeile *f*
program line
Programmzyklus *m*
program cycle
PROLOG [KI-Programmiersprache, die auf der
Prädikatenlogik beruht]
PROLOG [AI programming language based o
predicate logic]
PROM *m,* programmierbarer Festwertspeicher
Festwertspeicher, der vom Anwender durch
Wegbrennen der Durschschmelzverbindungen
programmiert werden kann. Der
Speicherinhalt kann nur einmal programmier
und danach nicht mehr verändert werden.

PROM (programmable read-only memory)
Read-only memory which can be programmed
by the user by blowing fusible links. The
memory content can be programmed only once
and cannot be altered subsequently.

roportionaldruck *m*
  proportional printing
roportionalschrift *f*
  proportional font
rotokoll *n*, Kommunikationsprotokoll *n* [Regeln
für den Datenaustausch zwischen zwei
Teilnehmern, z.B. zwischen Rechner und
Drucker, zwischen Terminal und Rechner,
zwischen zwei Rechnersystemen usw.]
  protocol, communications protocol [rules for
  data exchange between two partners, e.g.
  between computer and printer, between
  terminal and computer, between two computer
  systems, etc.]
rotokollebene *f*, Protokollschicht *f*
  protocol layer
rotokollfunktion *f*
  protocol function
rotokollieren
  log, to
rotokollschicht *f*, Protokollebene *f*
  protocol layer
rozedur *f*, Ablauf *m* [eines Verfahrens]
  procedure [of a process]
rozedur *f*, Unterprogramm *n* [Programm]
  procedure, routine [program]
rozedurale Programmiersprache *f* [im
Gegensatz zur nichtprozeduralen
Programmiersprache]
  procedural programming language [in
  contrast to non-procedural programming
  language]
rozeduranweisung *f*
  procedure statement
rozeduraufruf *m*
  call statement
rozeß *m* [allgemein]
  process [general]
rozeß *m*, Task *f*, Aufgabe *f* [eine in sich
geschlossene Aufgabe; ein Programmteil]
  task [a self-contained process; part of a
  program]
rozeßablauf *m*
  process flow
rozeßautomatisierung *f*
  process automation
rozeßmodell *n*
  process model
rozessor *m*
  processor
rozessor mit doppelter Taktfrequenz *m*
[arbeitet mit der doppelten Taktfrequenz, z.B.
mit 66 MHz anstatt 33 MHz]
  clock-doubled processor, clock-doubling

processor [operates at twice the normal clock
frequency, i.e. at 66 MHz instead of 33 MHz]
Prozeßperipherie *f*
  process peripherals
Prozeßrechner *m*
  process computer
Prozeßsimulation *f*
  process simulation
Prozeßsteuerung *f*
  process control
Prüf-vor-Kauf-Software *f*, Shareware-Software
f [kostenlos erhältliche Software, bei der eine
Registrierungsgebühr bei der Nutzung erhoben
wird]
  Shareware [software available free of charge
  but requiring a registration fee before use]
Prüfanweisung *f*
  examine statement, inspect statement
Prüfbedingung *f*
  test condition
Prüfbefehl *m*
  check instruction
Prüfbit *n*, Paritätsbit *n*, Kontrollbit *n*
  check bit, parity bit
Prüfbyte *n*
  check byte, sense byte
prüfen, kontrollieren [allgemein]
  test, to; check, to [general]
prüfen [ein Programm]
  validitate, to [a program]
Prüfergebnis *n*, Meßergebnis *n*
  measuring result, test result
Prüffunktion *f*
  verify function
Prüfimpuls *m*
  test pulse
Prüfkanal *m*
  test channel
Prüflauf *m*, Testlauf *m*, Testdurchlauf *m*
[Prüfung eines Programmes]
  test run [checking a program]
Prüflochstreifen *m*
  test punched tape, test tape
Prüfmarke *f*
  diagnostic flag
Prüfmodul *m*
  test module
Prüfprogramm *n*, Testprogramm *n*
  test routine, check routine, test program,
  check program
Prüfpunkt *m* [einer Schaltung]
  test point [of a circuit]
Prüfpunkt *m* [eines Programmes]
  checkpoint [of a program]
Prüfpunktroutine *f*, Prüfpunktunterprogramm
  checkpoint routine
Prüfpunktunterprogramm *n*,
Prüfpunktroutine *f*
  checkpoint routine

Prüfpunktwiederanlauf m, Wiederanlauf an
  einem Fixpunkt m, Wiederanlauf an einem
  Prüfpunkt m
  checkpoint restart
Prüfschaltung f
  test circuit
Prüfsignal n, Testsignal n
  test signal
Prüfsignalgenerator m
  test signal generator
Prüfspalte f
  check column
Prüftaktfrequenz f
  test clock-frequency
Prüfung f, Kontrolle f
  check, test
Prüfung auf führende Nullen f
  leading-zero verification, left-justified zero
  verification
Prüfung auf gerade Parität f
  even-parity check
Prüfung auf ungerade Parität f, ungerade
  Paritätskontrolle f
  odd parity check
Prüfwort n
  check word
Prüfzeichen n, Kontrollzeichen n
  check character
Prüfziffer f
  check digit
Prüfzuverlässigkeit f
  test reliability
Pseudobefehl m, symbolischer Befehl m [Befehl
  in einer symbolischen Programmiersprache;
  der Operationsteil verwendet eine
  mnemotechnische Abkürzung, die
  Operandadresse eine symbolische Adresse]
  pseudo instruction [instruction in a symbolic
  programming language; the operation part
  employs a mnemonic abbreviation, the operand
  address a symbolic address]
Pseudobit n
  pseudo bit
Pseudocode m
  pseudo code
Pseudodatei f
  dummy data set
Pseudosatz m
  dummy record
pseudostabil
  pseudostable
pseudostabile Ausgangskonfiguration f
  pseudostable output configuration
Pseudotetrade f
  dummy tetrad
PSK-Verfahren n, Phasenumtastung f
  PSK method (pulse shift keying method)
PSW, Programmstatuswort n
  PSW, program status word

PTC-Widerstand m, Kaltleiter m, PTC-
  Thermistor m
  Halbleiterelement mit positivem
  Temperaturkoeffizienten, d.h. dessen
  Widerstand mit steigender Temperatur
  zunimmt.
  PTC resistor, PTC thermistor, thermistor
  (thermal resistor)
  Semiconductor component with a positive
  temperature coefficient (PTC), i.e. whose
  resistance increases as temperature rises.
PTM f, Pulszeitmodulation f
  PTM (pulse time modulation)
Public-Domain-Software f [Software, die
  beliebig kopiert, modifiziert und vertrieben
  werden darf]
  public domain software (PD) [software
  which can be freely copied, modified and
  marketed]
Puffer m, Pufferspeicher m
  buffer, buffer storage
Pufferbetrieb m
  buffer operation
puffern
  buffer, to
Pufferregister n
  buffer register
Pufferschaltung f
  buffer circuit, buffer
Puffersegment n
  buffer segment
Pufferspeicher m, Zwischenspeicher m
  [kurzzeitig beanspruchter Speicher]
  temporary storage, buffer storage [storage
  for temporary use]
Puffersteuerlogik f
  buffer control logic
Pufferstufe f
  buffer element
Pufferung f
  buffering
Pufferzeiger m
  buffer pointer
Pull-Down-Menü n, Untermenü n
  [Bildschirmfenstertechnik]
  pull-down menu [screen windowing
  technique]
Pulsamplitudenmodulation f (PAM)
  pulse amplitude modulation (PAM)
Pulscodemodulation f (PCM)
  pulse code modulation (PCM)
Pulsdauermodulation f (PDM)
  pulse-duration modulation, (PDM)
Pulsformer m, Impulsformer m
  pulse shaper
Pulsfrequenzmodulation f (PFM)
  pulse frequency modulation (PFM)
pulsgetastet, impulsgetastet
  pulse keyed

Pulsphasenmodulation f (PPM)
  pulse phase modulation (PPM)
Pulstreiber m
  pulse driver
Pulszeitmodulation f (PTM)
  pulse time modulation (PTM)
Punkt m [Maß für Schriftgröße]
  point [unit for font size]
Punkt-zu-Punkt-Verbindung f
  point-to-point communication
Punktkontakt m, Spitzenkontakt m
  point contact
Punktmatrix f
  dot matrix
Punktmatrixdrucker m, Matrixdrucker m,
  Mosaikdrucker m, Nadeldrucker m
  Drucker, bei dem durch matrixförmig
  angeordnete Drahtstifte (z.B. 5x7 oder 7x9
  Matrix) aus Punkten zusammengesetzte
  alphanumerische Zeichen gebildet werden. Die
  Bewegung der Drahtstifte gegen das Farbband
  bzw. das Papier erfolgt durch Elektromagnete.
  dot-matrix printer, matrix printer
  Printer which uses a matrix of wires (e.g. 5x7
  or 7x9 matrix) to form alphanumeric characters
  composed of dots. The wires are driven against
  an inked ribbon or paper by solenoids.
Punktmatrixgenerator m
  dot-matrix character generator
Punktmuster n
  dot pattern
Punktrasterverfahren n
  dot-scanning method
Punktweises Blättern n [Text auf dem
  Bildschirm punktweise anstatt zeilenweise auf-
  und abrollen]
  smooth scroll [move text pixel by pixel on the
  screen instead of line by line]
PVD-Verfahren n [ein Abscheideverfahren, z.B.
  Sputtern]
  PVD process (physical vapour deposition
  process) [a deposition process, e.g. sputtering]

Q

QIC [Standard für Viertelzoll-Bandlaufwerke]
QIC (quarter inch cartridge) [drive standard for tape drives]

QIC-Magnetbandstation *f*, QIC-Streamer *m*
QIC streamer

QIL-Gehäuse *n*, QUIL-Gehäuse *n* [Gehäuse mit vier parallelen Reihen rechtwinklig abgebogener Anschlußstifte]
QIL package, QUIL package (quad in-line) [package with four parallel rows of terminals at right angles to the body]

quadratische Gleichung *f*
quadratic equation

quadratische Kennlinie *f*
square-law characteristic

quadratischer Mittelwert *m*, Effektivwert *m* [z.B. der Spannung oder des Stromes]
root-mean-square value (rms value) [e.g. of voltage or current]

Quadratwurzelfunktion *f*
square-root function

Qualifikationsprüfung *f* [Qualitätskontrolle]
qualification approval test [quality control]

Qualitätskontrolle *f*
quality control (QC)

Qualitätssicherung *f*
quality assurance (QA)

Quantentheorie *f*
quantum theory

Quantisierung *f*
quantization

Quantisierungsfehler *m*
quantization error

Quantisierungspegel *m*
quantization level

Quantisierungsrauschen *n*
quantization noise

Quantisierungsstufe *f*
quantization step

Quantum-Well-Struktur *f*
[Doppelheterostruktur, bei der eine sehr dünne Schicht eines Halbleiters mit geringem Bandabstand zwischen dickeren Schichten eines Halbleiters mit größerem Bandabstand eingebettet ist; wird bei der Herstellung extrem schneller Feldeffekttransistoren und optoelektronischer Bauelemente genutzt]
quantum well structure [a double-heterostructure comprising a very thin layer of a semiconductor material with a small band gap embedded between thicker layers of another semiconductor material with a larger band-gap; is used for extremely fast field-effect transistors and optoelectronic components]

Quarz *m*, Quarzkristall *m*
quartz, quartz crystal, crystal

Quarzfilter *n*
quartz filter, crystal filter

quarzgesteuert
quartz controlled, crystal controlled

quarzgesteuerter Generator *m*
quartz-controlled generator, crystal-controlled generator

Quarzkristall *m*, Quarz *m*
quartz, quartz crystal, crystal

Quarzoszillator *m*, Kristalloszillator *m*
quartz oscillator, crystal oscillator

Quarzresonator *m*, Schwingquarz *m*
quartz resonator, crystal resonator

Quasizufallszahl *f*, Hash-Zahl *f* [zum raschen Wiederfinden eines Datensatzes verwendete Zahl, die durch eine Transformation des Suchschlüssels gewonnen wird; die Hash-Zahl erhält man über einen Hash-Algorithmus]
hash number [number used for rapid retrieval of a record and obtained by transforming the search key; the hash number is obtained via a hash algorithm]

Quellanweisung *f*
source statement

Quelle *f*, Source *f*
Bereich des Feldeffekttransistors, vergleichbar mit dem Emitter des Bipolartransistors.
source
Region of the field-effect transistor, comparable with the emitter of a bipolar transistor.

Quellencode *m* [ursprüngliches Programm vor der Übersetzung in Maschinencode; Programmcodierung in Assemblersprache bzw. in einer höheren Programmiersprache]
source code [original program before translation into machine code; program coding in assembler language or a higher programming language]

Quellendatei *f*
source file

Quellenprogramm *n*, Quellprogramm *n* [ein Programm, das nicht in Maschinensprache sondern in einer Assemblersprache oder einer höheren Programmiersprache geschrieben ist]
source program [a program not written in machine language but in an assembler language or a higher programming language]

Quellensprache *f*, Quellsprache *f* [Sprache, in der ein Quellenprogramm geschrieben ist, d.h. Assemblersprache oder höhere Programmiersprache]
source language [language in which a source program is written, i.e. assembler language or higher programming language]

Quellenwiderstand *m* [einer Schaltung]
source impedance [of a circuit]

Quellprogramm *n*, Quellenprogramm *n*

source program
Quellsprache f, Quellensprache f
source language
Querformat n [Ausrichtung eines Bildes mit der
längsten Seite horizontal, im Gegensatz zum
Hochformat]
landscape [view of image with longest side
horizontal, in contrast to portrait]
Querparität f, Zeichenparität f, vertikale Parität
f [Parität eines Zeichens nach Ergänzung durch
ein Prüfbit; im Gegensatz zur Block- oder
Längsparität]
vertical parity [parity of a character after
completing with a parity bit; in contrast to
block or longitudinal parity]
Querparitätsprüfung f,
Vertikalparitätsprüfung f, VRC-Prüfung f
[Paritätsprüfmethode, z.B. bei Magnetbändern]
vertical redundancy check (VRC), vertical
parity check [parity checking method, e.g. for
magnetic tapes]
Quersummenkontrolle f
horizontal check sum
Querverweis m
cross-reference
Querwiderstand m, Nebenschlußwiderstand m
shunt resistor, shunt
Query-Sprache f, Datenbankabfragesprache f
[spezielle, leicht erlernbare Sprache für
Datenbankabfragen, besonders für das
Abrufen, Einfügen, Verändern und Löschen von
Datensätzen]
query language (QL) [special, easy-to-learn
language for data base transactions,
particularly for retrieval, insertion,
modification and deletion of records]
Quetschverbinder m, Crimpverbinder m
crimp connector
Quetschverbindung f, Crimpverbindung f
crimp connection
Quetschwerkzeug n, Crimpwerkzeug n [zur
Erstellung einer Verbindung zwischen Leiter
und Anschlußklemme ohne Löten]
crimping tool [for forming a solderless contact
between wire and terminal]
Quibinärcode m [ähnlich dem Biquinärcode, ein
Code aus 7 Bits, auch Zwei-aus-Sieben-Code
genannt; bei jedem der Zeichen sind fünf der
sieben Bits binär Null und zwei Eins, z.B.
die Ziffer 7 wird durch 0100010 dargestellt]
quibinary code [similar to the biquinary code,
a code comprising 7 bits, also called two-out-of-
seven code; in each character five of the seven
bits are binary zero and two are binary one, e.g.
the digit 7 is represented by 0100010]
Quicksort-Verfahren n, Austauschsortieren n
[Sortierverfahren]
quicksort, partition exchange sort [sorting
method]

QUIL-Gehäuse n [Gehäuse mit vier parallelen
Reihen rechtwinklig abgebogener
Anschlußstifte]
QUIL package, quad in-line package [package
with four parallel rows of terminals at right
angles to the body]
Quittung der Unterbrechungsanforderung f,
Unterbrechungsrückmeldung f
[Bereitschaftssignal des Mikroprozessors bei
einer Anforderung zur Programm-
unterbrechung]
interrupt acknowledge [microprocessor
signal in reply to an interrupt request]
Quittungsbetrieb m, Handshake-Verfahren n
[Verfahren zur zeitlichen Koordinierung der
Datenübergabe zwischen zwei Bausteinen oder
Systemen, z.B. zwischen Prozessor und
Peripheriegerät oder zwischen Terminal und
Rechenzentrum]
handshaking [method of coordinating the
timing of data transfer between two devices or
systems, e.g. between processor and peripheral
unit or between terminal and computer center]
Quittungsmeldung f [z.B. als Antwort auf eine
Unterbrechungsanforderung]
acknowledge signal [e.g. as an answer to an
interrupt request]
Quittungssignal n, Handshake-Signal n
handshaking signal
Quotient m [Ergebnis einer Division]
quotient [result of a division]
Quotientenregister n
quotient register
QWERTY-Tastatur f [englischsprachige
Tastatur]
QWERTY keyboard [English-language
keyboard]
QWERTZ-Tastatur f [deutschsprachige
Tastatur]
QWERTZ keyboard [German-language
keyboard]

R

Radixpunkt *m* [z.B. Dezimalpunkt oder Komma bei der Dezimalschreibweise]
radix point [e.g. decimal point in the case of decimal notation]
Radixschreibweise *f* [Darstellung einer Zahl als Produkt von Zahlenwert und Potenz einer Grundzahl (Basis); diese Basis ist üblicherweise 2 (Dualsystem, auch Binär-system genannt), 8 (Oktalsystem), 10 (Dezimalsystem) oder 16 (Hexadezimalsystem)]
radix notation [representation of a number as product of numerical value and powers of a base; this base is usually 2 (binary system), 8 (octal system), 10 (decimal system) or 16 (hexadecimal system)]
Radizieren *n*, Wurzelziehen *n*
extraction of a root
Raffung des Alterungsprozesses *f*, beschleunigte Alterung *f*
accelerated aging
Rahmen *m*, Frame *m* [Wissensrepräsentationsschema in der künstlichen Intelligenz]
frame [method of representing knowledge in artificial intelligence]
Rahmen *m*, Gestell *n* [z.B. 19-Zoll Normgestell für Einschübe]
rack [e.g. standard 19-inch rack for plug-in units]
RALU, Register mit arithmetisch-logischer Einheit *n.pl.* [Bit-Slice-Prozessor mit Registern]
RALU, registers and arithmetic-logic unit [bit-slice processor with registers]
RAM *m*, Speicher mit wahlfreiem Zugriff *m*, Schreib-Lese-Speicher *m*
Speicher, bei dem auf jedes Speicherelement in jeder gewünschten Reihenfolge zugegriffen werden kann. Dadurch ist die Zugriffszeit zu jeder Speicherzelle gleich lang. Die Bezeichnung RAM wird normalerweise für Schreib-Lese-Speicher in integrierter Schaltungstechnik verwendet. Man unterscheidet grundsätzlich zwischen dynamischen (DRAMs) und statischen (SRAMs) Schreib-Lese-Speichern. Beim dynamischen Speicher wird die Information als Ladung in einer Kapazität gespeichert und muß periodisch aufgefrischt werden. Beim statischen Speicher werden Flipflops als Speicherzellen verwendet. Die gespeicherten Informationen müssen daher nicht regeneriert werden.
RAM (random access memory), read-write memory
Memory in which each storage cell is directly

accessible in any desired sequence. This means that access time is the same for all storage locations. The term RAM is normally used to denote integrated circuit read-write memories. There are basically two types: dynamic (DRAMs) and static (SRAMs) memories. In dynamic memories information is stored as a charge on a capacitance and needs periodic refreshing. In static memories, flip-flops are used as memory cells. Hence there is no need for data regeneration.
RAM-Baustein *m*
RAM module
RAM-Cachespeicher *m* [Zwischenspeicher zur Beschleunigung der Datenübertragung zwischen Hauptspeicher und Prozessor]
RAM cache memory, RAM caching [cache memory used for accelerating data transfer between main memory and processor]
RAM-Karte *f* [Leiterplatte, die ein oder mehrere RAMs enthält]
RAM board [printed circuit board containing one or more RAMs]
RAM-Laufwerk *n*, virtuelles Laufwerk *n* [definiert einen Speicherbereich als logisches Laufwerk, um den Dateizugriff zu beschleunigen]
RAM disk, RAM drive, virtual disk, virtual drive [defines part of main memory as logical drive so as to accelerate file access]
Rand *m* [z.B. eines Textblockes]
margin [e.g. of a block of text]
Randabstand *m* [Leiterplatten]
edge distance, edge spacing [printed circuit boards]
Randausgleich *m* [Textformatierung, um einen ausgeglichenen Rand zu erhalten]
justification [text formatting to obtain even margins]
Randlochung *f* [Lochung eines Endlosformulars in vertikaler Papierrichtung]
marginal perforation [perforation of a continuous form in vertical direction of paper]
Randschicht *f*
surface layer
Randschichtphotodiode *f*
surface barrier photodiode
Rangfolge *f*, Reihenfolge *f* [allgemein]
order [general]
Rangfolge *f*, Priorität *f* [Dringlichkeit eines Ereignisses]
priority [urgency of an event]
RAS *m*, Zeilenadressenimpuls *m*
Signal für die Zeilenadressierung bei Halbleiterspeichern mit matrixförmiger Anordnung der Speicherzellen (z.B. bei RAMs).
RAS (row-address strobe)
Signal for addressing memory cells in the rows of an integrated circuit memory device in which

the cells are arranged in an array (e.g. in RAMs).

Raster *m* [matrixförmige Bildschirmdarstellung]
raster [matrix-like display]

Raster *m* [mechanische Einteilung]
grid [mechanical subdivision]

Rasterabstand *m* [z.B. Lochabstände auf Leiterplatten]
grid spacing [e.g. spacing of holes on printed circuit boards]

Rasterabtastung *f* [horizontale Bildabtastung]
raster scan [horizontal sweep of screen]

Rasterbild-Prozessor *m*
raster image processor (RIP)

Rasterbildschirm *m* [Bildschirm mit matrixförmig angeordneten Bildelementen]
raster display, raster-scan display [screen having picture elements arranged in a matrix]

Rasterelektronenmikroskop *n*
scanning electron microscope (SEM)

Rastergraphik *f* [graphische Darstellung auf einem Rasterbildschirm]
raster graphics [graphics generated on a raster display]

Rasterscan-Verfahren *n* [Chipherstellung]
rasterscan technique [chip production]

Rasterschriftart *f*, Bitmap-Schriftart f [gespeichert als Bitmuster, im Gegensatz zur Vektorschrift]
raster font, bitmap font [stored as bit pattern, in contrast to vector font]

Rasterung *f*
scanning

rationaler Bruch *m*
rational fraction

Raubkopie *f*
pirate copy, bootleg

raubkopieren
pirate, to

Raumgitter *n*
Die räumliche, sich regelmäßig wiederholende Anordnung von Atomen in einem Kristallgitter.
space lattice
The three-dimensional periodic arrangement of atoms in a crystal lattice.

Raumladungsdichte *f*
volume charge density

Raumladungszone *f*, Verarmungszone *f*
Der an einem PN-Übergang entstandene Bereich, in dem sich praktisch keine beweglichen Ladungsträger befinden.
depletion region, space-charge region
The region formed in the immediate vicinity of a pn-junction in which there are practically no mobile charge carriers.

räumlich
spatial, three-dimensional

räumliche Anordnung *f*
spatial arrangement

Raumwinkel *m*
solid angle

Rauschabstand *m* [Verhältnis der Signalleistung zur Rauschleistung, ausgedrückt in Dezibel (dB)]
signal-to-noise ratio (S/N ratio) [ratio of signal power to noise power, expressed in decibels (dB)]

rauscharmer Baustein *m*, rauscharmes Bauteil
low-noise component, low-noise device

rauscharmer Verstärker *m*
low-noise amplifier

Rauschen *n*
noise

Rauschfaktor *m*, Rauschzahl *f* [Verhältnis der Rauschleistung am Ausgang zur Rauschleistung am Eingang, z.B. eines Transistors oder Verstärkers; ausgedrückt als Faktor (= Verhältniszahl) oder Dezibelwert (dB)]
noise factor, noise figure [ratio of the noise power at the output to the noise power at the input, e.g. of a transistor or amplifier; expressed as a factor (ratio) or as a decibel value (dB)]

Rauschgenerator *m*, Störspannungsgenerator
noise generator

Rauschleistung *f*
noise power

Rauschpegel *m*
noise level

Rauschsignal *n*, Störsignal *n*
noise signal

Rauschunterdrückung *f*, Störunterdrückung *f*, Störschutz *m*
noise suppression, interference suppression

Rauschzahl *f*, Rauschfaktor *m*
noise figure, noise factor

RAW-Verfahren *n*, Kontroll-Leseverfahren *n* [Kontrolle der Speicherung durch Lesen nach dem Schreiben]
RAW technique (Read-After-Write) [verifying procedure for data storage]

RC-Kopplung *f*, Widerstands-Kondensator-Kopplung *f*
RC coupling, resistance-capacitor coupling

RC-Netzwerk *n*, RC-Schaltung *f* [bestehend aus Widerständen und Kondensatoren]
RC network, RC circuit [consisting of resistors and capacitors]

RC-Verstärker *m*, Widerstandsverstärker *m*
RC amplifier

RCTL *f*, Widerstand-Kondensator-Transistor-Logik *f*
Variante der RTL-Schaltungsfamilie, bei der Kondensatoren zur Erhöhung der Schaltgeschwindigkeit verwendet werden.
RCTL (resistor-capacitor-transistor logic)
Variant of the RTL family of logic circuits

which uses capacitors to increase switching
speed.
Reaktanz *f,* Blindwiderstand *m*
reactance
Reaktanzverstärker *m,* parametrischer
Verstärker *m*
parametric amplifier, variable reactance
amplifier
Reaktionshaftstelle *f* [Halbleitertechnik]
Störstelle in einem Halbleiterkristall, die die
Erzeugung und Rekombination von
Ladungsträgerpaaren fördert.
deathnium center [semiconductor technology]
Imperfection in a semiconductor crystal which
facilitates generation and recombination of
electron-hole pairs.
Reaktionszeit *f*
reaction time
reaktive Kathodenzerstäubung *f,* reaktives
Sputtern *n* [ein Abscheideverfahren]
reactive sputtering [a deposition process]
reaktives Ionenstrahlätzen *n* [ein
Trockenätzverfahren]
reactive ion beam etching (RIBE) [a dry
etching process]
reaktives Ionenätzen *n* [ein
Trockenätzverfahren]
reactive ion etching (RIE) [a dry etching
process]
reaktives Sputtern *n,* reaktive Kathodenzerstäubung *f* [ein Abscheideverfahren]
reactive sputtering [a deposition process]
reaktives Trockenätzen *n*
reactive dry etching
Real-Modus *m* [Prozessorbetriebsart ähnlich der
eines 8086-Prozessors, d.h. für einen Rechner
mit weniger als 1 MB Hauptspeicher]
real mode [processor operating mode similar
to that of a 8086 processor, i.e. for a computer
with a main memory less than 1 MB]
reale Adresse *f,* echte Adresse *f* [tatsächliche
Adresse im Hauptspeicher]
real address [actual physical address in main
storage]
realisieren, implementieren [einsatzfähige
Bereitstellung]
implement, to [make ready for application]
Realteil *m*
real part
Realzeitbetrieb *m,* Echtzeitbetrieb *m*
[Verarbeitung der Daten zum Zeitpunkt ihrer
Generierung; im Gegensatz zur Stapelverarbeitung, bei der die Daten gesammelt und
dann schubweise verarbeitet werden]
real-time operation [processing of data at the
time they are generated; in contrast to batch
processing in which data are collected and then
processed in batches]
Realzeiteingabe *f,* Echtzeiteingabe *f*

real-time input
Realzeitprogrammiersprache *f*
real-time programming language
Realzeitprogrammierung *f*
real-time programming
Realzeitrechnersystem *n,* Realzeitsystem *n*
real-time computer system, real-time
system
Realzeitsimulation *f,* Echtzeitsimulation *f*
real-time simulation
Realzeitsteuerung *f*
real-time control
Realzeitsystem *n,* Realzeitrechnersystem *n*
real-time computer system, real-time
system
Realzeituhr *f,* Echtzeittaktgeber *m,* Echtzeituhr
f [erzeugt periodische Signale, die zur
Berechnung der Tageszeit verwendet werden
können; wird für den Realzeitbetrieb benötigt]
real-time clock (RTC) [generates periodic
signals which can be used for giving the time of
day; is needed for real-time operation]
Realzeitverarbeitung *f,* Echtzeitverarbeitung *f*
real-time processing
Rechenalgorithmus *m*
computing algorithm
Rechenanlage *f,* Rechner *m,* Computer *m,*
Datenverarbeitungsanlage *f*
computer
Rechenanweisung *f*
compute statement
Rechenbefehl *m,* arithmetischer Befehl *m*
[Befehl zur Ausführung einer der vier
Grundrechenarten, d.h. Addition, Subtraktion,
Multiplikation oder Division]
arithmetic instruction [instruction for
executing one of the four basic computation
operations, i.e. addition, subtraction,
multiplication or division]
Rechencode *m*
arithmetic code
Rechendezimalpunkt *m,* Rechenkomma *n*
assumed decimal point
Rechenelement *n* [Baustein zur Ausführung
von mathematischen Operationen in einem
Analogrechner; in der Regel basierend auf
einem Operationsverstärker]
computing element, arithmetic element
[device for executing mathematical operations
in analog computers; usually based on an
operational amplifier]
Rechengeschwindigkeit *f* [in der Regel
ausgedrückt in Operationen/s (MOPS) bzw.
Gleitkommaoperationen/s (MFLOPS), Befehle/s
(MIPS) oder als Ausführungszeit für eine
Grundrechenart oder für ein Benchmark- bzw.
Bewertungsprogramm]
computing speed [usually expressed in
operations/s (MOPS) or floating-point

operations/s (MFLOPS), instructions/s (MIPS)
or as execution time for a basic computation
operation or a benchmark program]
Rechengröße *f,* Operand *m* [auszuführende
Operation bzw. eine Information, die zur
Ausführung eines Befehls geholt werden muß]
operand [operation to be carried out or an
information which has to be fetched for
carrying out an instruction]
rechenintensive Aufgaben *f.pl.* [Aufgaben, die
einen hohen Rechenaufwand beinhalten; im
Gegensatz zu Aufgaben, die datenintensiv sind,
d.h. die einen hohen Eingangs-
Ausgangsverkehr aufweisen]
computation-intensive tasks [tasks
involving a high amount of computation
("number crunching" tasks); in contrast to data-
intensive tasks involving high input-output
traffic (I/O-intensive tasks)]
Rechenkomma *n,* Rechendezimalpunkt *m*
assumed decimal point
Rechenlogik *f*
arithmetic logic
Rechenmaschine *f,* Addiermaschine *f*
calculator, adding machine
Rechenoperation *f,* arithmetische Operation *f*
[eine der vier Grundoperationen]
arithmetic operation [one of the four basic
operations]
Rechenprogramm *n*
computation program
Rechenregister *n,* Akkumulator *m* [Register,
welches das Ergebnis einer Operation
speichert]
arithmetic register, accumulator [register
storing the result of an operation]
Rechenschleife *f* [Programmschleife für die
Ausführung einer Berechnung]
computation loop [program loop for execution
of a computation]
Rechensystem *n,* Rechnersystem *n*
computer system
Rechenvorzeichen *n* [COBOL]
operational sign [COBOL]
Rechenwerk *n,* arithmetisch-logische Einheit *f*
(ALU)
Der Teil der Zentraleinheit im Digitalrechner
(bzw. Mikroprozessor), der Rechenoperationen
und logische Verknüpfungen durchführt. Die
Ergebnisse werden im Akkumulator
gespeichert.
arithmetic logic unit (ALU)
The part of the central processing unit in a
digital computer (or microprocessor) which
performs arithmetic calculations and logical
operations. The results are stored in the
accumulator.
Rechenzentrum *n*
computing center, computer center, data

processing center
Rechenzyklus *m* [Zyklus für die Ausführung
einer Grundrechenart]
arithmetic cycle [cycle for the execution of a
basic computation operation]
Rechner *m,* Rechenanlage *f,* Computer *m,*
Datenverarbeitungsanlage *f*
computer
Rechner der fünften Generation *m*
Rechner, die von der klassischen von-
Neumann-Rechnerarchitektur abweichen und
auf völlig neuen Technologien beruhen (z.B.
höchstintegrierte Schaltungen, künstliche
Intelligenz, Expertensysteme, Sprach- und
Bilderkennung).
fifth-generation computer
A non-von-Neumann form of computer based on
advanced technologies (e.g. very large scale
integration, artificial intelligence, expert
systems, speech and picture recognition).
Rechner mit reduziertem Befehlsvorrat *m,*
RISC-Rechner *m* [Rechner, der ausgelegt
wurde, eine kleine Zahl einfacher Befehle sehr
schnell auszuführen]
RISC (Reduced Instruction Set Computer)
[computer designed to carry out a small
number of simple instructions at high speed]
rechnerabhängig
computer-dependent
Rechnerabsturz *m,* Absturz *m*
computer crash, crash
Rechnerarchitektur *f,* Computerarchitektur *f*
Der hard- und softwaremäßige Aufbau eines
elektronischen Rechners sowie seine interne
Organisation und die Art der
Informationsverarbeitung.
computer architecture
The hardware and software structure of an
electronic computer, its internal organization
and the way in which data is processed.
Rechnerausgabe über Mikrofilm *f* (COM)
computer output on microfilm (COM)
Rechnerbelastung *f*
computer workload
Rechnerbelegungszeit *f,* Maschinenzeit *f*
machine time, computer time
Rechnergeneration *f,* Computergeneration *f*
Die Einteilung von elektronischen
Rechenanlagen nach ihrem technischen
Entwicklungsstand: Röhrentechnik (1.
Generation); Halbleiterbauelemente (2.);
integrierte Schaltungstechnik (3.);
hochintegrierte Schaltungstechnik (4.); nicht-
von-Neumann-Architektur (5.).
computer generation
The classification of electronic computers
according to their technological state of
development: electron tubes (1st generation);
semiconductor components (2nd); integrated

circuit technology (3rd); large scale integrated circuit technology (4th); non-von-Neumann architecture (5th).

rechnergesteuert
computer-controlled

rechnerintegrierte Fertigung *f,* CIM
CIM (computer-integrated manufacturing)

Rechnerkommunikationssystem *n*
computer communication system

Rechnerkopplung *f*
computer linking

Rechnerlauf *m,* Programmlauf *m,* Programmausführung *f,* Programmdurchlauf *m*
program run, computer run

Rechnermodul *m*
computer module

Rechnernetz *n,* Rechnerverbund *m* [System, das aus mehreren Rechnern besteht, die über Datenkommunikationsleitungen miteinander verbunden sind]
computer network [system comprising several computers interconnected by data communication channels]

Rechnerprogramm *n*
computer program

Rechnerschnittstelle *f*
computer interface

Rechnersimulation *f*
computer simulation

Rechnersystem *n,* Rechensystem *n*
computer system

Rechnertechnik *f*
computer technology

rechnerunabhängig
computer-independent

rechnerunterstützt
computer-aided

rechnerunterstützte Arbeitsplanung *f* (CAP)
computer-aided planning (CAP)

rechnerunterstützte Entwicklung *f* (CAE)
computer-aided engineering (CAE)

rechnerunterstützte Fertigung *f* (CAM)
computer-aided manufacturing (CAM)

rechnerunterstützte Konstruktion *f* (CAD)
computer-aided design (CAD)

rechnerunterstützte Montage *f* (CAA)
computer-aided assembly (CAA)

rechnerunterstützte Prüfung *f* (CAT)
computer-aided testing (CAT)

rechnerunterstützte Qualitätskontrolle *f* (CAQ)
computer-aided quality control (CAQ)

rechnerunterstütztes Zeichnen *n* (CAD)
computer-aided drafting (CAD)

Rechnerverbund *m,* Rechnernetz *n* [System, das aus mehreren Rechnern besteht, die über Datenkommunikationsleitungen miteinander verbunden sind]
computer network [system comprising several computers interconnected by data communication channels]

Rechnerverbundbetrieb *m*
distributed processing, multiprocessor operation

rechte Klammer *f*
right parenthesis

Rechteckimpuls *m*
rectangular pulse, square pulse

Rechteckmodulation *f*
square-wave modulation

Rechteckschwingung *f*
square-wave oscillation

Rechtecksignal *n*
square-wave signal

Rechteckwellenform *f*
square waveform

Rechteckwellengenerator *m*
square-wave generator

rechter Rand *m*
right margin

rechts ausgeglichen, rechtsbündig
right-justified

rechts ausgleichen, rechtsbündig ausführen
right-justify, to

Rechtsausrichtung *f*
right justification

rechtsbündig, rechts ausgeglichen
right-justified

rechtsbündig ausrichten
flush right, to; right-justify, to

rechtsbündiger Flattersatz *m* [rechtsbündige Textformatierung ohne Ausgleich des linken Randes]
ragged left margin [text formatting without alignment of left margin]

Rechtschreibfehler *m,* Orthographiefehler *m*
spelling error

Rechtschreibprogramm *n,* Orthographieprogramm *n*
spell checker, spellchecker, spelling checker

Rechtschreibüberprüfung *f,* Orthographieüberprüfung *f*
spell checking, spellchecking, spelling check

rechtsdrehend, rechtslauf
clockwise

Rechtsverschiebung *f* [Versetzen von Bitmustern nach rechts]
right shift [move bit patterns to the right]

rechtwinklige Koordinaten *f.pl.,* kartesische Koordinaten *f.pl.*
cartesian coordinates

redundanter Code *m* [Code, bei dem nicht alle zur Verfügung stehenden Verschlüsselungen benutzt werden; ein redundanter Code erlaubt die Anwendung automatischer Fehlererkennungs- und Korrekturmethoden]
redundant code [a code in which not all available code combinations are utilized; a

redundant code enables automatic error
detection and correction methods to be applied]
redundantes Zeichen *n*
redundant character
Redundanz *f* [allgemein]
redundancy [general]
Redundanzprüfung *f*
redundancy check
Redundanzprüfzeichen *n*
redundancy check character
reelle Zahl *f*
real number
reeller Leitwert *m*, Leitwert *m*, Konduktanz *f*
[Reziprokwert des Widerstandes; SI-Einheit:
Siemens]
conductance [reciprocal value of resistance;
SI unit: siemens]
Referenzbit *n*
reference bit
Referenzdiode *f*, Spannungsreferenzdiode *f*
reference diode, voltage reference diode
Referenzelement *n*
reference element
Referenzfilter *n*, Meßfilter *n*
reference filter
Referenzlinie *f*
reference line
Referenzspannung *f*, Bezugsspannung *f*,
Vergleichsspannung *f*
reference voltage
reflektierter Binärcode *m*, Gray-Code *m* [ein
Binärcode für Dezimalziffern, der Abtastfehler
dadurch verringert, daß sich zwei
aufeinanderfolgende Zahlenwerte nur in einem
Bit unterscheiden]
reflected binary code, Gray code [a binary
code for decimal digits in which, for minimizing
scanning errors, the codes for consecutive
numbers differ by only one bit]
Reflexion *f*
reflection
Reflow-Löten *n*, Aufschmelzlöten *n* [Verfahren
zur Behandlung von Leiterplatten]
reflow soldering [process for the treatment of
printed circuit boards]
Regelalgorithmus *m*
control algorithm
Regelgröße *f* [in einem Regelsystem]
controlled variable [in an automatic control
system]
Regelkreis *m* [allgemein]
control loop [general]
Regelkreis *m*, Regelschleife *f*, geschlossene
Schleife *f*
closed loop
Regelstrecke *f* [in einem Regelsystem]
controlled system [in an automatic control
system]
Regelsystem *n*

automatic control system, control system,
feedback control system
Regelung *f*
closed-loop control, automatic control
Regelverhalten *n*
control action
regenerativer Speicher *m*
regenerative storage
regenerieren [Daten]
regenerate, to; rewrite, to [data]
regenerieren [Impulse]
reshape [pulses]
Regenerierung *f*
regeneration
Register *n* [in der Regel ein aus Flipflops
bestehender Speicher mit sehr kurzer
Zugriffszeit zur Speicherung eines Operanden-,
Befehls- oder Datenwortes]
register [storage device, usually consisting of
flip-flops and hence with very short access time,
for storing an operand, instruction or data
word]
Register doppelter Wortlänge *n*
double-length register, double register
Register dreifacher Wortlänge *n*
triple-length register, triple register
Register mit arithmetisch-logischer Einheit
n.pl., RALU [Bit-Slice-Prozessor mit Registern]
RALU, registers and arithmetic-logic unit [bit-
slice processor with registers]
Registerauswahl *f*
register select (RS)
Registerbefehl *m*
register instruction
Registerpaar *n*
register pair
Registertreiber *m*
register driver
Registriergerät *n*
recording instrument, recorder
Registrierkasse *f*
cash register
Regler *m* [z.B. integral-wirkender (I-),
differential-wirkender (D-) oder proportional-
wirkender (P-) Regler]
controller [e.g. integral (I), differential (D) or
proportional (P) action controller]
Regressionsanalyse *f*
regression analysis
Reichweiteverteilung *f* [bei der
Ionenimplantation]
range distribution [in ion implantation]
Reihe *f*
series
Reihenfolge *f*, Rangfolge *f*
order
reihengeschaltet, in Reihe geschaltet,
vorgeschaltet
connected in series, series-connected

Reihenparallelschaltung f
series-parallel connection
Reihenschaltung f, Kaskadenschaltung f
series connection, cascade connection
reine Binärdarstellung f [Darstellung einer
Dezimalzahl gesamthaft durch Binärzeichen;
im Gegensatz zu binärcodierten Dezimalziffern]
pure binary notation [representation of a
decimal number as a whole by binary digits; in
contrast to representation of individual decimal
digits using binary coded decimals]
Reinigungsbad n
cleaning bath
Reinigungsmittel n
cleaning agent
Reinraum m
clean room
Rekombination f
Die Vereinigung bzw. Wiedervereinigung von
Elektronen und Defektelektronen oder von
positiven und negativen Ionen.
recombination
The combination or reunion of electrons and
holes or of positive and negative ions.
Rekombinationsgeschwindigkeit f
Die Geschwindigkeit, mit der sich Elektronen
und Defektelektronen bzw. positive und
negative Ionen vereinigen bzw.
wiedervereinigen.
recombination velocity
The speed with which electrons and holes or
positive and negative ions unite or reunite.
Rekombinationsrate f
recombination rate
Rekombinationszentrum n
Störstellen, Gitterfehler usw. innerhalb eines
Halbleiters oder an seiner Oberfläche, die zur
Rekombination von Ladungsträgern führen.
recombination center
Impurities, lattice imperfections, etc. within a
semiconductor or on its surface which lead to
the recombination of charge carriers.
Rekonfiguration f
reconfiguration
Rekursion f
recursion
rekursiv lösbares Problem n
recursively solvable problem
rekursiv
recursive
rekursives Programm n
recursive program
relationales Datenbanksystem n [verwendet
eine 2-dimensionale Tabellenstruktur zur
Speicherung der Datensätze; im Gegensatz zu
hierarchischen und Netzwerksystemen]
relational data base system [uses a 2-
dimensional table structure for storing records;
in contrast to hierarchical and network-type

structures]
relative Adresse f
relative address
relative Adressierung f [Adressierung bezogen
auf eine Grundadresse, die in einem Register
enthalten ist; wird oft bei Sprungbefehlen
verwendet]
relative addressing [addressing referred to a
base address contained in a register; is often
used with jump instructions]
relative Datei f
relative file
relativer Schlüssel m
relative key
relativierbares Programm n, verschiebbares
Programm n, Relativprogramm n
relocatable program
Relativlader m, Lader für verschiebbare
Programme m [ein Programmlader, der die im
Programm angegebenen Adressen um eine
Ladeadresse (Programmanfang) erhöht; im
Gegensatz zu einem Absolutlader]
relocating loader [a program loader which
increases the addresses contained in a program
by an amount corresponding to the loading
address (program start); in contrast to an
absolute loader]
Relativprogramm n, verschiebbares Programm
n, relativierbares Programm n [ein Programm,
dessen Adressen angepaßt werden können,
wenn das Programm in einen anderen
Adressenbereich verschoben wird]
relocatable program [a program whose
addresses can be adjusted when the program is
moved into another address area]
Relaxation f
relaxation
Relaxationsoszillator m, Kipposzillator m,
Kippschwinger m
relaxation oscillator
REM-Anweisung f [Anweisung zur
Kennzeichnung eines Kommentares in BASIC]
REM instruction [in BASIC a statement
designating a comment or remark]
Remittanz f, Kurzschluß-
Übertragungsadmittanz rückwärts f,
Kurzschluß-Rückwärtssteilheit f
[Transistorkenngrößen: y-Parameter]
short-circuit reverse transfer admittance
[transistor parameters: y-parameter]
REPROM m, umprogrammierbarer
Festwertspeicher m
Festwertspeicher, der vom Anwender mit
Ultraviolettlicht gelöscht und elektrisch wieder
neu programmiert werden kann. Auch EPROM
genannt.
REPROM (reprogrammable read-only
memory)
Read-only memory that can be erased by

ultraviolet light and reprogrammed by the user. Also called EPROM.

Reservebetrieb m, Wartebetriebsart f
standby mode, backup operation

Reservegerät n, Ersatzgerät n
standby unit, backup unit, replacement unit

Reserverechner m
standby computer, backup computer

Reservestromversorgung f
standby power supply, backup power supply

Reservezustand m, Bereitschaftszustand m, Wartezustand m
standby state

Reset n, Rücksetzen n [Zurückkehren zu einem definierten Ausgangszustand, z.B. Löschen des Inhaltes eines Registers, Speichers usw.]
reset (RES) [returning to a defined initial state, e.g. clearing the contents of a register, memory, etc.]

Reset-Befehl m, Rücksetzbefehl m
reset command

Reset-Taste f, Rücksetztaste f [wird im Rechner zwecks Abbrechen des laufenden Programmes und Rückkehr zum Ausgangs- bzw. Startzustand verwendet]
reset key [used in a computer to abort the running program and return to the initial state or start condition]

resident, speicherresident [bedeutet, daß ein Programm im Hauptspeicher permanent abgelegt ist]
resident [signifies that a program is permanently stored in main memory]

residenter Compiler m
resident compiler

residenter Makroassembler m
resident macroassembler

residentes Programm n
resident program

resonanter Tunneltransistor m (RTT) [Transistor mit Quantum-Well-Struktur, der auf dem Tunneleffekt basiert]
resonant tunneling transistor (RTT) [a transistor comprising a quantum well structure and which is based on the tunneling effect]

Resonanz f
resonance

Resonanzverstärker m
tuned amplifier

Resonator m
resonator

Rest m [Divisionsrest]
remainder [remainder of a division]

Restglied n [einer unendlichen Reihe]
remainder [of an infinite series]

Restseitenbandmodulation f
vestigial-sideband modulation

Restseitenbandübertragung f
vestigial-sideband transmission

Reststrom m [in einem Bipolartransistor der durch einen in Sperrichtung vorgespannten PN-Übergang fließende Strom, insbesondere der Kollektor-Basis- und der Kollektor-Emitter-Reststrom]
cut-off current [the current flowing through the reverse biased pn-junction of a bipolar transistor, particularly the collector-base and the collector-emitter cut-off current]

RET-Verfahren n [von Hewlett-Packard entwickeltes Verfahren, um die Laserdruck-Auflösung durch Verwendung variabler Punktgröße zu erhöhen]
RET (Resolution Enhanced Technology) [method developed by Hewlett-Packard for increasing laser printer resolution by using variable point size]

Reticle n, Zwischenmaske f [Photolithographie] Die anhand der Maskenvorlage mittels photographischer Verkleinerung erstellte Zwischenmaske. Das Reticle wird anschließend mit Hilfe eines Step-und-Repeat-Verfahrens vervielfältigt und auf die Originalgröße des Wafers verkleinert.
reticle [photolithography] The intermediate mask produced from the initial artwork by a first photographic reduction step. The reticle is then reproduced with the aid of a step-and-repeat process and reduced by a final reduction step to the dimensions of the wafer.

reversibler Prozeß m, umkehrbarer Prozeß m
reversible process

reziproker Wert m
reciprocal value

Reziprozität f
reciprocity

RGB (Rot Grün Blau) [Videosignale für Farbbildschirm]
RGB (Red Green Blue) [video signals used by colour monitor]

Richtig-/Falsch-Bedingung f
true/false condition, true/false clause

Richtungsbetrieb m, Simplexbetrieb m [Datenübertragung nur in einer Richtung; im Gegensatz zum Duplexbetrieb]
simplex operating mode, unidirectional operation [data transmission in one direction only; in contrast to duplex mode]

Richtungsschrift f, Wechselschrift f, NRZ-Schrift f [Schreibverfahren für die Magnetbandaufzeichnung; Aufzeichnung ohne Rückkehr nach Null]
non-return-to-zero recording (NRZ) [magnetic tape recording method]

Richtungstaktschrift f [Schreibverfahren für Magnetbandaufzeichnung]
phase encoding, phase modulation recording [magnetic tape recording method]

Richtungstaste *f*, Pfeiltaste *f* [zur Bewegung des Zeigers (Cursors) auf dem Bildschirm]
arrow key [key for moving cursor on display]
Richtungsvorgabe *f*
direction select (DS)
Ring-Topologie *f* [Netzwerk]
ring topology [network]
Ringborgen *n* [Verschieben einer Borgeziffer von der höchstwertigen zur niedrigstwertigen Stelle]
end-around borrow [shifting a borrow digit from the most significant to the least significant place]
Ringkern *m*
toroid
Ringleitung *f* [ringförmige Datenübertragungsleitung für das Zusammenschalten mehrerer Datenstationen]
ring line, loop [ring-type or looped data transmission line for connecting numerous data stations]
Ringliste *f*
circular list
Ringnetz *n* [lokales Netz für den Anschluß von Datenstationen]
ring network [local network for connecting data stations]
Ringoszillator *m*
ring oscillator
Ringresonator *m*
ring resonator
Ringschieben *n*, zyklisches Verschieben *n* [Verschieben eines Binärzeichens vom Ausgang eines Schieberegisters wieder in den Eingang]
circular shift, cyclic shift, end-around shift [moving a binary digit from the output of a shift register and reentering it in the input]
Ringschieberegister *n*, Umlaufschieberegister *n* [ein Schieberegister, bei dem Binärzeichen vom Ausgang wieder in den Eingang geschoben werden]
circulating register, cyclic shift register, end-around shift register [a shift register in which bits from the output are pushed back into the input]
Ringstruktur *f* [Datenorganisation mit Verkettung]
ring structure [data organization with chaining]
Ringübertrag *m*, Rückübertrag *m*, Komplementübertrag *m* [Verschieben einer Übertragsziffer von der höchstwertigen zur niedrigstwertigen Stelle]
end-around carry, complement carry [shifting a carry digit from the most significant to the least significant place]
Ringverschieben *n*, zyklisches Verschieben *n* [Verschieben eines Binärzeichens vom Ausgang eines Schieberegisters wieder in den Eingang]

cyclic shift, circular shift, end-around shift [moving a binary digit from the output of a shift register and reentering it in the input]
Ringzähler *m*
ring counter
Ripple-Zähler *m*
ripple adder
RISC-Rechner *m*, Rechner mit reduziertem Befehlsvorrat *m* [Rechner, der ausgelegt wurde, eine kleine Zahl einfacher Befehle sehr schnell auszuführen]
RISC (Reduced Instruction Set Computer) [computer designed to carry out a small number of simple instructions at high speed]
RJE-Betrieb *m* [Betriebsart eines Terminals, bei der kein Dialog möglich ist; die vom Terminal aufgegebenen Aufträge werden vom Rechner in Stapelverarbeitung durchgeführt]
RJE mode (remote job entry mode) [terminal operating mode without interactive capability; jobs entered from the terminal are batch processed by the computer]
RLE [Algorithmus für die Datenkomprimierung, der die Redundanz von wiederholten Datenmustern nutzt]
RLE (Run Length Encoding) [a data compression algorithm taking advantage of redundancy in repeated patterns]
RLL-Aufzeichnung *f* [Aufzeichnungsmethode für Festplatten mit Datenkompression]
RLL recording (Run-Length Limited) [recording method for hard disks using data compression]
RMOS-Feldeffekttransistor *m*
MOS-Feldeffekttransistor, dessen Gate (Steuerelektrode) aus einem schwerschmelzbaren Metall (z.B. Molybdän oder Wolfram) besteht.
RMOS field-effect transistor (refractory metal-oxide-semiconductor field-effect transistor)
MOS field-effect transistor with a gate consisting of a refractory metal (e.g. molybdenum or tungsten).
Roboter *m*
robot
Robotertechnik *f*
robotics
ROD [wiederbeschreibbare optische Platte]
ROD (Rewritable Optical Disk)
Rollbalken *m*, Bildlaufleiste *f* [zur Verschiebung des Bild- bzw. Fensterinhaltes]
scroll bar [for moving screen or window contents]
Rollenpapier *n*
roll paper
Rollfunktion *f*, Bildschirmblättern *n*
scrolling function
Rollkugel *f* [Eingabegerät zur Steuerung des

Zeigers (Cursors) auf dem Bildschirm; hat die
gleiche Wirkung wie ein Steuerknüppel]
track ball, tracking ball [input device for
moving the cursor on the display; has the same
effect as a joystick]
ROM *m,* Festwertspeicher *m,* Nur-Lese-Speicher
[Speicher, dessen Inhalt nur gelesen und im
normalen Betrieb weder gelöscht noch
verändert werden kann]
ROM (read-only memory) [memory from which
stored information can only be read out and, in
normal operation, cannot be erased or altered.
ROM-BIOS [BIOS im ROM-Bereich des
Hauptspeichers gespeichert]
ROM BIOS [BIOS stored in ROM area of main
memory]
ROM-Chip-Freigabe *f*
Bei Mikroprozessorsystemen ein Signal, das
einen ausgewählten ROM für das Auslesen von
Daten freigibt.
ROM chip enable
In microprocessor-based systems, a signal
which permits reading from a selected ROM.
ROM-Karte *f* [Leiterplatte, die ein oder mehrere
ROMs enthält]
ROM board [printed circuit board containing
one or more ROMs]
ROM-Mikroprogrammierung *f*
ROM microprogramming
ROM-resident [Programm, das permanent in
einem ROM-Speicherbereich im Hauptspeicher
enthalten ist]
ROM-resident [program permanently
contained in a ROM storage area in main
memory]
Röntgenstrahllithographie *f*
Verfahren, das es ermöglicht, mit Hilfe von
Röntgenstrahlen sehr feine
Schaltungsstrukturen auf die Halbleiterscheibe
zu übertragen.
x-ray lithography
Process which allows very fine circuit
structures to be reproduced on the wafer with
the aid of x-rays.
Rotation *f* [graphische Manipulation]
rotation [graphical manipulation]
Round-Robin-Verfahren *n* [Zuteilung gleich
großer Zeitscheiben an alle Prozesse]
round robin method [allocation of equal time
slices to all processes]
Routine *f* [abgeschlossener Programmteil zur
Lösung einer spezifischen, oft verwendeten
Aufgabe, z.B. zur Ausführung mathematischer
Funktionen]
routine [self-contained program section for
solving an often-used specific task, e.g. for
executing mathematical functions]
Routinebibliothek *f*
routine library

Routinename *m*
routine name
RPG, Listenprogrammgenerator *m* [Programm
mit Formatier- und Rechenbefehlen zur
Erstellung von anwenderspezifischen Listen]
RPG (report program generator), report
generator [program with formatting and
computational functions for the output of user-
specific lists or reports]
RPN, umgekehrte polnische Schreibweise *f,*
Postfixschreibweise *f,* klammerfreie
Schreibweise *f* [eliminiert Klammern bei
mathematischen Operationen, z.B. wird (a+b)
als ab+ und c(a+b) als cab+* geschrieben]
RPN (reverse Polish notation), postfix notation,
parenthesis-free notation [eliminates brackets
in mathematical operations, e.g. (a+b) is
written as ab+ and c(a+b) as cab+*]
RS-232-C-Schnittstelle *f,* EIA-232-C-
Schnittstelle *f* [genormte Schnittstelle für die
asynchrone serielle Datenübertragung gemäß
EIA]
RS-232-C interface, EIA 232-C interface
[standard interface for serial asynchronous
data transmission according to EIA]
RS-Flipflop *n* [eine Kippschaltung mit zwei
Eingängen R und S; mit S = 1 wird die
Schaltung gesetzt (Zustand 1) und mit R = 1
wird sie rückgesetzt (Zustand 0)]
RS flip-flop, SR flip-flop, set-reset flip-flop [a
flip-flop with two inputs R and S; when S = 1
the circuit is set (state 1) and with R = 1 it is
reset (state 0)]
RST-Flipflop *n,* getaktetes RS-Flipflop *n* [ein
RS-Flipflop mit einem zusätzlichen
Takteingang (T)]
RST flip-flop, triggered RS flip-flop, clocked
RS flip-flop [an RS flip-flop with an additional
input (T) for a trigger or clock signal]
RTL *f,* Widerstand-Transistor-Logik *f*
Logikfamilie, bei der die logischen
Verknüpfungen durch Widerstände ausgeführt
werden und die Transistoren als
Ausgangsinverter wirken.
RTL (resistor-transistor logic)
Logic family in which logic functions are
performed by resistors, the transistors acting
as output inverters.
RTT *m,* resonanter Tunneltransistor *m*
[Transistor mit Quantum-Well-Struktur, der
auf dem Tunneleffekt basiert]
RTT (resonant tunneling transistor) [a
transistor comprising a quantum well structure
and which is based on the tunneling effect]
Rückätzen *n* [Leiterplatten]
etch back [printed circuit boards]
Rückdiffusion *f*
back diffusion
Rückfall *m* [Neustart eines Prozessors]

fallback [restart of processor]
Rückflanke *f* [eines Impulses]
trailing edge [of a pulse]
Rückfragesignal *n*
request signal
Rückführung *f*, Rückkopplung *f*
feedback
Rückführungsschaltung *f*,
Rückkopplungsschaltung *f*
feedback circuit
Rückgabeanweisung *f*
return statement
rückgängig machen
undo, to
Rückinjektion *f*
back injection
Rückkehrbefehl *m*, Rücksprungbefehl *m*
return instruction
Rückkopplung *f*, Rückführung *f*
feedback
Rückkopplungsfaktor *m*
feedback factor
Rückkopplungsschaltung *f*,
Rückführungsschaltung *f*
feedback circuit
Rückkopplungsschleife *f*
feedback loop
Rückkopplungssignal *n*
feedback signal
Rückkopplungsverstärker *m*
feedback amplifier
Rücklauf *m* [Bildschirm]
flyback [screen]
Rückmeldung *f*
acknowledgement
Rücknahmefunktion *f*
undo function
Rückschleife *f* [Telekommunikationstechnik]
loopback [telecommunications]
Rücksetzbefehl *m*, Reset-Befehl *m*
reset command
Rücksetzeingang *m*, Löscheingang *m* [Eingang,
über den z.B. ein Flipflop zurückgesetzt
(gelöscht) werden kann]
erase input, reset input [input for resetting
e.g a flip-flop
Rücksetzen *n*, Reset *n* [Zurückkehren zu einem
definierten Ausgangszustand, z.B. Löschen des
Inhaltes eines Registers, Speichers usw.]
reset (RES) [returning to a defined initial
state, e.g. clearing the contents of a register,
memory, etc.]
rücksetzen, rückstellen [in Ausgangsstellung
bringen]
reset, to [to restore initial conditions]
Rücksetzfunktion *f*
reset function
Rücksetzimpuls *m*, Rückstellimpuls *m*
reset pulse

Rücksetztaste *f*, Löschtaste *f* [z.B. eines Zählers]
reset key [e.g. of a counter]
Rücksetztaste *f*, Reset-Taste *f* [wird im Rechner
zwecks Abbrechen des laufenden Programmes
und Rückkehr zum Ausgangs- bzw.
Startzustand verwendet]
reset key [used in a computer to abort the
running program and return to the initial state
or start condition]
Rücksprung *m* [z.B. zum Hauptprogramm aus
einem Unterprogramm]
return [e.g. to main program from a
subroutine]
Rücksprungadresse *f*
return address
Rücksprungbefehl *m*, Rückkehrbefehl *m*
return instruction
Rücksprungregister *n*
return register
Rücksprungstelle *f*, Wiedereintrittstelle *f*
reentry point
rückspulen [Magnetband]
rewind [magnetic tape]
Rückspulgeschwindigkeit *f* [eines
Magnetbandlaufwerkes]
rewind speed [of magnetic tape drive]
Rückstand *m*
backlog
rückstellbarer Pufferspeicher *m*
resettable buffer storage
rückstellen, rücksetzen [in Ausgangsstellung
bringen]
reset, to [to restore initial conditions]
Rückstellimpuls *m*, Rücksetzimpuls *m*
reset pulse
Rückstellstapel *m* [Kellerspeicher mit
Rücksprungadresse]
push-down stack [stack with return address]
Rückstelltaste *f* [eines Zählers]
reset button [of a counter]
Rückstellung auf Null *f*
zero reset
Rückstellzeit *f*
reset time
Rückstreuung *f*
back scattering
Rücktaste *f*
backspace key
Rückübertrag *m*, Ringübertrag *m*,
Komplementübertrag *m* [Verschieben einer
Übertragsziffer von der höchstwertigen zur
niedrigstwertigen Stelle]
end-around carry, complement carry
[shifting a carry digit from the most significant
to the least significant place]
Rückverfolgung *f*
backtracking
Rückverteilung *f* [von Elektronen]
redistribution [of electrons]

Rückverweis *m*
  back reference
Rückwandplatine *f,* Verdrahtungsplatine *f,*
  Backplane *f* [Leiterplatte, die sämtliche
  Verdrahtungen (z.B. Busleitungen) aller
  Funktionsteile (Leiterplatten) eines
  Mikroprozessorsystems enthält]
    backplane [printed circuit board containing all
    wiring connections (e.g. bus lines) for all
    functional modules (printed circuit boards) of a
    microprocessor system]
rückwärts blättern, aufwärts blättern
  page up, to
rückwärts rollen
  scroll up, to
Rückwärtsdiode *f*
  backward diode
Rückwärtskennlinie *f*
  reverse-voltage-current characteristic
rückwärtsleitend
  reverse conducting
rückwärtsleitende Thyristordiode *f*
  reverse-conducting diode thyristor
rückwärtsleitende Thyristortriode *f*
  reverse-conducting triode thyristor
Rückwärtsrichtung *f,* Sperrichtung *f* [z.B. bei
  einem PN-Übergang]
    reverse direction [e.g. in the case of a pn-
    junction]
Rückwärtsrollen *n*
  reverse scrolling
Rückwärtsschritt *m*
  backspace (BS)
Rückwärtsschrittzeichen *n*
  backspace character
Rückwärtsspannung *f,* Sperrspannung *f*
  reverse voltage
rückwärtssperrende Thyristordiode *f*
  reverse-blocking diode thyristor
rückwärtssperrende Thyristortriode *f*
  reverse-blocking triode thyristor
Rückwärtsstrom *m,* Sperrstrom *m* [der durch
  einen PN-Übergang in Rückwärtsrichtung
  fließende Strom]
    reverse current, reverse-bias current [the
    current flowing through a pn-junction in
    reverse direction]
Rückwärtsverkettung *f*
  backward chaining
rückwärtszählen, herunterzählen,
  abwärtszählen
    count downwards, to
Rückwärtszähler *m,* Abwärtszähler *m*
  down counter, decrementer
Rückwirkung *f*
  reaction
Rückwirkungsadmittanz *f*
  reverse transfer admittance
Rückwirkungsimpedanz *f*

  reverse transfer impedance
Rückwirkungsinduktivität *f*
  reverse transfer inductance
Rückwirkungskapazität *f*
  reverse transfer capacitance
Ruhekontakt *m*
  break contact
Ruhepunkt *m*
  quiescent point
Ruhestatus *m*
  idle status
Ruhestrom *m*
  quiescent current
Ruhezeit *f*
  unused time
Ruhezustand *m*
  quiescent state, idle state, idle condition
Run-Befehl *m,* Programmstartbefehl *m*
  [Startbefehl für im Hauptspeicher geladenes
  Programm]
    run instruction [instruction for starting
    program loaded in main memory]
runde Klammer *f*
  parenthesis, round bracket
runden
  round, to; half-adjust, to
Rundgehäuse *n* [Gehäuseform, z.B. ein TO-
  Gehäuse]
    can, can-type package [package style, e.g. a TO
    package]
Rundsteckverbinder *m*
  circular connector
Rundungsfehler *m*
  rounding error
Rüstzeit *f*
  setup time

S

SAA [Systemanwendungs-Architektur; von IBM entwickelte einheitliche Standards]
SAA (Systems Application Architecture) [unified standards established by IBM]
Sägezahnsignal n
sawtooth signal
Sägezahnspannung f
sawtooth voltage
SAGM-Lawinenphotodiode f [Lawinenphotodiode mit Multiquantum-Well-Struktur]
SAGM-APD (separate absorption grading and multiplication avalanche photodiode) [a photodiode using a multiquantum well structure]
SAGMOS-Transistor m, MOS-Transistor mit selbstjustierender Gateelektrode m
SAGMOS transistor (self-aligning gate MOS transistor)
Saldiermaschine f, Additionsmaschine f
adding machine, calculator
SAM-Lawinenphotodiode f [Lawinenphotodiode mit Multiquantum-Well-Struktur]
SAM-APD (separate absorption and multiplication avalanche photodiode) [a photodiode using a multiquantum well structure]
sammelndes Lesen n, gestreutes Schreiben n [Verteilung von Sätzen in einem Arbeitsspeicher ohne Rücksicht auf eine gegebene Reihenfolge; die Aneinanderreihung erfolgt durch Datenkettung]
scattered write, gathered read [scattering of records in a working storage without consideration of order; chaining is used to bring the records together]
SAMOS-Transistor m, Stapelgate-Lawineninjektions-MOS-Transistor m [Variante des FAMOS-Transistors]
SAMOS transistor (stacked-gate avalanche injection MOS transistor) [a variant of the FAMOS transistor]
Sandwich-Leitung f, Streifenleitertechnik f
sandwich line, stripline technique
Satellitenrechner m [kleinerer Rechner, der mit einem zentralen Rechnersystem bzw. Großrechner verbunden ist und der Kommunikation mit dem Benutzer dient]
satellite computer [small computer connected to a central computer system or large host computer and used for communication with the user]
SATO-Technik f
Isolationsverfahren für integrierte MOS-

Schaltungen, bei dem die einzelnen Strukturen der Schaltung durch lokale Oxidation von Silicium voneinander isoliert werden.
SATO technology (self-aligned thick oxide technology)
Isolation technique for MOS integrated circuits which provides isolation between the circuit structures by local oxidation of silicon.
Sättigung f
Zustand bei nichtlinearen Bauelementen (z.B. bei einem Bipolartransistor), bei dem trotz weiterer Zunahme der Eingangsgröße (z.B. des Basisstromes) keine Steigerung der Ausgangsgröße (z.B. des Kollektorstromes) auftritt.
saturation
Condition in nonlinear components (e.g. in a bipolar transistor) in which a further increase of the input parameter (e.g. the base current) does not lead to an increase in the output parameter (e.g. the collector current).
Sättigungsbereich m
saturation region
Sättigungsbetrieb m [Betriebsart von Transistoren]
saturated mode [operating mode of transistors]
Sättigungspunkt m
saturation point
Sättigungsspannung f
saturation voltage
Sättigungsstrom m
saturation current
Sättigungswiderstand m
saturation resistance
Sättigungszeit f
saturation time
Sättigungszustand m
saturation state, saturated state
Satz m, Datensatz m [zusammenhängende Daten, die als Einheit betrachtet werden; ein Satz besteht aus mehreren Datenfeldern; mehrere Sätze bilden einen Block; ein Satz kann geblockt oder ungeblockt und von fester oder variabler Länge sein]
record, data record [set of related data treated as a unit; a record comprises several data fields, several records form a block; a record can be blocked or unblocked and of fixed or variable length]
Satz fester Länge m
fixed-length record
Satz variabler Länge m
variable-length record
Satzadresse f
record address
Satzbereich m
record area
Satzbeschreibung f

record description
Satzblock *m*, Block *m*
  record block, block
Satzende *n*, Ende der Sätze *n*
  EOR (end of record)
Satzformat *n*, Satzstruktur *f*
  record format, record layout
Satzkennung *f*
  record label
Satzlänge *f*
  record length
Satzname *m*, Datensatzname *m*
  record name
Satznummer *f*
  record number
Satzparameter *m*
  record parameter
Satzstruktur *f*, Satzformat *n*
  record format, record layout
Satzüberlauf *m*
  record overflow
satzweise
  record-by-record
Satzzählung *f*
  record count
Satzzeichen *n*
  punctuation character
Satzzwischenraum *m* [Datenaufzeichnung auf
  Magnetband]
  interrecord gap, record gap [data recording
  on magnetic tape]
Säulendiagramm *n*, Balkendiagramm *n*
  bar chart
Säulengraphik *f*, Balkengraphik *f*
  bar graphics
SBC-Technik *f*
  Technik für die Herstellung von integrierten
  Bipolarschaltungen mit vergrabener Schicht.
  SBC technology (standard buried-collector
  technology)
  Technique used for fabricating bipolar
  integrated circuits with buried layers.
SC-Filter *m*, Schalter-Kondensator-Filter *m*
  SC filter (switched capacitor filter)
SC-Schaltung *f*, Schalter-Kondensator-
  Schaltung *f*
  SC circuit (switched capacitor circuit)
SC-Schaltungstechnik *f*, Schalter-Kondensator-
  Schaltungstechnik *f*
  SC circuit design (switched capacitor circuit
  design)
SC-Technik *f*, Schalter-Kondensator-Technik *f*
  [Technik für die Realisierung integrierter
  Schaltungen (in der Regel MOS-Schaltungen),
  bei denen die Widerstandsfunktionen durch
  geschaltete Kondensatoren ersetzt werden]
  SC technology (switched capacitor
  technology) [a technology for the design of
  integrated circuits (usually MOS circuits) in

which resistor functions are replaced by
  switched capacitors]
Scan-Code *m*, Tastaturcode *m*
  scan code [keyboard code]
Scanauflösung *f* [z.B. 400 Punkte/Zoll]
  scanning resolution [e.g. 400 dots/inch (dpi)]
Scanfehler *m*, Abtastfehler *m*
  scanning error
Scannen *n*, Bildabtastung *f*
  scanning, image scanning
scannen, abtasten [Bild]
  scan, to [image]
Scanner *m*, Abtaster *m*
  scanner
Scanner *m*, lexikalischer Analysator *m*
  [Compiler]
  scanner, lexical analyzer [compiler]
SCH-Laser *m* [Halbleiterlaser]
  SCH laser (separate confinement
  heterostructure laser) [semiconductor laser]
Schablone *f*
  template
schachteln
  nest, to
Schachtelung *f*, Verschachtelung *f* [die
  Verwendung von weiteren Programmschleifen
  innerhalb einer Programmschleife, d.h. eine
  Makrodefinition, die Makrobefehle enthält]
  nesting [the use of further program loops
  within a program loop, i.e. a macro definition
  containing macro instructions]
Schale *f* [z.B. eines Atoms]
  shell [e.g. of an atom]
Schale *f*, Shell *f* [als Benutzeroberfläche
  dienendes Teil eines Betriebssystems oder
  Softwarepaketes]
  shell [user interface part of operating system
  or software package]
Schalleistung *f*
  acoustic power
Schallpegel *m*
  sound level
Schallspeicher *m*, akustischer Speicher *m*
  acoustic memory, acoustic storage
Schaltalgebra *f*, Schaltlogik *f* [Anwendung der
  Booleschen Algebra auf logische Schaltungen]
  switching algebra, switching logic [the
  application of Boolean algebra to logical
  circuits]
schaltbar, umschaltbar
  switchable
Schaltdiode *f* [Halbleiterdiode, die als Schalter
  verwendet wird; schaltet um von hoher auf
  niedrige Impedanz und umgekehrt]
  switching diode [semiconductor diode used as
  switch; switches from high to low impedance
  and vice-versa]
Schaltdraht *m*
  jumper wire

Schaltelement *n*
  switching element
schalten
  switch, to
Schalter *m*
  switch
Schalter-Kondensator-Filter *m*, SC-Filter *m*
  switched capacitor filter (SC filter)
Schalter-Kondensator-Schaltung *f*, SC-
  Schaltung *f*
  switched capacitor circuit (SC circuit)
Schalter-Kondensator-Schaltungstechnik *f*,
  SC-Schaltungstechnik *f*
  switched capacitor circuit design (SC
  circuit design)
Schalter-Kondensator-Technik *f*, SC-Technik
  f [Technik für die Realisierung integrierter
  Schaltungen (in der Regel MOS-Schaltungen),
  bei denen die Widerstandsfunktionen durch
  geschaltete Kondensatoren ersetzt werden]
  switched capacitor technology (SC
  technology) [a technology for the design of
  integrated circuits (usually MOS circuits) in
  which resistor functions are replaced by
  switched capacitors]
Schaltfolge *f*
  switching sequence
Schaltfunktion *f*
  switching function
Schaltgeschwindigkeit *f*
  switching speed
Schaltkreis *m*, Schaltung *f*
  Anordnung eines oder mehrerer Bauelemente
  für die analoge oder digitale
  Signalverarbeitung.
  circuit
  An arrangement of one or more components for
  analog or digital signal processing.
Schaltlogik *f*, Schaltalgebra *f* [Anwendung der
  Booleschen Algebra auf logische Schaltungen]
  switching logic, switching algebra [the
  application of Boolean algebra to logical
  circuits]
Schaltmatrix *f*
  switching matrix
Schaltnetzteil *n*
  switched-mode power supply (SMPS),
  switching power supply
Schaltplan *m*, Stromlaufplan *m*
  circuit diagram
Schaltplan *m*, Verdrahtungsplan *m*,
  Schaltschema *n*
  wiring diagram
Schaltspannung *f*
  switching voltage
Schalttransistor *m*, Transistorschalter *m*
  Ein Transistor, der als elektronischer Schalter
  verwendet wird.
  transistor switch, switching transistor

A transistor which is used as an electronic
switch.
Schaltung *f*, Schaltkreis *m*
  Anordnung eines oder mehrerer Bauelemente
  für die analoge oder digitale
  ·Signalverarbeitung.
  circuit
  An arrangement of one or more components for
  analog or digital signal processing.
Schaltung mit phasenstarrer Schleife *f*, PLL-
  Baustein *m*
  PLL circuit (phase-locked loop circuit)
Schaltungsanordnung *f*
  circuit configuration
Schaltungselement *n*
  circuit element
Schaltungsentwurf *m*
  circuit design
Schaltungsentwurfstechnik *f*,
  Schaltungstechnik *f*
  circuit design techniques
Schaltungsfamilie *f*, Logikfamilie *f*,
  Logikschaltungsfamilie *f*
  Gruppe von Schaltungen, die nach dem
  gleichen Verfahren hergestellt sind und gleiche
  oder vergleichbare Kenngrößen aufweisen wie
  z.B. Durchlaufverzögerungszeiten, logische
  Pegel, Verlustleistungen usw. Typische
  Schaltungsfamilien sind ECL und TTL.
  logic family, logic circuit family
  A group of circuits fabricated by the same
  process and exhibiting similar or comparable
  characteristics such as propagation delay, logic
  levels, power dissipation, etc. Typical logic
  families are ECL and TTL.
Schaltungstechnik *f*
  circuit technology
Schaltvariable *f*
  logic variable
Schaltverzögerungszeit [Zeitspanne, die
  benötigt wird, bis eine Änderung des
  Eingangssignales am Ausgang eines als
  Schalter wirkenden Elementes (z.B. einer
  logischen Schaltung) wirksam wird]
  switching delay time [time required for a
  change in input signal to become effective at
  the output of an element acting as a switch (e.g.
  of a logical circuit)]
Schaltwerk *n*, Folgeschaltung *f*, sequentielle
  Schaltung *f*
  sequential circuit
Schaltzeit *f* [allgemein]
  switching time [general]
Schattendruck *m* [Drucker]
  shadow printing [printer]
Schattenspeicher *m*, nichtadressierbarer
  Speicher *m*
  shaded memory, non-addressable memory
Scheibenintegration *f*, WSI-Technik *f*

Ultragrößtintegration, bei der eine integrierte
Schaltung die gesamte Fläche eines Wafers
beansprucht.
wafer scale integration (WSI)
Ultra large scale integration in which an
integrated circuit covers the entire surface of
the wafer.
Scheinanweisung *f,* Leeranweisung *f*
[Anweisung ohne Wirkung]
dummy statement [statement having no
effect]
Scheinbefehl *m,* Blindbefehl *m,* Füllbefehl *m*
[Befehl ohne Wirkung; belangloser Befehl]
dummy instruction [instruction having no
effect]
Scheinleistung *f*
apparent power
Scheinleitwert *m,* Admittanz *f*
admittance
Scheinprozedur *f* [COBOL]
dummy procedure [COBOL]
Scheinwiderstand *m,* Impedanz *f*
impedance
Scheitelfaktor *m,* Spitzenwertfaktor *m*
crest factor
Schema *n* [Datenstruktur]
scheme [data structure]
SCHEME [ein Dialekt von LISP]
SCHEME [a dialect of LISP]
Schicht *f* [Halbleitertechnik]
Eine auf ein Trägermaterial aufgewachsene
(epitaktische), aufgedampfte oder
abgeschiedene Halbleiter-, Metall- oder
Isolierschicht.
layer [semiconductor technology]
A semiconductor, metal or dielectric layer
grown (epitaxially) or deposited on a supporting
substrate.
Schichtabscheidung *f,* CVD-Abscheidung *f,*
CVD-Verfahren *n*
Verfahren zur Abscheidung von
Isolationsschichten bei der Herstellung
integrierter Schaltungen. Es werden
verschiedene Varianten des CVD-Verfahrens
angewendet, z.B. Hoch- und
Niedertemperaturverfahren, Hoch- und
Niederdruckverfahren oder Abscheideverfahren
aus einem Plasma.
chemical vapour deposition process (CVD
process)
Process used for forming dielectric layers in
integrated circuit fabrication. A number of CVD
process variations are being used, e.g. high-
and low-temperature CVD, high- and low-
pressure CVD or plasma-enhanced CVD.
Schichtdicke *f*
layer thickness
Schichtplatte *f*
composite board, Verbundplatte *f* [printed

circuit boards]
Schichtschaltung *f,* Filmschaltung *f*
Schaltung, bei der wesentliche Elemente (z.B.
Leiterbahnen, Widerstände, Kondensatoren
und Isolierungen) als Schichten auf einen
Träger aufgebracht werden. Die Schaltungen
werden in Dickschicht- oder
Dünnschichttechnik ausgeführt.
film circuit
Circuit in which major elements (e.g.
conductors, resistors, capacitors and insulators)
are deposited in the form of film patterns on a
supporting substrate. Film circuits are
manufactured in thick-film and thin-film
technology.
Schichtseite *f* [Film]
emulsion side [film]
Schichtseite *f,* Leiterseite *f* [einer Leiterplatte;
im Gegensatz zur Bauteilseite]
conductor side [of a printed circuit board; in
contrast to component side]
Schichtstoff *m,* Laminat *n*
laminate
Schichttechnik *f*
Technik, die bei der Herstellung von
Dickschicht-, Dünnschicht- und
Hybridschaltungen eingesetzt wird.
film technology
Technique used for fabricating thick-film, thin-
film and hybrid circuits.
Schichtwiderstand *m*
film resistor
Schiebebefehl *m*
shift instruction
Schiebeliste *f,* Warteschlange *f,* FIFO-Liste *f*
[eine Liste, in der die erste Eintragung als
erste wiedergefunden wird]
push-up list, queue, FIFO list [list in which
the first item stored is the first to be retrieved
(first-in/first-out)]
schieben, eingeben [Registerinhalt in
Stapelspeicher]
push, to [register content into stack]
Schiebeoperation *f* [verschiebt den Inhalt eines
Registers nach links oder nach rechts]
shift operation [shifts the contents of a
register to the left or to the right]
Schieberegister *n* [eine Reihe von 1-Bit-
Speichergliedern (z.B. Flipflops), bei denen der
Inhalt durch Taktimpulse nach links oder nach
rechts verschoben wird]
shift register [a row of 1-bit storage units (e.g.
flip-flops) whose contents are shifted to the left
or to the right by clock pulses]
Schiebezähler *m*
shift counter
Schlagfestigkeit *f,* Stoßfestigkeit *f*
resistance to impact, impact resistance
Schleife *f,* Programmschleife *f* [eine Reihe von

Befehlen, die mehrmals durchlaufen wird]
loop, program loop [a series of instructions
repeatedly carried out]
Schleifenoperation *f*
loop operation
Schleifenzähler *m* [zählt die Anzahl Durchläufe
einer Programmschleife]
loop counter [counts the number of times a
program loop is carried out]
schließen [einer Datei, eines Fensters, eines
Anwendungsprogrammes]
close, to [a file, a window, an application
program]
Schlüsselbegriff *m* [Datenbank]
key term [data base]
Schlüsselfeld *n*
key field, key item
Schlüsselfeldeintrag *m*
key field entry
Schlüsselwort *n*
key word, keyword
Schlußetikett *n,* Endeetikett *n,* Nachspann *m*
[bei Magnetbändern]
trailer label [for magnetic tapes]
Schlußfolgerungsmaschine *f,*
Inferenzmaschine *f* [künstliche Intelligenz]
inference engine [artificial intelligence]
Schlußzeichen *n*
final character
Schmitt-Trigger-Schaltung *f* [wandelt eine
unregelmäßige Wechselspannung oder
Wellenform in eine rechteckige Spannung bzw.
Rechteckimpulse um]
Schmitt trigger [converts an irregular
alternating voltage or waveform into a
rectangular voltage or pulses]
Schnappschuß-Funktion *f* [zur Übernahme des
Bildschirminhaltes]
snapshot function [for capturing screen
content]
Schnappschußabzug *m,* dynamischer
Speicherabzug *m,* Speicherauszug der
Zwischenergebnisse *m* [Speicherdarstellung,
meistens in binärer, hexadezimaler oder
oktaler Form, zwecks Fehlerbeseitigung
während des Programmablaufes]
snapshot dump, dynamic dump
[representation, usually in binary, hexadecimal
or octal form, of memory contents for debugging
purposes during program run]
Schnee *m,* Hintergrundrauschen *n* [sich
bewegende weiße Punkte auf dem Bildschirm]
snow [moving white dots on the screen]
Schnelldrucker *m*
high-speed printer
schneller Zugriff *m*
high-speed access, immediate access
Schnellspeicher *m,* Schnellzugriffsspeicher *m,*
Speicher mit schnellem Zugriff *m*

high-speed memory (HSM), high-speed
storage, fast-access storage, immediate-access
storage, zero-access storage
Schnellübertrag *m*
high-speed carry
Schnittmenge *f*
intersection
Schnittstelle *f,* Nahtstelle *f,* Interface *n*
[Verbindungsstelle zwischen Baustein-, Geräte-
oder Systemteilen für die Übertragung von
Daten und Steuerinformationen]
interface [connecting point between sections of
a device, equipment or system for transfer of
data and control information]
Schnittstelle für graphische Geräte *f*
[Programmierumgebung für graphische Geräte
bei der Windows-Programmierung]
GDI (Graphics Device Interface) [programming
environment for graphical devices in Windows]
Schnittstellenfunktion *f*
interface function
Schnittstellengerät *n*
interface unit
Schnittstellenmodul *m*
interface module
Schnittstellennorm *f* [z.B. für die asynchrone
serielle Datenübertragung gemäß EIA RS-232-
C oder CCITT V.24]
interface standard [e.g. for asynchronous
serial data transmission according to EIA RS-
232-C or CCITT V.24]
Schönschrift-Modus *m,* LQ-Modus *m* [Drucker-
Betriebsart]
letter quality mode (LQ) [printer mode]
Schottky-Defekt *m* [eine Kristallfehlordnung]
Schottky defect [a crystal imperfection]
Schottky-Diode *f,* Metall-Halbleiter-Diode *f*
Halbleiterdiode mit gleichrichtenden
Eigenschaften, die durch einen Metall-
Halbleiter-Übergang gebildet wird.
Schottky barrier diode, metal-semiconductor
diode, hot-carrier diode
Semiconductor diode with rectifying
characteristics formed by a metal-
semiconductor junction.
Schottky-Effekt *m*
Schottky effect
Schottky-Kontakt *m,* Schottky-Übergang *m*
Übergang, der durch den Kontakt einer
Metallschicht mit einer Halbleiterschicht
entsteht und gleichrichtende Eigenschaften
hat.
Schottky barrier
Junction formed by the contact between a
metal layer and a semiconductor layer and
which has rectifying characteristics.
Schottky-Photodiode *f*
In Sperrichtung vorgespannte Halbleiterdiode,
bei der durch Lichteinstrahlung in den Metall-

Halbleiter-Übergang Ladungsträgerpaare erzeugt werden, die den Stromfluß vergrößern.
Schottky photodiode
Reverse-biased semiconductor diode in which electron-hole pairs are generated by exposing the metal-semiconductor junction to light, thus increasing current flow.
Schottky-Transistor *m*
Bipolartransistor, bei dem eine Schottky-Diode zwischen Basis und Kollektor integriert ist um zu vermeiden, daß der Transistor in die Sättigung gesteuert wird. Schottky-Transistoren zeichnen sich daher durch sehr kleine Schaltzeiten aus.
Schottky clamped transistor
Bipolar transistor in which a Schottky barrier diode is integrated between base and collector to prevent the transistor from being driven into saturation. Schottky-clamped transistors are characterized by fast switching.
Schottky-TTL *f* [Variante der Transistor-Transistor-Logik]
Schottky TTL [variant of the transistor-transistor logic]
Schottky-TTL mit niedriger Verlustleistung *f* (LSTTL)
TTL-Schaltungsfamilie, die integrierte Schottky-Dioden zur Vermeidung der Sättigung der Transistoren verwendet. Dadurch wird die Schaltgeschwindigkeit erhöht und die Verlustleistung erheblich herabgesetzt.
low-power Schottky TTL (LSTTL)
Family of TTL circuits using integrated Schottky barrier diodes to prevent the transistors from saturating. This results in higher switching speeds and considerably reduced power dissipation.
Schottky-Übergang *m*, Schottky-Kontakt *m*
Schottky barrier
Schrägschrift *f*, Kursivschrift *f*
italics
Schrägspuraufzeichnung *f*
[Aufzeichnungsverfahren für Magnetbänder]
helical scan recording [recording method for magnetic tapes]
Schrägstrich *m*
slash, stroke
Schreib-Lese-Speicher *m*, RAM *m*, Speicher mit wahlfreiem Zugriff *m*
Speicher, bei dem auf jedes Speicherelement in jeder gewünschten Reihenfolge zugegriffen werden kann. Dadurch ist die Zugriffszeit zu jeder Speicherzelle gleich lang. Die Bezeichnung RAM wird normalerweise für Schreib-Lese-Speicher in integrierter Schaltungstechnik verwendet. Man unterscheidet grundsätzlich zwischen dynamischen (DRAMs) und statischen (SRAMs) Schreib-Lese-Speichern. Beim

dynamischen Speicher wird die Information als Ladung in einer Kapazität gespeichert und muß periodisch aufgefrischt werden. Beim statischen Speicher werden Flipflops als Speicherzellen verwendet. Die gespeicherten Informationen müssen daher nicht regeneriert werden.
RAM (random access memory), read-write memory
Memory in which each storage cell is directly accessible in any desired sequence. This means that access time is the same for all storage locations. The term RAM is normally used to denote integrated circuit read-write memories. There are basically two types: dynamic (DRAMs) and static (SRAMs) memories. In dynamic memories information is stored as a charge on a capacitance and needs periodic refreshing. In static memories, flip-flops are used as memory cells. Hence there is no need for data regeneration.
Schreib-Lese-Zyklus *m*
write-read cycle
Schreib-Lese-Zykluszeit *f*
write-read cycle time
Schreibanweisung *f*
write statement
Schreibbefehl *m*
write instruction
Schreibbetrieb *m* [Betriebsart bei integrierten Halbleiterspeichern]
write mode [operational mode of integrated semiconductor memories]
Schreibdaten *n.pl.*
write data
Schreibdauer *f*, Schreibzeit *f*
write time
Schreibdichte *f*, Speicherdichte *f*, Bitdichte *f* [Aufzeichnungsdichte eines Datenträgers, insbesondere eines Magnetbandes, in der Regel ausgedrückt in Bits/Zoll (BPI) bzw. Bits/cm; gebräuchliche Aufzeichnungsdichten sind 800, 1600 und 6250 BPI bzw. 315, 630 und 2460 Bits/cm]
recording density, packing density, bit density [storage density of a data medium, particularly of a magnetic tape, usually expressed in bits/inch (BPI); commonly used recording densities are 800, 1600 and 6250 BPI]
Schreiben *n*, Einschreiben *n*
writing
Schreiber *m*
recorder
Schreiberholzeit *f* [bei integrierten Halbleiterspeichern]
write recovery time [with integrated semiconductor memories]
Schreibfreigabe *f*

Bei Mikroprozessorsystemen ein Signal, das einen ausgewählten Baustein für das Einschreiben von Daten freigibt.
write-enable (WE)
In microprocessor systems, a signal which allows data to be written into a selected device.
Schreibfreigabeeingang *m*
write-enable input
Schreibfreigabepuffer *m*
write-enable buffer
Schreibfreigabezeit *f*
write-enable time
schreibgeschützte Datei *f*
read-only file
Schreibimpuls *m*
write pulse
Schreibimpulsbreite *f*
write pulse width
Schreibkommandohaltezeit *f*
write command hold time
Schreibkommandovorlaufzeit *f*
write command set-up time
Schreibkopf *m*
write head
Schreibring *m*, Schreibsperre *f* [mechanisches Sicherungselement bei Magnetbändern; nur wenn der Ring eingelegt ist, können neue Daten aufgezeichnet werden]
write-enable ring, write lockout [mechanical protection device for magnetic tapes; new data can be written only when the ring is inserted]
Schreibschutz *m*
write protection
Schreibschutzkerbe *f*
write-protect notch
Schreibsignal *n*
write signal
Schreibsperre *f*, Schreibring *m* [mechanisches Sicherungselement bei
write-enable ring, write lockout
Schreibstrom *m*
write current
Schreibverfahren mit Rückkehr nach Null *n* [Schreibverfahren für die Magnetbandaufzeichnung]
return-to-zero recording (RZ) [magnetic tape recording method]
Schreibverfahren mit Rückkehr zur Grundmagnetisierung *f* [Schreibverfahren für die Magnetbandaufzeichnung]
return-to-bias recording (RB) [magnetic tape recording method]
Schreibwerk *n* [Drucker]
printing mechanism [printer]
Schreibzeit *f*, Schreibdauer *f*
write time
Schreibzugriff *m*
write access
Schreibzyklus *m*

write cycle
Schreibzykluszeit *f*
write cycle time
Schriftart *f*, Zeichensatz *m*
font, character font
Schriftart-Steuerung *f*, Font-Manager *m* [steuert die Schrifterzeugung]
font manager [controls font generation]
Schriftartkassette *f* [wird im Drucker eingesteckt, um zusätzliche Schriftarten zur Verfügung zu stellen]
font cartridge [inserted in printer to provide additional fonts]
Schriftartwechsel *m*
font change
Schriftgröße *f*
font size
Schriftkennung *f* [bei Magnetbändern]
packing density code [with magnetic tapes]
Schritt-und-Wiederholkamera *f*, Step-und-Repeat-Kamera *f* [Photolithographie]
Spezialkamera für die Herstellung von Muttermasken. Die Kamera dient der Verkleinerung der Zwischenmaske auf Originalmaskengröße und der 100- bis 1000-fachen Vervielfältigung auf einer durchsichtigen Glasplatte, die den ganzen Wafer abdeckt.
step-and-repeat camera [photolithography]
Special-purpose camera for the production of master masks. It is used to reduce the reticle to final mask dimensions and to reproduce the mask pattern 100 to 1000 times on a transparent glass disk which covers the entire surface of the wafer.
Schrittbetrieb *m*
step-by-step operation
Schrittmotor *m*
Elektrischer Motor kleiner Leistung, dessen Rotor sich bei jedem Impuls um einen bestimmten Winkelschritt dreht. Dadurch ist automatisch eine Wegmessung gegeben. Schrittmotore werden vorzugsweise als Antrieb für numerisch gesteuerte Geräte (z.B. Zeichengeräte) eingesetzt, da ein zusätzliches Wegmeßgerät entfällt.
stepper motor, stepping motor
Low power electric motor whose rotor moves through a defined angle at each input pulse. This automatically provides displacement measurement. Stepper motors are primarily used as drives in numerically controlled equipment (e.g. plotters) since they require no additional displacement transducer.
schrittweise Division *f*, iterative Division *f*
iterative division
Schub *m*, Stapel *m*
batch

Schutzerde *f*
protective ground
Schutzgasatmosphäre *f*
inert gas atmosphere
Schutzring *m*
Bei integrierten Bipolarschaltungen mit
Klemmdioden ein Ring (P⁺- dotiert bei N-
leitendem Halbleiter), der die Schottky-Diode
umgibt, um höhere Durchschlagspannungen zu
erzielen.
guard ring
In bipolar Schottky-clamped integrated circuits
a ring (p⁺-type with n-type semiconductor
material) around the Schottky barrier diode to
achieve higher breakdown voltages.
Schutzschalter *m*
circuit breaker
Schutzwiderstand *m*
protecting resistor
Schutzziffer *f*
guard digit
schwach dotiert, leicht dotiert, niedrigdotiert
lightly doped
Schwallbadlöten *n*, Fließlöten *n*
Verfahren zum Herstellen von
Lötverbindungen auf gedruckten Leiterplatten.
Dabei werden die Leiterplatten in einer Wanne
über eine flüssige Lotwelle geführt. Das
Verfahren ermöglicht die Herstellung von
mehreren Lötverbindungen in einem
Arbeitsgang.
flow soldering, wave soldering
Process for soldering printed circuit boards by
moving them over a wave of molten solder in a
solder bath. The process enables multiple
solder joints to be produced in a single
operation.
schwebende Gate-Elektrode *f*, schwebendes
Gate *n*
Bei einem MOS-Transistor ein zusätzliches
Gate zwischen der Steuerelektrode und dem
stromführenden Kanal, das zu
Speicherzwecken genutzt wird. Das
schwebende Gate ist von allen anderen
Strukturen galvanisch getrennt. Durch
Anlegen einer hohen negativen Spannung an
das Draingebiet findet ein Lawinendurchbruch
statt und die dabei entstandenen heißen
Elektronen werden in das Gate injiziert und
laden es negativ auf. Da das Gate keine
leitende Verbindung nach außen besitzt, kann
es elektrisch nicht entladen werden.
floating gate
An additional gate in a MOS transistor
between the control gate and the conductive
channel which is used for information storage.
The gate is floating in the sense that it is
isolated electrically from all other structures.
When applying a high negative voltage to the

drain region, avalanche breakdown occurs and
the resulting hot electrons are injected into the
gate, building up a negative charge. Since the
gate has no conducting connection to the
outside, it cannot be discharged electrically.
schwebende Gate-Struktur *f*
floating gate structure
schwebender Kopf *m*
flying head
schwebendes Gate *n*, schwebende Gate-
Elektrode *f*
floating gate
Schwellenspannung *f*, Schwellwertspannung *f*
threshold voltage
Schwellwert *m* [der kleinste Signalwert (z.B.
Spannung oder Strom), bei dem eine
feststellbare Wirkung erfolgt]
threshold [the smallest signal value (e.g.
voltage or current) producing a detectable
response]
Schwellwertelement *n*
threshold element
Schwellwertgatter *n* [spezielles Gatter, das auf
einen Schwellenwert (Mindest- bzw.
Maximalzahl der Eingänge mit Zustand 1)
anspricht]
threshold gate [special gate which responds to
a threshold value (minimum or maximum
number of inputs with state 1)]
Schwellwertlogik *f* [Logikschaltung mit
Schwellwertgattern]
threshold logic [logic circuit comprising
threshold gates]
Schwellwertschalter *m*
threshold switch
Schwellwertspannung *f*, Schwellenspannung *f*
threshold voltage
schwerschmelzbares Metall *n*,
hochschmelzendes Metall *n*
refractory metal
schwerschmelzbares Metallsilicid *n*,
hochschmelzendes Metallsilicid *n*
refractory metal silicide
Schwingquarz *m*, Quarzresonator *m*
quartz resonator, crystal resonator
Schwund *m*, Fading *n* [zeitliche Schwankungen
des Empfangssignales bei der drahtlosen
Übertragung]
fading [fluctuations in received signal
amplitude in wireless transmission]
SCL-Schaltungsfamilie *f*
Integrierte Schaltungsfamilie, die mit
Galliumarsenid-D-MESFETs realisiert ist.
SCL (source-coupled logic)
Integrated circuit family based on gallium
arsenide D-MESFETs.
Scratch-Pad-Speicher *m*, Notizblockspeicher *m*
[schneller Speicher zur Zwischenspeicherung
von Daten (Zwischenergebnisse) bzw.

Steuerung des Programmablaufes]
scratch-pad memory [fast temporary storage
for data (intermediate results) or for controlling
program execution]
SCSI-Controller *m*
SCSI controller
SCSI-Schnittstelle *f* [für den Anschluß von
Festplatten und anderen Peripheriegeräten]
SCSI interface (Small Computer System
Interface) [for connecting hard disks and other
peripheral devices]
SDFL-Schaltungsfamilie *f*
Integrierte Schaltungsfamilie, die mit
Galliumarsenid D-MESFETs realisiert ist.
SDFL (Schottky-diode FET logic)
Integrated circuit family based on gallium
arsenide D-MESFETs.
SDHT *m* [selektiv dotierter Transistor mit
Heteroübergang]
Extrem schneller Feldeffekttransistor mit
Heterostruktur. Auf undotiertem
Galliumarsenid wird mit Hilfe der
Molekularstrahlepitaxie eine dotierte
Aluminium-Galliumarsenid-Schicht
aufgebracht. Der Heteroübergang zwischen den
beiden Strukturen hält die Elektronen, die aus
der AlGaAs-Schicht diffundieren, in der
undotierten GaAs-Schicht zurück, in der sie
sich mit hoher Geschwindigkeit bewegen
können. Sehr schnelle Transistoren (mit
Schaltverzögerungszeiten von < 10 ps/Gatter)
auf dieser Basis werden weltweit von
verschiedenen Herstellern unter den Namen
HEMT, MODFET und TEGFET entwickelt.
SDHT (selectively doped heterojunction
transistor)
Extremely fast field-effect transistor with a
heterostructure. A doped aluminium gallium
arsenide layer is deposited by molecular beam
epitaxy on undoped gallium arsenide. The
heterojunction between them confines the
electrons which diffuse from the AlGaAs layer
to the undoped GaAs where they can move with
great speed. Very fast transistors (with
switching delay times of < 10 ps/gate) based on
this principle and called HEMT, MODFET and
TEGFET are being developed worldwide by
various manufacturers.
SDK [Software-Entwicklungssystem]
SDK (Software Development Kit)
SDLC-Verfahren, synchrones Datenübertragungsverfahren *n* [von IBM
aufgestelltes Protokoll für synchrone bitserielle
Datenübertragung; Variante des von ISO
genormten HDLC-Verfahrens]
SDLC (synchronous data link control) [protocol
for sychnronous bit-serial data transmission
established by IBM; variant of HDLC (high-
level data link control) standardized by ISO]

sedezimales Zahlensystem *n*, hexadezimales
Zahlensystem *n* [Zahlensystem mit der Basis
16, das durch die Ziffern 0 bis 9 und die
Buchstaben A bis F dargestellt wird; weist eine
einfache Beziehung zu Binärzahlen auf, wenn
sie in Vierergruppen aufgeteilt werden, z.B. die
Binärzahl 1011 0101 entspricht der kürzeren
und einfacheren Hexadezimalzahl B5]
hexadecimal number system, hexadecimal
notation [number system represented by the
digits 0 to 9 and the letters
A to F; has a simple relation to binary numbers
when grouped in four, e.g. the binary number
1011 0101 has the simpler and shorter
hexadecimal B5]
Sedezimalziffer *f*, Hexadezimalziffer *f*
hexadecimal digit
Segment *n*, Programmsegment *n* [Teil eines
Programmes]
segment, program segment [part of a program]
segmentieren
partition, to; segment, to; section, to
Segmentierung *f*, Programmsegmentierung *f*
segmentation, program segmenting
Seite *f* [Segment konstanter Länge eines
Speichers; zusammenhängender
Speicherbereich]
page [constant-length segment of a memory;
contiguous memory area]
Seitenabruf *m*, Seitenwechsel auf Anforderung
demand paging
Seitenadreßregister *n*
page address register
Seitenaufteilung *f*, Paging *n*
[Speicheraufteilung in Segmente gleicher
Länge (Seiten); wird besonders bei Rechnern
mit virtuellem Speicher für die Übernahme von
Programmteilen aus einem Externspeicher
(Seitenspeicher) in den Hauptspeicher
verwendet]
paging [dividing memory into equal segments
(pages); used particularly in virtual memory
systems for transferring program segments
from an external storage (page storage) into
main memory]
Seitenauslagerung *f*
page-out operation
Seitenbandfrequenz *f*
sideband frequency
Seitenbeschreibungssprache *f* [z.B.
PostScript]
page description language (PDL) [e.g.
PostScript]
Seitenbetrieb *m*, seitenweiser Betrieb *m*
[Betriebsart bei Halbleiterspeichern]
page mode [operational mode of
semiconductor memories]
Seitendrucker *m*, Blattschreiber *m*
page printer

Seiteneinlagerung f
  page-in operation
Seitenfehler m
  page fault
Seitenformat n
  page format
Seitenleser m
  page reader
Seitennumerierung f
  pagination
Seitenspeicher m [bei einem System mit virtuellem Speicher]
  page storage [in a virtual memory system]
Seitentabelle f
  page table
Seitenumbruch m
  page break
Seitenwechsel auf Anforderung m, Seitenabruf m
  demand paging
seitenwechseln [z.B. in einem virtuellen Speicher]
  page, to [e.g. in a virtual memory]
seitenweiser Betrieb m, Seitenbetrieb m [Betriebsart bei Halbleiterspeichern]
  page mode [operational mode of semiconductor memories]
seitenweises Auslagern n
  page out, to
seitenweises Einlagern n
  page in, to
seitenweises Lesen n
  page read mode
seitenweises Schreiben n
  page write mode
Seitenzahl f
  page number
Sektor m [Teil einer Spur auf einer Magnetplatte oder Diskette]
  sector [part of a track on a magnetic disk or floppy disk]
Sektorformat n [Unterteilung einer Magnetplatten- bzw. Diskettenspur in Sektoren gleicher Länge]
  sector format [subdivision of a magnetic disk or floppy disk track into equal sectors]
Sektorkennung f
  sector identifier
Sektorvorspann m [Synchronisierzeichen auf einem Magnetband]
  preamble [synchronization characters on a magnetic tape]
sekundäre DOS-Partition f, sekundärer DOS-Speicherbereich [Festplatte]
  secondary DOS partition [hard disk]
Sekundärelektron n
  Ein Elektron, das durch einen Stoßprozeß freigesetzt wird.
  secondary electron

An electron emitted as a result of impact.
Sekundärelektronenemission f
  secondary electron emission (SEE)
Sekundäremission f
  secondary emission
sekundärer DOS-Speicherbereich, sekundäre DOS-Partition f [Festplatte]
  secondary DOS partition [hard disk]
Sekundärschlüssel m
  secondary key
Sekundärspeicher m, Zusatzspeicher m, Hilfsspeicher m [Ergänzung des Primärspeichers, d.h. Speicher außerhalb des Hauptspeichers]
  secondary storage, auxiliary storage [complements primary storage, i.e. storage outside the main memory]
selbstanpassend
  self-adapting
selbstdokumentierendes Programm n
  self-documenting program
selbstextrahierend
  self-extracting
selbstheilend
  self-healing
selbstjustierende Technik f, Selbstjustierung f
  Verfahren zur Verringerung der Streukapazitäten von MOS-Transistoren (und der damit verbundenen Erhöhung der Schaltgeschwindigkeiten), die bei der Herstellung integrierter Schaltungen durch Ungenauigkeiten bei der gegenseitigen Justierung von Gate-Maske und Source-Drain-Maske entstehen. Zu den Verfahren mit Selbstjustierung zählen die Silicium-Gate Technik (bei der das Gate als Maske für die anschließende Source-Drain-Diffusion dient), die Ionenimplantation sowie Verfahren der lokalen Oxidation (z.B. LOCOS und SATO).
  self-aligning technique
  Processes used to reduce the stray capacitance of MOS transistors (and hence to reduce switching time) as a result of inaccuracies in the alignment of the gate mask relative to the source-drain mask during integrated circuit fabrication. Self-aligning processes include silicon-gate technology (in which the gate serves as a mask for the subsequent source-drain diffusion step), ion implantation as well as local oxidation processes (e.g. LOCOS and SATO).
selbstjustierendes Gate n
  self-aligning gate
Selbstjustierung f, selbstjustierende Technik f
  self-aligning technique
selbstkorrigierender Code m, Fehlerkorrekturcode m [ein Fehlererkennungscode, dessen Codierungsregeln es erlauben, verfälschte

Zeichen unter bestimmten Bedingungen
automatisch zu korrigieren]
self-correcting code, error-correcting code
[an error-detecting code whose coding rules
allow automatic correction of incorrect
characters under certain conditions]
selbstladend
  self-loading
selbstladendes Programm n, Bootstrap-Lader
  m, Urlader m [ein Ladeprogramm, das nach
  dem Einschalten des Rechners gestartet wird]
  bootstrap loader [a loading program started
  when the computer is switched on]
selbstprüfender Code m,
  Fehlererkennungscode m [Code, der
  automatisch prüft, ob die Codierungsregeln
  eingehalten wurden]
  self-checking code, error detecting code [a
  code that automatically checks whether the
  coding rules have been observed]
Selbsttest m
  built-in test
selektiv dotiert, örtlich gezielt dotiert
  selectively doped
selektiv dotierter Transistor mit
  Heteroübergang m (SDHT)
  Extrem schneller Feldeffekttransistor mit
  Heterostruktur. Auf undotiertem
  Galliumarsenid wird mit Hilfe der
  Molekularstrahlepitaxie eine dotierte
  Aluminium-Galliumarsenid-Schicht
  aufgebracht. Der Heteroübergang zwischen den
  beiden Strukturen hält die Elektronen, die aus
  der AlGaAs-Schicht diffundieren, in der
  undotierten GaAs-Schicht zurück, in der sie
  sich mit hoher Geschwindigkeit bewegen
  können. Sehr schnelle Transistoren (mit
  Schaltverzögerungszeiten von < 10 ps/Gatter)
  auf dieser Basis werden weltweit von
  verschiedenen Herstellern unter den Namen
  HEMT, MODFET und TEGFET entwickelt.
  selectively doped heterojunction
  transistor (SDHT)
  Extremely fast field-effect transistor with a
  heterostructure. A doped aluminium gallium
  arsenide layer is deposited by molecular beam
  epitaxy on undoped gallium arsenide. The
  heterojunction between them confines the
  electrons which diffuse from the AlGaAs layer
  to the undoped GaAs where they can move with
  great speed. Very fast transistors (with
  switching delay times of < 10 ps/gate) based on
  this principle and called HEMT, MODFET and
  TEGFET are being developed worldwide by
  various manufacturers.
selektive Abhebetechnik f [Lithographie]
  selective lift-off technique [lithography]
selektive Dotierung f, örtlich gezielte Dotierung
  Wichtiger Verfahrensschritt der Planartechnik.

Dabei werden Dotierstoffe zur Erzeugung von
N- und P-leitenden Bereichen örtlich gezielt
durch Fenster eindiffundiert, die in eine die
Kristalloberfläche abschirmende Oxidschicht
geätzt werden.
  selective doping, localized doping
  Major process step in planar technology. It
  involves localized introduction of dopant
  impurities into the semiconductor to generate
  n-type and p-type conductive regions through
  windows etched in a protective oxide layer
  covering the crystal surface.
selektive Löschung f
  selective erase
selektives Programmieren n
  selective programming
Selen n (Se)
  Halbleitermaterial, das für die Herstellung von
  Gleichrichtern, Solarzellen und Bauelementen
  für den Xerodruck verwendet wird.
  selenium (Se)
  Semiconductor material used for fabricating
  rectifiers, solar cells and components for
  xerographic printing.
Selengleichrichter m
  selenium rectifier
Semantik f [Bedeutung bzw. Inhalt einer
  Programmiersprache; im Gegensatz zu
  formalen Regeln (Syntax)]
  semantics [meaning of a programming
  language; in contrast to formal rules (syntax)]
semantisches Netz n
  semantic network, semantic net
Semikolon n, Strichpunkt m
  semi-colon
Sendeberechtigungszeichen n, Token n [bei
  Kommunikationssystemen]
  token [in communication systems]
Sendebetrieb m
  transmitting mode
Sender m, Transmitter m
  transmitter
Senke f, Drain m
  Bereich des Feldeffekttransistors, vergleichbar
  mit dem Kollektor des Bipolartransistors.
  drain
  Region of the field-effect transistor, comparable
  to the collector of a bipolar transistor.
Sensor m, Meßfühler m
  sensor, sensing element
Sensorik f, Sensortechnik f
  sensor technology
sequentiel abarbeiten [Befehle]
  process sequentially, to [instructions]
sequentielle Logik f
  Eine logische Schaltung mit Speicherverhalten
  (z.B. ein Flipflop), im Gegensatz zur
  kombinatorischen Logik.
  sequential logic

A logic circuit with storage capabilities (e.g. a flip-flop), in contrast to combinational logic.

sequentielle Schaltung f, Folgeschaltung f, Schaltwerk n
  sequential circuit

sequentielle Zugriffsmethode f
  sequential-access method (SAM)

sequentieller Suchalgorithmus m
  sequential search algorithm

sequentieller Zugriff m, serieller Zugriff m [Zugriff auf gesuchte Daten nur durch sequentielles Lesen aller Daten zwischen Start- und Zielpositionen, z.B. der Zugriff auf Daten, die auf einem Magnetband gespeichert sind]
  sequential access, serial access [data access effected only by sequential reading of all data between start and target positions, e.g. access to data stored on a magnetic tape]

seriell aufgebaute Datei f
  sequentially organized file

Serielladdierer m [ein Addierer, der Binärzahlen ausgehend von der niedrigstwertigen Stelle addiert; im Gegensatz zu einem Paralleladdierer, der alle Stellen gleichzeitig addiert]
  serial full-adder [an adder which sums binary numbers starting with the lowest significant digit; in contrast to a parallel adder which adds all digits at the same time]

serielle Datenübertragung f
  serial data transfer

serielle Eingabe/Ausgabe f
  serial input/output (SIO)

serielle Schnittstelle f
  serial interface

serielle Übertragung f
  serial transfer

serieller Anschluß m
  serial port

serieller Datenausgang m
  serial data output

serieller Dateneingang m
  serial data input

serieller Zugriff m, sequentieller Zugriff m
  serial access, sequential access

Seriellhalbaddierer m
  serial half-adder

Seriellhalbsubtrahierer m
  serial half-subtracter

Seriellsubtrahierer m
  serial subtracter

Serien-Parallel-Umsetzer m [wandelt zeitlich sequentiell dargestellte Daten in parallel dargestellte Daten um]
  serial-parallel converter [converts sequentially represented data into parallel represented data]

Serien-Parallel-Umsetzung f
  serial-parallel conversion

Serienabtastung f
  serial scanning

Serienbetrieb m, Serienverarbeitung f
  serial processing

Serienbriefprogramm n [kombiniert konstanten Text mit variablen Adressen]
  mail-merge program [combines constant text with variable addresses]

Serienübertrag m
  serial carry

Serienübertragssignal n
  serial transfer signal

Serienverarbeitung f, Serienbetrieb m
  serial processing

Serifen-Schriftart f, Antiqua-Schriftart f [mit feinen waagerechten Querstrichen, im Gegensatz zur serifenlosen bzw. Grotesk-Schriftart]
  serif font [with fine horizontal strokes; in contrast to sans serif font]

serifenlose Schriftart f, Grotesk-Schriftart f [ohne feine waagerechte Querstriche, im Gegensatz zu Antiqua- bzw. Serifen-Schriftart]
  sans serif font [without fine horizontal strokes, in contrast to serif font]

Server m [Rechner, der zentrale Dienste in einem lokalen Netzwerk verfügbar macht, z.B. File-Server für den Zugriff auf Datenbanken]
  server [computer providing centralized services in a local network, e.g. file server for data base access]

Serviceprogramm n, Dienstprogramm n [spezielle Programme für sich oft wiederholende Aufgaben, z.B. Kopieren, Sortieren und Mischen von Dateien usw.]
  service program, utility program, utility routine [special programs for reoccurring tasks, e.g. copying, sorting and merging files, etc.]

Setup-Programm n, Einstellungsprogramm n [konfiguriert den Rechner bei der Installation]
  setup program [configures computer during installation]

Setzen n
  setting

setzen
  set, to

SFET m, Sperrschicht-Feldeffekttransistor m Feldeffekttransistor, dessen Gatezone mit dem stromführenden Kanal einen oder mehrere PN-Übergänge bildet. Durch Anlegen einer Sperrspannung an die PN-Übergänge entstehen Raumladungszonen, die sich bei Erhöhung der Gatespannung in den Kanal hinein ausdehnen und die Strombahn einschnüren. Somit steuert die Gatespannung den Strom zwischen Source und Drain.
  JFET, junction field-effect transistor A field-effect transistor in which the gate region forms one or more pn-junctions with the

conductive channel. Reverse bias voltage applied to the junctions creates depletion layers which extend into the channel region as gate voltage is increased and reduce the effective width of the conductive path. Hence current conduction between the source and drain regions is controlled by the voltage applied to the gate terminal.

SFL *f*, substratgespeiste Logik *f* [Variante der integrierten Injektionslogik (I^2L), die besonders hohe Packungsdichte und gute dynamische Eigenschaften aufweist]
SFL (substrate field logic) [variant of the integrated injection logic (I^2L) exhibiting exceptionally high packaging density and good dynamic properties]

SGML [von ISO genormte Codierungsmethode zur Beschreibung der Struktur und Versionen eines Dokumentes]
SGML (Standard Generalized Markup Language) [coding method standardized by ISO for describing a document structure and its versions]

SGML-Kennzeichensatz *m*
SGML tag set

Shadow-RAM *m* [die Verwendung des Hauptspeichers (eines RAM-Bereiches) für beschleunigte BIOS-Aufrufe]
shadow RAM [using main memory (a RAM zone) for accelerating BIOS calls]

Shadow-Vorgang *m* [das Kopieren von Routinen aus dem BIOS-ROM in den Hauptspeicher, um BIOS-Aufrufe zu beschleunigen]
shadowing [copying routines from the BIOS-ROM to main memory, thus accelerating BIOS calls]

Shareware-Software *f*, Prüf-vor-Kauf-Software *f* [kostenlos erhältliche Software, bei der eine Registrierungsgebühr bei der Nutzung erhoben wird]
Shareware [software available free of charge but requiring a registration fee before use]

Sheffer-Funktion *f*, NAND-Verknüpfung *f*, NAND-Funktion *f* [logische Verknüpfung mit dem Ausgangswert (Ergebnis) 0, wenn und nur wenn alle Eingänge (Operanden) den Wert 1 haben; für alle anderen Eingangswerte ist der Ausgangswert 1]
NAND function [logical operation having the output (result) 0 if and only if all inputs (operands) are 1; for all other input values the output is 1]

Shell *f*, Schale *f* [als Benutzeroberfläche dienendes Teil eines Betriebssystems oder Softwarepaketes]
shell [user interface part of operating system or software package]

Shell-Prozedur *f* [regelmäßig wiederkehrende Kommandofolge in UNIX; ähnlich den Batch-Prozeduren in DOS]
shell procedure [constantly recurring command sequence in UNIX; similar to batch procedures in DOS]

Shellsort-Algorithmus *m* [Sortierverfahren]
shell sort algorithm [sorting method]

Shockley-Diode *f*
Ein PNPN-Bauelement, das sehr schnell in den leitenden Zustand übergeht, wenn eine kritische Spannung überschritten wird. Der leitende Zustand bleibt so lange erhalten, bis die Anodenspannung einen minimalen Spannungswert unterschreitet. Im Sperrzustand ist der Widerstand der Diode sehr hoch.
Shockley diode
A pnpn component that switches rapidly into its conducting state when a critical voltage is reached. Conduction continues until the anode voltage drops below a specified minimum value. In its blocking state the diode has a very high impedance.

Shunt *m*, Parallelwiderstand *m*, Shuntwiderstand *m*
parallel resistor, shunt resistor, shunt

Shuntwiderstand *m*, Parallelwiderstand *m*, Shunt *m*
parallel resistor, shunt resistor, shunt

Si *n* (Silicium)
Das wichtigste Halbleitermaterial (aus der Gruppe IV des Periodensystems) für die Herstellung von diskreten Bauelementen und integrierten Schaltungen.
Si (silicon)
Most widely used semiconductor material for the manufacture of discrete components and integrated circuits, belonging to group IV of the periodic system.

SI-Einheitensystem *n* [Internationales (kohärentes) Einheitensystem]
SI system of units [International (coherent) system of units]

sichern
backup, to

sichern, sicherstellen
save, to

Sicherung *f*
fuse

Sicherungsdatei *f*
backup file

Sicherungshäufigkeit *f* [Datenspeicherung]
backup frequency [data storage]

Sicherungskopie *f* [z.B. einer Diskette]
backup copy [e.g. of a floppy disk]

Sicherungszyklus *m* [Datenspeicherung]
backup cycle [data storage]

Sichtanzeige *f*, optische Anzeige *f*
visual display

Siebdruck *m*

Druckverfahren für die Herstellung von
Leiterplatten und Dickschichtschaltungen.
silk-screen printing
Printing method used for producing printed
circuit boards and thick-film integrated
circuits.
Siebensegmentanzeige *f*
Optisches Anzeigeelement, bei dem eine Ziffer
durch sieben Segmente dargestellt wird.
seven segment display
Optical display that uses seven bars to
represent a numeral.
Siemens *n* (S) [SI-Einheit des elektrischen
Leitwertes]
siemens (S) [SI unit of electrical conductance]
Signal *n*
signal
Signalausfall *m*, Dropout *m* [Magnetbandfehler
durch ein verlorenes Bit]
drop-out [magnetic tape error due to a lost bit]
Signaldarstellung *f*
signal representation
Signaldiode *f*
signal diode
Signalflußplan *m*, Funktions-Blockschaltbild *n*
functional block diagram
Signalgeber *m*
signal transducer, signal transmitter
Signalisierung *f*
signalling
Signalparameter *m*
signal parameter
Signalprozessor *m*
signal processor
Signalspannung *f*
signal voltage
Signalumsetzung *f*
signal conversion
Signalverarbeitung *f*, Meßsignalverarbeitung *f*
signal processing
Signalverfolger *m*
signal tracer
Signalverstärker *m*, Meßverstärker *m*
signal amplifier
Signalvorrat *m*
signal set
Signaturanalysator *m*
signature analyzer
Signaturanalyse *f* [Fehlersuchverfahren für
Mikroprozessoren und komplexe
Digitalsysteme; die Signatur ist das Verhalten
des Prüflings auf eine eingangsseitig angelegte
Bitfolge]
signature analysis [diagnostic procedure for
microprocessors and complex digital systems;
the signature is the response of the system to a
bit sequence applied to the input]
Silanepitaxie *f*
Verfahren zur Herstellung von epitaktischen

und heteroepitaktischen Schichten aus der
Gasphase für die Fertigung von
Halbleiterbauelementen und integrierten
Schaltungen, das niedrigere
Prozeßtemperaturen erlaubt als die Silicium-
Tetrachloridepitaxie.
silane epitaxy
Process for growing epitaxial and
heteroepitaxial layers from the gas-phase for
the manufacture of semiconductor components
and integrated circuits. It allows lower
processing temperatures to be used than silicon
tetrachloride epitaxy.
Silbentrennprogramm *n*, Worttrennprogramm
hyphenation program
Silbentrennung *f*, Worttrennung *f*
hyphenation
Silicid *n*, Metallsilicid *n*
Verbindung zwischen einem Metall und
Silicium. Silicide, z.B. MoS_2, TaS_2, TiS_2 oder
WS_2 kommen bei der Metallisierung für
Gateelektroden und Leiterbahnen in VLSI-
Schaltungen zur Anwendung.
silicide
Compound of a metal with silicon. Silicides, e.g.
MoS_2, TaS_2, TiS_2 or WS_2, are used to form
gates and conductive interconnections by
metallization in VLSI applications.
Silicium *n* (Si)
Das wichtigste Halbleitermaterial (aus der
Gruppe IV des Periodensystems) für die
Herstellung von diskreten Bauelementen und
integrierten Schaltungen.
silicon (Si)
Most widely used semiconductor material for
the manufacture of discrete components and
integrated circuits, belonging to group IV of the
periodic system.
Silicium-auf-Saphir-Technik *f*, SOS-Technik *f*
Verfahren für die Herstellung von integrierten
CMOS-Schaltungen, bei dem anstelle des
Siliciumsubstrats einkristalliner Saphir
verwendet wird. Die komplementären
Transistoren werden in einer dünnen
Siliciumschicht erzeugt, die mit Hilfe der
Silanepitaxie auf das Saphirsubstrat
abgeschieden wird.
silicon-on-sapphire technology (SOS
technology)
Process for fabricating CMOS integrated
circuits which uses a single-crystal sapphire
substrate instead of a silicon substrate. The
complementary transistors are formed in a
silicon film which is grown on the sapphire
substrate by silane epitaxy.
Silicium-Gate-Technik *f*, Silicium-
Steuerelektroden-Technik *f*
Verfahren für die Herstellung von MOS-
Feldeffekttransistoren, bei denen das Gate (die

Steuerelektrode) aus leitfähigem polykristallinen Silicium besteht. Beim Herstellungsprozeß dient das Polysilicium-Gate als Maske für die Source- und Drain-Diffusion (Selbstjustierung), wodurch die bei anderen Verfahren möglichen Ungenauigkeiten bei der Maskenjustierung vermieden werden.

silicon-gate technology
Process for fabricating MOS field-effect transistors in which the gate consists of a conductive polycrystalline silicon. During the manufacturing process the polysilicon gate serves as a mask for the source and drain diffusion steps (self-aligning technique), thus avoiding inaccurate mask alignment which may occur with other processes.

Silicium-Gleichrichterdiode *f*
silicon rectifier diode

Silicium-Nitrid-Oxid-Halbleiter-Technik *f*,
SNOS-Technik *f*
Ein Verfahren, ähnlich der MNOS-Technik, das für die Herstellung von EEPROM-Speicherzellen verwendet wird.

silicon-nitride-oxide-semiconductor technology (SNOS technology)
A process, similar to MNOS technology, used for fabricating EEPROM memory cells.

Silicium-Planartechnik *f*
Das bedeutendste Verfahren zur Herstellung von bipolaren und unipolaren Bauelementen und integrierten Schaltungen, bei denen Silicium als Ausgangsmaterial dient. Die Planartechnik ist dadurch gekennzeichnet, daß sie einen selektiven, örtlich gezielten Einbau von Dotierstoffen zur Bildung von N- und P-leitenden Bereichen im Halbleiterkristall durch Diffusionsfenster in einer die Kristalloberfläche abschirmenden Deckschicht ermöglicht (Oxid- bzw. Nitridmaskierung). Ein weiteres Merkmal besteht darin, daß die Halbleiterstrukturen unterhalb der planen Oberfläche des Kristalls angeordnet sind (im Gegensatz zur Mesatechnik). Das Verfahren besteht aus einer Reihe von Einzelprozessen wie z.B. Epitaxie, Aufdampfung bzw. Abscheidung, Photolithographie, Ätztechnik, Diffusion bzw. Ionenimplantation, Metallisierung usw.

silicon planar technology
The most important process used in the fabrication of bipolar and unipolar semiconductor components and integrated circuits using silicon as a starting material. Planar technology is characterized by selective, localized introduction of dopant impurities into the semiconductor to produce n-type and p-type conductive regions through diffusion windows in a protective layer covering the crystal surface (oxide or nitride masking). Another characteristic is that the semiconductor structures are arranged below the plane surface of the crystal (in contrast to mesa technology). The technology requires a sequence of independent processing steps such as epitaxial growth, deposition or vacuum evaporation, photolithography, etching, diffusion or ion implantation, metallization, etc.

Silicium-Steuerelektroden-Technik *f*,
Silicium-Gate-Technik *f*
silicon-gate technology

Siliciumdiode *f*
silicon diode

Siliciumdioxid *n* (SiO_2)
Kristallines Material mit ausgezeichneten Isolationseigenschaften. Es wird für die Herstellung von Isolierschichten verwendet und dient in der Planartechnik als Diffusionsmaske.

silicon dioxide (SiO_2)
Crystalline material with excellent insulating properties. It is used for producing dielectric layers and serves as a diffusion mask in planar technology.

Siliciumkarbid *n* (SiC)
Verbindungshalbleiter, der vorwiegend für die Herstellung von optoelektronischen Bauelementen (z.B. blaues Licht emittierende Lumineszenzdioden) verwendet wird.

silicon carbide (SiC)
Compound semiconductor mainly used for fabricating optoelectronic components (e.g. blue light emitting diodes).

Siliciumnitrid *n* (Si_3N_4)
Ionenundurchlässiges Material, das für die Oberflächenpassivierung verwendet wird und in der Planartechnik (vorwiegend bei der Herstellung von MOS-Transistoren) als Diffusionsmaske dient.

silicon nitride (Si_3N_4)
Material resistant to ion penetration which is used for surface passivation and serves as a diffusion mask in planar technology (mainly for MOS transistor fabrication).

Siliciumnitridpassivierung *f*
silicon nitride passivation

Siliciumplanarthyristor *m* [Thyristor, der in Silicium-Planar-Technik hergestellt ist]
silicon planar thyristor [thyristor fabricated by silicon planar technology]

Siliciumplanartransistor *m* [Transistor, der in Silicium-Planar-Technik hergestellt ist]
silicon planar transistor [transistor fabricated by silicon planar technology]

Silicon-Compiler *m*
Ein Rechnerprogramm, das anhand von Algorithmen, die die gewünschten Schaltungsfunktionen beschreiben, automatisch ohne menschlichen Eingriff Strukturentwürfe erstellt, die direkt für die

Herstellung von integrierten Schaltungen
verwendet werden können.
silicon compiler
A computer program using algorithms to
describe desired circuit functions for
automatically generating, without human
intervention, chip layouts that can be used
directly for fabricating integrated circuits.
ilospeicher *m*, FIFO-Speicher *m* [Speicher, der
ohne Adreßangaben arbeitet und dessen Daten
in der Reihenfolge gelesen werden, in der sie
zuvor geschrieben worden sind, d.h. das zuerst
geschriebene Datenwort wird als erstes
gelesen; er wird häufig mittels Schieberegister
oder RAM als Pufferspeicher zwischen
Datensender und -empfänger verwendet]
first-in/first-out storage, FIFO storage
[storage device operating without address
specification and which reads out data in the
same order as it was stored, i.e. the first data
word stored is read out first; implemented as
shift registers or RAM, it is often used as a
buffer storage between data transmitter and
data receiver]
IMM-Speicherbaustein *m* [komplette
Speicherbank auf einer Platine montiert]
SIMM (Single In-line Memory Module)
[complete memory bank mounted on a board]
IMOS-Transistor *m*
Feldeffekttransistor in MOS-Struktur mit zwei
übereinander liegenden Gates, einem Speicher-
Gate und einem Steuer-Gate; wird als
Speicherzelle bei EEPROMs verwendet.
SIMOS transistor
MOS field-effect transistor using a dual-gate
structure with a storage gate and a control
gate; is used as a memory cell in EEPROMs.
implexbetrieb *m*, Richtungsbetrieb *m*
[Datenübertragung nur in einer Richtung; im
Gegensatz zum Duplexbetrieb]
simplex operating mode, unidirectional
operation [data transmission in one direction
only; in contrast to duplex mode]
implexkanal *m*
simplex channel, unidirectional channel
imulation *f*, Abbildung *f*, Nachbildung *f*
[Abbilden eines wirklichen Systems durch ein
Modell]
simulation [representation of a real world
system by a model]
imulationsprogramm *n*, Simulator *m*
[allgemein: ein Programm, daß das Verhalten
eines Systems oder Prozesses nachbildet; bei
Mikroprozessoren: ein Programm zur
Ausführung des Objektprogrammes z.B. für die
Fehlersuche]
simulation program, simulator [general: a
program that simulates the behaviour of a
system or process; in microprocessors: a

program for executing the object program, e.g.
for diagnostic purposes]
simulieren, nachbilden, abbilden
simulate, to
simultan aufrufbar [bei der
Multiprogrammierung ein Programm, das von
mehreren Benutzern gleichzeitig verwendet
werden kann, d.h. der Wiedereinstieg kann an
jedem Punkt erfolgen]
reentrant [in multiprogramming, a program
that can be simultaneously executed for several
users, i.e. it can be reentered at any point]
Simultanbetrieb *m*, Parallelbetrieb *m*
parallel mode, parallel operation,
simultaneous operation
Simultanbetrieb *m*, Simultanverarbeitung *f*,
gleichzeitige Verarbeitung *f*
simultaneous operation, simultaneous
processing, concurrent working
$\sin^2$-Impuls, Glockenimpuls *m*
$\sin^2$ pulse
Single-Density-Verfahren *n* [Aufzeichnen auf
einer Diskette mit normaler Schreibdichte; im
Gegensatz zur doppelten Schreibdichte beim
Double-Density-Verfahren]
single-density process [recording on a floppy
disk at normal bit density; in contrast to double
bit density with double-density recording]
Single-In-Line-Gehäuse *n*, SIP-Gehäuse *n*
Gehäuseform mit einer Reihe rechtwinklig
abgebogener (manchmal versetzter)
Anschlüsse.
single in-line package (SIP)
Package with a single row of terminals
(sometimes staggered) at right angles to the
body.
SINIX [UNIX-Version von Siemens]
SINIX [UNIX version implemented by
Siemens]
Sinnbild *n*, Ikon *n*, Piktogramm *n*, Symbolbild *n*
[graphisches Symbol z.B. für ein
Anwendungsprogramm]
icon, pictogram [graphical symbol, e.g. for an
application program]
Sinusfunktion *f*
sine function
sinusförmig
sinusoidal
Sinusgenerator *m*, Sinuswellengenerator *m*
sine-wave generator
Sinushalbwelle *f*
sine half-wave
Sinusspannung *f*
sine-wave voltage, sinusoidal voltage
Sinuswelle *f*
sine wave, sinusoidal wave
Sinuswellengenerator *m*, Sinusgenerator *m*
sine-wave generator
SIP-Gehäuse *n*, Single-In-Line-Gehäuse *n*

Gehäuseform mit einer Reihe rechtwinklig
abgebogener (manchmal versetzter)
Anschlüsse.
SIP (single in-line package)
Package with a single row of terminals
(sometimes staggered) at right angles to the
body.
SIT *m*, statischer Influenz-Transistor *m*
SIT (static induction transistor)
Sitzung *f* [abgeschlossene Arbeitsperiode, z.B.
am Terminal oder CAD-Arbeitsplatz]
session [completed working period, e.g. on
terminal or CAD workstation]
Skalar *m*
scalar
skalare Größe *f*
scalar quantity
skalare Variable *f*
scalar variable
skalierbare Schrift *f* [in der Größe beliebig
veränderbare Schrift]
scalable font [font which can be freely
changed in size]
skalieren
scale, to
Skalierfaktor *m*
scale factor
Smalltalk [eine objektorientierte
Programmiersprache]
Smalltalk [an object oriented programming
language]
SMD-Technik *f*, Oberflächenmontage *f*,
Aufsetztechnik *f*
Technik zur automatischen Bestückung von
Leiterplatten mit Bauelementen und
integrierten Schaltungen, wobei die
Leiterplatten keine Bohrlöcher benötigen.
SMD technique (surface-mounted device
technique)
Technique for automatic mounting of
semiconductor components and integrated
circuits on printed circuit boards without the
need for drilled holes.
smektischer Flüssigkristall *m*
[Flüssigkristallart, bei der die Moleküle in
Schichten angeordnet sind; im Gegensatz zu
nematischen Flüssigkristallen, bei denen die
Moleküle längs geordnet sind]
smectic liquid crystal [liquid crystal type
which has its molecules arranged in layers, in
contrast to nematic liquid crystals which have
longitudinally arranged molecules]
SNA [Kommunikationsnetz von IBM]
SNA (System Network Architecture) [IBM's
communication network]
SNOBOL [zeichenkettenorientierte
Programmiersprache mit besonderer Eignung
für die Textverarbeitung]
SNOBOL (StriNg-Oriented symBOlic

Language) [programming language with speci
features for word processing]
SNOS-Technik *f*, Silicium-Nitrid-Oxid-
Halbleiter-Technik *f*
Ein Verfahren, ähnlich der MNOS-Technik, da
für die Herstellung von EEPROM-
Speicherzellen verwendet wird.
SNOS technology (silicon-nitride-oxide-
semiconductor technology)
A process, similar to MNOS technology, used
for fabricating EEPROM memory cells.
SOD-Technik *f*
Technik, ähnlich dem SOS-Verfahren, bei der
anstelle von Saphir ein Diamantsubstrat
verwendet wird.
SOD technology (silicon-on-diamond
technology)
Process, similar to SOS technology, which use
a diamond substrate instead of a sapphire
substrate.
softsektoriert, weichsektoriert
[Sektormarkierung auf Disketten mittels
Steuerdaten; im Gegensatz zu hartsektoriert]
soft-sectored [marking of sectors on floppy
disks by control data; in contrast to hard-
sectored]
Software *f* [Programme eines Rechners, im
Gegensatz zum gerätetechnischen Teil, d.h.
Hardware; gliedert sich in Systemsoftware
(Betriebssystem, Übersetzungsprogramme,
Dienstprogramme) und Anwendersoftware]
software [programs used for a computer, in
contrast to equipment, i.e. hardware; can be
subdivided into system software (operating
system, compilers, utility programs) and
application software]
Software-Integrität *f*
software integrity
Software-Kompatibilität *f*, Portabilität *f*
portability, software compatibility
Software-Paket *n*
software package
Software-Werkzeug *n*, Werkzeug *n*
software tool, tool
Software-Zuverlässigkeit *f*
software reliability
Sohn *m* [Datei, Baum]
descendent [file, tree]
SOI-Technik *f*
Verfahren zur Herstellung von integrierten
CMOS-Schaltungen, bei dem anstelle des
Siliciumsubstrats ein isolierendes Substrat
verwendet wird. Die Komplementär-
Transistorpaare werden in einer dünnen
Siliciumschicht erzeugt, die mit Hilfe der
Silanepitaxie auf das Substrat aufgebracht
wird.
SOI technology (silicon-on-insulator
technology)

Process for fabricating CMOS integrated circuits which uses an insulating substrate instead of a silicon substrate. The complementary transistor pairs are formed in a silicon film which is grown on the substrate by silane epitaxy.

Solarzelle *f*
Halbleiterphotoelement, das Strahlungsenergie (Licht, Solarenergie) in elektrische Energie umwandelt.
solar cell
Semiconductor photovoltaic cell which converts radiant energy (light, solar energy) into electrical energy.

Sollmaß *n*, Nennmaß *n*
nominal value

Sollwert *m*, Einstellwert *m* [eines Regelkreises]
setpoint, setpoint value [of an automatic control circuit]

Sollwertabweichung *f*, Abweichung *f*
deviation

Sollwerteinstellung *f*
setpoint adjustment

Sonderzeichen *n.pl.* [Zeichen, die weder Buchstaben, Ziffern oder Leerstellen darstellen, z.B. Satzzeichen]
special characters [characters that are not letters, digits or blanks, e.g. punctuation signs]

Sortier-Mischprogramm *n*
sort/merge program

Sortiereinrichtung *f*, Ordnungseinrichtung *f* [für Bauteile]
sorting device [for components]

Sortieren *n*
sorting

sortieren
sort, to

Sortierfeld *n*
sort field

Sortierprogramm *n*
sort program, sorting program

Sortierschlüssel *m*
sort key

SOS-Technik *f*, Silicium-auf-Saphir-Technik *f*
Verfahren für die Herstellung von integrierten CMOS-Schaltungen, bei dem anstelle des Siliciumsubstrats einkristalliner Saphir verwendet wird. Die komplementären Transistoren werden in einer dünnen Siliciumschicht erzeugt, die mit Hilfe der Silanepitaxie auf das Saphirsubstrat abgeschieden wird.
SOS technology (silicon-on-sapphire technology)
Process for fabricating CMOS integrated circuits which uses a single-crystal sapphire substrate instead of a silicon substrate. The complementary transistors are formed in a silicon film which is grown on the sapphire

substrate by silane epitaxy.

SOT-Gehäuse *n* [Gehäuseform für Hybridschaltungen]
SOT package [package style for hybrid circuits]

Soundex-Verfahren *n* [zur Codierung von ähnlich klingenden Wörtern]
Soundex method [for coding similarly sounding words]

Source *f*, Quelle *f*
Bereich des Feldeffekttransistors, vergleichbar mit dem Emitter des Bipolartransistors.
source
Region of the field-effect transistor, comparable with the emitter of a bipolar transistor.

Source-Gate-Durchbruchspannung *f*
source-gate breakdown voltage

Source-Gate-Leckstrom *m*
source-gate leakage current

Source-Gate-Übergang *m* [bei Sperrschicht-Feldeffekttransistoren der Übergang zwischen Source- und Gate-Bereich]
source-gate junction [in junction field-effect transistors, the junction between source and gate regions]

Sourceanschluß *m*, Sourcekontakt *m* [von außen zugängliche Stelle für den Anschluß an den Sourcebereich]
source terminal, source contact [terminal accessible from the outside to make electrical contact with the source region]

Sourcebereich *m*, Sourcezone *f* [bei FET]
source region, source zone [in FETs]

Sourcediffusion *f*
Diffusion von Fremdatomen in den Sourcebereich eines Feldeffekttransistors.
source diffusion step
Diffusion of impurities into the source region of a field-effect transistor.

Sourcedotierung *f*
Dotierung des Sourcebereiches bei der Fertigung von Feldeffekttransistoren.
source doping
Doping of the source region in field-effect transistor fabrication.

Sourceelektrode *f*
source electrode

Sourcekontakt *m*, Sourceanschluß *m* [von außen zugängliche Stelle für den Anschluß an den Sourcebereich]
source terminal, source contact [terminal accessible from the outside to make electrical contact with the source region]

Sourceschaltung *f* [Transistorgrundschaltung]
Eine der drei Grundschaltungen des Feldeffekttransistors, bei dem die Sourceelektrode die gemeinsame Bezugselektrode ist. Sie ist vergleichbar mit der Emitterschaltung bei Bipolartransistoren.

common source connection [basic transistor configuration]
One of the three basic configurations of the field-effect transistor having the source as a common reference terminal. It is comparable to the common emitter connection of a bipolar transistor.

Sourcespannung f
source voltage

Sourcestrom m [bei Feldeffekttransistoren der über den Sourceanschluß fließende Strom]
source current [in field-effect transistors, the current flowing through the source terminal]

Sourcevorspannung f
source bias

Sourcewiderstand m
source resistance

Sourcezone f, Sourcebereich m [bei FET]
source zone, source region [in FETs]

Spalte f
column

Spaltenabstand m
column spacing

Spaltenadreßauswahl f
column address-select

Spaltenadresse f
column address

Spaltenadressenhaltezeit f
column address hold time

Spaltenadressenimpuls m (CAS)
Signal für die Spaltenadressierung bei Speichern mit matrixartiger Anordnung der Speicherzellen (z.B. bei RAMs).
column address strobe (CAS)
Signal for addressing memory cells in the columns of a memory device in which the cells are arranged in an array (e.g. in RAMs)

Spaltenadressenübernahmeregister n
column address latch

Spaltenadressenvorlaufzeit f
column address set-up time

Spaltenauswahl f
column select

spaltenbinäre Darstellung f
column binary representation, Chinese binary representation

Spaltenbreite f
column width

Spaltendecodierer m
column decoder

Spaltenhöhe f
column height

Spaltenleseverstärker m
column sense amplifier

Spaltenparitätsprüfzeichen n
column parity character

Spaltentreiber m
column driver

Spannungsabfall m
voltage drop

spannungsabhängig
voltage dependent

spannungsabhängiger Widerstand m, Varistor m
Halbleiterbauelement, das einen spannungsabhängigen, nichtlinearen Widerstand hat.
varistor, voltage-dependent resistor (VDR)
Semiconductor component that has a voltage-dependent nonlinear resistance.

Spannungsausfall m
voltage breakdown, supply breakdown

Spannungseinbruch m
voltage dip

spannungsführend
voltage conducting, live

Spannungsgegenkopplung f
negative voltage feedback

spannungsgesteuert
voltage-controlled, voltage-driven

spannungsgesteuerter Oszillator m
voltage-controlled oscillator (VCO)

spannungsgesteuerter Oszillatorbaustein m
voltage-controlled oscillator chip (VCO chip)

spannungslos, stromlos
dead, currentless

Spannungsnormal n
voltage standard

Spannungspegel m
voltage level

Spannungsquelle f
voltage source

Spannungsreferenzdiode f, Referenzdiode f
voltage reference diode, reference diode

Spannungsregler m
voltage regulator

Spannungsrückkopplung f
voltage feedback

Spannungsrückwirkung f
reverse-voltage transfer

Spannungsschwankung f
voltage fluctuation

Spannungsstabilisatordiode f, Stabilisatordiode f
voltage regulator diode, stabilizer diode

Spannungsstabilisierung f
voltage stabilization

Spannungsstoß m
voltage surge, surge

Spannungsteiler m
voltage divider

spannungsunabhängig
voltage-independent

Spannungsverdopplerschaltung f
voltage doubler circuit

Spannungsverlauf m
voltage waveform

Spannungsverstärker *m*
 voltage amplifier
Spannungsverstärkung *f*
 voltage gain
Spannungsvervielfacher *m*
 voltage multiplier
Spannungswandler *m*
 voltage transformer
SPARC [von Sun definierte RISC-Architektur]
 SPARC (Scalable Processor ARChitecture)
 [RISC architecture defined by Sun]
SPDL [Standard-Seitenbeschreibungssprache;
 ein Teil der offenen Dokumentarchitektur
 (ODA)]
 SPDL (Standard Page Description Language)
 [a part of Office Document Architecture (ODA)]
Speicher mit direktem Zugriff *m*,
 Direktzugriffsspeicher *m* Speicher, dessen
 Zugriffszeit unabhängig von der Lage der
 gespeicherten Daten ist, z.B. Magnetplatten-
 oder Diskettenspeicher]
 direct-access memory, direct-access storage
 [storage whose access time is independent of
 the location of the data, e.g. magnetic disk or
 floppy disk storage]
Speicher mit geringer Zugriffszeit *m*
 low-access storage
Speicher mit hoher Zugriffszeit *m*, Speicher
 mit langsamer Zugriffszeit *m*, langsamer
 Speicher *m*
 slow-access storage
Speicher mit schnellem Zugriff *m*,
 Schnellspeicher *m*, Schnellzugriffsspeicher *m*
 high-speed memory (HSM), high-speed
 storage, fast-access storage, immediate-access
 storage, zero-access storage
Speicher mit sequentiellem Zugriff *m*,
 Speicher mit seriellem Zugriff *m* [Speicher,
 dessen Zugriffszeit von der Lage der
 gespeicherten Daten abhängig ist, z.B.
 Magnetbandspeicher]
 sequential-access storage, serial-access
 storage [storage whose access time is
 dependent on the location of the stored data,
 i.e. magnetic tape storage]
Speicher mit wahlfreiem Zugriff *m* (RAM),
 Schreib-Lese-Speicher *m*
 random access memory (RAM), read-write
 memory
Speicher-Flipflop *n*, Auffang-Flipflop *n*, Latch *n*
 Ein spezieller Pufferspeicher, der zur
 Informationsspeicherung während eines
 vorgegebenen Zeitintervalls verwendet wird. Er
 gleicht die unterschiedlichen
 Übertragungsgeschwindigkeiten im
 Datenverkehr zwischen Peripheriebausteinen
 und Mikroprozessor aus.
 latch, set-reset latch, SR latch
 A special type of buffer storage used for

information storage during a specific time
interval. It compensates for differing data
transfer speeds between peripheral devices and
the microprocessor.
Speicherabbild *n*, Speicheraufteilung *f*,
 Memory-Mapping *f* [Zuordnung bestimmter
 Bereiche des Hauptspeichers]
 memory map, memory mapping [assigning
 defined areas of main storage]
Speicherabfall *m* [nicht mehr benötigte Daten
 im Hauptspeicher]
 garbage [data no longer needed in main
 memory]
Speicherabzug *m*, Speicherausdruck *m*,
 Speicherauszug *m*, Speicherprotokoll *n*
 [Speicherdarstellung, meistens in binärer,
 hexadezimaler oder oktaler Form, zwecks
 Fehlerbeseitigung; der Speicherabzug kann
 nach Programmablauf (Speicherabzug nach
 Pannen) oder während des Programmablaufes
 (Speicherabzug der Zwischenergebnisse)
 erfolgen]
 memory dump, dump [representation, usually
 in binary, hexadecimal or octal form, of memory
 contents for debugging purposes; a post-
 mortem dump is effected after program
 termination, a snapshot dump during program
 run]
Speicherabzug nach Pannen *m*, statischer
 Speicherabzug *m* [Speicherdarstellung,
 meistens in binärer, hexadezimaler oder
 oktaler Form, zwecks Fehlerbeseitigung nach
 Programmablauf]
 post-mortem dump, static dump, static
 memory dump [representation, usually in
 binary, hexadecimal or octal form, of memory
 contents for debugging purposes after program
 termination]
Speicherabzugprogramm *n*
 dump program
Speicheradreßregister *n*
 memory address register (MAR)
Speicheraufteilung *f*, Speicherabbild *n*,
 Memory-Mapping *f* [Zuordnung bestimmter
 Bereiche des Hauptspeichers]
 memory map, memory mapping [assigning
 defined areas of main storage]
Speicherausdruck *m*, Speicherabzug *m*,
 Speicherauszug *m*, Speicherprotokoll *n*
 memory dump, dump
Speicherausnutzung *f*
 storage utilization
Speicherauswahlregister *n*
 memory selection register
Speicherauszug *m*, Speicherabzug *m*,
 Speicherausdruck *m*, Speicherprotokoll *n*
 memory dump, dump
Speicherauszug der Zwischenergebnisse *m*,
 Schnappschußabzug *m*, dynamischer

Speicherabzug m [Speicherdarstellung, meistens in binärer, hexadezimaler oder oktaler Form, zwecks Fehlerbeseitigung während des Programmablaufes]
snapshot dump, dynamic dump [representation, usually in binary, hexadecimal or octal form, of memory contents for debugging purposes during program run]
Speicherbaustein m
memory device, storage device
Speicherbedarf m
memory requirements
Speicherbefehl m
storage instruction
Speicherbelegung f, Speicherzuweisung f
storage allocation
Speicherbereich m
storage area
Speicherbereich m, Partition f [einer Festplatte]
partition [of a hard disk]
Speicherbereichsschutz m, Speicherschutz m, Speicherschreibsperre f [Schutz von Programmen oder Daten, die im Hauptspeicher enthalten sind; wird besonders beim Mehrprogrammbetrieb angewendet]
memory protection, memory protect, storage protection [protection of programs or data contained in main memory; used particularly in the case of multiprogramming]
Speicherbereinigung f [Löschen von nicht mehr benötigten Daten aus dem Hauptspeicher]
garbage collection [clearing of data no longer needed in main memory]
Speicherbus m
memory bus
Speicherdichte f, Schreibdichte f, Bitdichte f [Aufzeichnungsdichte eines Datenträgers, insbesondere eines Magnetbandes, in der Regel ausgedrückt in Bits/Zoll (BPI) bzw. Bits/cm; gebräuchliche Aufzeichnungsdichten sind 800, 1600 und 6250 BPI bzw. 315, 630 und 2460 Bits/cm]
recording density, packing density, bit density [storage density of a data medium, particularly of a magnetic tape, usually expressed in bits/inch (BPI); commonly used recording densities are 800, 1600 and 6250 BPI]
Speicherelement n [speichert die kleinste Dateneinheit, meist ein Bit]
memory element, storage element [stores the smallest unit of data, usually one bit]
Speichererweiterung f
memory expansion
Speicherfunktion f
memory function, storage function
Speicherinhalt m

memory contents
Speicherkapazität f [Datenaufnahmevermögen eines Speichermediums, meistens in Bytes (kBytes oder MBytes) ausgedrückt]
memory capacity, storage capacity [data storage capacity of a storage medium, usually expressed in bytes (kbytes or Mbytes)]
Speicherkarte f
memory board
Speicherkonkurrenz f
memory contention
Speicherlademodul m
memory load module
Speicherladung f
storage charge
Speichermatrix f [allgemein: Speicheranordnung]
storage matrix, storage array [general: storage arrangement]
Speichermatrix f, Speicherzellenanordnung f [Halbleiterspeicher]
Anordnung der Speicherzellen (z.B. eines RAMs) in Form einer Matrix mit Zeilen und Spalten. Die Adressierung erfolgt mit den Signalen RAS (Zeilenadressenimpuls) und CAS (Spaltenadressenimpuls).
memory cell array, memory array, memory cell matrix [semiconductor memories] Arrangement of memory cells (e.g. of a RAM) in the form of a matrix with rows and columns. Addressing of the array is effected by applying the signals RAS (row address strobe) and CAS (column address strobe).
Speichermedium n, Datenaufzeichnungsmedium n [z.B. Diskette, Plattenspeicher, Magnetband usw.]
data recording medium, storage medium [e.g. floppy disk, disk storage, magnetic tape, etc.]
Speichermodell n [im Compiler]
memory model [in compiler]
speichern
store, to
Speicherorganisation f
memory organization
speicherorientierte Ein-Ausgabe f [Zuordnung bestimmter Bereiche des Hauptspeichers für Ein-Ausgabe-Funktionen]
memory mapped input-output [allocation of defined areas of main memory to input-output functions]
Speicherplatz m, Speicherzelle f [eine aus mehreren Speicherelementen bestehende Gruppe, die durch eine Adresse identifiziert wird, z.B. für die Abspeicherung eines Bytes oder Wortes]
storage cell, storage location, memory cell [a group of storage elements identified by an address, e.g. for storing a byte or word]

speicherprogrammierbare Steuerung *f* (SPS),
programmierbare Steuerung *f*
Folgesteuerung mit rechnerähnlicher Struktur.
Sie besteht aus der Zentraleinheit mit
Prozessor bzw. Mikroprozessor, dem
Programmspeicher und der Ein-Ausgabe-
Einheit.
programmable controller (PC),
programmable logic controller (PLC)
A sequence control with a computer-like
structure. It consists of a central processing
unit with the processor or microprocessor and
the program storage as well as an input-output
unit.
speicherprogrammierte Steuerung *f*
stored-program control
Speicherprotokoll *n*, Speicherabzug *m*,
Speicherausdruck *m*, Speicherauszug *m*
[Speicherdarstellung, meistens in binärer,
hexadezimaler oder oktaler Form, zwecks
Fehlerbeseitigung; der Speicherabzug kann
nach Programmablauf (Speicherabzug nach
Pannen) oder während des Programmablaufes
(Speicherabzug der Zwischenergebnisse)
erfolgen]
memory dump, dump [representation, usually
in binary, hexadecimal or octal form, of memory
contents for debugging purposes; a post-
mortem dump is effected after program
termination, a snapshot dump during program
run]
Speicherregister *n*
storage register
speicherresident, resident [bedeutet, daß ein
Programm im Hauptspeicher permanent
abgelegt ist]
resident [signifies that a program is
permanently stored in main memory]
speicherresidentes Programm *n* [im
Hauptspeicher abgelegtes Programm, das auch
dann verfügbar ist ("pop-up"), wenn eine
andere Anwendung aktiv ist und zwar durch
Eingabe einer speziellen Tastenkombination
("hot-key")]
memory-resident program, pop-up program,
TSR program (Terminate and Stay Ready)
[program stored in main memory and available
for use ("pop-up") even when another
application is active by entering a key
combination ("hot-key")]
Speicherröhre *f*
storage tube
Speicherschutz *m*, Speicherbereichsschutz *m*,
Speicherschreibsperre *f* [Schutz von
Programmen oder Daten, die im Hauptspeicher
enthalten sind; wird besonders beim
Mehrprogrammbetrieb angewendet]
memory protection, memory protect, storage
protection [protection of programs or data

contained in main memory; used particularly in
the case of multiprogramming]
Speichersystem *n*
memory system, storage system
Speichertreiber *m*
memory driver
Speicherüberlagerung *f*, Überlagerungstechnik
f, Overlay-Technik *f* [das Unterteilen eines
Programmes in Segmente
(Überlagerungssegmente oder Overlays), die
nach Bedarf in den Hauptspeicher geladen
werden; somit benötigt die Ausführung eines
Programmes weniger Platz im Hauptspeicher]
overlay technique [dividing a program into
segments (overlays) which are loaded into the
main memory as they are required; hence
execution of a program requires less space in
the main memory]
Speicherverwaltung *f* [verwaltet die
Speicherbelegung]
memory manager [controls memory
allocation]
Speicherverwaltungseinheit *f*
memory management unit (MMU)
Speicherzeit *f* [bei einer Speicherröhre]
retention time [of a storage tube]
Speicherzelle *f*, Speicherplatz *m* [eine aus
mehreren Speicherelementen bestehende
Gruppe, die durch eine Adresse identifiziert
wird, z.B. für die Abspeicherung eines Bytes
oder Wortes]
storage cell, storage location, memory cell [a
group of storage elements identified by an
address, e.g. for storing a byte or word]
Speicherzellenanordnung *f*, Speichermatrix *f*
[Halbleiterspeicher]
Anordnung der Speicherzellen (z.B. eines
RAMs) in Form einer Matrix mit Zeilen und
Spalten. Die Adressierung erfolgt mit den
Signalen RAS (Zeilenadressenimpuls) und CAS
(Spaltenadressenimpuls).
memory cell array, memory array, memory
cell matrix [semiconductor memories]
Arrangement of memory cells (e.g. of a RAM) in
the form of a matrix with rows and columns.
Addressing of the array is effected by applying
the signals RAS (row address strobe) and CAS
(column address strobe).
Speicherzone *f*
storage zone
Speicherzugriff *m*
memory access, storage access
Speicherzuweisung *f*, Speicherbelegung *f*
storage allocation
Speicherzyklus *m*
memory cycle, storage cycle
Speicherzykluszeit *f* [kleinste Zeitspanne
zwischen zwei aufeinanderfolgenden Lese- bzw.
Schreibvorgängen; liegt in der Größenordnung

von Mikro- oder Nanosekunden]
memory cycle time [shortest time interval
between two consecutive read or write
operations; lies in the range of micro- or
nanoseconds]
speisen, zuführen
    feed, to
Speisespannung *f,* Versorgungsspannung *f*
    supply voltage
Speisestrom *m,* Versorgungsstrom *m*
    supply current
spektrale Empfindlichkeitsbandbreite *f*
    [Optoelektronik]
    spectral response bandwidth
    [optoelectronics]
spektrale Strahlungsbandbreite *f*
    [Optoelektronik]
    spectral radiation bandwidth
    [optoelectronics]
Sperrbefehl *m*
    disable instruction
Sperrbereich *m*
    blocking state region
Sperrdämpfung *f* [eines Filters]
    stop-band attenuation [of a filter]
Sperrdiode *f*
    blocking diode
Sperreingang *m,* Inhibiteingang *m* [einer
    logischen Schaltung]
    inhibit input, disabling input [of a logic
    circuit]
Sperreingang mit Negation *m*
    negated inhibit input
Sperren *n* [bei Halbleiterbauteilen: den
    Stromfluß in Vorwärtsrichtung verhindern]
    reverse biasing, blocking [preventing forward
    current flow in semiconductor devices]
Sperren *n,* Abschalten *n* [bei Ein- bzw.
    Ausgängen]
    disable, inhibit [inputs or outputs]
sperrender Metall-Halbleiter-Übergang *m*
    [Schottky-Kontakt]
    rectifying metal-semiconductor junction,
    non-ohmic metal-semiconductor junction
    [Schottky contact]
sperrfreier Metall-Halbleiter-Übergang *m*
    [Ohmscher Kontakt]
    ohmic metal-semiconductor junction, non-
    rectifying metal-semiconductor junction [ohmic
    contact]
Sperrglied *n*
    blocking element
Sperrrichtung *f,* Rückwärtsrichtung *f* [z.B. bei
    einem PN-Übergang]
    reverse direction [e.g. in the case of a pn-
    junction]
Sperrimpuls *m,* Inhibitimpuls *m,* Sperrsignal *n*
    [verhindert die Ausführung einer Operation,
    z.B. in einer logischen Schaltung]

    inhibit pulse, disable pulse, disabling signal
    [prevents the execution of an operation, e.g. in
    a logic circuit]
Sperrkondensator *m*
    blocking capacitor
Sperrkontakt *m*
    blocking contact
Sperrsättigungsspannung *f*
    reverse saturation voltage
Sperrschaltung *f,* Inhibitschaltung *f* [eine
    Schaltung, die ein Inhibitimpuls bzw. ein
    Sperrsignal erzeugt]
    inhibit circuit, inhibiting circuit [a circuit
    producing an inhibit pulse or a disabling signal]
Sperrschicht *f* [Halbleitertechnik]
    Gebiet in einem Halbleiterkristall an der
    Grenze eines Übergangs zwischen Halbleiter
    und Metall oder zwischen einem N-leitenden
    und einem P-leitenden Bereich. An dieser
    Grenze diffundieren Elektronen aus dem N-
    Bereich in den P-Bereich und Defektelektronen
    (Löcher) aus dem P- in den N-Bereich. Dadurch
    wird das N-Gebiet leicht positiv und das P-
    Gebiet leicht negativ geladen. Durch Anlegen
    einer äußeren Spannung in Sperrrichtung an
    den PN-Übergang (negative Spannung am P-
    Gebiet und positive Spannung am N-Gebiet)
    verbreitet sich die Sperrschicht und der
    Stromfluß ist bis auf einen kleinen Rest
    gesperrt. Legt man eine positive Spannung am
    P-Gebiet und eine negative Spannung am N-
    Gebiet an, wird die Sperrschicht abgebaut und
    der Strom fließt in Vorwärtsrichtung.
    depletion layer [semiconductor technology]
    Region in a semiconductor crystal at the
    interface between a semiconductor material
    and metal or between an n-type and a p-type
    region. At this interface electrons diffuse from
    the n-type region into the p-type region and
    holes from the p-type region into the n-type
    region. Hence the n-type region acquires a
    slightly positive charge and the p-type a
    slightly negative charge. By applying a reverse
    biased external voltage across the pn-junction
    (negatively biased to the p-type region and
    positively biased to the n-type region), the
    depletion layer becomes effectively wider and
    current flow is very small. Forward-biasing the
    pn-junction decreases the effective width of the
    depletion layer and the current flows in
    forward direction.
Sperrschicht-Feldeffekttransistor *m* (SFET)
    Feldeffekttransistor, dessen Gatezone mit dem
    stromführenden Kanal einen oder mehrere PN
    Übergänge bildet. Durch Anlegen einer
    Sperrspannung an die PN-Übergänge
    entstehen Raumladungszonen, die sich bei
    Erhöhung der Gatespannung in den Kanal
    hinein ausdehnen und die Strombahn

einschnüren. Somit steuert die Gatespannung den Strom zwischen Source und Drain.

junction field-effect transistor (JFET) A field-effect transistor in which the gate region forms one or more pn-junctions with the conductive channel. Reverse bias voltage applied to the junctions creates depletion layers which extend into the channel region as gate voltage is increased and reduce the effective width of the conductive path. Hence current conduction between source and drain is controlled by the voltage applied to the gate terminal.

Sperrschicht-Injektions-Laufzeitdiode f, BARITT-Diode f [Halbleiterbauelement für den Mikrowellenbereich] **BARITT diode** (barrier injected transit time diode) [microwave semiconductor device]

Sperrschichtbauelement n junction device

Sperrschichtbreite f depletion layer width, depletion width

Sperrschichtisolation f junction isolation

Sperrschichtkapazität f junction capacitance

Sperrschichtladung f depletion charge

Sperrschichtphotoeffekt m [innerer Photoeffekt in einer Sperrschicht] **photovoltaic effect** [intrinsic photoelectric effect in a depletion layer]

Sperrschichtphotoelement n, Photoelement n, Halbleiterphotoelement n Halbleiterbauelement, das Lichtenergie oder andere Strahlungsenergie in elektrische Energie umsetzt, ohne eine äußere Spannungsquelle zu benötigen (z.B. Solarzellen). **photovoltaic cell** Semiconductor component that converts light energy or other radiant energy into electrical energy without the need for an external voltage source (e.g. solar cells).

Sperrschichttemperatur f junction temperature

Sperrschwinger m [Kippschaltung mit Rückkopplung über einen Transformator; erzeugt eine Sägezahnspannung] **blocking oscillator** [multivibrator with feedback via a transformer; generates a sawtooth voltage]

Sperrsignal n, Inhibitimpuls m, Sperrimpuls m [verhindert die Ausführung einer Operation, z.B. in einer logischen Schaltung] **inhibit pulse,** disable pulse, disabling signal [prevents the execution of an operation, e.g. in a logic circuit]

Sperrspannung f, Rückwärtsspannung f

blocking voltage, cut-off voltage, reverse voltage, reverse bias

Sperrstrom m, Rückwärtsstrom m [der durch einen PN-Übergang in Rückwärtsrichtung fließende Strom] **reverse current,** reverse-bias current [the current flowing through a pn-junction in reverse direction]

Sperrstromverstärkung f reverse current gain

Sperrung f inhibition [circuit], blocking [semiconductors]

Sperrverzugsladung f reverse recovered charge

Sperrverzögerungsstrom m reverse recovery current

Sperrverzögerungszeit f reverse recovery time

Sperrwiderstand m reverse dc resistance

Sperrzustand m blocking state, cut-off state

Spezifikation f, technische Daten $n.pl.$, Kenndatenzusammenstellung f, Pflichtenheft n specifications

spezifischer Widerstand m resistivity

spiegelbildliche Festplatten $f.pl.$ [zur Speicherung von identischen Daten verwendet] **mirrored hard disks** [is used for storage of identical data]

Spiegelung f mirroring

Spinell m Magnesium-Aluminium-Oxid, das als isolierendes Substrat bei der Herstellung von integrierten CMOS-Schaltungen verwendet wird (z.B. bei der ESFI-Technik). **spinel** Magnesium-aluminium oxide used as an insulating substrate in CMOS integrated circuit fabrication (e.g. in ESFI technology).

Spiralkabel n coiled cable

Spitzenamplitude f peak amplitude

Spitzenbelastung f peak load

Spitzendiode f [Halbleiterdiode mit einem Punktkontakt] **point-contact diode** [semiconductor diode using a point contact]

Spitzenkontakt m, Punktkontakt m point contact

Spitzenleistung f peak power

Spitzenspannung f peak voltage

Spitzensperrspannung f

peak reverse voltage
Spitzenstrom m
peak current
Spitzentransistor m [erster
Germaniumtransistor]
point-contact transistor [first germanium
transistor]
Spitzenwertfaktor m, Scheitelfaktor m
crest factor
spitzer Winkel m [graphische Darstellung]
acute angle
Spool-Betrieb m, Spooling n [Verfahren zur
Zwischenspeicherung von Ein-Ausgabe-Daten
für bzw. von langsamen Peripheriegeräten]
spool (simultaneous peripheral operation on
line), spooling [technique of buffer storing
input-output data for or from slow peripherals]
Spool-Datei f
spool file
Spooling n, Spool-Betrieb m
spool
sporadischer Ausfall m, intermittierender
Ausfall m
sporadic failure, intermittent failure
Spracherkennung f
voice recognition
Sprachgenerator m, Sprachsynthesizer m
voice synthesizer
Sprachgenerierung f
speech generation
sprachgesteuertes Gerät n
voice-operated device
Sprachkanal m
voice channel
Sprachspeicher m
voice storage
Sprachsynthese f
speech synthesis
Sprachsynthesizer m, Sprachgenerator m
voice synthesizer
Sprachübertragung f
voice transmission
Spreadsheet-Programm n,
Tabellenkalkulations-Programm n [Programm
zur Berechnung von Werten in Zeilen und
Spalten mittels vorgegebener Formeln]
spreadsheet program, electronic spreadsheet
program [program for calculating values in
rows and columns according to predetermined
equations]
Spreizen n, Verzahnen n [z.B. von Impulsen im
Zeitmultiplex]
interlacing [e.g. of pulses in time-division
multiplex]
Sprite n [benutzerdefinierbares Muster aus
Bildpunkten]
sprite [user-definable pattern of pixels]
Spritzer m, Lötzinnspritzer m, Zinnspritzer m
splash, solder splash, tin solder splash

Sprosse f [bei Lochstreifen und Magnetbänder:
Bereich der parallelen Spuren, der in der Regel
ein Zeichen speichert]
row [in punched tapes and magnetic tapes:
area of parallel tracks usually storing one
character]
Sprungadresse f
jump address, transfer address
Sprungantwort f, Übergangsfunktion f
[Antwortsignal eines Regelgliedes oder -
systems, wenn es durch eine Sprungfunktion
am Eingang erregt wird]
step response [response of a control element
or system when it is excited by a step function]
Sprunganweisung f [z.B. in ALGOL, BASIC,
FORTRAN]
transfer statement, GO-TO statement [e.g. in
ALGOL, BASIC, FORTRAN]
Sprungbedingung f
jump condition, branch condition
Sprungbefehl m, Verzweigungsbefehl m [Befehl
zum Verlassen des normalen sequentiellen
Programmablaufes und Fortsetzung des
Programmes an der angegebenen Stelle; beim
unbedingten Sprungbefehl geschieht dies in
jedem Fall, beim bedingten nur, wenn die
angegebene Bedingung erfüllt ist]
jump instruction, branch instruction
[instruction for leaving the normal program
sequence and to continue at the given point of
the program; in the case of an unconditional
jump this is effected always, in the case of a
conditional jump only if the given condition is
satisfied]
Sprungoperation f
jump operation, transfer operation
Sprungziel n, Ansprungziel n
jump destination, branch destination
SPS f, speicherprogrammierbare Steuerung f,
programmierbare Steuerung f
Folgesteuerung mit rechnerähnlicher Struktur.
Sie besteht aus der Zentraleinheit mit
Prozessor bzw. Mikroprozessor, dem
Programmspeicher und der Ein-Ausgabe-
Einheit.
PC (programmable controller), PLC
(programmable logic controller)
A sequence control with a computer-like
structure. It consists of a central processing
unit with the processor or microprocessor and
the program storage as well as an input-output
unit.
Spur f [bei Lochstreifen, Magnetbändern und
Magnetplatten]
track [on punched tapes, magnetic tapes and
magnetic disks]
Spurendichte f, Spuren pro Zoll f.pl.
track density, tracks per inch (TPI)
Spurwechselzeit f [Magnetplatte, Diskette]

track-to-track access time [disk, diskette]
Sputtern n, Sputter-Verfahren n,
Kathodenzerstäubung f
Abscheideverfahren für die Herstellung von
leitenden und dielektrischen Schichten bei der
Fertigung von Halbleiterbauteilen und
integrierten Schaltungen.
sputtering, cathode sputtering
A deposition process for forming conductive and
dielectric layers in semiconductor component
and integrated circuit fabrication.
Sputterätzung f, Aufstäubätzung f [ein
Ätzverfahren]
sputter etching [an etching process]
SQA [Software-Qualitätssicherung]
SQA (Software Quality Assurance)
SQL [Standardabfragesprache für Datenbanken;
Hochsprache für Abfrageroutinen für
Datenbanken]
SQL (Structured Query Language) [high-level
language for query routines for databases]
SRAM m, statischer RAM m, statischer Schreib-
Lese-Speicher m
Statischer Schreib-Lese-Speicher mit
wahlfreiem Zugriff, dessen Speicherzellen aus
Flipflops bestehen. Der Speicherinhalt bleibt
ohne periodische Auffrischung erhalten.
Statische RAMs werden in Bipolar- und MOS-
Technik ausgeführt.
static RAM, static random access memory
(SRAM)
Static read-write memory with random access
whose memory cells consist of flip-flops. Stored
information is maintained and requires no
periodic refreshing. RAMs exist in bipolar and
MOS versions.
SSI, Kleinintegration f, niedriger
Integrationsgrad m
Integrationstechnik, bei der nur wenige
Transistoren oder Gatterfunktionen (zwischen
5 und 100) auf einem Chip enthalten sind.
SSI (small scale integration)
Technique for the integration of only a few
transistors or logical functions (between 5 and
100) on the same chip.
stabile Ausgangskonfiguration f
stable output configuration
stabiler Zustand m
stable state
Stabilisator m
stabilizer
Stabilisatordiode f, Spannungsstabilisatordiode
stabilizer diode, voltage regulator diode
Stabilisierung f
stabilization
Stammband n
master tape
Stammdatei f, Hauptdatei f
master file

Stammdaten n.pl., Stammeinträge m.pl.
master data, master records
Standard-TTL f [standardmäßige Transistor-
Transistor-Logik]
standard TTL [standard transistor-transistor
logic]
Standardabweichung f
standard deviation
Standardbaustein m, handelsüblicher Baustein
off-the-shelf device, catalog device
Standarddrucker m
default printer
Standardlaufwerk n
default drive
Standardschnittstelle f, genormte Schnittstelle
f [z.B. für die asynchrone serielle
Datenübertragung gemäß EIA RS-232-C oder
CCITT V.24]
standard interface [e.g. for asynchronous
serial data communications according to EIA
RS-232-C or CCITT V.24]
Standardvorgabe f, Standardwert m
[Datenverarbeitung: vorgegebener Wert, der
vom Programm verwendet wird, falls vom
Benutzer kein spezifischer Wert eingegeben
wurde]
default value [data processing: predetermined
value employed by program if no specific value
has been entered by the user]
Standardzelle f
Softwaremäßig definierte Schaltungsfunktion,
die hardwaremäßig nicht vorhanden ist, aber
für die Entwicklung von integrierten
Semikundenschaltungen aus einer
Zellenbibliothek abgerufen werden kann.
standard cell
A software-defined circuit function that does
not physically exist but can be pulled from a
cell library for the design of semicustom
integrated circuits.
Standardzellenbibliothek f
Sammlung von Standardzellen, die voll
spezifiziert als Software vorhanden sind.
standard cell library
Collection of predefined standard cells available
in software.
Standleitung f, Mietleitung f [für
Datenübertragung]
leased line [for data transmission]
Stanzabfall m, Lochungsabfall m [bei
Lochstreifen oder Lochkarten]
chad [of punched tapes or punched cards]
stanzen
perforate, to; punch, to
Stanzer m
perforator, punch
Stapel m, Kellerliste f, LIFO-Liste f [eine Liste,
in der die letzte Eintragung als erste
wiedergefunden wird]

push-down list, LIFO list [list in which the last item stored is the first to be retrieved (last-in/first-out)]
Stapel m, Schub m
batch
Stapelbetrieb m, Stapelverarbeitung f
[schubweise Verarbeitung von gesammelten Aufträgen; im Gegensatz zur Echtzeit-verarbeitung]
batch processing, batch mode [processing of jobs collected in batches; in contrast to real-time processing]
Stapelgate-Lawineninjektions-MOS-Transistor m, SAMOS-Transistor m [Variante des FAMOS-Transistors]
SAMOS transistor (stacked-gate avalanche injection MOS transistor) [a variant of the FAMOS transistor]
Stapelspeicher m, Kellerspeicher m, FILO-Speicher m, LIFO-Speicher m
Speicher, der ohne Adreßangabe arbeitet und dessen Daten in der umgekehrten Reihenfolge gelesen werden, in der sie zuvor geschrieben worden sind, d.h. das zuletzt geschriebene Datenwort wird als erstes gelesen. Er wird mittels Schieberegister oder RAM insbesondere für die Bearbeitung von Unterprogrammen verwendet, d.h. für die Datenspeicherung vor einem Sprungbefehl.
stack, FILO storage (first-in/last-out), LIFO storage (last-in/first-out)
Storage device operating without address specification and which reads out data in the reverse order as it was stored, i.e. the first data word is read out last. Implemented as shift registers or RAM, it is particularly used for subroutines, i.e. for storing data prior to a jump instruction.
Stapelspeicher-Überlauf m
stack overflow
Stapelverarbeitung f, Stapelbetrieb m
[schubweise Verarbeitung von gesammelten Aufträgen; im Gegensatz zur Echtzeit-verarbeitung]
batch processing, batch mode [processing of jobs collected in batches; in contrast to real-time processing]
Stapelzeiger m, Kellerzeiger m [ein Adreßregister in einem Mikroprozessor; zeigt die Speicherstelle des Keller- bzw. Stapelspeichers an, auf die der letzte Zugriff erfolgte]
stack pointer [an address register in a microprocessor; points to the last-accessed storage location of a stack]
stark dotierter Halbleiter m, hochdotierter Halbleiter m
highly doped semiconductor
Start-Stop-Arbeitsweise f, asynchrone

Arbeitsweise f [Datenübertragung mit Synchronisierung mittels Start- und Stopbits, die jedem zu übertragenden Zeichen zugefügt sind]
start-stop operation, asynchronous operation [data transmission with synchronization effected by adding start and stop bits to each character to be transmitted]
Start-Stop-Verfahren n [Magnetbandgerät]
start-stop method [magnetic tape unit]
Startadresse f
starting address
Startanweisung f
starting statement
Startbefehl m
start instruction
Startbit n [bei der asynchronen Datenübertragung]
start bit [in asynchronous data transmission]
stationärer Sperrstrom m
resistive reverse current
statische Analyse f [Programm]
static analysis [program]
statische Bindung f
early binding
statische Steilheit f
static transconductance
statischer Fehler m
static error
statischer Festwertspeicher m, statischer ROM m
static ROM, static read-only memory
statischer Influenz-Transistor m (SIT)
static induction transistor (SIT)
statischer RAM m, statischer Schreib-Lese-Speicher m, SRAM m
Statischer Schreib-Lese-Speicher mit wahlfreiem Zugriff, dessen Speicherzellen aus Flipflops bestehen. Der Speicherinhalt bleibt ohne periodische Auffrischung erhalten. Statische RAMs werden in Bipolar- und MOS-Technik ausgeführt.
static RAM, static random access memory (SRAM)
Static read-write memory with random access whose memory cells consist of flip-flops. Stored information is maintained and requires no periodic refreshing. RAMs exist in bipolar and MOS versions.
statischer ROM m, statischer Festwertspeicher m
static ROM, static read-only memory
statischer Schreib-Lese-Speicher m, statischer RAM m, SRAM m
static RAM, static random access memory (SRAM)
statischer Speicher m [Speicher, dessen Speicherinhalt ohne Auffrischen erhalten bleibt]
static memory [memory in which stored

information is maintained without the need for refreshing]

statischer Speicherabzug *m,* Speicherabzug nach Pannen *m* [Speicherdarstellung, meistens in binärer, hexadezimaler oder oktaler Form, zwecks Fehlerbeseitigung nach Programmablauf]
  static dump, static memory dump, post-mortem dump [representation, usually in binary, hexadecimal or octal form, of memory contents for debugging purposes after program termination]

statisches Bild *n,* Hintergrund *m,* Hintergrundbild *n*
  background image, static image

statisches Flipflop *n*
  static flip-flop

statistische Analyse *f*
  statistical analysis

statistische Sicherheit *f* [Qualitätskontrolle]
  confidence level [quality control]

statistische Voraussage *f*
  statistical prediction

Status *m* [aktueller Zustand, z.B. der Zentraleinheit, eines Kanals, eines Peripheriegerätes usw.]
  status [actual state, e.g. of the central processing unit, a port, a peripheral unit, etc.]

Statusbit *n,* Zustandsbit *n* [Bit, das den aktuellen Zustand angibt, z.B. der Zentraleinheit, eines Kanals, eines Peripherie-gerätes usw.]
  status bit [bit giving the actual state, e.g. of the central processing unit, a port, a peripheral unit, etc.]

Statusbyte *n,* Zustandsbyte *n*
  status byte

Statusregister *n,* Zustandsregister *n* [im Mikroprozessor: enthält Operandenzustand oder Ergebnisse, z.B. Übertrag, Überlauf, Vorzeichen, Null, Parität]
  status register [in microprocessor: contains operand status or results, e.g. carry, overflow, sign, zero, parity]

steckbar
  pluggable

Steckbaugruppe *f,* Steckmodul *m*
  plug-in module

Steckeinheit *f,* Einschub *m,* Einschubeinheit *f* [z.B. für ein genormtes 19-Zoll-Gestell]
  plug-in unit [e.g. for a standard 19-inch rack]

Stecker *m,* Steckverbinder *m*
  plug, connector, plug connector

steckerkompatibel, anschlußkompatibel [bezeichnet Geräte, die miteinander austauschbar sind]
  plug-compatible, plug-to-plug compatible, connector-compatible [designates equipment which are interchangeable

Steckerleiste *f,* Kartenstecker *m* [Steckverbindung für eine Leiterplatte]
  edge connector [connector for a printed circuit board]

Steckkarte *f* [Leiterplatte]
  plug-in board [printed circuit board]

Steckkartengehäuse *n* [Gehäuseform]
  edge-mounted package, edge mount package [package style]

Steckmodul *m,* Steckbaugruppe *f*
  plug-in module

Steckplatz *m* [Platz für zusätzliche Steckkarte]
  slot [for additional plug-in board]

Steckverbinder *m,* Stecker *m*
  connector, plug connector

Steckverbinder-Adapter *m*
  connector adapter

Stegetechnik *f,* Beam-Lead-Technik *f*
Kontaktierungstechnik für Halbleiterbauteile und integrierte Schaltungen. Das Muster für die Zuführungen zu den Kontaktflecken auf dem Chip wird während der Bearbeitung des Wafers direkt auf der Chipoberfläche erzeugt. Die Stege (beam-leads) ragen nach Zerlegung des Wafers durch chemisches Ätzen über den Rand des Chips hinaus.
  beam-lead technology
Bonding technique used for semiconductor devices and integrated circuits. The pattern of the beams leading to the bonding pads on the chip are formed on the chip surface during wafer processing. The beams extend over the edge of the chip after separation from the wafer by chemical etching.

steigende Flanke *f,* ansteigende Flanke *f,* positive Flanke *f*
Anstieg eines digitalen Signals oder eines Impulses.
  rising edge
Rise of a digital signal or a pulse.

Steilheit *f*
  slope

Stelle einer Zahl mit der niedrigsten Wertigkeit *f,* niedrigstwertige Stelle *f*
  least significant digit (LSD)

Stellen hinter dem Komma *f.pl.* [einer Zahl]
  fractional part [of a number]

Stellenwert *m*
  place value

Stellglied *n* [Regelungstechnik]
  actuator, controller, controlling element [automatic control]

Stellgröße *f* [Regelungstechnik]
  manipulated variable [automatic control]

Step-und-Repeat-Kamera *f,* Schritt-und-Wiederholkamera *f* [Photolithographie]
Spezialkamera für die Herstellung von Muttermasken. Die Kamera dient der Verkleinerung der Zwischenmaske auf

Originalmaskengröße und der 100- bis 1000-
fachen Vervielfältigung auf einer
durchsichtigen Glasplatte, die den ganzen
Wafer abdeckt.
step-and-repeat camera [photolithography]
Special-purpose camera for the production of
master masks. It is used to reduce the reticle to
final mask dimensions and to reproduce the
mask pattern 100 to 1000 times on a
transparent glass disk which covers the entire
surface of the wafer.
Stern m
  asterisk
Stern-Topologie f [Netzwerk]
  star topology [network]
Steueranschluß m [eines Thyristors]
  gate terminal [of a thyristor]
Steuerbaustein für direkten Speicherzugriff
m, **DMA-Controller** m
  DMA controller (DMAC)
Steuerbefehl m, Kommando n [steuert den
Programmablauf; löst eine Rechneroperation
aus, die durch einen Befehl definiert ist]
  command, control command, control
instruction [controls the program sequence;
initiates a computer operation defined by an
instruction]
Steuerbefehlsregister n
  control register
Steuerbus m [Übertragungsweg für
Steuerinformationen]
  control bus [transfer path for control
information]
Steuereinheit f, Steuerwerk n [allgemein]
  controller, control unit [general]
Steuereinheit f, Steuerwerk n [von
Mikroprozessoren bzw. Mikrocomputern]
  controller-sequencer [of microprocessors or
microcomputers]
Steuerfunktion f
  control function
Steuergitter n [Elektronenröhre]
  control grid [electron tube]
Steuerkennlinie f
  control characteristics
Steuerkette f, Steuerung f [d.h. ohne
Rückführung]
  open-loop control [i.e. without feedback]
Steuerknüppel m [graphisches Eingabegerät
zur Steuerung des Zeigers (Cursors) auf dem
Bildschirm]
  joystick [graphical input device for moving the
cursor on the display]
Steuerleitung f
  control line
Steuerlochstreifen m
  control tape
Steuerlogik f
  control logic

Steuersignal n
  control signal
Steuerspannung f
  control voltage
Steuerstrom m
  control current
Steuersystem n
  control system
Steuertaste f
  control key
Steuerung f [allgemein]
  control [general]
Steuerung f, Steuerkette f [d.h. ohne
Rückführung]
  open-loop control [i.e. without feedback]
Steuerungs- und Unterbrechungslogik f
  control and interrupt logic
Steuerwerk n, Steuereinheit f [allgemein]
  controller, control unit [general]
Steuerwerk n, Steuereinheit f [von
Mikroprozessoren bzw. Mikrocomputern]
  controller-sequencer [of microprocessors or
microcomputers]
Steuerwerk n, Leitwerk n [Funktionsteil eines
Rechners; steuert die Befehlsfolge, decodiert
die Befehle und erzeugt die Signale, die im
Rechenwerk, Arbeitsspeicher und Ein-Ausgabe-
Werk benötigt sind]
  control unit [functional unit of a computer;
controls the sequence of instructions, decodes
the instructions and generates the signals
required by the arithmetic and logical unit, the
working storage and the input-output device]
Steuerzeichen n [z.B. für Drucker]
  control character [e.g. for printers]
Stibitz-Code m, Exzeß-Drei-Code m, Drei-Exzeß-
Code m [ein Binärcode für Dezimalziffern; jede
Dezimalziffer wird durch eine Gruppe von vier
Binärzeichen dargestellt, die jedoch um 3 höher
ist als die duale Darstellung, z.B. die Ziffer 7
wird durch 1010 anstatt 0111 dargestellt]
  excess-three code [a binary code for decimal
digits; each decimal digit is represented by a
group of four binary digits which is 3 in excess
of the binary representation, i.e. the digit 7 is
represented by 1010 instead of 0111]
Stichkontaktierung f
  Ein Thermokompressionsverfahren, bei dem
ein Golddraht durch eine Kapillare geführt,
seitlich geknickt und auf den Kontaktfleck der
Schaltung gepreßt wird.
  stitch bonding
  A thermocompression method in which a gold
wire fed through a capillary tube is bent
laterally and pressed against the bonding pad
on the circuit.
Stichprobe f
  sample
Stichprobe f [Qualitätskontrolle]

sampling test [quality control]
Stichprobenprüfplan *m* [Qualitätskontrolle]
sampling inspection plan [quality control]
Stichprobenprüfung *f* [Qualitätskontrolle]
sampling inspection [quality control]
Stichprobenumfang *m* [Qualitätskontrolle]
sampling size [quality control]
Stift-Computer *m*, **Pen-Computer** *m* [kleiner Rechner mit Tablett und Stift für Handschrift-Eingabe]
pen computer, pen-based computer, notepad computer [small computer with tablet and pen for handwritten entry]
stochastisch, zufallsabhängig
stochastic, random
stochastisches Rauschen *n*
stochastic noise
Stopbit *n* [bei der asynchronen Datenübertragung]
stop bit [in asynchronous data transmission]
Störabstand *m*, **Störpegelabstand** *m*
noise ratio
Störbegrenzer *m*
noise limiter
störfeste Schaltung *f*, **HNIL-Schaltung** *f* [logische Schaltung mit hoher Störsicherheit]
high-noise immunity logic (HNIL)
Störfrequenz *f*, **parasitäre Frequenz** *f*
parasitic frequency
Störgröße *f* [Regelungstechnik]
disturbance [automatic control]
Störpegel *m*
interference level, noise level
Störpegelabstand *m*, **Störabstand** *m*
noise ratio
Störschutz *m*, **Rauschunterdrückung** *f*, **Störunterdrückung** *f*
noise suppression, interference suppression
Störschwingung *f*
parasitic oscillation
Störsicherheit *f*
noise immunity
Störsignal *n* [Magnetband]
drop-in [magnetic tape]
Störsignal *n*, **Rauschsignal** *n*
noise signal
Störspannungsabstand *m* [Maß für die Betriebssicherheit einer Schaltung]
noise margin [measure for operational reliability of a circuit]
Störspannungsgenerator *m*, **Rauschgenerator** *m*
noise generator
Störstelle *f* [Halbleitertechnik]
Fremdatom oder Gitterfehler in einem Halbleiterkristall.
impurity, imperfection [semiconductor technology]
An impurity atom or a lattice imperfection in a semiconductor crystal.

Störstellendichte *f*
impurity density
Störstellendiffusion *f*
Das Einbringen von Fremdatomen in einen Halbleiter durch Diffusion.
impurity diffusion
The introduction of impurity atoms into a semiconductor by diffusion.
Störstellenerschöpfung *f*
impurity exhaustion
Störstellenhalbleiter *m*, störstellenleitender Halbleiter *m*
Halbleiter, dessen Leitfähigkeit vorwiegend durch die von Störstellen freigesetzten Ladungsträger hervorgerufen wird; im Gegensatz zu einem eigenleitenden Halbleiter.
extrinsic semiconductor
Semiconductor whose conductivity depends essentially on charge carriers generated by impurities added to it; in constrast to an intrinsic semiconductor.
Störstellenkompensation *f*
Das Einbringen von Donatoren in einen P-Halbleiter oder von Akzeptoren in einen N-Halbleiter, um die Wirkung der vorhandenen Dotierung abzuschwächen, zu kompensieren oder den Leitungstyp umzukehren.
impurity compensation
The addition of donors to a p-type semiconductor or of acceptors to an n-type semiconductor to reduce or compensate the effect of existing doping properties or to reverse the type of conduction.
Störstellenkonzentration *f*
impurity concentration
störstellenleitender Halbleiter *m*, Störstellenhalbleiter *m*
extrinsic semiconductor
Störstellenleitung *f* [Halbleitertechnik]
Elektrische Leitung in einem Halbleiter, die durch Freisetzen von Ladungsträgern aus Störstellen entsteht; im Gegensatz zu Eigenleitung.
extrinsic conduction [semiconductor technology]
Conduction in a semiconductor due to the generation of charge carriers by impurities; in contrast to intrinsic conduction.
Störstellenniveau *n*
impurity level
Störung *f*
fault, malfunction
Störungsanfälligkeit *f*, Fehleranfälligkeit *f*
fault liability, fault susceptibility
störungssicher, entstört [z.B. Gerät]
interference-proof [e.g. equipment]
störungssicheres System *n*, ausfallsicheres System *n*
fail-safe system

Störunterdrückung *f,* Rauschunterdrückung *f,*
Störschutz *m*
  noise suppression, interference suppression
Stoßfestigkeit *f,* Schlagfestigkeit *f*
  resistance to impact
Stoßionisation *f*
  impact ionization
Stoßspannungsprüfung *f*
  surge voltage test
Stoßstrom *m*
  surge on-state current
Strahlenschaden *m* [Kristallfehler]
  Durch Ionenimplantation geschädigte
  Kristallgitterstruktur eines
  Halbleiterbereiches. Die geschädigte Schicht
  kann durch eine thermische Nachbehandlung
  oder mit Hilfe von Laserstrahlen restauriert
  werden.
  irradiation damage [crystal defect]
  Structural damage to the crystal lattice in a
  semiconductor region as a result of ion
  implantation. Crystal damage can be removed
  by heat treatment or with the aid of a laser
  beam.
Strahlspeicher *m*
  beam storage
Strahlung *f,* Abstrahlung *f*
  radiation, irradiation
strahlungsarmes Bildschirmgerät *m*
  low-radiation monitor
Strahlungsdiagramm *n* [Optoelektronik]
  radiation diagram [optoelectronics]
Streamer *m,* Streaming-Bandlaufwerk *n*
  [Bandlaufwerk mit kontinuierlichem Ablauf]
  streamer, streaming tape unit [tape unit with
  continuous tape motion]
Streifenleiter *m* [Doppelleiter aus parallelen
  Streifen mit kleinem Abstand bzw. aus einem
  Streifen und einer leitenden Ebene]
  stripline [twin conductor consisting of parallel
  strips with small spacing or one strip and a
  conducting plane]
Streifenleitertechnik *f,* Sandwich-Leitung *f*
  stripline technique, sandwich line
Streuausbreitung *f*
  scatter propagation
Streukapazität *f*
  stray capacitance
Strichcode *m*
  bar code
Strichcode-Abtaster *m,* Strichcode-Scanner *m*
  bar code scanner
Stricheinteilung *f*
  graduation
Strichgraphik *f,* Liniengraphik *f*
  line graphics
Strichplatte *f* [Meßelement]
  reticle [measuring element]
Strichpunkt *m,* Semikolon *n*

  semi-colon
String *m,* Zeichenkette *f,* Zeichenfolge *f* [eine
  Folge von Einheiten bzw. Zeichen]
  string, character string [a linear series of
  entities or characters]
String-Variable *f* [Variable, die eine
  Zeichenkette (d.h. nichtnumerische
  Information) enthält]
  string variable [variable containing a
  character string (i.e. non-numeric information)
Strobe-Eingang *m*
  strobe input
Strobe-Impuls *m* [Impuls zur Aktivierung eines
  gewünschten Vorganges]
  strobe [a pulse used to produce a desired
  action]
Strobe-Signal *n*
  strobe signal
Strom *m*
  current
Strom *m,* Datenstrom *m* [kontinuierlicher Fluß
  von Daten]
  stream, data stream [continuous flow of data]
Strom-Ein-Ausgabe *f*
  stream input/output
Strom-Spannungs-Kennlinie *f*
  current-voltage characteristics
Stromabschaltung *f*
  power interruption
Stromaufnahme *f* [von Halbleiterbauteilen]
  power supply current [of semiconductor
  devices]
Stromausfall *m,* Netzausfall *m*
  mains failure, power failure, outage
Strombegrenzer *m*
  current limiter
Strombegrenzungstransistor *m*
  current limiting transistor
Strombelastbarkeit *f*
  current-carrying capacity
Stromdichte *f*
  current density
Stromempfindlichkeit *f*
  current sensitivity
Stromentnahme *f,* Stromverbrauch *m* [einer
  Schaltung]
  current drain [of a circuit]
stromführend, leitend
  conducting, conductive
Stromgegenkopplung *f*
  negative current feedback
stromgesteuert
  current-controlled, current-driven
Stromimpuls *m*
  current pulse
Stromlaufplan *m,* Schaltplan *m*
  circuit diagram
Stromleiter *m,* Leiter *m*
  conductor

stromliefernde Schaltungstechnik *f*
current sourcing logic
stromlos, spannungslos
dead, currentless
Stromquelle *f*
current source
Stromschaltertechnik *f* (CML)
Schaltungstechnik für integrierte
Bipolarschaltungen, bei der die Transistoren
im ungesättigten Zustand betrieben werden.
Damit lassen sich sehr kleine Schaltzeiten
erzielen. Die bekanntesten Vertreter der
Stromschaltertechnik sind die ECL- und E^{2}CL-
Logikfamilien.
current-mode logic (CML)
Circuit technique for bipolar integrated circuits
in which transistors operate in the unsaturated
mode. This enables very short switching times
to be achieved. The best known logic families in
the CML group are ECL and E^{2}CL.
Stromstabilisierung *f*
current stabilization
Stromsteuerung *f*
current control
Stromstoß *m*
current surge, current rush
Stromteiler *m*
current divider
Stromverbrauch *m* [allgemein]
current consumption [general]
Stromverbrauch *m*, Stromentnahme *f* [einer
Schaltung]
current drain [of a circuit]
Stromverdrängung *f*, Kelvin-Effekt [die
Eigenschaft des Wechselstromes, sich bei
hohen Frequenzen an der Oberfläche des
Leiters zu konzentrieren; der Effekt nimmt bei
steigender Frequenz zu und vergrößert den
Leiterwiderstand]
skin effect, Kelvin effect [the property of
alternating current to concentrate in the
surface layer of a conductor at high frequencies;
the effect increases with frequency and results
in a higher conductor resistance]
Stromversorgung *f*
power supply
Stromversorgung einschalten, einschalten
switch-on, to; power-up, to
Stromversorgungteil *n*, Netzteil *m*,
Netzgerät *n*
power supply unit, power pack, power unit
Stromverstärkung *f*
current gain
stromziehende Schaltungstechnik *f*
current sinking logic
Struktogramm *n*, Nassi-Shneiderman-
Diagramm *n* [zur Darstellung der
Ausführungsreihenfolge eines Programmes]
Nassi-Shneiderman chart, NS chart [for

representing sequence of operations in a
program]
Strukturentwurf *m*, geometrischer Entwurf *m*,
Layout *n*
layout
strukturierte Programmierung *f* [methodische
Programmierung mit stufenweiser Detailierung
einer umfassenden Beschreibung, d.h. von oben
nach unten erfolgend, unter Verwendung von
Programmmodulen und Vermeidung von
Sprungbefehlen]
structured programming, block-structure
programming [methodological programming
with stepwise detailing of an overall
description, i.e. top-down programming,
employing program modules and avoiding jump
instructions]
Student-t-Verteilung *f*, t-Verteilung *f*
[Wahrscheinlichkeitsverteilung]
Student's t distribution, t distribution
[probability distribution]
Stufenziehen *n* [Kristallziehverfahren]
Ein Ziehprozeß bei der
Halbleiterkristallherstellung, mit dem ein
Kristall mit abwechselnd N-leitenden und P-
leitenden Schichten gezogen wird.
rate growth [crystal growing process]
A process for growing semiconductor crystals
allowing crystals to be produced which have
alternate n-type and p-type layers.
Subjunktion *f*, Implikation *f*, IF-THEN-
Verknüpfung *f*
Logische Verknüpfung mit dem Ausgangswert
(Ergebnis) 0, wenn und nur wenn der erste
Eingang (Operand) den Wert 0 und der zweite
den Wert 1 hat; für alle anderen Eingangswerte
ist der Ausgangswert 1.
IF-THEN operation, implication, conditional
implication, inclusion
Logical operation having the output (result) 0 if
and only if the first input (operand) is 0 and the
second is 1; for all other input values the output
is 1.
Subklasse *f*, abgeleitete Klasse *f* [bei der
objektorientierten Programmierung: die von
der obersten Klasse abgeleitete Klasse in einer
Hierarchie, im Gegensatz zur Basisklasse]
derived class, subclass [in object oriented
programming: a class derived from the top class
in a hierarchy of classes, in contrast to base
class]
Subkollektor *m*, vergrabene Schicht *f*
Bei integrierten Bipolarschaltungen eine
hochdotierte Schicht unter der Kollektorzone,
die vor dem Abscheiden der epitaktischen
Schicht in das Siliciumsubstrat eindiffundiert
wird, um den Kollektorbahnwiderstand zu
verringern.
buried layer, buried diffused layer

In bipolar integrated circuits a highly doped layer formed by diffusion under the collector region prior to epitaxial growth to reduce collector series resistance.

Subroutinenanweisung *f* [FORTRAN]
subroutine statement [FORTRAN]

substitutionelle Diffusion *f*, substitutioneller Einbau *m* [Dotierungstechnik]
Diffusionsmechanismus, bei dem die Fremdatome durch das Kristallgitter wandern, indem sie von einem Gitterplatz zum nächsten übergehen.
substitutional diffusion
Diffusion mechanism in which impurity atoms wander through the crystal lattice by moving from one lattice site to the next.

substitutionelles Fremdatom *n* [Dotierungstechnik]
substitutional impurity [doping technology]

Substrat *n*, Ausgangsmaterial *n*, Grundmaterial
Das Material (Halbleiterkristall oder Isolator) in oder auf dem Bauelemente oder integrierte Schaltungen hergestellt werden.
substrate, starting material, base material
The material (semiconductor crystal or insulator) in or on which discrete components or integrated circuits are fabricated.

substratgespeiste Logik *f*, SFL *f* [Variante der integrierten Injektionslogik (I²L), die besonders hohe Packungsdichte und gute dynamische Eigenschaften aufweist]
substrate field logic (SFL) [variant of the integrated injection logic (I²L) exhibiting exceptionally high packaging density and good dynamic properties]

Substratstrom *m*
substrate current

Substrattransistor *m*
Vertikaler PNP-Transistor, bei dem das P-leitende Substrat den Kollektor bildet; wird als Emitterfolger in hochintegrierten Schaltungen eingesetzt.
substrate pnp-transistor
Vertical pnp-transistor in which the p-type substrate forms the collector; is used as emitter follower in large-scale integrated circuits.

Subtrahierer *m*
subtracter

Subtrahierglied mit drei Eingängen *n*
three-input subtracter

Subtrahierglied mit zwei Eingängen *n*
two-input subtracter

Subtraktion *f* [in der Rechentechnik wird die Subtraktion auf die Addition zurückgeführt, d.h. anstatt a - b wird die Operation a + (-b) durchgeführt; der Vorzeichenwechsel erfolgt durch Bildung des Komplementes, z.B. Zweier-komplement bei Dualzahlen]
subtraction [in computer technology subtraction is based on addition, i.e. instead of a - b the operation a + (-b) is carried out; the change of sign is effected by forming the complement, e.g. twos complement in the case of binary numbers]

subtraktives Verfahren *n*
Verfahren zur Herstellung von Verdrahtungsmustern auf Leiterplatten durch Ätzen des kupferkaschierten Laminats.
subtractive process
Process for forming conductive patterns on printed circuit boards by etching the copper-clad laminate.

Suchbaum *m*
search tree

Suchbegriff *m* [Datenbank]
search word [data base]

suchen
search, to

Suchen in geketteter Liste *n*, Kettensuche *f*
chained search, chaining search

Suchschlüssel *m* [Datenbank]
search key [data base]

Suchvorgang *m*
search operation, seek operation

Suchzeit *f* [Datenverarbeitung]
search time [data processing]

sukzessive Approximation *f*
successive approximation

Summand *m*
addend

Summenhäufigkeit *f* [Statistik]
cumulative frequency [statistics]

Summenregister *n*
sum register

Summenverstärker *m* [Analogtechnik: ein Operationsverstärker]
summing amplifier [analog techniques: an operational amplifier]

summierender Integrator *m* [Analogtechnik: ein Integrierer mit mehreren Eingängen]
summing integrator [analog techniques: an integrator with multiple inputs]

SunOS [Betriebssystem von Sun]
SunOS (Sun Operating System) [operating system developed by Sun]

Super-VGA [VGA mit erhöhter Auflösung von z.B. 1024 x 768 Punkten]
SVGA (Super Video Graphics Adapter) [VGA with increased resolution of e.g. 1024 x 768 points]

Superklasse *f*, Basisklasse *f* [in der objektorientierten Programmierung: die oberste Klasse in einer Hierarchie, im Gegensatz zur abgeleiteten Klasse]
superclass, base class [in object oriented programming: the top class in a hierarchy of classes, in contrast to derived class]

Superminicomputer *m*, Superminirechner *m*

[ein 64-Bit-Kleinrechner]
superminicomputer [a 64-bit minicomputer]
Superrechner *m* [Großrechner mit besonders leistungsfähigen Prozessoren]
supercomputer, number cruncher [mainframe computer with specially powerful processors]
Swapping *m,* dynamische Auslagerung *f,* Ein- und Auslagern *n* [Verschieben eines Programmes vom Zusatz- in den Hauptspeicher und umgekehrt; wird in Mehrbenutzersystemen sowie in Systemen mit virtuellem Speicher verwendet]
swapping, swap-in and swap-out [transfer a program from auxiliary to main storage and vice-versa; used in time-sharing and virtual memory systems]
Symbol *n*
symbol
Symbolbild *n,* Ikon *n,* Piktogramm *n,* Sinnbild *n* [graphisches Symbol z.B. für ein Anwendungsprogramm]
icon, pictogram [graphical symbol, e.g. for an application program]
Symbolfolge *f*
symbol string
symbolische Adresse *f* [Adresse, die durch einen frei wählbaren Ausdruck (in der Regel einen mnemotechnischen Namen) gekennzeichnet ist; wird in symbolischen Programmiersprachen verwendet]
symbolic address, floating address [address consisting of a freely chosen expression (usually a mnemonic name); is used in symbolic programming languages]
symbolische Adressierung *f*
symbolic addressing
symbolische Logik *f,* mathematische Logik *f*
mathematical logic
symbolische Programmiersprache *f* [Assemblersprache bzw. eine Sprache, die mnemotechnische Abkürzungen verwendet]
symbolic programming language [assembler language or a language employing mnemonic abbreviations]
symbolische Programmierung *f,* adressenfreie Programmierung *f*
symbolic programming
symbolischer Assembler *m* [Assemblersprache, die symbolische Adressen verwendet]
symbolic assembler [assembler language using symbolic addresses]
symbolischer Befehl *m,* Pseudobefehl *m* [Befehl in einer symbolischen Programmier-sprache; der Operationsteil verwendet eine mnemotechnische Abkürzung, die Operandadresse eine symbolische Adresse]
pseudo instruction [instruction in a symbolic programming language; the operation part

employs a mnemonic abbreviation, the operand address a symbolic address]
symbolischer Code *m* [Darstellung von Maschinenbefehlen in symbolischer Form; im Gegensatz zur Darstellung in Binärform]
symbolic code, pseudo code [representation of machine instructions in symbolic form; in contrast to representation in binary form]
symbolisches Programm *n* [verwendet mnemotechnische Abkürzungen als Operationscodes und symbolische Adressen als Operandenadressen]
symbolic program [employs mnemonic abbreviations for operation codes and symbolic addresses for operand addresses]
Symboltabelle *f*
symbol table
symmetrisch gegen Masse
balanced to ground
symmetrische Schaltung *f*
balanced circuit, symmetrical circuit
symmetrischer Ausgang *m*
balanced output, symmetrical output
symmetrischer Verstärker *m*
balanced amplifier, symmetrical amplifier
Synchronbetrieb *m* [durch einen zentralen Takt gesteuert; im Gegensatz zu asynchronem Betrieb]
synchronous mode, synchronous operation, bit-synchronous operation [controlled by a central clock; in contrast to asynchronous operation]
synchroner Zähler *m,* Synchronzähler *m* Ein im allgemeinen aus Flipflops aufgebauter Zähler, bei dem alle Takteingänge von einem einzigen parallel zugeführten Taktsignal angesteuert werden, so daß alle Zustands-änderungen im gleichen Takt (synchron) erfolgen.
synchronous counter, parallel counter A counter usually composed of flip-flops in which all clock inputs are driven in parallel by a single clock signal. In this manner all state changes occur synchronously.
synchrones Datenübertragungsverfahren *n,* SDLC-Verfahren *n* [von IBM aufgestelltes Protokoll für die synchrone bitserielle Datenübertragung; Variante des von ISO genormten HDLC-Verfahrens]
synchronous data link control (SDLC) [protocol for synchronous bit-serial data transmission established by IBM; variant of HDLC (high-level data link control) standardized by ISO]
Synchronisierbyte *n* [Datenübertragung]
synchronizing byte [data transmission]
Synchronisierung *f,* Gleichlauf *m*
synchronization, synchronism
Synchronisierzeichen *n*

synchronizing character
Synchronrechner *m* [ein Rechner, dessen
interne Funktionen von einem Taktgeber
gesteuert sind; im Gegensatz zum
gebräuchlichen asynchronen Rechner]
synchronous computer [a computer whose
internal functions are controlled by a clock; in
contrast to the commonly used asynchronous
computer]
Synchronsignal *n*
synchronizing signal
Synchrontakt *m*
synchronous clock pulse
Synchronübertragung *f*
synchronous transmission
Synchronzähler *m*, synchroner Zähler *m*
synchronous counter, parallel counter
Syntax *f* [formale Regeln einer
Programmiersprache, die die Struktur
bestimmen; im Gegensatz zur Semantik, die
die Bedeutung bestimmt]
syntax [formal rules of a programming
language which determine its structure; in
contrast to semantics which determine the
meaning]
Syntax-Baum *m*, Parse-Baum *m*
syntax tree, parse tree
Syntaxfehler *m* [Verstoß gegen die formalen
Regeln einer Programmiersprache]
syntax error [violation of the formal rules of a
programming language]
System zur Informationswieder-
gewinnung *n*
retrieval system
System-Arbeitsgeschwindigkeit *f*
system speed
Systemabsturz *m* [Systemzusammenbruch, der
vom Betriebssystem nicht abgefangen werden
kann; führt daher zum Betriebsunterbruch
verbunden mit Datenverlust und Wiederanlauf-
schwierigkeiten]
system crash [system breakdown which
cannot be handled by the operating system;
leads to service interruption combined with
data loss and restart difficulties]
systematischer Fehler *m*
systematic error
Systemausbau *m*, Systemerweiterung *f*
system extension, system upgrade
Systemausfall *m*
system failure
Systembus *m*
system bus
Systemdatenbus *m*
system data bus
Systemdiskette *f* [Diskette, die das
Betriebssystem eines Rechners enthält]
system floppy disk [floppy disk containing
the operating system of a computer]

systemeigene Emulation *f* [System zur
Simulation des Verhaltens eines
Mikroprozessors; wird anstelle des
Mikroprozessors in einem Entwicklungssystem
eingesetzt]
in-circuit emulator (ICE) [system for
simulating the behaviour of a microprocessor;
replaces the microprocessor in a development
system]
Systemerweiterung *f,* Systemausbau *m*
system extension, system upgrade
Systemintegration *f*
system integration
Systemplatte *f* [Platte, die das Betriebssystem
eines Rechners enthält]
system disk [disk containing the operating
system of a computer]
Systemsoftware *f* [Basissoftware eines
Rechners]
system software [basic software for a
computer]
Systemstart *m*, Warmstart *m*, Wiederanlauf *m*
[nochmaliges Aufstarten des Rechners ohne
Aus- und Wiedereinschalten, im Gegensatz
zum Kaltstart]
system reboot, warm boot [restarting a
computer without switching off and on again, in
contrast to cold boot]
Systemtakt *m*
system clock
Systemtakt-Vorteiler *m*
system clock prescaler
Systemtheorie *f*
system theory
Systemumgebung *f*
system environment
Systemwirksamkeit *f*
system effectiveness
Systemzuverlässigkeit *f*
system reliability

T

T²L, TTL, Transistor-Transistor-Logik *f*
Eine der am meisten verwendeten
Logikfamilien, die durch einen oder mehrere
Multiemittertransistoren am Eingang
gekennzeichnet ist.
T²L, TTL (transistor-transistor logic)
One of the most widely used logic families,
characterized by one or more multiemitter
transistors at the input.

T-Flipflop *n* [Flipflop mit einem einzigen
Eingang T; mit T = 1 wechselt der Zustand, mit
T = 0 wird der bisherige Zustand beibehalten;
ein Impuls am Takteingang löst den
Zustandswechsel aus]
T flip-flop, toggle flip-flop [flip-flop with a
single input T; with T = 1 the state changes
(toggles), with T = 0 the state remains; a pulse
at the clock input triggers the change in state]

t-Verteilung *f*, Student-t-Verteilung *f*
[Wahrscheinlichkeitsverteilung]
t distribution, Student's t distribution
[probability distribution]

Tabelle *f* [mehrere Datenfelder vom gleichen
Typ; jede Zeile ist durch ihre Position oder
durch einen Schlüssel identifiziert]
table [array of data items of same type; each
line is identified either by its position or by a
key]

Tabellenkalkulation *f*
spreadsheet

Tabellenkalkulations-Programm *n*,
Spreadsheet-Programm *n* [Programm zur
Berechnung von Werten in Zeilen und Spalten
mittels vorgegebener Formeln]
spreadsheet program [program for
calculating values in rows and columns
according to predetermined equations]

Tabellensuchprogramm *n* [sortierte Tabellen
werden meistens binär, unsortierte sequentiell
durchsucht]
table look-up program, table look-up (TLU)
[sorted tables are usually binary searched,
unsorted are sequentially searched]

Tablett *n*, Digitalisiertablett *n*, Graphiktablett *n*
tablet, digitizer tablet, graphic tablet

Tabulator *m*
tabulator (TAB)

Tabulatorzeichen *n*
tabulator character

Tageszeituhr *f*
time-of-day clock

Takt *m*, Taktimpuls *m* [Synchronisierimpuls]
clock pulse [synchronizing pulse]

Taktabstand *m*
clock period

Takteingang *m*, Taktimpulseingang *m* [z.B.
eines Flipflops]
clock input, clock pulse input [e.g. of a flip-
flop]

Takterzeugung *f*
clock generation, clocking

Taktfehler *m*
clock error

Taktflanke *f*
clock edge

Taktfrequenz *f*
clock rate, clock frequency

Taktgeber *m*, Taktgenerator *m* [erzeugt
Synchronisierimpulse für einen
Sychronrechner und für die Rechnerperipherie]
clock (CLK), clock generator [generates
synchronizing pulses for a synchronous
computer and for the computer periphery]

taktgesteuert
clock controlled

taktgesteuertes Flipflop *n*, getaktetes Flipflop
n, Trigger-Flipflop *n* [Flipflop mit Auslösung
des Zustandswechsels durch einen Taktimpuls]
triggered flip-flop, clocked flip-flop [flip-flop
employing a clock pulse for changing its state]

Taktimpuls *m*, Takt *m* [Synchronisierimpuls]
clock pulse [synchronizing pulse]

Taktimpulseingang *m*, Takteingang *m* [z.B.
eines Flipflops]
clock input, clock pulse input [e.g. of a flip-
flop]

Taktimpulsgeneratorschaltung *f*
clock pulse generating circuit

Taktsignal *n* [z.B. ein Taktimpuls]
clock signal [e.g. a clock pulse]

Taktspur *f* [Lochstreifen]
feed track, sprocket track [punched tape]

Taktspur *f* [magnetischer Speicher]
clock track [magnetic storage]

Takttreiber *m*
clock driver

Taktverstärker *m*
clock amplifier

Taktzyklus *m*
clock cycle

Tantalkondensator *m*,
Tantalelektrolytkondensator *m*
tantalum capacitor, tantalum electrolytic
capacitor

Target *n*, Targetsubstanz *f*
Bei der Ionenimplantation das Material, in das
die Ionen eintreten.
target, target substance
In ion implantation, the material into which
ions penetrate.

Taschenrechner *m*
pocket calculator

Task *f*, Prozeß *m*, Aufgabe *f* [eine in sich
geschlossene Aufgabe; ein Programmteil]

task [a self-contained process; part of a program]

Tastatur *f* [Tasten für die Eingabe von Daten, d.h. Buchstaben, Ziffern, Symbole]
keyboard [keys for entry of data, i.e. letters, digits, symbols]

Tastatur- und Anzeige-Schnittstellenbaustein *m*
keyboard and display interface

Tastaturbauhöhe *f*
keyboard height

Tastaturbaustein *m*
keyboard module

Tastaturcode *m*
scan code, Scan-Code *m* [keyboard code]

Tastaturcodierer *m* [erzeugt die Binärzeichen entsprechend des verwendeten Codes, z.B. bei einer ASCII-Tastatur die Binärzeichen des ASCII-Codes]
keyboard encoder [generates binary digits according to the code used, e.g. binary digits of the ASCII code in the case of an ASCII keyboard]

Tastatureingabe *f*, Handeingabe *f*
keyboard entry, manual input

Tastatureingabefehler *m*
keyboard entry error

Tastaturpuffer *m*
keyboard buffer

Tastatursperre *f*
keyboard lock

Tastaturtreiber *m*
keyboard driver

Taste *f*
key

Tastenanschlag *m*
key-stroke, keystroke

Tastenfolge *f*
key sequence

tastengesteuert
key-driven

Tastenkombination *f*
key combination

Tastenrückmeldung *f* [akustisch oder mechanisch (Druckpunkt)]
key feedback [acoustic or mechanical (pressure point)]

Tastensperre *f*
keyboard interlock

Tastenverriegelung *f* [verhindert bei Tastaturen Eingabefehler, die durch gleichzeitige Betätigung mehrerer Tasten entstehen könnten]
n-key roll over (NKRO) [in keyboards prevents incorrect input when several keys are simultaneously depressed]

Tauchbeschichtung *f*
dip coating

Tauchlöten *n*

Verfahren für die Herstellung von Lötverbindungen auf gedruckten Leiterplatten. Dabei wird zunächst ein Flußmittel auf die Leiterplatte aufgetragen, die anschließend in eine Wanne mit geschmolzenem Lot getaucht wird.

dip soldering
Process for producing soldered connections on printed circuits boards by applying first a flux to the circuit pattern and then dipping the board into a bath of molten solder.

TAZ-Unterdrücker-Diode *f*
TAZ diode (transient absorption Zener diode)

TCP/IP [Übertragungsprotokolle für Rechner in Netzwerkverbund]
TCP/IP (Transmission Control Protocol, Internet Protocol) [transmission protocols for networked computers]

technische Daten *n.pl.,*
Kenndatenzusammenstellung *f*, Spezifikation *f*, Pflichtenheft *n*
specifications

technische Norm *f*
technical standard

TEGFET-Transistor *m*
Extrem schneller Feldeffekttransistor mit Heterostruktur. Auf undotiertem Galliumarsenid wird mit Hilfe der Molekularstrahlepitaxie eine dotierte Aluminium-Galliumarsenid-Schicht aufgebracht. Der Heteroübergang zwischen den beiden Strukturen hält die Elektronen, die aus der AlGaAs-Schicht diffundieren, in der undotierten GaAs-Schicht zurück, in der sie sich mit hoher Geschwindigkeit bewegen können. Sehr schnelle Transistoren (mit Schaltverzögerungszeiten von < 10 ps/Gatter) auf dieser Basis werden weltweit von verschiedenen Herstellern unter den Namen HEMT, MODFET und SDHT entwickelt.

TEGFET (two-dimensional-electron-gas FET)
Extremely fast field-effect transistor with a heterostructure. A doped aluminium gallium arsenide layer is deposited by molecular beam epitaxy on undoped gallium arsenide. The heterojunction between them confines the electrons which diffuse from the AlGaAs layer to the undoped GaAs where they can move with great speed. Very fast transistors (with switching delay times of < 10 ps/gate) based on this principle and called HEMT, MODFET and SDHT are being developed worldwide by various manufacturers.

Teilausfall *m* [Ausfall, der nur einen Teil der geforderten Funktionen betrifft]
partial failure [failure involving only part of the required functions]

teilen, aufteilen
split, to

Teileprogramm n [NC-Technik]
Die vollständige, in einer Programmiersprache formulierte Zusammenstellung von Daten und Anweisungen, die zur Fertigung eines bestimmten Werkstückes auf einer numerisch gesteuerten Maschine nötig ist.
part program [NC technology]
The complete set of data and instructions, written in a programming language, which is required for producing a particular workpiece on a numerically controlled machine.

Teiler m, Dividierwerk n [für die Ausführung einer mathematischen Teilung]
divider [for carrying out mathematical division]

Teiler m, Frequenzteiler m
divider, frequency divider

Teilfolge f
substring

Teilmenge f
subset

Teilnehmer m [an Datenübertragungsleitung angeschlossene Station]
subscriber [station connected to data transmission line]

Teilnehmerbetrieb m, Timesharing-Betrieb m [Rechnerbetriebsart, bei der mehrere Benutzer gleichzeitig arbeiten können; der Rechner bedient jeden Benutzer in periodisch wiederkehrenden, kurzen Zeitintervallen (Zeitscheiben)]
timesharing mode [computer operating mode allowing numerous users to work simultaneously; the computer serves each user in periodically repeating, short time intervals (time slices)]

Teilnehmersystem n, Zeitmultiplexsystem n
time-sharing system (TSS)

Teilnehmerverfahren n, Zeitmultiplexverfahren n, Zeitscheibenverfahren n
time-sharing method

Teilübertrag m [Zwischenspeichern (anstatt unmittelbarer Weiterleitung) von Überträgen bei der Paralleladdition]
partial carry [temporary storage (instead of immediate transfer) of carries in parallel addition]

Teilung f, Division f [Umkehrung der Multiplikation]
division [inverse of multiplication]

Telekommunikation f, Kommunikationstechnik f, Fernmeldetechnik f
telecommunication, telecommunications, communications

Telekommunikationskanal m, Fernmeldekanal m
telecommunication channel

Telekommunikationssystem n,
Fernmeldesystem n
telecommunication system

Telekommunikationstechnik f, Kommunikationstechnik f
communications, telecommunications

Telekonferenz f
teleconference

Teletex [Textübertragung über öffentliche Datennetze]
teletex [text transmission over public data networks]

Teletext m [Textübertragung über Fernsehkanäle]
teletext [text transmission over TV channels]

temperatur- und überlastgeschützter Feldeffekttransistor m (TOPFET)
Ein MOSFET, der chipintegrierte Schaltungen für den Kurzschluß-, Übertemperatur- und Überspannungsschutz beinhaltet; wird in der Fahrzeugelektronik und für Anwendungen in der Industrie eingesetzt]
temperature and overload protected field-effect transistor (TOPFET)
A MOSFET comprising on-chip circuits for short-circuit, overtemperature, and overvoltage protection; is used in automotive electronics and industrial applications]

temperaturabhängig
temperature-dependent

Temperaturanstieg m
temperature rise

Temperaturfühler m
temperature detector

Temperaturkoeffizient m
Die relative Änderung einer Kenngröße bezogen auf die Änderung der Temperatur.
temperature coefficient (TC)
The change in the value of a characteristic parameter relative to a change in temperature.

Temperaturkompensation f
temperature compensation

temperaturkompensierte Referenzdiode f
temperature-compensated reference diode

Temperaturstabilisierung f
temperature stabilization

temperaturunabhängig
temperature-independent

Term m [z.B. in der Schaltalgebra]
term [e.g. in switching algebra]

Terminal n, Datensichtgerät n, Bildschirmgerät n, Datenstation f, Datenendgerät n
video display unit (VDU), CRT display unit, data station, terminal

Terminal bereit, Datenendgerät bereit
DTR (data terminal ready)

Terminal-Emulation f
terminal emulation

Terminal-Programm n [ermöglicht die Verwendung des PC als Terminal zu einem

Zentralrechner über ein Modem]
terminal program [allows computer to be used as a terminal to a host computer via a modem]
Terminologiedatenbank *f* [für rechnerunterstützte Übersetzung]
terminology data base [for computer-aided translation]
Ternärcode *m*
ternary code
ternäre Schreibweise *f*
ternary notation
ternäres Zahlensystem *n* [Zahlensystem mit der Basis 3]
ternary number system [number system with the base 3]
Tertiärspeicher *m* [Speicher für große Datenmengen]
tertiary storage [storage for large amounts of data]
Testdaten *n.pl.*
test data
Testhilfe *f*
test aid, debugging aid
Testlauf *m*, Prüflauf *m*, Testdurchlauf *m* [Prüfung eines Programmes]
test run [checking a program]
Testprogramm *n*, Prüfprogramm *n*
test routine, check routine, test program, check program
Testsignal *n*, Prüfsignal *n*
test signal
Tetrade *f* [Gruppe von 4 Binärstellen zur Darstellung von Dezimalziffern, z.B. die Darstellung der Ziffer 7 durch die Tetrade 0111]
tetrad [group of 4 binary digits for representing decimal digits, e.g. representation of the digit 7 by the tetrad 0111]
tetradischer Code *m*
tetrad code
Textanfangszeichen *n*
start-of-text character (STX)
Textaufbereitung *f*
text editing
Textautomat *m*, Textverarbeitungssystem *n*, Textsystem *n*
word processing system
Textbaustein *m* [zwecks späterer Wiederverwendung abgespeicherter Textabschnitt]
text module, boilerplate text [section of text stored for subsequent re-use]
Texteditor *m* [Text wird in voller Bildschirmgröße angezeigt und kann geblättert werden, im Gegensatz zum Zeileneditor]
full-screen editor, text editor [displays text on whole screen and has scrolling functions, in contrast to line editor]

Textfeld *n*
description field
Textformatierer *m*
text formatter
Textverarbeitung *f*
word processing (WP)
Textverarbeitungssystem *n*, Textsystem *n*, Textautomat *m*
word processing system
Textwort *n*
text word
TF-FET *m*, Dünnfilm-FET *m*, Dünnschicht-Feldeffekttransistor *m* Isolierschicht-Feldeffekttransistor, dessen stromführender Kanal in einer dünnen Halbleiterschicht gebildet wird, die auf eine isolierende Schicht abgeschieden ist.
thin-film field-effect transistor (TF-FET) Insulated-gate field-effect transistor in which the conducting channel is formed in a thin semiconductor film deposited on an insulating layer.
thermisch gekoppelt
thermally coupled
thermische Belastung *f* Summe der Temperaturbelastungen, die während der Verarbeitung (Abscheidung, Diffusion, Dotierung, Oxidation, Ausheilung usw.) von Halbleiterscheiben entstehen.
thermal budget The sum of thermal stress factors occurring during the processing (deposition, diffusion, doping, oxidation, healing, etc.) of wafers.
thermische Beständigkeit *f*, Wärmebeständigkeit *f*
thermal stability
thermische Elektronenemission *f*
thermal electron emission
thermische Oxidation *f* Das bei der Planartechnik hauptsächlich eingesetzte Verfahren zur Herstellung von Isolierschichten, die als Masken für die selektive Dotierung oder als Passivierschichten dienen.
thermal oxidation In planar technology the most widely used process for producing insulating layers which serve either as diffusion masks for selective doping or as passivation layers.
thermischer Durchbruch *m*, thermischer Selbstmord *m* [Anwachsen der Temperatur in einem Halbleiterbauteil, das zu seiner Zerstörung führen kann]
thermal breakdown [the increase in temperature in a semiconductor device which can lead to its destruction]
thermischer Schaden *m*
thermal damage
thermischer Selbstmord *m*, thermischer

Durchbruch *m*
thermal breakdown
thermischer Verzögerungsschalter *m*
thermal delay switch
thermischer Widerstand *m*, Wärmewiderstand *m*
thermal resistance
thermisches Rauschen *n*
thermal noise
thermisches Weglaufen *n*
thermal runaway
Thermistor *m*
Temperaturabhängiger Widerstand, der als
Heißleiter (mit hohem negativen
Temperaturkoeffizienten) und als Kaltleiter
(mit hohem positiven Temperaturkoeffizienten)
ausgeführt wird.
thermistor
Temperature-sensitive resistor, fabricated in
two versions either as NTC resistor (with a
high negative temperature coefficient) or as
PTC resistor (with a high positive temperature
coefficient).
Thermodrucker *m*, elektrostatischer Drucker *m*
[erzeugt alphanumerische und graphische
Zeichen auf einem besonderen
wärmeempfindlichen Papier durch
Wärmeeinwirkung]
electrostatic printer, thermal printer
[generates alphanumeric characters and
graphic symbols on a special heat-sensitive
paper by the action of heat]
Thermokompressionsschweißen *n*,
Thermokompressionsverfahren *n*
Verfahren zum Herstellen von elektrischen
Verbindungen zwischen den Kontaktflecken
auf dem Chip und den Außenanschlüssen des
Gehäuses durch eine Kombination von Wärme
und Druck. Zu den
Thermokompressionsverfahren gehören die
Nagelkopfkontaktierung, die
Keilkontaktierung, die Stichkontaktierung und
das kombinierte Thermokompressions- und
Ultraschallverfahren.
thermocompression bonding
Process for making electrical connections
between the bonding pads on the chip and the
external leads of the package by a combination
of heat and pressure. Thermocompression
methods include nailhead bonding, wedge
bonding, stitch bonding and thermosonic
bonding.
Thermoschalter *m*, Bimetallschalter *m*
thermal switch, bimetal switch
Thermoschock *m*
Die Wirkung eines plötzlichen
Temperaturwechsels auf ein Bauteil oder
Material, der zu einer Beeinträchtigung seiner
Eigenschaften bzw. Funktionstüchtigkeit

führen kann.
thermal shock
The effect of a sudden change in temperature
on a device or a material which can be
detrimental to its performance or properties.
Thermoschockfestigkeit *f*
thermal shock resistance
Thermosonikschweißen *n* [kombiniertes
Thermokompressions- und
Ultraschallverfahren]
thermosonic bonding [combined
thermocompression and ultrasonic bonding]
Thesaurus *m* [Sammlung von Begriffen, die
nach einem Klassifizierungssystem geordnet
sind]
thesaurus [list of terms arranged according to
a classification system]
Thyristor *m*, gesteuerter Gleichrichter *m*
Halbleiterbauelement mit vier unterschiedlich
dotierten Bereichen (PNPN-Struktur) und drei
Übergängen, das von einem Sperrzustand in
einen Durchlaßzustand (und umgekehrt)
umgeschaltet werden kann. Thyristoren haben
ein breites Anwendungsgebiet in der
Leistungselektronik (z.B. Drehzahl- und
Frequenzsteuerung).
thyristor, silicon controlled rectifier (SCR)
Semiconductor component, with four differently
doped regions (pnpn structure) and three
junctions, which can be triggered from its
blocking state into its conducting state and
vice-versa. Thyristors have a wide range of
applications in power electronics (e.g. for speed
and frequency control).
Thyristordiode *f*
Thyristor mit zwei Anschlüssen. Man
unterscheidet zwischen rückwärtssperrenden
und rückwärtsleitenden Thyristordioden.
diode thyristor
Thyristor with two terminals. There are two
versions: reverse blocking and reverse
conducting diode thyristors.
Thyristorregler *m*
thyristor regulator
Thyristorschalter *m*
thyristor switch
Thyristortriode *f*
Thyristor mit drei Anschlüssen. Man
unterscheidet zwischen rückwärtssperrenden
und rückwärtsleitenden Thyristortrioden.
triode thyristor
Thyristor with three terminals. There are two
basic versions: reverse-blocking and reverse-
conducting triode thyristors.
Thyristorverstärker *m*
thyristor amplifier
Thyristorzündung *f*
thyristor ignition
Tiefendurchlauf *m*

depth-first search
tiefes Akzeptorniveau n
deep acceptor level
tiefes Donatorniveau n
deep donor level
tiefliegende Haftstelle f
deep trap
Tiefpaßfilter n
low-pass filter
tiefstehender Index m [tiefgestelltes Zeichen, z.B. X_1 oder L_a]
subscript [lowered character, e.g. X_1 or L_a]
Tieftemperaturspeicher m, kryogener Speicher m, Kryogenspeicher m, Kryotronspeicher m, Supraleitungsspeicher m [Speicher, der die Eigenschaften von supraleitenden Werkstoffen nutzt]
cryogenic storage, cryotron storage [storage device based on the properties of superconducting materials]
Tiegelziehverfahren n, Czochralski-Verfahren n [Kristallzucht]
Verfahren für das Ziehen von Einkristallhalbleitern aus der Schmelze.
Czochralski process [crystal growing]
Process for growing single-crystal semiconductors from the melt.
TIFF [Graphik-Dateiformat, das von Scanner-Herstellern sowie von Aldus und Microsoft genormt wurde]
TIFF (Tagged Information File Format) [graphical file format standardized by scanner manufacturers as well as Aldus and Microsoft]
TIGA [Software-Schnittstelle von Texas Instruments für Graphikkarten]
TIGA (Texas Instruments Graphics Architecture) [software interface for graphic boards]
Timesharing-Betrieb m, Teilnehmerbetrieb m [Rechnerbetriebsart, bei der mehrere Benutzer gleichzeitig arbeiten können; der Rechner bedient jeden Benutzer in periodisch wiederkehrenden, kurzen Zeitintervallen (Zeitscheiben)]
timesharing mode [computer operating mode allowing numerous users to work simultaneously; the computer serves each user in periodically repeating, short time intervals (time slices)]
Tintenstrahldrucker m
Nichtmechanischer Drucker, bei dem die alphanumerischen Zeichen durch elektrostatisch beschleunigte Tintentröpfchen, die aus einer oder mehreren Düsen austreten, gebildet werden.
ink-jet printer
Non-impact printer in which alphanumeric characters are formed by electrostatic acceleration of ink particles from one or more

nozzles.
Tischgerät n
benchtop unit
Tischrechner m, Desktop-Computer m [ein Rechner, der auf einen Schreibtisch gestellt werden kann]
desk computer, desktop computer [a computer which can be placed on a desk]
TN-LCD-Anzeige f [LCD-Anzeige mit verdrilltem nematischen Flüssigkristall]
TN LCD display (Twisted Nematic LCD)
TO-Gehäuse n
Rundgehäuse (meistens aus Metall) mit kreisförmig angeordneten, nach unten aus dem Gehäuse austretenden Zuführungen, das für Einzelbauelemente und integrierte Halbleiterbauteile verwendet wird.
TO-package, TO-case
Circular can package (usually metal) with leads arranged in a circle and projecting from the package base; it is used for discrete semiconductor components and integrated circuit devices.
Tochtermaske f [Maskentechnik]
submaster [masking technology]
Tochterrechner m
slave computer
Token n, Sendeberechtigungszeichen n [bei Kommunikationssystemen]
token [in communication systems]
Token-Passing-Verfahren n [Verfahren für lokale Rechnernetze (LAN); die Sendeberechtigung wird durch eine auf einem Ringnetz umlaufende Marke (Token) erteilt]
token-passing procedure [procedure for local area networks (LAN); authorizes transmission by means of a token circulating in a ring network]
Token-Ring m
token ring
Token-Zugriffsprotokoll n
token-passing network access protocol
Token-Zugriffsverfahren n
token-passing network access
Tonbandgerät n
tape recorder
Tonbandkassette f
audio cassette
Tonfrequenz f
audio frequency
Tonfrequenzverstärker m
audio amplifier
Tongenerierung f
sound generation
Tonnenverzerrung f [Bildschirm]
barrel distortion [screen]
Tonsignal n
audible signal
Top-Down-Programmierung f [Entwurf und

Implementierung eines Programmes von oben
(Benutzerschnittstelle) nach unten
(Rechnerschnittstelle)]
top-down programming [concept and
implementation of a program from top (user
interface) downwards (computer interface)]
TOPFET *m* (temperatur- und
überlastgeschützter Feldeffekttransistor)
Ein MOSFET, der chipintegrierte Schaltungen
für den Kurzschluß-, Übertemperatur- und
Überspannungsschutz beinhaltet; wird in der
Fahrzeugelektronik und für Anwendungen in
der Industrie eingesetzt]
TOPFET (temperature and overload protected
field-effect transistor)
A MOSFET comprising on-chip circuits for
short-circuit, overtemperature, and overvoltage
protection; is used in automotive electronics
and industrial applications]
topologische Übersicht *f* [beim Entwurf
integrierter Schaltungen Übersicht über die
Gesamtschaltung mit Hilfe von
Kontrollzeichnungen]
topological overview [in integrated circuit
design, the representation of the complete
circuit layout with the aid of check plots]
Torimpuls *m*
gate pulse
Tortengraphik *f*, Kreisgraphik *f* [Darstellung
numerischer Werte durch Kreissektoren]
pie chart, pie diagram [representation of
numerical values by circular segments]
TOS [von Atari entwickeltes Betriebssystem für
Motorola 68000-Prozessor-Familie]
TOS (T Operating System) [operating system
developed by Atari for Motorola 68000
processors]
Totalausfall *m*, Gesamtausfall *m* [Ausfall aller
Funktionen einer Betrachtungseinheit]
total failure [failure of all functions of an
item]
tote Taste *f* [wird für die Erzeugung von
Akzenten verwendet]
dead key [used for generating accents]
Totem-Pole-Schaltung *f*
Ein mit zwei Transistoren im Gegentakt
arbeitender Ausgang bei TTL integrierten
Schaltungen.
totem-pole circuit
An output in TTL integrated circuits using two
transistors operating in push-pull mode.
Totzeit *f*
dead time
tragbar
portable
Träger *m*, Trägermaterial *n* [z.B. isolierendes
Material, das in der Dick- und
Dünnschichttechnik oder für die
Leiterplattenfertigung verwendet wird]

supporting substrate, base material [e.g.
insulating material used in thick film and thin
film technology or in printed circuit board
fabrication]
trägerfrequente Übertragung *f*
carrier transmission
Trägerfrequenz *f*
carrier frequency
Trägermaterial *n*, Träger *m*
supporting substrate, base material
Trägerplatine *f*, Grundplatine *f*, Mutterplatine *f*
[Leiterplatte mit Steckvorrichtungen für das
Einsetzen weiterer Karten]
mother board [printed circuit board with
connectors for inserting further boards]
Traktor *m* [Zuführung von Endlospapier im
Drucker]
tractor [feeds continuous forms in printer]
Traktor-Zuführung *f*
tractor feed
Transaktion *f*, Vorgang *m* [einzelner Vorgang im
Dialogbetrieb, z.B. Einfügen, Verändern oder
Löschen eines Datensatzes in einer Datei; in
einer Datenbank kann ein Vorgang mehrere
Zugriffe zur Folge haben]
transaction [single action in dialog mode, e.g.
insertion, modification or deletion of a record in
a file; in a data base one transaction can lead to
a number of accesses]
Transceiver *m* [Sende-Empfangsgerät]
transceiver (transmitter/receiver)
Transferfunktion *f* [Vierpol]
transfer function [two-port network]
Transfergeschwindigkeit *f*,
Übertragungsgeschwindigkeit *f*
[Datenübertragungsgeschwindigkeit, z.B. in
MByte/s]
transfer rate [data transfer rate, e.g. in
Mbytes/s]
Transferkennlinie *f*
transfer characteristics
Transferstrom *m*
transfer current
Transformationsglied *n*
impedance matching device
Transformator *m*
transformer
transformatorgekoppelter Verstärker *m*,
Transformatorverstärker *m*
transformer-coupled amplifier
Transient *m*, Ausgleichsvorgang *m*
[nichtperiodischer Vorgang, z.B. Ein- oder
Ausschwingvorgang]
transient [non-periodic phenomenon, e.g. a
switching transient]
Transistor *m*
Aktives Halbleiterbauelement mit drei oder
mehr Anschlüssen. Man unterscheidet
zwischen Bipolartransistoren und Feldeffekt-

transistoren.
transistor
Active semiconductor component with three or
more terminals. Distinction is made between
bipolar and field-effect transistors.
Transistor-Transistor-Logik f (TTL, T^{2}L)
Eine der am meisten verwendeten
Logikfamilien, die durch einen oder mehrere
Multiemittertransistoren am Eingang
gekennzeichnet ist.
transistor-transistor logic (TTL, T^{2}L)
One of the most widely used logic families
which is characterized by one or more
multiemitter transistors at the input.
**Transistor-Transistor-Logik mit hoher
Schaltgeschwindigkeit** f (HSTTL) [spezielle
TTL-Schaltungsfamilie mit kurzen
Verzögerungszeiten]
high-speed transistor-transistor logic
(HSTTL) [special TTL family of logic circuits
characterized by short propagation delays]
Transistorersatzschaltung f
transistor equivalent circuit
Transistorgrundschaltung f
Schaltungsart eines Transistors, bei dem
jeweils einer der drei Anschlüsse (Basis,
Emitter, Kollektor beim Bipolartransistor bzw.
Gate, Source, Drain beim Feldeffekttransistor)
die gemeinsame Bezugselektrode für den
Eingang und Ausgang ist.
basic transistor configuration
Circuit connection of a transistor in which one
of the three terminals (base, emitter, collector
in a bipolar transistor or gate, source, drain in
a field-effect transistor) is the common
reference electrode for the input and output.
Transistorkaskade f, Darlington-Transistor m
[Kombination, in einem Gehäuse, von zwei
intern in einer Darlington-Schaltung
verbundenen Transistoren]
cascaded transistor, Darlington transistor
[combination, in one case, of two transistors
internally connected in a Darlington circuit]
Transistorkenngrößen $f.pl.$
transistor parameters
Transistoroszillator m [Oszillator, bei dem ein
oder mehrere Transistoren als Verstärker
wirken]
transistor oscillator [oscillator with one or
more transistors acting as amplifiers]
Transistorrauschen n
transistor noise
Transistorschalter m, Schalttransistor m
Ein Transistor, der als elektronischer Schalter
verwendet wird.
transistor switch, switching transistor
A transistor which is used as an electronic
switch.
Transistorschaltung f [Schaltung, in der

Transistoren verwendet werden]
transistor circuit [circuit in which transistors
are used]
Transistortetrode f [Transistor mit zwei
getrennten Basiselektroden und zwei
Basisanschlüssen]
transistor tetrode, tetrode transistor
[transistor with two separate base electrodes
and two base terminals]
Transistortriode f [Synonym für Transistor]
transistor triode, triode transistor [synonym
for a transistor]
Transistorverstärker m [Verstärker mit einem
oder mehreren Transistoren als verstärkende
Elemente]
transistor amplifier [amplifier in which one
or more transistors provide amplification]
Transitfrequenz f [Kenngröße, die die
Hochfrequenzeigenschaften eines Transistors
charakterisiert]
transition frequency [parameter
characterizing the high-frequency properties of
a transistor]
Transmittanz f, Kurzschluß-
Übertragungsadmittanz vorwärts f,
Kurzschluß-Vorwärtssteilheit f
[Transistorkenngrößen: y-Parameter]
short-circuit forward transfer admittance
[transistor parameters: y-parameter]
Transmitter m, Sender m
transmitter
transparenter Modus m [Datenübertragung
beliebiger Bitkombinationen ohne Rücksicht
auf Steuerzeichen]
transparent mode, code-transparent mode
[data transmission of any bit combination
without consideration of control characters]
Transponder m [Gerät, das ein Eingangssignal
empfangen, es umsetzen und als Antwortsignal
wieder aussenden kann; wird vorwiegend in der
Luft- und Raumfahrt eingesetzt]
transponder (transmitter/responder) [a device
which can receive an input signal, act upon it,
and retransmit it; is mainly used in aircraft
and satellites]
Transportebene f, Transportschicht f [eine der
sieben Schichten des ISO-Referenzmodells für
den Rechnerverbund]
transport layer [one of the seven layers of the
ISO reference model for computer networks]
Transportfehler m [z.B. bei
Magnetbandgeräten]
misfeed [e.g. in magnetic tape units]
Transportprüfung f
feed check
Transportschicht f, Transportebene
transport layer
Transputer m [für Hochgeschwindigkeits-
Parallelverarbeitung ausgelegte

Prozessorarchitektur]
transputer [special processor architecture for high-speed parallel processing]
Trap *f*, Fangstelle *f* [zur Aktivierung einer Programmunterbrechung; Unterprogramm zur Behandlung eines außergewöhnlichen Ereignisses in einem Prozessor]
trap [for activating a program interrupt; routine for handling an exceptional event in a processor]
Trap *f*, Zeithaftstelle *f*, Haftstelle *f* [Halbleiterkristalle]
Störstelle in einem Halbleiterkristall, die einen Ladungsträger vorübergehend festhalten kann.
trap [semiconductor crystals]
Imperfection in a semiconductor crystal which temporarily prevents a carrier from moving.
TRAPATT-Diode *f* [Halbleiterdiode für den Mikrowellenbereich]
TRAPATT diode (trapped plasma avalanche triggered transit diode) [microwave semiconductor diode]
Trefferrate *f*
hit rate
Treiber *m*, Treiberstufe *f* [Verstärkerstufe für die Ansteuerung einer Endstufe]
driver, driver stage [amplifier stage for driving an output stage]
Treiber mit Dreizustandsausgang *m*, Treiber mit Tri-State-Ausgang *m* [Verstärker mit Dreizustandsausgang]
tri-state driver, three-state driver [amplifier with three-state output]
Treiberschaltung *f*
driver circuit, driver circuitry
Treiberstufe *f*, Treiber *m*
driver, driver stage
Treibertransistor *m*
driver transistor
Trenndiode *f*
isolation diode
Trennschaltung *f*, Entkopplungsschaltung *f*
isolating circuit, decoupling circuit
Trennstufe *f*, Entkopplungsstufe *f*
buffer stage, decoupling stage, isolating stage
Trennsymbol *n*, Trennzeichen *n*, Begrenzungssymbol *n*
separating character, separator, delimiter
Trenntechnik *f*, Trennverfahren *n*
Verfahren zum Zerlegen der Halbleiterscheibe (Wafer) in die einzelnen integrierten Schaltungen (Chips). Dies kann mit Hilfe von Diamantritzern, Diamantsägen oder Laserstrahlen erfolgen.
dicing, scribing technique
Process for dividing the wafer into the individual chips. This can be effected with the aid of diamond scribers, diamond saws or laser beams.

Trennübertrager *m*, Entkopplungsübertrager
isolation transformer, decoupling transformer
Trennung ohne Bindestrich *f* [Textformatierung ohne Worttrennungen]
hyphenless justification [text formatting without hyphenation]
Trennverfahren *n*, Trenntechnik *f*
dicing, scribing technique
Trennzeichen *n*, Begrenzungssymbol *n* [Abgrenzung von Datenelementen]
delimiter, separator, separator character [separates items of data]
Treppeneffekt *m* [treppenförmige Darstellung von geraden Linien auf dem Bildschirm und im Druck]
aliasing [staircase-shaped representation of straight lines on the screen and in the printed document]
Treppeneffektkorrektur *f* [Korrektur der treppenförmigen Darstellung von geraden Linien auf dem Bildschirm und im Druck]
anti-aliasing [correction of staircase-shaped representation of straight lines on the screen and in the printed document]
Treppenspannung *f*
staircase voltage
Tri-State-Ausgang *m*, Ausgang mit Drittzustand *m*, Dreizustandsausgang *m*
Ein Ausgang, der neben den beiden aktiven Zuständen (logisch 0 und logisch 1) einen passiven (hochohmigen) Zustand annehmen kann; der dritte Zustand ermöglicht die Entkopplung des Bausteins vom Bus.
three-state output, tri-state output
An output which can assume one of three states: the two active states (logical 0 and logical 1) and a passive (high-impedance) state; this third state enables the device to be decoupled from the bus.
Tri-State-TTL *f*, Dreizustandslogik *f*, Tri-State-Schaltung *f*
Variante der TTL-Logik, bei der die Ausgangsstufen (oder Eingangs- und Ausgangsstufen) einer Schaltung neben den nieder-ohmigen Zuständen logisch 0 und logisch 1 einen dritten hochohmigen Sperrzustand haben. Damit kann über einen Auswahleingang der Ausgang einer Schaltung bzw. eines Gatters gesperrt, d.h. von der Anschlußleitung getrennt werden. Tri-State-Schaltungen werden bei Mikroprozessoren, Speicher-bausteinen und Peripheriebausteinen verwendet, um den Betrieb mehrerer Bausteine an einem gemeinsamen Bus zu ermöglichen.
tri-state TTL, three-state TTL, three-state circuit
Variant of TTL logic in which the output stages (or the input and output stages) of a circuit

have the normal low-impedance logical 0 and logical 1 states with an additional third high-impedance disabled state. With the aid of a select input, this allows the output of a circuit to be disabled, i.e. to be effectively disconnected. Three-state circuits are used with microprocessors, memory devices and peripherals to permit sharing of a common bus line by several devices.

Triac *m,* Zweirichtungsthyristor *m*
Halbleiterbauelement mit zwei parallelen und entgegengesetzt orientierten Thyristorstrukturen, das Ströme in beiden Richtungen schalten kann.
    triac (triode alternating current switch), bilateral thyristor, bilateral SCR
Semiconductor component with two parallel, back-to-back thyristor structures that can switch current in both directions.

Tribit *n* [drei Bits]
    tribit [three bits]

Trigger-Flipflop *n,* taktgesteuertes Flipflop *n,* getaktetes Flipflop *n* [Flipflop mit Auslösung des Zustandswechsels durch einen Taktimpuls]
    triggered flip-flop, clocked flip-flop [flip-flop employing a clock pulse for changing its state]

Triggerdiode *f,* Auslösediode *f*
    triggering diode

Triggerimpuls *m,* Auslöseimpuls *m,* Ansteuerungsimpuls *m*
    trigger pulse

triggern, auslösen, ansteuern
    trigger, to

Triggerpegel *m,* Auslösepegel *m*
    triggering level

Triggerschaltung *f,* Auslöseschaltung *f*
    trigger circuit

Triggersignal *n*
    trigger signal

Triggertransistor *m,* Auslösetransistor *m*
    triggering transistor

Triggerung *f,* Auslösen *n,* Auslösung *f*
    triggering

trigonometrische Funktion *f*
    trigonometric function

trimmen, beschneiden
    trim, to

Trimmerkondensator *m,* Abgleichkondensator *m* [ein einstellbarer Kondensator]
    trimming capacitor, trimmer [a variable capacitor]

Trimmerwiderstand *m,* Abgleichwiderstand m [ein einstellbarer Widerstand]
    trimming resistor, trimmer [a variable resistor]

Triode *f*
    triode

Triple-Twisted-LCD [Flüssigkristallanzeige mit drei Kristallschichten]

    triple twisted LCD [liquid crystal display with three crystal layers]

Trockenätzen *n,* Trockenätzverfahren *n*
Ätzverfahren, das bei der Herstellung von Halbleiterbauelementen und integrierten Schaltungen verwendet wird. Man unterscheidet zwischen reaktivem und nicht reaktivem Trockenätzen.
    dry etching
Etching process used in semiconductor component and integrated circuit fabrication. There are two differing processes: reactive and non-reactive dry etching.

Trockenelektrolytkondensator *m*
    solid electrolytic capacitor

trojanisches Pferd *n,* Killer-Programm *n* [Programm, das unter falschem Namen in das System gelangt und bei der Ausführung Schaden anrichtet]
    Trojan horse, killer program [program that enters the system under a false name and causes damage when executed]

Trommel *m*
    drum

Trommelspeicher *m,* Magnettrommelspeicher *m*
    drum storage, magnetic drum storage

Tron [japanisches Entwicklungsprojekt für eine neue Rechnerarchitektur]
    Tron (The Real-time Operating system Nucleus) [Japanese development project for new computer architecture]

TTL mit niedriger Verlustleistung *f*
    low-power TTL (transistor-transistor logic)

TTL, T^2L, Transistor-Transistor-Logik *f*
Eine der am meisten verwendeten Logikfamilien, die durch einen oder mehrere Multiemittertransistoren am Eingang gekennzeichnet ist.
    TTL, T^2L (transistor-transistor logic)
One of the most widely used logic families, characterized by one or more multiemitter transistors at the input.

TTL-Eingang *m*
    TTL-input

TTL-kompatibel
Spannungspegel für die Takt-, Adreß-, Signal-Ein- und Ausgänge einer Schaltung, die mit den Pegeln von TTL-Logikschaltungen kompatibel sind. Dadurch können z.B. MOS-Speicher mit TTL-Schaltungen in einem System verdrahtet werden.
    TTL-compatible
Voltage level for clock, address, signal inputs and outputs that are compatible with those of TTL logic circuits. This allows dissimilar circuits, e.g. MOS memories and TTL logic circuits to be connected together in the same system.

Tunneldiode *f,* Esaki-Diode *f* [hoch dotierte

Flächendiode mit negativem Widerstand in der Durchlaßrichtung; wird als Oszillator oder Verstärker im Mikrowellen-bereich eingesetzt]
tunnel diode, Esaki diode [highly doped junction diode with negative resistance in the forward direction; used as oscillator or amplifier in microwave frequency range]

Tunneleffekt *m*
Das Durchdringen eines Potentialwalles durch einen Ladungsträger, dessen Energie dazu theoretisch nicht ausreicht. Der Effekt wird durch die extrem schmale Raumladungszone erzielt, die infolge der hohen Dotierung der P- und N-Bereiche zustande kommt. Dieser Effekt wird beispielsweise bei Tunneldioden genutzt.
tunnel effect
The penetration of a potential barrier by a charge carrier whose energy is theoretically insufficient to overcome the barrier. This is obtained by an extremely thin depletion layer which results from heavily doping both the p- and n-type regions. This effect is used, for example, in tunnel diodes.

Tunnelelektron *n*
Ein Elektron, das infolge des Tunneleffektes einen Potentialwall durchdringt.
tunneling electron
An electron that penetrates a potential barrier as a result of the tunnel effect.

Tunnelübergang *m*
Ein Übergang zwischen stark dotierten P- und N-Bereichen.
tunnel junction
A junction between heavily doped p-type und n-type regions.

Tunnelung *f,* Tunneln *n,* Tunnelvorgang *m*
Stromleitung durch einen PN-Übergang, der auf dem Tunneleffekt beruht.
tunneling, tunnel action
Current conduction through a pn-junction as a result of the tunnel effect.

Turbo-Sprachen *f.pl.* [von Borland implementierte Programmiersprachen: Turbo BASIC, Turbo C, Turbo PASCAL und Turbo PROLOG]
turbo languages [programming language implementations by Borland: Turbo BASIC, Turbo C, Turbo PASCAL and Turbo PROLOG]

Turing-Maschine *f* [mathematisches Modell einer idealisierten Rechenmaschine]
Turing machine [mathematical model of an idealized computer machine]

Typenraddrucker *m*
Seriendrucker, bei dem sich die Drucktypen an speichenähnlichen flexiblen Enden einer Kunststoffscheibe befinden. Die Typen werden durch einen Schrittmotor in die gewünschte Druckstellung gebracht und mit einem Hammer gegen Farbband und Papier

geschlagen.
daisy-wheel printer
Serial printer in which the printing characters are arranged at the end of flexible radial spokes of a plastic wheel. The printing characters are moved into the desired printing position by a stepper motor and are driven against an inked ribbon and paper by a hammer.

U

UART-Baustein *m* [Schnittstellenbaustein]
Universeller Ein-Ausgabe-Baustein für
Mikrocomputer-Systeme. Er wird meistens als
programmierbarer Multifunktionsbaustein in
integrierter Schaltungstechnik ausgeführt und
umfaßt die in Mikrorechnersystemen am
häufigsten benötigten Funktionen wie: serielle
Schnittstelle (für den Datenaustausch mit
asynchron arbeitenden Peripheriegeräten);
parallele Ein-Ausgabe-Schnittstelle;
Zähler/Zeitgeber; Baudraten-Generator und
Unterbrechungssteuerung.
UART (universal asynchronous receiver
transmitter) [interface device]
Universal input-output device for microcomputer systems. It is usually a
programmable, multifunction integrated circuit
combining the most commonly used functions
in microcomputer systems such as: serial
communications interface (for data communication with asynchronous peripherals); parallel
input-output interface; counter/timers; baudrate generator and interrupt controller.
Überbelastung *f*
overloading
überbrückt
bridged, shorted
Übergang *m*, Zonenübergang *m*
Übergangsgebiet zwischen zwei
Halbleiterbereichen mit verschiedenen
elektrischen Eigenschaften, z.B. zwischen
einem P-leitenden und einem N-leitenden
Bereich.
junction
Region of transition between two
semiconductor regions having different
electrical properties, e.g. between a p-type and
an n-type conducting region.
Übergangsfunktion *f*, Sprungantwort *f*
[Antwortsignal eines Regelgliedes oder -
systems, wenn es durch eine Sprungfunktion
am Eingang erregt wird]
step response [response of a control element
or system when it is excited by a step function]
Übergangsstecker *m*, Anpaßstecker *m*
adapter plug
Übergangsverhalten *n*, Einschwingverhalten *n*
[Antwortsignal eines Systems auf eine
plötzliche Änderung des Eingangssignales, z.B.
auf eine Sprungfunktion]
transient response [response of a system to a
sudden change in input signal, e.g. to a step
function]
Übergangswiderstand *m*, Kontaktwiderstand *m*
contact resistance

Übergangszeit bei H/L-Pegelwechsel *f*
high-level to low-level transition time
Übergangszeit bei L/H-Pegelwechsel *f*
low-level to high-level transition time
übergehen, überspringen
skip, to
übergeordnet
supervisory
Übergitter *n*
Eine Gitterstruktur, die aus extrem dünnen,
übereinandergestapelten Schichten von Halbleitern mit unterschiedlichen Bandlücken
besteht, die einen synthetischen Halbleiterkristall bilden, der neue Eigenschaften
aufweist.
superlattice
A lattice structure comprising extremely thin
layers of semiconductor materials with
differing band gaps stacked one above the other
thus forming a synthetic crystal with new
properties.
überkritische Dämpfung *f*
overcritical damping, overdamping
Überladen *n* [in der objektorientierten
Programmierung: die Verwendung des gleichen
Funktionsnamens in verschiedenen Kontexten
und mit verschiedenen Argumenten]
overloading [in object oriented programming:
using the same function name in different
contexts and with different arguments]
überlagern
superpose, to
Überlagerung *f*
overlay
Überlagerungssegment *n*
overlay segment
Überlagerungstechnik *f*, Speicherüberlagerung
f, Overlay-Technik *f* [das Unterteilen eines
Programmes in Segmente (Überlagerungssegmente oder Overlays), die nach Bedarf in
den Hauptspeicher geladen werden; somit
benötigt die Ausführung eines Programmes
weniger Platz im Hauptspeicher]
overlay technique [dividing a program into
segments (overlays) which are loaded into the
main memory as they are required; hence
execution of a program requires less space in
the main memory]
überlappen, verzahnen, verschachteln
interleave, to
überlappende Fenster *n.pl.*
overlapping windows
überlappendes Menü *n* [ein Menü, das aus
einem anderen Menü geöffnet wird]
overlapping menu [a menu opened out of
another menu]
überlappte Verarbeitung *f*, verzahnt
ablaufende Verarbeitung *f* [die zeitlich
verzahnte Verarbeitung mehrerer Programme]

concurrent processing [interleaved processing of several programs]
Überlappung f
  overlap
Überlappungszeit f
  overlap time
Überlast f, **Überlastung** f
  overload
Überlastanzeiger m
  overload indicator
Überlastschutz m
  overload protection
Überlastung f, **Überlast** f
  overload
Überlauf m [bei arithmetischen Operationen die Überschreitung der Stellenzahl des Ergebnis-Registers (Akkumulators)]
  arithmetic overflow [in arithmetic operations exceeding the number of places of the arithmetic register (accumulator)]
Überlaufanzeiger m
  overflow indicator
Überlaufbereich m
  overflow area
Überlauffehler m
  overflow error
Überlaufregister n [registriert einen auftretenden Überlauf]
  overflow register [registers the occurrence of an overflow]
Überlaufsmerker m
  overflow flag
übernehmen [Übernahme eines Bildschirminhaltes]
  grab, to [capture screen contents]
Überschlag m
  flash-over
Überschlagssumme f, **Kontrollsumme** f
  hash total, check sum, check total
überschreiben
  overwrite, to
Überschußelektron n
  excess electron
Überschußladungsträger m
Leitungselektron oder Defektelektron (Loch) im Überschuß über die durch das thermische Gleichgewicht bestimmte Konzentration.
  excess carrier, excess charge carrier
Conduction electron or hole in excess of the concentration required by thermal equilibrium.
Überschußleitung f
Ladungstransport in einem Halbleiter durch Überschußelektronen.
  excess conduction
Charge transfer in a semiconductor by excess electrons.
Überschwingen n
  overshoot
übersetzen, compilieren, kompilieren

compile, to
Übersetzer m, Interpreter m, Compiler m
Ein Programm, das ein in einer höheren Programmiersprache geschriebenes Programm in Maschinensprache bzw. Befehlscodes des Rechners übersetzt. Im Gegensatz zu einem Compiler, der die Übersetzung gesamthaft durchführt, übersetzt der Interpreter jeweils einzelne Programmanweisungen. Der Interpreter benötigt deshalb einen größeren Speicherplatz und hat wesentlich längere Durchlaufzeiten.
  translator, interpreter, compiler
A program for converting a program written in a higher programming language into machine language or operation codes of a computer. In contrast to a compiler, which converts and then executes the entire program, the interpreter converts and executes statement by statement. An interpreter therefore requires more storage space and is significantly slower.
Übersetzer für höhere Programmiersprachen m
  high-level compiler
Übersetzergenerator m, Compiler-Compiler m, Compilergenerator m, Kompilierergenerator m [erzeugt einen Compiler]
  compiler-compiler, compiler generator [generates a compiler]
Übersetzungsprogramm n
  compiling program
Übersetzungsverhältnis n [Transformator]
  transformation ratio, turns ratio [transformer]
Übersetzungszeit f
  compilation time
Überspannung f
  overvoltage
Überspannungsschutz m
  overvoltage protection
Überspringbefehl m, No-Op-Befehl m, Leerbefehl m
  no-op instruction, no-operation instruction, blank instruction, skip instruction
überspringen, übergehen
  skip, to
Überstrom m
  overcurrent
Übertemperatur f
  overtemperature
Übertrag m [stellenweise Weiterleitung der Übertragsziffer, d.h. der Ziffer, die bei der Addition durch Überschreiten der Basiszahl entsteht]
  carry (CY) [transferring a carry digit to the next digit place, i.e. the digit generated when a sum exceeds the number base]
übertragen [arithmetische Operation]
  carry, to [arithmetic operation]

übertragen [Daten]
 transmit, to; transfer, to [data]
Übertragsbefehl m
 carry signal
Übertragsbit n
 carry bit
Übertrags-Flag n, Übertragsmerker m
 [besonders in Mikroprozessoren verwendetes
 Steuerbit zur Anzeige des Übertrages bei der
 Addition]
 carry flag [control bit particularly used in
 microprocessors for indicating a carry in an
 addition]
Übertragsregister n
 carry register
Übertragsvorausberechnung f,
 Parallelübertrag m [parallele Bildung der
 Überträge aller Stellen; im Gegensatz zum
 durchlaufenden Übertrag, bei dem die
 Überträge nacheinander gebildet werden]
 anticipatory carry, carry look-ahead [parallel
 computation of carries of all digits; in contrast
 to ripple carry in which the carries are formed
 one after the other]
Übertragsziffer f [Ziffer, die bei der Addition
 durch Überschreiten der Basiszahl entsteht]
 carry digit [digit generated when a sum
 exceeds the number base]
Übertragung f
 transmission, transfer
Übertragung zwischen Peripheriegeräten f
 peripheral transfer
Übertragungs-Gate n [bei CMOSFET]
 transfer gate [in CMOSFETs]
Übertragungsfehler m
 transmission error
Übertragungsfrequenz f
 transmission frequency
Übertragungsgeschwindigkeit f,
 Transfergeschwindigkeit f [Datentransfer, z.B.
 zwischen Sekundär- und Hauptspeicher in
 MByte/s]
 transfer rate [data transfer, e.g. between
 secondary storage and main memory in
 Mbytes/s]
Übertragungsgeschwindigkeit f [einer
 Datenverbindung, z.B. in Baud (Bit/s)]
 transmission speed [of a data link, e.g. in
 bauds (bits/s)]
Übertragungskanal m
 transmission channel
Übertragungskenngröße f
 transfer parameter
Übertragungskennlinie f
 transmission characteristic, transfer
 characteristic
Übertragungssicherheit f
 transmission reliability
Übertragungszeit f

transmission time, transfer time
Überwachung f
 monitoring
Überwachungsprogramm n
 monitoring program
Überwachungssystem n
 monitoring system
UHF, ultrahohe Frequenz f
 UHF (ultra-high frequency)
ULA-Konzept n
 Ein Logik-Array-Konzept, mit dem sich,
 ähnlich wie beim PLA-Konzept, mit Hilfe von
 Verdrahtungsmasken integrierte
 Semikundenschaltungen realisieren lassen.
 ULA concept (uncommitted logic array
 concept)
 A logic array concept, similar to the PLA
 concept, which allows semicustom integrated
 circuits to be produced with the aid of
 interconnection masks.
ULSI f, Ultragrößtintegration f
 Integrationstechnik, bei der Transistoren oder
 Gatterfunktionen in der Größenordnung von
 10^6 bis 10^7 auf einem einzigen Chip realisiert
 sind.
 ULSI (ultra large scale integration)
 Technique resulting in the integration of
 transistors or logical functions in the order of
 10^6 to 10^7 on a single chip.
ultrahohe Frequenz f (UHF)
 ultra-high frequency (UHF)
Ultragrößtintegration f, ULSI f
 ULSI (ultra large scale integration)
Ultrakurzwelle f
 very high frequency (VHF)
Ultraschallkontaktierung f
 Verfahren zum Herstellen von elektrischen
 Verbindungen zwischen den Kontaktflecken
 auf dem Chip und den Außenanschlüssen des
 Gehäuses durch eine Kombination von
 mechanischem Druck und
 Ultraschallschwingungen.
 ultrasonic bonding
 Process for making electrical connections
 between the bonding pads on the chip and the
 external leads of the package by a combination
 of mechanical pressure and ultrasonic
 vibration.
umbenennen, neu benennen
 rename, to
Umbruch m [Textverarbeitung]
 make-up [word processing]
umcodieren
 recode, to
Umcodierung f, Codeumsetzung f
 code conversion
umformatieren, neu formatieren
 reformat, to
Umgebung f

environment
Umgebungsbedingungen *f.pl.*
  ambient conditions
Umgebungstemperatur *f*
  ambient temperature
Umgebungsvariable *f* [enthält Information
  über die Systemumgebung, z.B. Pfad zum
  Kommandoprozessor usw.]
  environment variable [contains information
  on system environment, e.g. path to command
  processor]
umgekehrte Bildschirmdarstellung *f,*
  negative Bildschirmdarstellung *f* [dunkle
  Schrift auf hellem Hintergrund, im Gegensatz
  zur normalen Bildschirmdarstellung mit einer
  hellen Schrift auf dunklem Hintergrund]
  inverse video, reverse video [dark characters
  on a bright background, in contrast to normal
  video display using light characters on a dark
  background]
umgekehrte polnische Schreibweise *f,*
  Postfixschreibweise *f,* klammerfreie
  Schreibweise *f* [eliminiert Klammern bei
  mathematischen Operationen, z.B. wird (a+b)
  als ab+ und c(a+b) als cab+* geschrieben]
  reverse Polish notation (RPN), postfix
  notation, parenthesis-free notation [eliminates
  brackets in mathematical operations, e.g. (a+b)
  is written as ab+ and c(a+b) as cab+*]
umkehrbarer Prozeß *m,* reversibler Prozeß *m*
  reversible process
umkehren, invertieren
  invert, to
Umkehrfunktion *f*
  inverse function
Umkehrintegrator *m*
  inverse integrator
Umlaufschieberegister *n,* Ringschieberegister
  n [ein Schieberegister, bei dem Binärzeichen
  vom Ausgang wieder in den Eingang geschoben
  werden]
  circulating register, cyclic shift register, end-
  around shift register [a shift register in which
  bits from the output are pushed back into the
  input]
Umlaufspeicher *m*
  circulating storage, cyclic storage
Umleitungssymbol *n* [für die Umleitung von der
  Konsole auf eine Eingabedatei (<) bzw.
  Ausgabedatei (>)]
  redirection symbol [for redirecting from
  console to input file (<) or from console to
  output file (>)]
umordnen
  reorder
umprogrammierbarer Festwertspeicher *m,*
  REPROM *m*
  Festwertspeicher, der vom Anwender mit
  Ultraviolettlicht gelöscht und elektrisch wieder

neu programmiert werden kann. Auch EPROM
genannt.
  reprogrammable read-only memory
  (REPROM)
  Read-only memory that can be erased by
  ultraviolet light and reprogrammed by the
  user. Also called EPROM.
umprogrammieren
  reprogram
umschaltbar, schaltbar
  switchable
Umschaltegatter *m*
  bidirectional gate
umschalten
  switch-over, to
Umschalttaste *f*
  shift key
Umschaltung *f*
  switchover
Umschaltzeichen *n,* Escape-Zeichen *n,*
  Codeumschaltung *f* [spezielles Zeichen, das die
  Änderung der Codierungsvorschrift für die
  nachfolgenden Zeichen anzeigt]
  escape character (ESC) [a special character
  which indicates that the following characters
  are to be interpreted according to a different
  code]
Umsetzen *n,* Umsetzung *f,* Konvertierung *f*
  conversion
umsetzen
  convert, to
Umsetzer *m* [ändert die Darstellungsart von
  Daten, z.B. von einem Code in einen anderen
  (Codeumsetzer), von paralleler in serielle
  (Parallel-Serien-Umsetzer) oder von digitaler in
  analoge Darstellung (Digital-Analog-
  Umsetzer)]
  converter [changes the representation of data,
  e.g. from one code into another (code converter),
  from parallel into serial (parallel-serial
  converter) or from digital into analog
  representation (digital-analog converter)]
Umsetzprogramm *n*
  conversion program
Umsetzung *f,* Umsetzen *n,* Konvertierung *f*
  conversion
Umsetzungsgeschwindigkeit *f*
  conversion rate, conversion speed
Umsetzungszeit *f*
  conversion time
umspeichern, wieder speichern, neu speichern
  re-store, to; restore, to
Umweltbedingungen *f.pl.*
  environmental conditions
unbedingte Anweisung *f*
  unconditional statement
unbedingter Sprungbefehl *m* [Befehl zum
  unbedingten Verlassen des normalen
  sequentiellen Programmablaufes und

Fortsetzung des Programmes an der
angegebenen Stelle]
unconditional jump instruction,
unconditional branch instruction [instruction
for unconditionally leaving the normal program
sequence and to continue at the given point of
the program]
unbenanntes Datenfeld *n*
filler item
unberechtigter Zugriff *m*
unauthorized access
unbeschrifteter Datenträger *m*
virgin data medium, virgin medium
unbewertetes Rauschen *n*
unweighted noise
UND-Glied *n,* UND-Gatter *n*
AND element, AND gate
UND-mäßig verknüpfen, konjunktiv
verknüpfen
AND, to
UND-Schaltung *f*
AND circuit
UND-Verknüpfung *f,* Konjunktion *f,* Boolesche
Multiplikation, logische Multiplikation
[logische Verknüpfung mit dem Ausgangswert
(Ergebnis) 1, wenn und nur wenn alle Eingänge
(Operanden) den Wert 1 haben; für alle
anderen Eingangswerte ist der Ausgangswert 0]
AND function, AND operation, conjunction,
Boolean multiplication, logical multiplication
[logical operation having the output (result) 1,
if and only if all inputs (operands) are 1; for all
other input values the output is 0]
undefiniert
undefined
undotiert
undoped
unechter Bruch *m*
improper fraction
unendliche Reihe *f*
infinite series
unformatiert, nichtformatiert
unformatted
ungeblockter Satz *m* [ein Satz, der den ganzen
Block ausfüllt, d.h. Satzlänge und Blocklänge
sind identisch]
unblocked record [a record that completely
fills a block, i.e. record length and block length
are identical]
ungefährlicher Fehler *m*
harmless fault, harmless error
ungelochter Streifen *m*
virgin paper tape, virgin tape
ungepacktes Format *n,* ungepackte Form *f*
unpacked format
ungerade Parität *f*
odd parity
ungerade Paritätskontrolle *f,* Prüfung auf

ungerade Parität *f*
odd parity check
ungeradzahlige Adresse *f*
odd address
ungerichtet
non-directional
ungesättigte Basis-Emitter-Spannung *f*
unsaturated base-emitter voltage
ungewollte Kopplung *f*
stray coupling
ungleiche Vorzeichen *n.pl.*
unlike signs
ungültige Adresse *f*
invalid address
ungültiger Code *m*
invalid code
ungültiges Zeichen n, unzulässiges Zeichen *n*
illegal character
Ungültigkeitsbefehl *m*
ignore instruction
Ungültigkeitsbit *n*
invalid bit
Ungültigkeitszeichen *n*
ignore character, cancel character
Unijunction-Transistor *m,*
Zweizonentransistor *m,* Doppelbasisdiode *f*
Halbleiterbauelement ohne Kollektorzone mit
zwei sperrfreien Basiskontakten (Ohmsche
Kontakte) und einem dazwischen angebrachten
PN-Übergang. Wird häufig in
Kippschwingschaltungen verwendet.
unijunction transistor
Semiconductor component without a collector
region which has two ohmic base contacts and a
single pn-junction between them. Is often used
in relaxation-oscillator applications.
unipolarer Halbleiterbaustein *m*
Integrierter Baustein, bei dem ein oder
mehrere Feldeffekttransistoren die
Grundzellen bilden, z.B. ein MOS-Speicher.
unipolar semiconductor device
Integrated circuit device in which one or more
field-effect transistors constitute the basic cells,
e.g. a MOS memory device.
Unipolartechnik *f*
Technik, in der Feldeffekttransistoren und
unipolare Bausteine hergestellt werden, z.B.
die MOS-Technik.
unipolar technology
Technology used for fabricating field-effect
transistors and unipolar devices, e.g. MOS
technology.
Unipolartransistor *m*
Transistor, bei dem der Ladungstransport nur
durch einen Ladungsträgertyp (Elektronen
oder Defektelektronen) erfolgt.
Feldeffekttransistoren sind unipolare
Transistoren im Gegensatz zu bipolaren
Transistoren, bei denen sowohl Elektronen als

auch Defektelektronen (Löcher) zum Stromfluß
beitragen.
unipolar transistor
Transistor in which charge transport is due
only to one type of charge carrier (electrons or
holes). Field-effect transistors are unipolar
transistors in contrast to bipolar transistors in
which both electrons and holes contribute to
current flow.
Universaldiode *f*
  general-purpose diode
Universalmeßgerät *n*, Mehrfachmeßgerät *n*,
  Vielfachmeßgerät *n*
  multimeter, universal measuring instrument,
  multipurpose instrument
Universaloperationsverstärker *m*
  general-purpose operational amplifier
Universalrechner *m* [universell
  programmierbarer Rechner, der für beliebige
  Aufgaben einsetzbar ist]
  general-purpose computer, all-purpose
  computer [universally programmable computer
  which can be used for any application]
universeller asynchroner Empfänger/Sender
  m (UART)
  Universeller Ein-Ausgabe-Baustein für
  Mikrocomputer-Systeme. Er wird meistens als
  programmierbarer Multifunktionsbaustein in
  integrierter Schaltungstechnik ausgeführt und
  umfaßt die in die Mikrorechnersystemen am
  häufigsten benötigten Funktionen wie: serielle
  Schnittstelle (für den Datenaustausch mit
  asynchron arbeitenden Peripheriegeräten);
  parallele Ein-Ausgabe-Schnittstelle;
  Zähler/Zeitgeber; Baudraten-Generator und
  Unterbrechungssteuerung.
  **universal asynchronous receiver-
  transmitter** (UART)
  Universal input-output device for
  microcomputer systems. It is usually a
  programmable, multifunction integrated circuit
  combining the most commonly used functions
  in microcomputer systems such as: serial
  communications interface (for data
  communication with asynchronous
  peripherals); parallel input-output interface;
  counter/timers; baud- rate generator and
  interrupt controller.
universeller synchroner-asynchroner
  Empfänger/Sender *m* (USART)
  Universeller Ein-Ausgabe-Baustein für
  Mikrocomputer-Systeme, ähnlich wie der
  UART, der sich aber zusätzlich auch für den
  Datenaustausch mit synchron arbeitenden
  Peripheriegeräten eignet.
  **universal synchronous-asynchronous
  receiver-transmitter** (USART)
  Universal input-output device for
  microcomputer systems, similar to the UART,

but with the additional capability of providing
data communication with synchronous
peripherals.
Univibrator *m*, Monoflop *n*, monostabile
  Kippschaltung *f*, monostabiler Multivibrator *m*
  [eine Kippschaltung mit einem einzigen
  stabilen Zustand]
  mono-flop, monostable flip-flop, monostable
  multivibrator, one-shot multivibrator [a
  multivibrator with a single stable state]
UNIX [von Bell Laboratories (AT&T)
  entwickeltes Mehrbenutzer- und Mehrprozeß-
  Betriebssystem, das sich zum Standard für
  Minicomputer entwickelt hat]
  UNIX [multiuser, multitasking operating
  system developed by Bell Laboratories (AT&T)
  which has established itself as standard for
  minicomputers]
unlösbares Problem *n*
  unsolvable problem
unmittelbare Adresse *f*
  immediate address
Unpaarigkeit *f* [Daten]
  mismatch [data]
unscharfe Logik *f*, Fuzzy-Logik *f*, mehrwertige
  Logik *f* [verwendet den Grad der Zugehörigkeit
  zu einer Menge; im Gegensatz zur binären
  Logik die nur zwei Möglichkeiten kennt
  (wahr/falsch)]
  fuzzy logic [uses the degree of membership to
  a set; in contrast to binary logic which has only
  two possibilities (true/false)]
unsichtbare Datei *f*
  hidden file
unsymmetrische Leitung *f*
  unbalanced line
unsymmetrische Schaltung *f*
  unbalanced circuit
Unterätzung *f* [Leiterplatten]
  undercut [printed circuit boards]
Unterbrechung *f*, Programmunterbrechung *f*
  [Unterbrechung eines laufenden Programmes;
  der Programmablauf wird nach der
  Unterbrechung fortgesetzt]
  interrupt (INT), program interrupt
  [interruption of a running program; the
  program sequence is continued after the
  interruption]
Unterbrechungs-Handshake-Signal *n*
  interrupt handshaking signal
Unterbrechungsanforderung *f*,
  Unterbrechungsaufforderung *f* IRQ-Signal *n*
  [ein Signal, das den Mikroprozessor auffordert,
  das laufende Programm zu unterbrechen]
  interrupt request (IRQ) [a signal applied to a
  microprocessor for interrupting the running
  program]
Unterbrechungsanforderungsregister *n*,
  Unterbrechungsregister *n* [enthält ein Bit,

wenn eine Unterbrechungsanforderung vorliegt]
interrupt register [contains a bit when an interrupt request has been made]
Unterbrechungsausgang *m*
 interrupt output
Unterbrechungsbehandlung *f*
 interrupt handling
Unterbrechungsebene *f*
 interrupt level
Unterbrechungseingabe *f*
 interrupt input
Unterbrechungsfreigabe *f*
 interrupt enable
Unterbrechungslogik *f*
 interrupt logic
Unterbrechungsmaske *f*
 interrupt mask
Unterbrechungsmaskenregister *n* [bestimmt welche im Unterbrechungsregister gekennzeichneten Unterbrechungsanforderungen wirksam werden]
 interrupt mask register (IMR) [determines which interrupt requests marked in the interrupt register become effective]
Unterbrechungspriorität *f*
 interrupt priority
Unterbrechungsregister *n*, Unterbrechungsanforderungsregister *n*
 interrupt request register, interrupt register
Unterbrechungsrückmeldung *f*, Quittung der Unterbrechungsanforderung *f* [Bereitschaftssignal des Mikroprozessors bei einer Anforderung zur Programmunterbrechung]
 interrupt acknowledge [microprocessor signal in reply to an interrupt request]
Unterbrechungssignal *n*
 interrupt signal
Unterbrechungssperrbefehl *m*
 disable interrupt instruction
Unterbrechungssperrung *f*
 interrupt disable
Unterbrechungssteuerung *f*
 interrupt control
Unterbrechungstaste *f*
 break key
Unterbrechungsvektor *m*
 interrupt vector
Unterbrechungszustand *m*
 interrupt state
Unterdiffusion *f*, laterale Diffusion *f*
 Die seitliche Ausbreitung von Dotierungsatomen unter die Oxidschutzschicht an den Kanten der Diffusionsfenster.
 lateral diffusion, side diffusion
 The lateral penetration of impurity atoms below the protective oxide layer at the edges of diffusion windows.
Unterdiffusionseffekt *m*, lateraler Diffusionseffekt *m*
 lateral diffusion effect, side diffusion effect
unterdrücken, eliminieren
 eliminate, to; delete
Unterdrückerdiode *f*
 suppression diode
unterdrückt, gesperrt
 disabled
Unterdrückung *f*
 suppression
Unterdrückung von führenden Nullen *f*, Nullunterdrückung *f*, Nullenunterdrückung *f*
 zero suppression, leading zero suppression
untere Grenze *f*
 lower limit
untereinander austauschbar, auswechselbar
 interchangeable
unterer Bereich eines binären Signals *m* (L-Bereich)
 low range of a binary signal [L-range]
unterer Logikpegel *m*, unterer Pegel *m*
 lower logic level, lower level
unterer Rand *m*
 bottom margin
Unterhaltungselektronik *f*, Konsumelektronik *f*
 consumer electronics
unterkritische Dämpfung *f*
 undercritical damping, underdamping
Unterlastung *f* [Verringerung der Intensität einer Beanspruchung zwecks Verbesserung der Lebensdauer, Zuverlässigkeit usw.]
 derating [reduction of intensity of stress for the purpose of increasing service life, reliability, etc.]
Unterlastungsgrad *m*
 derating factor
Unterlauf *m* [ein Ergebnis, dessen Absolutwert kleiner ist, als die kleinste im Rechner darstellbare Zahl; bei der Gleitkommarechnung das Entstehen eines zu großen negativen Exponenten]
 arithmetic underflow, underflow [a result whose absolute value is smaller than the smallest number represented in the computer; in floating-point arithmetic, the generation of a negative exponent out of the permissible range]
Untermenü *n*, Pull-Down-Menü *n* [Bildschirmfenstertechnik]
 pull-down menu [screen windowing technique]
Unterprogramm *n* [eine Befehlsfolge, die mehrmals im Programm benötigt, aber nur einmal programmiert wird]
 subroutine [an instruction sequence required several times in a program but programmed only once]
Unterprogrammaufruf *m*

subroutine call instruction
Unterprogrammbibliothek *f*
subroutine library
Unterprogrammeinsprung *m*
subroutine entry
Unterprogrammrücksprung *m*
subroutine return
Unterprogrammschachtelung *f*
subroutine nesting
Unterschneiden *n* [Abstandsverringerung bei bestimmten Buchstaben]
kerning [reduced spacing between certain letters]
Unterstreichungszeichen *n*
underscore character
Unterstützung *f*
aid, support
Unterverzeichnis *n*
subdirectory
Unverträglichkeit *f,* Inkompatibilität *f*
incompatibility
unwesentliche Daten *n.pl.,* bedeutungslose Daten *n.pl.*
irrelevant data
unwirksam
ineffective, inoperative
unzulässiger Befehl *m*
invalid instruction
unzulässiges Zeichen *n,* ungültiges Zeichen n
illegal character
urladen
bootstrap, to
Urlader *m,* Anfangslader *m,* Urprogrammlader *m,* Bootstrap-Lader *m* [ein Ladeprogramm (Dienstprogramm), das nach dem Einschalten des Rechners gestartet und u.a. für das Laden des Betriebssystems verwendet wird]
initial program loader (IPL), bootstrap loader [a loading program (utility routine) started when the computer is switched on and used for loading the operating system, etc.]
Urladerprogramm *n*
bootstrap program
Ursprungsdaten *n.pl.,* Erstdaten *n.pl.*
source data
Ursprungstext *m*
source text
USART-Baustein *m* [Schnittstellenbaustein] Universeller Ein-Ausgabe-Baustein für Mikrocomputer-Systeme, ähnlich wie der UART, der sich aber zusätzlich auch für den Datenaustausch mit synchron arbeitenden Peripheriegeräten eignet.
USART (universal synchronous-asynchronous receiver-transmitter) [interface device] Universal input-output device for microcomputer systems, similar to the UART, but having the additional capability of providing data communication with

synchronous peripherals.
UV [ultraviolettes Licht]
UV (UltraViolet) [ultraviolet light]
UV-Löschgerät *n* [Gerät zum Löschen des Speicherinhaltes von EPROMs mit ultraviolettem Licht]
ultraviolet eraser (UV eraser) [a device for erasing the memory content of EPROMs by ultraviolet light]

V

V.24-Schnittstelle *f* [vom CCITT genormte
Schnittstelle für die asynchrone serielle Daten-
übertragung; stimmt größtenteils mit der EIA-
RS-232-C-Schnittstelle überein]
V.24 interface [asynchronous serial data
transmission interface standardized by CCITT;
to a large extent identical with the EIA-RS-232-
C interface]

VAD-Verfahren *n* [ein Abscheideverfahren, das
bei der Herstellung von Glasfasern eingesetzt
wird]
VAD process (vapour phase axial deposition
process) [a deposition process used for the
production of glass fibers]

Valenzband *n* [Halbleitertechnik]
Energieband im Bändermodell, das mit
steigender Temperatur von Elektronen entleert
wird.
valence band [semiconductor technology]
Energy band in the band diagram from which
electrons are evacuated as temperature
increases.

Valenzbandkante *f* [Halbleitertechnik]
In der Darstellung des Bändermodells der
höchstmögliche Energiezustand des
Valenzbandes.
valence band edge [semiconductor
technology]
In the energy-band diagram, the highest
possible energy state of the valence band.

Valenzelektron *n*, Bindungselektron *n*
[Halbleitertechnik]
Elektron der äußeren Schale eines Atoms, das
die chemische Wertigkeit bestimmt und die
Bindungskräfte zwischen den Atomen im
Halbleiterkristall bewirkt.
valence electron, bonding electron
[semiconductor technology]
Electron in the outer shell of an atom which
determines chemical valence and generates the
binding forces between the atoms in a
semiconductor crystal.

Validierung *f*
validation

van der Waalssche Bindung *f*
Schwache chemische Bindung, die durch die
schwache Anziehungskraft von Atomen oder
Molekülen zustande kommt, die infolge ihrer
abgeschlossenen Elektronenschalen (8
Elektronen in der äußeren Schale) keine
ionische oder kovalente Bindung eingehen
können.
van der Waals bond
Weak chemical bond resulting from the weak
attractive forces of atoms or molecules which

cannot form ionic or covalent bonds because of
their completely filled outer shells (8 electrons
in the outer shell).

Varaktor *m*, Kapazitätsdiode *f*,
Kapazitätsvariationsdiode *f* [Halbleiterdiode
mit spannungsabhängiger Kapazität]
varactor, varicap, variable capacitance diode
[semiconductor diode with voltage-dependent
capacitance]

Variable *f*, veränderliche Größe *f*
variable

variable Satzlänge *f* [Satz mit variabler Länge;
im Gegensatz zu einem Satz mit fester Länge]
variable record length [record with variable
length; in contrast to a record with fixed
length]

variable Schwellwertlogik *f* (VTL)
Logikfamilie, deren Schwellenspannung
veränderlich ist.
variable threshold logic (VTL)
Logic family in which the threshold voltage is
variable.

variable Wortlänge *f* [Wort mit variabler
Länge; im Gegensatz zu einem Wort mit fester
Länge]
variable word length [word with variable
length; in contrast to a word with fixed length]

variables Blockformat *n* [Format mit variabler
Blocklänge; im Gegensatz zu einem Format mit
fester Blocklänge]
variable block format [format with variable
block length; in contrast to a format with fixed
block length]

variables Format *n*
variable format

Varistor *m*, spannungsabhängiger Widerstand *m*
Halbleiterbauelement, das einen
spannungsabhängigen, nichtlinearen
Widerstand hat.
varistor, voltage-dependent resistor (VDR)
Semiconductor component that has a voltage-
dependent nonlinear resistance.

VATE-Technik *f*
Spezielles Isolationsverfahren für bipolare
integrierte Schaltungen, bei dem die
Schaltungsstrukturen durch V-förmig geätzte
Gräben voneinander isoliert sind.
VATE technology
Special isolation technique used in bipolar
integrated circuits which provides isolation
between the circuit structures by V-shaped
etched grooves.

Vater *m* [Datei, Baum]
parent [file, tree]

VCPI [virtuelle Schnittstelle für
Programmsteuerung; sie erlaubt das
gleichzeitige Ablaufen mehrerer DOS-
Anwendungen sowie die direkte Adressierung
des Erweiterungsspeichers im geschützten

Modus]
VCPI (Virtual Control Program Interface)
[allows several DOS applications to run
simultaneously and to directly address
extended memory in protected mode]
Vektor *m*
  vector
Vektorbefehl *m*
  vector instruction
Vektordiagramm *n*
  vector diagram
Vektorfeld *n*
  vector field
Vektorfunktion *f*
  vector function
Vektorgraphik *f*
  vector graphics
vektorielle Größe *f*
  vector quantity
Vektorrechner *m* [Großrechner mit parallelen
Rechenwerken]
  vector computer, array computer [mainframe
  computer with parallel arithmetic-logic units]
Vektorschriftart *f* [skalierbar, im Gegensatz zur
Bitmap- bzw. Rasterschriftart]
  vector font [scalable font, in contrast to
  bitmap or raster font]
Vektorunterbrechung *f*,
Prioritätsunterbrechung *f*
[Programmunterbrechung, die mit einem
Vektor zur Angabe der Priorität versehen ist;
im Gegensatz zum Abfrageverfahren]
  vectored interrupt, vector interrupt, priority
  interrupt [program interruption provided with
  a vector designating the priority; in contrast to
  polling]
Venn-Diagramm *n* [Darstellung logischer
Funktionen mittels sich überlappender Kreise]
  Venn diagram [representation of logic
  functions using overlapping circles]
Ventura [Desktop-Publishing-Programm]
  Ventura [desktop publishing program]
veränderbarer Widerstand *m*
  variable resistor
veränderliche Größe *f*, Variable *f*
  variable
verarbeiten
  process, to
Verarbeitung *f*
  processing
Verarbeitungsart *f*
  processing mode
Verarbeitungsebene *f*, Verarbeitungsschicht *f*
[eine der sieben Funktionsschichten des ISO-
Referenzmodells für den Rechnerverbund]
  processing layer [one of the seven functional
  layers of the ISO reference model for computer
  networks]
Verarbeitungsprogramm *n*

  processing program
Verarbeitungsrechner *m*, Host-Rechner *m*
[zentraler Dienstleistungsrechner für die
Unterstützung von Datenstationen oder
Satellitenrechnern]
  host computer [central computer providing
  services to terminals or satellite computers]
Verarbeitungsschicht *f*, Verarbeitungsebene *f*
  processing layer
Verarbeitungsschleife *f*
  processing loop
Verarbeitungstiefe *f*
  processing depth
Verarbeitungszeit *f*
  processing time
Verarmung *f* [Halbleitertechnik]
Verringerung der Ladungsträgerdichte und
damit der Leitfähigkeit in einem bestimmten
Bereich eines Halbleiters.
  depletion [semiconductor technology]
  A decrease in the density of charge carriers and
  hence a reduction in conductivity in a
  particular region of a semiconductor.
Verarmungs-Feldeffekttransistor *m*
  depletion mode field-effect transistor
Verarmungs-IGFET , Verarmungs-
Isolierschicht-Feldeffekttransistor *m*
Ein Feldeffekttransistor, der bei der
Gatespannung Null eine hohe Leitfähigkeit
aufweist (d.h. der ohne Gatespannung leitend
ist) und dessen Stromfluß zwischen Source und
Drain durch Anlegen einer Gatespannung entsprechender Polarität gesteuert wird (d.h.
zunimmt oder abnimmt).
  **depletion mode insulated-gate field-effect
  transistor,** depletion-mode IGFET
  A field-effect transistor that has a high
  conductivity at zero gate voltage (i.e. which is
  conductive without a gate voltage) and whose
  current flow between source and drain is
  controlled (i.e. increased or decreased) by
  applying a gate voltage of corresponding
  polarity.
Verarmungs-Metall-Halbleiter-FET *m*, D-
MESFET *m*
Feldeffekttransistor des Verarmungstyps,
dessen Gate aus einem Schottky-Kontakt
(Metall-Halbleiter-Übergang) besteht.
  depletion-mode metal-semiconductor FET
  (D-MESFET)
  Depletion-mode field-effect transistor with a
  gate formed by a Schottky barrier (metal-
  semiconductor junction).
Verarmungs-MOSFET *m*, D-MOSFET *m*
  depletion mode MOSFET, D-MOSFET
Verarmungsbetrieb *m* [Halbleitertechnik]
  depletion mode [semiconductor technology]
Verarmungstransistor *m*
  depletion mode transistor

Verarmungszone *f*
Bereich eines Halbleiters, in dem die
Leitfähigkeit durch Verringerung der
Ladungsträgerdichte herabgesetzt wurde.
depletion region
Region in a semiconductor in which
conductivity is decreased by a reduction in
charge carrier density.
Verbindung *f,* Datenverbindung *f*
link, data link
Verbindung *f,* Leitbahn *f,* Leiterbahn *f*
interconnect path, interconnection
Verbindungshalbleiter *m*
Halbleiter, der aus zwei oder mehreren
Elementen besteht, z.B. Galliumarsenid oder
Gallium-Aluminiumarsenid, im Gegensatz zum
Elementhalbleiter, der aus einem einzigen
Element besteht, z.B. Silicium.
compound semiconductor
Semiconductor consisting of two or more
elements, e.g. gallium arsenide or gallium
aluminium arsenide, as opposed to an
elemental semiconductor which consists of a
single element, e.g. silicon.
Verbindungsloch *n,* Kontaktloch *n*
[durchkontaktierte Bohrung für Verbindungen
und nicht für Bauteilmontage auf
Leiterplatten]
via hole [plated-through hole for through
connection and not used for component
insertion in a PCB]
Verbindungstechnik *f,* Anschlußtechnik *f*
interconnection technique
verbotenes Band *n,* Energielücke *f*
[Halbleitertechnik]
In der Darstellung des Bändermodells der
Abstand zwischen Leitungsband und
Valenzband, der Energieniveaus im
Halbleiterkristall bezeichnet, die von
Elektronen nicht besetzt werden können.
forbidden band, energy gap [semiconductor
technology]
In the energy-band diagram, the distance
separating the conduction band from the
valence band which represents energy levels
that cannot be occupied by electrons.
verbunden, angeschaltet, angeschlossen
connected
verbundenes Unterprogramm *n*
linked subroutine
Verbundplatte *f,* Schichtplatte *f*
composite board [printed circuit boards]
Verbundwerkstoff *m*
composite material
verdichten
compress, to
verdrahtetes ODER *n,* verdrahtetes UND *n*
[logische Verknüpfung, die durch externes
Zusammenschalten (Verdrahtung) von

mehreren Einzelgattern erreicht wird]
wired AND, wired OR [logical operation
obtained by externally connecting several
individual gates]
Verdrahtungsmaske *f*
Maske, die bei der Herstellung von integrierten
Schaltungen (und Semikundenschaltungen auf
der Basis von Gate-Arrays und ähnlichen
Konzepten) für die Verdrahtung von
Transistoren, logischen Funktionen,
Grundzellen usw. benötigt wird.
interconnection mask
Mask needed in integrated circuit fabrication
(and for semicustom circuits based on gate
arrays or similar concepts) to interconnect
transistors, logical functions, basic cells, etc.
Verdrahtungsmuster *n,* Leiterbild *n,*
Leiterstruktur *f* [bei integrierten Schaltungen
und Leiterplatten]
pattern, conductive pattern [of integrated
circuits or printed circuit boards]
Verdrahtungsplan *m,* Schaltplan *m,*
Schaltschema *n*
wiring diagram
Verdrahtungsplatine *f,* Rückwandplatine *f,*
Backplane *f* [Leiterplatte, die sämtliche
Verdrahtungen (z.B. Busleitungen) aller
Funktionsteile (Leiterplatten) eines
Mikroprozessorsystems enthält]
backplane [printed circuit board containing all
wiring connections (e.g. bus lines) for all
functional modules (printed circuit boards) of a
microprocessor system]
verdrilltes Leiterpaar *n,* verdrillte
Doppelleitung *f*
twisted-pair cable, twisted-pair line
Vereinbarkeit *f,* Kompatibilität *f,*
Verträglichkeit *f* [Austauschbarkeit von
Hardware und Software]
compatibility [hardware], portability
[software]
vereinheitlichen, normalisieren [in der
Gleitpunktdarstellung das Verschieben der
Mantisse bis sie innerhalb eines
vorgeschriebenen Bereichs liegt; in der Praxis
wird das Dezimalkomma nach links verschoben
bis es vor der ersten Ziffer steht, z.B. 123,45
wird $0{,}12345 \times 10^3$ in der normalisierten
Darstellung]
normalize, to; standardize, to [in floating
point representation to adjust the mantissa so
that it lies within a prescribed range; usually
the decimal point is shifted to the left until it
stands in front of the first digit, e.g. 123.45
becomes 0.12345×10^3 in the normalized
representation]
Vereinigung *f* [von Körpern in der graphischen
Datenverarbeitung und in der
rechnergestützten Konstruktion (CAD)]

union [of bodies in computer graphics and
computer-aided design (CAD)]
Vererbung *f* [bei der objektorientierten
Programmierung: die Weitergabe von
Klasseneigenschaften an abgeleitete Klassen]
inheritance [in object oriented programming:
passing on class properties to derived classes]
verfügbare Betriebszeit *f*
available time, up-time
Verfügbarkeit *f*
availability
Vergießen *n,* Verkappen *n,* Kapselung *f,*
Verkapselung *f*
Verfahren, bei dem Halbleiterbauelemente oder
Baugruppen mit einer aushärtenden,
isolierenden Gießmasse (meistens Kunstharz)
umgossen werden, um sie vor mechanischer
Beanspruchung und Verschmutzung zu
schützen.
encapsulation, potting
Process of embedding semiconductor
components or assemblies in a thermosetting
fluid encapsulant (usually plastic resin) to
protect them against mechanical stress and
dirt.
Verglasen *n,* Verglasung *f,* Glasierung *f*
Das Beschichten von integrierten Schaltungen
mit Spezialglas zum Schutz gegen mechanische
Beanspruchung und schädliche
Umwelteinflüsse.
glassivation
Applying a special glass coating on integrated
circuits to protect them against mechanical
stress and hostile environmental conditions.
Vergleich *m*
match
vergleichen
match, to
Vergleicher *m,* Komparator *m*
comparator
Vergleichslauf *m,* Benchmark-Lauf *m* [Lauf
eines Bewertungsprogrammes (Benchmark-
Programm) zwecks Bewertung der
Leistungsfähigkeit eines Rechners]
benchmark run [running a benchmark
program for evaluating the performance of a
computer]
Vergleichsprüfung *f*
cross-validation
Vergleichspunkt *m,* Bewertungspunkt *m*
[Bewertungspunkt eines Benchmark-
Programmes]
BM (benchmark) [evaluation point of a
benchmark program]
Vergleichsspannung *f,* Bezugsspannung *f,*
Referenzspannung *f*
reference voltage
Vergleichsverfahren *n,* Benchmark-Verfahren
benchmark test

vergossene Baugruppe *f,* verkapselte
Baugruppe *f*
potted assembly, encapsulated assembly
vergrabene Schicht *f,* Subkollektor *m*
Bei integrierten Bipolarschaltungen eine
hochdotierte Schicht unter der Kollektorzone,
die vor dem Abscheiden der epitaktischen
Schicht in das Siliciumsubstrat eindiffundiert
wird, um den Kollektorbahnwiderstand zu
verringern.
buried layer, buried diffused layer
In bipolar integrated circuits a highly doped
layer formed by diffusion under the collector
region prior to epitaxial growth to reduce
collector series resistance.
vergrabener Kanal *m* [z.B. bei CCD-Elementen]
buried channel [e.g. in charge-coupled
devices]
Verkappen *n,* Vergießen *n,* Verkapselung *f*
potting, encapsulation
verkapselte Baugruppe *f,* vergossene
Baugruppe *f*
potted assembly, encapsulated assembly
Verkapselung *f,* Vergießen *n,* Verkappen *n,*
Kapselung *f*
Verfahren, bei dem Halbleiterbauelemente oder
Baugruppen mit einer aushärtenden,
isolierenden Gießmasse (meistens Kunstharz)
umgossen werden, um sie vor mechanischer
Beanspruchung und Verschmutzung zu
schützen.
potting, encapsulation
Process of embedding semiconductor
components or assemblies in a thermosetting
fluid encapsulant (usually plastic resin) to
protect them against mechanical stress and
dirt.
verketten [Daten]
link, to [data]
verketten [Zeichenketten]
concatenate, to [strings]
verketten, ketten
chain, to; concatenate, to
verkettete Liste *f*
linked list
verkettetes Suchen *n* [Suchen in verketteter
Liste]
chaining search [search in chained list]
Verkettung *f* [Zeichenketten]
concatenation [strings]
Verkettung *f,* Kettung *f* [von Adressen mit
Zeigern]
chaining [of addresses with pointers]
Verkettung der Unterbrechungspriorität *f*
[z.B. von Peripheriegeräten]
daisy chaining of interrupt priority [e.g. of
peripherals]
Verkleinerungsfaktor *m*
scaling factor

verknüpfen [logisch]
  link, to [logically]
Verknüpfung *f*, logische Verknüpfung *f*, logische
  Funktion *f*
  logic function, logical operation
Verknüpfungsglied *n*, logische Verknüpfung *f*
  Eine logische Verknüpfung führt eine logische
  Operation aus, d.h. sie verknüpft zwei oder
  mehr Eingangssignale zu einem
  Ausgangssignal. Es gibt Verknüpfungen für die
  logischen Operationen UND (=Konjunktion),
  exklusives ODER (= Antivalenz), inklusives
  ODER (= Disjunktion), NICHT (= Negation),
  NAND (= Sheffer-Funktion), NOR (= Peirce-
  Funktion), Äquivalenz, Implikation und
  Inhibition.
  basic logic function, logic element, logic gate,
  gate
  A basic logic function is a logic operation which
  combines two or more input signals into one
  output signal. Basic logic operations are: AND
  (= conjunction), EXCLUSIVE-OR (= non-
  equivalence), INCLUSIVE-OR (= disjunction),
  NOT (= negation), NAND (= non-conjunction or
  Sheffer function), NOR (= non-disjunction or
  Peirce function), IF-AND-ONLY-IF (=
  equivalence), IF-THEN (= implication) and
  NOT-IF-THEN (= exclusion).
Verknüpfungstafel *f*, Wahrheitstabelle *f* [stellt
  eine logische Funktion tabellenförmig dar; sie
  führt alle Kombinationen der Eingangswerte
  und der sich ergebenden Ausgangswerte auf;
  eine Funktion mit *n* Eingängen hat $2n$ Zeilen
  und $n+1$ Spalten]
  truth table [represents a logic function in
  tabular form; it lists all possible combinations
  of the input values and the resulting output
  values; a function with *n* inputs has $2n$ rows
  and $n+1$ columns]
Verknüpfungszeichen *n*
  concatenation character
verlassen
  quit
Verlauf *m*
  course
verlorene Zuordnungseinheit *f* [in Datei-
  Zuordnungstabelle]
  lost allocation unit [in file allocation table]
verlustarm
  low loss
Verlustfaktor *m* [dielektrischer]
  dissipation factor
Verlustfaktor *m* [elektrischer]
  loss factor
Verlustleistung *f*, Leistungsverlust *m*
  power dissipation, power loss
verlustlos
  zero-loss
Verlustwinkel *m* [z.B. eines Kondensators]

  loss angle [e.g. of a capacitor]
Verlustwärme *f*, Wärmeabfuhr *f*
  heat dissipation
Vermaschung *f*
  intermeshing
verriegelnd
  locking
Verriegelung *f*
  interlock
Verriegelungsschaltung *f*
  interlock circuit
Verriegelungssignal *n*
  interlock signal
Versalien *m.pl.*, Großbuchstaben *m. pl.*
  upper case letters
verschachteln, verzahnen, überlappen
  interleave, to
verschachteltes Programm *n*
  nested program
Verschachtelung *f*, Schachtelung *f* [die
  Verwendung von weiteren Programmschleifen
  innerhalb einer Programmschleife, d.h. eine
  Makrodefinition, die Makrobefehle enthält]
  nesting [the use of further program loops
  within a program loop, i.e. a macro definition
  containing macro instructions]
Verschachtelungsebene *f*
  nesting level
verschiebbar
  relocatable
verschiebbarer Code *m*
  relocatable code
verschiebbares Programm *n*, relativierbares
  Programm *n*, Relativprogramm *n* [ein
  Programm, dessen Adressen angepaßt werden
  können, wenn das Programm in einen anderen
  Adressenbereich verschoben wird]
  relocatable program [a program whose
  addresses can be adjusted when the program is
  moved into another address area]
Verschieben eines Blocks *n*
  block move
verschieben
  relocate, to
Verschiebung *f*
  relocation
Verschleißausfall *m*, Ermüdungsausfall *m*,
  Alterungsausfall *m*
  wearout failure
Verschliessen *n*, Verkappen *n* [Glas- oder
  Kunststoffgehäuse eines Bauteils]
  sealing [glass or plastic housing of component]
Verschlüsseln *n*, Verschlüsselung *f*, Codierung *f*,
  Codieren *n*
  Das Umsetzen, mit Hilfe eines Codes, von
  Informationen aus einer allgemein
  verständlichen Form in eine von einer
  Maschine erkennbare Form (z.B. das Umsetzen
  analoger Signale in eine codierte digitale Form,

das Erstellen eines Programmes in
Maschinensprache für einen bestimmten
Rechner usw.)
encoding
The conversion, by means of a code, of
information presented in a generally
recognizable form into a form that can be
recognized by a machine (e.g. converting analog
signals into a coded digital form, preparing a
program in machine language for a specific
computer, etc.).
verschlüsseln, codieren
code, to; encode, to
verschlüsseltes Wort n [bei der
Datengeheimhaltung]
cipher word [in data secrecy]
Verschlüsselung f [bei der
Datengeheimhaltung]
encryption [for data secrecy]
Verschlüsselung f, **Verschlüsseln** n, Codierung
f, Codieren n
encoding
versenkter Leiter m [Leiterplatten]
flush conductor [printed circuit boards]
Versetzung f [ein Kristallgitterfehler, der z.B.
bei der Kristallzüchtung oder durch einen
Ätzvorgang entstehen kann]
dislocation [a crystal lattice imperfection
which can occur, for example, during crystal
growth or can result from etching]
Version f [Programmversion]
release [program release or version]
Versorgungsspannung f, Speisespannung f
supply voltage
Versorgungsstrom m, Speisestrom m
supply current
verstümmeltes Zeichen n
mutilated character
Verstärker m [eine Schaltung (bzw. ein Gerät),
das Spannung, Strom oder Leistung verstärkt]
amplifier [a circuit (or a device) that amplifies
voltage, current or power]
**Verstärker für niedrige
Eingangsspannungen** m
low-level amplifier, small signal amplifier
Verstärker hoher Linearität m,
Linearverstärker m
amplifier of high linearity, linear amplifier
Verstärker mit kompensierter Drift m
drift-compensated amplifier
Verstärkerausgang m
amplifier output
Verstärkerendstufe f, Leistungsendstufe f
power amplifier stage
Verstärkerrauschen n
amplifier noise
Verstärkerstufe f
amplifier stage
Verstärkung f

amplification, gain
Verstärkung mit Gegenkopplung f
closed-loop amplification
Verstärkung ohne Gegenkopplung f
open-loop amplification
Verstärkungsbandbreitenprodukt n
Bandbreitenprodukt nz[Produkt aus
Verstärkungsfaktor und Bandbreite eines
Verstärkers]
gain-bandwidth product [product of
amplification factor and bandwidth in an
amplifier]
Verstärkungsfaktor m
amplification factor
Versuchsaufbau m
breadboard
verteilt, dezentralisiert
distributed, decentral
verteilte Datenverarbeitung f
distributed data processing
verteilte Intelligenz f
Rechnerarchitektur, bei der die Zentraleinheit
weitgehend von Steuerungsaufgaben entlastet
ist, um eine Parallelverarbeitung zu
ermöglichen. Dies wird mit Hilfe zusätzlicher
Prozessoren erreicht, die bestimmte Aufgaben
übernehmen. Der Begriff wird meistens im
Zusammenhang mit der fünften
Rechnergeneration, d.h. mit nicht-von-
Neumannschen Rechnerarchitekturen
verwendet.
distributed intelligence
Computer architecture in which the central
processing unit is freed to a large extent from
the task of carrying out control functions in
order to permit parallel processing. This is
achieved with the aid of additional processors
which perform specific functions. The term is
mainly used in connection with fifth-generation
computers, i.e. with non-von-Neumann
computer architectures.
verteiltes Datenbanksystem n
distributed data base system
vertikale Parität f, Zeichenparität f,
Querparität f [Parität eines Zeichens nach
Ergänzung durch ein Prüfbit; im Gegensatz zur
Block- oder Längsparität]
vertical parity [parity of a character after
completing with a parity bit; in contrast to
block or longitudinal parity]
vertikaler Feldeffekttransistor m (VFET),
vertikaler MOS-Transistor m, VMOS-
Transistor m
Feldeffekttransistor, der durch ein V-förmiges
Gate (Steuerelektrode), einen kurzen Kanal
und vertikalen Stromfluß zwischen Source und
Drain gekennzeichnet ist. Durch den kurzen
Kanal ergeben sich hohe Schaltgeschwindigkeiten.

vertical MOS transistor, VMOS transistor, vertical field-effect transistor (VFET)
Field-effect transistor which is characterized by a V-shaped gate, a short channel and vertical current flow between source and drain. The short channel provides high switching speeds.

Vertikalparitätsprüfung *f,* Querparitätsprüfung *f,* VRC-Prüfung *f* [Paritätsprüfmethode, z.B. bei Magnetbändern]
vertical redundancy check (VRC), vertical parity check [parity checking method, e.g. for magnetic tapes]

Vertrauensbereich *m* [Qualitätskontrolle]
confidence interval [quality control]

verträglich, kompatibel [untereinander austauschbar, z.B. zwei Bausteine, Geräte oder Systeme]
compatible [replaceable one by the other, e.g. two devices, units or systems]

Verträglichkeit *f,* Kompatibilität *f,* Vereinbarkeit *f* [Austauschbarkeit von Hardware und Software]
compatibility [hardware], portability [software]

Verunreinigung *f,* Kontamination *f* [unerwünschte Partikel auf Prozeßanlagen oder Halbleiterscheiben, die die Ausbeute bei der Herstellung von Halbleiterbauelementen verringern]
contamination [unwanted particles on process equipment or wafers affecting the yield in semiconductor component fabrication]

Verweilzeit *f* [Datenverarbeitung]
residence time [data processing]

Verzahnen *n,* Spreizen *n* [z.B. von Impulsen im Zeitmultiplex]
interlacing [e.g. of pulses in time-division multiplex]

verzahnen, verschachteln, überlappen
interleave, to

verzahnt ablaufende Verarbeitung *f,* überlappte Verarbeitung *f* [die zeitlich verzahnte Verarbeitung mehrerer Programme]
concurrent processing [interleaved processing of several programs]

verzahnt
interleaved

Verzeichnis *n,* Inhaltsverzeichnis *n*
directory

Verzeichnisbaum *m*
directory tree

Verzeichnisdatei *f*
directory file

Verzeichniseintrag *m*
directory entry

Verzerrung *f*
distortion

Verzinnen *n* [Lötstelle]
tinning [solder joint]

verzögerte Ausführung *f*
delayed execution

verzögertes Schreiben *n* [Betriebsart bei integrierten Speicherschaltungen]
delayed-write mode [operational mode of integrated circuit memories]

Verzögerung *f*
delay

Verzögerungsglied *n*
delay element

Verzögerungsleitung *f*
delay line

Verzögerungsspeicher *m,* Laufzeitspeicher *m*
delay-line storage

Verzögerungszeit *f* [allgemein]
delay time [in general]

Verzögerungszeit *f,* Ausbreitungsverzögerungszeit *f*
Die Verzögerungszeit zwischen der Änderung eines Signals (bzw. der Umkehrung eines Logikpegels) am Eingang und dem Auftreten des Signals am Ausgang.
propagation delay, propagation delay time
Time delay between the change of a signal (or change in logic level) at the input and the appearance of the signal at the output.

verzweigen [durch Sprungbefehle bewirkte Aufteilung eines Programmes in mehrere Zweige]
branch, to [to divide a program into several branches with the aid of jump instructions]

Verzweigung *f*
branch

Verzweigungsadresse *f,* Zieladresse *f* [bei einem Sprungbefehl]
transfer address, destination address [in a jump instruction]

Verzweigungsbefehl *m,* Sprungbefehl *m*
branch instruction, jump instruction

Verzweigungspunkt *m,* Knoten *m* [eines Netzes]
node [of a network]

VFET *m,* vertikaler Feldeffekttransistor *m,* vertikaler MOS-Transistor *m,* VMOS-Transistor *m*
VFET (vertical field-effect transistor), VMOS transistor, vertical MOS transistor

VGA [Video-Graphik-Adapter für den IBM PC mit einer Auflösung von 640 x 480 Punkten bzw. mit einer Zeichenmatrix von 9 x 16 Punkten]
VGA (Video Graphics Array) [video adapter for the IBM PC giving a resolution of 640 x 480 dots or a character matrix of 9 x 16 dots]

VHSIC *f,* hochintegrierte Schaltung mit hoher Schaltgeschwindigkeit *f*
VHSIC (very high speed integrated circuit)

Video-Adapter *m* [Anschlußkarte für Bildschirmgerät]

video adapter [adapter board for video display unit]

Video-Schreib-Lese-Speicher *m*, VRAM *m* [Speicher einer Bildschirmkarte]
video RAM, VRAM [memory of a video board]

Videoeingangssignal *n*
video display input (VDI)

Videoplattenrecorder *m*
video disk recorder

Videorecorder *m*
video tape recorder (VTR)

Videosignal *n*, Bildsignal *n*
video signal

Videospeicherplatte *f*, Bildspeicherplatte *f*
video disk

Videospiel *n*
video game

Videotext-System *n*, Bildschirmtext-System *n*, Btx-System *n* [interaktives System für die Übermittlung von Text über Fernseh- oder Telephonkanäle für die Anzeige auf einem Bildschirm]
videotex, videotext system [interactive system for text transmission via TV or telephone channels for display on a screen]

Videoverstärker *m*
video amplifier

Vielfachleitung *f*, Multiplexleitung *f*
highway

Vielfachmeßgerät *n*, Mehrfachmeßgerät *n*, Universalmeßgerät *n*
multimeter, universal measuring instrument, multipurpose instrument

Vierfach-Operationsverstärker *m*
quad operational amplifier

vierfache Dichte *f* [Datenträger]
quad density [data medium]

Vierpol *m*, Zweitor *n*
Allgemeines Schema zur Kennzeichnung einer elektrischen Schaltung, die mit vier Anschlüssen (Klemmen) mit anderen Schaltungsteilen verbunden ist, wobei jeweils zwei Klemmen zu einem Klemmenpaar oder Tor zusammengefaßt werden.
two-port network, four-pole network, two-terminal pair network
Method commonly used to describe an electrical circuit (or network) that is connected to other network elements by four terminals which are paired to form two ports.

Vierpolersatzschaltung *f*
two-port equivalent circuit

Vierpolgleichungen *f.pl.* [Gleichungen, die die Vierpoleigenschaften beschreiben]
two-port equations [equations describing the characteristics of a two-port]

Vierpolparameter *m*
two-port parameter, four-pole parameter

Vierpoltheorie *f*

two-port theory, four-pole theory

Vierquadrant-Multiplizierschaltung *f*, Vierquadranten-Multiplizierer *m*
four-quadrant multiplier

Vierschichtdiode *f*, Dynistor *m* [Halbleiterbaustein mit diodenähnlicher Kennlinie, angewandt als Hochstromschalter]
dynistor, four-layer diode [semiconductor device with a characteristic similar to that of a diode, used as a high-current switch]

VIP-Technik *f*
Spezielles Isolationsverfahren für bipolare integrierte Schaltungen, bei dem die Schaltungsstrukturen durch V-förmig geätzte Gräben, die mit hochohmigem Polysilicium aufgefüllt werden, voneinander isoliert sind.
VIP technology (vertical isolation with polysilicon)
Special isolation technique used in bipolar integrated circuits which provides isolation between the circuit structures by etched V-shaped grooves which are filled with a high-resistance polysilicon material.

virtuelle Adresse *f* [Adresse, die den Speicherplatz in einem virtuellem Speicher angibt]
virtual address [address giving the storage location in a virtual storage]

virtuelle Maschine *f*, virtueller Modus *m*
virtual machine, virtual mode

virtuelle Schnittstelle *f*
virtual interface

virtueller Modus *m*, virtuelle Maschine *f* [Prozessorbetriebsart für 80386- und 80486-Prozessoren: bei dieser Betriebsart stehen mehrere virtuelle 8086-Prozessoren gleichzeitig zur Verfügung]
virtual mode, virtual machine [operating mode for 80386 and 80486 processors: in this mode several virtual 8086 processors are available at the same time]

virtueller Speicher *m* [direkt adressierbarer Speicherraum, der technisch aus dem Hauptspeicher und dem Sekundärspeicher (Hintergrund- oder Seitenwechselspeicher) besteht; benötigt eine automatische Umsetzung der virtuellen in reale Adressen]
virtual memory, virtual storage [directly addressable storage space, comprises technically the main memory and secondary storage (background storage or page storage); necessitates automatic conversion of virtual into real addresses]

virtueller Speicherverwalter *m*
virtual memory manager (VMM)

virtuelles Laufwerk *n*, RAM-Laufwerk *n* [definiert einen Speicherbereich als logisches Laufwerk, um den Dateizugriff zu beschleunigen]

virtual disk, virtual drive, RAM disk, RAM drive [defines part of main memory as logical drive so as to accelerate file access]

virtuelles Speicherzugriffsverfahren *n*, VSAM-Verfahren *n* [kombinierter sequentieller und indizierter Zugriff]
virtual storage access method (VSAM) [combined sequential and indexed access]

virtuelles Terminal *n* [für Programmierzwecke verwendetes, standardisiertes Terminal]
virtual terminal [standardized terminal employed for programming purposes]

Virus *m*, Computervirus *m* [Programm, das sich reproduziert und andere Programme infiziert, verändert bzw. zerstört]
virus, computer virus [program that multiplies itself and infects, modifies or destroys other programs]

Virus-Scanner *m* [Virus-Suchprogramm]
virus scanner [virus search program]

Virus-Schutzprogramm *n*
virus protection program, virus immunizer

VLSI *f*, Größtintegration *f*
Integrationstechnik, bei der rund 10^6 Transistoren oder Gatterfunktionen auf einem Chip realisiert sind.
VLSI (very large scale integration)
Technique resulting in the integration of about 10^6 transistors or logical functions on a single chip.

VMOS-Transistor *m*, vertikaler MOS-Transistor *m*, vertikaler Feldeffekttransistor *m* (VFET)
Feldeffekttransistor, der durch ein V-förmiges Gate (Steuerelektrode), einen kurzen Kanal und vertikalen Stromfluß zwischen Source und Drain gekennzeichnet ist. Durch den kurzen Kanal ergeben sich hohe Schaltgeschwindigkeiten.
VMOS transistor, vertical MOS transistor, vertical field-effect transistor (VFET)
Field-effect transistor which is characterized by a V-shaped gate, a short channel and vertical current flow between source and drain. The short channel provides high switching speeds.

Volladdierer *m* [addiert zwei Binärziffern und bildet eine Summe und einen Übertrag; besitzt drei Eingänge und kann den Übertrag aus einer vorhergehenden Stelle berücksichtigen, im Gegensatz zu einem Halbaddierer, der nur zwei Eingänge hat]
full adder [adds two binary digits, producing a sum and a carry; has three inputs and can handle a carry from a preceding digit place, in contrast to a half-adder which has two inputs]

Vollausfall *m*
complete failure

Vollcodierer *m*
full coder

Vollduplexbetrieb *m*, Gegenbetrieb *m*,

Duplexbetrieb *m* [Datenübertragung in beiden Richtungen gleichzeitig]
full duplex mode, duplex operation [data transmission in both directions simultaneously]

Vollkundenschaltung *f*, Kundenschaltung *f*, kundenspezifische Schaltung *f*
Integrierte Schaltung für eine bestimmte Aufgabe, die nach Kundenwünschen völlig neu entworfen wird.
fully custom circuit, custom circuit
Integrated circuit for a specific application of completely new design according to customer's specifications.

Vollprüfung *f*
total inspection

Vollsubtrahierer *m* [eine Schaltung analog dem Volladdierer]
full subtracter [a circuit analog to a full-adder]

Volltextsuche *f*, freie Textsuche *f*
full-text retrieval, free text retrieval

Volltextsuchprogramm *n*
full-text retrieval program

Vollübertrag *m*
complete carry

Vollwort *n*
fullword

Volt *n* (V) [SI-Einheit der elektrischen Spannung]
volt (V) [SI unit of voltage]

vom Benutzer definierbar
user-definable

von Neumannsche Rechnerarchitektur *f*
Die Standardarchitektur der heutigen Rechner, die sich auf die sequentielle Verarbeitung stützt. Sie soll durch die fünfte Rechnergeneration abgelöst werden, die auf nicht-von-Neumannschen Strukturen wie Parallelverarbeitung, künstlicher Intelligenz usw. basiert.
von Neumann computer architecture
The current standard computer architecture using sequential processing. It is expected to be replaced by fifth-generation computers based on non-von-Neumann structures such as parallel processing, artificial intelligence, etc.

Voralterung *f*, Burn-In *n*, Einbrennprüfung *f*
Prüfverfahren, bei dem Halbleiterbauelemente oder Bausteine unter erschwerten Betriebsbedingungen und bei erhöhten Temperaturen (meistens 125 °C) betrieben werden, um Frühausfälle vor der Inbetriebnahme zu eliminieren.
burn-in, burn-in test
Testing method in which semiconductor components or devices are operated under severe operating conditions and at relatively high temperatures (usually 125 °C) to eliminate early failures prior to actual use.

voraussichtliche Lebensdauer *f*
  life expectancy
Vorauszeichen *f,* Prefix *n*
  prefix
Vorbedingung *f*
  precondition
Vorbelegung *f,* Belegung *f* [Dotierungstechnik]
  Bei der Zweischrittdiffusion der erste
  Diffusionsvorgang (Belegung), an den sich die
  Nachdiffusion zur Erzielung der gewünschten
  Diffusionstiefe und des gewünschten
  Dotierungsprofils anschließt.
  predeposition [doping technology]
  In two-step diffusion, the first diffusion step
  (predeposition) which is followed by the drive-in
  cycle in order to obtain the desired diffusion
  depth and concentration profile.
Vorbereitungseingang *m*
  preparatory input
Vorbereitungszeit der Ausgabesperre *f* [bei
  integrierten Speicherschaltungen]
  output disable set-up time [with integrated
  circuit memories]
Vorbereitungszeit für Adreß-Freigabe *f*
  address before enable set-up time
Vorbereitungszeit für Adreß-Lesen *f*
  address before read set-up time
Vorbereitungszeit für Adreß-Schreiben *f*
  address before write set-up time
**Vorbereitungszeit für Dateneingabe vor
  Schreiben** *f*
  data-in before write set-up time
**Vorbereitungszeit für Freigabe vor
  Schreiben** *f*
  enable before write set-up time
Vorbereitungszeit für Lesen-Freigabe *f*
  read before enable set-up time
Vorbereitungszeit vor Schreiben *f*
  setup time prior to write
vorbeugende Instandhaltung *f,* vorbeugende
  Wartung *f*
  preventive maintenance
Vordergrund *m* [Bildschirmbereich, der vom
  aktiven Fenster belegt wird]
  foreground [screen area occupied by active
  window]
Vordergrundprogramm *n* [Programm mit
  hoher Priorität]
  foreground program [program with high
  priority]
Vordergrundprozeß *m* [Prozeß mit hoher
  Priorität]
  foreground task [task with high priority]
voreinstellen
  preset, to
Vorformatierung *f* [physikalische Formatierung
  einer Festplatte, d.h. Erzeugung der Sektoren]
  low-level formatting [physical formatting of a
  hard disk, i.e. generation of sectors]

Vorgabe *f*
  default
Vorgabeanweisung *f*
  default statement
Vorgabevereinbarung *f*
  default declaration
Vorgang *m,* Transaktion *f* [einzelner Vorgang im
  Dialogbetrieb, z.B. Einfügen, Verändern oder
  Löschen eines Datensatzes in einer Datei; in
  einer Datenbank kann ein Vorgang mehrere
  Zugriffe zur Folge haben]
  transaction [single action in dialog mode, e.g.
  insertion, modification or deletion of a record in
  a file; in a data base one transaction can lead to
  a number of accesses]
Vorgangsdatei *f,* Bewegungsdatei *f*
  transaction file
vorgeschaltet, in Reihe geschaltet,
  reihengeschaltet
  connected in series, series-connected
Vorgriffssignal *n*
  look-ahead signal
vormontierte Leiterplatte *f*
  preassembled printed circuit board
Vorrangschaltung *f,* Arbitration *f* [Verfahren
  zur Lösung von Prioritätskonflikten, z.B. beim
  Zugriff auf den Hauptspeicher]
  arbitration [process of solving priority
  conflicts, e.g. when accessing the main storage]
Vorrangunterbrechung *f,*
  Prioritätsunterbrechung *f,*
  Vektorunterbrechung *f*
  [Programmunterbrechung versehen mit einem
  Vektor zur Angabe der Priorität; im Gegensatz
  zum Abfrageverfahren]
  priority interrupt, vectored interrupt
  [program interruption provided with a vector
  designating the priority; in contrast to polling]
Vorrechner *m,* Vorschaltrechner *m*
  front-end processor
Vorsatz *m,* Anfangsetikett *n,* Anfangskennsatz
  header label
Vorsatzprüfung *f*
  header label check
Vorschaltrechner *m,* Vorrechner *m*
  front-end processor
Vorschaltwiderstand *m,* Vorwiderstand *m*
  series resistor, voltage-dropping resistor
Vorschub *m* [z.B. bei Druckern]
  feed [e.g. in printers]
Vorspann *m*
  leader
Vorspannung *f*
  bias voltage
Vorspannungskompensation *f*
  bias compensation
Vorspannungsschaltung *f*
  biasing circuit
Vorspannungsstabilisierung *f*

bias stabilization
Vorspannungstreiberstufe f
bias driver
vorübergehend, kurzzeitig
temporary
vorübergehend, zeitweise
temporarily
Vorverstärker m
preamplifier
Vorwahlzähler m
preset counter
Vorwiderstand m, **Vorschaltwiderstand** m
series resistor, voltage-dropping resistor
vorwärts blättern, abwärts blättern
page down, to
vorwärts rollen
scroll down, to
Vorwärts-Rückwärts-Schieberegister n
bidirectional shift register
Vorwärtsfehlerkorrektur f
forward error correction
Vorwärtskennlinie f
forward voltage-current characteristic
Vorwärtsrichtung f, **Durchlaßrichtung** f
forward direction
Vorwärtsspannung f, **Durchlaßspannung** f
(veraltet)
forward voltage
Vorwärtssteilheit f
transconductance
Vorwärtsstrom m, **Durchlaßstrom** m (veraltet)
[der im Durchlaßzustand fließende Strom einer
Diode]
forward current, on-state current [the
current flowing through a diode in conducting
state]
Vorwärtsverkettung f
forward chaining
vorwärtszählen, heraufzählen, aufwärtszählen
count upwards, to
Vorwärtszähler m, **Aufwärtszähler** m
up-counter, incrementer
Vorzeichen n
sign, algebraic sign
Vorzeichen-Flag n
sign flag
Vorzeichen-Flipflop n
sign-control flip-flop
Vorzeichenbit n
sign bit
Vorzeichenregel f
rule-of-signs
Vorzeichenregister n
sign register
Vorzeichenunterdrückung f
sign suppression
vorzeitige Beendigung f, **Abbrechen** n,
Abbruch m, **Programmabbruch** m
abnormal termination, abortion, program

abortion
VRAM m, Video-Schreib-Lese-Speicher m
[Speicher einer Bildschirmkarte]
VRAM (Video RAM) [memory of a video board]
VRC-Prüfung f, Querparitätsprüfung f,
Vertikalparitätsprüfung f
[Paritätsprüfmethode, z.B. bei Magnetbändern]
VRC (vertical redundancy check), vertical
parity check [parity checking method, e.g. for
magnetic tapes]
VSAM-Verfahren n, virtuelles
Speicherzugriffsverfahren n [kombinierter
sequentieller und indizierter Zugriff]
VSAM (Virtual Storage Access Method)
[combined sequential and indexed access]
VTL, variable Schwellwertlogik f
Logikfamilie, deren Schwellenspannung
veränderlich ist.
VTL (variable threshold logic)
Logic family in which the threshold voltage is
variable.

W

Wafer *m*, Halbleiterscheibe *f*
Dünne, aus einem Halbleiterkristall gesägte
Scheibe, auf der gleichartige
Schaltungsstrukturen integriert sind. Mit Hilfe
eines Laserstrahls oder einer Diamantsäge
wird der Wafer in die einzelnen Chips zerlegt.
  wafer
  Thin slice cut from a semiconductor crystal, on
  which similar circuit structures are integrated.
  With the aid of a laser beam or a diamond saw,
  the wafer is divided into individual chips.
Wafer-Testgerät *n*, Wafertester *m* [Testgerät
für Halbleiterscheiben]
  wafer tester
Waferherstellung *f*
  wafer fabrication
Waferstepper *m*, DSW-Verfahren *n*
[Photolithographie]
  direct step on wafers (DSW)
  [photolithography]
Wagenrücklauf *m*
  carriage return
Wagenrücklaufzeichen *n*
  carriage return character (CR)
Wahl der Betriebsart *f*
  mode select, mode selection
wahlfreie Verarbeitung *f*
  random processing
wahlfreier Zugriff *m*
  random access
Wählleitung *f*
  switched line
wahlweises Überlesen *n*
  optional skip
Wahrheitsfunktion *f*
  truth function
Wahrheitstabelle *f*, Verknüpfungstafel *f* [stellt
eine logische Funktion tabellenförmig dar; sie
führt alle Kombinationen der Eingangswerte
und der sich ergebenden Ausgangswerte auf;
eine Funktion mit *n* Eingängen hat $2n$ Zeilen
und $n+1$ Spalten]
  truth table [represents a logic function in
  tabular form; it lists all possible combinations
  of the input values and the resulting output
  values; a function with *n* inputs has $2n$ rows
  and $n+1$ columns]
Wahrheitswert *m*, Boolescher Wert *m* [die
Werte "wahr" (1) und "falsch" (0) bei logischen
Aussagen]
  truth value, logical value [the values "true" (1)
  and "false" (0) in logical statements]
Wahrscheinlichkeit des Überlebens *f*
  survival probability
Waitstate *m*, Wartezustand *m* [Taktzyklen, die

vom Prozessor abgewartet werden müssen, bis
er auf langsamere Speicher- oder
Peripheriebausteine zugreifen kann]
  wait state [clock cycles during which processor
  has to wait until slower memory or peripheral
  devices can be accessed]
Walzendrucker *m*
  drum printer, on-the-fly printer
Wanne *f*, Isolationswanne *f*
Isolationszone in einer integrierten Schaltung
zur Aufnahme von Transistoren, um sie von
anderen Elementen der Schaltung elektrisch zu
isolieren. So wird beispielsweise der N-Kanal-
Transistor einer CMOS-Schaltung in eine P-
leitende Wanne eindiffundiert.
  well, isolation pocket
  Isolated region in an integrated circuit into
  which transistors are fabricated to separate
  them electrically from other circuit elements.
  For example, the n-type transistor of a CMOS
  integrated circuit is constructed within a p-well
  by a diffusion step.
Wärmeabfuhr *f*, Verlustwärme *f*
  heat dissipation
Wärmeableiter *m*, Kühlkörper *m*
Metallischer Körper zur Aufnahme und
Ableitung von Verlustwärme aus
elektronischen Bauelementen.
  heat sink
  Metal body used to absorb and dissipate heat
  from electronic components.
wärmebeständig, hitzebeständig
  thermally stable
Wärmebeständigkeit *f*, thermische
Beständigkeit *f*
  thermal stability
Wärmekapazität *f*
  thermal capacity
Wärmeleitfähigkeit *f*
  thermal conductivity
Wärmeleitung *f*
  thermal conduction
Wärmewiderstand *m*, thermischer Widerstand *m*
  thermal resistance
Warmstart *m*, Wiederanlauf *m*, Systemstart *m*
[nochmaliges Aufstarten des Rechners ohne
Aus- und Wiedereinschalten, im Gegensatz
zum Kaltstart]
  warm boot, system reboot [restarting a
  computer without switching off and on again, in
  contrast to cold boot]
Wartbarkeit *f*
  maintainability
Wartebetriebsart *f*, Reservebetrieb *m*
  standby mode, backup operation
Warteliste *f*
  waiting list
warten
  wait, to

warten, instandhalten
  maintain, to
Warten n
  waiting, queuing
wartendes Programm n
  waiting program
Warteschlange f, Schiebeliste f, FIFO-Liste f
  queue, push-up list, FIFO list
Warteschlangentheorie f
  queuing theory
Warteschlangenverwaltung f
  queue management
Wartespeicher m
  push-up storage
Wartestatus m
  wait mode
Wartezeit f, Latenzzeit f, Zugriffswartezeit f
  [rotationsbedingte Verzögerungszeit beim
  Lesen oder Schreiben eines Datensatzes auf
  einer Platte oder Diskette; die maximale
  Latenzzeit ist die Zeit für eine Umdrehung; die
  mittlere ist die Hälfte des Maximalwertes]
  latency [rotational delay in reading or writing
  a record to a disk or floppy disk storage;
  maximum latency is the time for a complete
  revolution of the disk, average latency is half
  the maximum value]
Wartezustand m
  disconnected mode (DM), wait state
Wartezustand m, Bereitschaftszustand m,
  Reservezustand m
  standby state
Wartezustand m, Waitstate m
  wait state
Wartung f, Instandhaltung f, vorbeugende
  Instandhaltung f
  maintenance, preventive maintenance
Wartungsfreundlichkeit f
  serviceability
Watt n (W) [SI-Einheit der Leistung]
  watt (W) [SI unit of power]
Weber n (Wb) [SI-Einheit des magnetischen
  Flusses]
  weber (Wb) [SI unit of magnetic flux]
Wechselbetrieb m, Halbduplexbetrieb m
  [Datenübertragung abwechselnd in beiden
  Richtungen; im Gegensatz zum Duplex- bzw.
  Vollduplexbetrieb]
  half duplex operating mode, two-way
  alternate operation [data transmission in both
  directions alternately; in contrast to duplex or
  full-duplex operation]
Wechselplatte f [auswechselbare Magnetplatte]
  removable hard disk [exchangeable hard
  disk]
Wechselplattenspeicher m
  exchangeable disk store (EDS)
Wechselschrift f, Richtungsschrift f, NRZ-
  Schrift f [Schreibverfahren für die

Magnetbandaufzeichnung; Aufzeichnung ohne
  Rückkehr nach Null]
  non-return-to-zero recording (NRZ)
  [magnetic tape recording method]
wechselseitige Datenübermittlung f
  two-way alternate communication
Wechselspannung f
  alternating voltage, ac voltage
Wechselspannungsquelle f
  ac voltage source
Wechselspannungsverstärker m
  ac amplifier
Wechselstrom m
  alternating current (ac)
Wechseltaktschrift f [Verfahren für die
  Magnetbandaufzeichnung]
  two-frequency recording, double frequency
  recording, pulse width recording [magnetic tape
  recording method]
Wegaufnehmer m, Weggeber m
  Ein Gerät, das einen zurückgelegten Weg mißt
  und den Meßwert in eine der Weglänge
  proportionale elektrische Größe umsetzt.
  position transducer
  A device that measures position by
  displacement along a path and converts the
  measurement into an electrical quantity
  proportional to the displacement.
weicher Bindestrich m [vom Benutzer
  definierte Worttrennstelle für die automatische
  Trennung, im Gegensatz zum normalen bzw.
  harten Bindestrich]
  soft hyphen, discretionary hyphen [user-
  defined hyphen for automatic hyphenation, in
  contrast to normally required or hard hyphen]
weicher Zeilenumbruch m [Abschluß jeder
  Zeile ohne Wagenrücklauf-Zeichen, im
  Gegensatz zum harten Zeilenumbruch]
  soft carriage return [closing each line
  without carriage return character, in contrast
  to hard carriage return]
Weichlöten n
  soft soldering
weichsektoriert, softsektoriert
  [Sektormarkierung auf Disketten mittels
  Steuerdaten; im Gegensatz zu hartsektoriert]
  soft-sectored [marking of sectors on floppy
  disks by control data; in contrast to hard-
  sectored]
weißes Rauschen n
  white noise
Weitschweifigkeit f [Redundanz im
  Nachrichtengehalt]
  redundancy [in content of a message]
Weitverkehrsnetz n, Fernnetz n [Rechnernetz,
  das geographisch relativ weite Gebiete umfaßt
  (etwa 1000 km), im Gegensatz zu einem lokalen
  Netz (1 bis 10 km)]
  wide area network (WAN) [a computer

network covering a relatively wide geographical
area (approx. 1000 km) in contrast with a local
area network (1 to 10 km)]
Wellenform *f*
waveform
Wellenlänge *f*
wavelength
Wellenlänge für maximale Emission *f*
[Optoelektronik]
peak-emission wavelength [optoelectronics]
Wellenlänge für maximale Empfindlichkeit *f*
[Optoelektronik]
peak-sensitivity wavelength
[optoelectronics]
Wellenlöten *n*, Fließlöten *n*
Verfahren zum Herstellen von
Lötverbindungen auf gedruckten Leiterplatten.
Dabei werden die Leiterplatten in einer Wanne
über eine flüssige Lotwelle geführt. Das
Verfahren ermöglicht die Herstellung von
mehreren Lötstellen in einem Arbeitsgang.
wave soldering, flow soldering
Process for soldering printed circuit boards by
moving them over a wave of molten solder in a
solder bath. The process enables multiple
solder joints to be produced in a single
operation.
Wellenwiderstand *m*
characteristic impedance, iterative
impedance, surge impedance
Welligkeit *f*
ripple
Welligkeitsfaktor *m*
standing-wave ratio (SWR), voltage
standing-wave ratio (VSWR)
Weltkoordinaten *f.pl.* [bei CAD die nicht
systemgebundenen Koordinaten (Außenwelt)]
world coordinates [system-independent
coordinates (outside world) in CAD]
WENN-Anweisung *f*
IF statement
Wenn-dann-Regel *f*
IF-THEN rule
Werkzeug *n*, Software-Werkzeug *n*
tool, software tool
Wertigkeit *f*
significance, weight
Whetstone-Test *m* [Rechner-
Bewertungsprogramm]
Whetstone test [benchmark test program]
While-Schleife *f*
while loop
Wickeltechnik *f*, Wirewrap-Technik *f*,
Drahtwickeltechnik *f* lötfreie
Verbindungstechnik *f*
Verfahren zum Herstellen einer lötfreien
Verbindung durch Umwickeln eines
vierkantigen Anschlußstiftes mit einem Draht
unter Zugspannung mit Hilfe eines

Werkzeuges.
wire-wrap technique, solderless connection
technique
Method of making a solderless connection by
wrapping a wire under tension around a
rectangular terminal with the aid of a tool.
Wicklung *f*
winding
Widerstand-Kondensator-Transistor-Logik *f*
(RCTL)
Variante der RTL-Schaltungsfamilie, bei der
Kondensatoren zur Erhöhung der
Schaltgeschwindigkeit verwendet werden.
resistor-capacitor-transistor logic (RCTL)
Variant of the RTL family of logic circuits
which uses capacitors to increase switching
speed.
Widerstand-Transistor-Logik *f* (RTL)
Logikfamilie, bei der die logischen
Verknüpfungen durch Widerstände ausgeführt
werden und die Transistoren als
Ausgangsinverter wirken.
resistor-transistor logic (RTL)
Logic family in which logical functions are
performed by resistors, the transistors acting
as output inverters.
Widerstands-Kondensator-Kopplung *f*, RC-
Kopplung *f*
resistance-capacitor coupling, RC coupling
Widerstandsanpassung *f*, Impedanzanpassung *f*
impedance matching
Widerstandsbrücke *f*
resistance bridge
Widerstandskopplung *f*
resistive coupling
Widerstandsmeßgerät *n*, Ohmmeter *n*
ohmmeter
Widerstandsnetzwerk *n*
resistor network
Widerstandsrückkopplung *f*
resistive feedback
Widerstandsverstärker *m*, RC-Verstärker *m*
RC amplifier
wieder einschreiben
rewrite, to
wieder speichern, umspeichern, neu speichern
re-store, to; restore, to
Wiederanlauf *m*, Warmstart *m*, Systemstart *m*
[nochmaliges Aufstarten des Rechners ohne
Aus- und Wiedereinschalten, im Gegensatz
zum Kaltstart]
warm boot, system reboot [restarting a
computer without switching off and on again, in
contrast to cold boot]
Wiederanlauf an einem Fixpunkt *m*,
Wiederanlauf an einem Prüfpunkt *m*,
Prüfpunktwiederanlauf *m*
checkpoint restart
Wiederanlauf des Programmes *m*

program restart
Wiederanlauf nach Netzausfall *m*
power-failure restart, power-fail restart
(PFR)
Wiederanlaufadresse *f,* Wiederanlaufpunkt *m*
restart point
Wiederanlaufbedingung *f*
restart condition
Wiederanlaufbefehl *m*
restart instruction
Wiederanlaufprogramm *n*
restart program
Wiederauffinden *n,* Wiedergewinnen *n* [von
Daten]
retrieval [of data]
wiederauffinden
retrieve, to
Wiederauffindungszeit *f*
retrieval time
Wiederbereitsschaftszeit *f* [bei integrierten
Speicherschaltungen]
precharge time [with integrated circuit
memories]
wiederbeschreibbare optische Platte *f*
rewritable optical disk, (ROD)
wiederbeschreibbare Platte *f* [optische Platte]
rewritable disk, erasable disk[optical disk]
wiederbeschreibbarer optischer Speicher *m*
rewritable optical storage
Wiedereinstiegspunkt *m*
rescue point
Wiedereintrittstelle *f,* Rücksprungstelle *f*
reentry point
Wiedergewinnen *n,* Wiederauffinden *n* [von
Daten]
retrieval [of data]
wiederherstellen
restore, to
Wiederherstellung *f* [bei Programmen]
recovery [with programs]
Wiederherstellung *f*
restoring
Wiederherstellungsdaten f.pl.
recovery data
Wiederherstellungsprogramm *n*
recovery routine
Wiederherstellungsverfahren *n*
recovery procedure
Wiederholangabe *f*
times option, repeat option, repetition option
Wiederholbefehl *m*
repetition instruction
wiederholen
repeat, to; retry, to; rerun, to
Wiederholfunktion *f,* Dauerfunktion *f*
repeat function, continuous function
Wiederholprogramm *n*
rerun routine
Wiederholspeicher *m* [ein Speicher, dessen

gespeicherte Informationen periodisch
aufgefrischt werden müssen]
refresh storage [a storage requiring periodic
refreshing of the information stored]
Wiederholung *f,* Wiederholungslauf *m*
rerun
Wiederholungszeit *f*
rerun time
Wiederholzahl *f*
repeat count
wiederverwendbares Programm *n*
reusable program
Wiederverwendbarkeit *f*
reusability
Winchester-Laufwerk *n*
Winchester drive
Winchester-Platte *f*
Winchester disk, Winchester hard disk
Winchester-Platten-Controller *m,* Winchester-
Schnittstellen-Steuerbaustein *m*
Winchester disk controller
Winchester-Plattenlaufwerk *n*
Winchester disk drive
Winchester-Plattenspeicher *m*
[Festplattenspeicher mit hoher
Aufzeichnungsdichte]
Winchester disk storage [fixed disk storage
with high recording density]
Windows, MS-Windows [von Microsoft
entwickelte graphische Benutzerschnittstelle
und Betriebssystemerweiterung für DOS; sie
beinhaltet eine fensterorientierte,
mehrbetriebsfähige Programmumgebung für
Anwenderprogramme]
Windows, MS-Windows [graphical user
interface and operating system extension
developed by Microsoft for DOS; it gives
applications a windowing and multitasking
program environment]
Windows NT [Weiterentwicklung von MS-
Windows]
Windows NT (Windows New Technology)
[further development of MS-Windows]
Winkelfrequenz *f*
angular frequency, radian frequency
Winkelgeber *m,* Drehgeber *m* [wandelt
mechanische Winkel in elektrische Signale um]
rotary encoder, angular transducer [converts
mechanical angles into electric signals]
Winkelverschiebung *f*
angular shift
Wirewrap-Technik *f,* Wickeltechnik *f,*
Drahtwickeltechnik *f,* lötfreie
Verbindungstechnik *f*
Verfahren zum Herstellen einer lötfreien
Verbindung durch Umwickeln eines
vierkantigen Anschlußstiftes mit einem Draht
unter Zugspannung mit Hilfe eines
Werkzeuges.

wire-wrap technique, solderless connection technique
Method of making a solderless connection by wrapping a wire under tension around a rectangular terminal with the aid of a tool.
Wirkleistung *f*
active power, real power
wirksames Signal *n* [Regeltechnik]
actuating signal [control]
Wirksamkeit *f*
effectiveness
Wirkspannung *f*
active voltage
Wirkstrom *m*
active current
Wirkungsgrad *m*
efficiency
Wirkwiderstand *m*, ohmscher Widerstand *m*
ohmic resistance
Wissensbank *f*
Datenbank für Systeme der künstlichen Intelligenz, die sich von konventionellen Datenbanken dadurch unterscheidet, daß sie Regeln, Fakten und Prozeduren beinhaltet, die von einem System der künstlichen Intelligenz (z.B. der Inferenzmaschine) zur Bewältigung eines Problems manipuliert werden können.
knowledge base
An artificial intelligence data base which, in contrast to conventional data bases, contains rules, facts and procedures that can be manipulated by the artificial intelligence system (e.g. the inference engine) for solving a problem.
wissensbasiertes System *n*, Expertensystem *n*
Begriff, der im Zusammenhang mit künstlicher Intelligenz verwendet wird. Er beschreibt ein Rechnerprogramm, das sich auf durch Erfahrung gewonnenes Wissen stützt und die Methodik beinhaltet, dieses Wissen bei der Lösung bestimmter Aufgaben folgerichtig umzusetzen.
expert system, knowledge-based system
Term used in connection with artificial intelligence. It describes a computer program based on knowledge gained from experience and the methodology of applying this knowledge to make inferences to solve problems.
Wobbelfrequenz *f*
sweep frequency
Wobbelgenerator *m*
sweep-frequency generator
Wolfram *n* (W) [Schwermetall mit extrem hohem Schmelzpunkt, das bei einigen MOS-Strukturen als Gateelektrode verwendet wird]
tungsten (W) [heavy metal having an extremely high melting point, used as the gate electrode in some MOS structures]

Workstation *f*, Arbeitsplatzrechner *m* [Rechner mit eigener Programm- und Datenhaltung in einem vernetzten System, z.B. für technisch-wissenschaftliche oder Graphikanwendungen]
workstation [computer with own program and storage facilities in a system network, e.g. for technical and scientific tasks or graphical applications]
WORM, einmal beschreibbar, mehrmals lesbar
write once, read many times (WORM)
WORM-Platte *f*
WORM disk
WORM-Speicher *m* [einmal beschreibbarer, mehrmals lesbarer optischer Speicher]
WORM storage (write once, read many times) [optical storage for single write and multiple read operation]
WORM-Technik *f*
WORM technology
Worst-Case-Bedingungen *f.pl.*, Bedingungen für den ungünstigsten Fall *f.pl.* [Schaltungsauslegung]
worst-case conditions [circuit dimensioning]
Wort *n* [Datenverarbeitung]
word [data processing]
wortadressierter Speicher *m*
word-addressed storage
Wortbegrenzungszeichen *n*
word separator
Wörterbuchsuche *f*
dictionary look-up
Wörterspeicher *m* [Datenbank]
lexical storage [data base]
Wortformat *n*
word format
Wortgenerator *m*
word generator
Wortlänge *f*
word length, word size
Wortmaschine *f*, wortorientierter Rechner *m* [Rechner, der die Operanden als Wort fester Länge (z.B. 16 oder 32 Bit) speichert; im Gegensatz zur Stellenmaschine oder zum byteorientierten Rechner, der Operanden unterschiedlicher Stellenzahl (Bytes) zuläßt]
word machine, word-oriented computer [which stores operands as fixed-length words (e.g. with 16 or 32 bits); in contrast to a byte machine or byte-oriented computer whose operands can have a variable number of places (bytes)]
wortorganisierter Speicher *m*
word-organized storage, word-structured storage
wortorientiert
word-oriented
wortorientierter Rechner *m*, Wortmaschine *f* [Rechner, der die Operanden als Wort fester Länge (z.B. 16 oder 32 Bit) speichert; im

Gegensatz zur Stellenmaschine oder zum
byteorientierten Rechner, der Operanden
unterschiedlicher Stellenzahl (Bytes) zuläßt]
word machine, word-oriented computer
[which stores operands as fixed-length words
(e.g. with 16 or 32 bits); in contrast to a byte
machine or byte-oriented computer whose
operands can have a variable number of places
(bytes)]
Wortsymbol *n*
  word delimiter
Worttrennprogramm *n*, Silbentrennprogramm
  hyphenation program
Worttrennung *f*, Silbentrennung *f*
  hyphenation
WSI-Technik *f*, Scheibenintegration *f*
Ultragrößtintegration, bei der eine integrierte
Schaltung die gesamte Fläche eines Wafers
beansprucht.
  wafer scale integration (WSI)
Ultra large scale integration in which an
integrated circuit covers the entire surface of
the wafer.
Würmer *m.pl.* [Program, das sich im
Hauptspeicher des Rechners vermehrt; tritt in
Netzwerken auf]
  worms [program that multiplies itself in the
main memory of a computer; occurs in
networks]
Wurzelsegment *n*
  root segment
Wurzelverzeichnis *n*
  root directory
Wurzelziehen *n*, Radizieren *n*
  extraction of a root
Wysiwyg-Darstellung *f* [wird in
Textverarbeitungs- und Desktop-Programme
verwendet, um ein Dokument so auf dem
Bildschirm zu zeigen, wie es nachher gedruckt
wird]
  wysiwyg (what you see is what you get) [used
in word processing and desktop publishing
software to show document on the screen as it
will look like when printed]

X, Y

X.25 [von CCITT genormtes Protokoll für den
  Zugriff auf paketvermittelnde Datennetze]
  X.25 [protocol for access to packet-switched
  networks standardized by CCITT]
X.25-Schnittstelle *f*
  X.25 interface
X.400 [von CCITT genormte Dienste für die
  elektronische Post]
  X.400 [electronic mail services standardized by
  CCITT]
X-Achse *f*
  x-axis
X-Lochung *f* [Lochkarten]
  x-punch [punched cards]
X-Modem *n* [Protokoll für Dateiübertragung
  über Modem]
  X-modem [protocol for file transfer via modem]
X/OPEN [Standard für portierbare UNIX-
  Anwendungssoftware]
  X/OPEN [Standard for portable UNIX
  application software]
X-Schnittstellen *f.pl.* [von CCITT genormte
  Protokolle für die Datenfernübertragung]
  X-interfaces [data transmission protocols
  standardized by CCITT]
X-Windows [von MIT entwickeltes Fenster- und
  Multitasking-System für UNIX, basiert auf
  dem Client-Server-Prinzip]
  X-Windows [windowing and multitasking
  system for UNIX developed by MIT and based
  on client-server principle]
XENIX [UNIX-Version von Microsoft]
  XENIX [UNIX version implemented by
  Microsoft]
Xerographie *f*
  xerography
xerographischer Drucker *m*
  xerographic printer
XGA [IBM-Chipsatz für Rechner mit MCA- und
  EISA-Bus]
  XGA (eXtended Graphics Array) [IBM chip set
  for computers with MCA and EISA buses]
XMP [Verwaltungsprotokoll für X/OPEN]
  XMP (X/OPEN Management Protocol)
XMS [verwaltet Zusatzspeicher als
  Erweiterungsspeicher nach dem XMS-
  Standard]
  XMS (eXtended Memory Specification)
  [manages additional memory as extended
  memory]
XON-/XOFF-Zeichen *n.pl.* [vom Terminal
  erzeugte Zeichen für die Datenübertragung in
  Start-Stop-Arbeitsweise zwischen Terminal
  und Rechner; die Übertragung vom Rechner
  wird mit dem XOFF-Zeichen gestoppt und mit

dem XON-Zeichen wieder aufgenommen]
  XON/XOFF characters [characters generated
  by terminal for data transmission between
  terminal and computer in start-stop mode;
  XOFF requests computer to stop transmission,
  XON to resume transmission]
XOR-Gatter *n*, Exklusiv-ODER-Gatter *n*,
  Antivalenzgatter *n*
  XOR gate, exclusive-OR gate
XOR-Glied *n*, Exklusiv-ODER-Glied *n*,
  Antivalenzglied *n*
  XOR element, exclusive-OR element
XOR-Schaltung *f*, Antivalenzschaltung *f*,
  Exklusiv-ODER-Schaltung *f*
  exclusive-OR element, XOR element
XOR-Verknüpfung *f*, Exklusiv-ODER-
  Verknüpfung *f*, Antivalenz *f* [eine logische
  Verknüpfung mit dem Ausgangswert
  (Ergebnis) 1, wenn und nur wenn einer der
  Eingangswerte (Operanden) 1 ist; der
  Ausgangswert ist 0, wenn mehrere Eingangs-
  werte 1 oder wenn alle 0 sind]
  XOR function, exclusive-OR function [a
  logical operation having the output value
  (result) 1 if and only if one of the input values
  (operands) is 1; the output value is 0 if more
  than one input value is 1 or if all input values
  are 0]
XSP [Systemverwaltung für X/OPEN]
  XSM (X/OPEN System Management)
XT-Architektur *f* [Architektur des IBM PC mit
  8088-Prozessor und 8-Bit-Datenbus]
  XT architecture [architecture of the IBM PC
  with 8088 processor and 8-bit data bus]
XT-kompatibler Rechner *m*
  XT-compatible computer
XT-Rechner *m*
  XT computer
XY-Anzeige *f*
  xy-display
XY-Darstellung *f*
  xy-representation
XY-Schreiber *m*, Koordinatenschreiber *m*
  [elektromechanisches Registriergerät, dessen
  Schreiber durch die kombinierte Wirkung von
  je einem Antrieb in der X- und in der Y-Achse
  bewegt wird]
  xy-plotter, xy-recorder, coordinate plotter
  [electromechanical recorder whose stylus is
  moved by the combined effect of drives in the x
  and y axes]
XY-Steuerung *f* [Steuerung mittels Rollkugel
  oder Steuerknüppel]
  xy-control [control by means of tracking ball
  or joystick]
Y-Achse *f*
  y-axis
Y-Lochung *f* [Lochkarten]
  y-punch [punched cards]

Y-Modem n [Protokoll für Dateiübertragung über Modem]
Y-modem [protocol for file transfer via modem]
y-Parameter m
Kenngröße bei der Vierpol-Ersatzschaltbilddarstellung von Transistoren. Die vier Grundparameter sind: y_{11}, Kurzschluß-Eingangsadmittanz; y_{12}, Kurzschluß-Übertragungsadmittanz rückwärts (auch Kurzschluß-Rückwärtssteilheit genannt); y_{21}, Kurzschluß-Übertragungsadmittanz vorwärts (auch Kurzschluß-Vorwärtssteilheit genannt); y_{22}, Kurzschluß-Ausgangsadmittanz.
y-parameter
Parameter of the four-terminal network equivalent circuit of a transistor. There are four basic y-parameters: y_{11}, short-circuit input admittance; y_{12}, short-circuit reverse transfer admittance; y_{21}, short-circuit forward transfer admittance; y_{22}, short-circuit output admittance.
Y-Verstärker m [Vertikalablenkverstärker in einem Oszillographen]
y-amplifier [vertical deflection amplifier in an oscilloscope]
YACC [Compiler-Compiler; Programm zur Erzeugung eines Compilers]
YACC (Yet Another Compiler-Compiler) [program for generating a compiler]

Z

Z-Achse *f*
  z-axis
Z-Diode *f*, Zenerdiode *f* [in Sperrichtung
betriebene Diode, die Strom durchläßt, wenn
die Spannung einen kritischen Wert übersteigt;
sie wird zur Spannungsbegrenzung und
-stabilisierung verwendet]
  Zener diode [reverse-biased diode which
becomes conductive when the voltage exceeds a
critical value; is used for voltage limitation and
stabilization]
Z-Modem *m* [Protokoll für Dateiübertagung über
Modem]
  Z-modem [protocol for file transfer via modem]
Zacke *f* [Eichmarke auf dem Schirm eines
Oszillographen]
  pip [calibration mark on the screen of an
oscilloscope]
Zahlenkomplement *n*, Komplement *n* [dient der
Darstellung einer negativen Zahl; für negative
Binärzahlen verwendet man entweder das
Einer- oder das Zweierkomplement, für
negative Dezimalzahlen entweder das Neuner-
oder das Zehnerkomplement]
  complement [serves to represent a negative
number; for negative binary numbers one uses
either the ones or the twos complement and for
negative decimal numbers either the nines or
the tens complement]
Zahlenregister *n*
  number register
Zahlenschreibweise *f*
  number notation
Zahlensystem *n*
  number system
Zähler *m* [man unterscheidet zwischen Dual-
und Dezimal-, Vorwärts- und Rückwärts- sowie
Synchron- und Asynchronzähler; ein Zähler
kann aus einer Anzahl Flipflops gebildet
werden]
  counter [one differentiates between binary
and decimal, forward and backward,
synchronous and asynchronous counters; a
counter can be formed by a series of flip-flops]
Zähler für Vorwärts- und Rückwärtszählung
m, Zweirichtungszähler *m*
  bidirectional counter, up-down counter
Zählerausgang *m*
  counter exit
Zählerbaustein *m*, Zeitgeberbaustein *m*
  counter timer circuit (CTC)
Zählereingang *m*
  counter entry
Zählerladesignal *n*
  load counter signal

Zählerstand *m*, Zählung *f*
  count
Zählspur *f* [auf Lochkarten]
  counting track [on punched cards]
Zählung der Schleifendurchläufe *f*
  cycle count
Zehnerkomplement *n* [dient der Darstellung
von negativen Dezimalzahlen]
Das Zehnerkomplement einer Zahl erhält man
durch stellenweises Ergänzen auf 0; die
Subtraktion der Zahl wird dann durch die
Addition des Komplementes ersetzt; der in der
höchsten Stelle auftretende Übertrag wird
nicht berücksichtigt. Beispiel: die Zahl 123 hat
das Zehnerkomplement 877; die Subtraktion
555 - 123 wird somit durch die Addition 555 +
877 = (1)432 = 432 ersetzt.
  tens complement [serves to represent a
negative decimal number]
The tens complement of a number is obtained
by forming the difference to a number having a
zero in each decimal place; subtraction of the
number is then replaced by adding the
complement, the carry in the highest place
being neglected. Example: the number 123 has
the tens complement 877; the subtraction 555 -
123 is thus replaced by the addition 555 + 877 =
(1)432 = 432.
Zehnertastatur *f*, numerische Tastatur *f*
[Tastatur mit den Ziffern 0 bis 9, evtl. mit
Sonderzeichen (z.B. für die
Grundrechenoperationen)]
  numeric keyboard [keyboard with the digits
0 to 9, possibly with special characters (e.g. for
the basic arithmetic operations)]
Zehnertastenblock *m*, numerischer Tastenblock
m [separates Tastenfeld für die Eingabe von
Ziffern]
  numeric keypad [separate keypad for
entering digits]
Zehnerübertrag *m*
  decimal carry
Zeichen *n* [kleinste Einheit für die
Zusammensetzung von Daten, d.h. ein
Buchstabe, eine Ziffer, ein Satzzeichen, ein
Steuerzeichen, ein Symbol oder ein
Leerzeichen]
  character [smallest unit for forming data, e.g.
a letter, a digit, a punctuation mark, a control
character, a symbol or a blank]
Zeichen der Schaltalgebra *n*, Logiksymbol *n*
  logic symbol
**Zeichen für Datenübertragungs-
umschaltung** *n*
  data link escape character
Zeichen für negative Rückmeldung *n*
  negative acknowledge character (NAK)
Zeichen für positive Rückmeldung *n*
  acknowledge character (ACK)

Zeichenabstand *m*, Zeichenschritt *m*
  character spacing
Zeichenbreite *f*
  character width
Zeichendarstellung *f*
  character representation
Zeichendrucker *m*
  character printer, serial printer
Zeichenerkennung *f*
  character recognition
Zeichenfolge *f*, Zeichenkette *f*, String *m*
  character string, string
Zeichenfolgesymbol *n*
  string symbol
Zeichenformat *n*
  character format
Zeichengenerator *m* [ein ROM oder EPROM,
  das Zeichen (z.B. 5x7- oder 7x9-Punktmatrix)
  erzeugt, die auf einem Bildschirm dargestellt
  oder von einem Drucker ausgegeben werden]
  character generator [a ROM or EPROM
  generating characters (e.g. 5x7 or 7x9 dot
  matrix) for display on a screen or for output on
  a printer]
Zeichengerät *n*, Plotter *m*
  plotter
Zeichenhöhe *f*
  character height
Zeichenkette *f*, Zeichenfolge *f*, String *m* [eine
  Folge von Zeichen]
  character string, string [a series of
  characters]
Zeichenkettenmanipulation *f*
  string manipulation
Zeichenkonzentrator *m* [Zusatzgerät für 7-
  Spur-Magnetbandgeräte; ermöglicht die
  Unterbringung von Bytes auf 7 anstatt 9
  Spuren]
  character concentrator [accessory for 7-
  track magnetic tape units; enables bytes to be
  recorded on 7 instead of 9 tracks]
Zeichenlesegerät *n* [OCR- oder
  Magnetschriftleser]
  character reader [OCR or magnetic character
  reader]
Zeichenmatrix *f* [Punktmatrix für den Aufbau
  eines Zeichens]
  character matrix [matrix of dots forming a
  character]
zeichenparallel [gleichzeitiges Übertragen oder
  Verarbeiten mehrerer Zeichen]
  character-parallel [simultaneous
  transmission or processing of several
  characters]
Zeichenparität *f*, Querparität *f*, vertikale
  Parität *f* [Parität eines Zeichens nach
  Ergänzung durch ein Prüfbit; im Gegensatz zur
  Block- oder Längsparität]
  vertical parity [parity of a character after

completing with a parity bit; in contrast to
  block or longitudinal parity]
Zeichenregister *n*
  character register
Zeichensatz *m*, Schriftart *f*
  character font, font
Zeichenschritt *m*, Zeichenabstand *m*
  character spacing
Zeichenschräge *f*, Neigung eines Zeichens *f*
  character skew, tilt of a character
Zeichenserie *f*, Zeichenkette *f*, String *m* [Folge
  von Zeichen aus einem Zeichenvorrat]
  character string, string [sequence of
  characters taken from a character set]
zeichenseriell [Übertragen oder Verarbeiten
  einzelner Zeichen zeitlich nacheinander]
  character-serial [transmission or processing
  of characters one after the other]
Zeichenuntermenge *f*,
  Zeichenvorratsuntermenge *f*
  character subset
Zeichenvorrat *m* [Gesamtheit der Zeichen, die
  von einem Rechner verarbeitet werden können;
  Zeichen, die von einer Tastatur erzeugt und auf
  einem Sichtgerät oder mittels Drucker
  darstellbar sind]
  character set [the complete set of characters
  that can be processed by a computer; characters
  generated by a keyboard and displayed on a
  screen or output by a printer]
Zeichenvorratsuntermenge *f*,
  Zeichenuntermenge *f*
  character subset
zeichnen
  draft, to
Zeichnung *f*
  drawing, plot
zeigen [Bewegen der Maus, bis der Zeiger auf die
  gewünschte Bildschirmstelle zeigt]
  point, to [move the mouse until the arrow
  points to the desired part of the screen]
zeigen und anklicken [Funktion auswählen
  und auslösen durch Bewegen der Maus und
  anklicken der Maustaste]
  point-and-click, point-and-shoot [select and
  actuate function by moving mouse and clicking
  mouse button]
Zeiger *m*, Hinweisadresse *f* [zeigt auf den
  nächsten Satz, der vom Programm gelesen
  werden soll, z.B. auf die letzte Eintragung in
  einem Stapelspeicher oder auf den nächsten
  Satz in einer verketteten Datei]
  pointer [points to the next record to be read by
  the program, e.g. to the last entry in a stack or
  the next record in a chained file]
Zeile *f* [allgemein]
  row [general]
Zeilen pro Minute *f.pl.* [Drucker]
  lines per minute (LPM) [printer]

Zeilenabstand *m*
  row pitch
Zeilenabtastung *f*
  row scanning
Zeilenadresse *f*
  row address
Zeilenadressenhaltezeit *f*
  row-address hold time
Zeilenadressenimpuls *m* (RAS)
  Signal für die Zeilenadressierung bei
  Halbleiterspeichern mit matrixförmiger
  Anordnung der Speicherzellen (z.B. bei RAMs).
  row-address strobe (RAS)
  Signal for addressing memory cells in the rows
  of an integrated circuit memory device in which
  the cells are arranged in an array (e.g. in
  RAMs).
Zeilenadressenübernahmeregister *n*
  row-address latch
Zeilenadressenvorlaufzeit *f*
  row-address setup time
Zeilenadressierbarer Speicher *m*
  line addressable storage
Zeilenauswahl *f*
  row select
zeilenbinäre Darstellung *f*
  row binary representation
Zeilenbreite *f*
  line width
Zeilendekodierer *m*
  row decoder
Zeilendrucker *m*, **Paralleldrucker** *m*
  line printer, parallel printer
Zeileneditor *m*, **zeilenorientierter Editor** *m*
  [zeigt Text Zeile für Zeile an, im Gegensatz
  zum Texteditor]
  line editor, line-oriented editor [displays text
  line by line, in contrast to full-screen editor]
Zeilenende *n*
  end of line (EOL)
Zeilenfrequenz *f*, **Abtastfrequenz** *f* [Anzahl
  Bildschirm-Zeilen mal Bildwiederholungen/s]
  scanning frequency [number of screen lines
  times picture repetition rate/s]
Zeilennummer *f*
  line number
zeilenorientierter Editor *m*, **Zeileneditor** *m*
  line editor, line-oriented editor
Zeilensegment *n*
  line segment
Zeilensprung-Verfahren *n*
  interlaced technique
Zeilentreiber *m*
  row driver
Zeilenumbruch *m* [Textverarbeitung]
  wordwrap [word processing]
Zeilenvorschub *m*
  line feed (LF)
Zeilenvorschubzeichen *n*

  line feed character
zeilenweise
  line by line
Zeilenzähler *m*
  line counter
zeitabhängig
  time-dependent
Zeitabhängigkeit *f*
  time dependency
Zeitablauf *m*, **zeitliche Steuerung** *f*
  timing
Zeitabschaltung *f* [Abschaltvorgang nach
  Überschreitung einer voreingestellten
  Zeitspanne]
  timeout [switching off action initiated when a
  preset time interval has elapsed]
Zeitbasis *f* [z.B. eines Oszillographen]
  time base [e.g. of an oscilloscope]
Zeitbasisdehnung *f*
  time base extension
Zeitbegrenzung *f*
  time limit
Zeitdehnung *f* [eines Oszillographen]
  sweep magnification [of an oscilloscope]
Zeitdiskriminator *m*
  time discriminator
Zeitgatter *n*
  time gate
Zeitgeber *m* [man unterscheidet zwischen
  absolutem (Echtzeit-, Realzeit- oder
  Uhrzeitgeber), relativem und inkrementalem
  Zeitgeber]
  timer [one distinguishes between absolute
  (real-time clock), relative and incremental
  timers]
Zeitgeber-Vorteiler *m*
  timer-prescaler
Zeitgeberbaustein *m*, **Zählerbaustein** *m*
  counter timer circuit (CTC)
Zeithaftstelle *f*, **Haftstelle** *f*, **Trap** *f*
  [Halbleiterkristalle]
  Störstelle in einem Halbleiterkristall, die einen
  Ladungsträger vorübergehend festhalten kann.
  trap [semiconductor crystals]
  Imperfection in a semiconductor crystal which
  temporarily prevents a carrier from moving.
Zeitimpuls *m*
  timing pulse
Zeitintervall *n*
  time interval
Zeitkanal *m*, **Zeitschlitz** *m*
  time slot
zeitlich verzahnte Verarbeitung *f*
  time sharing
zeitliche Arbeitsplanung *f*,
  Arbeitsvorbereitung *f*
  operations scheduling
zeitliche Steuerung *f*, **Zeitablauf** *m*
  timing

zeitliche Verschiebung *f* [z.B. eines Impulses]
  time displacement [e.g. of a pulse]
Zeitmultiplexbetrieb *m*, Multiplexbetrieb *m*
  [zeitlich verzahnte Übertragung mehrerer
  Signale über einen Kanal]
  time division multiplex operation,
  multiplex operation [time-shared transmission
  of several signals over same channel]
Zeitplanung *f*
  scheduling
zeitraffende Prüfung *f*, beschleunigte Prüfung *f*
  [Prüfung mit einer erhöhten Beanspruchung,
  die so gewählt ist, daß die Prüfzeit verkürzt
  wird]
  accelerated test [test using an increased
  stress level chosen to shorten the test time]
Zeitraffung *f*
  compressed time scale
Zeitrelais *n*
  time-lag relay
Zeitschalter *m*
  time delay switch
Zeitscheibe *f* [kurze Zeitspanne, die dem
  einzelnen Benutzer eines Zeitscheibensystems
  zugeordnet ist]
  time slice [short time allocated to individual
  user in a time-sharing operation]
Zeitscheibenbetrieb *m*, Teilnehmerbetrieb *m*
  [erlaubt mehrerer Benutzer den gleichzeitigen
  Zugriff auf einen Rechner]
  time-sharing method [allows several users to
  simultaneously access a computer]
Zeitscheibensystem *n*, Teilnehmersystem *n*
  time-sharing system (TSS)
Zeitsteuer-Flipflop *n*
  timing flip-flop
Zeitstufe *f*
  timer stage
Zeitverzögerung *f*
  time delay
zeitweise, vorübergehend
  temporarily
Zellenbibliothek *f*
  Sammlung von softwaremäßig definierten
  Schaltungsfunktionen, mit denen sich
  integrierte Semikundenschaltungen auf der
  Basis von Gate-Arrays und Standardzellen
  realisieren lassen.
  cell library
  Collection of software-defined circuit functions
  for both gate arrays and standard-cell designs
  which allows semicustom integrated circuits to
  be produced.
zellenorganisiert
  cell organized
Zenerdiode *f*, Z-Diode *f* [in Sperrichtung
  betriebene Diode, die Strom durchläßt, wenn
  die Spannung einen kritischen Wert übersteigt;
  wird zur Spannungsbegrenzung und

-stabilisierung verwendet]
  Zener diode [reverse-biased diode which
  becomes conductive when the voltage exceeds a
  critical value; is used for voltage limitation and
  stabilization]
Zenerdurchbruch *m*
  Zener breakdown
Zenereffekt *m*
  Lawinenartige Vervielfachung von
  Ladungsträgern durch Stoßionisation, ähnlich
  dem Lawineneffekt. Der anschließende
  Durchbruch ist reversibel, solange keine
  thermischen Schäden auftreten.
  Zener effect
  Avalanche-like increase of charge carriers due
  to impact ionization, similar to the avalanche
  effect. The subsequent breakdown is reversible
  as long as no thermal damage occurs.
Zenerspannung *f*
  Zener voltage
Zenerstrom *m*
  Zener current
Zentraleinheit *f* (CPU)
  Bei Rechnern allgemein die Einheit, die
  Rechenwerk und Steuerwerk (nach DIN
  ebenfalls Hauptspeicher sowie Ein- und
  Ausgabekanäle) umfaßt. Bei Mikroprozessorsystemen bzw. Mikrocomputern ist der
  Mikroprozessor selbst die Zentraleinheit und
  führt sowohl Rechen- als auch Steuer-
  funktionen durch.
  central processing unit (CPU)
  In computers in general, the unit that
  comprises the arithmetic-logic unit and the
  control unit (according to DIN it also includes
  the main memory as well as the input-output
  channels). In microprocessor-based systems or
  microcomputers, the microprocessor is the
  CPU, i.e. it carries out arithmetic, logic and
  control operations.
Zentraleinheitzeit *f*, CPU-Zeit *f* [von der
  Zentraleinheit benutzte Zeit]
  CPU time [time required by CPU for
  processing a program]
Zentraleinheitzeitgeber *m*
  CPU timer
zentraler Rechner *m*
  central computer
Zentralspeicher *m*, Hauptspeicher *m* [Speicher,
  mit dem der Prozessor unmittelbar verkehrt,
  und der das Betriebssystem, die Programme
  und die Daten enthält; der Teil, der das gerade
  ablaufende Programm und die zugehörenden
  Daten aufnimmt, wird oft als Arbeitsspeicher
  bezeichnet]
  main memory, main storage [storage with
  which the processor directly communicates and
  which contains the operating system, the
  programs and data; that part which takes up

the running program and data is often called
working storage]

Zerhacker m
chopper

Zerhackertransistor m
chopper transistor

Zickzack-Anordnung f
zig-zag configuration

Zickzack-gefaltet, Leporello-Formular n,
Endlosformular n [fortlaufend hergestellte
Vordrucke in Zickzackfaltung]
fanfold, continuous forms, continuous
stationery [continuous strip of paper in zigzag
(fanfold) form]

Ziehen [Drücken und Festhalten der Maustaste,
während die Maus bewegt wird, z.B. um ein
Symbol oder ein Fenster zu verschieben]
drag, to [depressing and holding the mouse
button while moving the mouse, e.g. to move a
symbol or a window]

Zieladresse f, Verzweigungsadresse f [bei einem
Sprungbefehl]
transfer address, destination address [in a
jump instruction]

Zielanweisung f [Anweisung in der Zielsprache]
object statement [instruction in the object
language]

Zieldatei f
destination file

Zielprogramm n, Objektprogramm n [ein durch
einen Assembler oder Compiler in
Maschinensprache übersetztes Programm]
object program, target program [a program
translated into machine language by an
assembler or compiler]

Zielrechner m
target computer

Zielsprache f
object language, target language

Zielverzeichnis n
target directory

ZIF-Sockel m [Chipsockel, in den ein Chip ohne
Kraftaufwand eingesetzt werden kann]
ZIF socket (zero insertion force) [for chip
insertion without force]

Ziffer f [eine der Dezimalziffern 0 bis 9 bzw. der
Dualziffern 0 und 1]
digit [one of the decimal digits 0 to 9 or binary
digits 0 and 1]

Ziffer mit hohem Stellenwert f
high-order digit

Ziffernanzeige f, Digitalanzeige f, digitale
Anzeige f [Darstellung durch Ziffern]
digital readout, digital display
[representation by digits]

ziffernmäßig, digital
numerical, digital

Ziffernstelle f
digit place, digit position

Zinkblendestruktur f [Halbleiterkristalle]
Gitteraufbau von Kristallen, z.B.
Galliumarsenid, Galliumphosphid,
Indiumantimonid usw.
zincblende structure [semiconductor
crystals]
Lattice structure of crystals, e.g. gallium
arsenide, gallium phosphide, indium
antimonide, etc.

Zinnspritzer m, Lötzinnspritzer m, Spritzer m
tin solder splash, solder splash, splash

ZIP-Dateiformat n [Dateiformat des
Komprimierungsprogrammes PKZIP]
ZIP file format [file format of PKZIP
compression program]

Zittern n, Jitter n [Schwankung der zeitlichen
Lage eines Signals oder des Zustandswechsels
bei Digitalsignalen; verallgemeinert: Zeit-,
Amplituden-, Frequenz- oder
Phasenschwankungen]
jitter [fluctuation of the timing of a signal or of
the change of state of digital signals;
generalized: time, amplitude, frequency or
phase fluctuations]

ZLW-Kompression f [Kompression nach dem
Ziv-Lempel-Welch-Algorithmus]
ZLW compression [compression using Ziv-
Lempel-Welch algorithm]

Zone f, Bereich m, Gebiet n
Teilgebiet eines Halbleiterkristalls mit
speziellen elektrischen Eigenschaften (z.B. N-
leitend, P-leitend oder eigenleitend).
zone, region
Region in a semiconductor crystal that has
specific electrical properties (e.g. n-type, p-type
or intrinsic conduction).

Zonenfolge f
Folge von Halbleiterzonen mit
unterschiedlicher Störstellendichte (z.B. NPN,
PNP, NPIN)
sequence of regions
In a semiconductor, a succession of regions
having differing impurity densities (e.g. npn,
pnp, npin)

Zonennivellieren n
zone levelling

Zonenreinigung f [Kristallzucht]
zone refining [crystal growing]

Zonenschmelzen n
zone melting

Zonenübergang m, Übergang m
Übergangsgebiet zwischen zwei
Halbleiterbereichen mit verschiedenen
elektrischen Eigenschaften, z.B. zwischen
einem P-leitenden und einem N-leitenden
Bereich.
junction
Region of transition between two
semiconductor regions having different

electrical properties, e.g. between a p-type and
an n-type conducting region.

Zonenziehverfahren n [Kristallzucht]
Verfahren zur Herstellung von
Einkristallhalbleitern aus der Schmelze unter
Schutzgasatmosphäre oder im Hochvakuum.
crystal pulling [crystal growing]
Process for growing single-crystal
semiconductors from the melt in inert gas
atmosphere or in high vacuum.

Zoom-Funktion f, dynamische Skalierfunktion f
[stufenlose Vergrößerung oder Verkleinerung
bei einer graphischen Darstellung auf dem
Bildschirm]
zoom function [continuous enlargement or
reduction of a graphical display]

Zoomen n, dynamisches Skalieren n
zooming

zoomen, heranholen, dynamisch skalieren [bei
der graphischen Datenverarbeitung]
zoom, to [in computer graphics]

Zubehör n, Zubehörteile n.pl.
accessory, accessories

Züchtungsverfahren n, Kristallzüchten n
growing process, crystal growing

zufallsabhängig, stochastisch
stochastic, random

Zufallsausfall m [Ausfälle, die eine konstante
Ausfallrate ergeben]
random failure [failures resulting in a
constant failure rate]

Zufallsfehler m, zufälliger Fehler m
random error

Zufallsimpulsgenerator m
random pulse generator

Zufallsleitweg m
random routing

Zufallsrauschen n
random noise

Zufallsvariable f
random variable

Zufallszahlengenerator m
random number generator

zuführen, speisen
feed, to

Zugangsloch n [Leiterplatten]
access hole [printed circuit boards]

zugeordnet
allocated, assigned

zugreifen
access, to

Zugriff m [der Zugang zu gespeicherten Daten;
man unterscheidet zwischen direktem und
sequentiellem Zugriff]
access [the access to stored data; one
differentiates between direct and sequential
access]

Zugriff über Terminal m, Zugriff über
Datenstation m

terminal access

Zugriffsart f, Zugriffsmodus m
access method, access mode

Zugriffsberechtigung f
authorization, access authorization

Zugriffsbeschränkung f
access restriction, access limitation

Zugriffsmodus m, Zugriffsart f
access method, access mode

Zugriffspfad m
access path

Zugriffsrecht n
access right

Zugriffsschaltung f
access circuit

Zugriffssicherung f
access protection

Zugriffssperre f
privacy lock, lock

Zugriffstabelle f
access table

Zugriffsvektor m
access vector

Zugriffswartezeit f, Latenzzeit f, Wartezeit f
[rotationsbedingte Verzögerungszeit beim
Lesen oder Schreiben eines Datensatzes auf
einer Platte oder Diskette; die maximale
Latenzzeit ist die Zeit für eine Umdrehung; die
mittlere ist die Hälfte des Maximalwertes]
latency [rotational delay in reading or writing
a record to a disk or floppy disk storage;
maximum latency is the time for a complete
revolution of the disk, average latency is half
the maximum value]

Zugriffszeit f [die Zeit für einen Zugriff von der
Zentraleinheit auf einen Speicher; man
unterscheidet zwischen Lese- und Schreibzeit,
d.h. die Zeit für einen Lese- bzw.
Schreibvorgang]
access time [time for accessing a storage
device from the central processing unit; one
distinguishes between reading and writing
time, i.e. between the time for a read or a write
operation]

Zugriffszeit ab Bausteinauswahl f
chip-select access time

Zugriffszeit ab Spaltenadreßauswahl f
column address-select access time

Zugriffszeit ab Zeilenadreßauswahl f
row-address-select access time

Zugriffszeit nach Adreßwechsel f
access time from address change, address
access time

Zugriffszeit nach Bausteinauswahl f
access time from chip select

zugänglich
accessible

Zulassungsprüfung f
certification inspection

Zuleitung *f*, Anschlußdraht *m*
  lead, connecting wire
zulässige Temperatur *f*
  admissible temperature
Zündimpuls *m* [Steuerimpuls, der einen
  Thyristor vom Sperr- in den Durchlaßzustand
  umschaltet]
  trigger pulse [switches a thyristor from the off
  to the on-state]
zuordnen, zuweisen
  allocate, to; assign, to
Zuordnung *f*, Zuweisung *f*
  allocation, assignment
Zuordnung aufheben
  deallocate, to
Zuordnungseinheit *f*
  allocation unit
zusammenfügen
  coalesce, to
zusammengesetzte Mikroschaltung *f*,
  Mikrobaustein *m*
  micro assembly
zusammengesetzter Ausdruck *m*
  compound expression
zusammengesetzter Multichip *m*
  multichip microassembly
Zusatzeinrichtung *f*
  auxiliary equipment, optional equipment,
  option
Zusatzgerät *n*
  accessory device, accessory unit
Zusatzrechner *m*
  auxiliary computer
Zusatzspeicher *m*, Ergänzungsspeicher *m*
  [Ergänzung zum Hauptspeicher]
  additional memory, auxiliary memory
  [addition to main memory]
Zusatzspeicher *m*, Hilfsspeicher *m* [z.B.
  Magnetbandspeicher]
  backing storage, auxiliary storage [e.g.
  magnetic tape]
Zustand "Eins" *m* [z.B. eines Flipflops]
  on-state, up-state [e.g. of a flip-flop]
Zustand "Null" *m* [z.B. eines Flipflops]
  zero state, down state [e.g. of a flip-flop]
Zustand *m*
  state
Zustandsbit *n*, Merker *m*, Flag *n*
  Besonders in Mikroprozessoren häufig
  verwendetes Steuerbit zur Anzeige eines
  bestimmten Zustandes bzw. Erfüllung einer
  Bedingung, z.B. Carry-Flag (Übertragsmerker).
  Jedes Flag hat zwei Zustände: 1 = Bedingung
  erfüllt; 0 = nicht erfüllt.
  flag
  Control bit often used, particularly in
  microprocessors, for indicating a certain state
  or fulfilment of a condition, e.g. carry-flag. Each
  flag has two states: 1 = condition fulfilled; 0 =

not fulfilled.
Zustandsbit *n*, Statusbit *n* [Bit, das den
  aktuellen Zustand angibt, z.B. der
  Zentraleinheit, eines Kanals, eines Peripheriegerätes usw.]
  status bit [bit giving the actual state, e.g. of
  the central processing unit, a port, a peripheral
  unit, etc.]
Zustandsbyte *n*, Statusbyte *n*
  status byte
Zustandsdiagramm *n*
  state diagram
Zustandsflag *n*
  status flag
Zustandsregister *n*, Statusregister *n* [im
  Mikroprozessor: enthält Operandenzustand
  oder Ergebnisse, z.B. Übertrag, Überlauf,
  Vorzeichen, Null, Parität]
  status register [in microprocessor: contains
  operand status or results, e.g. carry, overflow,
  sign, zero, parity]
Zustandssignal *n*, Meldesignal *n*
  status signal
Zustandsvektor *m*
  status vector
Zustandswort *n*
  status word
zuverlässig, betriebssicher
  dependable, reliable
Zuverlässigkeit *f* [die Fähigkeit einer
  Betrachtungseinheit eine vorgegebene
  Funktion zu erfüllen und zwar unter
  festgelegten Bedingungen und während einer
  festgelegten Zeitdauer]
  reliability [the ability of an item to perform a
  required function under stated conditions for a
  stated period of time]
Zuverlässigkeitskenngrößen *f.pl.*
  reliability characteristics
Zuwachs *m*, Inkrement *n*
  increment
zuweisen, zuordnen
  allocate, to; assign, to
Zuweisung *f*, Zuordnung *f*
  allocation, assignment
Zuweisungsanweisung *f*
  allocation statement
zweckbestimmt, fest zugeordnet, dediziert
  [System oder Gerät, das ausschließlich einer
  bestimmten Aufgabe gewidmet ist]
  dedicated [system or unit exclusively designed
  for a specific task]
Zwei-aus-Fünf-Code *m* [Binärcode für
  Dezimalziffern, der 5 Bits verwendet; jede
  Dezimalziffer ist mit 2 Binäreiner und 3
  Binärnullen codiert; dadurch ergibt sich eine
  leichte Überprüfbarkeit]
  two-out-of-five code [a binary code for
  decimal digits using 5 bits; it employs 2 binary

ones and 3 binary zeroes for each decimal digit, and is thus easily checked]

Zwei-D-Speicherorganisation *f* [von Magnetkernspeichern]
two-dimensional memory organisation [of magnetic core stores]

Zweiadreßbefehl *m* [ein Befehl mit zwei Adreßteilen]
two-address instruction [an instruction with two address parts]

zweidimensionales Elektronengas *n* [wird bei extrem schnellen Feldeffekttransistoren genutzt, z.B. bei TEGFET]
two-dimensional electron gas [is used in extremely fast field-effect transistors, e.g. TEGFETs]

Zweidrahtleitung *f*
two-wire line, two-wire circuit

Zweieinhalb-D-Speicherorganisation *f* [von Magnetkernspeichern]
two-and-a-half-dimensional memory organisation [of magnetic core stores]

Zweierkomplement *n*, binäres Komplement *n* [eine der Darstellungsformen für negative Binärzahlen; das Zweierkomplement erhält man durch die Addition von 1 auf die niedrigste Stelle des Einerkomplements, das durch Umkehrung der Einser und Nullen gebildet wird; Beispiel: das Einerkomplement von 101 ist 010, das Zweierkomplement ist also 011]
twos complement, binary complement [one of the representation forms for negative binary numbers; the twos complement is obtained by adding 1 to the lowest significant digit of the ones complement, the latter being obtained by replacing ones by zeroes and vice-versa; example: the ones complement of 101 is 010, the twos complement is therefore 011]

Zweifachoperationsverstärker *m*, Doppeloperationsverstärker *m*
dual operational amplifier

Zweifachoperator *m*
dyadic operator

Zweiphasentakt *m*
two-phase clock

Zweipol *m*, Eintor *n*
two-terminal network, single-port network

Zweiquadrant-Multiplizierschaltung *f*
two-quadrant multiplier

Zweirichtungsdiode *f*
bidirectional diode

Zweirichtungsthyristor *m*, Triac *m*
Halbleiterbauelement mit zwei parallelen und entgegengesetzt orientierten Thyristorstrukturen, das Ströme in beiden Richtungen schalten kann.
bilateral thyristor, bilateral SCR, triac
Semiconductor component with two parallel, back-to-back thyristor structures that can

switch current in both directions.

Zweirichtungsthyristordiode *f*, Diac *m*
bilateral Shockley diode, diac

Zweirichtungstransistor *m*, bidirektionaler Transistor *m*
bidirectional transistor

Zweirichtungszähler *m*, Zähler für Vorwärts- und Rückwärtszählung *m*
bidirectional counter, up-down counter

Zweischrittdiffusion *f*
Dotierung eines Halbleiterbereiches in zwei Diffusionsschritten: einem ersten Schritt, dem sogenannten Belegungsvorgang, an den sich der zweite Schritt, die Nachdiffusion, anschließt, um die gewünschte Diffusionstiefe und das gewünschte Dotierungsprofil zu erzielen.
two-step diffusion
Doping of a semiconductor region with impurities in two diffusion steps: the first step, called predeposition, is followed by the second step, called drive-in cycle, in order to achieve the desired diffusion depth and concentration profile.

Zweistoffverbindungshalbleiter *m*
Halbleiter, der aus zwei Elementen besteht, z.B. Galliumarsenid.
binary compound semiconductor
Semiconductor consisting of two elements, e.g. gallium arsenide.

Zweistrahloszillograph *m*, Zweistrahloszilloskop *n*
dual-trace oscilloscope

zweistufiges Unterprogramm *n*
two-level subroutine

Zweitakt-Schieberegister *n*
double-line shift register

zweiter Durchbruch *m*
Elektrischer Durchbruch bei einem Transistor infolge lokaler Erhitzung, die einen Stromanstieg im Kollektorbereich bewirkt. Dies führt zu einer weiteren Erhitzung und meistens zur Zerstörung des Transistors.
second breakdown
Electrical breakdown in a transistor due to localized hot-spotting which causes an increase in current concentration in the collector region. This leads to further hot-spotting and usually to the destruction of the transistor.

Zweithersteller *m*
second source

Zweitor *n*, Vierpol *m*
Allgemeines Schema zur Kennzeichnung einer elektrischen Schaltung, die mit vier Anschlüssen (Klemmen) mit anderen Schaltungen verbunden ist, wobei jeweils zwei Anschlüsse zu einem Klemmenpaar oder Tor zusammengefaßt werden.
two-port network, four-pole network, two-

terminal pair network
Method commonly used to describe an electrical
circuit (or network) that is connected to other
network elements by four terminals which are
paired to form two ports.

Zweiwegdatenbus m
bidirectional data bus

Zweiwegdatenübertragungsverbindung f
two-way data link

Zweizonentransistor m, Unijunction-Transistor
m, Doppelbasisdiode f
Halbleiterbauelement ohne Kollektorzone mit
zwei sperrfreien Basiskontakten (Ohmsche
Kontakte) und einem dazwischen angebrachten
PN-Übergang. Wird häufig in
Kippschwingschaltungen verwendet.

unijunction transistor
Semiconductor component without a collector
region which has two ohmic base contacts and a
single pn-junction between them. Is often used
in relaxation-oscillator applications.

Zwischenablage f [temporärer Speicherbereich
für die Datenübertragung zwischen
Dokumenten und Anwendungen]
clipboard [temporary storage used to transfer
data between documents and between
applications]

Zwischenergebnis f
intermediate result

Zwischenfrequenz f (ZF)
intermediate frequency (IF)

Zwischengitteratom n
interstitial atom

Zwischengitterplatz m
interstitial site

Zwischenmaske f, Reticle n [Photolithographie]
Die anhand der Maskenvorlage mittels
photographischer Verkleinerung erstellte
Zwischenmaske. Das Reticle wird anschließend
mit Hilfe eines Step-und-Repeat-Verfahrens
vervielfältigt und auf die Originalgröße des
Wafers verkleinert.

reticle [photolithography]
The intermediate mask produced from the
initial artwork by a first photographic
reduction step. The reticle is then reproduced
with the aid of a step-and-repeat process and
reduced by a final reduction step to the
dimensions of the wafer.

Zwischenraum m, Leerzeichen n
space, space character, gap

Zwischenregister n
temporary register

Zwischenspeicher m, kurzzeitig beanspruchter
Speicher m, Pufferspeicher m
temporary storage, buffer storage

zwischenspeichern
store temporarily, to; prestore, to; store and
forward, to

Zwischensumme f
subtotal

Zwischenverstärker m
[Kommunikationstechnik]
repeater [telecommunications]

zyklisch fortschreitender Code m, zyklischer
Code m, zyklisch permutierter Code m [ein
Binärcode für Dezimalziffern, der Abtastfehler
dadurch verringert, daß sich zwei
aufeinanderfolgende Zahlenwerte nur in einem
Bit unterscheiden, z.B. der Gray-Code]
cyclic progression code, cyclic code, cyclic
permuted code [a binary code for decimal digits
in which, for minimizing scanning errors, the
codes for successive numbers differ by only one
bit, e.g. the Gray code]

zyklisch vertauschen
cycle-shift, to

zyklisch-binärer Code m, zyklischer Code m
cyclic-binary code, cyclic code

zyklische Blockprüfung f, zyklische
Redundanzprüfung f
Eine Fehlerprüfmethode, die jedes Zeichen
eines Blockes als Bitfolge, die eine Binärzahl
darstellt, behandelt. Diese Binärzahl wird
durch eine vorgegebene Binärzahl dividiert und
der Rest wird als zyklische Prüfsumme oder
CRC-Zeichen dem Block zugefügt. Beim
Empfänger wird das CRC-Zeichen mit einer
dort gebildeten Prüfsumme verglichen. Wenn
sie nicht übereinstimmen, wird eine
Wiederholung der Übertragung verlangt (ARQ-
Verfahren).

cyclic redundancy check (CRC)
An error detecting method which treats each
character in a block as a string of bits
representing a binary number. This number is
divided by a predetermined binary number and
the remainder is added to the block as a cyclic
redundancy check character (CRC), also called
cyclic check sum or check sum. At the receiving
end the CRC is compared with the check sum
formed there; if they do not agree, a
retransmission is requested (ARQ or automatic
repeat request method).

zyklische Redundanzprüfung f, CRC-Prüfung
f, zyklische Blockprüfung f
cyclic redundancy check (CRC)

zyklische Vertauschung f
cyclic permutation

zyklischer Code m, zyklisch fortschreitender
Code m
cyclic code, cyclic progression code

zyklischer Code m, zyklisch-binärer Code m
cyclic-binary code, cyclic code

zyklischer Vorgang m, periodischer Vorgang m
cyclic process

zyklisches Verschieben n, Ringschieben n
[Verschieben eines Binärzeichens vom Ausgang

eines Schieberegisters wieder in den Eingang]
cyclic shift, circular shift, end-around shift
[moving a binary digit from the output of a shift
register and reentering it in the input]
**Zyklus für Lesen mit modifiziertem
Rückschreiben** m, Lese-Änderungs-
Schreibzyklus m
read modify-write cycle
Zyklus für seitenweisen Betrieb m
page mode cycle
Zyklusraub m [Speicherzugriff]
cycle stealing [memory access]
Zykluszeit f [Zeitspanne zwischen zwei
aufeinanderfolgenden zyklisch
wiederkehrenden Vorgängen, z.B. die
Zeitspanne zwischen zwei
aufeinanderfolgenden Befehlen
(Befehlszykluszeit) oder zwischen zwei
aufeinanderfolgenden Lese- bzw.
Schreibvorgängen in einem Speicher
(Speicherzykluszeit)]
cycle time [time interval between two
successive periodically repeating actions, e.g.
the time between two successive instructions
(instruction cycle time) or between two
successive read or write operations in a storage
(storage cycle time)]
**Zykluszeit für Lesen mit modifiziertem
Rückschreiben** f
read modify-write cycle time
Zykluszeit für wahlfreies Lesen f
random read cycle time
Zykluszeit für wahlfreies Schreiben f
random write cycle time
Zylinder m [die von den Magnetköpfen ohne
Positionierung erreichbaren Spuren eines
Magnetsplattenstapels; alle übereinander-
liegenden Spuren bilden einen Zylinder]
cylinder [the tracks reached by the magnetic
heads of a magnetic disk pack without
positioning; the tracks lying one above the
other form a cylinder]
Zylinderkapazität f [Festplatte]
cylinder capacity [hard disk]

A

A/D converter, analog-to-digital converter
[converts an analog input signal into a digital
output signal]
A/D-Umsetzer *m,* Analog-Digital-Umsetzer *m*
[setzt ein analoges Eingangssignal in ein
digitales Ausgangssignal um]
abnormal termination, abortion, program
abortion
Abbrechen *n,* Abbruch *m,* Programmabbruch
m, vorzeitige Beendigung *f*
abort, to [interruption of a running program by
the operator]
abbrechen, kontrolliert abbrechen
[Unterbrechung eines laufenden Programmes
durch den Bediener]
abort condition, program abort condition
Abbruchbedingung *f,*
Programmabbruchbedingung *f*
abortable [program]
abbruchfähig [Programm]
abortion, abnormal termination, program
abortion
Abbrechen *n,* Abbruch *m,* Programmabbruch
m, vorzeitige Beendigung *f*
absence
Fehlen *n*
absolute address, machine address, physical
address [actual or permanent address of a
storage location; in contrast to relative,
symbolic or virtual address]
absolute Adresse *f,* Maschinenadresse *f,*
physikalische Adresse *f* [tatsächliche oder
permanente Adresse eines Speicherplatzes; im
Gegensatz zur relativen, symbolischen oder
virtuellen Adresse]
absolute loader [program loader]
Absolutlader *m* [Programmlader]
absolute maximum ratings [semiconductor
devices]
Limiting values (e.g. voltages, currents,
temperatures, etc.) which, when exceeded, may
lead to permanent damage or destruction of the
semiconductor device.
absolute Grenzdaten *n.pl.*
[Halbleiterbauteile]
Grenzwerte (z.B. Spannungen, Ströme,
Temperaturen usw.), bei deren Überschreitung
das Halbleiterbauteil beschädigt oder zerstört
werden kann.
absolute program loader, binary program
loader
Lader für Programme im Maschinencode
m
absolute program, machine code program
Programm im Maschinencode *n*

absolute programming
Programming with machine addresses and
machine-internal operation codes, in contrast to
symbolic programming.
absolute Programmierung *f,*
Programmierung mit absoluten Adressen *f*
Programmierung mit Maschinenadressen und
maschineninternen Codes, im Gegensatz zu
symbolischer Programmierung.
absolute value
Absolutwert *m*
abstract data type
abstrakter Datentyp *m*
abuse, data abuse
Mißbrauch *m,* Datenmißbrauch *m,*
mißbräuchliche Nutzung von Daten *f*
ac, alternating current
Wechselstrom *m*
ac amplifier
Wechselspannungsverstärker *m*
ac voltage, alternating voltage
Wechselspannung *f*
ac voltage source
Wechselspannungsquelle *f*
AC, adaptive control
AC-System *n,* adaptive Steuerung *f,* adaptive
Regelung *f*
ACC (accumulator) [register storing the result of
an operation]
Akkumulator *m* [Register, welches das
Ergebnis einer Operation speichert]
accelerated aging
Raffung des Alterungsprozesses *f,*
beschleunigte Alterung *f*
accelerated life test
Lebensdauerraffungsprüfung *f,*
beschleunigte Lebensdauerprüfung *f*
accelerated test [test using an increased stress
level chosen to shorten the test time]
zeitraffende Prüfung *f,* beschleunigte
Prüfung *f* [Prüfung mit einer erhöhten
Beanspruchung, die so gewählt ist, daß die
Prüfzeit verkürzt wird]
acceleration
Beschleunigung *f*
acceleration time
Beschleunigungszeit *f*
accept statement
Annahmeanweisung *f*
accept
annehmen
acceptable quality level (AQL)
annehmbare Qualitätsgrenze *f* (AQL)
acceptance
Annahme *f*
acceptance limit [acceptance test]
Gutgrenze *f* [Abnahmeprüfung]
acceptance test
Abnahmeprüfung *f*

accepting station
  annehmende Datenstation *f*
acceptor [semiconductor technology]
  An impurity (or crystal imperfection), added
  intentionally to a semiconductor, which attracts
  an electron from an adjacent atom thus
  creating a hole. Movement of the holes
  constitutes a positive charge transport through
  the semiconductor.
  Akzeptor *m* [Halbleitertechnik]
  In einen Halbleiter eingebautes Fremdatom
  (oder Gitterfehler), das ein Elektron eines
  benachbarten Atoms aufnimmt und dadurch
  ein Loch (Defektelektron) erzeugt. Die
  Bewegung der Löcher stellt einen positiven
  Ladungstransport durch den Halbleiter dar.
acceptor atom
  Akzeptoratom *n*
acceptor charge
  Akzeptorladung *f*
acceptor concentration
  Akzeptorkonzentration *f*
acceptor energy state, acceptor level
  Akzeptorniveau *n*
acceptor exhaustion
  Akzeptorerschöpfung *f*
acceptor impurity
  Akzeptorfremdatom *n*
acceptor ion
  Akzeptorion *n*
acceptor level, acceptor energy state
  Akzeptorniveau *n*
access [the access to stored data; one
  differentiates between direct and sequential
  access]
  Zugriff *m* [der Zugang zu gespeicherten Daten;
  man unterscheidet zwischen direktem und
  sequentiellem Zugriff]
access, to
  zugreifen
access circuit
  Zugriffsschaltung *f*
access hole [printed circuit boards]
  Zugangsloch *n* [Leiterplatten]
access method, access mode
  Zugriffsart *f*, Zugriffsmodus *m*
access path
  Zugriffspfad *m*
access protection
  Zugriffssicherung *f*
access restriction, access limitation
  Zugriffsbeschränkung *f*
access right
  Zugriffsrecht *n*
access table
  Zugriffstabelle *f*
access time [time for accessing a storage device
  from the central processing unit; one
  distinguishes between reading and writing

time, i.e. between the time for a read or a write
  operation]
  Zugriffszeit *f* [die Zeit für einen Zugriff von
  der Zentraleinheit auf einen Speicher; man
  unterscheidet zwischen Lese- und Schreibzeit,
  d.h. die Zeit für einen Lese- bzw.
  Schreibvorgang]
access time from address change, address
  access time
  Zugriffszeit nach Adreßwechsel *f*
access time from chip select
  Zugriffszeit nach Bausteinauswahl *f*
access vector
  Zugriffsvektor *m*
accessible
  zugänglich
accessory, accessories
  Zubehör *n*, Zubehörteile *n.pl.*
accessory device, accessory unit
  Zusatzgerät *n*
accounting program
  Buchhaltungsprogramm *n*, FIBU-Programm
  n (FIBU, Finanzbuchhaltung)
accumulate, to
  akkumulieren
accumulated error
  akkumulierter Fehler *m*
accumulating counter
  Addierzähler *m*
accumulator (ACC) [register storing the result
  of an operation]
  Akkumulator *m* [Register, welches das
  Ergebnis einer Operation speichert]
accuracy [general: freedom from error]
  Genauigkeit *f* [allgemein: Fehlerfreiheit]
accuracy check
  Genauigkeitsprüfung *f*
ACE (advanced custom emitter-coupled logic)
  A gate array concept for producing semicustom
  integrated circuits.
  ACE-Technik *f*
  Ein Gate-Array-Konzept in spezieller
  emittergekoppelter Logik, mit dem sich
  integrierte Semikundenschaltungen realisieren
  lassen.
ACK (acknowledge character)
  Zeichen für positive Rückmeldung *n*
acknowledge signal [e.g. as an answer to an
  interrupt request]
  Quittungsmeldung *f* [z.B. als Antwort auf
  eine Unterbrechungsanforderung]
acknowledgement
  Rückmeldung *f*
acoustic coupler [data transmission via
  telephone handset]
  akustischer Koppler *m* [Datenübertragung
  über Telephonhandapparat]
acoustic memory, acoustic storage
  Schallspeicher *m*, akustischer Speicher *m*

acoustic power
  Schalleistung *f*
acoustic storage, acoustic memory
  akustischer Speicher *m*, Schallspeicher *m*
acquisition [data, information, signals]
  Erfassung *f* [Daten, Information, Signale]
ACR (automatic character recognition)
  automatische Zeichenerkennung *f*
acronym, abbreviation
  Akronym *n*, Abkürzung *f*
activate, to; enable, to
  aktivieren
activation
  Aktivierung *f*
activation energy [semiconductor technology]
  Work required to transfer a charge carrier to a
  higher energy level.
  Aktivierungsenergie *f* [Halbleitertechnik]
  Arbeit, die erforderlich ist, um einen
  Ladungsträger in ein höheres Energieniveau zu
  überführen.
active current
  Wirkstrom *m*
active DO loop [repetitive execution of same
  statement]
  aktive Schleife *f* [wiederholte Ausführung
  einer Anweisung]
active element
  An element which amplifies or controls a
  signal, e.g. a transistor or a diode.
  aktives Element *n*
  Ein Bauelement, das zur Verstärkung oder
  Steuerung eines Signals benutzt wird, z.B. ein
  Transistor oder eine Diode.
active LCD [liquid crystal display with internal
  electronics]
  aktive LCD-Anzeige *f* [Flüssigkristallanzeige
  mit interner Elektronik]
active level
  aktiver Pegel *m*
active page
  aktive Seite *f*
active power, real power
  Wirkleistung *f*
active printer
  aktiver Drucker *m*
active region [of a semiconductor component]
  aktiver Bereich *m* [eines
  Halbleiterbauelementes]
active semiconductor component
  aktives Halbleiterbauelement *n*
active storage
  Aktivspeicher *m*
active task
  aktive Aufgabe *f*
active two-port network
  aktiver Vierpol *m*
active voltage
  Wirkspannung *f*

active window
  aktives Fenster *n*
active zero logic
  Nullsignallogik *f*
activity log
  Bewegungsprotokoll *n*
actual value, instantaneous value
  Istwert *m*
actuate, to; operate, to [relay]
  ansprechen, anziehen, erregen [Relais]
actuating signal [control]
  wirksames Signal *n* [Regeltechnik]
actuator, controller, controlling element
  [automatic control]
  Stellglied *n* [Regelungstechnik]
acute angle
  spitzer Winkel *m* [graphische Darstellung]
ADA [high-level problem-oriented programming
  language based on PASCAL]
  ADA [höhere, problemorientierte
  Programmiersprache auf PASCAL-Basis]
adaptability
  Anpaßfähigkeit *f*
adaptation [electrical component or unit for
  connecting subsystems]
  Anpaßteil *n* [elektrisches Bauteil oder Gerät
  zum Verbinden von Systemteilen]
adapter [a mechanical device for joining
  connectors, plug-in units, etc.]
  Adapter *m* [ein mechanisches Bauteil zum
  Verbinden von Steckern, Einschüben usw.]
adapter plug
  Anpaßstecker *m*, Übergangsstecker *m*
adapter board
  Anschlußkarte *f*
adaptive control (AC)
  adaptive Steuerung *f*, adaptive Regelung *f*,
  AC-System *n*
ADC, analog-to-digital converter [converts an
  analog input signal into a digital output signal]
  ADU *m*, Analog-Digital-Umsetzer *m* [setzt ein
  analoges Eingangssignal in ein digitales
  Ausgangssignal um]
add cycle
  Additionszyklus *m*
add instruction
  Additionsbefehl *m*
add statement [a programming statement]
  Additionsanweisung *f* [eine
  Programmanweisung]
add time [the time required for an addition]
  Additionszeit *f* [die für eine Addition
  benötigte Zeit]
add-on kit
  Nachrüstsatz *m*
add-on unit
  Anbauteil *n*
addend
  Summand *m*

addend register [register for taking up the addend]
Addendenregister *n* [Register zur Aufnahme des Summanden]
adder
A logical circuit with several inputs and whose output supplies the sum of the digital input signals.
Addierer *m*, **Addierglied** *n*
Eine logische Schaltung mit mehreren Eingängen, deren Ausgang die Summe der digitalen Eingangssignale liefert.
adder circuit [logical circuit for effecting an addition]
Addierschaltung *f* [logische Schaltung für die Summenbildung]
adder-subtract counter
Addier-Subtrahierzähler *m*
adder-subtract register
Addier-Subtrahierregister *n*
adder-subtracter [a computation circuit that acts as an adder or a subtracter depending on the control signal]
Addier-Subtrahierglied *n* [eine Rechenschaltung, die entsprechend dem Steuersignal als Addierer oder Subtrahierer wirkt]
adding machine, calculator
Saldiermaschine *f*, **Additionsmaschine** *f*
addition [the basis for all arithmetic operations in a computer, i.e. also for subtraction, multiplication, division and root extraction]
Addition *f* [die Grundlage aller arithmetischen Operationen in einem Rechner, d.h. auch der Subtraktion, Multiplikation, Division und des Wurzelziehens]
additional memory
Ergänzungsspeicher *m*, **Zusatzspeicher** *m* [Ergänzung zum Hauptspeicher]
additive process
Process for forming conductive patterns on printed circuit boards by silk-screen printing or copper plating.
additives Verfahren *n*
Verfahren zur Herstellung von Verdrahtungsmustern auf Leiterplatten durch Siebdruck oder galvanisches Auftragen von Kupfer.
address [identification of a storage location, etc.]
Adresse *f* [Kennzeichen eines Speicherplatzes usw.]
address access time
Adreßzugriffszeit *f*, **Adressenzugriffszeit** *f*
address after enable hold time
Haltezeit für Adresse nach Freigabe *f*
address after write hold time
Haltezeit für Adresse nach Schreiben *f*
address allocation, address assignment
Adreßzuordnung *f*

address arithmetic
Adressenarithmetik *f*
address before enable set-up time
Vorbereitungszeit für Adreß-Freigabe *f*
address before read set-up time
Vorbereitungszeit für Adreß-Lesen *f*
address before write set-up time
Vorbereitungszeit für Adreß-Schreiben *f*
address bit
Adreßbit *n*
address blank
Adreßleerstelle *f*
address buffer [buffer storage for addresses]
Adreßpuffer *m* [Pufferspeicher für Adressen]
address bus [common signal path for addresses]
Adreßbus *m*, **Adressenbus** *m* [gemeinsame Signalleitung für Adressen]
address bus width [width in bits of address bus]
Adreßbusbreite *f* [Breite in Bit des Adreßbuses]
address calculation
Adreßbestimmung *f*, **Adressenrechnung** *f*
address check, address verification
Adreßprüfung *f*
address control
Adreßsteuerung *f*
address control unit
Adreßsteuereinheit *f*
address conversion
Adreßumwandlung *f*
address counter
Adreßzähler *m*, **Adressenzähler** *m*
address decoder
Adreßdecodierer *m*
address display
Adreßanzeige *f*
address drive stage
Adreßtreiberstufe *f*
address field, address array
Adreßfeld *n*
address file
Adreßdatei *f*
address format [arrangement of address parts of an instruction]
Adreßformat *n*, **Adressenformat** *n* [Anordnung der Adreßteile einer Anweisung]
address hold time [integrated circuit memories]
Adressenhaltezeit *f* [integrierte Speicherschaltungen]
address index
Adreßindex *m*
address input
Adresseneingang *m*
address latch [integrated circuit memories]
Adressenübernahmeregister *n* [integrierte Speicherschaltungen]
address latch enable (ALE) [integrated circuit memories]
Adressenspeicherfreigabe *f* [integrierte

Speicherschaltungen]
address marker
    Adreßmarke *f*
address memory, address buffer
    Adressenspeicher *m*, Adreßspeicher *m*
address modification
    Adressenmodifikation *f*
address monitoring
    Adreßüberwachung *f*
address part [part of instruction containing
    addresses]
    Adressenteil *m* [Bereich eines Befehls, der
    Adressen enthält]
address range [the complete range of machine
    addresses]
    Adreßbereich *m* [die Gesamtheit der
    Maschinenadressen]
address register
    Adreßregister *n*, Adressenregister *n*
address selection
    Adreßansteuerung *f*, Adressenansteuerung *f*,
    Adressenanwahl *f*
address set-up time [integrated circuit
    memories]
    Adressenvorbereitungszeit *f* [integrierte
    Speicherschaltungen]
address space [complete range of addresses in
    memory]
    Adreßraum *m* [vollständiger Bereich der
    Adressen im Speicher]
address table, directory
    Adreßliste *f*
address track
    Adreßspur *f*
address value
    Adreßwert *m*
addressability
    Adressierfähigkeit *f*
addressable
    adressierbar
addressable register
    adressierbares Register *n*
addressing, addressing technique
    Major addressing techniques are absolute,
    relative, direct, indirect, indexed, symbolic and
    virtual addressing.
    Adressierung *f*, Adressierungsmethode *f*,
    Adressierverfahren *n*
    Man unterscheidet hauptsächlich zwischen
    absoluter, relativer, direkter, indirekter,
    indizierter, symbolischer und virtueller
    Adressierung.
addressing mode
    Adressierungsart *f*
addressless instruction [instruction that needs
    no operand address]
    adreßfreier Befehl *m*, adreßloser Befehl *m*
    [Befehl, der keine Operandenadresse benötigt]
adhesively coated laminate [printed circuit

boards]
    klebebeschichtetes Laminat *n*
    [Leiterplatten]
adjustable point
    einstellbares Komma *n*
adjustment
    Einstellung *f*, Justierung *f*
admissible temperature
    zulässige Temperatur *f*
admittance
    Scheinleitwert *m*, Admittanz *f*
advance, to [e.g. a counter]
    fortschalten [z.B. eines Zählers]
advanced low-power Schottky technology
    (ALS technology, ALSTTL technology)
    Improved bipolar technology (transistor-
    transistor logic) with very low power
    dissipation.
    ALS-Technik *f*, ALSTTL-Technik *f*
    Verbesserte Bipolartechnik (Transistor-
    Transistor-Logik) mit sehr niedriger
    Verlustleistung.
advanced standard buried-collector
    technology (ASBC technology)
    Improved epitaxial double-diffusion process
    used for fabricating bipolar integrated circuits.
    ASBC-Technik *f*
    Verbessertes Epitaxie-Doppeldiffusions-
    verfahren für die Herstellung von bipolaren
    integrierten Schaltungen.
AFC, automatic frequency control [in
    transmission systems]
    AFR, automatische Frequenzregelung *f* [bei
    Übertragungssystemen]
AGC, automatic gain control [in transmission
    systems]
    AVR, automatische Verstärkungsregelung *f*
    [bei Übertragungssystemen]
age, to
    altern
aggregated data
    gruppierte Daten *n.pl.*
aging
    Alterung *f*
aging rate
    Alterungszahl *f*
AI, artificial intelligence [the ability of a
    computer system to solve problems which are
    within the area of human intelligence, e.g.
    pattern recognition, language translation,
    music composition, etc.]
    KI, künstliche Intelligenz *f* [die Fähigkeit eines
    Rechnersystems, Aufgaben zu lösen, die dem
    Bereich der menschlichen Intelligenz
    angehören, z.B. Mustererkennung,
    Sprachübersetzung, Musikkomposition usw.]
aid, support
    Unterstützung *f*
Aiken code [a four-bit binary code for decimal

digits, also called 2-4-2-1 code]
Aiken-Code *m* [ein vierstelliger Binärcode für
Dezimalziffern, auch 2-4-2-1-Code genannt]
AIM process (avalanche induced migration
process)
A method used for programming read-only
memories.
AIM-Verfahren *n*
Ein Verfahren zur Programmierung von
Festwertspeichern.
air cooling
Luftkühlung *f*
AIX (Advanced Interactive Executive) [UNIX
implementation by IBM]
AIX [UNIX-Version von IBM]
ALE (address latch enable) [integrated circuit
memories]
Adressenspeicherfreigabe *f* [integrierte
Speicherschaltungen]
algebraic notation
algebraische Schreibweise *f*
ALGOL (ALGOrithmic Language)
A high-level problem-oriented programming
language for engineering and scientific
purposes.
ALGOL (algorithmische Sprache)
Eine höhere, problemorientierte
Programmiersprache für technisch-
wissenschaftliche Aufgaben.
algorithm [complete set of rules for stepwise
solution of a problem]
Algorithmus *m* [Gesamtheit der Regeln zur
schrittweisen Lösung eines Problems]
algorithm table
Algorithmustabelle *f*
alias name [alternative name]
Aliasname *m* [alternativer Name]
aliasing [staircase-shaped representation of
straight lines on the screen and in the printed
document]
Treppeneffekt *m* [treppenförmige Darstellung
von geraden Linien auf dem Bildschirm und im
Druck]
align, to; tune, to; balance, to
abgleichen
aligned, tuned, balanced
abgeglichen
alignment
Abgleich *m*
alignment accuracy, adjustment accuracy
Abgleichgenauigkeit *f,* Justiergenauigkeit *f*
alignment error, adjustment error
Abgleichfehler *m,* Justierfehler *m*
all "ones"
durchgehend "Eins"
all "zeroes"
durchgehend "Null"
allocate, to; assign, to
zuordnen, zuweisen

allocated, assigned
zugeordnet
allocation, assignment
Zuordnung *f,* Zuweisung *f*
allocation statement
Zuweisungsanweisung *f*
allocation unit
Zuordnungseinheit *f*
allowed band [energy-band diagram]
erlaubtes Band *n* [Bändermodell]
alloy bulk diffusion technique
ABD-Technik *f*
alloy junction, alloyed junction
A pn- (or np-) junction between two
semiconductor regions into which impurity
atoms are introduced by the alloying process.
legierter Übergang *m*
Ein PN- (bzw. NP-) Übergang zwischen zwei
Halbleiterzonen, bei dem Fremdatome mittels
des Legierungsverfahrens eingebaut werden.
alloy process, alloying process
Legierungsverfahren *n*
alloy semiconductor
Legierungshalbleiter *m*
alloy transistor
Legierungstransistor *m*
alloying [semiconductor technology]
A doping process in which dopant impurities
are added to the semiconductor crystal by
melting. It is mainly used in germanium power
transistor fabrication as well as for forming pn-
junctions.
Legieren *n* [Halbleitertechnik]
Ein Dotierungsverfahren, bei dem das
Dotierungselement auf den Halbleiterkristall
aufgeschmolzen wird. Es wird vorwiegend bei
der Herstellung von Germanium-
Leistungstransistoren sowie bei der
Herstellung von PN-Übergängen eingesetzt.
alloying depth
Legierungstiefe *f*
alloying technology
Legierungstechnik *f*
Alpha architecture [64-bit RISC microprocessor
architecture developed by DEC]
Alpha-Architektur *f* [von DEC entwickelte
64-Bit-RISC-Mikroprozessor-Architektur]
alphabet [character set with defined order]
Alphabet *n* [Zeichenvorrat mit vereinbarter
Reihenfolge]
alphabetic character [consisting of letters or
special characters but no digits]
Alphazeichen *n* [bestehend aus Buchstaben
oder Sonderzeichen aber ohne Ziffern]
alphabetic character set
alphabetischer Zeichenvorrat *m*
alphabetic code
alphabetischer Code *m*
alphabetic coding [coding with letters and

special characters but without digits]
Alphacodierung f, alphabetische Codierung f
[Codierung mit Buchstaben und Sonderzeichen
aber ohne Ziffern]
alphabetic data
  alphabetische Daten n.pl.
alphabetic order, alphabetic sequence
  alphabetische Reihenfolge f
alphabetic sorting
  Alphasortierung f, alphabetische Sortierung f
alphabetic string
  Alphazeichenfolge f
alphabetic word [consisting of alphabetic
characters]
  Alphawort n [bestehend aus Alphazeichen]
alphanumeric, alphameric [represented by
letters, digits and special symbols]
  alphanumerisch [Darstellung mit
Buchstaben, Ziffern, und Sonderzeichen]
alphanumeric character
  alphanumerisches Zeichen n
alphanumeric character set
  alphanumerischer Zeichenvorrat m
alphanumeric code
  alphanumerischer Code m
alphanumeric coding
  alphanumerische Codierung f
alphanumeric data
  alphanumerische Daten n.pl.
alphanumeric display
  alphanumerische Anzeige f
alphanumeric keyboard
  alphanumerische Tastatur f
alphanumeric representation
  alphanumerische Darstellung f
ALS technology (advanced low-power Schottky
technology), ALSTTL technology
Improved bipolar technology (transistor-
transistor logic) with very low power
dissipation.
  ALS-Technik f, ALSTTL-Technik f
Verbesserte Bipolartechnik (Transistor-
Transistor-Logik) mit sehr niedriger
Verlustleistung.
alt key (alternate coding key) [changes the codes
of the keys subsequently depressed]
  Alt-Taste f, Codetaste f [ändert die codierte
Belegung der nachher betätigten Tasten]
alternate return specifier
  Parameter für wechselnden Rücksprung
alternate track [automatically assigned as
replacement for damaged track on a data
medium, e.g. disk storage]
  Ersatzspur f [automatisch zugewiesen als
Ersatz für eine zerstörte Spur auf einem
Speichermedium, z.B. Plattenspeicher]
alternating current (ac)
  Wechselstrom m
alternating voltage, ac voltage

Wechselspannung f
alternative key [for forming an alternative
index]
  Alternativschlüssel m [zur Bildung eines
Alternativindexes]
ALU, arithmetic logic unit
The part of the central processing unit in a
digital computer (or microprocessor) which
performs arithmetic calculations and logical
operations. The accumulator stores the results.
  ALU, arithmetisch-logische Einheit f,
Rechenwerk n
Der Teil der Zentraleinheit im Digitalrechner
(bzw. Mikroprozessor), der Rechenoperationen
und logische Verknüpfungen durchführt. Die
Ergebnisse werden im Akkumulator
gespeichert.
aluminium (Al)
Metallic element with good electrical
conductivity; used for forming thin layers in
discrete component and integrated circuit
fabrication as well as for a variety of contacts,
wires, interconnections etc.
  Aluminium n (Al)
Metallisches Element mit guter elektrischer
Leitfähigkeit; wird für die Herstellung dünner
Schichten bei der Fertigung diskreter
Bauelemente und integrierter Schaltungen
verwendet, sowie für die Herstellung von
Kontakten, Drähten, Leiterbahnen usw.
aluminium-gate PMOS technology
Process for fabricating p-channel MOS field-
effect transistors in which the gate consists of
aluminium.
  PMOS-Technik mit Aluminium-Gate f
Technik für die Herstellung von PMOS-
Feldeffekttransistoren, bei denen das Gate (die
Steuerelektrode) aus Aluminium besteht.
aluminium-gate technology [standard p-MOS
technology]
Process for fabricating field-effect transistors.
  Aluminium-Gate-Technik f, [Standard P-
MOS-Technik]
Verfahren zur Herstellung von
Feldeffekttransistoren.
aluminium oxide, alumina
  Aluminiumoxid n
aluminium oxide passivation [semiconductor
technology]
  Aluminiumoxidpassivierung f
[Halbleitertechnik]
aluminium phosphide (AlP) [compound
semiconductor]
  Aluminiumphosphid n (AlP)
[Verbindungshalbleiter]
ambient conditions
  Umgebungsbedingungen f.pl.
ambient temperature
  Umgebungstemperatur f

ambiguity
  Mehrdeutigkeit *f*
amorphous semiconductor
  amorpher Halbleiter *m*
amorphous substrate
  amorphes Substrat *n*
ampere (A) [SI unit of electric current]
  Ampere *n* (A) [SI-Einheit des elektrischen
  Stromes]
ampersand, (&) [commercial "and" character]
  Et-Zeichen *n*, (&) [kommerzielles Und-
  Zeichen]
amplification, gain
  Verstärkung *f*
amplification factor
  Verstärkungsfaktor *m*
amplifier [a circuit (or a device) that amplifies
voltage, current or power]
  Verstärker *m* [eine Schaltung (bzw. ein
  Gerät), das Spannung, Strom oder Leistung
  verstärkt]
amplifier noise
  Verstärkerrauschen *n*
amplifier of high linearity, linear amplifier
  Verstärker hoher Linearität *m*,
  Linearverstärker *m*
amplifier output
  Verstärkerausgang *m*
amplifier stage
  Verstärkerstufe *f*
amplitude
  Amplitude *f*
amplitude-frequency plot, Bode diagram
  Amplitudengang *m*, Amplitudenverlauf *m*
  Bode-Diagramm *n*
amplitude modulation
  Amplitudenmodulation *f*
amplitude variation
  Aplitudenänderung *f*
analog [representation by a physical parameter]
  analog [Darstellung durch eine physikalische
  Größe]
analog amplifier
  Analogverstärker *m*
analog channel
  Analogkanal *m*
analog circuit
  Analogschaltkreis *m*, Analogschaltung *f*,
  analoge Schaltung *f*
analog computer
  An analog computer represents computing task
  and result in the form of physical quantities. It
  is employed when the task can be well
  simulated physically.
  Analogrechner *m*
  Ein Analogrechner stellt Rechenaufgabe und
  Ergebnis als physikalische Größen dar. Er wird
  verwendet, wenn sich die zu lösende Aufgabe
  physikalisch gut nachbilden läßt.

analog control
  analoge Steuerung *f*
analog data
  analoge Daten *n.pl.*, Analogdaten *n.pl.*
analog device, analog equipment
  Analogbaustein *m*, Analoggerät *n*
analog input
  Analogeingang *m*, analoger Eingang *m*,
  Analogeingabe *f*, analoge Eingabe *f*
analog input unit
  Analogeingabeeinheit *f*
analog integrated circuit
  An analog circuit in integrated circuit
  technology. In an analog circuit, the electrical
  output variables are a continuous function of
  the input variables.
  analoge integrierte Schaltung *f*, integrierte
  Analogschaltung *f*
  Eine analoge Schaltung in integrierter
  Schaltungstechnik. In einer analogen
  Schaltung sind die elektrischen
  Ausgangsgrößen stetige Funktionen der
  Eingangsgrößen.
analog multiplexer
  Analogmultiplexer *m*
analog multiplier
  Analogmultiplizierer *m*
analog output
  Analogausgang *m*, analoger Ausgang *m*,
  Analogausgabe *f*, analoge Ausgabe *f*
analog output unit
  Analogausgabeeinheit *f*
analog recorder
  Analogregistriergerät *n*
analog representation
  analoge Darstellung *f*
analog signal
  Analogsignal *n*
analog switch
  Analogschalter *m*
analog-to-digital conversion
  Analog-Digital-Umsetzung *f*
analog-to-digital converter (ADC) [converts an
analog input signal into a digital output signal]
  Analog-Digital-Umsetzer *m* (ADU) [setzt ein
  analoges Eingangssignal in ein digitales
  Ausgangssignal um]
analog value, analog quantity
  Analogwert *m*
analysis
  Analyse *f*
analytic function
  analytische Funktion *f*
analyzer
  Analysator *m*
AND, to
  UND-mäßig verknüpfen, konjunktiv
  verknüpfen
AND circuit

UND-Schaltung *f*
AND element, AND gate
UND-Glied *n,* UND-Gatter *n*
AND function, AND operation [logical operation
having the output (result) 1, if and only if all
inputs (operands) are 1; for all other input
values the output is 0]
UND-Verknüpfung *f,* Konjunktion *f* [logische
Verknüpfung mit dem Ausgangswert
(Ergebnis) 1, wenn und nur wenn alle Eingänge
(Operanden) den Wert 1 haben; für alle
anderen Eingangswerte ist der Ausgangswert
0]
angular frequency, radian frequency
Winkelfrequenz *f*
angular shift
Winkelverschiebung *f*
animation [moving graphics on the screen]
Animation *f* [bewegte Graphiken am
Bildschirm]
anisotropy [direction-dependent; in an
anisotropic body the physical properties are
dependent on direction]
Anisotropie *f* [Richtungsabhängigkeit; in
einem anisotropen Körper sind die
physikalischen Eigenschaften
richtungsabhängig]
anode
Anode *f*
anode terminal
Anodenanschluß *m*
anode voltage
Anodenspannung *f*
anodic oxidation
anodische Oxidation *f*
ANSI (American National Standards Institute)
ANSI [die übergeordnete
Normungsorganisation der USA]
answering
Anrufbeantwortung *f*
anti-aliasing [correction of staircase-shaped
representation of straight lines on the screen
and in the printed document]
Treppeneffektkorrektur *f* [Korrektur der
treppenförmigen Darstellung von geraden
Linien auf dem Bildschirm und im Druck]
anti-aliasing low-pass filter [signal processing]
Anti-Alias-Tiefpaßfilter *n*
[Signalverarbeitung]
anticipatory carry, carry look-ahead [parallel
computation of carries of all digits; in contrast
to ripple carry in which the carries are formed
one after the other]
Übertragsvorausberechnung *f,*
Parallelübertrag *m* [parallele Bildung der
Überträge aller Stellen; im Gegensatz zum
durchlaufenden Übertrag, bei dem die
Überträge nacheinander gebildet werden]
antilog amplifier

Antilogverstärker *m,* antilogarithmischer
Verstärker *m*
antimony (Sb)
Metallic element used as a dopant impurity
(donor atom).
Antimon *n* (Sb)
Metallisches Element, das als Dotierstoff
(Donatoratom) verwendet wird.
antiparallel connection
Gegenparallelschaltung *f,*
Antiparallelschaltung *f*
antireflex coated [display]
Entspiegelung *f* [Bildschirm]
antistatic mat
antistatische Matte *f*
antistatic spray
antistatische Sprühdose *f*
aperture [optoelectronics]
Apertur *f* [Optoelektronik]
APD (avalanche photodiode)
Lawinenphotodiode *f*
API (Application Programming Interface)
API [Schnittstelle für die
Anwendungsprogrammierung]
APL (A Programming Language)
A high-level, problem-oriented programming
language for engineering and scientific
applications.
APL [Programmiersprache]
Eine höhere, problemorientierte
Programmiersprache für technisch-
wissenschaftliche Aufgaben.
apostrophe, single quote
Apostroph *m*
apparent power
Scheinleistung *f*
Apple Macintosh computer, Macintosh
computer [developed by Apple, based on the
Motorola 68000 processor family]
Apple-Macintosh-Rechner *m,* Macintosh-
Rechner *m* [auf Basis der Motorola-68000-
Prozessorfamilie von Apple entwickelt]
application
Anwendung *f*
application oriented
anwendungsorientiert
application-oriented language
anwendungsorientierte
Programmiersprache *f*
application program, user program
Anwenderprogramm *n*
application program package
Anwenderprogrammpaket *n*
application software
Anwendersoftware *f*
application specified integrated circuit
(ASIC)
Integrated circuit for a specific application of
completely new design according to customer's

specifications.
**anwenderspezifische integrierte
Schaltung** f (ASIC)
Integrierte Schaltung für eine bestimmte
Aufgabe, die nach Kundenwünschen völlig neu
entworfen wird.
application symbol
Anwendungssymbol n
application window
Anwenderfenster n
apply, to [e.g. a voltage, an electric field, etc.]
anlegen [z.B. eine Spannung, ein elektrisches
Feld usw.]
approximation
Approximation f, Näherung f, Annäherung f
approximation error, truncation error
Approximationsfehler m,Näherungsfehler
APT (automatically programmed tools)
[programming language for numerically
controlled machine tools]
APT [Programmiersprache für numerisch
gesteuerte Werkzeugmaschinen]
APU, arithmetic processor, arithmetic processing
unit
A coprocessor in microprocessor-based systems
which performs arithmetic calculations.
APU, Arithmetikprozessor m
Ein Coprozessor in Mikroprozessorsystemen,
der Rechenoperationen durchführt.
AQL (acceptable quality level)
AQL, annehmbare Qualitätsgrenze f
arbitrary parameter
freier Parameter m
arbitrary-precision multiplication
Multiplikation mit beliebiger Stellenzahl f
arbitration [process of solving priority conflicts,
e.g. when accessing the main storage]
Arbitration f, Vorrangschaltung f [Verfahren
zur Lösung von Prioritätskonflikten, z.B. beim
Zugriff auf den Hauptspeicher]
ARC file format [file format of the ARC
compression program]
ARC-Dateiformat n [Dateiformat des
Komprimierungsprogrammes ARC]
ARCnet (Attached Resource Computer network)
[local area network]
ARCnet-Netzwerk n [lokales Netzwerk]
area protect switch
Bereichsschutzschalter m
argument [value of an independent variable]
Argument n, Aktualparameter [Wert einer
unabhängigen Größe]
arithmetic array
arithmetische Anordnung f, Anordnung
arithmetischer Daten f
arithmetic calculation, arithmetic operation
Rechenoperation f
arithmetic code
Rechencode m

arithmetic constant
arithmetische Konstante f
arithmetic cycle [cycle for the execution of a
basic computation operation]
Rechenzyklus m [Zyklus für die Ausführung
einer Grundrechenart]
arithmetic IF statement [FORTRAN]
arithmetische WENN-Anweisung f
[FORTRAN]
arithmetic instruction [instruction for
executing one of the four basic computation
operations, i.e. addition, subtraction,
multiplication or division]
Rechenbefehl m, arithmetischer Befehl m
[Befehl zur Ausführung einer der vier
Grundrechenarten, d.h. Addition, Subtraktion,
Multiplikation oder Division]
arithmetic jump
arithmetischer Sprung m
arithmetic logic
Rechenlogik f
arithmetic logic unit (ALU)
The part of the central processing unit in a
digital computer (or microprocessor) which
performs arithmetic calculations and logical
operations. The results are stored in the
accumulator.
arithmetisch-logische Einheit f (ALU),
Rechenwerk n
Der Teil der Zentraleinheit im Digitalrechner
(bzw. Mikroprozessor), der Rechenoperationen
und logische Verknüpfungen durchführt. Die
Ergebnisse werden im Akkumulator
gespeichert.
arithmetic operand
arithmetischer Operand m
arithmetic operation [one of the four basic
operations]
Rechenoperation f, arithmetische Operation f
[eine der vier Grundoperationen]
arithmetic overflow [in arithmetic operations
exceeding the number of places of the
arithmetic register (accumulator)]
Überlauf m [bei arithmetischen Operationen
die Überschreitung der Stellenzahl des
Ergebnis-Registers (Akkumulators)]
arithmetic processor, arithmetic processing
unit (APU)
A coprocessor in microprocessor-based systems
which performs arithmetic calculations.
Arithmetikprozessor m (APU)
Ein Coprozessor in Mikroprozessorsystemen,
der Rechenoperationen durchführt.
arithmetic register, accumulator [register
storing the result of an operation]
Rechenregister n, Akkumulator m [Register,
welches das Ergebnis einer Operation
speichert]
arithmetic shift [shifting of a character or bit

sequence]
arithmetisches Verschieben n [Verschieben einer Zeichen- oder Bitfolge]
arithmetic underflow, underflow [a result whose absolute value is smaller than the smallest number represented in the computer; in floating-point arithmetic, the generation of a negative exponent out of the permissible range]
Unterlauf m [ein Ergebnis, dessen Absolutwert kleiner ist, als die kleinste im Rechner darstellbare Zahl; bei der Gleitkommarechnung das Entstehen eines zu großen negativen Exponenten]
ARQ method, automatic request [transmission with automatic repetition of binary digits]
ARQ-Verfahren n [Übertagungsverfahren mit automatischer Wiederholung von Binärzeichen]
arrangement [general]
Anordnung f [allgemein]
array [general]
Anordnung f [allgemein]
array [an ordered set of data]
Feldvariable f, Matrixvariable f [ein geordneter Satz von Daten]
array computer, vector computer [mainframe computer with parallel arithmetic-logic units]
Vektorrechner m [Großrechner mit parallelen Rechenwerken]
arrow key [key for moving cursor on display]
Pfeiltaste f, Richtungstaste f [zur Bewegung des Zeigers (Cursors) auf dem Bildschirm]
arsenic (As)
Metallic element used as a dopant impurity (donor atom).
Arsen n (As)
Metallisches Element, das als Dotierstoff (Donatoratom) verwendet wird.
artificial intelligence (AI) [the ability of a computer system to solve problems which are within the area of human intelligence, e.g. pattern recognition, language translation, music composition, etc.]
künstliche Intelligenz f (KI) [die Fähigkeit eines Rechnersystems, Aufgaben zu lösen, die dem Bereich der menschlichen Intelligenz angehören, z.B. Mustererkennung, Sprachübersetzung, Musikkomposition usw.]
artificial language [machine or programming language (e.g. FORTRAN) in contrast with a natural language (e.g. English)]
künstliche Sprache f [Maschinen- oder Programmiersprache (z.B. FORTRAN) im Gegensatz zu einer natürlichen Sprache (z.B. Deutsch)]
artwork
Druckvorlage f
artwork master [printed circuit boards]
Druckvorlage f [Leiterplatten]
AS technology, ASTTL technology (advanced

Schottky technology) [an improved bipolar technology]
AS-Technik f, ASTTL-Technik f [verbesserte Bipolartechnik]
ASBC technology (advanced standard buried-collector technology)
Improved epitaxial double-diffusion process used for fabricating bipolar integrated circuits.
ASBC-Technik f
Verbessertes Epitaxie-Doppeldiffusions-verfahren für die Herstellung von bipolaren integrierten Schaltungen.
ascending, ascending sequence
aufsteigend
ascending key
aufsteigender Sortierbegriff m
ASCII (American Standard Code for Information Interchange)
ASCII-Code m
ASCII character set
ASCII-Zeichensatz m
ASCII keyboard
ASCII-Tastatur f
ASIC (application specified integrated circuit)
Integrated circuit for a specific application of completely new design according to customer's specifications.
ASIC, anwenderspezifische integrierte Schaltung f
Integrierte Schaltung für eine bestimmte Aufgabe, die nach Kundenwünschen völlig neu entworfen wird.
ASN (average sample number) [average number of sample units inspected per lot]
durchschnittlicher Stichprobenumfang m [mittlere Anzahl Prüflinge, die pro Los geprüft werden]
assemble, to [convert a program written in a symbolic machine language into a sequence of machine operating codes]
assemblieren [übersetzen des in einer symbolischen Maschinensprache geschriebenen Programmes in eine Folge von Maschinenbefehlen]
assembler, assembly program
A language translator which translates a program written in assembly language into a machine language.
Assembler m, Assemblierer m
Übersetzungsprogramm, das ein in Assemblersprache geschriebenes Programm in die Maschinensprache übersetzt.
assembler language, assembly language
Machine-oriented, symbolic programming language.
Assemblersprache f
Maschinenorientierte, symbolische Programmiersprache.
assembly

Baugruppe *f*, Montage *f*
assembly phase
Assemblierphase *f*
assembly robot, assembling robot
Montageroboter *m*
assembly technique
Montagetechnik *f*
assembly test
Baugruppenprüfung *f*
assembly time
Assemblierzeit *f*
assembly under test
Baugruppe in der Prüfung *f*
assertion
Behauptung *f*
assigned GO-TO statement [FORTRAN]
Anweisung für gesetzten Sprung *f* [FORTRAN]
associative storage, content-addressable memory (CAM)
Storage device whose storage locations are identified by their contents rather than by their names or positions.
Assoziativspeicher *m*, inhaltsadressierbarer Speicher *m* (CAM)
Speicher, dessen Speicherelemente durch Angabe ihres Inhaltes aufrufbar sind und nicht durch ihre Namen oder Lagen.
assumed decimal point
Rechendezimalpunkt *m*, Rechenkomma *n*
astable multivibrator, astable multivibrator circuit [without stable state]
astabiler Multivibrator *m*, astabile Kippschaltung *f* [ohne stabilen Zustand]
asterisk
Stern *m*
ASTTL technology, AS technology (advanced Schottky TTL technology) [an improved bipolar technology]
ASTTL-Technik *f*, AS-Technik *f* [verbesserte Bipolartechnik]
asynchronous [without rigid timing or with own clock]
asynchron [nicht zeitgebunden bzw. mit eigenem Takt arbeitend]
asynchronous counter
Asynchronzähler *m*, asynchroner Zähler *m*
asynchronous mode
asynchrone Betriebsart *f*
asynchronous operation
asynchrone Arbeitsweise *f*
asynchronous serial interface
asynchrone serielle Schnittstelle *f*
asynchronous transmission
Asynchronübertragung *f*
AT architecture [80286 processor with 16-bit data bus (ISA bus)]
AT-Architektur *f* [80286-Prozessor mit 16-Bit-Datenbus (ISA-Bus)]

AT command set [Hayes command set for modems]
AT-Befehlssatz *m* [Hayes-Befehlssatz für Modem]
AT-compatible computer
AT-kompatibler Rechner *m*
AT computer, PC AT computer (Advanced Technology) [further development of the IBM PC based on Intel 80286 processor and 16-bit address bus]
AT-Rechner *m*, AT-PC *m* [weiterentwickelter IBM PC mit 80286 Prozessor und 16-Bit-Adreßbus]
AT/IDE controller, IDE controller (Integrated Drive Electronics) [controller integrated in drive]
AT/IDE-Controller *m*, IDE-Controller *m* [im Festplattenlaufwerk integrierter Controller]
ATE, automatic test equipment
ATE, automatische Testeinrichtung *f*, automatische Prüfeinrichtung *f*
ATS, automatic test system
automatisches Prüfsystem *n*
attach, to; fit, to
anbauen
attenuation [decrease of a signal or of an oscillation with time or with distance]
Dämpfung *f* [Abschwächung eines Signales oder einer Schwingung mit der Zeit oder mit der Entfernung]
attenuation coefficient, attenuation ratio [logarithmic ratio of two currents, voltages or powers, expressed in dB]
Dämpfungsmaß *n* [logarithmisches Verhältnis zweier Ströme, Spannungen oder Leistungen, ausgedrückt in dB]
attenuation constant [attenuation per unit length]
Dämpfungsbelag *m* [Dämpfung pro Längeneinheit]
attenuation-frequency characteristic [attenuation as a function of frequency]
Dämpfungsgang *m* [Frequenzverlauf der Dämpfung]
attenuation range
Dämpfungsbereich *m*
attenuator
Dämpfungsglied *n*, Abschwächer *m*
attribute [descriptor containing the characteristics of an object]
Attribut *n* [Deskriptor, der die Eigenschaften eines Objektes beinhaltet]
audible alarm
akustischer Alarm *m*, akustische Alarmanzeige *f*
audible signal
Tonsignal *n*
audio amplifier
Tonfrequenzverstärker *m*

audio cassette
   Tonbandkassette *f*
audio frequency
   Tonfrequenz *f*
augmented matrix
   erweiterte Matrix *f*
authorization, access authorization
   Zugriffsberechtigung *f*
authorized access
   berechtigter Zugriff *m*
AutoCAD [a CAD program developed for DOS]
   AutoCAD [ein für DOS entwickeltes CAD-
   Programm]
autoload, automatic loading [magnetic tape
   units]
   automatisches Laden *n* [Magnetbandgeräte]
automatic adjustment
   automatischer Abgleich *m*
automatic assembly machine [e.g. for
   components on printed circuit boards]
   Montageautomat *m* [z.B. für Bauelemente
   auf Leiterplatten]
automatic changeover
   automatische Umschaltung *f*
automatic character recognition (ACR)
   automatische Zeichenerkennung *f*
automatic check, hardware check, machine
   check
   automatische Geräteprüfung *f*,
   eräteselbstprüfung *f*
automatic component insertion equipment
   [for components]
   Bestückungsautomat *m* [für Bauteile]
automatic control
   automatische Steuerung *f*
automatic control system, control system,
   feedback control system
   Regelsystem *n*
automatic error correction
   automatische Fehlerkorrektur *f*
automatic error detection
   automatische Fehlererkennung *f*
automatic feed [printers]
   automatischer Vorschub *m* [Drucker]
automatic frequency control (AFC) [in
   transmission systems]
   automatische Frequenzregelung *f* (AFR)
   [bei Übertragungssystemen]
automatic gain control (AGC) [in transmission
   systems]
   automatische Verstärkungsregelung *f*
   (AVR) [bei Übertragungssystemen]
automatic head parking [hard disks]
   automatisches Kopfparken *n*, Autoparking
   n [Festplatten]
automatic hyphenation
   automatische Silbentrennung *f*,
   automatisches Trennen *n*
automatic loading, autoload [magnetic tape

units]
   automatisches Laden *n* [Magnetbandgeräte]
automatic log-on
   automatische Anmeldung *f*
automatic mode
   automatischer Modus *m*, Automatikbetrieb
automatic pagination
   automatische Seitennumerierung *f*
automatic request, ARQ method [transmission
   with automatic repetition of binary digits]
   ARQ-Verfahren *n* [Übertagungsverfahren mit
   automatischer Wiederholung von Binärzeichen]
automatic riveting machine [for component
   assembly]
   Nietautomat *m* [für Bauteilmontage]
automatic sequencing [instructions]
   automatische Abarbeitung *f* [Befehle]
automatic spelling error correction
   automatische
   Orthographiefehlerkorrektur *f*,
   automatische Rechtschreibfehlerkorrektur *f*
automatic test equipment (ATE)
   automatische Prüfeinrichtung *f* (ATE)
automatic test system (ATS)
   automatisches Prüfsystem *n*
automatic threading, auto-threading [magnetic
   tape units]
   automatische Einfädelung *f*
   [Magnetbandgeräte]
automatically programmed tools (APT)
   [programming language for numerically
   controlled machine tools]
   APT [Programmiersprache für numerisch
   gesteuerte Werkzeugmaschinen]
automation
   Automatisierung *f*
automaton
   Automat *m*
autonomous operation
   autonomer Betrieb *m*
auxiliary carry bit
   Hilfsübertragsbit *n*
auxiliary carry flag
   Hilfsübertragsmerker *m*, Hilfsübertrags-
   Flag *n*
auxiliary computer
   Zusatzrechner *m*
auxiliary equipment, optional equipment,
   option
   Zusatzeinrichtung *f*
auxiliary storage, secondary storage [storage
   external to the main storage]
   Zusatzspeicher *m*, Ergänzungsspeicher *m*
   [Speicher außerhalb des Hauptspeichers]
availability
   Verfügbarkeit *f*
available machine time, useful time, operable
   time
   nutzbare Maschinenzeit *f*, Nutzzeit *f*

available time, up-time
  verfügbare Betriebszeit f
avalanche breakdown [breakdown due to an
  avalanche-like increase in charge carriers in a
  semiconductor due to ionization]
  Lawinendurchbruch m [Durchbruch, der
  durch eine lawinenartige Zunahme von
  Ladungsträgern in einem Halbleiter infolge von
  Ionisation verursacht wird]
avalanche breakdown current
  Lawinendurchbruchstrom m
avalanche breakdown voltage
  Lawinendurchbruchspannung f
avalanche decay
  Lawinenabfall m
avalanche diode [diode utilizing the avalanche
  effect; is used, like the Zener diode, which is
  based on a similar effect (the Zener effect), for
  obtaining a stable reference voltage and is
  hence often also called Zener diode]
  Lawinendiode f [Diode, die den Lawineneffekt
  nutzt; wird, wie die Zenerdiode, die einen
  ähnlichen Effekt (den Zenereffekt) nutzt, für
  die Erzeugung einer stabilen Bezugsspannung
  verwendet und deshalb auch oft Zenerdiode
  genannt]
avalanche effect
  Avalanche-like increase of charge carriers due
  to impact ionization with subsequent
  breakdown. This is reversible as long as no
  thermal damage occurs. The avalanche effect is
  utilized in several semiconductor devices:
  avalanche diode, Zener diode, photodiode, etc.
  Lawineneffekt m
  Lawinenartige Vervielfachung von
  Ladungsträgern durch Stoßionisation. Der
  anschließende Durchbruch ist reversibel,
  solange keine thermischen Schäden auftreten.
  Der Lawineneffekt wird in verschiedenen
  Halbleiterbauteilen genutzt: Lawinendiode, Z-
  bzw. Zenerdiode, Photodiode usw.
avalanche photodiode (APD)
  Lawinenphotodiode f
avalanche transistor
  Lawinentransistor m
average access time
  mittlere Zugriffszeit f
average noise factor
  mittlerer Rauschfaktor m
average noise figure
  mittlere Rauschzahl f
average sample number (ASN) [average
  number of sample units inspected per lot]
  durchschnittlicher Stichprobenumfang m
  [mittlere Anzahl Prüflinge, die pro Los geprüft
  werden]
avionics
  Luftfahrtelektronik f

B

B-tree [binary search tree]
  B-Baum *m*, Binärbaum *m* [binärer Suchbaum]
B+-tree [extended B-tree]
  B+-Baum *m* [Erweiterung des B-Baumes]
back diffusion
  Rückdiffusion *f*
back injection
  Rückinjektion *f*
back reference
  Rückverweis *m*
back scattering
  Rückstreuung *f*
back-end processor
  Nachschaltrechner *m*, Backend-Rechner *m*
background [area behind the active window]
  Hintergrund *m* [Bereich hinter dem aktiven
  Fenster]
background image, static image
  Hintergrund *m*, Hintergrundbild *n*, statisches
  Bild *n*
background lighting [liquid crystal display]
  Hintergrundbeleuchtung *f*
  [Flüssigkristallanzeige]
background noise
  Hintergrundrauschen *n*
background processing
  Hintergrundverarbeitung *f*
background program [a program that places
  relatively low requirements with respect to
  response time, e.g. printer program; in contrast
  to a foreground program that places high
  requirements, e.g. text input in dialog mode]
  Hintergrundprogramm *n* [ein Programm,
  das relativ niedrige Anforderungen an den
  zeitlichen Ablauf stellt, z.B. ein
  Druckprogramm; im Gegensatz zum
  Vordergrundprogramm, das hohe
  Anforderungen stellt, z.B. die Texteingabe im
  Dialogbetrieb]
backlog
  Rückstand *m*
backplane [printed circuit board containing all
  wiring connections (e.g. bus lines) for all
  functional modules (printed circuit boards) of a
  microprocessor system]
  Rückwandplatine *f*, Verdrahtungsplatine *f*,
  Backplane *f* [Leiterplatte, die sämtliche
  Verdrahtungen (z.B. Busleitungen) aller
  Funktionsteile (Leiterplatten) eines
  Mikroprozessorsystems enthält]
backspace (BS)
  Rückwärtsschritt *m*
backspace character
  Rückwärtsschrittzeichen *n*
backspace key

Rücktaste *f*
backtracking
  Rückverfolgung *f*
backup, to
  sichern
backup copy [e.g. of a floppy disk]
  Sicherungskopie *f* [z.B. einer Diskette]
backup cycle [data storage]
  Sicherungszyklus *m* [Datenspeicherung]
backup disk [disk storage]
  Datensicherungsplatte *f* [Plattenspeicher]
backup file
  Sicherungsdatei *f*
backup frequency [data storage]
  Sicherungshäufigkeit *f* [Datenspeicherung]
Backus-Naur-Form (BNF) [formal notation for
  describing the syntax of a programming
  language]
  Backus-Naur-Form *f* (BNF) [formale
  Notation zur Beschreibung der Syntax einer
  Programmiersprache]
backward chaining
  Rückwärtsverkettung *f*
backward diode
  Rückwärtsdiode *f*
bad block list [for hard disks]
  Liste der fehlerhaften Blöcke *f* [für
  Festplatten]
bad sector [magnetic medium]
  defekter Sektor *m* [Magnetspeicher]
bad spot [of a magnetic tape]
  Bandfehlstelle *f* [eines Magnetbandes]
baking
  Einbrennen *n*
balance, to; align, to; tune, to
  abgleichen
balanced, aligned, tuned
  abgeglichen
balanced amplifier, symmetrical amplifier
  symmetrischer Verstärker *m*
balanced circuit, symmetrical circuit
  symmetrische Schaltung *f*
balanced output, symmetrical output
  symmetrischer Ausgang *m*
balanced to ground
  symmetrisch gegen Masse
banana plug
  Bananenstecker *m*
band, energy-band [semiconductor technology]
  Energy-band in the band diagram representing
  closely adjacent energy levels in the
  semiconductor crystal which can be occupied by
  electrons. Important energy-bands in
  semiconductors are the conduction band and
  the valence band as well as the forbidden band
  (energy gap) separating the conduction from
  the valence band.
  Band *n*, Energieband *n* [Halbleitertechnik]
  Energieband im Bändermodell, das dicht

beieinanderliegende Energieniveaus im Halbleiterkristall darstellt, die von Elektronen besetzt werden können. Von Bedeutung beim Halbleiter sind das Leitungsband und das Valenzband sowie das dazwischenliegende verbotene Band bzw. die Energielücke.

band edge, energy-band edge [semiconductor technology]
In the energy-band diagram, the highest possible energy state of an energy-band.
Bandkante *f,* Energiebandkante *f* [Halbleitertechnik]
In der Darstellung des Bändermodells der höchstmögliche Energiezustand eines Energiebandes.

band-elimination filter
Bandsperrfilter *n*

band-gap, energy gap [semiconductor technology]
In the energy-band diagram, the distance separating the conduction band from the valence band which represents energy levels that cannot be occupied by electrons.
Bandabstand *m,* Energiebandabstand *m,* Energielücke *f* Bandlücke *f* [Halbleitertechnik]
In der Darstellung des Bändermodells der Abstand zwischen Leitungsband und Valenzband, der Energieniveaus im Halbleiterkristall bezeichnet, die von Elektronen nicht besetzt werden können.

band-pass filter
Bandpaßfilter *n*

bandwidth [e.g. of an amplifier circuit: the frequency range in which the output signal amplitude (with constant input signal amplitude) does not fall more than a certain amount (e.g. 3 dB) compared with the reference amplitude; i.e. the difference between the upper and the lower cut-off frequencies, usually defined as -3 dB points]
Bandbreite *f* [z.B. einer Verstärkerschaltung: Frequenzbereich, in dem die Ausgangssignalamplitude (bei konstanter Eingangssignalamplitude) um nicht mehr als einen bestimmten Betrag (z.B. 3 dB) gegenüber der Bezugsamplitude abfällt; d.h. die Differenz zwischen der oberen und der unteren Grenzfrequenz, meistens als -3-dB-Punkte definiert]

bar chart
Balkendiagramm *n,* Säulendiagramm *n*

bar code
Strichcode *m*

bar code scanner
Strichcode-Scanner *m,* Strichcode-Abtaster

bar graphics
Balkengraphik *f,* Säulengraphik *f*

BARITT diode (barrier injected transit time diode) [microwave semiconductor device]

BARITT-Diode *f,* Sperrschicht-Injektions-Laufzeitdiode *f* [Halbleiterbauelement für den Mikrowellenbereich]

barrel distortion [screen]
Tonnenverzerrung *f* [Bildschirm]

base, base number [the radix or base of a number system; any number can be represented as the sum of multiples of powers of a base, e.g. the number 7 to the base 2 (binary system) is equal to $1 \times 2^2 + 1 \times 2^1 + 1 \times 2^0 = 111$]
Basis *f,* Basiszahl *f* [Grundzahl eines Zahlensystems; jede beliebige Zahl kann als Summe von Vielfachen der Potenzen einer Basiszahl dargestellt werden; z.B. die Zahl 7 zur Basis 2 (Binärsystem) ist gleich $1 \times 2^2 + 1 \times 2^1 + 1 \times 2^0 = 111$]

base [bipolar transistors]
The region of the bipolar transistor between emitter and collector.
Basis *f* [Bipolartransistoren]
Der Bereich des Bipolartransistors, der zwischen Emitter und Kollektor liegt.

base address [forms together with the displacement address the absolute address, i.e. the permanent address of a storage location]
Basisadresse *f,* Grundadresse *f,* Bezugsadresse *f* [bildet zusammen mit der Distanzadresse die absolute Adresse, d.h. die permanente Adresse eines Speicherplatzes]

base bias
Basisvorspannung *f*

base class, superclass [in object oriented programming: the top class in a hierarchy of classes, in contrast to derived class]
Basisklasse *f,* Superklasse *f* [bei der objektorientierten Programmierung: die oberste Klasse in einer Hierarchie, im Gegensatz zur abgeleiteten Klasse]

base current
Basisstrom *m*

base diffusion isolation technology, BDI technology
Technique for achieving electrical isolation in bipolar integrated circuits.
Isolation durch Basisdiffusion *f,* Basisdiffusionsisolation *f,* BDI-Technik *f* Isolationsverfahren für integrierte Bipolarschaltungen.

base diffusion step
Diffusion of the base region in bipolar component or bipolar integrated circuit fabrication.
Basisdiffusion *f*
Diffusion des Basisbereiches bei der Fertigung von bipolaren Bauelementen oder bipolaren integrierten Schaltungen.

base doping
Doping of the base region in bipolar component or integrated circuit fabrication.

Basisdotierung *f*
Dotierung des Basisbereichs bei der Fertigung
von bipolaren Bauelementen oder integrierten
Schaltungen.
base electrode
　Basiselektrode *f*
base-emitter bias
　Basis-Emitter-Vorspannung *f*
base-emitter capacitance
　Basis-Emitter-Kapazität *f*
base-emitter diode, base-emitter junction
A pn- (or an np-) junction between base and
emitter region of the bipolar transistor. In
bipolar integrated circuits, the diode formed by
the base-emitter junction.
　Basis-Emitter-Diode *f*
Ein PN- (bzw. ein NP-) Übergang zwischen
Basis- und Emitterzone des Bipolartransistors.
Bei bipolar integrierten Schaltungen die Diode,
die aus dem Basis-Emitter-Übergang gebildet
wird.
base-emitter saturation voltage
　Basis-Emitter-Sättigungsspannung *f*
base-emitter signal
　Basis-Emitter-Signal *n*
base-emitter voltage
　Basis-Emitter-Spannung *f*
base-emitter voltage drop
　Basis-Emitter-Spannungsabfall *m*
base excess current
　Basisüberschußstrom *m*
base impedance
　Basisimpedanz *f*
base material [printed circuit boards]
　Basismaterial *n* [Leiterplatten]
base number, base [radix or base number of a
number system; any number can be
represented as the sum of multiples of powers
of a base, e.g. the number 7 to the base 2
(binary system) is equal to $1 \times 2^2 + 1 \times 2^1 + 1 \times 2^0 = 111$]
　Basiszahl *f*, Basis *f* [Grundzahl eines
Zahlensystems; jede beliebige Zahl kann als
Summe von Vielfachen der Potenzen einer
Basiszahl dargestellt werden, z.B. die Zahl 7
zur Basis 2 (Binärsystem) ist gleich $1 \times 2^2 + 1 \times 2^1 + 1 \times 2^0 = 111$]
base peak current
　Basisspitzenstrom *m*
base peak voltage
　Basisspitzenspannung *f*
base region
　Basisbereich *m*, Basiszone *f*
base resistance
　Basiswiderstand *m*
base-sheet resistance
　Basisflächenwiderstand *m*
base signal
　Basissignal *n*

base-spreading resistance
　Basisausbreitungswiderstand *m*
base terminal, base contact
　Basisanschluß *m*, Basiskontakt *m*
base time constant
　Basiszeitkonstante *f*
base voltage
　Basisspannung *f*
BASIC (beginner's all-purpose symbolic
instruction code) [problem-oriented
programming language; since it is easily
learned, it is widely used for programming
microcomputers]
　BASIC [problemorientierte
Programmiersprache; wegen ihrer leichten
Erlernbarkeit ist sie eine weitverbreitete
Programmiersprache für Mikrocomputer]
basic arithmetic operation [addition,
subtraction, multiplication and division]
　Grundrechenart *f* [Addition, Subtraktion,
Multiplikation und Division]
basic circuit, schematic circuit diagram
　Prinzipschaltung *f*, Prinzipschaltbild *n*
basic computation operation, basic arithmetic
operation
　Grundrechenart *f*
basic data file
　Grunddatei *f*
basic format
　Grundformat *n*
basic logic function, logic gate
A basic logic function is a logic operation which
combines two or more input signals into one
output signal. Basic logic operations are: AND
(= conjunction), EXCLUSIVE-OR (= non-
equivalence), INCLUSIVE-OR (= disjunction),
NOT (= negation), NAND (= non-conjunction or
Sheffer function), NOR (= non-disjunction or
Peirce function), IF-AND-ONLY-IF (=
equivalence), IF-THEN (= implication) and
NOT-IF-THEN (= exclusion).
　logische Verknüpfung *f*, Verknüpfungsglied *n*
Eine logische Verknüpfung führt eine logische
Operation aus, d.h. sie verknüpft zwei oder
mehr Eingangssignale zu einem
Ausgangssignal. Es gibt Verknüpfungen für die
logischen Operationen UND (=Konjunktion),
exklusives ODER (= Antivalenz), inklusives
ODER (= Disjunktion), NICHT (= Negation),
NAND (= Sheffer-Funktion), NOR (= Peirce-
Funktion), Äquivalenz, Implikation und
Inhibition.
basic operation
　Grundoperation *f*
basic software [e.g. operating system, utility
programs and a selection of general-purpose
application programs]
　Basissoftware *f* [z.B. Betriebssystem,
Dienstprogramme und eine Auswahl

allgemeiner Anwenderprogramme]
basic statement
   Grundanweisung f
basic symbol
   Grundsymbol n
basic transistor configuration
   Circuit connection of a transistor in which one
   of the three terminals (base, emitter, collector
   in a bipolar transistor or gate, source, drain in
   a field-effect transistor) is the common
   reference electrode for the input and output.
   Transistorgrundschaltung f
   Schaltungsart eines Transistors, bei dem
   jeweils einer der drei Anschlüsse (Basis,
   Emitter, Kollektor beim Bipolartransistor bzw.
   Gate, Source, Drain beim Feldeffekttransistor)
   die gemeinsame Bezugselektrode für den
   Eingang und Ausgang ist.
basic utility [selected utility program]
   Basisdienstprogramm n [ausgewähltes
   Dienstprogramm]
batch
   Schub m, Stapel m
batch file
   Batch-Datei f
batch of data, data batch
   Datenstapel m
batch procedure [recurring command sequence
   in DOS]
   Batch-Prozedur f [wiederkehrende
   Kommandofolge in DOS]
batch processing, batch mode [processing of
   jobs collected in batches; in contrast to real-
   time processing]
   Stapelverarbeitung f, Stapelbetrieb m
   [schubweise Verarbeitung von gesammelten
   Aufträgen; im Gegensatz zur
   Echtzeitverarbeitung]
batch program
   Programm für Stapelbetrieb m
bathtub curve [curve of failure rate as a
   function of time; life curve with early failures
   and wear-out failures]
   Badewannenkurve f [Verlauf der
   Ausfallhäufigkeit in Funktion der Zeit;
   Lebensdauerkurve mit Früh- und
   Verschleißausfällen]
battery operated
   batteriebetrieben
baud [transmission speed; in the case of binary
   transmission = bit/s]
   Baud n [Übertragungsgeschwindigkeit; bei
   binärer Übertragung = Bit/s]
baud rate [transmission speed in bauds]
   Baudrate f [Übertragungsgeschwindigkeit in
   baud]
baud rate generator [used in data
   communications]
   Baudratengenerator m [wird bei der

Datenübertragung verwendet]
Baudot code, CCITT code [international
   telegraph code]
   Baudot-Code m, CCITT-Code m
   [internationaler Fernschreibcode]
Bayesian statistics [probability]
   Bayessche Statistik f
   [Wahrscheinlichkeitsrechnung]
BBD (Bucket Brigade Device) [integrated circuit
   charge-transfer device in MOS structure]
   BBD-Schaltung f, Eimerkettenschaltung f
   [integrierte Ladungstransferschaltung in MOS-
   Struktur]
BBS (Bulletin Board System) [electronic mailbox
   system]
   BBS-System n [ein System für die
   Übermittlung elektronischer Post]
BCCD (buried channel charge-coupled device)
   BCCD, ladungsgekoppelte Schaltung mit
   vergrabenem Kanal f
BCD, binary coded decimals [representation of
   each digit of a decimal number by a group of
   four binary digits (=tetrade], e.g. the digit 7 by
   0111]
   BCD, Binärcode für Dezimalziffern m, binär
   codierte Dezimalziffern $f.pl.$ [Darstellung jeder
   Ziffer einer Dezimalzahl durch eine Gruppe von
   vier Binärzeichen (=Tetrade], z.B. die Ziffer 7
   durch 0111]
BCD code
   BCD-Code m
BDI technology (base-diffusion isolation
   technology)
   Technique for achieving electrical isolation in
   bipolar integrated circuits.
   BDI-Technik f, Isolation durch Basisdiffusion
   f, Basisdiffusionsisolation f
   Isolationsverfahren für integrierte
   Bipolarschaltungen.
beam storage
   Strahlspeicher m
beam-lead technology
   Bonding technique used for semiconductor
   devices and integrated circuits. The pattern of
   the beams leading to the bonding pads on the
   chip are formed on the chip surface during
   wafer processing. The beams extend over the
   edge of the chip after separation from the wafer
   by chemical etching.
   Stegetechnik f, Beam-Lead-Technik f
   Kontaktierungstechnik für Halbleiterbauteile
   und integrierte Schaltungen. Das Muster für
   die Zuführungen zu den Kontaktflecken auf
   dem Chip wird während der Bearbeitung des
   Wafers direkt auf der Chipoberfläche erzeugt.
   Die Stege (beam-leads) ragen nach Zerlegung
   des Wafers durch chemisches Ätzen über den
   Rand des Chips hinaus.
beginning-of-tape mark, beginning-of-tape

marker (BOT) [of a magnetic tape]
Bandanfangsmarke *f* [eines Magnetbandes]
belting equipment [for coaxial lead and radial
lead components]
Gurtungseinrichtung *f* [für axiale und
radiale Bauelemente]
benchmark (BM) [evaluation point of a
benchmark program]
Vergleichspunkt *m* [Bewertungspunkt eines
Benchmark-Programmes]
benchmark program, benchmark routine
[program to evaluate the performance of
different computers]
Bewertungsprogramm *n*, Benchmark-
Programm *n* [Programm zur Bewertung der
Leistungsfähigkeit verschiedener Rechner]
benchmark run [running a benchmark program
for evaluating the performance of a computer]
Vergleichslauf *m*, Benchmark-Lauf *m* [Lauf
eines Bewertungsprogrammes (Benchmark-
Programm) zwecks Bewertung der
Leistungsfähigkeit eines Rechners]
benchmark test
Vergleichsverfahren *n*, Benchmark-
Verfahren *n*
benchtop unit
Tischgerät *n*
BER (bit error rate) [ratio of incorrect bits
received to the number transmitted]
Bitfehlerhäufigkeit *f*, Bitfehlerrate *f*
[Verhältnis der empfangenen verfälschten Bits
zur Anzahl der gesendeten Bits]
Bernouilli disk [exchangeable hard disk]
Bernouilli-Platte *f* [auswechselbare
Festplatte]
BERT (Bit Error Rate Test)
BERT [Bitfehlerhäufigkeits-Prüfung]
best-fit method [for memory allocation]
bestpassende Methode *f* [für
Speicherzuordnung]
beta version [test version of program before
final release]
Betaversion *f* [Testversion eines Programmes
vor der endgültigen Herausgabe]
BFL device (buffered FET logic)
Integrated circuit family based on gallium
arsenide D-MESFETs.
BFL, gepufferte FET-Logik *f*
Integrierte Schaltungsfamilie, die mit
Galliumarsenid-D-MESFETs realisiert ist.
BH laser (buried-heterostructure laser)
[semiconductor laser]
BH-Laser *m* [Halbleiterlaser]
bias compensation
Vorspannungskompensation *f*
bias driver
Vorspannungtreiberstufe *f*
bias stabilization
Vorspannungsstabilisierung *f*

bias voltage
Vorspannung *f*
biasing circuit
Vorspannungsschaltung *f*
BiCMOS technology, bipolar CMOS technology
Integrated circuit technology combining bipolar
transistors and CMOS field-effect transistors
on a single chip.
BiCMOS-Technik *f*, bipolare CMOS-Technik *f*
Integrierte Schaltungstechnik, bei der
Bipolartransistoren und CMOS-
Feldeffekttransistoren auf dem gleichen Chip
hergestellt werden.
bidirectional counter, up-down counter
**Zähler für Vorwärts- und
Rückwärtszählung** *m*, Zweirichtungszähler
bidirectional data bus
Zweiwegdatenbus *m*
bidirectional diode
Zweirichtungsdiode *f*
bidirectional flow
Fluß in wechselnder Richtung *m*
bidirectional gate
Umschaltegatter *m*
bidirectional printing [matrix printers]
bidirektionaler Druck *m* [Nadeldrucker]
bidirectional pulse train, bidirectional pulses
**Impulsfolge aus positiven und negativen
Impulsen** *f*
bidirectional shift register
Vorwärts-Rückwärts-Schieberegister *n*
bidirectional transistor
bidirektionaler Transistor *m*,
Zweirichtungstransistor *m*
BiFET technology (bipolar FET technology)
Integrated circuit technology combining bipolar
transistors and junction-type field-effect
transistors on a single chip. Mainly used in
analog integrated circuit fabrication (e.g. for
operational amplifiers).
BiFET-Technik *f*, bipolare FET-Technik *f*
Integrierte Schaltungstechnik, bei der
Bipolartransistoren und Sperrschicht-
Feldeffekttransistoren auf einem Chip
kombiniert sind. Sie wird vorwiegend für die
Herstellung von integrierten
Analogschaltungen (z.B. von
Operationsverstärkern) eingesetzt.
BIGFET technology (bipolar insulated-gate
field-effect transistor)
Integrated circuit technology integrating
bipolar transistors and insulated-gate field-
effect transistors in such a way that the base of
the bipolar transistor and the drain of the
IGFET form a common zone.
BIGFET-Technik *f*, bipolare Isolierschicht-
Feldeffekttransistor-Technik *f*
Integrierte Schaltungstechnik, bei der
Bipolartransistoren und Isolierschicht-

Feldeffekttransistoren so integriert werden,
daß die Basis des Bipolartransistors und das
Drain des IGFET eine gemeinsame Zone
bilden.
bilateral Shockley diode, diac
Zweirichtungsthyristordiode *f,* Diac *m*
bilateral thyristor, bilateral SCR, triac
Semiconductor component with two parallel,
back-to-back thyristor structures that can
switch current in both directions.
Zweirichtungsthyristor *m,* Triac *m*
Halbleiterbauelement mit zwei parallelen und
entgegengesetzt orientierten
Thyristorstrukturen, das Ströme in beiden
Richtungen schalten kann.
bimetal switch, thermal switch
Bimetallschalter *m,* Thermoschalter *m*
BiMOS technology (bipolar MOS technology)
Integrated circuit technology combining bipolar
transistors and MOS field-effect transistors on
a single chip.
BiMOS-Technik *f,* bipolare MOS-Technik *f*
Integrierte Schaltungstechnik, bei der eine
Kombination von Bipolartransistoren und
MOS-Feldeffekttransistoren auf dem gleichen
Chip verwendet wird.
binary [with two possible values, e.g. 0 and 1]
binär [mit zwei möglichen Werten, z.B. 0 und
1]
binary adder
Binäraddierer *m*
binary arithmetic
Binärarithmetik *f*
binary cell [a storage cell that can hold one
binary character]
binäre Speicherzelle *f,* Binärzelle *f* [eine
Speicherzelle, die ein Binärzeichen enthalten
kann]
binary circuit
Binärschaltung *f*
binary code [uses only two characters for
representing the notions to be coded]
Binärcode *m,* binärer Code *m* [verwendet nur
zwei Zeichen für die Darstellung der zu
codierenden Begriffe]
binary coded address
binär codierte Adresse *f*
binary coded data
binär codierte Daten *n.pl.*
binary coded decimal representation (BCD
representation) [representation of each digit of
a decimal number by a group of four binary
digits, e.g. the digit 7 by 0111]
binär codierte Dezimaldarstellung *f* (BCD-
Darstellung) [Darstellung jeder Ziffer einer
Dezimalzahl durch eine Gruppe von vier
Binärzeichen (=Tetrade), z.B. die Ziffer 7 durch
0111]
binary coded decimals (BCD)

Binärcode für Dezimalziffern *m,* binär
codierte Dezimalziffern *f.pl.*
binary coding
Binärcodierung *f*
binary complement, twos-complement [one
possible type of representation of negative
binary numbers; the negative number is
obtained by changing all zeroes into ones, all
ones into zeroes, and adding a one to the
position having the lowest value]
binäres Komplement *n,* Zweierkomplement *n*
[eine der möglichen Darstellungsformen für
negative Binärzahlen; die negative Zahl
entsteht durch Ändern aller Nullen in Einsen,
aller Einsen in Nullen und Addition einer Eins
an der niederwertigsten Stelle]
binary compound semiconductor
Semiconductor consisting of two elements, e.g.
gallium arsenide.
Zweistoffverbindungshalbleiter *m*
Halbleiter, der aus zwei Elementen besteht,
z.B. Galliumarsenid.
binary counter [counts by two]
Dualzähler *m,* Binärzähler *m* [zählt auf
Dualbasis]
binary digit, bit [the smallest single character in
a binary number, i.e. 0 or 1]
Dualziffer *f,* Bit *n,* Binärzeichen *n* [die
kleinste Darstellungseinheit in einer
Binärzahl, d.h. 0 oder 1]
binary divider
Binärteiler *m*
binary-error correcting code
binärer Fehlerkorrekturcode *m*
binary-error detecting code
binärer Fehlererkennungscode *m*
binary file
Binärdatei *f*
binary function
Dualfunktion *f,* Binärfunktion *f*
binary input
Binäreingabe *f*
binary integer [number systems]
ganze Binärzahl *f,* binäre ganze Zahl *f,* ganze
Dualzahl *f* [Zahlensysteme]
binary inverter
Binärinverter *m*
binary loader
Binärlader *m*
binary notation
Binärschreibweise *f*
binary number
Binärzahl *f,* binäre Zahl *f*
binary number system [number system with
the basis 2]
Dualsystem *n,* Binärsystem *n,* duales System
n [Zahlensystem mit der Basis 2]
binary operation
Binäroperation *f*

binary recording mode [for storages]
  binäres Schreibverfahren n [bei Speichern]
binary representation
  Binärdarstellung f, binäre Darstellung f
binary ROM, binary read-only memory
  binärer ROM m, binärer Festwertspeicher m
binary search, dichotomizing search [search in
  an ordered table by repeated partitioning in
  two equal parts, rejecting one and continuing
  the search in the other]
  binäres Suchen n, eliminierendes Suchen n
  [Suchen in einer geordneten Tabelle in jeweils
  halbierten Bereichen, wobei der eine Bereich
  ausgeschieden und im anderen weitergesucht
  wird]
binary search algorithm
  Binärsuchalgorithmus m
binary sequence
  Binärfolge f
binary shift register
  binäres Schieberegister n
binary signal [a signal with two levels, e.g. 0
  and 1]
  Binärsignal n [ein Signal mit zwei Pegeln,
  z.B. 0 und 1]
binary stage
  Binärstufe f
binary synchronous communications (bisync,
  BSC) [protocol for synchronous byte-serial data
  transmission]
  binär-synchrone Datenübertragung f
  [Protokoll für synchrone byteserielle
  Datenübertragung]
binary system [number or code system using
  only two characters for representing all notions,
  numbers, etc.]
  Binärsystem n [Zahlen- oder Codesystem, das
  für die Darstellung aller Begriffe, Zahlen usw.
  nur zwei Zeichen verwendet]
binary-to-analog converter
  Binär-Analog-Umsetzer m
binary-to-BCD converter
  Binär-BCD-Umsetzer m
binary-to-decimal converter
  Binär-Dezimal-Umsetzer m
binary tree representation
  Binärbaumdarstellung f
binary variable
  binärer Variable f
binding force [e.g. between atoms]
  Bindungskraft f [z.B. zwischen Atomen]
BIOS (Basic Input-Output System) [part of
  operating system]
  BIOS n, Ein-Ausgabe-Teil m [Teil des
  Betriebssystems]
bipolar circuit
  bipolare Schaltung f
bipolar CMOS technology, BiCMOS
  technology

Integrated circuit technology combining bipolar
transistors and CMOS field-effect transistors
on a single chip.
  bipolare CMOS-Technik f, BiCMOS-Technik
Integrierte Schaltungstechnik, bei der
Bipolartransistoren und CMOS-
Feldeffekttransistoren auf dem gleichen Chip
hergestellt werden.
bipolar device
Semiconductor device in which both electrons
and holes contribute to current flow.
  bipolares Bauteil n
Halbleiterbauteil, in dem sowohl Elektronen
als auch Defektelektronen (Löcher) zum
Stromfluß beitragen.
bipolar FET technology, BiFET technology
Integrated circuit technology combining bipolar
transistors and junction-type field-effect
transistors on a single chip. Mainly used in
analog integrated circuit fabrication (e.g. for
operational amplifiers).
  bipolare FET-Technik f, BiFET-Technik f
Integrierte Schaltungstechnik, bei der
Bipolartransistoren und Sperrschicht-
Feldeffekttransistoren auf einem Chip
kombiniert sind. Sie wird vorwiegend für die
Herstellung von integrierten
Analogschaltungen (z.B. von
Operationsverstärkern) eingesetzt.
**bipolar insulated-gate field-effect transistor
technology,** BIGFET technology
Integrated circuit technology integrating
bipolar transistors and insulated-gate field-
effect transistors in such a way that the base of
the bipolar transistor and the drain of the
IGFET form a common zone.
  **bipolare Isolierschicht-
Feldeffekttransistor-Technik** f, BIGFET-
Technik f
Integrierte Schaltungstechnik, bei der
Bipolartransistoren und Isolierschicht-
Feldeffekttransistoren so integriert werden,
daß die Basis des Bipolartransistors und das
Drain des IGFET eine gemeinsame Zone
bilden.
bipolar integrated circuit
  bipolare integrierte Schaltung f
bipolar junction transistor (BJT)
  bipolarer Sperrschichttransistor m (BJT)
bipolar memory
  bipolarer Speicher m
bipolar MOS technology, BiMOS technology
Integrated circuit technology combining bipolar
transistors and MOS field-effect transistors on
a single chip.
  bipolare MOS-Technik f, BiMOS-Technik f
Integrierte Schaltungstechnik, bei der eine
Kombination von Bipolartransistoren und
MOS-Feldeffekttransistoren auf dem gleichen

Chip verwendet wird.
bipolar semiconductor
   bipolarer Halbleiter *m*
bipolar transistor
   Transistor comprising three differently doped
   crystal zones (emitter, base, collector) and two
   junctions (npn or pnp-structures). Bipolar
   transistors are current-controlled in contrast to
   field-effect transistors which are voltage-
   controlled.
   Bipolartransistor *m*
   Transistor, der aus drei unterschiedlich
   dotierten Kristallzonen (Emitter, Basis,
   Kollektor) und zwei Zonenübergängen (NPN-
   oder PNP-Strukturen) besteht.
   Bipolartransistoren sind stromgesteuert, im
   Gegensatz zu Feldeffekttransistoren, die
   spannungsgesteuert sind.
biquinary code [a code comprising 7 bits, also
   called two-out-of-seven code; in each character
   five of the seven bits are binary zero and two
   are binary one, e.g. the digit 7 is represented by
   1000100]
   Biquinärcode *m* [ein Code aus 7 Bits, auch
   Zwei-aus-Sieben-Code genannt; bei jedem
   Zeichen sind fünf der sieben Bits binär Null
   und zwei binär Eins, z.B. die Ziffer 7 wird
   durch 1000100 dargestellt]
bistable multivibrator, bistable multivibrator
   circuit, flip-flop [a circuit with two stable
   states; switching from one into the other is
   effected by a trigger pulse]
   bistabile Kippschaltung *f,* bistabiler
   Multivibrator *m,* Flipflop *n* [eine Schaltung mit
   zwei stabilen Zuständen; die Umschaltung von
   einem in den anderen Zustand erfolgt durch
   einen Auslöseimpuls]
bisync, BSC (binary synchronous
   communications) [protocol for synchronous
   byte-serial data transmission]
   binäre synchrone Übertragung *f* [Protokoll
   für synchrone byteserielle Datenübertragung]
bit, binary digit [the smallest single character in
   a binary number, i.e. 0 or 1]
   Bit *n,* Binärzeichen *n* [die kleinste
   Darstellungseinheit in einer Binärzahl, d.h. 0
   oder 1]
bit array
   Bitmatrix *f*
bit capacity
   Bitpackungsdichte *f*
bit configuration [sequence of binary digits as
   unit of information]
   Binärmuster *n* [Folge von Binärziffern als
   Informationseinheit]
bit density [recording density of a storage
   medium, e.g. of a magnetic tape in BPI
   (bits/inch)]
   Speicherdichte *f,* Schreibdichte *f*

[Aufzeichnungsdichte eines Speichermediums,
   z.B. eines Magnetbandes in BPI (Bits/Zoll)]
bit error
   Bitfehler *m*
bit error probability [in data transmission]
   Bitfehlerwahrscheinlichkeit *f* [bei der
   Datenübertragung]
bit error rate (BER) [ratio of incorrect bits
   received to the number transmitted]
   Bitfehlerhäufigkeit *f,* Bitfehlerrate *f*
   [Verhältnis der empfangenen verfälschten Bits
   zur Anzahl der gesendeten Bits]
bit location
   Bitspeicherplatz *m*
bit-organized storage
   bitorganisierter Speicher *m*
bit-oriented
   bitorientiert
bit-parallel [simultaneous transmission or
   processing of several bits]
   bitparallel [gleichzeitiges Übertragen oder
   Verarbeiten mehrerer Bits]
bit position
   Bitstelle *f*
bit rate
   Bitrate *f,* Bitfolgefrequenz *f,*
   Bitgeschwindigkeit *f*
bit-serial [transmission or processing of several
   bits one after the other]
   bitseriell [Übertragen oder Verarbeiten
   mehrerer Bits zeitlich nacheinander]
bit-slice
   An element comprising the major functions of a
   central processing unit of 2 or 4-bit width. By
   combining several bit-slices any desired word
   length can be achieved.
   Bit-Slice *n*
   Ein Element, das die wichtigsten Funktionen
   einer Zentraleinheit mit 2- oder 4-Bit-Breite
   umfaßt. Durch Kombination mehrerer Bit-
   Slices kann eine beliebige Wortlänge erreicht
   werden.
bit-slice processor
   Processor consisting of bit-slices for achieving
   application-specific word lengths, e.g. eight 2-
   bit slices for achieving a 16-bit device.
   Bit-Slice-Prozessor *m*
   Prozessor bestehend aus Bit-Slices (Bit-
   Elementen) zur Erzielung aufgabenspezifischer
   Wortlängen, z.B. acht 2-Bit-Slices zur
   Erzielung eines 16-Bit-Bausteines.
bit stream
   Bitstrom *m*
bit string
   Bitfolge *f,* Binärzeichenfolge *f*
bit transfer rate
   Bitübertragungsgeschwindigkeit *f*
BITE (built-in test equipment)
   Eigenprüfeinrichtung *f*

bitmap [image stored as a matrix of dots, i.e. bits]
Bitmap-Bild n, Bitabbild n [Bild, das als eine Matrix von Bildpunkten bzw. von Bits gespeichert ist]

bitmap font, bitmapped font, raster font [stored as bit pattern, in contrast to vector font]
Bitmap-Schriftart f, Rasterschriftart f [gespeichert als Bitmuster, im Gegensatz zur Vektorschrift]

bitmapped graphics [graphics stored as digital pattern]
Bitmap-Graphik f [als digitales Muster gespeicherte Graphik]

bits/inch (BPI) [magnetic tape recording density]
Bit/Zoll [Magnetbandaufzeichnungsdichte]

bits/s, bits per second (BPS) [measure of transmission speed; in the case of binary transmission = baud]
bit/s [Maßeinheit für die Übertragungsgeschwindigkeit; bei binärer Übertragung = baud]

bitwise, bit-by-bit
bitweise

BJT, bipolar junction transistor
BJT m, bipolarer Sperrschichttransistor m

blackout failure [failure of all required functions]
Totalausfall m [Ausfall aller geforderten Funktionen]

blackout time [time loss due to unused storage space]
Lückenzeit f [Zeitverlust als Folge ungenutzen Speicherraums]

blank, blank character, blank space
Leerstelle f

blank address, null statement
Leeradresse f

blank bit [bit containing no information]
Leerbit n [Bit ohne Informationsgehalt]

blank character, blank, space character, space [code character without meaning and often not written, printed or punched; serves as a separator between stored data]
Leerzeichen n, Füllzeichen n [Codezeichen ohne Bedeutung und das oft nicht geschrieben, gedruckt oder gelocht wird; wirkt als Zwischenraum zwischen gespeicherten Daten]

blank column
Leerspalte f

blank data medium, blank medium, empty medium
informationsfreier Datenträger m

blank instruction, skip instruction, do-nothing instruction
Leerbefehl m

blank line
Leerzeile f

blank string

Leerstellenfolge f

block [a group of records or words treated as an entity; blocks can have variable or fixed lengths]
Block m, Datenblock m [eine Gruppe von Datensätzen oder Wörtern, die als eine Einheit behandelt wird; Blöcke können variable oder feste Längen haben]

block, to [to form blocks, each comprising several records]
blocken [Bildung von Blöcken, jeder aus mehreren Datensätzen bestehend]

block address [of storages]
Blockadresse f [bei Speichern]

block chaining
Blockverkettung f

block check
Blockprüfung f

block command [e.g. block copy, block move, etc.]
Blockbefehl m [z.B. Kopieren oder Verschieben eines Blockes]

block copy
Kopieren eines Blocks n

block delete
Löschen eines Blocks n

block diagram
Blockschaltbild n, Blockschaltschema n

block length, block size [the sum of the data characters in a block]
Blocklänge f [die Summe der Datenzeichen in einem Block]

block move
Verschieben eines Blocks n

block register
Blockregister n

block sort [sorting method]
blockweise Sortierung f [Sortierverfahren]

block transfer [transfer of one or more blocks with a single instruction]
Blockübertragung f, Blocktransfer m [Übertragung eines oder mehrerer Blöcke mit einem Befehl]

blocked, disabled
gesperrt

blocked record [one of several records forming a block]
geblockter Satz m [ein Satz aus mehreren Sätzen, die einen Block bilden]

blocking capacitor
Sperrkondensator m

blocking contact
Sperrkontakt m

blocking diode
Sperrdiode f

blocking element
Sperrglied n

blocking factor [number of records per block for fixed-length logical records]

Blockungsfaktor *m* [Anzahl Sätze pro Block für Datensätze fester Länge]

blocking oscillator [multivibrator with feedback via a transformer; generates a sawtooth voltage]
Sperrschwinger *m* [Kippschaltung mit Rückkopplung über einen Transformator; erzeugt eine Sägezahnspannung]

blocking state, cut-off state
Sperrzustand *m*

blocking state region
Sperrbereich *m*

blocking voltage, cut-off voltage, reverse bias
Sperrspannung *f*

BM (benchmark) [evaluation point of a benchmark program]
Vergleichspunkt *m*, Bewertungspunkt *m* [Bewertungspunkt eines Benchmark-Programmes]

BNF (Backus-Naur-Form) [formal notation for describing the syntax of a programming language]
BNF [formale Notation zur Beschreibung der Syntax einer Programmiersprache]

board, printed circuit board
Karte *f*, Leiterplatte *f*

board cage, card cage, module cage
Baugruppenträger *m*

board tester
Leiterplattenprüfgerät *n*

Bode diagram, amplitude-frequency plot
Bode-Diagramm *n*, Amplitudengang *m*, Amplitudenverlauf *m*

boilerplate text, text module [section of text stored for subsequent re-use]
Textbaustein *m* [zwecks späterer Wiederverwendung abgespeicherter Textabschnitt]

bold-face [character font]
halbfett [Schriftart]

bonding
Process for providing electrical connections between the bonding pads on the chip and the external leads of the package.
Bonden *n*, Kontaktieren *n*
Verfahren zum Herstellen von elektrischen Verbindungen zwischen den Kontaktflecken auf dem Chip und den Außenanschlüssen des Gehäuses.

bonding electron, valence electron [semiconductor technology]
Electron in the outer shell of an atom which determines chemical valence and generates the binding forces between the atoms in a semiconductor crystal.
Bindungselektron *n*, Valenzelektron *n* [Halbleitertechnik]
Elektron der äußeren Schale eines Atoms, das die chemische Wertigkeit bestimmt und die

binding forces zwischen den Atomen im Halbleiterkristall bewirkt.

bonding pad, external bonding pad [integrated circuits]
Bondinsel *f*, Anschlußfleck *m*, Kontaktierungsfleck *m* [integrierte Schaltungen]

bonding sheet [printed circuit boards]
Klebefolie *f* [Leiterplatten]

Boolean add, logic addition, logical add, inclusive OR, disjunction
Logical operation having the output (result) 0 if and only if each input (operand) has the value 0; for all other inputs (operand values) the output (result) is 1.
Disjunktion *f*, inklusives ODER *n*
Logische Verknüpfung mit dem Ausgangswert (Ergebnis) 0, wenn und nur wenn jeder Eingang (Operand) den Wert 0 hat; für alle anderen Eingangswerte (Operandenwerte) ist der Ausgang (das Ergebnis) 1.

Boolean algebra [rules for combining binary quantities by means of logical operations such as AND, NOT, OR, etc.]
Boolesche Algebra *f*, Algebra der Logik *f* [Regeln für die Verknüpfung binärer Größen durch logische Operationen wie UND, NICHT, ODER usw.]

Boolean complementation, logical negation, inversion function, NOT operation
Boolesche Komplementierung *f*, logische Negation *f*, Umkehrfunktion *f*, NICHT-Verknüpfung *f*

Boolean expression
Boolescher Ausdruck *m*

Boolean function, logical function
Boolesche Funktion *f*

Boolean multiplication, logical multiplication, AND operation
Boolesche Multiplikation *f*, logische Multiplikation *f*, UND-Verknüpfung *f*

Boolean notation
Boolesche Schreibweise *f*

Boolean operation, logical operation
Boolesche Verknüpfung *f*

Boolean operator, logical operator
Boolescher Operator *m*

booster diode [semiconductor diode with very high blocking voltage]
Boosterdiode *f* [Halbleiterdiode mit sehr hoher Sperrspannung]

boot record
Boot-Datensatz *m*

boot up, to [to start up computer]
aufbooten, aufstarten, booten [Aufstarten des Rechners]

booting [procedure for starting up the computer]
Boot-Vorgang *m* [Vorgang zum Aufstarten des Rechners]

bootstrap, to
　urladen
bootstrap circuit [an amplifier circuit used for
　increasing the input resistance, e.g. of
　transistor input stages]
　Bootstrap-Schaltung *f* [eine
　Verstärkerschaltung zur Erhöhung des
　Eingangswiderstandes, z.B. bei
　Transistoreingangsstufen]
bootstrap loader [a loading program started
　when the computer is switched on]
　selbstladendes Programm *n*, Bootstrap-
　Lader *m*, Urlader *m* [ein Ladeprogramm, das
　nach dem Einschalten des Rechners gestartet
　wird]
bootstrap program
　Urladerprogramm *n*
boron (B)
　Non-metallic element used as a dopant
　impurity (acceptor atom).
　Bor *n* (B)
　Nichtmetallisches Element, das als Dotierstoff
　(Akzeptoratom) verwendet wird.
boron nitride [compound semiconductor]
　Bornitrid *n* [Verbindungshalbleiter]
boron phosphide [compound semiconductor]
　Borphosphid *n* [Verbindungshalbleiter]
borrow bit [signals a negative difference in a
　digit place during subtraction]
　Borgebit *n*, geborgtes Bit *n* [signalisiert eine
　negative Differenz in einer Ziffernstelle bei der
　Subtraktion]
BOT (beginning-of-tape mark) [of a magnetic
　tape]
　Anfangsmarke *f* [eines Magnetbandes]
bottom margin
　unterer Rand *m*
bounce, contact bounce
　Prellen *n*, Kontaktprellen *n*
bounce-free [free of contact bounce]
　prellfrei [frei von Kontaktprellen]
bound electron
　gebundenes Elektron *n*
boundary layer
　Grenzschicht *f*
box process [a diffusion process]
　Boxdiffusion *f*, Boxverfahren *n* [ein
　Diffusionsverfahren]
Boyer-Moore algorithm [string search method]
　Boyer-Moore-Algorithmus *m*
　[Zeichenketten-Suchverfahren]
BPI (bits/inch) [magnetic tape recording density]
　Bit/Zoll [Magnetbandaufzeichnungsdichte]
BPS (bits/second) [data transfer rate]
　Bit/Sekunde [Datenübertragungsrate]
brace [in contrast to round or square bracket]
　geschweifte Klammer *f* [im Gegensatz zur
　runden oder eckigen Klammer]
bracket [e.g. round or square bracket]

Klammer *f* [z.B. runde oder eckige Klammer]
bracketted term, parenthesized term
　Klammerausdruck *m*
branch
　Verzweigung *f*
branch, to [to divide a program into several
　branches with the aid of jump instructions]
　verzweigen [durch Sprungbefehle bewirkte
　Aufteilung eines Programmes in mehrere
　Zweige]
branch instruction, jump instruction
　Verzweigungsbefehl *m*, Sprungbefehl *m*
brazing
　Hartlöten *n*
breadboard
　Versuchsaufbau *m*
breadboard circuit [experimental circuit
　layout]
　Brettschaltung *f* [Versuchsaufbau einer
　Schaltung]
breadth-first search
　Breitendurchlauf *m*
break contact
　Ruhekontakt *m*
break key
　Unterbrechungstaste *f*
breakdown [electrical breakdown]
　Durchbruch *m* [elektrischer Durchbruch]
breakdown current
　Durchbruchstrom *m*
breakdown impedance
　Durchbruchimpedanz *f*
breakdown region
　Durchbruchbereich *m*, Durchbruchzone *f*
breakdown spot
　Durchbruchstelle *f*
breakdown voltage
　Durchbruchspannung *f*
breakover voltage [in thyristors]
　Kippspannung *f* [bei Thyristoren]
breakpoint [program interruption for an
　external intervention, usually associated with
　program debugging]
　Programmhaltepunkt *m*, Haltepunkt *m*,
　Breakpoint *m* [Unterbrechungspunkt in einem
　Programm zwecks externem Eingriff, in der
　Regel in Verbindung mit einem
　Fehlersuchprogramm]
breakpoint in a curve
　Kennlinienknickpunkt *m*
bridge [circuit]
　Brücke *f* [Schaltung]
bridge amplifier
　Brückenverstärker *m*
bridge connection
　Brückenschaltung *f*
bridge rectifier
　Brückengleichrichter *m*
bridged, shorted

überbrückt
brightness adjustment
Helligkeitseinstellung *f*
broad fault localization
Fehlereingrenzung *f*
BS (backspace)
Rückwärtsschritt *m*
BSC, bisync (binary synchronous communications) [protocol for synchronous byte-serial data transmission]
binäre synchrone Übertragung *f* [Protokoll für synchrone byteserielle Datenübertragung]
bubble jet printer [ink-jet printer using bubbles]
Bubble-Jet-Drucker *m* [Tintenstrahldrucker, der mit blasenförmigen Tropfen arbeitet]
bubble memory, magnetic bubble memory
Non-volatile mass storage device with very high storage density. Storage of data is effected in small cylindrical domains (bubbles) in a magnetic thin film deposited on a non-magnetic substrate.
Blasenspeicher *m*, Magnetblasenspeicher *m*
Nichtflüchtiger Massenspeicher mit sehr hoher Speicherdichte. Die Speicherung der Daten erfolgt in kleinen zylindrischen Domänen (Blasen) in einer dünnen magnetischen Schicht, die auf ein nichtmagnetisches Substrat aufgebracht ist.
bubble memory cassette
Blasenspeicherkassette *f*
bubble sort method [sorting method]
Bubblesort-Verfahren *n* [Sortierverfahren]
bucket brigade device (BBD) [integrated-circuit charge-transfer device in MOS structure]
Eimerkettenschaltung *f*, BBD-Schaltung *f* [integrierte Ladungstransferschaltung in MOS-Struktur]
buffer, buffer storage
Puffer *m*, Pufferspeicher *m*
buffer, to
puffern
buffer circuit, buffer
Pufferschaltung *f*
buffer control logic
Puffersteuerlogik *f*
buffer element
Pufferstufe *f*
buffer memory, buffer storage
Pufferspeicher *m*
buffer operation
Pufferbetrieb *m*
buffer pointer
Pufferzeiger *m*
buffer register
Pufferregister *n*
buffer segment
Puffersegment *n*

buffer stage, decoupling stage, isolating stage
Trennstufe *f*, Entkopplungsstufe *f*
buffered
gepuffert
buffered FET logic (BFL)
Family of integrated circuits based on gallium arsenide D-MESFETs.
gepufferte FET-Logik *f* (BFL)
Integrierte Schaltungsfamilie, die mit Galliumarsenid-D-MESFETs realisiert ist.
buffering
Pufferung *f*
bug, program error, programming error
Programmfehler *m*, Programmierfehler *m*
built-in
eingebaut
built-in function
eingebaute Funktion *f*
built-in test
Selbsttest *m*
built-in test equipment (BITE)
Eigenprüfeinrichtung *f*
bulk resistance [ohmic resistance of the semiconductor material used]
Bahnwiderstand *m* [ohmscher Widerstand des verwendeten Halbleitermaterials]
bulk single-crystal
massiver Einkristall *m*
buried channel [e.g. in charge-coupled devices]
vergrabener Kanal *m* [z.B. bei CCD-Elementen]
buried layer, buried diffused layer
In bipolar integrated circuits a highly doped layer formed by diffusion under the collector region prior to epitaxial growth to reduce collector series resistance.
vergrabene Schicht *f*, Subkollektor *m*
Bei integrierten Bipolarschaltungen eine hochdotierte Schicht unter der Kollektorzone, die vor dem Abscheiden der epitaktischen Schicht in das Siliciumsubstrat eindiffundiert wird, um den Kollektorbahnwiderstand zu verringern.
buried-channel charge-coupled device (BCCD)
ladungsgekoppelte Schaltung mit vergrabenem Kanal *f* (BCCD)
burn-in, burn-in test
Testing method in which semiconductor components or devices are operated under severe operating conditions and at relatively high temperatures (usually 125 °C) to eliminat early failures prior to actual use.
Burn-In *n*, Voralterung *f*, Einbrennprüfung *f*
Prüfverfahren, bei dem Halbleiterbauelemente oder Bausteine unter erschwerten Betriebsbedingungen und bei erhöhten Temperaturen (meistens 125 °C) betrieben werden, um Frühausfälle vor der

Inbetriebnahme zu eliminieren.
burn-out [e.g. of internal diodes]
Durchbrennen n [z.B. von Diodenstrecken]
burst, signal burst, noise burst
impulsartiges Signal n, impulsartiges
Rauschen n
burst mode [data transmission with periodic
interruption]
Burstmodus m, Bitbündelbetriebsweise f
[Datenübertragung mit periodischen
Unterbrechungen]
bus [common path for data interchange]
The bus serves as transfer path for control
information, addresses and data both through
individual functional units (e.g. microprocessor)
and through the system (e.g. computer). As a
rule there are separate address, data and
control buses. There are standard external bus
structures, e.g. IEC bus, IEEE-488/GPIB
(general purpose interface bus) and IEEE-
583/CAMAC bus (computer automated
measurement and control), as well as
manufacturer-dependent internal bus
structures, e.g. Multibus, Q-bus and S-100 bus.
Bus m [Sammelschiene für den
Datenaustausch]
Der Bus dient als Übertragungsweg für
Steuerinformationen, Adressen und Daten
sowohl innerhalb einzelner Funktionsteile (z.B.
Mikroprozessor) als auch innerhalb des
Systems (z.B. Rechner). In der Regel gibt es
einen eigenen Bus für Adressen, Daten und
Steuerinformationen. Die Busstruktur führt zu
einer einheitlichen Schnittstelle für alle
Systemteile, die über den Bus verbunden sind.
Es gibt standardisierte externe Busstrukturen,
z.B. IEC-Bus, IEEE-488 /GPIB und IEEE-
583/CAMAC, sowie herstellerabhängige interne
Busstrukturen, wie Multibus, Q-Bus und S-
100-Bus.
bus clock
Bustakt m
bus compatibility
Buskompatibilität f
bus contention
Buskonkurrenz f
bus control
Bussteuerung f
bus driver
Bustreiber m
bus-enable signal, bus enable
Freigabesignal für den Bus n,
Busfreigabesignal n
bus frequency
Bustaktfrequenz f
bus interface
Busschnittstelle f, Busanschaltung f
bus line
Busleitung f

bus system
Bussystem n
bus width
Busbreite f
business data processing, commercial data
processing
kommerzielle Datenverarbeitung f
business graphics, presentation graphics
[generating line, bar and pie charts or
diagrams]
Geschäftsgraphik f, Präsentationsgraphik f
[Erstellung von Linien-, Balken- und
Kreisdiagrammen]
busmaster board [LAN controller for
microchannel and EISA computers]
Busmaster-Karte f [LAN-Controller für
Mikrokanal- und EISA-Rechner]
button
Auswahlknopf m
bypass capacitor
Bypass-Kondensator m, Ableitkondensator m
byte [eight-bit unit]
Byte n [Acht-Bit-Einheit]
byte mode, byte-serial [transmission of bytes
one after the other]
byteweise Übertragung f, byteserielle
Übertragung f [Übertragen einzelner Bytes
zeitlich nacheinander]
byte-oriented computer [computer whose
operands can have a variable number of places
(bytes); in contrast to a word-oriented computer
which stores operands as fixed-length words
(e.g. with 16 or 32 bits]
byteorientierter Rechner m [Rechner, der
Operanden unterschiedlicher Stellenzahl
(Bytes) zuläßt; im Gegensatz zu einem
wortorientiertem Rechner, der die Operanden
als Wort fester Länge (z.B. 16 oder 32 Bit)
speichert]
byte-parallel [simultaneous transmission or
processing of several bytes]
byteparallel [gleichzeitiges Übertragen oder
Verarbeiten mehrerer Bytes]
byte-serial [transmission or processing of bytes
one after the other]
byteseriell [Übertragen oder Verarbeiten
einzelner Bytes zeitlich nacheinander]
byte string
Bytekette f

C

C [high-level, problem-oriented programming
language developed specially for implementing
the UNIX operating system]
  C [höhere, problemorientierte
  Programmiersprache, die eigens für die
  Realisierung des Betriebssystems UNIX
  entwickelt wurde]
C++ [object-oriented programming language
derived from C]
  C++ [von C abgeleitete objektorientierte
  Programmiersprache]
C^3L (complementary constant current logic)
[variant of the diode-transistor logic with
Schottky diodes, used in large-scale integrated
circuit devices]
  C^3L [Variante der Dioden-Transistor-Logik mit
  Schottky-Dioden für hochintegrierte
  Logikbausteine]
CAA (computer-aided assembly)
  CAA, rechnerunterstützte Montage f
cable [e.g. flat cable, coaxial cable, flexible cable]
  Kabel n [z.B. Flachkabel, Koaxialkabel,
  flexibles Kabel]
cable duct
  Kabelkanal m
cableless mouse
  kabellose Maus f
cache memory, cache storage [buffer memory]
Small, high-speed random-access memory that
is paged out of main memory and holds the
most recently and frequently used instructions
and data.
  Cache-Speicher m [Pufferspeicher]
  Kleiner, schneller Speicher mit wahlfreiem
  Zugriff, der aus dem Hauptspeicher ausgelagert
  ist und die häufigsten, zuletzt anfallenden
  Befehle und Daten speichert.
cache software
  Cache-Software f
CAD (computer-aided design)
  CAD, rechnerunterstützte Konstruktion f
CAD (computer-aided drafting)
  CAD, rechnerunterstütztes Zeichnen n
cadmium sulfide (CdS) [compound
semiconductor, mainly used in photodetectors]
  Cadmiumsulfid n (CdS)
  [Verbindungshalbleiter, der hauptsächlich für
  die Herstellung von Photodetektoren verwendet
  wird]
CAE (computer-aided engineering)
  CAE, rechnerunterstützte Entwicklung f
CAE workstation
  CAE-Arbeitsplatz m
CAIBE process (chemically assisted ion beam
etching) [dry etching process used in

semiconductor component and integrated
circuit fabrication]
  CAIBE-Verfahren n, chemisch unterstütztes
  Ionenstrahlätzen n [Trockenätzverfahren, das
  bei der Herstellung von
  Halbleiterbauelementen und integrierten
  Schaltungen verwendet wird]
calculate, to
  berechnen
calculator, adding machine
  Rechenmaschine f, Addiermaschine f
calibration chart
  Eichtabelle f
calibration curve
  Eichkurve f
calibrator signal
  Eichsignal n
call [instruction sequence for initiating a function
or routine]
  Aufruf m [Befehlsfolge zur Auslösung einer
  Funktion oder Routine]
call, to [a program]
  aufrufen, abrufen [ein Programm]
call statement
  Prozeduraufruf m
calling [to establish a data connection]
  Anruf m [Aufbau einer Datenverbindung]
CAM (computer-aided manufacturing)
  CAM, rechnerunterstützte Fertigung f
CAM (content-addressable memory), associative
memory
Storage device whose storage locations are
identified by their contents rather than by their
names or positions.
  CAM, inhaltsadressierbarer Speicher m,
  Assoziativspeicher m
  Speicher, dessen Speicherelemente durch
  Angabe ihres Inhaltes aufrufbar sind und nicht
  durch ihre Namen oder Lagen.
CAMAC bus, IEEE-583/CAMAC bus (Computer
Automated Measurement And Control)
[standard bus and interfaces for
instrumentation]
  CAMAC-Bus m, IEEE-583/CAMAC-Bus m
  [Standardbus und -Schnittstellen für
  Meßgeräte]
can, can-type package [package style, e.g. a TO
package]
  Rundgehäuse n [Gehäuseform, z.B. ein TO-
  Gehäuse]
cancel [in dialog box]
  Abbrechen n [im Dialogfeld]
cancel statement
  Annulieranweisung f
candela (cd) [SI unit of luminous intensity]
  Candela f (cd) [SI-Einheit der Lichtstärke]
CAP (computer-aided planning)
  rechnerunterstützte Arbeitsplanung f
capability, performance

Leistungsfähigkeit *f*
capacitance [of a capacitor in F]
Kapazität *f* [eines Kondensators in F]
capacitance ratio
Kapazitätsverhältnis *n*
capacitive feedback
kapazitive Rückkopplung *f*
capacitive reactance
Kapazitanz *f*, kapazitive Reaktanz *f*
capacitor
Kondensator *m*
capacitor-coupled FET logic (CCFL)
Family of integrated circuits based on gallium
arsenide D-MESFETs.
kondensatorgekoppelte FET-Logik *f*
(CCFL)
Integrierte Schaltungsfamilie, die mit
Galliumarsenid-D-MESFETs realisiert ist.
capacity [of a storage device; number of bits
stored, e.g. in kB or MB]
Kapazität *f* [eines Speichers; Anzahl
Speicherbits, z.B. in kB oder MB]
capture range [frequency range in which
synchronism can be effected]
Fangbereich *m* [Frequenzbereich, in dem
Synchronismus herbeigeführt werden kann]
CAQ (computer-aided quality testing)
CAQ, rechnerunterstützte Qualitätsprüfung *f*
card, printed circuit board (PCB)
Platine *f*, Leiterplatte *f*
card, punched card
Karte *f*, Lochkarte *f*
card cage, printed circuit board cage, module
cage
Platinengehäuse *n*, Leiterplattengehäuse *n*,
Baugruppenträger *m*
card punch, card perforator
Lochkartenstanzer *m*
card reader
Lochkartenleser *m*, Lochkartenlesegerät *n*
carriage return
Wagenrücklauf *m*
carriage return character (CR)
Wagenrücklaufzeichen *n*
carrier, charge carrier [semiconductor
technology]
A mobile conduction electron or a mobile hole
whose movement effects charge transport
within a semiconductor. Electrons are negative,
holes are positive carriers.
Ladungsträger *m* [Halbleitertechnik]
Ein bewegliches Leitungselektron oder ein
bewegliches Defektelektron, dessen Bewegung
den Ladungstransport innerhalb eines
Halbleiters bewirkt. Elektronen sind negative,
Defektelektronen positive Ladungsträger.
carrier concentration
Ladungsträgerkonzentration *f*
carrier diffusion [semiconductor technology]

The movement of charge carriers in a
semiconductor, particularly at boundaries
between p-type and n-type regions. Carrier
diffusion results from concentration gradients.
Diffusion von Ladungsträgern *f*,
Ladungsträgerdiffusion *f* [Halbleitertechnik]
Die Bewegung von Ladungsträgern in einem
Halbleiter, insbesondere an der Grenze
zwischen P- und N-dotierten Bereichen. Sie
entsteht infolge unterschiedlicher Dichte der
Ladungsträger.
carrier frequency
Trägerfrequenz *f*
carrier injection [semiconductor technology]
The introduction of additional charge carriers
into a semiconductor.
Ladungsträgerinjektion *f*
[Halbleitertechnik]
Das Einbringen zusätzlicher Ladungsträger in
einen Halbleiter.
carrier lifetime
Ladungsträgerlebensdauer *f*
carrier mobility, charge carrier mobility
Ladungsträgerbeweglichkeit *f*
carrier recombination [reunion of electrons
and holes]
Ladungsträgerrekombination *f*
[Wiedervereinigung von Elektronen mit
Defektelektronen]
carrier transmission
trägerfrequente Übertragung *f*
carry (CY) [transferring a carry digit to the next
digit place, i.e. the digit generated when a sum
exceeds the number base]
Übertrag *m* [stellenweise Weiterleitung der
Übertragsziffer, d.h. der Ziffer, die bei der
Addition durch Überschreiten der Basiszahl
entsteht]
carry, to
übertragen
carry bit
Übertragsbit *n*
carry digit [digit generated when a sum exceeds
the number base]
Übertragsziffer *f* [Ziffer, die bei der Addition
durch Überschreiten der Basiszahl entsteht]
carry flag [control bit particularly used in
microprocessors for indicating a carry in an
addition]
Übertragsmerker *m*, Übertrags-Flag *n*
[besonders in Mikroprozessoren verwendetes
Steuerbit zur Anzeige des Übertrages bei der
Addition]
carry look-ahead, anticipatory carry [parallel
computation of carries of all digits; in contrast
to ripple carry in which the carries are formed
one after the other]
Parallelübertrag *m*,
Übertragsvorausberechnung *f* [parallele

Bildung der Überträge aller Stellen; im
Gegensatz zum durchlaufenden Übertrag, bei
dem die Überträge nacheinander gebildet
werden]
carry look-ahead adder
Addierer mit Übertragsvorausberechnung
carry register
Übertragsregister n
carry signal
Übertragsbefehl m
cartesian coordinates
kartesische Koordinaten f.pl., rechtwinklige
Koordinaten f.pl.
cartridge, cassette, magnetic tape cassette
Cartridge n, Kassette f, Magnetbandkassette f
cartridge font
Kassettenschriftart f
cascade
Kaskade f, Reihenschaltung f
cascade amplifier [cascade connected amplifier]
Kaskadenverstärker m [Verstärker in
Kaskadenschaltung]
cascade connection [series connection of
identical amplifier stages or networks]
Kaskadenschaltung f [Reihenschaltung
gleichartiger Verstärkerstufen oder Netzwerke]
cascade sort, cascade merge [method for sorting
or merging files]
Kaskadensortieren n, Kaskadenmischen n
[Verfahren für das Sortieren bzw. Mischen von
Dateien]
cascaded, connected in cascade
in Kaskade geschaltet
cascaded carry [repeated carry process]
Kaskadenübertrag m [wiederholte Bildung
des Übertrages]
cascaded operation
Kaskadenbetrieb m
cascaded transistor, Darlington transistor
[combination, in one case, of two transistors
internally connected in a Darlington circuit]
Transistorkaskade f, Darlington-Transistor
m [Kombination, in einem Gehäuse, von zwei
intern in einer Darlington-Schaltung
verbundenen Transistoren]
cascading
Kaskadieren n
CASE (Computer Aided Software Engineering)
[programming support environment]
CASE [rechnerunterstützte Software-
Entwicklung; Umgebung zur Unterstützung
der Programmentwicklung]
case statement [programming]
Case-Anweisung f, bedingte Kontrollstruktur
f [Programmierung]
case temperature
Gehäusetemperatur f
cash register
Registrierkasse f

cassette, cartridge, magnetic tape cassette
Kassette f, Cartridge n, Magnetbandkassette
cassette interface
Kassettenschnittstelle f
cassette reader
Kassettenlesegerät n
cassette recorder
Kassettengerät n, Kassettenrecorder m
CAT (computer-aided testing)
CAT, rechnerunterstützte Prüfung f
catalog, to
katalogisieren
cathode-ray oscilloscope (CRO)
Kathodenstrahloszillograph m
cathode-ray tube (CRT), picture tube
Kathodenstrahlröhre f, Bildröhre f
cathode sputtering, sputtering
A deposition process for forming conductive
films and dielectric layers in semiconductor
component and integrated circuit fabrication.
Kathodenzerstäubung f,
Kathodenzerstäuben n, Sputtern n
Abscheideverfahren für die Herstellung von
leitenden und dielektrischen Schichten bei der
Fertigung von Halbleiterbauteilen und
integrierten Schaltungen.
cathode terminal
Kathodenanschluß m
cause of fault
Fehlerursache f
CCCL technology (CMOS compact cell logic)
A software-defined concept for producing
semicustom integrated circuits in CMOS
compact cell logic, based on a cell library in
which predefined circuit functions are stored.
CCCL-Technik f
Ein softwaremäßig definiertes Konzept für die
Herstellung von integrierten
Semikundenschaltungen in spezieller,
platzsparender CMOS-Technik, das auf einer
Zellenbibliothek basiert, in der im voraus
festgelegte Schaltungsfunktionen abgespeichert
sind.
CCD array
CCD-Zeile f
CCD circuit, charge-coupled device
Integrated semiconductor device in MOS
structure that operates basically by passing
along electric charges from one stage to the
next.
CCD-Element n, ladungsgekoppeltes
Schaltelement n, Ladungstransferelement n,
Ladungsverschiebeelement n
Integrierte Halbleiterschaltung in MOS-
Struktur, deren Arbeitsweise auf dem
schrittweisen Transport von Ladungen basiert.
CCD image sensor
CCD-Bildsensor m
CCD matrix

CCD-Matrix *f*
CCD sensor
CCD-Sensor *m*
CCD storage device
CCD-Speicher *m*
CCFL (capacitor-coupled FET logic)
Family of integrated circuits based on gallium
arsenide D-MESFETs.
CCFL, kondensatorgekoppelte FET-Logik *f*
Integrierte Schaltungsfamilie, die mit
Galliumarsenid-D-MESFETs realisiert ist.
CCITT code, Baudot code [international
telegraphers' code]
CCITT-Code *m,* Baudot-Code *m*
[internationaler Fernschreibcode]
CCL technology (composite cell logic)
A software-defined concept for producing
semicustom integrated circuits in TTL
composite cell logic, based on a cell library in
which predefined circuit functions are stored.
CCL-Technik *f*
Ein softwaremäßig definiertes Konzept für die
Herstellung von integrierten
Semikundenschaltungen in spezieller TTL-
Logik, das auf einer Zellenbibliothek basiert, in
der im voraus festgelegte Schaltungsfunktionen
abgespeichert sind.
CD [Compact Disk]
CD [Kompaktplatte]
CD-DA (Compact Disk, Digital Audio) [CD for
music]
CD-DA [Musik-CD]
CD-I (Compact Disk Interactive) [CD for
interactive video programs]
CD-I [CD für interaktive Video-Programme]
CD-ROM (CD Read-Only Memory) [read-only
optical disk]
CD-ROM *m*[optische Platte, deren Inhalt nur
gelesen werden kann]
CD-WORM (Compact Disk, Write Once Ready
Many times)
CD-WORM [einmal beschreibbare, mehrmals
lesbare optische Platte]
CDI technology (collector diffusion isolation
technology)
Special isolation technique used in integrated
circuits.
CDI-Technik *f,* Kollektordiffusionsisolation *f,*
Isolation durch Kollektordiffusion *f*
Spezielles Isolationsverfahren, das bei
integrierten Schaltungen eingesetzt wird.
CE (chip enable)
In microprocessor-based systems and
integrated circuit memories, a signal which
allows data input (output) or reading from
(writing into) a selected memory.
Bausteinfreigabe *f*
Bei Mikroprozessorsystemen und integrierten
Speicherschaltungen ein Signal, das einen

ausgewählten Baustein für die Ein- bzw.
Ausgabe von Daten oder für das Auslesen bzw.
Einschreiben von Daten freigibt.
cell library
Collection of software-defined circuit functions
for both gate arrays and standard-cell designs
which allows semicustom integrated circuits to
be produced.
Zellenbibliothek *f*
Sammlung von softwaremäßig definierten
Schaltungsfunktionen, mit denen sich
integrierte Semikundenschaltungen auf der
Basis von Gate-Arrays und Standardzellen
realisieren lassen.
cell organized
zellenorganisiert
central computer
zentraler Rechner *m*
central memory, central storage, main storage,
main memory
Zentralspeicher *m,* Hauptspeicher *m*
central processing unit (CPU)
In computers in general, the unit that
comprises the arithmetic-logic unit and the
control unit (according to DIN it also includes
the main memory as well as the input-output
channels). In microprocessor-based systems or
microcomputers, the microprocessor is the
CPU, i.e. it carries out arithmetic, logic and
control operations.
Zentraleinheit *f* (CPU)
Bei Rechnern allgemein die Einheit, die
Rechenwerk und Steuerwerk (nach DIN
ebenfalls Hauptspeicher sowie Ein- und
Ausgabekanäle) umfaßt. Bei Mikroprozessorsystemen bzw. Mikrocomputern ist der Mikroprozessor selbst die Zentraleinheit und führt
sowohl Rechen- als auch Steuerfunktionen
durch.
Centronics interface [36-pole parallel printer
interface]
Centronics-Schnittstelle *f* [36-polige
parallele Schnittstelle für Drucker]
ceramic dual in-line package, cerdip [ceramic
package with two parallel rows of terminals at
right angles to the body]
keramisches DIP-Gehäuse *n,* Cerdip *n*
[Keramikgehäuse mit zwei parallelen Reihen
rechtwinklig abgebogener Anschlüsse]
ceramic flat-pack, cerpac [flat ceramic package
with two parallel rows of ribbon-shaped
terminals]
keramisches Flachgehäuse *n,* Cerpac *n*
[flaches Keramikgehäuse mit zwei parallelen
Reihen bandförmiger Anschlüsse]
ceramic package
Keramikgehäuse *n*
ceramic substrate
Keramiksubstrat *n*

cerdip (ceramic dual-in-line package)
Cerdip n [keramisches DIL-Gehäuse]
cermet resistor
Cermetwiderstand m
cerpac (ceramic flat-pack)
Cerpac n [keramisches Flachgehäuse]
certification inspection
Zulassungsprüfung f
certified test record
beglaubigtes Prüfprotokoll n
CGA (Colour Graphics Adapter) [adapter for IBM PC]
CGA [Farbgraphik-Adapter für IBM PC]
chad [of punched tapes or punched cards]
Stanzabfall m, Lochungsabfall m [bei Lochstreifen oder Lochkarten]
chadless punched tape
angelochter Lochstreifen m
chain, to; concatenate, to
verketten, ketten
chain parameter
Kettenparameter m
chained file [a file in which all data items having a common identifier are chained together by pointers, thus providing faster access]
gekettete Datei f [eine Datei, in der zusammengehörende Datenelemente durch Zeiger miteinander verknüpft sind, um einen schnelleren Zugriff zu ermöglichen]
chained list
gekettete Liste f
chained search, chaining search
Suchen in geketteter Liste n, Kettensuche f
chaining [of addresses with pointers]
Verkettung f, Kettung f [von Adressen mit Zeigern]
chaining address [of a disk storage]
Anschlußadresse f [eines Plattenspeichers]
chaining search [search in chained list]
verkettetes Suchen n [Suchen in verketteter Liste]
change, modification
Änderung f
change bit [marks a change in memory]
Änderungsbit n [markiert eine Änderung im Speicher]
channel, port [general: a path for the transmission of signals, data, control information, etc.]
Kanal m [allgemein: ein Übertragungsweg für Signale, Daten, Steuerinformationen usw.]
channel [in field-effect transistors, the path through which current flows between source and drain]
Kanal m [bei Feldeffekttransistoren der Pfad, durch den der Stromfluß zwischen Source und Drain erfolgt]
channel breakdown [avalanche breakdown of

the channel in field-effect transistors]
Kanaldurchbruch m [Lawinendurchbruch des Kanals bei Feldeffekttransistoren]
channel current [the voltage-controlled current in the channel of a field-effect transistor flowing between source and drain]
Kanalstrom m [der spannungsgesteuerte Strom im Kanal eines Feldeffekttransistors, der zwischen Source und Drain fließt]
channel doping [doping of the channel region in field-effect transistors]
Kanaldotierung f [Dotierung des Kanalbereichs bei Feldeffekttransistoren]
channel length
Kanallänge f
channel noise
Kanalrauschen n
channel pinch-off [narrowing of the conductive channel in junction field-effect transistors]
Kanaleinschnürung f [Verengung des leitenden Kanals bei Sperrschicht-Feldeffekttransistoren]
channel resistance
Kanalwiderstand m
channel spacing
Kanalabstand m
channel status word [computer technology]
Kanalstatuswort n [Rechnertechnik]
channel width
Kanalbreite f
channeling
Penetration of ions into channels during ion implantation.
Channeling n
Das Eindringen von Ionen in Kanäle während der Ionenimplantation.
character [smallest unit for forming data, e.g. a letter, a digit, a punctuation mark, a control character, a symbol or a blank]
Zeichen n [kleinste Einheit für die Zusammensetzung von Daten, d.h. ein Buchstabe, eine Ziffer, ein Satzzeichen, ein Steuerzeichen, ein Symbol oder ein Leerzeichen]
character array
Anordnung von Zeichen f
character concentrator [accessory for 7-track magnetic tape units; enables bytes to be recorded on 7 instead of 9 tracks]
Zeichenkonzentrator m [Zusatzgerät für 7-Spur-Magnetbandgeräte; ermöglicht die Unterbringung von Bytes auf 7 anstatt 9 Spuren]
character encoder
Klarschriftcodierer m
character fill, to; pad, to [with fill characters, pad characters or blanks, i.e. characters stored only for display purposes]
auffüllen [mit Blind-, Füll- oder Leerzeichen,

d.h. mit Zeichen, die nur aus
Darstellungsgründen gespeichert werden]
character filling, padding
Auffüllen *n*
character font, font
Schriftart *f*, Zeichensatz *m*
character format
Zeichenformat *n*
character generator [a ROM or EPROM
generating characters (e.g. 5x7 or 7x9 dot
matrix) for display on a screen or for output on
a printer]
Zeichengenerator *m* [ein ROM oder EPROM,
das Zeichen (z.B. 5x7- oder 7x9-Punktmatrix)
erzeugt, die auf einem Bildschirm dargestellt
oder von einem Drucker ausgegeben werden]
character height
Zeichenhöhe *f*
character matrix [matrix of dots forming a
character]
Zeichenmatrix *f* [Punktmatrix für den Aufbau
eines Zeichens]
character-parallel [simultaneous transmission
or processing of several characters]
zeichenparallel [gleichzeitiges Übertragen
oder Verarbeiten mehrerer Zeichen]
character printer, serial printer
Zeichendrucker *m*
character reader [OCR or magnetic character
reader]
Zeichenlesegerät *n* [OCR- oder
Magnetschriftleser]
character recognition
Zeichenerkennung *f*
character register
Zeichenregister *n*
character representation
Zeichendarstellung *f*
character-serial [transmission or processing of
characters one after the other]
zeichenseriell [Übertragen oder Verarbeiten
einzelner Zeichen zeitlich nacheinander]
character set [the complete set of characters
that can be processed by a computer; characters
generated by a keyboard and displayed on a
screen or output by a printer]
Zeichenvorrat *m* [Gesamtheit der Zeichen,
die von einem Rechner verarbeitet werden
können; Zeichen, die von einer Tastatur erzeugt
und auf einem Sichtgerät oder mittels Drucker
darstellbar sind]
character skew, tilt of a character
Zeichenschräge *f*, Neigung eines Zeichens *f*
character spacing
Zeichenschritt *m*, Zeichenabstand *m*
character string, string [sequence of characters
taken from a character set]
Zeichenkette *f*, Zeichenserie *f*, String *m* [Folge
von Zeichen aus einem Zeichenvorrat]

character subset
Zeichenvorratsuntermenge *f,*
Zeichenuntermenge *f*
character width
Zeichenbreite *f*
characteristic, curve, graph
Kennlinie *f*
characteristic data, characteristics
Kenndaten *n.pl.*
characteristic impedance, iterative
impedance, surge impedance
Wellenwiderstand *m*
charge
Ladung *f*
charge carrier, carrier [semiconductor
technology]
A mobile conduction electron or a mobile hole
whose movement effects charge transport
through a semiconductor. Electrons are
negative, holes are positive charge carriers.
Ladungsträger *m* [Halbleitertechnik]
Ein bewegliches Leistungselektron oder ein
bewegliches Defektelektron, dessen Bewegung
den Ladungstransport innerhalb eines
Halbleiters bewirkt. Elektronen sind negative,
Defektelektronen positive Ladungsträger.
charge carrier density, carrier density
Ladungsträgerdichte *f*
charge carrier injection, injection
[semiconductor technology]
The introduction of additional charge carriers
into a semiconductor.
Ladungsträgerinjektion *f*, Injektion *f*
[Halbleitertechnik]
Das Einbringen zusätzlicher Ladungsträger in
einen Halbleiter.
charge carrier mobility, carrier mobility
Ladungsträgerbeweglichkeit *f*
charge carrier trap, carrier trap
Ladungsträgerhaftstelle *f*
charge-coupled device (CCD)
Integrated semiconductor device in MOS
structure that operates basically by passing
along electric charges from one stage to the
next.
ladungsgekoppeltes Schaltelement *n,*
Ladungstransferelement *n,*
Ladungsverschiebeelement *n,* CCD-Element *n*
Integrierte Halbleiterschaltung in MOS-
Struktur, deren Arbeitsweise auf dem
schrittweisen Transport von Ladungen basiert.
charge density
Ladungsdichte *f*
charge storage
Ladungsspeicherung *f*
charge storage diode
Ladungsspeicherdiode *f*
charge transport
Ladungstransport *m,*

chart 350

Ladungsträgertransport *m*
chart [e.g. flowchart]
   Diagramm *n* [z.B. Flußdiagramm]
chassis
   Aufbauplatte *f*
chatter, bounce [contacts]
   Prellen *n* [Kontakte]
Cheapernet [local area network, cheaper variant
of Ethernet]
   Cheapernet-Netzwerk *n* [lokales Netzwerk,
preiswerte Variante von Ethernet]
check, test
   Kontrolle *f*, Prüfung *f*
check, to; test, to
   kontrollieren, prüfen
check bit, parity bit
   Prüfbit *n*, Paritätsbit *n*, Kontrollbit *n*
check byte, sense byte
   Prüfbyte *n*
check character
   Kontrollzeichen *n*, Prüfzeichen *n*
check column
   Prüfspalte *f*
check digit
   Prüfziffer *f*
check instruction
   Prüfbefehl *m*
check plot [circuit design]
   A topological overview of an integrated circuit
produced for checking purposes with the aid of
a computer-controlled drafting machine.
   Kontrollzeichnung *f* [Schaltungsentwurf]
Die von einer rechnergesteuerten
Zeichenmaschine zu Kontrollzwecken erstellte
topologische Gesamtübersicht einer
integrierten Schaltung.
check routine, test routine
   Prüfprogramm *n*, Testprogramm *n*
check sum, check total, hash total
   Kontrollsumme *f*, Überschlagssumme *f*
check word
   Prüfwort *n*
checkpoint [of a program]
   Prüfpunkt *m* [eines Programmes]
checkpoint restart
   Wiederanlauf an einem Fixpunkt *m*,
Wiederanlauf an einem Prüfpunkt *m*,
Prüfpunktwiederanlauf *m*
checkpoint routine
   Prüfpunktroutine *f*,
Prüfpunktunterprogramm *n*
chemical bond [semiconductor technology]
   The forces binding atoms in a molecule or a
crystal.
   chemische Bindung *f* [Halbleitertechnik]
Die Kräfte, die Atome in einem Molekül oder
einem Kristall zusammenhalten.
chemical vapour deposition process (CVD
process)

Process used for forming dielectric layers in
integrated circuit fabrication. A number of CVD
process variations are being used, e.g. high-
and low-temperature CVD, high- and low-
pressure CVD or plasma-enhanced CVD.
   Schichtabscheidung *f*, CVD-Abscheidung *f*,
CVD-Verfahren *n*
Verfahren zur Abscheidung von
Isolationsschichten bei der Herstellung
integrierter Schaltungen. Es werden
verschiedene Varianten des CVD-Verfahrens
angewendet, z.B. Hoch- und
Niedertemperaturverfahren, Hoch- und
Niederdruckverfahren oder Abscheideverfahren
aus einem Plasma.
chemical vapour-phase oxidation process
(CVPO) [a process used for the production of
glass fibers]
   CVPO-Verfahren *n* [Verfahren, das bei der
Herstellung von Glasfasern eingesetzt wird]
chemically assisted ion beam etching, CAIBE
process [dry etching process used in
semiconductor component and integrated
circuit fabrication]
   chemisch unterstütztes Ionenstrahlätzen
n, CAIBE-Verfahren *n* [Trockenätzverfahren,
das bei der Herstellung von
Halbleiterbauelementen und integrierten
Schaltungen verwendet wird]
chip, die, semiconductor chip
   Semiconductor piece, cut from a wafer, and
containing all the active and passive elements
of an integrated circuit (or device). The term
chip is also used as a synonym for an integrated
circuit.
   Chip *m*, Halbleiterplättchen *n*
Halbleiterteilstück, das aus einer
Halbleiterscheibe (Wafer) herausgeschnitten
wurde, und das alle aktiven und passiven
Elemente einer integrierten Schaltung (bzw.
Bausteins) enthält. Der Begriff Chip wird auch
als Synonym für integrierte Schaltung benutzt.
chip area
   Chipfläche *f*
chip array
   Chipreihe *f*, Chipmatrix *f*
chip capacitor
   Chipkondensator *m*
chip card [memory card]
   Chipkarte *f* [Speicherkarte]
chip carrier [integrated circuits]
   Chipträger *m* [integrierte Schaltungen]
chip deselect, chip deselection
   Bausteinauswahl-Rücknahme *f*
chip enable (CE)
   In microprocessor-based systems and
integrated circuit memories, a signal which
allows data input (output) or reading from
(writing into) a selected memory.

Bausteinfreigabe *f*
Bei Mikroprozessorsystemen und integrierten
Speicherschaltungen ein Signal, das einen
ausgewählten Baustein für die Ein- bzw.
Ausgabe von Daten oder für das Auslesen bzw.
Einschreiben von Daten freigibt.

chip enable input
   Bausteinfreigabeeingang *m*

chip resistor
   Chipwiderstand *m*

chip select (CS)
In microprocessor-based systems and
integrated circuit memories, a signal for
selecting the desired circuit.
   Bausteinauswahl *f*, Chip-Select *n*
Bei Mikroprozessorsystemen und integrierten
Speicherschaltungen ein Signal zur Auswahl
eines Bausteins.

chip-select access time
   Zugriffszeit ab Bausteinauswahl *f*

chip-select hold time
   Bausteinauswahlhaltezeit *f*

chip-select input
   Bausteinauswahleingang *m*

chip-select lead
   Bausteinauswahlanschluß *m*

chip-select recovery time
   Bausteinauswahlerholzeit *f*

chip-select set-up time
   Bausteinauswahlvorbereitungszeit *f*

chip-select time
   Bausteinauswahlzeit *f*

chip set [set of integrated circuits for a single
functional block]
   Chipsatz *m* [Satz integrierter Schaltkreise für
einen Funktionsblock]

chip size
   Chipgröße *f*

CHMOS (complementary high-performance
MOS) [variant of CMOS technology]
   CHMOS [Variante der CMOS-Technik]

chopper
   Zerhacker *m*

chopper transistor
   Zerhackertransistor *m*

CIM (computer-integrated manufacturing)
   CIM, rechnerintegrierte Fertigung *f*

cipher word [in data secrecy]
   verschlüsseltes Wort *n* [bei der
Datengeheimhaltung]

circuit
An arrangement of one or more components for
analog or digital signal processing.
   Schaltkreis *m*, Schaltung *f*
Anordnung eines oder mehrerer Bauelemente
für die analoge oder digitale
Signalverarbeitung.

circuit board silk-screen printer
   Leiterplatten-Siebdruckautomat *m*

circuit breaker
   Schutzschalter *m*

circuit configuration
   Schaltungsanordnung *f*

circuit design
   Schaltungsentwurf *m*

circuit design techniques
   Schaltungsentwurfstechnik *f*,
Schaltungstechnik *f*

circuit diagram
   Stromlaufplan *m*, Schaltplan *m*

circuit element
   Schaltungselement *n*

circuit switching, line switching [in data
communications]
   Leitungsschaltung *f*, Leitungsvermittlung *f*
[in der Kommunikationstechnik]

circuit technology
   Schaltungstechnik *f*

circular connector
   Rundsteckverbinder *m*

circular list
   Ringliste *f*

circular shift, cyclic shift, end-around shift
[moving a binary digit from the output of a shift
register and reentering it in the input]
   Ringschieben *n*, zyklisches Verschieben *n*
[Verschieben eines Binärzeichens vom Ausgang
eines Schieberegisters wieder in den Eingang]

circulating register, cyclic shift register, end-
around shift register [a shift register in which
bits from the output are pushed back into the
input]
   Ringschieberegister *n*,
Umlaufschieberegister *n* [ein Schieberegister,
bei dem Binärzeichen vom Ausgang wieder in
den Eingang geschoben werden]

circulating storage, cyclic storage
   Umlaufspeicher *m*

CISC (Complete Instruction Set Computer)
   CISC [Rechner mit vollständigem
Befehlsvorrat]

clad, backed [e.g. copper-clad, fabric-backed]
   kaschiert [z.B. kupferkaschiert, mit Gewebe
kaschiert]

clamping circuit [circuit for restoring the dc
level of a signal]
   Klemmschaltung *f* [Schaltung, die den
Gleichstromanteil eines Signals
wiederherstellt]

clamping diode
   Klemmdiode *f*, Klammerdiode *f*, Kappdiode *f*

class [in object oriented programming: a model
category]
   Klasse *f* [bei der objektorientierten
Programmierung: Modellkategorie]

classification
   Klassifizierung *f*

classify, to [e.g. statistical data]

einordnen, klassifizieren, ordnen [z.B.
statistische Daten]
clean room
Reinraum m
clean-up function
Löschfunktion f
cleaning agent
Reinigungsmittel n
cleaning bath
Reinigungsbad n
cleaning-up, clearing [data]
Löschen n [Daten]
clear-all key
Gesamtlöschtaste f
clear entry, to
Eingabe löschen
clear indicator
Löschanzeiger m
clear text, plain language text [a message that is
not coded, e.g. an operator message]
Klartext m [eine nicht codierte Mitteilung, z.B.
eine Mitteilung für den Bediener]
clearance hole [printed circuit boards]
Freiätzung f [Leiterplatten]
cleared condition
gelöschter Zustand m
clearing, cleaning-up [data]
Löschen n [Daten]
clearing signal, erase signal
Löschsignal n
clearing the screen
Löschen des Bildschirms n
click, to [briefly depressing mouse button]
anklicken, klicken [Maustaste kurz drücken
und loslassen]
client [user connected to a central computer (host
computer or server) in a network]
Client m [Anwender, der mit einem
Zentralrechner (Host-Rechner oder Server) in
einem Netzwerk verbunden ist]
client-server link
Client-Server-Verbindung f
client-server system [network of several users
(clients) linked to a server as host computer]
Client-Server-System n [Netzwerksystem
bestehend aus mehreren Anwendern (Client-
Rechnern), die mit einem Server (als
Zentralrechner) verbunden sind]
clip, to
abschneiden
clip-type connector
Federleistenstecker m
clipboard [temporary storage used to transfer
data between documents and between
applications]
Zwischenablage f [temporärer
Speicherbereich für die Datenübertragung
zwischen Dokumenten und Anwendungen]
clipping

Abschneiden n
clock (CLK), clock generator [generates
synchronizing pulses for a synchronous
computer and for the computer periphery]
Taktgeber m, Taktgenerator m [erzeugt
Synchronisierimpulse für einen
Sychronrechner und für die Rechnerperipherie]
clock amplifier
Taktverstärker m
clock controlled
taktgesteuert
clock cycle
Taktzyklus m
clock-doubled processor, clock-doubling
processor [operates at twice the normal clock
frequency, i.e. at 66 MHz instead of 33 MHz]
Prozessor mit doppelter Taktfrequenz m
[arbeitet mit der doppelten Taktfrequenz, z.B.
mit 66 MHz anstatt 33 MHz]
clock driver
Takttreiber m
clock edge
Taktflanke f
clock error
Taktfehler m
clock generation, clocking
Takterzeugung f
clock generator, clock (CLK) [generates
synchronizing pulses for a synchronous
computer and for the computer periphery]
Taktgenerator m, Taktgeber m [erzeugt
Synchronisierimpulse für einen
Sychronrechner und für die Rechnerperipherie]
clock input, clock pulse input [e.g. of a flip-flop]
Takteingang m, Taktimpulseingang m [z.B.
eines Flipflops]
clock period
Taktabstand m
clock pulse [synchronizing pulse]
Taktimpuls m, Takt m [Synchronisierimpuls]
clock pulse generating circuit
Taktimpulsgeneratorschaltung f
clock pulse input, clock input [e.g. of a flip-flop]
Taktimpulseingang m, Takteingang m [z.B.
eines Flipflops]
clock rate, clock frequency
Taktfrequenz f
clock signal [e.g. a clock pulse]
Taktsignal n [z.B. ein Taktimpuls]
clock track [magnetic storage]
Taktspur f [magnetischer Speicher]
clockwise
rechtsdrehend, rechtslauf
clone [copied unit, e.g. IBM PC clone]
Klon m [kopiertes Gerät, z.B. IBM-PC-Klon]
close, to [a file, a window, an application
program]
schließen [einer Datei, eines Fensters, eines
Anwendungsprogrammes]

close-packed
dichtgepackt
closed-circuit cooling circuit
geschlossener Kühlkreis m
closed loop
Regelkreis m, Regelschleife f, geschlossene
Schleife f
closed-loop amplification
Verstärkung mit Gegenkopplung f
closed-loop circuit
geschlossener Regelkreis m
closed-loop control, automatic control
Regelung f
closed program, closed routine
abgeschlossenes Programm n
closed-shop operation [computer operation
without access for the user; in contrast to open
shop in which the user has access]
geschlossener Betrieb m [Rechnerbetrieb
ohne Zutritt für den Auftraggeber bzw.
Anwender; im Gegensatz zum offenen Betrieb,
der dem Anwender Zutritt gewährt]
closed-tube process [a diffusion process]
Ampullendiffusion f [ein
Diffusionsverfahren]
cluster analysis [statistical method of grouping
similar observations]
Cluster-Analyse f [statistisches Verfahren zur
Gruppierung von Beobachtungen]
CMC 7 lettering [magnetically and optically
readable lettering]
CMC-7-Schrift f [magnetisch und optisch
lesbare Schrift]
CMD technology (conductivity-modulated
device technology)
Integrated circuit technology for power
semiconductors based on the principle of
conductivity modulation. Circuits in this class
(known as COMFET, GEMFET, IGT or
MOSBIP) combine MOS input stages with
bipolar output stages on the same chip, and are
characterized by high power and voltage
switching capability.
CMD-Technik f,
Leitfähigkeitsmodulationstechnik f
Integrierte Schaltungstechnik für
Leistungshalbleiter, die auf dem Prinzip der
Leitfähigkeitsmodulation basiert. Schaltungen
dieses Typs (bekannt unter den Namen
COMFET, GEMFET, IGT oder MOSBIP) sind
mit MOS-Eingangsstufen und bipolaren
Ausgangsstufen auf dem gleichen Chip
realisiert und zeichnen sich durch die Fähigkeit
aus, hohe Leistungen bei hohen Spannungen zu
schalten.
CML technology (current-mode logic)
Circuit technique for bipolar integrated circuits
in which transistors operate in the unsaturated
mode. This enables very short switching times

to be achieved. The best known logic families in
the CML group are ECL and E^2CL.
CML-Technik f, Stromschaltertechnik f
Schaltungstechnik für integrierte
Bipolarschaltungen, bei der die Transistoren
im ungesättigten Zustand betrieben werden.
Damit lassen sich sehr kleine Schaltzeiten
erzielen. Die bekanntesten Vertreter der
Stromschaltertechnik sind die ECL- und E^2CL-
Logikfamilien.
CMOS memory device, CMOS memory
CMOS-Speicher m
CMOS technology (complementary MOS
technology)
Technique for forming complementary MOS
transistor pairs by combining an n-channel and
a p-channel enhancement-mode MOS transistor
on the same chip.
CMOS-Technik f, komplementäre MOS-
Technik f, Komplementärtechnik f
Technik, bei der komplementäre-MOS-
Transistorpaare gebildet werden, indem je ein
N-Kanal- und ein P-Kanal-MOS-Transistor des
Anreicherungstyps auf dem gleichen Chip
kombiniert werden.
CNC, computer numerical control [machine
control]
A numerical control system incorporating one
or more computers or microprocessors to
perform the control functions.
CNC-System n, CNC f [Maschinensteuerung]
Numerische Steuerung, die einen oder mehrere
Rechner bzw. Mikroprozessoren für die
Ausführung der Steuerungsfunktionen enthält.
coalesce, to
zusammenfügen
coaxial cable
Koaxialkabel n
coaxial connector
Koaxialsteckverbinder m
coaxial plug
Koaxialstecker m
COBOL (common business-oriented language)
[widely used high-level programming language
for business applications]
COBOL [weitverbreitete höhere
Programmiersprache für kaufmännische
Aufgaben]
CODASYL (Conference on Data System
Languages) [concept for hierarchical and
network-type data base systems]
CODASYL-Konzept n [für hierarchische und
netzwerkartige Datenbanksysteme]
code [an unambiguous assignment of the
characters of one character set to those of
another]
Code m [eine eindeutige Zuordnung der
Zeichen eines Zeichenvorrats zu denjenigen
eines anderen]

code, to; encode, to
codieren, verschlüsseln
code conversion
Codeumsetzung *f,* Umcodierung *f*
code converter
Codeumsetzer *m*
code detector
Codedetektor *m*
code digit
Kennziffer *f*
code generator
Codegenerator *m*
codec (coder-decoder)
Codec *m* (Codierer-Decodierer)
coded decimal digit
codierte Dezimalziffer *f*
coded representation
codierte Darstellung *f*
coded switch
Codierschalter *m*
coder, encoder
Codierer *m*
coder-decoder (codec)
Codierer-Decodierer *m* (Codec)
coding, encoding
Codierung *f*
coding instruction
Codieranweisung *f*
coding line, line of code
Codierzeile *f*
coding method
Codierverfahren *n*
coding pin, polarizing pin [connectors]
Kodierstift *m* [Steckverbinder]
coding scheme
Codierungsvorschrift *f*
coding sheet
Programmiervordruck *m*
Coherent [a PC UNIX derivate developed by
Mark Williams]
Coherent [von Mark Williams entwickeltes
PC-UNIX-Derivat]
coiled cable
Spiralkabel *n*
coincidence circuit, AND element, AND circuit
[combines two or more switching variables
according to the AND function, i.e. the output is
1, if and only if all inputs are 1]
Koinzidenzschaltung *f,* UND-Glied *n,* UND-
Schaltung *f* [verknüpft zwei oder mehr
Schaltvariablen entsprechend der UND-
Funktion, d.h. der Ausgangswert ist 1, wenn
und nur wenn alle Eingänge den Wert 1 haben]
cold boot [start up of computer by switching on
or switching off and on again, in contrast to
warm boot]
Kaltstart *m,* Systemstart *m* [Aufstarten des
Rechners durch Einschalten bzw. Aus- und
Wiedereinschalten, im Gegensatz zum

Warmstart]
cold solder connection
kalte Lötstelle *f*
collector [bipolar transistors]
Region of the bipolar transistor into which the
charge carriers, which have been injected from
the emitter region into the base region, move by
diffusion.
Kollektor *m* [Bipolartransistoren]
Bereich des Bipolartransistors, in den die aus
dem Emitterbereich in den Basisbereich
injizierten Ladungsträger diffundieren.
collector-base breakdown voltage
Kollektor-Basis-Durchbruchspannung *f*
collector-base capacitance
Kollektor-Basis-Kapazität *f*
collector-base current
Kollektor-Basis-Strom *m*
collector-base cut-off current
Kollektor-Basis-Reststrom *m*
collector-base diode, collector-base junction
A pn- (or np-) junction between the collector
and base regions of a bipolar transistor. In
bipolar integrated circuits, the diode formed by
the collector-base junction.
Kollektor-Basis-Diode *f,* Kollektor-Basis-
Übergang *m*
Ein PN- (bzw. NP-) Übergang zwischen
Kollektor- und Basiszone eines
Bipolartransistors. Bei bipolaren integrierten
Schaltungen die Diode, die aus dem Kollektor-
Basis-Übergang gebildet wird.
collector-base junction, depletion layer
between collector and base [pn- (or np-)
junction between the collector and base regions
of a bipolar transistor]
Kollektor-Basis-Übergang *m,* Kollektor-
Basis-Sperrschicht *f* [PN- (bzw. NP-) Übergang
zwischen Kollektor- und Basiszone eines
Bipolartransistors]
collector-base voltage [voltage between
collector terminal and base terminal]
Kollektor-Basis-Spannung *f* [Spannung
zwischen Kollektoranschluß und
Basisanschluß]
collector bias
Kollektorvorspannung *f*
collector breakdown
Kollektordurchbruch *m*
collector breakdown voltage
Kollektordurchbruchspannung *f*
collector capacitance
Kollektorkapazität *f*
collector contact, collector terminal [terminal,
accessible from the outside, making electrical
contact with the collector region]
Kollektoranschluß *m,* Kollektorkontakt *m*
[von außen zugängliche Stelle für den Anschluß
an den Kollektorbereich]

collector current [current flowing through the collector terminal]
   Kollektorstrom m [über den Kollektoranschluß fließender Strom]
collector depletion layer capacitance
   Kollektorsperrschichtkapazität f
collector diffusion isolation (CDI technology) Special isolation technique used in integrated circuits.
   Kollektordiffusionsisolation f, Isolation durch Kollektordiffusion f, CDI-Technik f Spezielles Isolationsverfahren, das bei integrierten Schaltungen eingesetzt wird.
collector diffusion step Diffusion of impurities into the collector region of a bipolar semiconductor component.
   Kollektordiffusion f Diffusion von Fremddatomen in den Kollektorbereich eines bipolaren Halbleiterbauteils.
collector diode [short form for collector-base diode]
   Kollektordiode f [Kurzform für Kollektor-Basis-Diode]
collector dissipation
   Kollektorverlustleistung f
collector doping Doping of the collector region in bipolar component and integrated circuit fabrication.
   Kollektordotierung f Dotierung des Kollektorbereiches bei der Fertigung von bipolaren Bauelementen oder bipolaren integrierten Schaltungen.
collector electrode
   Kollektorelektrode f
collector-emitter breakdown voltage
   Kollektor-Emitter-Durchbruchspannung f
collector-emitter capacitance
   Kollektor-Emitter-Kapazität f
collector-emitter cut-off current
   Kollektor-Emitter-Reststrom m
collector-emitter saturation voltage
   Kollektor-Emitter-Sättigungsspannung f
collector-emitter sustaining voltage
   Kollektor-Emitter-Dauerspannung f
collector-emitter voltage [voltage between collector terminal and emitter terminal]
   Kollektor-Emitter-Spannung f [Spannung zwischen Kollektoranschluß und Emitteranschluß]
collector feedback capacitance
   Kollektor-Rückwirkungskapazität f
collector peak current
   Kollektorspitzenstrom m
collector region, collector zone
   Kollektorzone f, Kollektorbereich m
collector resistance
   Kollektorwiderstand m
collector reverse current

   Kollektorsperrstrom m
collector series resistance
   Kollektorbahnwiderstand m
collector voltage
   Kollektorspannung f
collision
   Kollision f
colon
   Doppelpunkt m
colon equal
   Ergibt-Symbol n
colour coding
   Farbcodierung f
colour display
   Farbbildschirm m
colour distortion
   Farbverzerrung f
colour LCD [liquid crystal colour display]
   Farb-LCD [farbige Flüssigkristallanzeige]
colour monitor, colour terminal
   Farbmonitor m, Farbbildschirmgerät n
colour pallet
   Farbpalette f
colour scale
   Farbskala f
colour scanner
   Farb-Scanner m
colour transmission
   Farbübertragung f
column
   Spalte f
column address
   Spaltenadresse f
column address hold time
   Spaltenadressenhaltezeit f
column address latch
   Spaltenadressenübernahmeregister n
column address-select
   Spaltenadreßauswahl f
column address-select access time
   Zugriffszeit ab Spaltenadreßauswahl f
column address set-up time
   Spaltenadressenvorlaufzeit f
column address strobe (CAS) Signal for addressing memory cells in the columns of a memory device in which the cells are arranged in an array (e.g. in RAMs)
   Spaltenadressenimpuls m (CAS) Signal für die Spaltenadressierung bei Speichern mit matrixartiger Anordnung der Speicherzellen (z.B. bei RAMs).
column binary representation, Chinese binary representation
   spaltenbinäre Darstellung f
column decoder
   Spaltendecodierer m
column driver
   Spaltentreiber m
column height

Spaltenhöhe *f*
column parity character
Spaltenparitätsprüfzeichen *n*
column select
Spaltenauswahl *f*
column sense amplifier
Spaltenleseverstärker *m*
column spacing
Spaltenabstand *m*
column width
Spaltenbreite *f*
COM (computer output on microfilm)
COM, Rechnerdatenausgabe über Mikrofilm *f*
COM file [executable file with max. 64 kB]
COM-Datei *f* [ausführbare Datei mit max. 64 kB]
combinational circuit, combinatorial circuit
A logic circuit whose output values depend only on the instantaneous input values, i.e. a circuit comprising gates (e.g. AND gates) but without storage elements such as flip-flops.
kombinatorische Schaltung *f*, kombinatorisches Schaltwerk *n*
Eine logische Schaltung, deren Ausgangswerte nur von den augenblicklichen Eingangswerten abhängen, d.h. eine Schaltung bestehend aus Gattern (z.B. UND-Glieder) aber ohne Speicherelemente wie Flipflops.
combinational logic, combinatorial logic [a logical function without storage properties in contrast to sequential logic; provides unique output for each unique combination of inputs]
kombinatorische Logik *f* [logische Verknüpfung ohne Speicherverhalten, im Gegensatz zur sequentiellen Logik; ergibt einen eindeutigen Ausgangswert für jede eindeutige Kombination von Eingangswerten]
combinatorics
Kombinatorik *f*
combined keyboard [alphanumeric keys and separate numeric keypad]
kombinierte Tastatur *f* [z.B. alphanumerische Tasten und getrennter Zahlenblock]
COMFET (conductivity-modulated FET)
Family of power control integrated circuits in CMD technology combining bipolar and MOS structures on the same chip.
COMFET [leitfähigkeitsmodulierter Feldeffekttransistor]
Integrierte Schaltungsfamilie der Leistungselektronik in CMD-Technik, die mit Bipolar- und MOS-Strukturen auf dem gleichen Chip realisiert ist.
command, control command, control instruction [controls the program sequence; initiates a computer operation defined by an instruction]
Steuerbefehl *m*, Kommando *n* [steuert den Programmablauf; löst eine Rechneroperation

aus, die durch einen Befehl definiert ist]
command [at DOS level or within application program]
Befehl *m* [auf DOS-Ebene oder im Anwendungsprogramm]
command button [in dialog box for carrying out an action, e.g. "OK" or "Cancel"]
Befehlsschaltfläche *f* [im Dialogfeld zwecks Auswahl einer Tätigkeit, z.B. "OK" oder "Abbrechen]
command interpreter
Befehlsinterpreter *m*
command language [instructions of the operating system for calling up system functions; is used by the operator for giving commands to the computer, e.g. for loading a program]
Kommandosprache *f* [Befehle des Betriebssystems für den Aufruf von Systemfunktionen; wird vom Bediener für Kommandos an den Rechner verwendet, z.B. um ein Programm zu laden]
command line
Befehlszeile *f*
command line interface [command entry at DOS level]
Kommandozeile-Schnittstelle *f* [Kommandoeingabe auf DOS-Ebene]
command processor
Befehlsprozessor *m*
command sequence
Kommandofolge *f*
comment, remark [in a program: explains the programming step and is not processed by the computer]
Kommentar *m*, Bemerkung *f* [in einem Programm: erläutert den Programmierschritt und wird vom Rechner nicht verarbeitet]
comment line
Kommentarzeile *f*
common base connection [basic transistor configuration]
One of the three basic configurations of the bipolar transistor having the base as common reference terminal.
Basisschaltung *f* [Transistorgrundschaltung]
Eine der drei Grundschaltungen des Bipolartransistors, bei der die Basis die gemeinsame Bezugselektrode ist.
common collector connection [basic transistor configuration]
One of the three basic configurations of the bipolar transistor having the collector as a common reference terminal.
Kollektorschaltung *f* [Transistorgrundschaltung]
Eine der drei Grundschaltungen des Bipolartransistors, bei dem die Kollektorelektrode die gemeinsame

Bezugselektrode ist.
common drain connection [basic transistor
configuration]
One of the three basic configurations of the
field-effect transistor having the drain as
common reference terminal. It is comparable to
the common collector connection of a bipolar
transistor.
Drainschaltung *f* [Transistorgrundschaltung]
Eine der drei Grundschaltungen des
Feldeffekttransistors, bei der die
Drainelektrode die gemeinsame
Bezugselektrode ist. Sie ist vergleichbar mit
der Kollektorschaltung bei Bipolartransistoren.
common emitter connection [basic transistor
configuration]
One of the three basic configurations of the
bipolar transistor having the emitter as
common reference terminal.
Emitterschaltung *f*
[Transistorgrundschaltung]
Eine der drei Grundschaltungen des
Bipolartransistors, bei dem die
Emitterelektrode die gemeinsame
Bezugselektrode ist.
common field
gemeinsames Datenfeld *n*
common gate connection [basic transistor
configuration]
One of the three basic configurations of the
field-effect transistor having the gate as
common reference terminal; comparable to the
common base connection of a bipolar transistor.
Gateschaltung *f* [Transistorgrundschaltung]
Eine der drei Grundschaltungen des
Feldeffekttransistors, bei der die Gateelektrode
die gemeinsame Bezugselektrode ist;
vergleichbar mit der Basisschaltung bei
Bipolartransistoren.
common logarithm, Briggs logarithm
[logarithm to the base ten]
Briggscher Logarithmus *m*, dekadischer
Logarithmus *m* [Zehnerlogarithmus]
common machine language
einheitliche Maschinensprache *f*
common-mode
Gleichtakt *m*
common-mode input resistance
Gleichtakteingangswiderstand *m*
common-mode input voltage
Eingangs-Gleichtaktspannung *f*
common-mode input voltage range
Eingangs-Gleichtaktspannungsbereich *m*
common-mode rejection
Gleichtaktunterdrückung *f*
common-mode voltage
Gleichtaktspannung *f*
common-mode voltage gain
Gleichtaktverstärkung *f*,

Gleichtaktspannungsverstärkung *f*
common return
gemeinsamer Rückleiter *m*
common source connection [basic transistor
configuration]
One of the three basic configurations of the
field-effect transistor having the source as a
common reference terminal. It is comparable to
the common emitter connection of a bipolar
transistor.
Sourceschaltung *f*
[Transistorgrundschaltung]
Eine der drei Grundschaltungen des
Feldeffekttransistors, bei dem die
Sourceelektrode die gemeinsame
Bezugselektrode ist. Sie ist vergleichbar mit
der Emitterschaltung bei Bipolartransistoren.
common storage area
gemeinsamer Speicherbereich *m*
communication channel, data communication
channel
Kommunikationsleitung *f*,
Datenkommunikationsleitung *f*
communication network
Nachrichtennetz *n*, Kommunikationsnetz *n*
communication system [telecommunications]
Kommunikationssystem *n*,
Nachrichtensystem *n* [Nachrichtentechnik]
communications, telecommunications
Kommunikationstechnik *f*,
Telekommunikationstechnik *f*
communications protocol, protocol [rules for
the interchange of data between two
communication partners, e.g. between terminal
and computer]
Kommunikationsprotokoll *n*, Protokoll *n*
[Regeln für den Austausch von Daten zwischen
zwei Kommunikationspartnern, z.B. zwischen
Terminal und Rechner]
compact
dicht gedrängt, kompakt
comparator
Vergleicher *m*, Komparator *m*
compatibility [hardware], portability [software]
Kompatibilität *f*, Vereinbarkeit *f*,
Verträglichkeit *f* [Austauschbarkeit von
Hardware und Software]
compatible [replaceable one by the other, e.g.
two devices, units or systems]
kompatibel, verträglich [untereinander
austauschbar, z.B. zwei Bausteine, Geräte oder
Systeme]
compensating circuit, compensation circuit
Abgleichschaltung *f*
compilation time
Übersetzungszeit *f*
compile, to
compilieren, kompilieren, übersetzen
compiler

A program for converting a program written in
a higher programming language into machine
language or operation codes of a computer. In
contrast to an interpreter, which converts
individual program instructions, the compiler
converts the entire program. A compiler
therefore requires less storage space and is
significantly faster.
Compiler *m*, Kompilierer *m*, Übersetzer *m*
Ein Programm, das ein in einer höheren
Programmiersprache geschriebenes Programm
in Maschinensprache bzw. Befehlscodes des
Rechners übersetzt. Im Gegensatz zu einem
Interpreter, der jeweils einzelne
Programmanweisungen übersetzt, führt der
Compiler die Übersetzung gesamthaft durch.
Der Compiler hat deshalb einen geringeren
Speicherbedarf und wesentlich kürzere
Durchlaufzeiten.
compiler-compiler, compiler generator
[generates a compiler]
Compiler-Compiler *m*, Compilergenerator *m*,
Kompilierergenerator *m*, Übersetzergenerator
m [erzeugt einen Compiler]
compiling program
Übersetzungsprogramm *n*
complement [serves to represent a negative
number; for negative binary numbers one uses
either the ones or the twos complement and for
negative decimal numbers either the nines or
the tens complement]
Komplement *n*, Zahlenkomplement *n* [dient
der Darstellung einer negativen Zahl; für
negative Binärzahlen verwendet man entweder
das Einer- oder das Zweierkomplement, für
negative Dezimalzahlen entweder das Neuner-
oder das Zehnerkomplement]
complement, to [to form the complement of a
number]
komplementieren, ergänzen [das
Komplement einer Zahl bilden]
complement add
komplementäre Addition *f*
complement flag bit
Ergänzungsbit *n*
complementary data
ergänzende Daten *n.pl.*
**complementary high-performance MOS
technology** (CHMOS technology) [variant of
CMOS technology]
**komplementäre Hochleistungs-MOS-
Technik** *f*, CHMOS-Technik *f* [Variante der
CMOS-Technik]
complementary MOS technology, CMOS
technology
Technique for forming complementary MOS
transistor pairs by combining an n-channel and
a p-channel enhancement-mode MOS transistor
on the same chip.

komplementäre MOS-Technik *f*, CMOS-
Technik *f*
Technik, bei der komplementäre MOS-
Transistorpaare gebildet werden, indem je ein
N-Kanal- und ein P-Kanal-MOS-Transistor des
Anreicherungstyps auf dem gleichen Chip
kombiniert werden.
complementary power transistors [transistor
pair of complementary type, e.g. a pnp- and a
npn-transistor; often used as push-pull power
amplifier stage]
komplementäre Leistungstransistoren
m.pl. [Transistorpaar vom komplementären
Typ, z.B. ein PNP- und ein NPN-Transistor;
häufig als Gegentaktendstufe verwendet]
complementary technology [e.g. CMOS
technology]
Komplementärtechnik *f* [z.B. die CMOS-
Technik]
complementary transistor amplifier [formed
of complementary transistors]
Komplementärverstärker *m* [aus
Komplementärtransistoren gebildet]
complementary transistors [transistor pair of
complementary type, e.g. a pnp- and a npn-
transistor]
Komplementärtransistoren *m.pl.*
[Transistorpaar vom komplementären Typ, z.B.
ein PNP- und ein NPN-Transistor]
complete carry
Vollübertrag *m*
complete failure
Vollausfall *m*
complex notation [e.g. Z = X + jY]
komplexe Schreibweise *f* [z.B. Z = X + jY]
component
Bauelement *n*, Bauteil *n*
component assembly
Bauteilmontage *f*
component density, packaging density
In integrated circuits, the number of
components per chip.
Bauelementendichte *f*, Packungsdichte *f*
Bei integrierten Schaltungen die Anzahl der
Bauelemente pro Chip.
component density [e.g. on a printed circuit
board]
Bauteildichte *f* [z.B. auf einer Leiterplatte]
component failure rate
Bauteilausfallrate *f*
component hole [printed circuit boards]
Anschlußloch *n* [Leiterplatten]
component insertion [mounting components,
e.g. on printed circuit boards]
Bauteilbestückung *f* [die Montage von
Bauteilen, z.B. auf Leiterplatten]
component layout
Bauteilanordnung *f*
component side [of a printed circuit board]

Bestückungsseite *f,* Bauteilseite *f* [einer
Leiterplatte]
component test
  Bauteilprüfung *f*
component tolerance
  Bauteiltoleranz *f*
composite board [printed circuit boards]
  Verbundplatte *f,* Schichtplatte *f*
composite material
  Verbundwerkstoff *m*
composite signal [for video display]
  BAS-Signal *n* [Bildinhalt-Austast-Synchron-
Signal für Bildschirmgerät]
compound expression
  zusammengesetzter Ausdruck *m*
compound semiconductor
  Semiconductor consisting of two or more
elements, e.g. gallium arsenide or gallium
aluminium arsenide, as opposed to an
elemental semiconductor which consists of a
single element, e.g. silicon.
  Verbindungshalbleiter *m*
  Halbleiter, der aus zwei oder mehreren
Elementen besteht, z.B. Galliumarsenid oder
Gallium-Aluminiumarsenid, im Gegensatz zum
Elementhalbleiter, der aus einem einzigen
Element besteht, z.B. Silicium.
compress, to
  verdichten
compressed time scale
  Zeitraffung *f*
compression [data]
  Komprimierung *f* [Daten]
compression rate
  Komprimierungsrate *f*
computation-intensive tasks [tasks involving a
high amount of computation ("number
crunching" tasks); in contrast to data-intensive
tasks involving high input-output traffic (I/O-
intensive tasks)]
  rechenintensive Aufgaben *f.pl.* [Aufgaben,
die einen hohen Rechenaufwand beinhalten; im
Gegensatz zu Aufgaben, die datenintensiv sind,
d.h. die einen hohen Eingangs-
Ausgangsverkehr aufweisen]
computation loop [program loop for execution of
a computation]
  Rechenschleife *f* [Programmschleife für die
Ausführung einer Berechnung]
computation method
  Berechnungsmethode *f,*
Berechnungsverfahren *n*
computation program
  Rechenprogramm *n*
compute mode
  Betriebsart "Rechnen" *f*
compute statement
  Rechenanweisung *f*
computed GO-TO statement [FORTRAN]

Anweisung für berechneten Sprung *f*
[FORTRAN]
computer
  Rechner *m,* Rechenanlage *f,* Computer *m,*
Datenverarbeitungsanlage *f*
computer-aided
  rechnerunterstützt
computer-aided assembly (CAA)
  rechnerunterstützte Montage *f* (CAA)
computer-aided design (CAD)
  rechnerunterstützte Konstruktion *f* (CAD)
computer-aided drafting (CAD)
  rechnerunterstütztes Zeichnen *n* (CAD)
computer-aided engineering (CAE)
  rechnerunterstützte Entwicklung *f* (CAE)
computer-aided manufacturing (CAM)
  rechnerunterstützte Fertigung *f* (CAM)
computer-aided planning (CAP)
  rechnerunterstützte Arbeitsplanung *f*
(CAP)
computer-aided programming
  maschinelle Programmierung *f*
computer-aided quality control (CAQ)
  rechnerunterstützte Qualitätskontrolle *f*
(CAQ)
computer-aided software engineering
(CASE) [programming support environment]
  CASE [rechnerunterstützte Software-
Entwicklung; Umgebung zur Unterstützung
der Programmentwicklung]
computer-aided testing (CAT)
  rechnerunterstützte Prüfung *f* (CAT)
computer architecture
  The hardware and software structure of an
electronic computer, its internal organization
and the way in which data is processed.
  Rechnerarchitektur *f,* Computerarchitektur *f*
  Der hard- und softwaremäßige Aufbau eines
elektronischen Rechners sowie seine interne
Organisation und die Art der
Informationsverarbeitung.
computer communication system
  Rechnerkommunikationssystem *n*
computer-controlled
  rechnergesteuert
computer crash, crash
  Rechnerabsturz *m,* Absturz *m*
computer-dependent
  rechnerabhängig
computer fraud
  Computerbetrug *m*
computer generation
  The classification of electronic computers
according to their technological state of
development: electron tubes (1st generation);
semiconductor components (2nd); integrated
circuit technology (3rd); large scale integrated
circuit technology (4th); non-von-Neumann
architecture (5th).

Rechnergeneration *f,* Computergeneration *f*
Die Einteilung von elektronischen
Rechenanlagen nach ihrem technischen
Entwicklungsstand: Röhrentechnik (1.
Generation); Halbleiterbauelemente (2.);
integrierte Schaltungstechnik (3.);
hochintegrierte Schaltungstechnik (4.); nicht-
von-Neumann-Architektur (5.).
computer graphics
  Computergraphik *f*
computer-independent
  rechnerunabhängig
computer interface
  Rechnerschnittstelle *f*
computer-internal representation [in CAD:
  representation in computer-internal model]
  interne Rechnerdarstellung *f* [in CAD:
  Darstellung im rechnerinternen Modell]
computer linking
  Rechnerkopplung *f*
computer module
  Rechnermodul *m*
computer network [system comprising several
  computers interconnected by data
  communication channels]
  Rechnernetz *n,* **Rechnerverbund** *m* [System,
  das aus mehreren Rechnern besteht, die über
  Datenkommunikationsleitungen miteinander
  verbunden sind]
computer numerical control (CNC) [machine
  control]
  A numerical control system incorporating one
  or more computers or microprocessors to
  perform the control functions.
  CNC-System *n,* **CNC** *f* [Maschinensteuerung]
  Numerische Steuerung, die einen oder mehrere
  Rechner bzw. Mikroprozessoren für die
  Ausführung der Steuerungsfunktionen enthält.
computer output on microfilm (COM)
  Rechnerausgabe über Mikrofilm *f* (COM)
computer program
  Rechnerprogramm *n*
computer run
  Rechnerlauf *m*
computer science [science of information
  processing systems]
  Informatik *f* [Wissenschaft der
  informationsverarbeitenden Systeme]
computer simulation
  Rechnersimulation *f*
computer system
  Rechensystem *n,* **Rechnersystem** *n*
computer technology
  Rechnertechnik *f*
computer virus, virus [program that multiplies
  itself and infects, modifies or destroys other
  programs]
  Computervirus *n,* **Virus** *n* [Programm, das
  sich reproduziert und andere Programme

infiziert, verändert oder zerstört]
computer workload
  Rechnerbelastung *f*
computing algorithm
  Rechenalgorithmus *m*
computing center, computer center, data
  processing center
  Rechenzentrum *n*
computing element, arithmetic element [device
  for executing mathematical operations in
  analog computers; usually based on an
  operational amplifier]
  Rechenelement *n* [Baustein zur Ausführung
  von mathematischen Operationen in einem
  Analogrechner; in der Regel basierend auf
  einem Operationsverstärker]
computing speed [usually expressed in
  operations/s (MOPS) or floating-point
  operations/s (MFLOPS), instructions/s (MIPS)
  or as execution time for a basic computation
  operation or a benchmark program]
  Rechengeschwindigkeit *f* [in der Regel
  ausgedrückt in Operationen/s (MOPS) bzw.
  Gleitkommaoperationen/s (MFLOPS), Befehle/s
  (MIPS) oder als Ausführungszeit für eine
  Grundrechenart oder für ein Benchmark- bzw.
  Bewertungsprogramm]
concatenate, to [strings]
  verketten [Zeichenketten]
concatenation [strings]
  Verkettung *f* [Zeichenketten]
concatenation character
  Verknüpfungszeichen *n*
concentrator [reduces the number of channels
  in data transmission]
  Konzentrator *m* [verringert die Anzahl der
  Kanäle bei der Datenübertragung]
concurrent
  konkurrent, gleichzeitig
concurrent processing [interleaved processing
  of several programs]
  verzahnt ablaufende Verarbeitung *f,*
  überlappte Verarbeitung *f* [die zeitlich
  verzahnte Verarbeitung mehrerer Programme]
concurrent working, simultaneous operation,
  simultaneous processing
  Simultanbetrieb *m,* Simultanverarbeitung *f,*
  gleichzeitige Verarbeitung *f*
condition
  Bedingung *f*
conditional [statement]
  bedingt [Anweisung]
conditional breakpoint [for interrupting a
  program]
  bedingter Programmstop *m* [zur
  Unterbrechung eines Programmes]
conditional jump, conditional jump instruction
  [a jump instruction that is followed when
  certain conditions are fulfilled]

bedingter Sprung *m,* bedingter Sprungbefehl *m* [ein Sprungbefehl, der ausgeführt wird, wenn bestimmte Bedingungen erfüllt sind]
conditional jump statement
bedingte Sprunganweisung *f*
conditional statement, IF-statement
bedingte Anweisung *f*
conductance [reciprocal value of resistance; SI unit: siemens]
Leitwert *m,* reeller Leitwert *m,* Konduktanz *f* [Reziprokwert des Widerstandes; SI-Einheit: Siemens]
conducting, conductive
stromführend, leitend
conducting layer [printed circuit boards]
leitende Schicht *f*
conducting pattern [printed circuit boards]
Leiterbild *n*
conducting state, on-state
Durchlaßzustand *m*
conducting state region [of a semiconductor device]
Durchlaßbereich *m* [eines Halbleiterbausteines]
conduction
Leitung *f*
conduction band [semiconductor technology]
Energy band in the band diagram in which electrons can move freely, thus permitting current flow in a semiconductor.
Leitungsband *n* [Halbleitertechnik]
Energieband im Bändermodell, in dem sich Elektronen frei bewegen können und somit einen Stromfluß im Halbleiter ermöglichen.
conduction electron [semiconductor technology]
Electron whose energy level is situated in the conduction band and which, under the influence of an electric field, contributes to electrical conduction in a semiconductor.
Leitungselektron *n* [semiconductor technology]
Elektron, dessen Energieniveau im Leitungsband liegt und das unter der Wirkung eines elektrischen Feldes zur elektrischen Leitung im Halbleiter beiträgt.
conductive, conducting
leitend, stromführend
conductive channel, channel [in field-effect transistors, the path through which current flows between source and drain]
leitender Kanal *m,* Kanal *m* [bei Feldeffekttransistoren der Pfad, durch den der Stromfluß zwischen Source und Drain erfolgt]
conductive foil [printed circuit boards]
leitende Folie *f* [Leiterplatten]
conductive layer, conductive film
leitende Schicht *f*
conductive pattern [of integrated circuits or

printed circuit boards]
Leiterbild *n,* Leiterstruktur *f,* Verdrahtungsmuster *n* [bei integrierten Schaltungen und Leiterplatten]
conductive pencil
Graphitstift *m*
conductivity
Leitfähigkeit *f*
conductivity-modulated device technology (CMD technology)
Integrated circuit technology for power semiconductors based on the principle of conductivity modulation. Circuits in that class (known as COMFET, GEMFET, IGT, MOSBIP) combine MOS input stages with bipolar output stages on the same chip and are characterized by high power and voltage switching capability.
Leitfähigkeitsmodulationstechnik *f* (CMD-Technik)
Integrierte Schaltungstechnik für Leistungshalbleiter, die auf dem Prinzip der Leitfähigkeitsmodulation basiert. Schaltungen dieses Typs (bekannt unter den Namen COMFET, GEMFET, IGT, MOSBIP) sind mit MOS-Eingangsstufen und bipolaren Ausgangsstufen auf dem gleichen Chip realisiert und zeichnen sich durch die Fähigkeit aus, hohe Leistungen bei hohen Spannungen zu schalten.
conductivity-modulated field-effect transistor (COMFET)
Family of power control integrated circuits using the conductivity-modulated device technology, which combines bipolar and MOS-structures on the same chip.
leitfähigkeitsmodulierter Feldeffekttransistor *m* (COMFET)
Integrierte Schaltungsfamilie der Leistungselektronik in CMD-Technik (Leitfähigkeitsmodulation), die mit Bipolar- und MOS-Strukturen auf einem Chip realisiert ist.
conductivity modulation
Leitfähigkeitsmodulation *f*
conductor
Leiter *m,* Stromleiter *m*
conductor side [of a printed circuit board; in contrast to component side]
Schichtseite *f,* Leiterseite *f* [einer Leiterplatte; im Gegensatz zur Bauteilseite]
conductor spacing [printed circuit boards]
Leiterabstand *m* [Leiterplatten]
confidence interval [quality control]
Vertrauensbereich *m* [Qualitätskontrolle]
confidence level [quality control]
statistische Sicherheit *f* [Qualitätskontrolle]
configuration, design
Konfiguration *f,* Auslegung *f*
configure, to; design, to

auslegen, entwerfen
confirmation message, acknowledgement
message
Bestätigungsmeldung *f*
conformal coating [printed circuit boards]
konformaler Überzug *m* [Leiterplatten]
conformance testing
Konformitätsprüfung *f*
connect, to
anschließen
connected
angeschaltet, angeschlossen, verbunden
connected back-to-back [circuit]
antiparallel geschaltet [Schaltung]
connected in series, series-connected
in Reihe geschaltet, reihengeschaltet,
vorgeschaltet
connecting wire, lead
Anschlußdraht *m,* Zuleitung *f*
connector
Steckverbinder *m*
connector adapter
Steckverbinder-Adapter *m*
connector box, terminal box
Anschlußkasten *m*
connector-compatible, plug-compatible
[designates interchangeable equipment]
steckerkompatibel, anschlußkompatibel
[bezeichnet Geräte, die miteinander
austauschbar sind]
connector symbol [symbol used for continuing
flow charts]
Konnektor *m* [Symbol für die Fortsetzung von
Ablaufdiagrammen]
consecutive numbers [unbroken sequence of
numbers]
fortlaufende Nummern *f.pl*
consecutive processing
fortlaufende Verarbeitung *f*
console, operator console, operator's console
Konsole *f,* Bedienkonsole *f,*
Bedienungskonsole*f*
constant bias voltage
konstante Vorspannung *f*
constant current source
Konstantstromquelle *f*
constant source diffusion
Diffusion aus einer unerschöpflichen
Quelle *f*
constant voltage source
Konstantspannungsquelle *f*
constructor [initialization function in C++]
Konstruktor *m* [Initialisierungsfunktion in
C++]
consumer electronics
Unterhaltungselektronik *f,*
Konsumelektronik *f*
contact area
Kontaktfläche *f*

contact bounce, contact bouncing
Kontaktprellen *n*
contact pad [printed circuit boards]
Anschlußfläche *f* [Leiterplatten]
contact resistance
Kontaktwiderstand *m,* Übergangswiderstand
contamination [unwanted particles on process
equipment or wafers affecting the yield in
semiconductor component fabrication]
Verunreinigung *f,* Kontamination *f*
[unerwünschte Partikel auf Prozeßanlagen oder
Halbleiterscheiben, die die Ausbeute bei der
Herstellung von Halbleiterbauelementen
verringern]
content-addressable memory (CAM),
associative memory
Storage device whose storage locations are
identified by their contents rather than by their
names or positions.
inhaltsadressierbarer Speicher *m* (CAM),
Assoziativspeicher *m*
Speicher, dessen Speicherelemente durch
Angabe ihres Inhaltes aufrufbar sind und nicht
durch ihre Namen oder Lagen.
contention mode [multiple users contending for
shareable facilities, e.g. magnetic tape storage]
Konkurrenzverfahren *n* [Betriebsart, bei der
mehrere Benutzer konkurrierend auf
gemeinsame Einrichtungen zugreifen, z.B. auf
Magnetbandspeicher]
contiguous data item, contiguous item
benachbartes Datenfeld *n*
contiguous record [one of a group of structured
records; COBOL]
abhängiger Datensatz *m* [ein Datensatz aus
einer strukturierten Gruppe; COBOL]
continuity failure
Durchgangsunterbrechung *f*
continuity test
Durchgangsprüfung *f*
continuity tester
Durchgangsprüfer *m,* Leitungsprüfer *m*
continuous drain current
Draingleichstrom *m*
continuous forms, continuous stationery
[continuous strip of paper in zigzag (fanfold) or
roll form; it can be marginally punched and the
individual forms can be perforated]
Leporello-Formular *n,* Endlosformular *n*
[fortlaufend hergestellte Vordrucke in
Zickzackfaltungen (Leporello) oder Rollenform;
das Papier kann randgelocht und die Vordrucke
können perforiert sein]
continuous function, repeat function
Dauerfunktion *f,* Wiederholfunktion *f*
continuous function key, repeat function key
[for repeating a character]
Dauerfunktionstaste *f* [zur Wiederholung
eines Zeichens]

continuous load
  Dauerlast *f*
continuous power output
  Dauerleistung *f*
continuous shock test, fatigue-impact test
  Dauerschlagprüfung *f*
contrast adjustment
  Kontrasteinstellung *f*
control
  Steuerung *f*
control, to; drive, to; trigger, to; activate, to [e.g.
  a gate]
  ansteuern [z.B. eines Gatters]
control action
  Regelverhalten *n*
control algorithm
  Regelalgorithmus *m*
control and interrupt logic
  Steuerungs- und Unterbrechungslogik *f*
control bus [transfer path for control
  information]
  Steuerbus *m* [Übertragungsweg für
  Steuerinformationen]
control character [e.g. for printers]
  Steuerzeichen *n* [z.B. für Drucker]
control characteristics
  Steuerkennlinie *f*
control command, command, control
  instruction [controls the program sequence;
  initiates a computer operation defined by an
  instruction]
  Kommando *n*, Steuerbefehl *m* [steuert den
  Programmablauf; löst eine Rechneroperation
  aus, die durch einen Befehl definiert ist]
control console, operator's desk
  Bedienungspult *n*
control current
  Steuerstrom *m*
control electronics, drive electronics
  Ansteuerelektronik *f*
control function
  Steuerfunktion *f*
control grid [electron tube]
  Steuergitter *n* [Elektronenröhre]
control key
  Steuertaste *f*
control line
  Steuerleitung *f*
control logic
  Steuerlogik *f*
control loop
  Regelkreis *m*
control panel
  Bedienungsfeld *n*
control register
  Steuerbefehlsregister *n*
control signal
  Steuersignal *n*
control system

Steuersystem *n*
control tape
  Steuerlochstreifen *m*
control unit [functional unit of a computer;
  controls the sequence of instructions, decodes
  the instructions and generates the signals
  required by the arithmetic and logical unit, the
  working storage and the input-output device]
  Leitwerk *n*, Steuerwerk *n* [Funktionsteil eines
  Rechners; steuert die Befehlsfolge, decodiert
  die Befehle und erzeugt die Signale, die im
  Rechenwerk, Arbeitsspeicher und Ein-Ausgabe-
  Werk benötigt sind]
control voltage
  Steuerspannung *f*
controlled system [in an automatic control
  system]
  Regelstrecke *f* [in einem Regelsystem]
controlled variable [in an automatic control
  system]
  Regelgröße *f* [in einem Regelsystem]
controller, control unit [general]
  Steuerwerk *n*, Steuereinheit *f* [allgemein]
controller [controls a drive]
  Controller *m* [steuert ein Laufwerk]
controller [e.g. integral (I), differential (D) or
  proportional (P) action controller]
  Regler *m* [z.B. integral-wirkender (I-),
  differential-wirkender (D-) oder proportional-
  wirkender (P-) Regler]
controller-sequencer [of microprocessors or
  microcomputers]
  Steuerwerk *n*, Steuereinheit *f* [von
  Mikroprozessoren bzw. Mikrocomputern]
conventional memory [the first megabyte of
  main memory; after deducting the upper
  memory area (used for system management
  and not available to programs) this leaves 640
  kB available in DOS]
  konventioneller Speicher *m* [das erste
  Megabyte des Hauptspeichers; nach Abzug des
  oberen Speicherbereiches (für die System-
  verwaltung reserviert und für Programme
  nicht verfügbar) bleiben 640 kB in DOS
  verfügbar]
conversational, interactive
  dialogfähig
conversational mode, interactive mode
  Dialogbetrieb *m*
conversion
  Umsetzung *f*, Umsetzen *n*, Konvertierung *f*
conversion program
  Umsetzprogramm *n*
conversion rate, conversion speed
  Umsetzungsgeschwindigkeit *f*
conversion time
  Umsetzungszeit *f*
convert, to
  umsetzen

converter [changes the representation of data,
e.g. from one code into another (code converter),
from parallel into serial (parallel-serial
converter) or from digital into analog
representation (digital-analog converter)]
Umsetzer *m* [ändert die Darstellungsart von
Daten, z.B. von einem Code in einen anderen
(Codeumsetzer), von paralleler in serielle
(Parallel-Serien-Umsetzer) oder von digitaler in
analoge Darstellung (Digital-Analog-
Umsetzer)]
cool down, to
   abkühlen
cooling down
   Abkühlen *n*
coordinate system
   Koordinatensystem *n*
copper-clad laminate [for printed circuit
boards]
   kupferkaschierte Preßstoffplatte *f* [für
   Leiterplatten]
coprocessor
   Additional processor assigned to a
   microprocessor to perform specific operations,
   e.g. an arithmetic processor or an input-output
   processor.
   Coprozessor *m*
   Zusätzlicher Prozessor, der einem
   Mikroprozessor zugeordnet ist, um spezielle
   Aufgaben zu übernehmen, z.B. ein
   Arithmetikprozessor oder ein Ein-Ausgabe-
   Prozessor.
copy, to
   kopieren
copy protection
   Kopierschutz *m*
copy protection device
   Kopierschutzvorrichtung *f*
copy statement
   Kopieranweisung *f*
core array, core matrix
   Kernspeichermatrix *f*, Kernmatrix *f*
core storage, core memory, magnetic core
storage
   Kernspeicher *m*, Magnetkernspeicher *m*
corner cut [of a punched card]
   Eckenabschnitt *m* [bei Lochkarten]
correctable code [a code with sufficient
redundancy for error correction]
   korrigierbarer Code *m* [ein Code mit
   ausreichender Redundanz für die
   Fehlerkorrektur]
cosine law
   Kosinussatz *m*
cosine wave
   Kosinuswelle *f*
COSMOS (complementary-symmetry MOS
technology) [family of integrated circuits in
special CMOS technology]

COSMOS [Integrierte Schaltungsfamilie in
spezieller CMOS-Technik]
cost function
   Kostenfunktion *f*
coulomb (C) [SI unit of electric charge]
   Coulomb *n* (C) [SI-Einheit der elektrischen
   Ladung]
count
   Zählung *f*, Zählerstand *m*
count downwards, to
   herunterzählen, abwärtszählen,
   rückwärtszählen
count upwards, to
   heraufzählen, aufwärtszählen,
   vorwärtszählen
counter [one differentiates between binary and
decimal, forward and backward, synchronous
and asynchronous counters; a counter can be
formed by a series of flip-flops]
   Zähler *m* [man unterscheidet zwischen Dual-
   und Dezimal-, Vorwärts- und Rückwärts- sowie
   Synchron- und Asynchronzähler; ein Zähler
   kann aus einer Anzahl Flipflops gebildet
   werden]
counter-clockwise
   linksdrehend
counter entry
   Zählereingang *m*
counter exit
   Zählerausgang *m*
counting track [on punched cards]
   Zählspur *f* [auf Lochkarten]
coupled
   gekoppelt
coupling [galvanic (dc), inductive or capacitive
coupling]
   Ankopplung *f* [galvanische, induktive oder
   kapazitive Ankopplung]
coupling amplifier
   Kopplungsverstärker *m*
coupling capacitor
   Kopplungskondensator *m*
coupling diode
   Kopplungsdiode *f*
coupling efficiency
   Kopplungswirksamkeit *f*
course
   Verlauf *m*
covalent bond, homopolar bond
   Chemical bond (e.g. in a semiconductor crystal)
   in which the binding forces result from the
   sharing of electrons by a pair of neighbouring
   atoms.
   kovalente Bindung *f*, homöopolare Bindung *f*
   Chemische Bindung (z.B. in einem
   Halbleiterkristall), bei der die Bindungskräfte
   durch Elektronen entstehen, die zwei
   benachbarten Atomen gleicherweise angehören.
covariance

Kovarianz *f*
over, to; mask, to; tent, to [in PCB fabrication]
 abdecken [bei der Leiterplattenherstellung]
CPM, critical path method
 CPM, Netzplantechnik nach CPM *f*
CPU, central processing unit
 In computers in general, the unit that
 comprises the arithmetic logic unit and the
 control unit (according to DIN, it includes also
 the main memory as well as the input-output
 channels). In microprocessor-based systems or
 microcomputers, the microprocessor is the
 CPU, i.e. it carries out arithmetic, logic and
 control operations.
 CPU, Zentraleinheit *f*
 Bei Rechnern allgemein die Einheit, die
 Rechenwerk und Steuerwerk (nach DIN
 ebenfalls Hauptspeicher sowie Ein- und
 Ausgabekanäle) umfaßt. Bei Mikroprozessor-
 systemen bzw. Mikrocomputern ist der Mikro-
 prozessor selbst die Zentraleinheit und führt
 sowohl Rechen- als auch Steuerfunktionen
 durch.
CPU time [time required by CPU for processing
 a program]
 CPU-Zeit *f,* Zentraleinheitzeit *f* [von der
 Zentraleinheit benutzte Zeit]
CPU timer
 Zentraleinheitzeitgeber *m*
CR (carriage return character)
 Wagenrücklaufzeichen *n*
crash, computer crash
 Absturz *m,* Rechnerabsturz *m*
CRC (cyclic redundancy check)
 An error detecting method which treats each
 character in a block as a string of bits
 representing a binary number. This number is
 divided by a predetermined binary number and
 the remainder is added to the block as a cyclic
 redundancy check character (CRC), also called
 cyclic check sum or check sum. At the receiving
 end the CRC is compared with the check sum
 formed there; if they do not agree, a
 retransmission is requested (ARQ or automatic
 repeat request method).
 CRC-Prüfung *f,* zyklische Blockprüfung *f,*
 zyklische Redundanzprüfung *f*
 Eine Fehlerprüfmethode, die jedes Zeichen
 eines Blocks als Bitfolge, die eine Binärzahl
 darstellt, behandelt. Diese Binärzahl wird
 durch eine vorgegebene Binärzahl dividiert und
 der Rest wird als zyklische Prüfsumme oder
 CRC-Zeichen dem Block zugefügt. Beim
 Empfänger wird das CRC-Zeichen mit einer
 dort gebildeten Prüfsumme verglichen. Wenn
 sie nicht übereinstimmen, wird eine
 Wiederholung der Übertragung verlangt (ARQ-
 Verfahren).
create, to [a file]

erstellen [einer Datei]
creation date
 Erstellungsdatum *n*
crest factor
 Spitzenwertfaktor *m,* Scheitelfaktor *m*
crimp connection
 Quetschverbindung *f,* Crimpverbindung *f*
crimp connector
 Quetschverbinder *m,* Crimpverbinder *m*
crimping tool [for forming a solderless contact
 between wire and terminal]
 Quetschwerkzeug *n,* Crimpwerkzeug *n* [zur
 Erstellung einer Verbindung zwischen Leiter
 und Anschlußklemme ohne Löten]
critical coupling [e.g. between two circuits]
 kritische Kopplung *f* [z.B. zwischen zwei
 Schaltungen]
critical defect
 kritischer Fehler *m*
critical DOS error [indicates failure of
 peripheral device]
 kritischer DOS-Fehler *m* [zeigt Versagen
 eines Peripheriegerätes an]
critical path planning, critical path method
 (CPM), program evaluation and review
 technique (PERT)
 Netzplantechnik *f,* Netzplantechnik nach
 CPM *f,* Netzplantechnik nach PERT *f*
CRO, cathode-ray oscilloscope
 Kathodenstrahloszillograph *m*
cross-assembler [an assembler program that
 runs on one computer and produces machine
 code for another computer (or microprocessor)]
 Cross-Assembler *m* [ein Assembler-
 Programm, das auf einem Rechner läuft und
 Maschinenbefehle für einen anderen Rechner
 (oder für einen Mikroprozessor) erzeugt]
cross-checking, cross-parity [method for
 detecting transmission errors by means of a
 parity bit for each character (vertical parity)
 and a parity character for each block
 (longitudinal parity)]
 Kreuzsicherung *f,* Kreuzparität *f* [Methode
 zur Erkennung von Übertragungsfehlern
 mittels Paritätsbit für jedes Zeichen
 (Querparität) und Paritätzeichen für jeden
 Block (Längsparität)]
cross-coupling [undesired coupling between two
 circuits]
 gegenseitige Störung *f* [gegenseitige Störung
 zweier Schaltungen]
cross-reference
 Querverweis *m*
cross-validation
 Vergleichsprüfung *f*
crosstalk [communications]
 Nebensprechen *n* [Kommunikationstechnik]
CRT, cathode-ray tube, picture tube
 Kathodenstrahlröhre *f,* Bildröhre *f*

cryogenic storage, cryotron storage [storage device based on the properties of superconducting materials]
Tieftemperaturspeicher *m*, kryogener Speicher *m*, Kryogenspeicher *m*, Kryotronspeicher *m*, Supraleitungsspeicher *m* [Speicher, der die Eigenschaften von supraleitenden Werkstoffen nutzt]
cryptography, cryptology
Kryptographie *f*, Kryptologie *f*
crystal
Solid in which the atoms, ions or molecules are arranged in a repetitive three-dimensional structure.
Kristall *m*
Festkörper mit sich regelmäßig wiederholender Anordnung von Atomen, Ionen oder Molekülen im dreidimensionalen Raum.
crystal aging
Kristallalterung *f*
crystal cell [smallest geometrical unit cell of a crystal]
Kristallzelle *f* [kleinste geometrische Einheit eines Kristalls]
crystal defect
Kristallfehler *m*
crystal growing
Process for forming single crystals (e.g. semiconductor crystals) from melts or solutions.
Kristallzüchtung *f*, Kristallzüchten *n*, Kristallzucht *f*
Verfahren zur Herstellung von Einkristallen (z.B. Halbleiterkristalle) aus Schmelzen oder Lösungen.
crystal growth
Kristallwachstum *n*
crystal lattice, lattice [semiconductor technology]
Orderly arrangement of atoms in a semiconductor crystal.
Kristallgitter *n*, Gitter *n* [Halbleitertechnik]
Regelmäßige Anordnung der Atome in einem Halbleiterkristall.
crystal lattice imperfection, lattice imperfection
Deviation from a homogeneous structure in a crystal, e.g. as a result of impurities, vacancies, dislocations, grain boundaries, etc.
Kristallaufbaufehler *m*, Gitterfehler *m*
Abweichung vom regelmäßigen Aufbau eines Kristalls, z.B. infolge von Fremdatomen, Leerstellen, Versetzungen, Korngrenzen usw.
crystal lattice site, lattice site
Kristallgitterplatz *m*, Gitterplatz *m*
crystal orientation, crystallographic orientation
Kristallorientierung *f*
crystal oscillator, quartz oscillator
Kristalloszillator *m*, Quarzoszillator *m*
crystal plane, crystallographic plane

Kristallebene *f*
crystal pulling [crystal growing]
Process for growing single-crystal semiconductors from the melt in inert gas atmosphere or in high vacuum.
Zonenziehverfahren *n* [Kristallzucht]
Verfahren zur Herstellung von Einkristallhalbleitern aus der Schmelze unter Schutzgasatmosphäre oder im Hochvakuum.
crystal structure
Kristallaufbau *m*, Kristallstruktur *f*
crystal surface, crystal face
Kristallfläche *f*
crystalline lattice structure
Kristallgitterstruktur *f*
crystalline semiconductor
kristalliner Halbleiter *m*
crystalline solid
kristalliner Festkörper *m*
crystallographic axis
Kristallachse *f*
CS (chip select)
In microprocessor-based systems and integrated circuit memories, a signal for selecting the desired circuit.
Baustein-Auswahl *f*, Chip-Select *n*
Bei Mikroprozessorsystemen und integrierten Speicherschaltungen ein Signal zur Auswahl eines Bausteins.
CSMA protocol (Carrier Sense Multiple Access) [protocol standardized by IEEE for local network access]
CSMA-Protokoll *n* [von IEEE genormtes Protokoll für den Zugriff auf ein lokales Netzwerk]
CTC [counter time circuit]
Zählerbaustein *m*, Zeitgeberbaustein *m*
cumulative failure frequency
Ausfallsummenhäufigkeit *f*
cumulative frequency [statistics]
Summenhäufigkeit *f* [Statistik]
current, present
aktuell
current
Strom *m*
current-carrying capacity
Strombelastbarkeit *f*
current consumption
Stromverbrauch *m*
current control
Stromsteuerung *f*
current-controlled, current-driven
stromgesteuert
current density
Stromdichte *f*
current directory
aktuelles Verzeichnis *n*
current divider
Stromteiler *m*

current drain [of a circuit]
  Stromentnahme f, Stromverbrauch m [einer
  Schaltung]
current gain
  Stromverstärkung f
current instruction register
  momentanes Befehlsregister n
current limiter
  Strombegrenzer m
current limiting transistor
  Strombegrenzungstransistor m
current-mode logic (CML)
  Circuit technique for bipolar integrated circuits
  in which transistors operate in the unsaturated
  mode. This enables very short switching times
  to be achieved. The best known logic families in
  the CML group are ECL and E^{2}CL.
  Stromschaltertechnik f (CML)
  Schaltungstechnik für integrierte
  Bipolarschaltungen, bei der die Transistoren
  im ungesättigten Zustand betrieben werden.
  Damit lassen sich sehr kleine Schaltzeiten
  erzielen. Die bekanntesten Vertreter der
  Stromschaltertechnik sind die ECL- und E^{2}CL-
  Logikfamilien.
current position
  aktuelle Position f
current pulse
  Stromimpuls m
current rating, rated current
  Nennstrom m
current record
  aktueller Satz m, aktueller Datensatz
current record pointer
  aktueller Satzzeiger m
current sensitivity
  Stromempfindlichkeit f
current sinking logic
  stromziehende Schaltungstechnik f
current source
  Stromquelle f
current sourcing logic
  stromliefernde Schaltungstechnik f
current stabilization
  Stromstabilisierung f
current status
  Momentanzustand m
current surge, current rush
  Stromstoß m
current-voltage characteristics
  Strom-Spannungs-Kennlinie f
cursor [blinking sign (usually a rectangle or
  dash) showing position of next entry on screen]
  Eingabezeiger m, Cursor m [blinkendes
  Zeichen (meistens ein Rechteck oder ein
  Strich), das die Lage der nächsten Eingabe am
  Schirm zeigt]
curvature [of a curve]
  Krümmung f [einer Kurve]

curve generator
  Kurvengenerator m
curve tracer
  Kennlinienschreiber m
curvilinear coordinates
  krummlinige Koordinaten f.pl.
cushion socket
  federnde Fassung f
custom circuit, fully custom circuit
  Integrated circuit for a specific application of
  completely new design according to customer's
  specifications.
  Kundenschaltung f, kundenspezifische
  Schaltung f, Vollkundenschaltung f
  Integrierte Schaltung für eine bestimmte
  Aufgabe, die nach Kundenwünschen völlig neu
  entworfen wird.
cut, to [copy text or graphics from a document
  into a temporary storage (clipboard)]
  ausschneiden [Kopieren von Text oder
  Graphik aus einem Dokument in einen
  temporären Speicherbereich (Zwischenablage)]
cut-and-paste [for insertion of text or graphics]
  ausschneiden und einfügen [von Text oder
  Graphik]
cut-off, to [digits of a number]
  abstreichen [von Stellen einer Zahl]
cut-off current [the current flowing through the
  reverse biased pn-junction of a bipolar
  transistor, particularly the collector-base and
  the collector-emitter cut-off current]
  Reststrom m [in einem Bipolartransistor der
  durch einen in Sperrrichtung vorgespannten
  PN-Übergang fließende Strom, insbesondere
  der Kollektor-Basis- und der Kollektor-Emitter-
  Reststrom]
cut-off frequency
  Grenzfrequenz f
cut-off voltage
  Grenzspannung f
cut-sheet form
  Einzelblatt n, Einzelvordruck m
CVD process (chemical vapour deposition
  process)
  Process used for forming dielectric layers in
  integrated circuit fabrication. A number of CVD
  process variations are being used, e.g. high-
  and low-temperature CVD, high- and low-
  pressure CVD or plasma-enhanced CVD.
  CVD-Abscheidung f, CVD-Verfahren n,
  Schichtabscheidung f
  Verfahren zur Abscheidung von
  Isolationsschichten bei der Herstellung
  integrierter Schaltungen. Es werden
  verschiedene Varianten des CVD-Verfahrens
  angewendet, z.B. Hoch- und
  Niedertemperaturverfahren, Hoch- und
  Niederdruckverfahren oder Abscheideverfahren
  aus einem Plasma.

CVPO (chemical vapour-phase oxidation process) [a process used for the production of glass fibers]
CVPO-Verfahren n [Verfahren, das bei der Herstellung von Glasfasern eingesetzt wird]
CY (carry)
Übertrag m
cybernetics [comparative study of the methods of communication and automatic control in machines and living organisms]
Kybernetik f [vergleichende Studie der Methoden der Nachrichtenübertragung und der Regelung in Maschinen und in lebenden Organismen]
cycle count
Zählung der Schleifendurchläufe f
cycle-shift, to
zyklisch vertauschen
cycle stealing [memory access]
Zyklusraub m [Speicherzugriff]
cycle time [time interval between two successive periodically repeating actions, e.g. the time between two successive instructions (instruction cycle time) or between two successive read or write operations in a storage (storage cycle time)]
Zykluszeit f [Zeitspanne zwischen zwei aufeinanderfolgenden zyklisch wiederkehrenden Vorgängen, z.B. die Zeitspanne zwischen zwei aufeinanderfolgenden Befehlen (Befehlszykluszeit) oder zwischen zwei aufeinanderfolgenden Lese- bzw. Schreibvorgängen in einem Speicher (Speicherzykluszeit)]
cyclic-binary code, cyclic code
zyklisch-binärer Code m, zyklischer Code m
cyclic code, cyclic progression code [a binary code for decimal digits in which, for minimizing scanning errors, the codes for successive numbers differ by only one bit, e.g. the Gray code]
zyklischer Code m, zyklisch fortschreitender Code m [ein Binärcode für Dezimalziffern, der Abtastfehler dadurch verringert, daß sich zwei aufeinanderfolgende Zahlenwerte nur in einem Bit unterscheiden, z.B. der Gray-Code]
cyclic permutation
zyklische Vertauschung f
cyclic permuted code, cyclic code
zyklisch permutierter Code m, zyklischer Code m
cyclic process
periodischer Vorgang m, zyklischer Vorgang
cyclic progression code, cyclic code
zyklisch fortschreitender Code m, zyklischer Code m
cyclic redundancy check (CRC)
An error detecting method which treats each character in a block as a string of bits representing a binary number. This number is divided by a predetermined binary number and the remainder is added to the block as a cyclic redundancy check character (CRC), also called cyclic check sum or check sum. At the receiving end the CRC is compared with the check sum formed there; if they do not agree, a retransmission is requested (ARQ or automatic repeat request method).
zyklische Blockprüfung f, zyklische Redundanzprüfung f
Eine Fehlerprüfmethode, die jedes Zeichen eines Blockes als Bitfolge, die eine Binärzahl darstellt, behandelt. Diese Binärzahl wird durch eine vorgegebene Binärzahl dividiert und der Rest wird als zyklische Prüfsumme oder CRC-Zeichen dem Block zugefügt. Beim Empfänger wird das CRC-Zeichen mit einer dort gebildeten Prüfsumme verglichen. Wenn sie nicht übereinstimmen, wird eine Wiederholung der Übertragung verlangt (ARQ-Verfahren).
cyclic shift, circular shift, end-around shift [moving a binary digit from the output of a shift register and reentering it in the input]
Ringverschieben n, zyklisches Verschieben n [Verschieben eines Binärzeichens vom Ausgang eines Schieberegisters wieder in den Eingang]
cyclic shift register, circulating register, end-around shift register [a shift register in which bits from the output are pushed back into the input]
Ringschieberegister n,
Umlaufschieberegister n [ein Schieberegister, bei dem Binärzeichen vom Ausgang wieder in den Eingang geschoben werden]
cyclic storage, circulating storage
Umlaufspeicher m
cycling [of periodic operational phases]
Durchlaufen von periodischen Arbeitsgängen n
cylinder [the tracks reached by the magnetic heads of a magnetic disk pack without positioning; the tracks lying one above the other form a cylinder]
Zylinder m [die von den Magnetköpfen ohne Positionierung erreichbaren Spuren eines Magnetsplattenstapels; alle übereinander-liegenden Spuren bilden einen Zylinder]
cylinder capacity [hard disk]
Zylinderkapazität f [Festplatte]
Czochralski process [crystal growing]
Process for growing single-crystal semiconductors from the melt.
Tiegelziehverfahren n, Czochralski-Verfahren n [Kristallzucht]
Verfahren für das Ziehen von Einkristallhalbleitern aus der Schmelze.

D

D flip-flop [a delay flip-flop in which the output pulse is delayed by one clock pulse period compared with the input pulse]
D-Flipflop n [eine Kippschaltung mit Verzögerung, deren Ausgangsimpuls um eine Taktperiode gegenüber dem Eingangsimpuls verzögert wird]

D-MESFET, depletion-mode metal-semiconductor FET
Depletion-mode field-effect transistor with a gate formed by a Schottky barrier (metal-semiconductor junction).
D-MESFET m, Verarmungs-Metall-Halbleiter-FET m
Feldeffekttransistor des Verarmungstyps, dessen Gate aus einem Schottky-Kontakt (Metall-Halbleiter-Übergang) besteht.

D-MOSFET, depletion mode MOSFET
D-MOSFET m, Verarmungs-MOSFET m

DAC, digital-to-analog converter, D/A converter [converts a digital input signal into an analog output signal]
DAU, Digital-Analog-Umsetzer m, D/A-Umsetzer m [setzt ein digitales Eingangssignal in ein analoges Ausgangssignal um]

daisy chaining of interrupt priority [e.g. of peripherals]
Verkettung der Unterbrechungspriorität f [z.B. von Peripheriegeräten]

daisy-wheel printer
Serial printer in which the printing characters are arranged at the end of flexible radial spokes of a plastic wheel. The printing characters are moved into the desired printing position by a stepper motor and are driven against an inked ribbon and paper by a hammer.
Typenraddrucker m
Seriendrucker, bei dem sich die Drucktypen an speichenähnlichen flexiblen Enden einer Kunststoffscheibe befinden. Die Typen werden durch einen Schrittmotor in die gewünschte Druckstellung gebracht und mit einem Hammer gegen Farbband und Papier geschlagen.

damage, to
beschädigen

damp, to; attenuate, to [oscillations]
dämpfen [von Schwingungen]

damping diode
Dämpfungsdiode f

damping factor, decay factor [of a resonant circuit]
Dämpfungsfaktor m [eines Schwingkreises]

damping function
Dämpfungsfunktion f

dangerous fault, dangerous error
gefährlicher Fehler m

dark current
Dunkelstrom m

Darlington circuit [special amplifier circuit with high input resistance and consisting of two or three transistors]
Darlington-Schaltung f [besondere Verstärkerschaltung mit hohem Eingangs-widerstand, bestehend aus zwei oder drei Transistoren]

Darlington phototransistor
Darlington-Phototransistor m

Darlington power transistor
Darlington-Leistungstransistor m

Darlington transistor [combination of two transistors internally connected in a Darlington circuit in a single case]
Darlington-Transistor m [Kombination, in einem Gehäuse, von zwei intern in einer Darlington-Schaltung verbundenen Transistoren]

DAT cartridge (Digital Audio Tape) [uses a 4-mm tape as in cassette recorders]
DAT-Kassette f [verwendet ein wie bei Tonbandgeräten übliches 4-mm-Band]

DAT drive
DAT-Laufwerk n

data
Daten n.pl.

data abuse
Datenmißbrauch m, mißbräuchliche Nutzung von Daten f

data acquisition
Datenerfassung f, Meßwerterfassung f

data address
Datenadresse f

data backup
Datenerhaltung f, Datensicherung f

data base, database, data bank [a set of libraries of data; in particular, a set of numerous files derived from a variety of sources and ordered according to overriding criteria so that they can be accessed by numerous users]
Datenbank f [ein Satz von Datenbibliotheken; insbesondere mehrere Dateien aus verschiedenen Quellen, die nach über-geordneten Kriterien zusammengefaßt und für mehrere Benutzer aufbereitet sind]

data base computer
Datenbankrechner m

data base key
Datenbankschlüssel m

data base management system (DBMS)
Datenbankverwaltungssystem n

data base recovery program
Programm zur Datenbankwiederherstellung n

data base server [local area network]

Datenbank-Server m [lokales Netzwerk]
data base system [a system with special access and storage methods for data required for a variety of applications]
Datenbanksystem n [ein System mit besonderen Zugriffs- und Speichermethoden zur Bereitstellung der Daten für verschiedenartige Aufgaben]
data basis [systematically related files]
Datenbasis f [systematisch miteinander verbundene Dateien]
data bit
Datenbit n
data buffer [small storage for temporary storage of data]
Datenpuffer m [kleiner Speicher für die vorübergehende Aufnahme von Daten]
data bus [bus for data transfer between different functional units, e.g. between microprocessor and storage as well as input-output devices]
Datenbus m [Bus für die Datenübertragung zwischen verschiedenen Funktionseinheiten, z.B. zwischen Mikroprozessor und Speicher- sowie Ein-Ausgabe-Bausteinen]
data bus buffer register
Datenbuspufferregister n
data bus driver
Datenbustreiberstufe f
data bus line
Datenbusleitung f
data chaining [reading from or writing into different working storage areas]
Datenkettung f [Lesen oder Schreiben in unterschiedliche Arbeitsspeicherbereiche]
data channel
Datenkanal m
data circuit, data connection
Datenverbindung f
data collection, data acquisition
Datenerfassung f
data compression, data reduction [reducing volume of data by removing superfluous data or representing data in a more compact form in storage or data medium]
Datenkompression f, Datenverdichtung f [Verringerung der Datenmenge durch Entfernung überflüssiger Daten oder durch eine günstigere Darstellung im Speicher oder auf Datenträgern]
data concentration [combining several incoming signals into a single sequence in data transmission]
Datenkonzentration f [das Zusammenfassen mehrerer Eingangssignale zu einer gemeinsamen Folge bei der Datenübertragung]
data concentrator
Datenkonzentrator m
data consistency
Datenkonsistenz f

data converter
Datenumsetzer m
data corruption
Datenkorruption f
data decoding
Datenentschlüsselung f
data decryption [for data secrecy]
Datenentschlüsselung f [bei der Datengeheimhaltung]
data definition [description of the structure of a data base]
Datendefinition f [Beschreibung der Struktur einer Datenbank]
data-dependent
datenabhängig
data dictionary [data base management]
Datenverzeichnis n [Datenbankverwaltung]
data encoding
Datenverschlüsselung f
data encryption [for data secrecy]
Datenverschlüsselung f [bei der Datengeheimhaltung]
data encryption unit (DEU) [for data secrecy]
Datenverschlüsselungsbaustein m [bei der Datengeheimhaltung]
data entry, data input
Dateneingabe f
data evaluator
Datenauswerter m
data exchange, data interchange
Datenaustausch m
data exchange control, data exchange control unit
Datenaustauschsteuerung f
data field [specified area in a record]
Datenfeld n [ein bestimmtes Feld in einem Datensatz]
data file [collection of related data records, e.g. a database file]
Datendatei f [Sammlung zusammengehörender Datensätze, z.B. eine Datenbankdatei]
data flow
Datenfluß m
data flowchart [represents the path of data and the operations to be carried out with the aid of standard graphical symbols]
Datenflußplan m [Darstellung des Datenflusses und der auszuführenden Operationen mit genormten graphischen Symbolen]
data format [e.g. fixed length, packed or unpacked, floating point format, etc.]
Datenformat n [z.B. mit fester Länge, gepacktes oder ungepacktes Format, Gleitpunktformat usw.]
data formatting
Datenformatierung f
data hierarchy

Datenhierarchie *f*
data-hold after change of address [with
integrated circuit memories]
Haltezeit der Daten nach Adreßwechsel *f*
[bei integrierten Speicherschaltungen]
data-hold from chip select, output hold from
chip select
**Haltezeit der Daten nach
Bausteinauswahl** *f*
data-hold time [in integrated circuit memories]
Datenhaltezeit *f* [bei integrierten
Speicherschaltungen]
data-in after row-address-select hold time
**Haltezeit für Dateneingabe nach
Zeilenadreßauswahl** *f*
data-in after write hold time
**Haltezeit für Dateneingabe nach
Schreiben** *f*
data-in before write set-up time
**Vorbereitungszeit für Dateneingabe vor
Schreiben** *f*
data independence
Datenunabhängigkeit *f*
data initialization statement [FORTRAN]
Anfangswertanweisung *f* [FORTRAN]
data input
Dateneingang *m*, **Dateneingabe** *f*
data input and output system
Datenein- und Ausgabesystem *n* (DEA)
data input buffer [in integrated circuit
memories]
Dateneingangübernahmespeicher *m* [bei
integrierten Speicherschaltungen]
data input bus [unidirectional bus for
transferring data from input devices to CPU]
Dateneingabebus *m* [einseitig wirkender Bus
zur Datenübertragung von Eingabeeinheiten
zur Zentraleinheit]
data input unit
Dateneingabegerät *n*
data integrity, data security [measures taken to
prevent loss or tampering of data]
Datenintegrität *f,* **Datensicherung** *f*
[Maßnahmen gegen Verlust oder Verfälschung
von Daten]
data interchange, data exchange
Datenaustausch *m*
data item [smallest element of a record in data
base systems]
Datenelement *n* [kleinste Dateneinheit eines
Satzes bei Datenbanksystemen]
data library [set of related files]
Datenbibliothek *f* [Satz miteinander
verbundener Dateien]
data line
Datenleitung *f*
data link, link
Datenverbindung *f,* **Verbindung** *f*
data link escape character

Zeichen für
Datenübertragungsumschaltung *n*
data linkage, data pooling
Datenverknüpfung *f*
data loss, data overrun
Datenverlust *m*
data management
Datenverwaltung *f*
data management system (DMS)
Datenverwaltungssystem *n*
data manipulation
Datenmanipulation *f*
data medium [e.g. punched tape, magnetic tape,
disk, etc.]
Datenträger *m* [z.B. Lochstreifen,
Magnetband, Platte usw.]
data memory
Datenspeicher *m*
data mirroring [data storage in two identical
hard disks]
Datenspiegelung *f* [Datenspeicherung in zwei
identischen Festplatten]
data move instruction, data transfer
instruction
Datentransferbefehl *m*
data output [e.g. via printer]
Datenausgabe *f* [z.B. über Drucker]
data output [of a device]
Datenausgang *m* [eines Gerätes]
data overrun, data loss
Datenverlust *m*
data packet, packet [data transfer as entity
during transmission]
Datenpaket *n* [Datenmenge als Einheit bei
der Übermittlung]
data path
Datenweg *m*
data pointer
Datenzeiger *m*
data printer [printer with a relatively high
speed for data printout]
Datendrucker *m* [Drucker mit höherer
Geschwindigkeit für den Datenausdruck]
data processing
Datenverarbeitung *f*
data processing system
Datenverarbeitungssystem *n*
data protection [measures taken against
unauthorized access to data]
Datenschutz *m* [Maßnahmen gegen
unberechtigten Zugriff auf Daten]
data rate, data transfer rate, data throughput
[data volume per unit of time, e.g. in Mbytes/s]
Datenrate *f,*
Datenübertragungsgeschwindigkeit *f,*
Datendurchsatz *m* [Datenmenge pro
Zeiteinheit, z.B. in MByte/s]
data recording
Datenaufzeichnung *f*

data recording medium, storage medium [e.g. floppy disk, disk storage, magnetic tape, etc.]
Datenaufzeichnungsmedium *n,*
Speichermedium *n* [z.B. Diskette, Plattenspeicher, Magnetband usw.]
data reduction, data compression [reducing volume of data by removing superfluous data or representing data in a more compact form in storage or data medium]
Datenverdichtung *f,* Datenreduktion *f* [Verringerung der Datenmenge durch Entfernung überflüssiger Daten oder durch eine günstigere Darstellung im Speicher oder auf Datenträgern]
data register
Datenregister *n*
data retrieval
Datenwiedergewinnung *f*
data security, data integrity [measures taken to prevent loss or tampering of data]
Datensicherung *f,* Datenintegrität *f* [Maßnahmen gegen Verlust und Verfälschung von Daten]
data-sensitive fault [a fault revealed when a particular pattern of data is processed]
datenempfindlicher Fehler *m* [ein Fehler, der durch die Verarbeitung eines bestimmten Datenmusters entdeckt wird]
data set
physische Datei *f*
data set-up time [integrated circuit memories]
Datenvorbereitungszeit *f* [bei integrierten Speicherschaltungen]
data size
Datenmenge *f*
data storage
Datenspeicherung *f*
data stream, stream [continuous flow of data]
Datenstrom *m,* Strom *m* [kontinuierlicher Fluß von Daten]
data structure
Datenstruktur *f*
data tablet
Datentablett *n*
data throughput, data transfer rate
Datendurchsatz *m,* Datenrate *f*
data track
Informationsspur *f,* Datenspur *f*
data traffic
Datenverkehr *m*
data transfer, data transmission
Datenübertragung *f*
data transfer instruction, data move instruction
Datentransferbefehl *m*
data transfer rate, data rate, data throughput [data volume per unit of time, e.g. in Mbytes/s]
Datenrate *f,* Datenübertragungsgeschwindigkeit *f,*

Datendurchsatz *m* [Datenmenge pro Zeiteinheit, z.B. in MByte/s]
data translation
Datenumsetzung *f*
data transparency
Datentransparenz *f*
data type [integral, real, complex or logical]
Datentyp *m* [ganzzahlig, reell, komplex oder logisch]
data validation
Datenprüfung *f*
data word
Datenwort *n*
database, data base, data bank [a set of librarie of data; in particular, a set of numerous files derived from a variety of sources and ordered according to overriding criteria so that they ca be accessed by numerous users]
Datenbank *f* [ein Satz von Datenbibliotheken insbesondere mehrere Dateien aus verschiedenen Quellen, die nach übergeordneten Kriterien zusammengefaßt un für mehrere Benutzer aufbereitet sind]
DATEX [DATa EXchange) [data exchange service]
DATEX [Datenübermittlungsdienst]
DATEX-P (DATa EXchange Packet-switched) [data exchange service using packet switching]
DATEX-P [Datenübermittlungsdienst, der die Paketvermittlungstechnik benutzt]
dB, decibel [logarithm to the base ten of a current, voltage or power ratio]
dB, Dezibel *n* [dekadischer Logarithmus eines Strom-, Spannungs- oder Leistungsverhältnisses]
DBA (Data Base Administrator)
DBA [Datenbankadministrator]
dBASE [a database programming system for DOS]
dBASE [ein Datenbanksystem für DOS]
DBF file format [file format for dBASE]
DBF-Dateiformat *n* [Dateiformat von dBASE
dBm [decibel referred to 1 mW power level]
dBm [Dezibel bezogen auf 1 mW Leistungspegel]
DBMS (data base management system)
Datenbankverwaltungssystem *n*
DC (device control)
Bausteinsteuerung *f*
dc (direct current)
Gleichstrom *m*
dc current gain
Gleichstromverstärkung *f*
dc-dc converter [for converting a dc voltage int another dc voltage]
Gleichstromwandler *m* [zur Umformung einer Gleichspannung in eine andere]
dc power dissipation [dc power converted into heat, e.g. in a power semiconductor]

Gleichstromverlustleistung f [in Wärme
umgesetzte Gleichstromleistung, z.B. eines
Leistungshalbleiters]
dc resistance
Gleichstromwiderstand m
dc voltage, direct voltage
Gleichspannung f
dc voltage gain
Gleichspannungsverstärkung f
dc voltage source
Gleichspannungsquelle f
DC2000 cartridge , mini cartridge [a standard
quarter-inch tape using the QIC format]
DC2000-Kassette f, Mini-Kassette f [ein
genormtes Viertel-Zoll-Band vom QIC-Format]
DCFL (direct-coupled FET logic)
Family of integrated circuits based on gallium
arsenide E-MESFETs.
DCFL, direkt gekoppelte FET-Logik f
Integrierte Schaltungsfamilie, die mit
Galliumarsenid-E-MESFETs realisiert ist.
DCTL (direct-coupled transistor logic)
Logic family in which transistors are coupled
together directly, without resistors or other
coupling elements.
DCTL, direkt gekoppelte Transistorlogik f
Logikfamilie, bei der Transistoren direkt
gekoppelt werden, ohne Verwendung von
Widerständen oder anderen
Kopplungselementen.
DD diskette, double density diskette [stores 360
kB on 5.25" and 720 kB on 3.5" diskettes]
Diskette mit doppelter Speicherdichte f,
DD-Diskette f [speichert 360 kB auf 5,25"- und
720 kB auf 3,5"-Disketten]
DDC (direct digital control) [a control system in
which a process computer directly acts on the
final control elements or actuators]
DDC, direkte digitale Regelung f [ein
Regelsystem, bei dem ein Prozeßrechner
unmittelbar auf die Stellglieder wirkt]
DDE (Dynamic Data Exchange) [in Windows
programming: a protocol for communication
between applications]
dynamischer Datenaustausch [bei der
Programmierung in Windows: ein Protokoll für
den Datenaustausch zwischen Anwendungen]
deactivate, to; disable, to
abschalten, inaktivieren
dead, currentless
spannungslos, stromlos
dead key [used for generating accents]
tote Taste f [wird für die Erzeugung von
Akzenten verwendet]
dead time
Totzeit f
deallocate, to
Zuordnung aufheben
deathnium center [semiconductor technology]

Imperfection in a semiconductor crystal which
facilitates generation and recombination of
electron-hole pairs.
Reaktionshaftstelle f [Halbleitertechnik]
Störstelle in einem Halbleiterkristall, die die
Erzeugung und Rekombination von
Ladungsträgerpaaren fördert.
debounce, to [contacts]
entprellen [bei Kontakten]
debouncing circuit [electronic circuit for
compensating contact bounce]
Entprellungsschaltung f [elektronische
Schaltung zur Kompensation von
Kontaktprellungen]
debug, to; test, to [a program]
austesten [eines Programmes]
debugger [diagnostic program used during
program development]
Debugger m [Fehlersuchprogramm, das bei
der Programmentwicklung eingesetzt wird]
debugging, programm debugging,
troubleshooting
Fehlerbeseitigung f,
Programmfehlerbeseitigung f, Fehlersuchen n
debugging aid
Fehlerbehebungshilfe f
debugging program, diagnostic program,
troubleshooting program
Fehlersuchprogramm n, Diagnoseprogramm
n, Diagnostikprogramm n
decade
Dekade f
decade counter [counts in decades: ones, tens,
etc.]
Dekadenzähler m [zählt in Dekaden: Einer,
Zehner usw.]
decade stage [of a counter]
dekadische Zählstufe f [eines Zählers]
decay, avalanche decay
Abfall m, Lawinenabfall m
decay factor, damping factor [of a resonant
circuit]
Dämpfungsfaktor m [eines Schwingkreises]
decay time
Abklingzeit f, Abklingdauer f
decentral, distributed
dezentralisiert, verteilt
decentral data base
dezentrale Datenbank f
decentralized processing, distributed
processing
dezentralisierte Verarbeitung f
decimal carry
Zehnerübertrag m
decimal code
Dezimalcode m
decimal counter
Dezimalzähler m
decimal digit

Dezimalziffer *f*
decimal exponent
Dezimalexponent *m*
decimal fraction notation
Dezimalbruchschreibweise *f*
decimal notation
Dezimalschreibweise *f*, dezimale
Schreibweise *f*
decimal number system
dezimales Zahlensystem *n*
decimal point
Dezimalkomma *n*
decimal system
Dezimalsystem *n*
decimal-to-binary conversion
Dezimal-Binär-Umwandlung *f*
decision
Entscheidung *f*
decision instruction
Entscheidungsbefehl *m*
decision level
Entscheidungsschwellenwert *m*
decision table [formalized general
representation of the assignment of conditions
and resulting actions; employed for system
analysis, programming, etc.]
Entscheidungstabelle *f* [formalisierte,
übersichtliche Darstellung der Zuordnung von
Bedingungen und davon abhängigen
Tätigkeiten; angewandt bei der Systemanalyse,
Programmierung usw.]
decision tree
Entscheidungsbaum *m*
declarative programming language, non-
procedural programming language [in contrast
to procedural programming language]
deklarative Programmiersprache *f*,
nichtprozedurale Programmiersprache *f* [im
Gegensatz zur prozeduralen
Programmiersprache]
decode, to [encrypted data]
entschlüsseln [von verschlüsselten Daten]
decode, to [to convert information from one code
into another, particularly into machine code;
e.g. interpreting instructions using instruction
decoding]
decodieren [Umsetzen von Informationen aus
einem Code in einen anderen, insbesondere in
den Maschinencode; beispielsweise das
Interpretieren von Befehlen bei der
Befehlsdecodierung]
decoder
Decodierer *m*, Decoder *m*
decoding
Entschlüsselung *f*
decoding matrix [a network arranged as a
matrix for converting coded signals, e.g. coded
pulses into a decimal value]
Decodiermatrix *f* [ein matrixartiges

Netzwerk, das ein codiertes Signal umwandelt,
z.B. codierte Impulse in einen Dezimalwert]
decoupled
entkoppelt
decoupled output
entkoppelter Ausgang *m*
decoupling [reduction or compensation of
galvanic, magnetic or capacitive coupling
between two circuits]
Entkopplung *f* [Verringerung oder
Kompensation der galvanischen, magnetischen
oder kapazitiven Kopplung zwischen zwei
Schaltkreisen]
decoupling capacitor
Entkopplungskondensator *m*
decoupling circuit, isolating circuit
Entkopplungsschaltung *f*, Trennschaltung *f*
decoupling stage, isolating stage
Entkopplungsstufe *f*, Trennstufe *f*
decoupling transformer, isolation transformer
Entkopplungsübertrager *m*,
Trennübertrager *m*
decrement, to [reduce by a constant amount,
e.g. a counter]
dekrementieren [verringern um einen
konstanten Betrag, z.B. einen Zähler]
decrement [instruction to reduce by a constant
amount]
Dekrement *n* [Befehl zum Verringern um
einen konstanten Betrag]
decryption [for data secrecy]
Entschlüsselung *f* [bei der
Datengeheimhaltung]
dedicated [system or unit exclusively designed
for a specific task]
fest zugeordnet, zweckbestimmt, dediziert
[System oder Gerät, das ausschließlich einer
bestimmten Aufgabe gewidmet ist]
dedicated mode
dedizierter Modus *m*
deenergize, to [magnetically, e.g. a relay]
entregen [magnetisch, z.B. ein Relais]
deep acceptor level
tiefes Akzeptorniveau *n*
deep donor level
tiefes Donatorniveau *n*
deep trap
tiefliegende Haftstelle *f*
default
Vorgabe *f*
default declaration
Vorgabevereinbarung *f*
default drive
Standardlaufwerk *n*
default printer
Standarddrucker *m*
default statement
Vorgabeanweisung *f*
default value [data processing: predetermined

value employed by program if no specific value
has been entered by the user]
Standardwert *m* [Datenverarbeitung:
vorgegebener Wert, der vom Programm
verwendet wird, falls vom Benutzer kein
spezifischer Wert eingegeben wurde]
defect [quality control: nonconformance of an
item with specified requirements]
Fehler *m* [Qualitätsprüfung:
Nichtübereinstimmung einer
Betrachtungseinheit mit den Anforderungen]
defective
fehlerhaft
defective track [of a data medium]
fehlerhafte Spur *f* [eines Datenträgers]
deflect [beam]
ablenken [Strahl]
deflection
Ablenkung *f*
defragmentation
Defragmentierung *f*
degauss, to; demagnetize, to
entmagnetisieren
degeneracy
Entartung *f*
degenerate semiconductor
entarteter Halbleiter *m*
degradation [gradual deterioration of
performance]
Güteverlust *m*, Leistungsherabsetzung *f*
[langsamer Abfall der Leistung]
degradation failure [a gradual and partial
failure with predictable failure time]
Driftausfall *m*, driftend auftretender
Teilausfall *m* [ein langsam auftretender
Teilausfall mit vorhersehbarem
Ausfallzeitpunkt]
degrade, to [e.g. performance of a device]
herabsetzen [z.B. Leistungfähigkeit eines
Bausteins]
degree of integration, integration level
[classification depending on the number of
functions (transistors, gates, etc.) integrated on
a chip: SSI, MSI, LSI, VLSI, ULSI, and WSI]
Integrationsgrad *m*, Integrationsstufen *f.pl.*
[Einteilung nach Anzahl der Funktionen
(Transistoren, Gatter usw.), die auf einem
Halbleiterplättchen integriert sind: SSI, MSI,
LSI, VLSI, ULSI und WSI]
deionization
Entionisierung *f*
deionization rate
Entionisierungsgeschwindigkeit *f*
deionization time
Entionisierungszeit *f*
DEL (delete character), erase character, rub-out
character
Löschzeichen *n*
delamination [separation of layers of a PCB]

Delaminierung *f* [Ablösen der Schichten einer
Leiterplatte]
delay
Verzögerung *f*
delay element
Verzögerungsglied *n*
delay line
Verzögerungsleitung *f*
delay-line register
Laufzeitregister *n*
delay-line storage
Laufzeitspeicher *m*, Verzögerungsspeicher *m*
delay time [in general]
Verzögerungszeit *f* [allgemein]
delayed execution
verzögerte Ausführung *f*
delayed release, slow release [relay]
abfallverzögert [Relais]
delayed-write mode [operational mode of
integrated circuit memories]
verzögertes Schreiben *n* [Betriebsart bei
integrierten Speicherschaltungen]
delete, to
löschen
delete character (DEL), erase character, rub-
out character
Löschzeichen *n*
delete key (DEL key)
Löschtaste *f*
deletion record [containing deleted data]
Löschregister *n* [enthält gelöschte Daten]
delimiter, separator, separator character
[separates items of data]
Begrenzungssymbol *n*, Trennzeichen *n*
[Abgrenzung von Datenelementen]
delta noise [noise in core memory]
Deltarauschen *n* [Rauschen im Kernspeicher]
demagnetize, to; degauss, to
entmagnetisieren
demand paging
Seitenabruf *m*, Seitenwechsel auf
Anforderung *m*
demodulating stage, demodulator stage
Demodulationsstufe *f*
demodulation [to recover the modulating signal]
Demodulation *f* [Rückgewinnung des
modulierenden Signals]
demodulator
Demodulator *m*
demon (device monitoring) [process for
controlling peripheral units in some operating
systems]
Dämon *m* [Prozeß zur Steuerung eines
Peripheriegerätes bei einigen
Betriebssystemen]
demultiplexer
Demultiplexer *m*
density, charge density
Dichte *f*, Ladungsdichte *f*

density, mass density
Dichte *f*, Massendichte *f*
density distribution
Dichteverteilung *f*
dependability, reliability
Betriebssicherheit *f*, Zuverlässigkeit *f*
dependable, reliable
betriebssicher, zuverlässig
depletion [semiconductor technology]
A decrease in the density of charge carriers and
hence a reduction in conductivity in a
particular region of a semiconductor.
Verarmung *f* [Halbleitertechnik]
Verringerung der Ladungsträgerdichte und
damit der Leitfähigkeit in einem bestimmten
Bereich eines Halbleiters.
depletion charge
Sperrschichtladung *f*
depletion layer [semiconductor technology]
Region in a semiconductor crystal at the
interface between a semiconductor material
and metal or between an n-type and a p-type
region. At this interface electrons diffuse from
the n-type region into the p-type region and
holes from the p-type region into the n-type
region. Hence the n-type region acquires a
slightly positive charge and the p-type a
slightly negative charge. By applying a reverse-
biased external voltage across the pn-junction
(negatively biased to the p-type region and
positively biased to the n-type region), the
depletion layer becomes effectively wider and
current flow is very small. Forward-biasing the
pn-junction decreases the effective width of the
depletion layer and the current flows in
forward direction.
Sperrschicht *f* [Halbleitertechnik]
Gebiet in einem Halbleiterkristall an der
Grenze eines Übergangs zwischen Halbleiter
und Metall oder zwischen einem N-leitenden
und einem P-leitenden Bereich. An dieser
Grenze diffundieren Elektronen aus dem N-
Bereich in den P-Bereich und Defektelektronen
(Löcher) aus dem P- in den N-Bereich. Dadurch
wird das N-Gebiet leicht positiv und das P-
Gebiet leicht negativ geladen. Durch Anlegen
einer äußeren Spannung in Sperrichtung an
den PN-Übergang (negative Spannung am P-
Gebiet und positive Spannung am N-Gebiet)
verbreitet sich die Sperrschicht und der
Stromfluß ist bis auf einen kleinen Rest
gesperrt. Legt man eine positive Spannung am
P-Gebiet und eine negative Spannung am N-
Gebiet an, wird die Sperrschicht abgebaut und
der Strom fließt in Vorwärtsrichtung.
depletion layer between collector and base,
collector junction [pn- (or np-) junction between
collector zone and base zone of a bipolar
transistor]

Kollektorsperrschicht *f*, Kollektorübergang
m [PN- (bzw. NP-) Übergang zwischen
Kollektor- und Basiszone eines
Bipolartransistors]
depletion layer width, depletion width
Sperrschichtbreite *f*
depletion mode [semiconductor technology]
Verarmungsbetrieb *m* [Halbleitertechnik]
depletion mode field-effect transistor
Verarmungs-Feldeffekttransistor *m*
depletion mode insulated-gate field-effect
transistor, depletion-mode IGFET
A field-effect transistor that has a high
conductivity at zero gate voltage (i.e. which is
conductive without a gate voltage) and whose
current flow between source and drain is
controlled (i.e. increased or decreased) by
applying a gate voltage of corresponding
polarity.
Verarmungs-Isolierschicht-
Feldeffekttransistor *m*, Verarmungs-IGFET
Ein Feldeffekttransistor, der bei der
Gatespannung Null eine hohe Leitfähigkeit
aufweist (d.h. der ohne Gatespannung leitend
ist) und dessen Stromfluß zwischen Source und
Drain durch Anlegen einer Gatespannung
entsprechender Polarität gesteuert wird (d.h.
zunimmt oder abnimmt).
depletion mode metal-semiconductor FET,
D-MESFET
Depletion-mode field-effect transistor with a
gate formed by a Schottky barrier (metal-
semiconductor junction).
Verarmungs-Metall-Halbleiter-FET *m*, D-
MESFET *m*
Feldeffekttransistor des Verarmungstyps,
dessen Gate (Steuerelektrode) aus einem
Schottky-Kontakt (Metall-Halbleiter-Übergang)
besteht.
depletion mode MOSFET
Verarmungs-MOSFET *m*
depletion mode transistor
Verarmungstransistor *m*
depletion region, space-charge region
The region formed in the immediate vicinity of
a pn-junction in which there are practically no
mobile charge carriers.
Verarmungszone *f*, Raumladungszone *f*
Der an einem PN-Übergang entstandene
Bereich, in dem sich praktisch keine
beweglichen Ladungsträger befinden.
deposition
Abscheidung *f*
deposition process
Abscheidungsverfahren *n*
depth-first search
Tiefendurchlauf *m*
derating [reduction of intensity of stress for the
purpose of increasing service life, reliability,

etc.]

Unterlastung *f* [Verringerung der Intensität einer Beanspruchung zwecks Verbesserung der Lebensdauer, Zuverlässigkeit usw.]

derating factor
Unterlastungsgrad *m*

derived class, subclass [in object oriented programming: a class derived from the top class in a hierarchy of classes, in contrast to base class]
abgeleitete Klasse *f,* Subklasse *f* [bei der objektorientierten Programmierung: die von der obersten Klasse abgeleitete Klasse in einer Hierarchie, im Gegensatz zur Basisklasse]

derivative [rate of change of a function, e.g. dx/dt]
Differentialquotient *m* [Ableitung einer Funktion, z.B. dx/dt]

DES (Data Encryption Standard)
DES [Datenverschlüsselungsnorm]

descendent [file, tree]
Sohn *m* [Datei, Baum]

descending [order]
absteigend [Reihenfolge]

descending key
absteigender Sortierbegriff *m*

descending order
fallende Ordnung *f,* absteigende Reihenfolge *f*

description field
Textfeld *n*

design, assembly [mechanical]
Aufbau *m* [mechanisch]

design, configuration
Auslegung *f*

design, to
entwerfen, auslegen

design parameter
Entwurfsparameter *m*

design rule
Entwurfsregel *f*

designator, identifier
Bezeichner *m*

desk computer, desktop computer [a computer which can be placed on a desk]
Tischrechner *m,* Desktop-Computer *m* [ein Rechner, der auf einen Schreibtisch gestellt werden kann]

desolder, to
entlöten

desoldering unit
Entlötgerät *n*

desoldering wick, desoldering braid
Entlötlitze *f*

destination [of file transfer]
Bestimmungsort *m* [der Dateiübertragung]

destination file
Zieldatei *f*

destructive backspace key
löschende Rücktaste *f*

destructive readout, (DRO) [a reading operation, e.g. in a core memory, which destroys the stored data; in contrast to non-destructive readout (NDRO), e.g. in some semiconductor memories]
löschendes Lesen *n* [ein Lesevorgang, z.B. bei einem Kernspeicher, der die gespeicherten Daten löscht; im Gegensatz zu nichtlöschendem Lesen, z.B. bei einigen Halbleiterspeichern]

destructor [cleaning-up function in C++]
Destruktor *m* [Löschfunktion in C++]

detectable
feststellbar

detector diode
Detektordiode *f*

DEU (data encryption unit) [for data secrecy]
Datenverschlüsselungsbaustein *m* [für die Datengeheimhaltung]

deviation
Abweichung *f,* Sollwertabweichung *f*

device, equipment [mechanical and electrical unit for fulfilling given functions]
Gerät *n* [mechanische und elektrische Konstruktionseinheit zur Erfüllung vorgegebener Funktionen]

device address
Geräteadresse *f*

device assignment, hardware assignment
Gerätezuordnung *f,* Gerätezuweisung *f*

device byte [contains message on device status]
Gerätebyte *n* [enthält Meldung über Gerätezustand]

device control
Gerätesteuerung *f*

device driver
Gerätetreiber *m*

device geometry
Bausteingeometrie *f*

device handler, device handling program
Gerätesteuerprogramm *n*

device-independent
geräteunabhängig

device interface
Geräteschnittstelle *f,* Geräteanschaltung *f*

device monitoring (demon) [process for controlling peripheral units in some operating systems]
Dämon *m* [Prozeß zur Steuerung eines Peripheriegerätes bei einigen Betriebssystemen]

device release
Gerätefreigabe *f*

device reset key
Geräterücksetztaste *f*

device-specific
gerätespezifisch

device status [operating status of a device, e.g. ready or busy]
Gerätestatus *m* [Betriebszustand eines

Gerätes, z.B. bereit oder belegt]
DFB laser (distributed feedback laser)
[semiconductor laser]
DFB-Laser m[Halbleiterlaser]
Dhrystone test [computer benchmark test
program]
Dhrystone-Test m [Rechner-
Bewertungsprogramm]
DI (dielectric isolation)
The electrical isolation of integrated-circuit
elements by dielectric layers.
dielektrische Isolation f
Die gegenseitige Isolation von integrierten
Bauelementen durch Isolierschichten.
diac, bidirectional diode thyristor
Diac m, Zweirichtungsthyristordiode f
diagnostic flag
Prüfmarke f
diagnostic procedure
Diagnostikverfahren n
diagnostic program, debugging program,
troubleshooting program
Fehlersuchprogramm n, Diagnoseprogramm
n, Diagnostikprogramm n
diagnostics, diagnosis
Fehlerdiagnose f
dialog box
Dialogfeld n
diamond lattice [lattice structure of crystals,
e.g. of silicon and germanium mono-crystals]
Diamantgitter n [Gitteraufbau von Kristallen,
z.B. von Silicium- und Germaniumkristallen]
diamond lattice structure
Diamantgitterstruktur f,
Diamantgitteraufbau m
dibit [two-bit unit]
Dibit n [Zwei-Bit-Einheit]
dichotomizing search, binary search [search in
an ordered table by repeated partitioning in
two equal parts, rejecting one and continuing
the search in the other]
eliminierendes Suchen n, binäres Suchen n
[Suchen in einer geordneten Tabelle in jeweils
halbierten Bereichen, wobei der eine Bereich
ausgeschieden und im anderen weitergesucht
wird]
dicing, scribing technique
Process for dividing the wafer into the
individual chips. This can be effected with the
aid of diamond scribers, diamond saws or laser
beams.
Trennverfahren n, Trenntechnik f
Verfahren zum Zerlegen der Halbleiterscheibe
(Wafer) in die einzelnen integrierten
Schaltungen (Chips). Dies kann mit Hilfe von
Diamantritzern, Diamantsägen oder
Laserstrahlen erfolgen.
dictionary look-up
Wörterbuchsuche f

die, chip, semiconductor chip
Semiconductor piece, cut from a wafer, that
contains all the active and passive elements of
an integrated circuit (or device). The term chip
is also used as a synonym for an integrated
circuit.
Chip m, Halbleiterplättchen n
Halbleiterteilstück, das aus einer
Halbleiterscheibe (Wafer) herausgeschnitten
wurde, und das alle aktiven und passiven
Elemente einer integrierten Schaltung (bzw.
Bausteins) enthält. Der Begriff Chip wird auch
als Synonym für integrierte Schaltung benutzt.
dielectric
Dielektrikum n
dielectric breakdown [charge equalization with
subsequent destruction of insulation]
Durchschlag m [Ladungsausgleich mit
nachfolgender Isolationszerstörung]
dielectric isolation (DI)
The electrical isolation of integrated-circuit
elements by dielectric layers.
dielektrische Isolation f
Die gegenseitige Isolation von integrierten
Bauelementen durch Isolierschichten.
dielectric passivation
The growth of an oxide layer (usually silicon
dioxide) on the surface of a semiconductor to
provide protection from contamination.
dielektrische Passivierung f
Das Aufwachsen einer Oxidschicht (meistens
Siliciumdioxid) auf die Halbleiteroberfläche,
um sie vor Verunreinigungen zu schützen.
DIF (Data Interchange Format)
DIF [Datenaustauschformat]
DIFET technology (dielectrically isolated FET
technology)
A variant of the BiFET technology, mainly use
for fabricating monolithic integrated
operational amplifier circuits.
DIFET-Technik f
Variante der BiFET-Technik, die vorwiegend
für die Herstellung von monolithisch
integrierten Operationsverstärkern
angewendet wird.
differential amplifier [forms the difference of
the input signals]
Differenzverstärker m [bildet die Differenz
der Eingangssignale]
differential calculus
Differentialrechnung f
differential equation
Differentialgleichung f
differential I/O buffer
Differenzsignal-E/A-Puffer m
differential input [input pair for two signals,
e.g. of an operational amplifier]
Differenzeingang m [Eingangspaar für zwei
Signale, z.B. bei einem Operationsverstärker]

differential input voltage
  Differenzeingangsspannung *f*
differential linearity error
  differentieller Linearitätsfehler *m*
differential output [output pair for two signals]
  Differenzausgang *m* [Ausgangspaar für zwei
  Signale]
differential resistance [corresponds to the
  slope of the current-voltage characteristic at
  the operating point]
  differentieller Widerstand *m* [entspricht der
  Neigung der Strom-Spannungs-Kennlinie im
  Arbeitspunkt]
differential voltage
  Differentialspannung *f*
differentiator, differentiating circuit [generates
  an output signal which is the derivative of the
  input signal]
  Differenzierglied *n*, Differenzierschaltung *f*,
  Differentiator *m* [erzeugt ein Ausgangssignal,
  das die zeitliche Ableitung des Eingangssignals
  ist]
diffused junction
  diffundierter Übergang *m*
diffused layer
  diffundierte Schicht *f*, eindiffundierte
  Schicht *f*
diffused region
  diffundierter Bereich *m*
diffused transistor
  diffundierter Transistor *m*
diffusion [doping of semiconductors]
  Today's most widely used process for precise
  doping of semiconductor regions and pn-
  junctions. There are many variations of the
  diffusion process such as the closed-tube
  process, the open-tube process, the box process
  and the paint-on process.
  Diffusion *f* [Halbleiterdotierung]
  Das zur Zeit gebräuchlichste Verfahren zur
  Herstellung von definiert dotierten
  Halbleiterzonen und PN-Übergängen. Es
  bestehen unterschiedliche Varianten des
  Diffusionsverfahrens, z.B. das
  Ampullenverfahren, das Durchströmverfahren,
  das Boxverfahren und das Filmverfahren.
diffusion [of impurities or charge carriers]
  Diffundieren *n*, Eindiffundieren *n* [von
  Fremdatomen oder Ladungsträgern]
diffusion coefficient
  Diffusionskonstante *f*, Diffusionskoeffizient
diffusion current
  Diffusionsstrom *m*
diffusion depth
  Diffusionstiefe *f*
diffusion furnace
  Diffusionsofen *m*
diffusion layer
  Diffusionsschicht *f*

diffusion length
  Diffusionslänge *f*
diffusion mask
  Diffusionsmaske *f*
diffusion potential
  Diffusionsspannung *f*
diffusion process [doping of semiconductors]
  A process used for introducing impurity atoms
  into a semiconductor crystal. This is achieved
  by charging a reactor with semiconductor
  wafers and a dopant source. Diffusion is
  effected at temperatures between 800 and 1250
  °C.
  Diffusionsverfahren *n* [Halbleiterdotierung]
  Verfahren zum Einbringen von Fremdatomen
  in ein Halbleiterkristall. Dabei werden
  Halbleiterscheibchen (Wafer) zusammen mit
  einer Dotierungsquelle in einen Reaktionsraum
  eingebracht. Die Diffusion erfolgt bei
  Temperaturen zwischen 800 und 1250 °C.
diffusion region, diffusion zone
  The region of a semiconductor which is doped
  with impurities by diffusion.
  Diffusionsbereich *m*, Diffusionszone *f*
  Der Bereich eines Halbleiters, in den
  Fremdatome eindiffundiert werden.
diffusion technique
  Diffusionstechnik *f*
diffusion time
  Diffusionszeit *f*
diffusion transistor
  Bipolar transistor in which injection current
  flow is entirely a result of carrier diffusion.
  Diffusionstransistor *m*
  Bipolartransistor, bei dem der Injektionsstrom
  durch die Basis ausschließlich durch Diffusion
  von Ladungsträgern fließt.
diffusion velocity
  Diffusionsgeschwindigkeit *f*
diffusion window
  Diffusionsfenster *n*
digit [one of the decimal digits 0 to 9 or binary
  digits 0 and 1]
  Ziffer *f* [eine der Dezimalziffern 0 bis 9 bzw.
  der Dualziffern 0 und 1]
digit place, digit position
  Ziffernstelle *f*
digital, numerical
  digital, ziffernmäßig
digital circuit [a circuit with digital input
  and/or output signals]
  Digitalschaltung *f*, digitale Schaltung *f* [eine
  Schaltung mit digitalen Eingangs- und/oder
  Ausgangssignalen]
digital comparator
  Digitalkomparator *m*
digital computer [a computer with input,
  processing and output of data in digital form]
  Digitalrechner *m* [ein Rechner mit Eingabe,

Verarbeitung und Ausgabe der Daten in
digitaler Form]
digital control
  digitale Steuerung *f*
digital converter
  Digitalumsetzer *m*
digital correlation
  digitale Korrelation *f*
digital data
  digitale Daten *n.pl.*
digital decoder
  digitaler Decoder *m*, digitaler Decodierer *m*
digital display, digital readout [representation
  by digits]
  Digitalanzeige *f*, digitale Anzeige *f*,
  Ziffernanzeige *f* [Darstellung durch Ziffern]
digital electronics
  Digitalelektronik *f*
digital input unit
  Digitaleingabeeinheit *f*, digitale
  Eingabeeinheit *f*
digital instrument
  digitales Meßgerät *n*
digital integrated circuit
  digitale integrierte Schaltung *f*, integrierte
  Digitalschaltung *f*
digital memory, digital storage
  Digitalspeicher *m*, digitaler Speicher *m*
digital output
  Digitalausgang *m*, Digitalausgabe *f*
digital output unit
  Digitalausgabeeinheit *f*, digitale
  Ausgabeeinheit *f*
digital phase-lock circuit
  digitale Phasenverriegelungsschaltung *f*
digital readout, digital display [representation
  by digits]
  Digitalanzeige *f*, digitale Anzeige *f*,
  Ziffernanzeige *f* [Darstellung durch Ziffern]
digital receiver
  Digitalempfänger *m*
digital semiconductor component
  digitales Halbleiterbauelement *n*
digital semiconductor device
  digitaler Halbleiterbaustein *m* [wird auch
  manchmal digitales Halbleiterbauteil genannt]
digital signal
  Digitalsignal *n*, digitales Signal *n*
digital switch
  Digitalschalter *m*, digitaler Schalter *m*
digital system
  Digitalsystem *n*, digitales System *n*
digital technique
  Digitaltechnik *f*, Digitalverfahren *n*
digital-to-analog conversion
  Digital-Analog-Umsetzung *f*
digital-to-analog converter (DAC) [converts a
  digital input signal into an analog output
  signal]

Digital-Analog-Umsetzer *m*, (DAU) [setzt ein
  digitales Eingangssignal in ein analoges
  Ausgangssignal um]
digital-to-analog module
  Digital-Analog-Modul *m*
digital transmission
  Digitalübertragung *f*
digitally coded data
  digital codierte Daten *n.pl.*
digitize, to [to transform an analog
  representation into a corresponding digital
  form]
  digitalisieren, digital darstellen [die
  Umwandlung einer analogen Darstellung in die
  entsprechende digitale Form]
digitizer
  Digitalisierer *m*
digitizer tablet, tablet
  Digitalisiertablett *n*, Graphiktablett *n*,
  Tablett *n*
digitizing
  Digitalisierung *f*, Digitalisieren *n*
DIL (dual in-line), dual in-line package (DIP)
  [housing with two parallel rows of terminals at
  right angles to the body]
  DIL, DIL-Gehäuse *n* [Gehäuse mit zwei
  parallelen Reihen rechtwinklig abgebogener
  Anschlüsse]
dimension, to [e.g. a component or a circuit]
  bemessen [z.B. ein Bauteil oder eine
  Schaltung]
DIMOS technology (double-diffused ion-
  implanted MOS)
  Variant of the DMOS manufacturing process
  involving an ion implantation step in addition
  to diffusion of impurities.
  DIMOS-Technik *f*
  Variante der DMOS-Technik, bei der die
  Diffusion von Dotierungsatomen durch einen
  zusätzlichen Ionenimplantationsschritt ergänzt
  wird.
diode
  Diode *f*
diode array
  Diodenfeld *n*
diode characteristic curve [diode current as a
  function of diode voltage]
  Diodenkennlinie *f* [Diodenstrom in
  Abhängigkeit der Diodenspannung]
diode circuit
  Diodenschaltung *f*
diode clamp circuit
  Diodenklemmschaltung *f*
diode current
  Diodenstrom *m*
diode function generator
  Diodenfunktionsgeber *m*
diode laser, laser diode, semiconductor laser
  Semiconductor device that emits coherent light.

Light generation occurs at a pn-junction due to carrier injection or electron-beam excitation. The most widely used materials are gallium arsenide and gallium aluminium arsenide.
Laserdiode *f,* Halbleiterlaser *m* Halbleiterbauteil, das kohärentes Licht emittiert. Die Lichterzeugung erfolgt durch induzierte Emission an einem PN-Übergang. Sie entsteht durch Ladungsträgerinjektion oder Elektronenstrahlanregung. Als Ausgangsmaterialien dienen vorwiegend Galliumarsenid und Galliumaluminiumarsenid.

diode limiter
Diodenbegrenzer *m*
diode matrix
Diodenmatrix *f*
diode network
Diodennetzwerk *n*
diode thyristor
Thyristor with two terminals. There are two versions: reverse blocking and reverse conducting diode thyristors.
Thyristordiode *f*
Thyristor mit zwei Anschlüssen. Man unterscheidet zwischen rückwärtssperrenden und rückwärtsleitenden Thyristordioden.
diode transistor logic (DTL)
Logic family in which logic functions are performed by diodes, the transistors acting as inverting amplifiers.
Dioden-Transistor-Logik *f* (DTL)
Logikfamilie, bei der die logischen Verknüpfungen von Dioden ausgeführt werden und die Transistoren als invertierende Verstärker wirken.
diode transistor logic with Zener diode (DTZL)
Variant of the DTL logic family in which the Zener diode ensures a high signal-to-noise ratio.
Dioden-Transistor-Logik mit Zenerdiode *f* (DTZL)
Variante der DTL-Schaltungsfamilie, bei der die Zenerdiode einen hohen Störspannungsabstand bewirkt.
diode voltage
Diodenspannung *f*
DIP (dual in-line package) [housing with two parallel rows of terminals at right angles to the body]
DIL-Gehäuse *n* [Gehäuse mit zwei parallelen Reihen rechtwinklig abgebogener Anschlüsse]
dip coating
Tauchbeschichtung *f*
dip soldering
Process for producing soldered connections on printed circuits boards by applying first a flux to the circuit pattern and then dipping the board into a bath of molten solder.

Tauchlöten *n*
Verfahren für die Herstellung von Lötverbindungen auf gedruckten Leiterplatten. Dabei wird zunächst ein Flußmittel auf die Leiterplatte aufgetragen, die anschließend in eine Wanne mit geschmolzenem Lot getaucht wird.
direct access, random access [storage device in which access time is effectively independent of the location of the data]
direkter Zugriff *m* [Zugriff zu beliebigen Bereichen eines Speichers; die Zugriffszeit ist effektiv unabhängig von der Lage der gespeicherten Daten]
direct addressing [addressing method characterized by the fact that the address is part of the instruction]
direkte Adressierung *f* [Adressierverfahren, das dadurch gekennzeichnet ist, daß die Adresse selbst Bestandteil des Befehls ist]
direct coupled
galvanisch gekoppelt
direct current, dc
Gleichstrom *m*
direct digital control (DDC) [a control system in which a process computer directly acts on the final control elements or actuators]
direkte digitale Regelung *f* (DDC) [ein Regelsystem, bei dem ein Prozeßrechner unmittelbar auf die Stellglieder wirkt]
direct memory access (DMA) [data transfer between a peripheral unit and main memory without intervention of the CPU; the peripheral unit can access the address and data buses of the main memory directly]
direkter Speicherzugriff *m* (DMA) [Datentransfer zwischen einem Peripheriegerät und dem Hauptspeicher unter Umgehung der Zentraleinheit; das Peripheriegerät kann direkt auf Adressen- und Datenbus des Hauptspeichers zugreifen]
direct plug connector
direkter Steckverbinder *m*
direct step on wafers (DSW) [photolithography]
Waferstepper *m,* DSW-Verfahren *n* [Photolithographie]
direct voltage, dc voltage
Gleichspannung *f*
direct-access device, random-access device
Direktzugriffsgerät *n*
direct-access file, random-access file
Direktzugriffsdatei *f*
direct-access memory, direct-access storage [storage whose access time is independent of the location of the data, e.g. magnetic disk or floppy disk storage]
Speicher mit direktem Zugriff *m,* Direktzugriffsspeicher *m* Speicher, dessen Zugriffszeit unabhängig von der Lage der

gespeicherten Daten ist, z.B. Magnetplatten-
oder Diskettenspeicher]

direct-coupled FET logic (DCFL)
Family of integrated circuits based on gallium
arsenide E-MESFETs.
  direkt gekoppelte FET-Logik f (DCFL)
  Integrierte Schaltungsfamilie, die mit
  Galliumarsenid-E-MESFETs realisiert ist.

direct-coupled transistor logic (DCTL)
Logic family in which transistors are coupled
together directly, without resistors or other
coupling elements.
  direkt gekoppelte Transistorlogik f (DCTL)
  Logikfamilie, bei der Transistoren direkt
  gekoppelt werden, ohne Verwendung von
  Widerständen oder anderen
  Kopplungselementen.

direction select (DS)
  Richtungsvorgabe f

directly addressable memory
  direkt adressierbarer Speicher m

directory
  Inhaltsverzeichnis n, Verzeichnis n

directory entry
  Verzeichniseintrag m

directory file
  Verzeichnisdatei f

directory tree
  Verzeichnisbaum m

disable, inhibit [inputs or outputs]
  Abschalten n, Sperren n [bei Ein- bzw.
  Ausgängen]

disable, to; deactivate, to; switch-off, to
  abschalten, inaktivieren, ausschalten

disable [line, unit, etc.]
  betriebsunfähig machen [Leitung, Gerät
  usw.]

disable input, inhibit input
  Sperreingang m

disable instruction
  Sperrbefehl m

disable interrupt instruction
  Unterbrechungssperrbefehl m

disable statement [COBOL]
  Deaktivieranweisung f [COBOL]

disabled
  gesperrt, unterdrückt

disabling signal, disable
  Sperrsignal n

disassemble, dismount
  demontieren

disassembler [software that translates machine
code back into assembly language]
  Disassembler m [Software für die
  Übersetzung von Maschinencode in
  Assemblersprache

discharge, to [e.g. a capacitor]
  entladen [z.B eines Kondensators]

disconnect command [for a connection]

Abbruchbefehl m [für eine Verbindung]

disconnected mode (DM), wait state
  Wartezustand m

discontinuity
  Leitungsunterbrechung f

discrete addressing
  Einzeladressierung f

discrete component [electronics]
Individual component, separately packaged and
used independently, which is not part of an
integrated circuit.
  Einzelbauelement n, diskretes Bauelement n,
  Einzelbauteil n [Elektronik]
  Bauelement, das nicht in einer integrierten
  Schaltung enthalten ist, sondern als
  selbstständiges, in eigenem Gehäuse
  untergebrachtes Bauteil eingesetzt wird.

discrete data
  diskrete Daten $n.pl.$

discrete semiconductor component
  Einzelhalbleiterbauelement n, diskretes
  Halbleiterbauelement n

discrete signal
  diskretes Signal n

discretionary hyphen, soft hyphen [user-
defined hyphen for automatic hyphenation, in
contrast to normally required or hard hyphen]
  weicher Bindestrich m [vom Benutzer
  definierte Worttrennstelle für die automatische
  Trennung, im Gegensatz zum normalen bzw.
  harten Bindestrich]

discriminator [produces amplitude variations
from frequency or phase variations]
  Diskriminator m [erzeugt
  Amplitudenänderungen aus Frequenz- oder
  Phasenänderungen]

discriminator circuit
  Diskriminatorschaltung f

disjunction, logic addition, logical add, Boolean
add, inclusive OR
Logical operation having the output (result) 0 if
and only if each input (operand) has the value
0; for all other inputs (operand values) the
output (result) is 1.
  Disjunktion f, inklusives ODER n
  Logische Verknüpfung mit dem Ausgangswert
  (Ergebnis) 0, wenn und nur wenn jeder
  Eingang (Operand) den Wert 0 hat; für alle
  anderen Eingangswerte (Operandenwerte) ist
  der Ausgang (das Ergebnis) 1.

disk, magnetic disk
  Platte f, Magnetplatte f

disk address
  Plattenadresse f

disk area
  Plattenspeicherbereich m, Plattenbereich m

disk caching [creates cache memory used for
accelerating data transfer between hard disk
and main memory]

Disk-Caching-Software f [errichtet einen
Zwischenspeicher zur Beschleunigung der
Datenübertragung zwischen Festplatte und
Hauptspeicher]
disk cartridge
Plattenkassette f
disk controller
Plattenspeicher-Controller,
Plattenspeichersteuerteil m
disk doubling software
Plattenverdoppler-Software f
disk drive, drive
Plattenlaufwerk n, Laufwerk n
disk error
Plattenfehler m
disk file
Plattendatei f
disk file organization
Plattenspeicherorganisation f
disk format
Plattenformat n
disk label
Plattenkennung f, Plattenkennsatz m
disk operating system (DOS)
Plattenbetriebssystem n (DOS)
disk pack
Plattenstapel m
disk-resident
plattenspeicherresident
disk sector, sector [part of a disk track]
Plattensektor m [Teil einer Spur auf einer
Magnetplatte]
disk storage, disk memory, magnetic disk
storage
Plattenspeicher m, Magnetplattenspeicher m
disk storage with moving-head
Plattenspeicher mit beweglichem Kopf m
disk track
Plattenspur f
disk unit
Platteneinheit f
diskette, floppy disk [flexible disk used as
interchangeable magnetic data medium,
usually of 3.5 or 5.25 inch diameter and a
storage capacity between 0.36 and 1.44 MB]
Diskette f [flexible Magnetplatte als
auswechselbarer magnetischer Datenträger,
üblicherweise mit einem Durchmesser von 3,5
oder 5,25 Zoll und einer Speicherkapazität
zwischen 0,36 und 1,44 MB]
diskette controller, floppy drive controller
Disketten-Controller m, Disketten-Steuerteil
diskless LAN station [local area network
computer without floppy or hard disk drives]
laufwerkloser Netzwerkrechner m
[Netzwerkrechner ohne Disketten- oder
Festplattenlaufwerke]
dislocation [a crystal lattice imperfection which
can occur, for example, during crystal growth or

can result from etching]
Versetzung f [ein Kristallgitterfehler, der z.B.
bei der Kristallzüchtung oder durch einen
Ätzvorgang entstehen kann]
disparity, mismatch
Disparität f
display, image, figure, picture
Bild n, Abbildung f
display, readout
Anzeige f
display, screen
Bildschirm m
display area
Anzeigebereich m
display device, display module
Anzeigemodul m, Anzeigebaustein m
display driver
Anzeigentreiber m
display mode
Anzeigeart f
display module, display device
Anzeigebaustein m, Anzeigemodul m
display space
Bildbereich m, Anzeigebereich m
display unit
Anzeigegerät n
dissipation factor
Verlustfaktor m [dielektrischer]
distortion
Verzerrung f
distributed, decentral
verteilt, dezentralisiert
distributed data base system
verteiltes Datenbanksystem n
distributed data processing
verteilte Datenverarbeitung f
distributed intelligence
Computer architecture in which the central
processing unit is freed to a large extent from
the task of carrying out control functions in
order to permit parallel processing. This is
achieved with the aid of additional processors
which perform specific functions. The term is
mainly used in connection with fifth-generation
computers, i.e. with non-von-Neumann
computer architectures.
verteilte Intelligenz f
Rechnerarchitektur, bei der die Zentraleinheit
weitgehend von Steuerungsaufgaben entlastet
ist, um eine Parallelverarbeitung zu
ermöglichen. Dies wird mit Hilfe zusätzlicher
Prozessoren erreicht, die bestimmte Aufgaben
übernehmen. Der Begriff wird meistens im
Zusammenhang mit der fünften
Rechnergeneration, d.h. mit nicht-von-
Neumannschen Rechnerarchitekturen
verwendet.
distributed multiprocessor system
Mehrprozessorsystem mit verteilter

Steuerung *n*
distributed processing, multiprocessor operation
Rechnerverbundbetrieb *m*
distributed system [distributed over numerous computers, terminals, etc.]
dezentrales System *n* [verteilt auf mehrere Rechner, Datenstationen usw.]
disturbance [automatic control]
Störgröße *f* [Regelungstechnik]
disturbed one-output signal
gestörtes Eins-Signal *n*
disturbed storage cell
gestörtes Speicherelement *n*
disturbed zero-output signal
gestörtes Null-Signal *n*
divergent series
divergente Reihe *f*
divide error [division by zero]
Divisionsfehler *m* [Division durch Null]
divide statement
Divisionsanweisung *f*
divide symbol
Divisionszeichen *n*
divider [for carrying out mathematical division]
Dividierwerk *n,* Teiler *m* [für die Ausführung einer mathematischen Teilung]
divider, frequency divider
Teiler *m,* Frequenzteiler *m*
division [inverse of multiplication]
Teilung *f,* Division *f* [Umkehrung der Multiplikation]
DLL (Dynamic Link Library) [in Windows programming: object code library that can be bound in at run-time]
dynamische Funktionsbibliothek *f,* dynamische Linkbibliothek *f* [bei der Programmierung in Windows: Objektcode-Bibliothek, die zur Laufzeit eingebunden werden kann]
DM (disconnected mode), wait state
Wartezustand *m*
DMA (direct memory access) [data transfer between a peripheral unit and main memory without intervention of the CPU; the peripheral unit can access the address and data buses of the main memory directly]
DMA, direkter Speicherzugriff *m* [Datentransfer zwischen einem Peripheriegerät und dem Hauptspeicher unter Umgehung der Zentraleinheit; das Peripheriegerät kann direkt auf Adressen- und Datenbus des Hauptspeichers zugreifen]
DMA controller (DMAC)
DMA-Controller *m,* Steuerbaustein für direkten Speicherzugriff *m*
DMA controller circuit
DMA-Steuerschaltung *f*
DMA interface

DMA-Schnittstelle *f*
DMOS technology (double-diffused MOS technology)
Process for manufacturing MOS devices involving two-stage diffusion of impurities.
DMOS-Technik *f*
Verfahren mit Doppeldiffusion von Dotierungsatomen für die Herstellung von MOS-Bauteilen.
DMS, data management system
Datenverwaltungssystem *n*
docking station [desktop extension unit for notebook computer]
Docking-Station *f* [Pult-Erweiterungseinheit für ein Notebook-Computer]
document
Dokument *n,* Beleg *m*
document storage
Belegspeicher *m*
Dolby noise-reduction system
Dolby-System *n*
dollar symbol ($) [special symbol; is used in BASIC for designating a character string or text variable]
Dollarzeichen *n,* ($) [Sonderzeichen; wird in BASIC zur Kennzeichnung einer Textvariablen oder Zeichenkette (String) verwendet]
don't care character [a character that is not taken into account]
Ersatzzeichen *n* [ein Zeichen, das nicht berücksichtigt wird]
dongle, hardware key [hardware-based copy protection, usually inserted in printer port]
Kopierschutzstecker *m* [wird meistens in den Druckeranschluß eingesteckt]
donor [semiconductor technology]
An impurity (or crystal imperfection) added intentionally to a semiconductor which releases an electron to an adjacent atom. Movement of the electrons represents a negative charge transport through the semiconductor.
Donator *m* [Halbleitertechnik]
In einen Halbleiter eingebautes Fremdatom (oder Kristallfehler), das ein Elektron an ein benachbartes Atom abgibt. Die Bewegung der Elektronen stellt einen negativen Ladungstransport durch den Halbleiter dar.
donor atom, donor impurity
Donatoratom *n,* Donatorfremdatom *n*
donor charge
Donatorladung *f*
donor concentration
Donatorkonzentration *f*
donor energy state, donor level
Donatorniveau *n*
dopant, dopant impurity
An impurity element added to a semiconductor to modify its electrical properties. Semiconductors can be doped with acceptor

impurities (e.g. boron, gallium, aluminium, indium) or donor impurities (e.g. phospherous, arsenic, antimony).
Dotierstoff *m*, Dotierungselement *n*
Ein Element, das in einen Halbleiter eingebaut wird, um seine elektrischen Eigenschaften zu verändern. Dotieratome können als Akzeptoren (z.B. Bor, Gallium, Aluminium, Indium) oder als Donatoren (z.B. Phosphor, Arsen, Antimon) eingebaut werden.
dope, to
dotieren
doped semiconductor
dotierter Halbleiter *m*
doping [semiconductor technology]
The intentional addition of impurities to a semiconductor to modify its electrical properties. There are different processes used for doping semiconductors: diffusion, alloying, epitaxy, ion implantation and transmutation.
Dotierung *f*, Dotieren *n* [Halbleitertechnik]
Der gezielte Einbau von Fremdatomen in einen Halbleiter zwecks Veränderung seiner elektrischen Eigenschaften. Es bestehen verschiedene Dotierungsverfahren: Diffusion, Legierung, Epitaxie, Ionenimplantation und Dotierung durch Kernumwandlung.
doping compensation, dopant compensation
Dotierungsausgleich *m*
doping process
Dotierungsverfahren *n*
DOPOS process (doped polysilicon diffusion) [a special diffusion process]
DOPOS-Verfahren *n* [ein spezielles Diffusionsverfahren]
DOS (Disk Operating System) [short form for PC-DOS and MS-DOS]
DOS [Plattenbetriebssystem; Kurzform für PC-DOS und MS-DOS]
DOS extender [programm allowing an application to run in protected mode]
DOS-Extender *m* [Programm zur Ausführung einer Anwendung im geschützten Modus (protected mode)]
DOS prompt
DOS-Eingabeaufforderung *f*
dot matrix
Punktmatrix *f*
dot-matrix character generator
Punktmatrixgenerator *m*
dot-matrix printer, matrix printer
Printer which uses a matrix of wires (e.g. 5x7 or 7x9 matrix) to form alphanumeric characters composed of dots. The wires are driven against an inked ribbon or paper by solenoids.
Punktmatrixdrucker *m*, Matrixdrucker *m*, Mosaikdrucker *m*, Nadeldrucker *m*
Drucker, bei dem durch matrixförmig angeordnete Drahtstifte (z.B. 5x7 oder 7x9

Matrix) aus Punkten zusammengesetzte alphanumerische Zeichen gebildet werden. Die Bewegung der Drahtstifte gegen das Farbband bzw. das Papier erfolgt durch Elektromagnete.
dot pattern
Punktmuster *n*
dot pitch [of a colour display mask]
Lochabstand *m* [einer Farbbildschirm-Maske]
dot pitch [spacing between luminous spots of a screen]
Bildpunktabstand *m* [Abstand zwischen Leuchtpunkten eines Bildschirms]
dot-scanning method
Punktrasterverfahren *n*
double bit
Doppelbit *n*
double buffering
doppeltes Puffern *n*
double click, to [briefly depressing a mouse button twice]
doppelklicken [zweimaliges, rasch aufeinanderfolgendes Drücken der Maustaste]
double current [a data transmission technique]
Doppelstrom *m* [eine Übertragungstechnik]
double density [doubling bit density on a data medium, e.g. on a floppy disk]
doppelte Speicherdichte *f* [Verdoppelung der Bitdichte bei Datenträgern, z.B. bei Disketten]
double density diskette, DD diskette [stores 360 kB on 5.25" and 720 kB on 3.5" diskettes]
Diskette mit doppelter Speicherdichte *f*, DD-Diskette *f* [speichert 360 kB auf 5,25"- und 720 kB auf 3,5"-Disketten]
double-density process [floppy disk recording method]
Verfahren für doppelte Speicherdichte *n* [Diskettenaufzeichnungsverfahren]
double-density recording [e.g. floppy disk]
Aufzeichnung mit doppelter Dichte *f* [z.B. Diskette]
double-diffused ion-implanted MOS, DIMOS technology
Variant of the DMOS manufacturing process involving an ion implantation step in addition to diffusion of impurities.
DIMOS-Technik *f*
Variante der DMOS-Technik, bei der die Diffusion von Dotierungsatomen durch einen zusätzlichen Ionenimplantationsschritt ergänzt wird.
double-diffused transistor
doppeldiffundierter Transistor *m*
double-Euroboard format [PCB format 233 x 160 mm]
Doppeleuropaformat *n* [Leiterplattenformat 233 x 160 mm]
double-heterostructure laser
Semiconductor laser (e.g. a GaAlAs laser) with

a double heterostructure that is particularly
suitable for use as optical emitter in fiber-optics
communication systems.
DH-Laser *m*, Doppelheterostrukturlaser *m*
Halbleiterlaser mit Doppelheterostruktur (z.B.
GaAlAs-Laser), der sich insbesondere als
optischer Sender für
Glasfaserübertragungssysteme eignet.
double-layer metallization
Doppelschichtmetallisierung *f*
double-length register, double register
Register doppelter Wortlänge *n*
double-length working, double-precision
working
Arbeiten mit doppelter Wortlänge *n*
double-line shift register
Zweitakt-Schieberegister *n*
double precision [using twice as many bits to
represent a number]
doppelte Genauigkeit *f* [Verwendung von
doppelt so vielen Bits, um eine Zahl
darzustellen]
double-precision arithmetic, double-length
arithmetic
**Gleitpunktrechnung mit doppelter
Genauigkeit** *f*
double-precision data word
Datenwort doppelter Genauigkeit *f*
double-precision floating-point constant
**Gleitpunktkonstante doppelter
Genauigkeit** *f*
double-precision working, double-length
working [increasing computing accuracy by
using computer words of double length]
Arbeiten mit doppelter Wortlänge *f*
[Erhöhung der Rechengenauigkeit durch
Verwendung von Rechenworten doppelter
Länge]
double-product multiplication
erweiterte Multiplikation *f*
double pulse, dual pulse, pulse pair
Doppelimpuls *m*
double-pulse generator
Doppelimpulsgenerator *m*
double-pulse recording [magnetic recording
method]
Doppelimpulsschreibverfahren *n*
[magnetisches Aufzeichnungsverfahren]
double sampling
doppelte Stichprobenprüfung *f*
double-sided floppy disk [information can be
recorded on both sides]
doppelseitig beschreibbare Diskette *f*
[Informationen können auf beiden Seiten
aufgezeichnet werden]
double-sided printed circuit board
doppelseitig kaschierte Leiterplatte *f*
double twisted LCD [liquid crystal display with
two crystal layers]

Doppelschicht-LCD-Anzeige *f*
[Flüssigkristallanzeige mit zwei
Kristallschichten]
double word length [representation of a
number by 2 computer words]
doppelte Wortlänge *f* [Darstellung einer Zahl
durch 2 Rechenworte]
down counter, decrementer
Rückwärtszähler *m*, Abwärtszähler *m*
down-time
Ausfallzeit *f*, Ausfalldauer *f*
download, to [to load a program or data from a
remote computer]
download, hinunterladen [Programme oder
Daten von einem zentralen Rechner laden]
downloadable font, soft font
ladbare Schriftart *f*
downsizing [replacing large systems by smaller
units]
Downsizing *n* [Ersetzen von großen Systemen
durch kleinere Einheiten]
DPMI (DOS Protected Mode Interface) [allows
several applications to run simultaneously in
extended memory]
DPMI [definiert den geschützten
Betriebsmodus von DOS, der das gleichzeitige
Ablaufen mehrerer Anwendungen im
Erweiterungsspeicher ermöglicht]
draft, to
zeichnen
draft mode printing [printer]
Entwurfsdruck *m* [Drucker]
drag, to [depressing and holding the mouse
button while moving the mouse, e.g. to move a
symbol or a window]
ziehen [Drücken und Festhalten der
Maustaste, während die Maus bewegt wird,
z.B. um ein Symbol oder ein Fenster zu
verschieben]
drain, to [electrons]; dissipate, to [heat]
ableiten [Elektronen, Wärme]
drain bias
Drainvorspannung *f*
drain breakdown voltage
Draindurchbruchspannung *f*
drain capacitance
Drainkapazität *f*
drain contact, drain terminal
Drainkontakt *m*, Drainanschluß *m*
drain current
Drainstrom *m*
drain cut-off current
Drainreststrom *m*
drain electrode
Drainelektrode *f*
drain junction
Drainübergang *m*
drain region, drain zone
Drainbereich *m*, Drainzone *f*

drain resistance
  Drainwiderstand m
drain source on-state resistance
  Drain-Source-Einschaltwiderstand m
drain terminal, drain contact
  Drainanschluß m, Drainkontakt m
drain voltage
  Drainspannung f
drain zone, drain region
  Drainzone f, Drainbereich m
drain
  Region of the field-effect transistor, comparable
  to the collector of a bipolar transistor.
  Drain m, Senke f
  Bereich des Feldeffekttransistors, vergleichbar
  mit dem Kollektor des Bipolartransistors.
drain-gate breakdown voltage
  Drain-Gate-Durchbruchspannung f
drain-gate capacitance
  Drain-Gate-Kapazität f
drain-gate distance
  Drain-Gate-Abstand m
drain-gate leakage current
  Drain-Gate-Leckstrom m
drain-gate voltage
  Drain-Gate-Spannung f
drain-source breakdown voltage
  Drain-Source-Durchbruchspannung f
drain-source voltage
  Drain-Source-Spannung f
drainage [electrons, heat], leakage [current]
  Ableitung f [Elektronen, Strom, Wärme]
DRAM, dynamic RAM (dynamic random access
  memory)
  Dynamic read-write memory with random
  access which requires periodic refreshing of the
  stored information.
  DRAM m, dynamischer RAM m, dynamischer
  Schreib-Lese-Speicher m
  Dynamischer Schreib-Lese-Speicher mit
  wahlfreiem Zugriff, dessen gespeicherte
  Informationen periodisch aufgefrischt werden
  müssen.
drawing, plot
  Zeichnung f
drift
  Drift f
drift, to
  driften, abwandern
drift compensation
  Driftkompensation f
drift current
  Driftstrom m
drift error
  Driftfehler m
drift mobility
  Driftbeweglichkeit f
drift stabilization
  Driftstabilisierung f

drift transistor [transistor with a continuously
  decreasing conductivity in the base zone
  between emitter and collector junctions; the
  resulting drift field reduces the propagation
  time thus permitting operation at higher
  frequencies]
  Drifttransistor m [Transistor mit einer stetig
  abnehmenden Leitfähigkeit in der Basiszone
  vom Emitter- zum Kollektorübergang; es
  entsteht ein die Ladungsträger treibendes Feld
  (Driftfeld), so daß deren Laufzeit kürzer wird
  und demzufolge die Transistorgrenzfrequenz
  höher]
drift velocity
  Driftgeschwindigkeit f
drift voltage
  Driftspannung f
drift-compensated amplifier
  Verstärker mit kompensierter Drift m
drive, disk drive, floppy disk drive
  Laufwerk n, Plattenlaufwerk n,
  Diskettenlaufwerk n
drive identifier [for accessing drive, e.g. " C: " in
  DOS]
  Laufwerksbezeichnung f [für den Zugriff auf
  das Laufwerk, z.B. " C: " in DOS]
drive-in cycle [doping technology]
  In two-step diffusion, the second diffusion step
  which follows the first "predeposition" step in
  order to obtain the desired diffusion depth and
  dopant concentration profile.
  Nachdiffusion f [Dotierungstechnik]
  Bei der Zweischrittdiffusion der zweite
  Diffusionsvorgang, der sich an den ersten
  sogenannten Belegungsvorgang anschließt, um
  die gewünschte Diffusionstiefe und das
  gewünschte Dotierungsprofil zu erhalten.
driver, driver stage [amplifier stage for driving
  an output stage]
  Treiber m, Treiberstufe f [Verstärkerstufe für
  die Ansteuerung einer Endstufe]
driver circuit, driver circuitry
  Treiberschaltung f
driver transistor
  Treibertransistor m
DRO (destructive read-out) [a reading operation,
  e.g. in a core memory, which destroys the
  stored data; in contrast to non-destructive
  readout (NDRO), e.g. in some semiconductor
  memories]
  löschendes Lesen n [ein Lesevorgang, z.B. bei
  einem Kernspeicher, der die gespeicherten
  Daten löscht; im Gegensatz zu nichtlöschendem
  Lesen, z.B. bei einigen Halbleiter-
  speichern]
drop, voltage drop
  Abfall m, Spannungsabfall m
drop-in [magnetic tape]
  Störsignal n [Magnetband]

drop-out [magnetic tape error due to a lost bit]
Signalausfall *m*, Dropout *m*
[Magnetbandfehler durch ein verlorenes Bit]
drum
Trommel *m*
drum printer, on-the-fly printer
Walzendrucker *m*
drum storage, magnetic drum storage
Trommelspeicher *m*,
Magnettrommelspeicher *m*
dry etching
Etching process used in semiconductor
component and integrated circuit fabrication.
There are two differing processes: reactive and
non-reactive dry etching.
Trockenätzverfahren *n*, Trockenätzen *n*
Ätzverfahren, das bei der Herstellung von
Halbleiterbauelementen und integrierten
Schaltungen verwendet wird. Man
unterscheidet zwischen reaktivem und nicht
reaktivem Trockenätzen.
dry film resist
Abdeckfolie *f*
dry-ink-jet printer
Graphitstrahldrucker *m*
DS (direction select)
Richtungsvorgabe *f*
DSM laser (dynamic single mode laser)
[semiconductor laser]
DSM-Laser *m*, dynamisch einmodiger Laser *m*
[Halbleiterlaser]
DSW (direct step on wafers) [photolithography]
DSW-Verfahren *n*, Waferstepper *m*
[Photolithographie]
DTL (diode-transistor logic)
Logic family in which logic functions are
performed by diodes, the transistors acting as
inverting amplifiers.
DTL, Dioden-Transistor-Logik *f*
Logikfamilie, bei der die logischen
Verknüpfungen von Dioden ausgeführt werden
und die Transistoren als verstärkende Inverter
wirken.
DTP program (Desk Top Publishing) [program
for the design, layout and printing of
documents]
Desktop-Publishing-Programm *n*, DTP-
Programm *n* [Programm zum Erstellen,
Anordnen und Drucken von Dokumenten]
DTR (data terminal ready)
Datenendgerät bereit, Terminal bereit
DTZL (diode-transistor logic with Zener diode)
Variant of the DTL logic family in which the
Zener diode ensures a high signal-to-noise
ratio.
DTZL, Dioden-Transistor-Logik mit Zener-
diode *f*
Variante der DTL-Schaltungsfamilie, bei der
die Zenerdiode einen hohen Störspannungs-

abstand bewirkt.
dual-gate MOSFET
MOSFET mit zwei Steuerelektroden *m*
dual in-line package (DIP) [housing with two
parallel rows of terminals at right angles to the
body]
DIL-Gehäuse *n* [Gehäuse mit zwei parallelen
Reihen rechtwinklig abgebogener Anschlüsse]
dual operational amplifier
Doppeloperationsverstärker *m*,
Zweifachoperationsverstärker *m*
dual-trace oscilloscope
Zweistrahloszillograph *m*,
Zweistrahloszilloskop *n*
dummy argument
Formalparameter *m*
dummy data
Blinddaten *n.pl.*
dummy data set
Pseudodatei *f*
dummy instruction [instruction having no
effect]
Blindbefehl *m*, Scheinbefehl *m*, Füllbefehl *m*
[Befehl ohne Wirkung; belangloser Befehl]
dummy load
Ersatzlast *f*
dummy procedure [COBOL]
Scheinprozedur *f* [COBOL]
dummy record
Pseudosatz *m*
dummy statement [statement having no effect]
Scheinanweisung *f*, Leeranweisung *f*
[Anweisung ohne Wirkung]
dummy tetrad
Pseudotetrade *f*
dump program
Speicherabzugprogramm *n*
duodecimal digit [a digit of a number system
with the base 12]
Duodezimalziffer *f* [Ziffer eines
Zahlensystems mit der Basis 12]
duplicate, to [copy on a destination medium
having the same physical form as the source]
doppeln, duplizieren [Kopieren auf ein
Zielmedium, das die gleiche physikalische Form
hat, wie die Quelle]
duplicating mode
Dupliziermodus *m*
duplicating program
Duplizierprogramm *n*
duplication check [checking by duplicating]
Duplizierkontrolle *f* [Kontrolle durch
Duplizieren]
dyadic, binary, dual [having two operators]
dyadisch, binär, dual [zwei Operanden
aufweisend]
dyadic Boolean operation
dyadische Boolesche Operation *f*
dynamic [in the case of data: changing, in

contrast to static or unchanging]
dynamisch [bei Daten: veränderlich, im
Gegensatz zu statisch bzw. unveränderlich]
dynamic [in the case of programming: allocation
during program run, in contrast to allocation
during the program compilation phase]
dynamisch [bei der Programmierung:
Zuweisung während der Programmlaufzeit, im
Gegensatz zur Zuweisung während der Compi-
lierungsphase]
dynamic access
    dynamischer Zugriff *m*
dynamic addressing
    dynamische Adressierung *f*
dynamic buffering
    dynamische Pufferung *f*
dynamic dump [to write the contents of a
storage during execution of a program]
    dynamischer Speicherabzug *m* [Abschrift
    des Speicherinhaltes während der Ausführung
    eines Programmes]
dynamic error
    dynamischer Fehler *m*
dynamic flip-flop
    dynamisches Flipflop *n*, dynamische
    Kippschaltung *f*
dynamic memory [a storage requiring
continuous refreshing of the stored
information]
    dynamischer Speicher *m* [ein Speicher, der
    das fortlaufende Auffrischen der darin
    enthaltenen Informationen erfordert]
dynamic memory allocation
    dynamische Speicherzuweisung *f*
dynamic mode
    dynamischer Betrieb *m*
dynamic parameter, program-generated
parameter
    programmerzeugter Parameter *m*
dynamic RAM, dynamic random access memory
(DRAM)
    Dynamic read-write memory with random
    access which requires periodic refreshing of the
    stored information.
    dynamischer RAM *m*, dynamischer Schreib-
    Lese-Speicher *m* (DRAM)
    Dynamischer Schreib-Lese-Speicher mit
    wahlfreiem Zugriff, dessen gespeicherte
    Informationen periodisch aufgefrischt werden
    müssen.
dynamic relocation
    dynamische Verschiebung *f*
dynamic single mode laser (DSM laser)
    [semiconductor laser]
    dynamisch einmodiger Laser *m*, DSM-Laser
    m [Halbleiterlaser]
dynistor, four-layer diode [semiconductor device
    with a characteristic similar to that of a diode,
    used as a high-current switch]

Dynistor *m,* Vierschichtdiode *f*
    [Halbleiterbaustein mit diodenähnlicher
    Kennlinie, angewandt als Hochstromschalter]
DXF (Document Interchange Format) [format for
    AutoCAD drawings]
    DXF-Format *n* [Format für AutoCAD-
    Zeichnungen]
DZTL (diode-Zener-diode-transistor logic)
    Variant of the DTL logic family in which the
    Zener diode ensures a high signal-to-noise
    ratio.
    DZTL, Dioden-Zenerdioden-Transistor-Logik *f*
    Variante der DTL-Schaltungsfamilie, bei der
    die Zenerdiode einen hohen Störspannungs-
    abstand bewirkt.

E

E²CL (emitter-emitter-coupled logic) [Variant of the ECL family of logic circuits]
E²CL, Emitter-emittergekoppelte Logik *f* [Variante der ECL-Schaltungsfamilie]
E²PROM, EEPROM (electrically erasable programmable ROM) [Read-only memory that can be electrically erased and reprogrammed by the user; similar to an EAROM]
E²PROM *m*, EEPROM *m*, elektrisch löschbarer, neu programmierbarer Festwertspeicher *m*[Festwertspeicher, der vom Anwender elektrisch gelöscht und wieder neu programmiert werden kann; ähnlich wie ein EAROM]
E-mail, electronic mail [use of electronic data processing techniques for storing written communications which can be electronically fetched by the subscriber]
elektronische Post *f* [EDV-Einsatz für die Abspeicherung von schriftlichen Mitteilungen, die vom Adressaten elektronisch abgerufen werden können]
E-MESFET (enhancement-mode metal-semiconductor FET)
Enhancement-mode field-effect transistor with a gate formed by a Schottky barrier (metal-semiconductor junction).
E-MESFET *m*, Anreicherungs-Metall-Halbleiter-FET *m*
Feldeffekttransistor des Anreicherungstyps, dessen Gate aus einem Schottky-Kontakt (Metall-Halbleiter-Übergang) besteht.
EAPLA (electrically-erasable programmable logic array)
EAPLA, elektrisch löschbares, neu programmierbares Logik-Array *n*
early failure [a failure that occurs after a short operating period]
Frühausfall *m* [Ausfall, der schon nach kurzer Betriebszeit stattfindet]
early-write mode, early write [with integrated circuit memories]
frühes Schreiben *n* [bei integrierten Speicherschaltungen]
EAROM (electrically alterable ROM)
A read-only memory that can be electrically programmed, erased and reprogrammed any number of times by the user.
EAROM *m*, elektrisch umprogrammierbarer Festwertspeicher *m*
Ein Festwertspeicher, der vom Anwender elektrisch programmiert, gelöscht und wiederholt umprogrammiert werden kann.
EBCDIC character
EBCDIC-Zeichen *n*

EBCDIC code, (extended binary-coded decimal interchange code) [a binary code for decimal digits expanded to 8 binary digits]
EBCDIC-Code *m* [ein auf 8 Binärzeichen erweiterter Binärcode für Dezimalziffern]
ECC (error correcting code)
Fehlerkorrekturcode *m*
ECC character [in error correcting codes]
ECC-Zeichen *n* [bei Fehlerkorrekturcodes]
Eccles-Jordan circuit [bistable multivibrator, flip-flop circuit]
Eccles-Jordan-Schaltung *f* [bistabile Kippschaltung, Flipflop-Schaltung]
echo [representation on screen of character input via keyboard]
Echo *n* [Bildschirmdarstellung eines über Tastatur eingegebenen Zeichens]
ECIL (emitter-coupled injection logic)
ECIL, emittergekoppelte Injektionslogik *f*
ECL (emitter-coupled logic)
Type of current-mode logic circuit family in which logical functions are performed by emitter-coupled parallel transistors and emitter followers at the input or output.
ECL, emittergekoppelte Logik *f*
Logikfamilie der Stromschaltertechnik, bei der die logischen Verknüpfungen durch emittergekoppelte Paralleltransistoren bzw. durch Emitterfolger am Ein- oder Ausgang realisiert werden.
ECMA (European Computer Manufacturing Association)
ECMA [Europäische Vereinigung der Rechnerhersteller]
ECR process (electron cyclotron resonance) [a deposition process used in integrated circuit fabrication]
ECR-Verfahren *n* (Elektronenzyklotronresonanz) [ein Abscheidungsverfahren, das bei der Herstellung von integrierten Schaltungen angewendet wird]
ECTL, (emitter-coupled transistor logic) [variant of the ECL family of logic circuits]
ECTL, emittergekoppelte Transistorlogik *f* [Variante der ECL-Schaltungsfamilie]
EDC character [in error detecting codes]
EDC-Zeichen *n* [bei Fehlererkennungscodes]
edge, pulse edge, slope
Flanke *f*, Impulsflanke *f*
edge board contacts [printed circuit boards]
gedruckte Randkontakte *f* [Leiterplatten]
edge connector [connector for a printed circuit board]
Steckerleiste *f*, Kartenstecker *m* [Steckverbindung für eine Leiterplatte]
edge control, edge triggering
Flankensteuerung *f*
edge distance, edge spacing [printed circuit

boards]
Randabstand *m* [Leiterplatten]
edge-mounted package, edge mount package
[package style]
   Steckkartengehäuse *n* [Gehäuseform]
EDI (Electronic Data Interchange)
   EDI [elektronischer Datenaustausch]
edit, to
   editieren, korrigieren, aufbereiten
editing [modifying text shown on screen]
   Editieren *n,* Druckaufbereitung *f* [Gestaltung
des am Bildschirm gezeigten Textes]
editor [programm for processing texts and
programs; in particular for entering, modifying,
storing and outputting]
   Editor *m,* Druckaufbereitungsprogramm *n*
[Programm zum Aufbereiten von Texten und
Programmen; insbesondere für die Eingabe,
Korrektur, Speicherung und Ausgabe]
EDP (electronic data processing)
   EDV *f,* elektronische Datenverarbeitung *f*
EDS (Exchangeable Disk Store)
   Wechselplattenspeicher *m*
EEL (emitter-emitter logic) [variant of the ECL
familie of logic circuits]
   EEL, Emitter-Emitter-Logik *f* [Variante der
ECL-Schaltungsfamilie]
EEMS (Enhanced Expanded Memory
Specification) [extension of LIM EMS standard]
   EEMS [Weiterentwicklung des LIM-EMS-
Standards für Expansionsspeicher]
EEPROM, E^{2}PROM (electrically erasable
programmable ROM)
Read-only memory that can be electrically
erased and reprogrammed by the user; similar
to an EAROM.
   EEPROM *m,* E^{2}PROM *m,* elektrisch
löschbarer, neu programmierbarer
Festwertspeicher *m*
Festwertspeicher, der vom Anwender elektrisch
gelöscht und wieder neu programmiert werden
kann; ähnlich wie ein EAROM.
effective address [the actual address in relative,
indirect and indexed addressing]
   effektive Adresse *f* [die tatsächliche Adresse
bei relativer, indirekter und indizierter
Adressierung]
effective time, effective operating time
   genutzte Betriebszeit *f*
effective value, root-mean-square value (rms
value) [e.g. of a voltage]
   Effektivwert *m* [z.B. einer Spannung]
effectiveness
   Wirksamkeit *f*
efficiency
   Wirkungsgrad *m*
EFL (emitter follower logic)
Form of logic used in large-scale integrated
circuits in which basic elements are formed by

emitter followers with pnp and npn-transistors.
EFL, Emitterfolgerlogik *f*
Schaltungskonzept für hochintegrierte
Schaltungen, dessen Grundbausteine sich aus
Emitterfolgern mit PNP- und NPN-
Transistoren zusammensetzen.
EFM code (Eight-to-Fourteen Modulation) [a 14-
bit code]
   EFM-Code *m* [14-Bit-Code]
EGA (Enhanced Graphics Adapter) [for IBM PC]
   EGA [verbesserter Graphik-Adapter für den
IBM PC]
EIA (Electronic Industries Association)
   EIA [Eine Normungsorganisation in den USA]
EIA 232-C interface (also known as RS-232-C
interface [standard for asynchronous serial
data transmission]
   EIA-232-C-Schnittstelle *f* (auch RS-232-C-
Schnittstelle genannt) [Norm für asynchrone
serielle Datenübertragung]
EISA bus (Enhanced Industry Standard
Architecture) [32-bit extension of ISA bus for
80386 and 80486 processors]
   EISA-Bus *m* [erweiterter, 32-Bit-breiter ISA-
Bus für 80386-und 80486-Prozessoren]
EL display, electroluminescent display
   EL-Anzeige *f,* Elektrolumineszenz-Anzeige *f*
electric charge
   elektrische Ladung *f*
electric conductivity
   elektrische Leitfähigkeit *f*
electric current
   elektrischer Strom *m*
electric field
   elektrisches Feld *n*
electric field strength
   elektrische Feldstärke *f*
electric flux
   elektrischer Kraftfluß *m*
electric moment
   elektrisches Moment *n*
electric oscillation
   elektrische Schwingung *f*
electric polarization
   elektrische Polarisierung *f*
electric potential
   elektrisches Potential *n*
electrical properties, electrical characteristics
   elektrische Eigenschaften *f.pl.*
**electrically alterable programmable logic
array** (EAPLA)
   **elektrisch löschbares, neu
programmierbares Logik-Array** *n* (EAPLA)
electrically alterable read-only memory
(EAROM)
Read-only memory that can be electrically
programmed, erased and reprogrammed any
number of times by the user.
   elektrisch umprogrammierbarer

Festwertspeicher *m* (EAROM)
Festwertspeicher, der vom Anwender elektrisch programmiert, gelöscht und wiederholt umprogrammiert werden kann.
electrically erasable programmable read-only memory (EEPROM, E²PROM)
Read-only memory that can be electrically programmed, erased and reprogrammed by the user; similar to an EAROM.
elektrisch löschbarer, neu programmierbarer Festwertspeicher *m* (EEPROM, E²PROM)
Festwertspeicher, der vom Anwender elektrisch programmiert, gelöscht und wieder neu programmiert werden kann; ähnlich wie ein EAROM.
electrically programmable
elektrisch programmierbar
electrically programmable read-only memory (EPROM)
Read-only memory that can be erased by ultraviolet light and reprogrammed electrically by the user. Sometimes called REPROM.
löschbarer programmierbarer Festwertspeicher *m*, elektrisch programmierbarer Festwertspeicher *m* (EPROM)
Festwertspeicher, der vom Anwender mit Ultraviolettlicht gelöscht und elektrisch wieder neu programmiert werden kann. Auch REPROM genannt.
electrode [galvanic connection between a semiconductor zone and the lead]
Elektrode *f* [galvanische Verbindung zwischen einer Halbleiterzone und dem Anschluß]
electroluminescent display
Elektrolumineszenzanzeige *f*
electroluminescent panel [optoelectronics]
Lumineszenzplatte *f* [Optoelektronik]
electrolytic capacitor
Elektrolytkondensator *m*
electrolytic storage [storage method]
elektrolytische Speicherung *f* [Speichermethode]
electromagnetic compatibility (EMC) [of equipment or system; capability of being operated in the intended electromagnetic environment without functional impairment]
elektromagnetische Verträglichkeit *f* (EMV) [eines Gerätes oder Systems; die Fähigkeit, in der vorgesehenen elektromagnetischen Umgebung ohne Beeinträchtigung zu funktionieren]
electromagnetic field
elektromagnetisches Feld *n*
electromagnetic induction
elektromagnetische Induktion *f*
electromagnetic interference (EMI)
elektromagnetische Störung *f*

electromagnetic wave
elektromagnetische Welle *f*
electromigration
Elektromigration *f*
electromotive force (emf)
elektromotorische Kraft *f* (EMK)
electron
The smallest electric charge that can exist. In semiconductors, electrons whose energy levels lie in the conduction band contribute to electrical conduction (negative charge transport).
Elektron *n*
Die kleinste, existenzfähige elektrische Elementarladung. Bei Halbleitern tragen Elektronen, deren Energieniveaus im Leitungsband liegen zur elektrischen Leitung (negativer Ladungstransport) bei.
electron affinity
Elektronenaffinität *f*
electron beam excitation
Elektronenstrahlanregung *f*
electron beam lithography
Process for producing master masks in integrated circuit fabrication with the aid of an electron beam.
Elektronenstrahllithographie *f*
Verfahren zur Herstellung von Muttermasken für integrierte Schaltungen mit Hilfe eines Elektronenstrahles.
electron beam writer, beamwriter
Elektronenstrahlschreiber *m*
electron beam writing process
Elektronenstrahlschreiben *n*
electron bombardment
Elektronenbeschuß *m*
electron conduction
Charge transport in a semiconductor by conduction electrons.
Elektronenleitung *f*, N-Leitung *f*, Überschußleitung *f*
Ladungstransport in einem Halbleiter durch Leitungselektronen.
electron cyclotron resonance, ECR process [a deposition process used in integrated circuit fabrication]
Elektronenzyklotronresonanz *f*, ECR-Verfahren *n* [ein Abscheidungsverfahren, das bei der Herstellung von integrierten Schaltungen angewendet wird]
electron density
Elektronendichte *f*
electron depletion
Elektronenverarmung *f*
electron emission
Elektronenemission *f*
electron-hole pair
Elektron-Defektelektron-Paar *n*, Elektron-Loch-Paar *n*

electron-hole pair equilibrium
  Elektron-Defektelektron-Gleichgewicht *n*
electron-hole pair generation
  Generation of an electron-hole pair, e.g. by
  increasing temperature. This causes an
  electron to be released from the valence band
  into the conduction band, thereby leaving a
  hole in the valence band.
  Elektron-Defektelektron-Paar-Erzeugung
  Bildung eines Elektron-Loch-Paares, z.B. durch
  Temperaturanstieg. Dabei wird ein Elektron
  aus dem Valenzband in das Leitungsband
  gehoben, während ein Loch im Valenzband
  zurückbleibt.
electron injection
  Elektroneninjektion *f*
electron microscope
  Elektronenmikroskop *n*
electron mobility
  Elektronenbeweglichkeit *f*
electron optics
  Elektronenoptik *f*
electron pair
  Elektronenpaar *n*
electron shell
  Elektronenhülle *f*
electron trap, trap [semiconductor technology]
  Imperfection in a semiconductor crystal which
  temporarily prevents a carrier from moving.
  Elektronenhaftstelle *f,* Haftstelle *f*
  [Halbleitertechnik]
  Störstelle in einem Halbleiterkristall, die einen
  Ladungsträger vorübergehend festhalten kann.
electron volt (eV)
  Elektronenvolt *n* (eV)
electronic amplifier
  elektronischer Verstärker *m*
electronic circuit
  elektronische Schaltung *f*
electronic component, solid-state component
  elektronisches Bauelement *n,*
  elektronisches Bauteil *n,*
  Festkörperbauelement *n*
electronic control
  elektronische Regelung *f,* elektronische
  Steuerung *f*
electronic controller
  elektronischer Regler *m*
electronic counter
  elektronischer Zähler *m*
electronic data processing (EDP)
  elektronische Datenverarbeitung *f* (EDV)
electronic device, solid-state device, electronic
  module
  elektronischer Baustein *m,* elektronischer
  Modul *m,* Festkörperbaustein *m*
electronic equipment
  elektronische Ausrüstung *f,* elektronisches
  Gerät *n*

electronic filing
  elektronische Ablage *f*
electronic ignition
  elektronische Zündung *f*
electronic mail, E-mail [use of electronic data
  processing techniques for storing written
  communications which can be electronically
  fetched by the subscriber]
  elektronische Post *f* [EDV-Einsatz für die
  Abspeicherung von schriftlichen Mitteilungen,
  die vom Adressaten elektronisch abgerufen
  werden können]
electronic mail service, E-mail service, mailbox
  service
  elektronischer Postdienst *m,* Mailbox-
  Dienst *m*
electronic mailbox, mailbox [storage space for
  incoming messages]
  elektronischer Briefkasten *m,* Mailbox *f*
  [Speicherplatz für eingehende Mitteilungen]
electronic recording
  elektronische Aufzeichnung *f*
electronic relay, solid-state relay
  elektronisches Relais *n*
electronic scanning
  elektronische Abtastung *f*
electronic spreadsheet program [program for
  calculating values in rows and columns
  according to predetermined equations]
  Tabellenkalkulations-Programm *n,*
  Spreadsheet-Programm *n* [Programm zur
  Berechnung von Werten in Zeilen und Spalten
  mittels vorgegebener Formeln]
electronic switch
  elektronischer Schalter *m*
electronic timer
  elektronischer Zeitgeber *m*
electronically tunable
  elektronisch abstimmbar
electronics
  Elektronik *f*
electrorestriction
  Elektrorestriktion *f*
electrostatic charge
  elektrostatische Aufladung *f*
electrostatic induction
  Influenz *f*
electrostatic printer, thermal printer
  [generates alphanumeric characters and
  graphic symbols on a special heat-sensitive
  paper by the action of heat]
  elektrostatischer Drucker *m,*
  Thermodrucker *m* [erzeugt alphanumerische
  und graphische Zeichen auf einem besonderen
  wärmeempfindlichen Papier durch
  Wärmeeinwirkung]
electrostatic shield
  elektrostatische Abschirmung *f*
electrostatic storage

elektrostatischer Speicher *m*,
Kondensatorspeicher *m*
electrostatic storage tube
elektrostatische Speicherröhre *f*
elemental semiconductor
Semiconductor consisting of a single element,
e.g. silicon, as opposed to a compound
semiconductor which consists of more than one
element, e.g. gallium arsenide.
Elementhalbleiter *m*
Halbleiter, der aus einem Element besteht, z.B.
Silicium, im Gegensatz zum
Verbindungshalbleiter, der aus mehreren
Elementen besteht, z.B. Galliumarsenid.
eliminate, to; delete
unterdrücken, eliminieren
elusive one [with end-around carry-over]
flüchtige Eins *f* [beim Rückübertrag]
embedded
eingebettet
embedded command [printer command]
eingebetteter Befehl *m* [Druckerbefehl]
embedded hyphen, hard hyphen, required
hyphen [normal hyphen contained in a
hyphenated word, in contrast to discretionary or
soft hyphen]
harter Bindestrich *m* [im Wort enthaltener
normaler Bindestrich, im Gegensatz zum
weichem Bindestrich]
EMC (electromagnetic compatibility) [capability
of an equipment or a system to operate
efficiently in the intended electromagnetic
environment]
EMV (elektromagnetische Verträglichkeit)
[Fähigkeit eines Gerätes oder einer Anlage in
der vorgesehenen elektromagnetischen
Umgebung ohne Beeinträchtigung zu
funktionieren]
emergency memory dump
Notspeicherauszug *m*
emergency power supply
Notstromversorgung *f*
emergency switch, emergency off
Notausschalter *m*
E-MESFET (enhancement-mode metal-
semiconductor FET)
Enhancement-mode field-effect transistor with
a gate formed by a Schottky barrier (metal-
semiconductor junction).
E-MESFET *m*, Anreicherungs-Metall-
Halbleiter-FET *m*
Feldeffekttransistor des Anreicherungstyps,
dessen Gate aus einem Schottky-Kontakt
(Metall-Halbleiter-Übergang) besteht.
emf (electromotive force)
EMK, elektromotorische Kraft *f*
EMI (electromagnetic interference)
elektromagnetische Störung *f*
emitter

Region of the bipolar transistor from which
charge carriers are injected into the base.
Emitter *m*
Bereich des Bipolartransistors aus dem
Ladungsträger in die Basis injiziert werden.
emitter-base breakdown voltage
Emitter-Basis-Durchbruchspannung *f*
emitter-base capacitance
Emitter-Basis-Kapazität *f*
emitter-base cut-off current
Emitter-Basis-Reststrom *m*
emitter-base diode, emitter-base junction
A pn- (or np-) junction between emitter and
base regions of the bipolar transistor. In bipolar
integrated circuits, the diode formed by the
emitter-base junction.
Emitter-Basis-Diode *f*
Ein PN- (bzw. NP-) Übergang zwischen
Emitter- und Basiszone des Bipolartransistors.
Bei bipolar integrierten Schaltungen die Diode,
die aus dem Emitter-Basis-Übergang gebildet
wird.
emitter-base junction [pn- (or np-) junction
between the emitter and base regions of the
bipolar transistor]
Emitter-Basis-Übergang *m*, Emitter-Basis-
Sperrschicht *f* [PN- (bzw. NP-) Übergang
zwischen Emitter- und Basiszone des
Bipolartransistors]
emitter-base reverse current
Emitter-Basis-Sperrstrom *m*
emitter-base voltage
Emitter-Basis-Spannung *f*
emitter-bias, emitter bias voltage
Emittervorspannung *f*
emitter-breakdown voltage
Emitterdurchbruchspannung *f*
emitter-collector breakdown voltage
Emitter-Kollektor-Durchbruchspannung *f*
emitter-collector capacity [internal capacity
between emitter and collector terminals]
Emitter-Kollektor-Kapazität *f* [innere
Kapazität zwischen Emitter- und
Kollektoranschluß]
emitter conductance
Emitterleitwert *m*
emitter-coupled injection logic (ECIL)
emittergekoppelte Injektionslogik *f* (ECIL)
emitter-coupled logic (ECL)
Type of current-mode logic circuit family in
which logical functions are performed by
emitter-coupled parallel transistors and emitter
followers at the input or output.
emittergekoppelte Logik *f* (ECL)
Logikfamilie der Stromschaltertechnik, bei der
die logischen Verknüpfungen durch
emittergekoppelte Paralleltransistoren bzw.
durch Emitterfolger am Ein- oder Ausgang
realisiert werden.

emitter-coupled transistor logic (ECTL)
[variant of the ECL family of logic circuits]
   emittergekoppelte Transistorlogik *f*
   (ECTL) [Variante der ECL-Schaltungsfamilie]
emitter current [current flowing through the
emitter terminal]
   Emitterstrom *m* [über den Emitteranschluß
   fließender Strom]
emitter current gain
   Emitterstromverstärkung *f*
emitter diffusion step
   Diffusion with impurities of the emitter region
   in bipolar component or integrated circuit
   fabrication.
   Emitterdiffusion *f*
   Diffusion von Fremdatomen in den
   Emitterbereich bei der Fertigung von bipolaren
   Bauelementen oder integrierten Schaltungen.
emitter dissipation
   Emitterverlustleistung *f*
emitter doping
   Doping of the emitter region in bipolar
   component or integrated circuit fabrication.
   Emitterdotierung *f*
   Dotierung des Emitterbereiches bei der
   Fertigung von bipolaren Bauelementen oder
   integrierten Schaltungen.
emitter electrode
   Emitterelektrode *f*
emitter-emitter logic (EEL) [Variant of the
ECL family of logic circuits]
   Emitter-Emitter-Logik *f* (EEL) [Variante der
   ECL-Schaltungsfamilie]
emitter-emitter-coupled logic (E^{2}CL) [Variant
of the ECL family of logic circuits]
   Emitter-emittergekoppelte Logik *f* (E^{2}CL)
   [Variante der ECL-Schaltungsfamilie]
emitter-follower logic (EFL)
   Form of logic used in large-scale integration, in
   which basic elements are formed by emitter
   followers with pnp and npn transistors.
   Emitterfolgerlogik *f* (EFL)
   Schaltungskonzept für hochintegrierte
   Schaltungen, dessen Grundbausteine sich aus
   Emitterfolgern mit PNP- und NPN-
   Transistoren zusammensetzen.
emitter junction [depletion layer between
emitter zone and base zone]
   Emittersperrschicht *f*, Emitterübergang *m*
   [PN- (bzw. NP-) Übergang zwischen Emitter-
   und Basiszone des Bipolartransistors]
emitter region, emitter zone
   Emitterzone *f*, Emitterbereich *m*
emitter resistance
   Emitterwiderstand *m*
emitter series resistance [resistance between
the emitter terminal and the emitter junction]
   Emitterbahnwiderstand *m* [Widerstand
   zwischen Emitteranschluß und

   Emittersperrschicht]
emitter terminal [for connecting the device to
the external circuit]
   Emitteranschluß *m* [für den Anschluß des
   Bausteins an die externe Schaltung]
emitter-to-collector distance
   Emitter-Kollektor-Abstand *m*
emitter voltage
   Emitterspannung *f*
emphasize, to
   hervorheben
empty string, null string
   leere Zeichenkette *f*, Null-Zeichenkette *f*
EMS driver
   EMS-Treiber *m*
EMS emulator [transforms extended into EMS
memory]
   EMS-Emulator *m* [wandelt einen erweiterten
   Speicher in einen EMS-Speicher]
EMS memory, expanded memory (Expanded
Memory Specification) [memory above 1 MB
managed according to the LIM standard
(Lotus/Intel/Microsoft)]
   EMS-Speicher *m*, Expansionsspeicher *m*
   [Speicher oberhalb 1 MB, der nach dem LIM-
   Standard verwaltet wird (Lotus/Intel-
   /Microsoft)]
emulate, to
   emulieren
emulation [simulation of the functions of one
computer on another]
   Emulation *f* [Nachbildung der Funktionen
   eines Rechners auf einem anderen]
emulation mode
   Emulationsmodus *m*
emulator [an accessory which allows a given
computer to execute by simulation programs
written for another computer type]
   Emulator *m* [ein Zusatzgerät, das es gestattet,
   auf einem gegebenen Rechner die Programme
   eines anderen Typs durch Simulation
   auszuführen]
emulsion side [film]
   Schichtseite *f* [Film]
enable, enabling signal
   Freigabe *f*, Freigabesignal *n*
enable, to; switch-on, to
   einschalten
enable access time
   Freigabezugriffszeit *f*
enable after write hold time
   Haltezeit für Freigabe nach Schreiben *f*
enable before write set-up time
   Vorbereitungszeit für Freigabe vor
   Schreiben *f*
enable input
   Freigabeeingang *m*
enable instruction
   Freigabebefehl *m*

enable interrupt
  Unterbrechungsfreigabe *f*
enable statement [COBOL]
  Aktivieranweisung *f* [COBOL]
enable time
  Freigabezeit *f*
enabled
  freigegeben
enabling signal, enable
  Freigabesignal *n*, Freigabe *f*
encapsulated PostScript (EPS) [file containing page description]
  EPS-Datei *f* [Seitenbeschreibungsdatei]
encapsulation [in object oriented programming: enclosing data and functions in a common capsule]
  Kapselung *f* [in der objektorientierten Programmierung: die Einschließung von Daten und Funktionen in einer gemeinsamen Kapsel]
encapsulation, potting
  Process of embedding semiconductor components or assemblies in a thermosetting fluid encapsulant (usually plastic resin) to protect them against mechanical stress and dirt.
  Vergießen *n*, Verkappen *n*, Kapselung *f*, Verkapselung *f*
  Verfahren, bei dem Halbleiterbauelemente oder Baugruppen mit einer aushärtenden, isolierenden Gießmasse (meistens Kunstharz) umgossen werden, um sie vor mechanischer Beanspruchung und Verschmutzung zu schützen.
encoding
  The conversion, by means of a code, of information presented in a generally recognizable form into a form that can be recognized by a machine (e.g. converting analog signals into a coded digital form, preparing a program in machine language for a specific computer, etc.).
  Verschlüsselung *f*, Verschlüsseln *n*, Codierung *f*, Codieren *n*
  Das Umsetzen, mit Hilfe eines Codes, von Informationen aus einer allgemein verständlichen Form in eine von einer Maschine erkennbare Form (z.B. das Umsetzen analoger Signale in eine codierte digitale Form, das Erstellen eines Programmes in Maschinensprache für einen bestimmten Rechner usw.)
encryption [for data secrecy]
  Verschlüsselung *f* [bei der Datengeheimhaltung]
end-around borrow [shifting a borrow digit from the most significant to the least significant place]
  Ringborgen *n* [Verschieben einer Borgeziffer von der höchstwertigen zur niedrigstwertigen

Stelle]
end-around carry, complement carry [shifting a carry digit from the most significant to the least significant place]
  Rückübertrag *m*, Ringübertrag *m*, Komplementübertrag *m* [Verschieben einer Übertragsziffer von der höchstwertigen zur niedrigstwertigen Stelle]
end-around shift, circular shift, cyclic shift [moving a binary digit from the output of a shift register and reentering it in the input]
  Ringschieben *n*, zyklisches Verschieben *n* [Verschieben eines Binärzeichens vom Ausgang eines Schieberegisters wieder in den Eingang]
end-around shift register, circular shift register, cyclic shift register [a register in which bits from the output are pushed back into the input]
  Ringschieberegister *n*, Umlaufschieberegister *n* [Schieberegister, bei dem Binärzeichen vom Ausgang wieder in den Eingang geschoben werden]
end label [for magnetic tapes]
  Endekennsatz *m* [bei Magnetbändern]
end line [FORTRAN]
  Endzeile *f* [FORTRAN]
end of block (EOB)
  Blockende *n*, Ende des Blockes *n*
end-of-field marker
  Feldendemarke *f*
end of file (EOF) [marks the end of a file]
  Dateiende *n*, Ende der Datei *n* [markiert den Abschluß einer Datei]
end-of-file label (EOF label)
  Dateiendekennsatz *m*
end-of-file marker (EOF marker)
  Dateiendemarke *f*
end-of-file record (EOF record)
  Dateiendeblock *m*
end of job (EOJ)
  Ende der Arbeit *n*, Jobende *n*
end of line (EOL)
  Zeilenende *n*
end of record (EOR)
  Datensatzende *n*
end of tape (EOT) [of a magnetic tape]
  Bandende *n* [eines Magnetbandes]
end-of-tape mark (EOT mark) [of a magnetic tape]
  Bandendemarke *f* [eines Magnetbandes]
end of text (ETX)
  Ende des Textes *n*
end of transmission
  Ende der Übertragung *n*
end of volume (EOV) [of a file]
  Bandende *n*, Datenträgerende *n* [einer Datei]
end-of-volume label (EOV label) [of a file]
  Bandendekennsatz *m*, Datenträgerendekennsatz *m* [einer Datei]

end statement [termination of a program]
Endeanweisung *f* [Abschluß eines
Programmes]
endless loop
Endlosschleife *f*
endurance test [effect of stresses over long
period]
Dauerprüfung *f* [Wirkung von Belastung über
längere Zeit]
energy band, band [semiconductor technology]
Energy-band in the band diagram representing
closely adjacent energy levels in the
semiconductor crystal which can be occupied by
electrons. Important energy-bands in
semiconductors are the conduction band and
the valence band as well as the forbidden band
(energy-gap) separating the conduction from
the valence band.
Energieband *n*, Band *n* [Halbleitertechnik]
Energieband im Bändermodell, das dicht
beieinanderliegende Energieniveaus im
Halbleiterkristall darstellt, die von Elektronen
besetzt werden können. Von Bedeutung beim
Halbleiter sind das Leitungsband und das
Valenzband sowie das dazwischenliegende
verbotene Band bzw. die Energielücke.
energy band density
Energiebanddichte *f*
energy band diagram [semiconductor
technology]
Model used for representing the energy levels
of electrons in a solid.
Bändermodell *n*, Energiebändermodell *n*
[Halbleitertechnik]
Modell zur Darstellung der Energieniveaus der
Elektronen in einem Festkörper.
energy band edge, band edge [semiconductor
technology]
In the energy-band diagram, the highest
possible energy state of an energy-band.
Energiebandkante *f*, Bandkante *f*
[Halbleitertechnik]
In der Darstellung des Bändermodells der
höchstmögliche Energiezustand eines
Energiebandes.
energy gap, band gap, energy-band gap
[semiconductor technology]
In the energy-band diagram, the distance
separating the conduction band from the
valence band which represents energy levels
that cannot be occupied by electrons.
Energielücke *f*, Energiebandabstand *m*,
Bandabstand *m* [Halbleitertechnik]
In der Darstellung des Bändermodells der
Abstand zwischen Leitungsband und
Valenzband, der Energieniveaus im
Halbleiterkristall bezeichnet, die von
Elektronen nicht besetzt werden können.
energy level, energy term

Energieniveau *n*, Energieterm *m*
engineering reliability, inherent design
reliability
Entwurfszuverlässigkeit *f*
enhancement [semiconductor technology]
An increase in the density of charge carriers
and hence in conductivity in a particular region
of a semiconductor.
Anreicherung *f* [Halbleitertechnik]
Erhöhung der Ladungsträgerdichte und damit
der Leitfähigkeit in einem bestimmten Bereich
eines Halbleiters.
enhancement mode [semiconductor technology]
Anreicherungsbetrieb *m* [Halbleitertechnik]
enhancement mode field-effect transistor
Anreicherungs-Feldeffekttransistor *m*
enhancement mode insulated-gate field-
effect transistor, enhancement-mode IGFET
A field-effect transistor in which, by applying a
gate voltage, a conductive channel is formed
which allows current to flow between source
and drain. Without gate voltage the transistor
is non-conductive.
Anreicherungs-Isolierschicht-
Feldeffekttransistor *m*, Anreicherungs-
IGFET *m*
Ein Feldeffekttransistor, bei dem durch
Anlegen einer Gatespannung ein leitender
Kanal entsteht, der den Stromfluß zwischen
Source und Drain ermöglicht. Ohne
Gatespannung ist der Transistor nichtleitend.
enhancement mode metal-semiconductor
FET, E-MESFET
Enhancement-mode field-effect transistor with
a gate formed by a Schottky barrier (metal-
semiconductor junction).
Anreicherungs-Metall-Halbleiter-FET *m*,
E-MESFET *m*
Feldeffekttransistor des Anreicherungstyps,
dessen Gate aus einem Schottky-Kontakt
(Metall-Halbleiter-Übergang) besteht.
enhancement mode transistor
Anreicherungstransistor *m*
enhancement zone [semiconductor technology]
Region in a semiconductor in which
conductivity is increased by increasing charge
carrier density.
Anreicherungszone *f* [Halbleitertechnik]
Bereich eines Halbleiters, in dem eine höhere
Leitfähigkeit durch Erhöhung der
Ladungsträgerdichte erzielt wurde.
enquiry character (ENQ) [in data transmission]
Abfragezeichen *n* [bei der Datenübertragung]
enter, to; input, to; key-in, to [data]
eingeben [Daten]
enter key, return key
Eingabetaste *f*
enter statement [COBOL]
Eintrittsanweisung *f* [COBOL]

entity
Begriffseinheit *f*
entropy [a measure for the average information content]
Entropie *f* [ein Maß für den mittleren Informationsgehalt]
entry
Eintragung *f*
entry conditions [in subroutine]
Einsprungbedingungen *f.pl.* [im Unterprogramm]
entry point [address of first instruction executed when entering a program, a routine or a subroutine; in particular the start address of a subroutine]
Einsprungstelle *f* [Adresse des ersten Befehls, der beim Eintritt in ein Programm oder Unterprogramm ausgeführt wird; insbesondere die Startadresse eines Unterprogrammes]
entry-point address
Eingangsadresse *f*
envelope
Hüllkurve *f*
environment
Umgebung *f*
environment variable [contains information on system environment, e.g. path to command processor]
Umgebungsvariable *f* [enthält Information über die Systemumgebung, z.B. Pfad zum Kommandoprozessor usw.]
environmental conditions
Umweltbedingungen *f.pl.*
EOF (end of file) [marks the end of a file]
Dateiende *n*, Ende der Datei *n* [markiert den Abschluß einer Datei]
EOJ (end of job)
Ende der Arbeit *n*, Jobende *n*
EOL (end of line)
Zeilenende *n*
EOR (end of record)
Satzende *n*, Ende der Sätze *n*
EOT (end of tape) [of a magnetic tape]
Bandende *n* [eines Magnetbandes]
epitaxial base transistor
Epitaxial-Basistransistor *m*, Epibasistransistor *m*
epitaxial growth, epitaxy
Oriented growth (or deposition) of a crystalline layer on a crystallographically compatible substrate. There are several processes: vapour-phase epitaxy (including e.g. the silicon tetrachloride and the silane processes), liquid-phase epitaxy and molecular beam epitaxy.
Epitaxie *f*, epitaktisches Aufwachsen *n*
Orientiertes Aufwachsen (bzw. Abscheiden) einer Kristallschicht auf einem kristallographisch kompatiblen kristallinen Substrat. Es bestehen verschiedene Verfahren:

Gasphasenepitaxie (dazu gehören z.B. die Siliciumtetrachlorid-Epitaxie und die Silanepitaxie), Flüssigphasenepitaxie und Molekularstrahlepitaxie.
epitaxial growth process
Process for oriented growth of a crystalline layer on a crystalline substrate. Layer and substrate can have the same or a differing lattice structure.
Epitaxieverfahren *n*, Aufwachsverfahren *n*
Verfahren zum orientierten Aufwachsen einer Kristallschicht auf ein kristallines Substrat. Die aufgewachsene Schicht und das Substrat können die gleiche oder eine unterschiedliche Gitterstruktur haben.
epitaxial layer
A monocrystalline layer grown by an epitaxial process on a monocrystalline substrate.
epitaktische Schicht *f*, Epitaxieschicht *f*
Eine einkristalline Schicht, die durch Epitaxie auf einem einkristallinen Substrat entstanden ist.
epitaxial mesa transistor
Epitaxial-Mesatransistor *m*
epitaxial planar transistor
Epitaxial-Planartransistor *m*
epitaxial process, epitaxial growth process
Aufwachsverfahren *n*, Epitaxieverfahren *n*
epitaxial silicon film on insulator technology, ESFI technology
Process for fabricating CMOS integrated circuits which uses an insulating substrate (e.g. spinel) instead of a silicon substrate. The complementary transistors are formed in a silicon film which is grown on the substrate by silane epitaxy.
ESFI-Technik *f*
Verfahren zur Herstellung von integrierten CMOS-Schaltungen, bei dem anstelle des Siliciumsubstrats ein isolierendes Substrat (z.B. Spinell) verwendet wird. Die komplementären Transistoren werden in einer dünnen Siliciumschicht erzeugt, die mit Silanepitaxie auf das Substrat aufgebracht wird.
epitaxy, epitaxial growth
Epitaxie *f*, epitaktisches Aufwachsen *n*
epoxy adhesive
Epoxidkleber *m*
epoxy resin [e.g. for potting a component]
Epoxydharz *n* [z.B. zur Verkapselung eines Bauelementes]
EPROM, (electrically programmable read-only memory)
Read-only memory that can be erased by ultraviolet light and reprogrammed by the user. Sometimes called REPROM.
EPROM *m*, elektrisch programmierbarer Festwertspeicher *m*

Festwertspeicher, der vom Anwender mit
Ultraviolettlicht gelöscht und elektrisch wieder
neu programmiert werden kann. Auch
REPROM genannt.
EPROM erasing unit [ultraviolet radiation unit
for erasing information in an EPROM]
EPROM-Löschgerät n [UV-Strahlengerät
zum Löschen von Informationen in einem
EPROM]
equal sign, equality sign
Gleichheitszeichen n
equalization
Entzerrung f
equalizer
Entzerrer m
equalizing circuit, equalization circuit
Entzerrerschaltung f
equation
Gleichung f
equilibrium
Gleichgewicht n
equipment, device [mechanical and electrical
unit for fulfilling given functions]
Gerät n [mechanische und elektrische
Betrachtungseinheit zur Erfüllung
vorgegebener Funktionen]
equipment failure
Geräteausfall m
equivalence, IF-AND-ONLY-IF [logical
operation having the output (result) 1 if and
only if both inputs (operands) have the same
value (0 or 1); for all other input values the
output is 0]
Äquivalenz f [logische Verknüpfung mit dem
Ausgangswert (Ergebnis) 1 wenn und nur wenn
beide Eingänge (Operanden) den gleichen Wert
(0 oder 1) haben; für alle anderen
Eingangswerte ist der Ausgangswert 0]
equivalence circuit [logical operation]
Äquivalenzschaltung f [logische
Verknüpfung]
equivalence element
Äquivalenzglied n
equivalence statement
Äquivalenzanweisung f
equivalent binary digit
äquivalentes Binärzeichen n
equivalent circuit
Ersatzschaltbild n, Ersatzschaltung f
equivalent drift voltage
äquivalente Driftspannung f
equivalent input capacitance
äquivalente Eingangskapazität f
equivalent junction temperature, virtual
junction temperature
Ersatzsperrschichttemperatur f
equivalent output capacitance
äquivalente Ausgangskapazität f
erasable

löschbar
erasable disk, rewritable disk [optical disk]
wiederbeschreibbare Platte f [optische
Platte]
erasable memory, erasable storage
löschbarer Speicher m
erase, to; clear, to; delete, to; cancel, to
löschen
erase bit [for erasing stored data]
Löschziffer f [zur Löschung gespeicherter
Daten]
erase head
Löschkopf m
erase input, reset input [input for resetting e.g a
flip-flop
Löscheingang m, Rücksetzeingang m
[Eingang, über den z.B. ein Flipflop
zurückgesetzt (gelöscht) werden kann]
erase signal, clearing signal
Löschsignal n
erasing procedure, erasing
Löschvorgang m, Löschen n
erasing pulse
Löschimpuls m
erasing speed
Löschgeschwindigkeit f
erasing time
Löschzeit f
Eratosthenes sieve test [computer benchmark
test]
Eratosthenes-Sieb-Test m [Rechner-
Bewertungsprogramm]
error breakdown
Fehleraufschlüsselung f
error byte [marks the type of error in equipment
with automatic error monitoring]
Fehlerbyte n [kennzeichnet die Fehlerart bei
Anlagen mit automatischer
Fehlerüberwachung]
error [general: impermissible deviation of a
characteristic; a malfunction]
Fehler m [allgemein: eine unzulässige
Abweichung eines Merkmals; eine
Funktionsstörung]
error checking
Fehlerkontrolle f
error condition
Fehlerbedingung f
error correcting bit
Fehlerkorrekturbit n
error correcting code (ECC) [an error detecting
code whose coding rules allow automatic
correction of incorrect characters under certain
conditions]
Fehlerkorrekturcode m, fehlerkorrigierender
Code m [ein Fehlererkennungscode, dessen
Codierungsregeln es erlauben, verfälschte
Zeichen unter bestimmten Bedingungen
automatisch zu korrigieren]

error detecting code (EDC) [a code that automatically checks whether the coding rules have been observed]
Fehlererkennungscode *m* [Code, der automatisch prüft, ob die Codierungsregeln eingehalten wurden]
error detection
Fehlererkennung *f*
error detection and correction (EDAC)
Fehlererkennung und -korrektur *f*
error display, error indicator
Fehleranzeige *f*
error estimation
Fehlerabschätzung *f*
error flag [bit indicating an error]
Fehlerkennzeichen *n* [Bit, das einen Fehler anzeigt]
error-free
fehlerfrei
error identification, error flag
Fehlerbezeichnung *f*
error level
Fehlerstufe *f*
error list, error listing [list of formal errors in program]
Fehlerprotokoll *n* [Auflistung formaler Fehler im Programm]
error listing
Fehlerauflistung *f*
error location program
Fehlerlokalisierungsprogramm *n*
error logging
Fehlerprotokollierung *f*, Fehlererfassung *f*
error message
Fehlermeldung *f*
error monitoring, error control
Fehlerüberwachung *f*
error printout
Fehlerausdruck *m*
error probability
Fehlerwahrscheinlichkeit *f*
error prompt [on the display]
Fehlerhinweis *m* [auf dem Bildschirm]
error range, error span
Fehlerbereich *m*
error rate [bit, character or block error rate; e.g. ratio of the number of incorrect bits received to the number transmitted]
Fehlerhäufigkeit *f*, Fehlerrate *f* [Bit-, Zeichen- oder Blockfehlerhäufigkeit; Verhältniszahl, z.B. Anzahl der empfangenen verfälschten Bits zur Anzahl der gesendeten Bits]
error recovery
Fehlerbehebung *f*
error register
Fehlerregister *n*
error reset key
Korrekturtaste *f*

Esaki diode, tunnel diode [doped junction diode with negative resistance in the forward direction; used as oscillator or amplifier in microwave frequency range]
Esaki-Diode *f*, Tunneldiode *f* [dotierte Flächendiode mit negativem Widerstand in der Durchlaßrichtung; wird als Oszillator oder Verstärker im Mikrowellenbereich eingesetzt]
escape character (ESC) [a special character which indicates that the following characters are to be interpreted according to a different code]
Umschaltzeichen *n*, Escape-Zeichen *n*, Codeumschaltung *f* [spezielles Zeichen, das die Änderung der Codierungsvorschrift für die nachfolgenden Zeichen anzeigt]
escape key
Escape-Taste *f*, Codeumschaltungstaste *f*
escape sequence [sequence of characters starting with the escape character]
Escape-Folge *f* [Folge von mehreren Zeichen von denen das erste die Codeumschaltung (Escape-Zeichen) ist]
ESDI (Enhanced Small Device Interface) [for disk drives, etc.]
ESDI-Schnittstelle [erweiterte Geräte-Schnittstelle für Festplatten usw.]
ESDI controller
ESDI-Controller *m*
ESFI technology (epitaxial silicon film on insulator technology)
Process for fabricating CMOS integrated circuits which uses an insulating substrate (e.g. spinel) instead of a silicon substrate. The complementary transistors are formed in a silicon film which is grown on the substrate by silane epitaxy.
ESFI-Technik *f*
Verfahren zur Herstellung von integrierten CMOS-Schaltungen, bei dem anstelle des Siliciumsubstrats ein isolierendes Substrat (z.B. Spinell) verwendet wird. Die komplementären Transistoren werden in einer dünnen Siliciumschicht erzeugt, die mit Silanepitaxie auf das Substrat aufgebracht wird.
ESS (Embedded Servo System) [for disk drives]
ESS [eingebettetes Servosystem für Festplatten]
etch back [printed circuit boards]
Rückätzen *n* [Leiterplatten]
etch off, to
abätzen
etch process, etching process
Ätzverfahren *n*
etch rate
Ätzgeschwindigkeit *f*
etch removal
Abätzen *n*

etch resist, etching mask
Ätzmaske *f*
etch step
Ätzschritt *m*
etchant
Ätzmittel *n*
etch-back, to
hinterätzen
etch-down method [printed circuit boards]
Abätzmethode *f* [Leiterplatten]
etched circuit [printed circuit produced by etching]
geätzte Schaltung *f* [durch Ätzvorgang erzeugte gedruckte Schaltung]
etching
Widely used processing step in discrete component and integrated circuit fabrication.
Ätzen *n*
Häufig auftretender Verfahrensschritt bei der Herstellung von Einzelbauelementen und integrierten Schaltungen.
etching bath
Ätzbad *n*
etching factor
Ätzfaktor *m*
etching mask, etch resist
Ätzmaske *f*
etching procedure
Ätzvorgang *m*
Ethernet [de facto industry standard for local area networks by Digital/Intel/Xerox]
Ethernet [De-facto-Industriestandard für lokale Netzwerke von Digital/Intel/Xerox]
Ethernet cable [cable for Ethernet networks]
Ethernet-Kabel *n* [Kabel für Ethernet-Netzwerke]
ETX (end of text)
Ende des Textes *n*
Euroboard [printed circuit board of European standard format 100 x 160 mm]
Europakarte *f* [Leiterplatte im Europaformat 100 x 160 mm]
evaluate, to [data]
auswerten [Daten]
evaluate, to [e.g. a unit]
erproben [z.B. ein Gerät]
evaluation
Bewertung *f*
even parity
gerade Parität *f*
even-parity check
Prüfung auf gerade Parität *f*
event
Ereignis *n*
examine statement, inspect statement
Prüfanweisung *f*
EXAPT (Extended subset of APT) [programming language for numerically controlled machine tools]

EXAPT [Programmiersprache für numerisch gesteuerte Werkzeugmaschinen]
excess carrier, excess charge carrier
Conduction electron or hole in excess of the concentration required by thermal equilibrium.
Überschußladungsträger *m*
Leitungselektron oder Defektelektron (Loch) im Überschuß über die durch das thermische Gleichgewicht bestimmte Konzentration.
excess conduction
Charge transfer in a semiconductor by excess electrons.
Überschußleitung *f*
Ladungstransport in einem Halbleiter durch Überschußelektronen.
excess electron
Überschußelektron *n*
excess-three code [a binary code for decimal digits; each decimal digit is represented by a group of four binary digits which is 3 in excess of the binary representation, i.e. the digit 7 is represented by 1010 instead of 0111]
Stibitz-Code *m*, Exzeß-Drei-Code *m*, Drei-Exzeß-Code *m* [ein Binärcode für Dezimalziffern; jede Dezimalziffer wird durch eine Gruppe von vier Binärzeichen dargestellt, die jedoch um 3 höher ist als die duale Darstellung, z.B. die Ziffer 7 wird durch 1010 anstatt 0111 dargestellt]
exchangeable
austauschbar, auswechselbar
exchangeable disk
auswechselbare Platte *f*
excitation, stimulation
Anregung *f*, Erregung *f*
excitation energy
Anregungsenergie *f*
excite, to; actuate, to [relays]
erregen, anziehen [Relais]
exclusion, NOT-IF-THEN operation [logical operation having the output (result) 1 if and only if the first input (operand) is 1 and the second 0; for all other input (operand) values the output (result) is 0]
Inhibition *f*, NOT-IF-THEN-Verknüpfung *f* [logische Verknüpfung mit dem Ausgangswert (Ergebnis) 1, wenn und nur wenn der erste Eingang (Operand) den Wert 1 und der zweite den Wert 0 hat; für alle anderen Eingangswerte (Operandenwerte) ist der Ausgangswert (das Ergebnis) 0]
exclusive-OR circuit, XOR element [logical operation]
Antivalenzschaltung *f*, XOR-Glied *n*, Exklusiv-ODER-Schaltung *f* [logische Verknüpfung]
exclusive-OR function, XOR function [a logical operation whose output is 1 if only one of its inputs is 1; the output is 0 if more than one

input is 1 or if all inputs are 0]
exklusives ODER n, Antivalenz f [eine
logische Verknüpfung mit dem Ausgangswert
1, wenn nur einer der Eingänge 1 ist; der
Ausgangswert ist 0, wenn mehrere Eingänge 1
oder wenn alle 0 sind]
exclusive-OR gate, XOR gate
Antivalenzgatter n, XOR-Gatter n
EXE file [executable program file]
EXE-Datei f [ausführbare Programmdatei]
executable
ausführbar
executable file [with extension ".exe" or ".com"
in DOS]
ausführbare Datei f [mit Erweiterung ".exe"
oder ".com" in DOS]
executable program
ausführbares Programm n
execute, to [general]
ausführen [allgemein]
execute, to [programs]
abarbeiten [Programme]
execute a statement, to
Anweisung ausführen
execute phase [during the execute phase the
computer interprets the word read out of
storage as a data word]
Befehlsausführungsphase f [während der
Befehlsausführungsphase interpretiert der
Rechner das aus dem Speicher gelesene Wort
als Datenwort]
execution cycle, program execution cycle
Abarbeitungszyklus m, Ausführungszyklus
m, Programmausführungszyklus m
execution phase
Ausführungsphase f
execution time, program execution time
Abarbeitungszeit f, Ausführungszeit f,
Programmausführungszeit f
exhaust, to
absaugen, auspumpen
exhaustive search
erschöpfende Suche f
expandability [e.g. of a computer]
Erweiterungsfähigkeit f [z.B. eines
Rechners]
expanded memory, EMS memory (Expanded
Memory Specification) [memory above 1 MB
managed according to the LIM- Standard
(Lotus/Intel/Microsoft)]
Expansionsspeicher m, EMS-Speicher m
[Speicher oberhalb 1 MB, der nach dem LIM-
Standard verwaltet wird (Lotus/Intel-
/Microsoft)]
expander circuit
Erweiterungsschaltung f
expander input
Erweiterungseingang m
expansion board [printed circuit board for

additional functions]
Erweiterungsplatine f [Leiterplatte für
zusätzliche Funktionen]
expansion module, expansion unit
Erweiterungsmodul m
expansion ROM [additional ROM for extending
storage capacity]
Erweiterungs-ROM m [zusätzlicher ROM-
Speicher zur Erweiterung der
Speicherkapazität]
expansion slot [for inserting an expansion
board]
Erweiterungssteckplatz m [zur
Unterbringung einer Erweiterungsplatine]
expert system, knowledge-based system
Term used in connection with artificial
intelligence. It describes a computer program
based on knowledge gained from experience
and the methodology of applying this
knowledge to make inferences to solve
problems.
Expertensystem n, wissensbasiertes System
Begriff, der im Zusammenhang mit künstlicher
Intelligenz verwendet wird. Er beschreibt ein
Rechnerprogramm, das sich auf durch
Erfahrung gewonnenes Wissen stützt und die
Methodik beinhaltet, dieses Wissen bei der
Lösung bestimmter Aufgaben folgerichtig
umzusetzen.
exponent
Exponent m
exponent overflow
Exponentenüberlauf m
exponent part
Exponententeil m
exponent underflow
Exponentenunterlauf m
exponential function
Exponentialfunktion f
exponentiation, raise to a power
Potenzierung f
exposure
Belichtung f
extend, to; upgrade, to
erweitern
extended 386 mode [accesses virtual memory of
the 80386 and 80486 processor]
erweiterter 386-Modus m [Betriebsart für
den Zugriff auf die virtuellen
Speichermöglichkeiten der 80386- und 80486-
Prozessoren]
extended code
erweiterter Code m
extended DOS partition[hard disk]
erweiterte DOS-Partition f, erweiterter
DOS-Speicherbereich m [Festplatte]
extended memory [memory above the first
megabyte of main memory, i.e. above
conventional memory]

erweiterter Speicher *m,*
Erweiterungsspeicher *m* [Speicher oberhalb des
ersten Megabytes des Hauptspeichers, d.h.
oberhalb des konventionellen Speichers]
extended precision floating point
erweiterte Gleitpunktrechnung *f*
extension, expansion
Erweiterung *f*
extent [contiguous physical storage area]
Extent *m* [zusammengehörender
physikalischer Speicherbereich]
external bias
externe Vorspannung *f*
external bonding pad
Anschlußfleck *m*
external bus
externer Bus *m*
external clocking, external clock generation
externe Takterzeugung *f*
external command
externer Befehl *m*
external contact
Außenanschluß *m*
external device
externes Gerät *n*
external display, external monitor
externer Bildschirm *m,* externes
Bildschirmgerät *n*
external file
Außendatei *f*
external interrupt
externe Unterbrechung *f,* externer Interrupt
external keyboard
externe Tastatur *f*
external monitor, external display
externes Bildschirmgerät *n,* externer
Bildschirm *m*
external storage, secondary storage, auxiliary
storage
externer Speicher *m,* Externspeicher *m,*
Außenspeicher *m*
external thermal resistance
äußerer Wärmewiderstand *m*
external voltage
Fremdspannung *f*
externally fitted
Anbau *m*
externally stored program, external program
extern gespeichertes Programm *n*
extract, to [remove characters from a string]
ausblenden, herausziehen, extrahieren
[Herausnehmen von Zeichen aus einer
Zeichenfolge]
extract instruction
Ausblendbefehl *m*
extraction of a root
Radizieren *n,* Wurzelziehen *n*
extrapolated failure rate [extrapolation of
observed or assessed failure rate for a longer

duration and/or other operating conditions]
extrapolierte Ausfallrate *f* [Extrapolation
der beobachteten oder berechneten Ausfallrate
für eine größere Zeitdauer und/oder andere
Betriebsbedingungen]
extrapolated mean life
extrapolierte mittlere Lebensdauer *f*
extrapolated mean time between failures
extrapolierter mittlerer Ausfallabstand *m*
extrapolated mean time to failure
extrapolierte mittlere Zeit bis zum Ausfall
extrinsic conduction [semiconductor
technology]
Conduction in a semiconductor due to the
generation of charge carriers by impurities; in
contrast to intrinsic conduction.
Störstellenleitung *f* [Halbleitertechnik]
Elektrische Leitung in einem Halbleiter, die
durch Freisetzen von Ladungsträgern aus
Störstellen entsteht; im Gegensatz zu
Eigenleitung.
extrinsic semiconductor
Semiconductor whose conductivity depends
essentially on charge carriers generated by
impurities added to it; in contrast to an
intrinsic semiconductor.
Störstellenhalbleiter *m,* störstellenleitender
Halbleiter *m*
Halbleiter, dessen Leitfähigkeit vorwiegend
durch die von Störstellen freigesetzten
Ladungsträger hervorgerufen wird; im
Gegensatz zu einem eigenleitenden Halbleiter.
eyelet [for mounting or soldering components,
e.g. on printed circuits]
Öse *f,* Lötauge *n* [für die Befestigung bzw.
Lötung von Bauteilen, z.B. auf gedruckte
Schaltungen]
eyelet inserting machine
Lötösen-Einsetzmaschine *f*

F

fabrication technology, manufacturing technology
Fertigungstechnologie *f*
facsimile, fax
Faksimile *n*, Fax *n*
facsimile transmission, fax transmission
Fernkopieren *n*, Fax-Übertragung *f*
factorial notation
Fakultätsschreibweise *f*
fading [fluctuations in received signal amplitude in wireless transmission]
Schwund *m*, Fading *n* [zeitliche Schwankungen des Empfangssignales bei der drahtlosen Übertragung]
fail-safe
ausfallsicher, betriebsicher, fehlersicher
fail-safe circuit
fehlersichere Schaltung *f*
fail-safe system
ausfallsicheres System *n*, störungssicheres System *n*
failure, breakdown, outage [inability to perform a given function; interruption of operation]
Ausfall *m*, Betriebsstörung *f* [Unfähigkeit, eine bestimmte Funktion zu erfüllen; Versagen eines Gerätes]
failure criteria
Ausfallkriterien *n.pl.*
failure frequency
Ausfallhäufigkeit *f*
failure frequency distribution
Ausfallhäufigkeitsverteilung *f*
failure danger
Ausfallgefahr *f*
failure mode
Fehlerart *f*
failure prediction
Fehlervorhersage *f*, Ausfallvorhersage *f*
failure probability
Ausfallwahrscheinlichkeit *f*
failure rate
Ausfallrate *f*
failure recovery
Fehlerbehebung *f*
failure signal
Ausfallsignal *n*
fall time [of pulses: from 90 to 10% of pulse amplitude]
Flankenabfallzeit *f*, Abfallzeit *f*, Fallzeit *f* [bei Impulsen: von 90 auf 10% der Impulsamplitude]
fallback [restart of processor]
Rückfall *m* [Neustart eines Prozessors]
falling edge
Decay of a digital signal or a pulse.

abfallende Flanke *f*, fallende Flanke *f*, negative Flanke *f*
Abfall eines digitalen Signals oder eines Impulses.
family of characteristics
Kennlinienfeld *n*, Kennlinienschar *f*
family of curves
Kurvenschar *f*
FAMOS memory [memory based on FAMOS transistor cells]
FAMOS-Speicher *m* [Speicher, der mit FAMOS-Transistorzellen realisiert ist]
FAMOS transistor (floating-gate avalanche injection MOS transistor)
MOS field-effect transistor using a floating gate structure and avalanche injection; used as a memory cell in EPROMs.
FAMOS-Transistor *m*
Feldeffekttransistor in MOS-Struktur mit schwebendem Gate und Lawineninjektion; wird als Speicherzelle bei EPROMs verwendet.
fan-in
Number of outputs of similar circuits which can be accomodated by a logic circuit input.
Eingangslastfaktor *m*, Eingangsfächerung *f*, Fan-In *n*
Anzahl Ausgänge gleichartiger Schaltungen, mit der der Eingang einer Logikschaltung belastet werden kann.
fan-out
Number of inputs of similar circuits which can be accomodated by a logic circuit output.
Ausgangslastfaktor *m*, Ausgangsfächerung *f*, Fan-Out *n*
Anzahl Eingänge gleichartiger Schaltungen, mit der der Ausgang einer Logikschaltung belastet werden kann.
fanfold, continuous forms, continuous stationery [continuous strip of paper in zigzag (fanfold) form]
zickzack-gefaltet, Leporello-Formular *n*, Endlosformular *n* [fortlaufend hergestellte Vordrucke in Zickzackfaltung]
fanfold paper
Leporello-Papier *n*
fanfold paper stack
Leporello-Papierstapel *m*
fanfold stationery
fächerartig gefaltete Endlosvordrucke *m.pl.*
fanfolded
Leporellogefaltet
farad (F) [SI unit of capacitance]
Farad *n* (F) [SI-Einheit der elektrischen Kapazität]
fast Fourier transform (FFT)
diskrete Fourier-Transformation *f* (DFT)
FAT (file allocation table) [manages the allocation of files on data medium]

FAT [Datei-Zuordnungstabelle für die
Verwaltung der Belegung des Datenträgers]
fatal error, irrecoverable error
nichtbehebbarer Fehler m
fatigue strength
Dauerfestigkeit f
fault, malfunction
Störung f
fault liability, fault susceptibility
Fehleranfälligkeit f, Störungsanfälligkeit f
fault masking [masking of faults by system
redundancy in a fault-tolerant computer]
Fehlermaskierung f [die Maskierung von
Fehlern in einem fehlertolerierenden Rechner
durch Systemredundanz]
fault remedy
Fehlerabhilfe f, Fehlerbeseitigung f
fault-tolerant computer system [a computer
system based on redundant modules so that it
remains functional even when faults occur]
fehlertolerierendes Rechnersystem n [ein
Rechnersystem, das mit redundanten Modulen
arbeitet, so daß die Funktionsfähigkeit auch
beim Auftreten von Fehlern erhalten bleibt]
faulty design
Fehlkonstruktion f
faulty operation
Funktionsfehler m
faulty triggering
Fehlansteuerung f
fax, facsimile
Fax n, Faksimile n
fax board
Fax-Karte f
fax group [according to CCITT
recommendations]
Fax-Gruppe f [nach CCITT-Empfehlungen]
fax transmission, facsimile transmission
Fax-Übertragung f, Fernkopieren n
FDC (floppy disk controller)
Disketten-Controller m, Disketten-Steuer-
teil m
FDDI (Fiber Distributed Data Interface)
FDDI [schnelles lokales Netzwerk mit
Lichtleitern]
FEA (finite element analysis)
FE-Analyse f, Finite-Elemente-Analyse f
feasibility
Durchführbarkeit f
feasibility study
Durchführbarkeitsstudie f
feature recognition [OCR]
Merkmalerkennung f [OCR]
feed [e.g. in printers]
Vorschub m [z.B. bei Druckern]
feed, to
speisen, zuführen
feed check
Transportprüfung f

feed in [e.g. pulses]
einspeisen [z.B. Impulse]
feed through capacitor
Durchführungskondensator m
feed track, sprocket track [punched tape]
Taktspur f [Lochstreifen]
feedback
Rückkopplung f, Rückführung f
feedback amplifier
Rückkopplungsverstärker m
feedback circuit
Rückkopplungsschaltung f,
Rückführungsschaltung f
feedback factor
Rückkopplungsfaktor m
feedback information
Informationsrückfluß m
feedback loop
Rückkopplungsschleife f
feedback signal
Rückkopplungssignal n
FEFET (ferroelectric field-effect transistor)
Field-effect transistor using ferroelectric
isolation between channel and gate electrode.
FEFET, ferroelektrischer Feldeffekttransistor
Feldeffekttransistor mit ferroelektrischer
Isolierschicht zwischen Kanal und
Gateelektrode.
FEM (finite element method)
FE-Methode f, Finite-Elemente-Methode f
Fermi-Dirac distribution function
Function specifying the probability that an
electron (e.g. in a semiconductor) will occupy a
certain energy level when in thermodynamic
equilibrium.
Fermi-Dirac-Funktion f
Funktion, die die
Besetzungswahrscheinlichkeit eines
Energieniveaus (z.B. in einem Halbleiter) mit
Elektronen im thermodynamischen
Gleichgewicht angibt.
Fermi level [semiconductor technology]
The energy level at which the Fermi-Dirac
distribution function has a value of 0.5.
Fermi-Niveau n [Halbleitertechnik]
Das Energieniveau in der Fermi-Dirac-
Funktion, dessen
Besetzungswahrscheinlichkeit den Wert 0,5
hat.
Fermi potential
Fermi-Potential n
ferrite core storage, magnetic core storage, core
storage
Ferritkernspeicher m, Magnetkernspeicher
ferrite ring core, magnetic ring core
Ferritringkern m, Magnetringkern m
ferrites [artificially produced mixed crystals of
ferrioxide and metal oxides]
Ferrite $m.pl.$ [künstlich hergestellte

Mischkristalle aus Ferrioxid und Metalloxiden]
ferroelectric field-effect transistor (FEFET)
Field-effect transistor using a ferroelectric
insulating layer between channel and gate
electrode.
ferroelektrischer Feldeffekttransistor *m*
(FEFET)
Feldeffekttransistor mit ferroelektrischer
Isolierschicht zwischen Kanal und
Gateelektrode.
FET, field-effect transistor
Unipolar transistor consisting essentially of the
source, gate and drain regions and a conducting
channel. Current flow between source and
drain is controlled by a voltage applied to the
gate electrode. In voltage-controlled field-effect
transistors, charge transport in the channel is
due to only one type of charge carrier (electrons
or holes), in contrast to current-controlled
bipolar transistors, in which both electrons and
holes contribute to current flow.
FET, Feldeffekttransistor *m*
Unipolartransistor, der im wesentlichen aus
den Source-, Gate- und Drainbereichen und
einem leitenden Kanal besteht, in dem der von
der Source zum Drain fließende Strom durch
eine an der Gateelektrode angelegte Spannung
gesteuert wird. Beim spannungsgesteuerten
Feldeffekttransistor erfolgt der
Ladungstransport nur durch einen
Ladungsträgertyp (Elektronen oder
Defektelektronen), im Gegensatz zum
stromgesteuerten Bipolartransistor, bei dem
sowohl Elektronen als auch Defektelektronen
zum Stromfluß beitragen.
fetch, instruction fetch
Befehlsabruf *m*
fetch, to [e.g. data from storage]
abrufen, holen [z.B. Daten aus dem Speicher]
fetch instruction
Holbefehl *m*, Abrufbefehl *m*
fetch phase [microprocessor]
One of the three phases when executing an
instruction; the other two are the decoding and
the execution phases. During the fetch phase
the microprocessor interprets the word read out
of storage as an instruction.
Abrufphase *f*, Befehlsabrufphase *f*
[Mikroprozessor]
Eine der drei Phasen bei der Ausführung eines
Befehls; die beiden anderen Phasen sind die
Decodier- und die Ausführungsphasen.
Während der Befehlsabrufphase interpretiert
der Mikroprozessor das aus dem Speicher
gelesene Wort als Befehl.
fetch protection [microprocessor]
Abrufsperre *f* [Mikroprozessor]
fetch statement, get statement
Holanweisung *f*

FF (flip-flop), bistable multivibrator [a circuit
with two stable states; switching from one into
the other is effected by a trigger pulse]
Flipflop *n*, bistabile Kippschaltung *f*, bistabiler
Multivibrator *m* [eine Schaltung mit zwei
stabilen Zuständen; die Umschaltung von
einem in den anderen Zustand erfolgt durch
einen Auslöseimpuls]
FFT, fast Fourier transform
DFT *f*, diskrete Fourier-Transformation *f*
fiber-optic cable
Lichtwellenleiter *m*
fiber-optic link
Lichtleiterverbindung *f*
fiber-optic transmission system
Glasfaserübertragungssystem *n*
fiber optics
Faseroptik *f*, Lichtleitertechnik *f*
Fibonacci test [computer benchmark test]
Fibonacci-Zahlentest *m* [Rechner-
Bewertungsprogramm]
field [character string or defined area of a record]
Feld *n*, Datenfeld *n* [Zeichenfolge oder
festgelegter Bereich eines Datensatzes]
field checking
Feldprüfung *f*
field definition
Feldbestimmung *f*
field distribution [e.g. of a magnetic field]
Feldverteilung *f* [z.B. eines magnetischen
Feldes]
field-effect transistor (FET)
Unipolar transistor consisting essentially of the
source, gate and drain regions and a conducting
channel. Current flow between source and
drain is controlled by a voltage applied to the
gate electrode. In voltage-controlled field-effect
transistors, charge transport in the channel is
due to only one type of charge carrier (electrons
or holes), in contrast to current-controlled
bipolar transistors in which both electrons and
holes contribute to current flow.
Feldeffekttransistor *m* (FET)
Unipolartransistor, der im wesentlichen aus
den Source-, Gate- und Drainbereichen sowie
einem leitenden Kanal besteht, in dem der von
der Source zum Drain fließende Strom durch
eine an der Gateelektrode angelegte Spannung
gesteuert wird. Beim spannungsgesteuerten
Feldeffekttransistor erfolgt der
Ladungstransport nur durch einen
Ladungsträgertyp (Elektronen oder
Defektelektronen), im Gegensatz zum
stromgesteuerten Bipolartransistor, bei dem
sowohl Elektronen als auch Defektelektronen
zum Stromfluß beitragen.
field installation [e.g. of a computer]
Montage am Einsatzort *f* [z.B. eines
Rechners]

field length
  Feldlänge f
field oxide
  Feldoxid n
field-programmable
  feldprogrammierbar
field-programmable logic array, fuse-
  programmable logic array (FPLA)
  A fusible-link gate array concept for producing
  semicustom integrated circuits. The logic
  arrays can be field-programmed by selectively
  blowing the fuses.
  feldprogrammierbares Logik-Array n,
  anwenderprogrammierbares Logik-Array n
  (FPLA)
  Ein Gate-Array-Konzept, mit dem sich
  integrierte Semikundenschaltungen realisieren
  lassen. Die Logik-Arrays lassen sich durch
  gezieltes Wegbrennen der
  Durchschmelzverbindungen programmieren.
field-programmable read-only memory,
  fusible-link read-only memory (FROM)
  Read-only memory which can be programmed
  but not reprogrammed by the user.
  Programming is achieved by selectively blowing
  the fusible links.
  feldprogrammierbarer Festwertspeicher
  m, Festwertspeicher mit
  Durchschmelzverbindungen m (FROM)
  Festwertspeicher, der vom Anwender
  programmiert aber nicht umprogrammiert
  werden kann. Die Programmierung erfolgt
  durch Wegbrennen von
  Durchschmelzverbindungen.
field selection
  Feldansteuerung f, Feldauswahl f
field strength
  Feldstärke f
field tag
  Feldkennung f
field test [e.g. of equipment]
  Einsatzerprobung f [z.B. von Geräten]
FIFO storage (first-in/first-out storage) [storage
  device operating without address specification
  and which reads out data in the same order as
  it was stored, i.e. the first data word stored is
  read out first; implemented as shift registers or
  RAM, it is often used as a buffer storage
  between data transmitter and data receiver]
  FIFO-Speicher m [Speicher, der ohne
  Adressenangabe arbeitet und dessen Daten in
  der Reihenfolge gelesen werden, in der sie
  zuvor geschrieben worden sind, d.h. das zuerst
  geschriebene Datenwort wird als erstes
  gelesen; er wird häufig mittels Schieberegister
  oder RAM als Pufferspeicher zwischen
  Datensender und -empfänger verwendet]
fifth-generation computer
  A non-von-Neumann form of computer based on

advanced technologies (e.g. very large scale
  integration, artificial intelligence, expert
  systems, speech and picture recognition).
  Rechner der fünften Generation m
  Rechner, die von der klassischen von-
  Neumann-Rechnerarchitektur abweichen und
  auf völlig neuen Technologien beruhen (z.B.
  höchstintegrierte Schaltungen, künstliche
  Intelligenz, Expertensysteme, Sprach- und
  Bilderkennung).
filament transistor [bipolar transistor
  operating on the principle of conductivity
  modulation]
  Fadentransistor m [Bipolartransistor, dessen
  Arbeitsweise auf dem Prinzip der
  Leitfähigkeitsmodulation basiert]
file access
  Dateizugriff m
file activity
  Dateibewegung f
file allocation table (FAT) [manages the
  allocation of files on data medium]
  FAT [Datei-Zuordnungstabelle für die
  Verwaltung der Belegung des Datenträgers]
file attribute
  Dateiattribut n
file-by-file backup [backup of individual files on
  data medium]
  dateiweise Sicherungskopie f [Sicherung
  einzelner Dateien auf Datenmedium]
file conversion
  Dateiumsetzung f
file description
  Dateibeschreibung f
file directory [directory of stored files, e.g. on a
  floppy disk]
  Dateiverzeichnis n [Verzeichnis der
  gespeicherten Dateien, z.B. auf einer Diskette]
file editor
  Dateiaufbereiter m
file extension [extended file name]
  Dateinamenserweiterung f
  [Namenserweiterung einer Datei]
file format
  Dateiformat n
file fragmentation, fragmentation [storage of a
  file in non-contiguous areas of a disk]
  Dateifragmentierung f, Fragmentierung f
  [Abspeicherung einer Datei in nicht
  aufeinanderfolgende Festplattenbereiche]
file header
  Dateivorsatz m
file header label
  Dateianfangskennsatz m
file identification
  Dateibezeichnung f
file layout, file structure [arrangement and
  structure of data in a file]
  Dateianordnung f, Dateistruktur f [die

Anordnung und die Struktur der Daten in einer Datei]

file maintenance [activity of updating a file]
Dateipflege f, Dateiwartung f, Bestandspflege f [die Aktualisierung einer Datei]

file management
Dateiverwaltung f

file manipulation
Dateibearbeitung f

file mark
Dateikennzeichen n

file name
Dateiname m

file organization
Dateiorganisation f

file protection [measures taken against unauthorized access]
Dateischutz m [Maßnahmen gegen unberechtigten Zugriff]

file recovery
 Dateiwiederherstellung f

file server [computer serving as central storage facility (e.g. data bases) in a network]
Datei-Server m [Rechner, der als zentraler Speicherplatz (z.B. Datenbanken) in einem Netzwerk dient]

file transfer
Dateitransfer m

fill with zeroes, to
Nullen einsetzen

filler, fill character, pad character [characters stored for display purposes, e.g. filling or padding a left-justified 80 character/line file with blanks to the right of the data items]
Blindzeichen n, Füllzeichen n [Zeichen, die aus Darstellungsgründen gespeichert werden, z.B. bei einer linksbündigen Datei mit 80 Zeichen/Zeile das Auffüllen mit Leerzeichen rechts von den Datenfeldern]

filler item
unbenanntes Datenfeld n

film circuit
Circuit in which major elements (e.g. conductors, resistors, capacitors and insulators) are deposited in the form of film patterns on a supporting substrate. Film circuits are manufactured in thick-film and thin-film technology.
Schichtschaltung f, Filmschaltung f
Schaltung, bei der wesentliche Elemente (z.B. Leiterbahnen, Widerstände, Kondensatoren und Isolierungen) als Schichten auf einen Träger aufgebracht werden. Die Schaltungen werden in Dickschicht- oder Dünnschichttechnik ausgeführt.

film integrated circuit
integrierte Schichtschaltung f

film resistor

Schichtwiderstand m

film technology
Technique used for fabricating thick-film, thin-film and hybrid circuits.
Schichttechnik f
Technik, die bei der Herstellung von Dickschicht-, Dünnschicht- und Hybridschaltungen eingesetzt wird.

FILO storage (first-in/last-out), LIFO storage (last-in/first-out), stack
Storage device operating without address specification and which reads out data in the reverse order as it was stored, i.e. the first data word is read out last; implemented as shift registers or RAM, it is particularly used for subroutines, i.e. for storing data prior to a jump instruction.
Kellerspeicher m, FILO-Speicher m, LIFO-Speicher m, Stapelspeicher m
Speicher, der ohne Adreßangabe arbeitet und dessen Daten in der umgekehrten Reihenfolge gelesen werden, in der sie zuvor geschrieben worden sind, d.h. das zuletzt geschriebene Datenwort wird als erstes gelesen; er wird mittels Schieberegister oder RAM insbesondere für die Bearbeitung von Unterprogrammen verwendet, d.h. für die Datenspeicherung vor einem Sprungbefehl.

filter circuit, filter
Filterschaltung f, Filter n

filter element
Dämpfungsfilter n

final assembly
Endmontage f

final character
Schlußzeichen n

final check [of a device or equipment]
Endkontrolle f [eines Bauelementes oder Gerätes]

final inspection [last inspection or test in manufacturing, repair, etc.]
Endprüfung f [die letzte Prüfung in der Fertigung, Reparatur usw.]

final stage, power stage [of a drive, amplifier, etc.]
Endstufe f, Leistungsstufe [eines Antriebes, Verstärkers usw.]

final test [of a component, equipment or system]
Endprüfung f [eines Bauelementes, Gerätes oder Systems]

fine adjustment
Feinabgleich m

finite element analysis (FEA)
Finite-Elemente-Analyse f, FE-Analyse f

finite element method (FEM)
Finite-Elemente-Methode f, FE-Methode f

finite integer
endliche Zahl f

finite number

endliche Anzahl *f*
finite series
endliche Reihe *f*
finite-state automaton (FSA) [state-transition function]
endlicher Automat *m* [Zustandsübergangsfunktion]
firmware [inalterable programs, i.e. software having hardware characteristics for the user; e.g. the microprogram of a central processing unit or system programs stored in ROM]
Festprogramme *n.pl.*, Firmware *f* [unveränderbare Programme, d.h. Software, die für den Anwender Hardware-Eigenschaften aufweist; z.B. das Mikroprogramm einer Zentraleinheit oder in ROM gespeicherte Systemprogramme]
first-in/first-out storage, FIFO storage [storage device operating without address specification and which reads out data in the same order as it was stored, i.e. the first data word stored is read out first; implemented as shift registers or RAM, it is often used as a buffer storage between data transmitter and data receiver]
Silospeicher *m*, FIFO-Speicher *m* [Speicher, der ohne Adreßangaben arbeitet und dessen Daten in der Reihenfolge gelesen werden, in der sie zuvor geschrieben worden sind, d.h. das zuerst geschriebene Datenwort wird als erstes gelesen; er wird häufig mittels Schieberegister oder RAM als Pufferspeicher zwischen Datensender und -empfänger verwendet]
five-digit multiplier
Fünfziffern-Multiplizierwerk *n*
fixed block format
festes Blockformat *n*
fixed capacitor
Festkondensator *m*
fixed carbon film resistor, carbon film resistor
Kohleschichtfestwiderstand *m*, Kohleschichtwiderstand *m*
fixed cycle
fester Zyklus *m*
fixed-cycle operation
Festzyklusbetrieb *m*
fixed data
Festdaten *n.pl.*
fixed disk, fixed hard disk [a non-removable disk in a hard disk storage]
Festplatte *f*, feste Platte *f* [eine fest montierte Platte eines Magnetplattenspeichers]
fixed disk storage [a magnetic disk storage with non-removable disks in the drive]
Festplattenspeicher *m* [ein Magnetplattenspeicher mit im Laufwerk fest montierten Platten]
fixed format
Festformat *n*
fixed-frequency oscillator

Festfrequenzoszillator *m*
fixed-head disk storage
Festkopfplattenspeicher *m*
fixed-length code
Code fester Länge *m*
fixed-length field
Feld fester Länge *n*
fixed-length record
Satz fester Länge *m*
fixed-point arithmetic [instruction execution without automatic consideration of decimal point]
Festkommaarithmetik *f*, Festpunktarithmetik *f* [Befehlsausführung ohne automatische Berücksichtigung der Kommastelle]
fixed-point computation
Festkommarechnung *f*, Festpunktrechnung *f*
fixed-point notation [representation with a fixed decimal point; in contrast to floating-point representation]
Festkommaschreibweise *f*, Festpunktschreibweise *f* [Darstellung mit einer festen Kommastelle; Gegensatz zu Gleitpunktdarstellung]
fixed-programmed
festprogrammiert
fixed-programmed read-only memory
Read-only memory whose content is programmed and hence fixed during fabrication and cannot be changed subsequently.
festprogrammierter Festwertspeicher *m*
Festwertspeicher, dessen Speicherinhalt während der Herstellung festgelegt wird und danach nicht mehr verändert werden kann.
fixed record length
feste Satzlänge *f*
fixed resistor
Festwiderstand *m*
fixed word length
feste Wortlänge *f*
flag
Control bit often used, particularly in microprocessors, for indicating a certain state or fulfilment of a condition, e.g. carry-flag. Each flag has two states: 1 = condition fulfilled; 0 = not fulfilled.
Merker *m*, Flag *n*, Zustandsbit *n*
Besonders in Mikroprozessoren häufig verwendetes Steuerbit zur Anzeige eines bestimmten Zustandes bzw. Erfüllung einer Bedingung, z.B. Carry-Flag (Übertragsmerker). Jedes Flag hat zwei Zustände: 1 = Bedingung erfüllt; 0 = nicht erfüllt.
flag register
Flagregister *n*
flange mounted
angeflanscht
flash, to

blinken
flash card, flash chip, flash memory card [ROM-based non-volatile memory that can be used like a hard disk]
Flash-Karte *f*, Flash-Chip *m*, Flash-Speicherkarte *f* [nichtflüchtiger Speicher auf ROM-Basis, der wie eine Festplatte verwendet werden kann]
flash-over
Überschlag *m*
flashing bar
blinkender Strich *m*
flat-bed plotter
Flachbett-Plotter *m*
flat-bed scanner
Flachbett-Scanner *m*
flat cable, ribbon cable
Flachkabel *n*
flat file [non-hierarchical data which can be represented two-dimensionally as a matrix or table]
flache Datei *f* [nicht-hierarchische Daten, die zweidimensional als Matrix oder Tabelle darstellbar sind]
flat-pack, flatpack [package with two parallel rows of ribbon-shaped terminals]
Flachgehäuse *n*, Flat-Pack-Gehäuse *n* [Gehäuse mit zwei parallelen Reihen bandförmiger Anschlüsse]
flat panel display
Flachdisplay *n*
flexible printed circuit board
flexible Leiterplatte *f*
flicker, to
flimmern
flicker-free [screen]
flimmerfrei [Bildschirm]
flicker noise [semiconductor noise at low frequencies]
Funkelrauschen *n*, Halbleiterrauschen *n* [das Rauschen von Halbleiterbauelementen bei tiefen Frequenzen]
flickering [screen]
Flimmern *n* [Bildschirm]
flip-chip technology
A high-speed assembly method allowing chips with raised bump contacts to be mounted face down to a substrate with a corresponding interconnection pattern. Bonding is carried out by soldering in a single operation.
Flip-Chip-Verfahren *n*
Eine Schnellmontagetechnik mit der Chips, deren Kontaktflecke erhöht sind, mit der Kontaktseite nach unten in einem Arbeitsgang mit Hilfe der Löttechnik auf einen Träger mit entsprechendem Leiterbild montiert werden.
flip-flop (FF), bistable multivibrator [a circuit with two stable states; switching from one into the other is effected by a trigger pulse]

Flipflop *n*, bistabile Kippschaltung *f*, bistabiler Multivibrator *m* [eine Schaltung mit zwei stabilen Zuständen; die Umschaltung von einem in den anderen Zustand erfolgt durch einen Auslöseimpuls]
flip-flop circuit, flip-flop
Flipflop-Schaltung *f*, Flipflop *n*
flip-flop memory, flip-flop storage [a flip-flop can be regarded as a 1-bit storage; it is the most widely used storage device for logical operations]
Flipflop-Speicher *m* [ein Flipflop kann als Speicher für 1 Bit betrachtet werden; es ist das meistgebrauchte Speicherelement für logische Verknüpfungen]
flip-flop register [a register consisting of flip-flops]
Flipflop-Register *n* [ein aus Flipflops bestehendes Register]
floating gate
An additional gate in a MOS transistor between the control gate and the conductive channel which is used for information storage. The gate is floating in the sense that it is isolated electrically from all other structures. When applying a high negative voltage to the drain region, avalanche breakdown occurs and the resulting hot electrons are injected into the gate, building up a negative charge. Since the gate has no conducting connection to the outside, it cannot be discharged electrically.
schwebende Gate-Elektrode *f*, schwebendes Gate *n*
Bei einem MOS-Transistor ein zusätzliches Gate zwischen der Steuerelektrode und dem stromführenden Kanal, das zu Speicherzwecken genutzt wird. Das schwebende Gate ist von allen anderen Strukturen galvanisch getrennt. Durch Anlegen einer hohen negativen Spannung an das Draingebiet findet ein Lawinendurchbruch statt und die dabei entstandenen heißen Elektronen werden in das Gate injiziert und laden es negativ auf. Da das Gate keine leitende Verbindung nach außen besitzt, kann es elektrisch nicht entladen werden.
floating gate avalanche-injection MOS transistor (FAMOS transistor)
MOS field-effect transistor using a floating gate structure and avalanche injection; used as a memory cell in EPROMs]
Metall-Oxid-Halbleiter-Transistor mit schwebendem Gate und Lawineninjektion *m*, FAMOS-Transistor *m*
Feldeffekttransistor in MOS-Struktur mit schwebendem Gate und Lawineninjektion; wird als Speicherzelle bei EPROMs verwendet.
floating gate structure
schwebende Gate-Struktur *f*

floating point
  Gleitkomma *n*, Gleitpunkt *m*
floating-point arithmetic
  Gleitkommaarithmetik *f*,
  Gleitpunktarithmetik *f*
floating-point computation
  Gleitkommarechnung *f*, Gleitpunktrechnung
floating-point error
  Gleitkommafehler *m*
floating-point notation [representation of a
  number in the form of a mantissa for its
  numerical value and an exponent for its
  magnitude, e.g. the number 123 by the
  mantissa 0.123 and the exponent 3 (= 0.123 x
  10^3)]
  Gleitkommaschreibweise *f*,
  Gleitpunktschreibweise *f* [Darstellung einer
  Zahl in der Form einer Mantisse für den
  Zahlenwert und eines Exponenten für die
  Zahlengröße, z.B. die Zahl 123 durch die
  Mantisse 0,123 und den Exponenten 3 (= 0,123
  x 10^3)]
floating-point number
  Gleitkommazahl *f*, Gleitpunktzahl *f*
floating-point processor (FPU)
  Gleitkommaprozessor *m*,
  Gleitpunktprozessor *m*
floating-point register
  Gleitkommaregister *n*, Gleitpunktregister *n*
floating storage addressing
  gleitende Speicheradressierung *f*
FLOP [Floating Point Operations/second]
  FLOP [Gleitpunktoperationen/Sekunde]
floppy disk, diskette [flexible disk used as
  interchangeable magnetic data medium,
  usually of 3.5 or 5.25 inch diameter and a
  storage capacity between 0.36 and 1.44 MB]
  Diskette *f*, flexible Magnetplatte *f* [flexible
  Platte als auswechselbarer magnetischer
  Datenträger, üblicherweise mit einem
  Durchmesser von 3,5 oder 5,25 Zoll und einer
  Speicherkapazität zwischen 0,36 und 1,44 MB]
floppy disk controller (FDC)
  Disketten-Controller *m*, Disketten-Steuerteil *m*
floppy disk drive
  Diskettenlaufwerk *n*
floppy disk memory, floppy disk storage
  Diskettenspeicher *m*
floppy disk operating system
  Diskettenbetriebssystem *n*
floptical drive [combination of floppy drive with
  optical positioning; results in storage capacities
  of 20 MBytes and higher]
  Floptical-Laufwerk *n* [Kombination von
  Floppylaufwerk mit optischer Positionierung;
  ermöglicht Speicherkapazitäten von 20 MByte
  und höher]
flow, sequence

  Ablauf *m*
flow chart [representation of the processing
  sequence with the aid of standard graphical
  symbols]
  Flußdiagramm *n*, Programmablaufplan *m*,
  Ablaufplan *m*, Ablaufdiagramm *n* [Darstellung
  des Verarbeitungsablaufes mit genormten
  graphischen Symbolen]
flow soldering, wave soldering
  Process for soldering printed circuit boards by
  moving them over a wave of molten solder in a
  solder bath. The process enables multiple
  solder joints to be produced in a single
  operation.
  Schwallbadlöten *n*, Fließlöten *n*
  Verfahren zum Herstellen von
  Lötverbindungen auf gedruckten Leiterplatten.
  Dabei werden die Leiterplatten in einer Wanne
  über eine flüssige Lotwelle geführt. Das
  Verfahren ermöglicht die Herstellung von
  mehreren Lötverbindungen in einem
  Arbeitsgang.
flush conductor [printed circuit boards]
  versenkter Leiter *m* [Leiterplatten]
flush left, left justify
  linksbündig ausrichten
flush right, right justify
  rechtsbündig ausrichten
flux reversal
  Flußumkehr *f*
flyback [screen]
  Rücklauf *m* [Bildschirm]
flying head
  schwebender Kopf *m*
flying-spot scanner
  Lichtpunktabtaster *m*
FNI, Committee for information processing in the
  German Standards Committee
  FNI, Fachnormenausschuß
  Informationsverarbeitung im deutschen
  Normenauschuß
font
  Schriftart *f*
font cartridge [inserted in printer to provide
  additional fonts]
  Schriftartkassette *f* [wird im Drucker
  eingesteckt, um zusätzliche Schriftarten zur
  Verfügung zu stellen]
font change
  Schriftartwechsel *m*
font manager [controls font generation]
  Font-Manager *m*, Schriftart-Steuerung *f*
  [steuert die Schrifterzeugung]
font size
  Schriftgröße *f*
footer [text at bottom of every printed page]
  Fußzeile *f* [Text am unteren Rand jeder
  gedruckten Seite]
footnote

Fußnote *f*
footprint, space requirement [e.g. of a display]
  Platzbedarf *m*, **Flächenbedarf** *m* [z.B. eines
  Bildschirmgerätes]
forbidden band, energy gap [semiconductor
  technology]
  In the energy-band diagram, the distance
  separating the conduction band from the
  valence band which represents energy levels
  that cannot be occupied by electrons.
  verbotenes Band *n*, **Energielücke** *f*
  [Halbleitertechnik]
  In der Darstellung des Bändermodells der
  Abstand zwischen Leitungsband und
  Valenzband, der Energieniveaus im
  Halbleiterkristall bezeichnet, die von
  Elektronen nicht besetzt werden können.
foreground [screen area occupied by active
  window]
  Vordergrund *m* [Bildschirmbereich, der vom
  aktiven Fenster belegt wird]
foreground program [program with high
  priority]
  Vordergrundprogramm *n* [Programm mit
  hoher Priorität]
foreground task [task with high priority]
  Vordergrundprozeß *m* [Prozeß mit hoher
  Priorität]
foreign atom, dopant atom, impurity
  [semiconductor technology]
  In semiconductors, an atom of a chemical
  element other than the crystal into which it has
  been introduced for doping purposes, e.g. a
  boron atom in a silicon crystal.
  Fremdatom *n* [Halbleitertechnik]
  Bei Halbleitern ein zu Dotierungszwecken in
  ein Kristallgitter eingebautes Atom eines
  anderen chemischen Elementes, z.B. ein
  Boratom in einem Siliciumkristall.
form
  Formular *n*
form a queue, to
  einreihen [in eine Warteschlange]
form feed [paper transport in printers from end
  of one page to the start of the next page]
  Formularvorschub *m* [Papiertransport bei
  Druckern vom Ende einer Seite zum Beginn
  der nächsten Seite]
formal error [violation of a formal condition, e.g.
  concerning data sequence or length, during
  data recording or programming]
  Formfehler *m*, formaler Fehler *m*
  [Nichteinhaltung einer formalen Bedingung,
  z.B. betreffend Reihenfolge oder Länge der
  Daten, bei der Datenaufzeichnung oder beim
  Programmieren]
format, to [to define the arrangement of data for
  recording or transmission]
  formatieren [Festlegung der Datenanordnung

bei der Aufzeichnung oder Übertragung]
format [describes the arrangement of data on a
  data medium; examples: fixed format, free
  format, packed format, etc.]
  Format *n* [beschreibt die Anordnung der
  Daten auf einem Datenträger; Beispiele: festes
  Format, freies Format, gepacktes Format usw.]
format specification
  Formatangabe *f*
format specifier
  Formatparameter *m*
format statement
  Formatanweisung *f*
format string
  Formatzeichenfolge *f*
formatted
  formatiert
formatted data transfer
  formatgebundener Datentransfer *m*,
  formatgebundene Datenübertragung *f*
formatted file
  formatierte Datei *f*
formatted input-output statement
  formatgebundene Ein-Ausgabe-Anweisung
formatted read statement
  formatgebundene Leseanweisung *f*
formatted record
  formatgebundener Datensatz *m*
formatted screen [divided into fields]
  formatierter Bildschirm *m* [in Felder
  aufgeteilt]
formatted write statement
  formatgebundene Schreibanweisung *f*
formatting [defining data arrangement]
  Formatieren *n*, Formatierung *f* [Festlegung
  der Datenanordnung]
forms tractor [of a printer]
  Formulartraktor *m* [eines Druckers]
FORTH [programming language]
  FORTH [Programmiersprache]
FORTRAN (FORmula TRANslator) [high-level
  problem-oriented programming language for
  engineering and scientific applications]
  FORTRAN [höhere, problemorientierte
  Programmiersprache für technisch-
  wissenschaftliche Aufgaben]
forward chaining
  Vorwärtsverkettung *f*
forward current, on-state current [the current
  flowing through a diode in conducting state]
  Vorwärtsstrom *m*, Durchlaßstrom *m*
  (veraltet) [der im Durchlaßzustand fließende
  Strom einer Diode]
forward d.c. resistance
  Durchlaßwiderstand *m*
forward direction
  Durchlaßrichtung *f*, Vorwärtsrichtung *f*
forward error correction
  Vorwärtsfehlerkorrektur *f*

forward recovery time
Durchlaßverzögerungszeit *f*
forward recovery voltage
Durchlaßverzögerungsspannung *f*
forward transconductance [in field-effect transistors]
Gatesteilheit *f* [bei Feldeffekttransistoren]
forward voltage
Durchlaßspannung *f* (veraltet),
Vorwärtsspannung *f*
forward voltage-current characteristic
Vorwärtskennlinie *f*
four-layer diode [semiconductor diode with pnpn structure]
Vierschichtdiode *f* [Halbleiterdiode mit PNPN-Struktur]
four-quadrant multiplier
Vierquadrant-Multiplizierschaltung *f,*
Vierquadranten-Multiplizierer *m*
Fourier transform
Fourier-Transformation *f*
FoxBase, FoxPro [database programming systems]
FoxBase, FoxPro [Datenbanksysteme]
FPA (Floating Point Accelerator)
Gleitkommabeschleuniger *m,*
Gleitpunktbeschleuniger *m*
FPLA (field programmable logic array), (fuse-programmable logic array)
A fusible-link gate array concept for producing semicustom integrated circuits. The logic arrays can be programmed by selectively blowing the fuses.
FPLA, anwenderprogrammierbares Logik-Array *n,* feldprogrammierbares Logik-Array *n*
Ein Gate-Array-Konzept, mit dem sich integrierte Semikundenschaltungen realisieren lassen. Die Logik-Arrays lassen sich durch gezieltes Wegbrennen der Durchschmelzverbindungen programmieren.
FPU (floating-point processor)
Gleitkommaprozessor *m,*
Gleitpunktprozessor *m*
fraction
Bruch *m*
fractional part [of a number]
Stellen hinter dem Komma *f.pl.* [einer Zahl]
fragmentation, file fragmentation [storage of a file in non-contiguous areas of a disk]
Fragmentierung *f,* Dateifragmentierung *f* [Abspeicherung einer Datei in nicht aufeinanderfolgende Festplattenbereiche]
fragmented file
fragmentierte Datei *f*
fragmented hard disk
fragmentierte Festplatte *f*
frame [method of representing knowledge in artificial intelligence]
Rahmen *m,* Frame *m*

[Wissensrepräsentationsschema in der künstlichen Intelligenz]
free, to
freischalten
free format [data arrangement freely selectable by the user]
formatfrei, freies Format *n* [vom Benutzer frei wählbare Datenanordnung]
free memory
freier Speicher *m*
free-of-ground, ungrounded
erdfrei
free oscillations [oscillations that continue when the excitation is removed; flywheel effect]
freie Schwingungen *f.pl.* [Schwingungen, die bei Wegnahme der Anregung weiter bestehen; Schwungradeffekt]
free-running circuit [e.g. an oscillator circuit]
freischwingende Schaltung *f* [z.B. Oszillatorschaltung]
free-running multivibrator, astable multivibrator [an uncontrolled multivibrator, i.e. without synchronizing signal]
freischwingender Multivibrator *m,* astabiler Multivibrator *m* [ungesteuerte Kippschaltung, d.h. ohne Synchronisierungssignal]
free-running oscillator [oscillator without synchronizing signal]
freischwingender Oszillator *m* [Oszillator ohne Synchronisierungssignal]
free storage space
freier Speicherplatz *m*
free text retrieval, full-text retrieval
freie Textsuche *f,* Volltextsuche *f*
free-wheeling diode
Freilaufdiode *f*
free-wheeling thyristor
Freilaufthyristor *m*
frequency
Frequenz *f*
frequency band
Frequenzband *n*
frequency changer
Frequenzwandler *m*
frequency characteristic
Frequenzkennlinie *f*
frequency curve
Häufigkeitskurve *f*
frequency-dependent
frequenzabhängig
frequency divider
Frequenzteiler *m*
frequency drift [change of frequency due to variations of temperature, supply voltage, etc.]
Frequenzdrift *f* [Frequenzänderung, die durch Schwankungen der Temperatur, Speisespannung usw. verursacht wird]
frequency generator

Frequenzgenerator m
frequency-independent
frequenzunabhängig
frequency modulation
Frequenzmodulation f
frequency modulator
Frequenzmodulator m
frequency multiplier
Frequenzvervielfacher m
frequency range
Frequenzbereich m
frequency response [amplitude and phase shift as a function of frequency]
Frequenzgang m [Amplitude und Phasenverschiebung in Funktion der Frequenz]
frequency shift keying (FSK) [modulation method for transforming serial digital signals into audio-frequency signals which can then be transmitted over a telephone line or stored on a magnetic tape cassette]
Frequenzumtastung f (FSK) [Modulationsverfahren zur Umwandlung von seriell anliegenden digitalen Daten in tonfrequente Signale, die dann über eine Telephonleitung übertragen oder auf eine Magnetbandkassette gespeichert werden können]
frequency shift keying modem, FSK modem [modem based on the FSK modulation method]
Frequenzumtastungsmodem m, FSK-Modem m [auf dem FSK-Modulationsverfahren basierender Modem]
frequency standard
Frequenznormal n
frequency thyristor
Frequenzthyristor m
FROM (fusible-link read-only memory), (field-programmable read-only memory)
Read-only memory which can be programmed but not reprogrammed by the user. Programming is achieved by selectively blowing the fusible links.
FROM m, feldprogrammierbarer Festwertspeicher m, Festwertspeicher mit Durchschmelzverbindungen m
Festwertspeicher, der vom Anwender programmiert aber nicht umprogrammiert werden kann. Die Programmierung erfolgt durch selektives Wegbrennen von Durchschmelzverbindungen.
front-end processor
Vorrechner m, Vorschaltrechner m
FSK (frequency shift keying) [modulation method for transforming serial digital signals into audio-frequency signals which can then be transmitted over a telephone line or stored on a magnetic tape cassette]
FSK, Frequenzumtastung f
[Modulationsverfahren zur Umwandlung von

seriell anliegenden digitalen Daten in tonfrequente Signale, die dann über eine Telephonleitung übertragen oder auf eine Magnetbandkassette gespeichert werden können]
FSK modem (frequency shift keying modem) [modem based on the FSK modulation method]
FSK-Modem m, Frequenzumtastungsmodem m [auf dem FSK-Modulationsverfahren basierender Modem]
FTR (functional throughput rate) [in integrated circuit fabrication]
Datendurchsatzrate f, funktionelle Durchsatzrate f [bei der Herstellung integrierter Schaltungen]
full adder [adds two binary digits, producing a sum and a carry; has three inputs and can handle a carry from a preceding digit place, in contrast to a half-adder which has two inputs]
Volladdierer m [addiert zwei Binärziffern und bildet eine Summe und einen Übertrag; besitzt drei Eingänge und kann den Übertrag aus einer vorhergehenden Stelle berücksichtigen, im Gegensatz zu einem Halbaddierer, der nur zwei Eingänge hat]
full coder
Vollcodierer m
full duplex channel, bidirectional concurrent channel
Duplexkanal m
full duplex mode, duplex operation [data transmission in both directions simultaneously]
Gegenbetrieb m, Vollduplexbetrieb m, Duplexbetrieb m [Datenübertragung in beiden Richtungen gleichzeitig]
full-scale
maßstäblich
full-screen display
Ganzseitenbildschirm m
full-screen editor, text editor [displays text on whole screen and has scrolling functions, in contrast to line editor]
Texteditor m [Text wird in voller Bildschirmgröße angezeigt und kann geblättert werden, im Gegensatz zum Zeileneditor]
full subtracter [a circuit analog to a full-adder]
Vollsubtrahierer m [eine Schaltung analog dem Volladdierer]
full-text retrieval, free text retrieval
Volltextsuche f, freie Textsuche f
full-text retrieval program
Volltextsuchprogramm n
full-wave (rectifier) bridge circuit
Grätz-Schaltung f
fullword
Vollwort n
fully custom circuit, custom circuit
Integrated circuit for a specific application of completely new design according to customer's

specifications.
Vollkundenschaltung *f,* **Kundenschaltung** *f,*
kundenspezifische Schaltung *f*
Integrierte Schaltung für eine bestimmte
Aufgabe, die nach Kundenwünschen völlig neu
entworfen wird.
function bit
Funktionsbit *n*
function byte
Funktionsbyte *n*
function generator [computing element used in
analog computers; often obtained by using
diodes in the input branch of an operational
amplifier]
Funktionsgeber *m,* **Funktionsgenerator** *m*
[Rechenelement in der Analogrechnertechnik;
häufig mittels Dioden im Eingangszweig eines
Operationsverstärkers realisiert]
function key [keyboard key which does not
generate a character but an instruction or a
series of instructions; can be programmed by
the user]
Funktionstaste *f* [auf der Tastatur befindliche
Taste, die kein Zeichen generiert, sondern
einen Befehl oder eine Befehlsfolge auslöst;
kann von Benutzer programmiert werden]
function matrix
Arbeitsmatrix *f*
function name
Funktionsname *m*
function select
Funktionsauswahl *f*
function symbol
Funktionssymbol *n*
function table [shows the relations between the
input and output parameters of a digital
circuit]
Funktionstabelle *f* [zeigt die Beziehungen
zwischen den Eingangs- und Ausgangsgrößen
einer Digitalschaltung]
functional address instruction format
operationsteilloses Befehlsformat *n*
functional assembly
Funktionsbaugruppe *f*
functional block diagram
Funktions-Blockschaltbild *n,* Signalflußplan
functional check, operational check
Funktionskontrolle *f*
functional description
Funktionsbeschreibung *f*
functional design
funktioneller Entwurf *m*
functional reliability
Funktionszuverlässigkeit *f*
functional statement
Funktionsanweisung *f*
functional stress
funktionsbedingte Beanspruchung *f*
functional test

Funktionsprüfung *f*
functional throughput rate (FTR) [in
integrated circuit fabrication]
funktionelle Durchsatzrate *f,*
Datendurchsatzrate *f* [bei der Herstellung
integrierter Schaltungen]
functional throughput rate [evaluation
criterion for ICs]
FTR [Funktionsdurchsatz;
Bewertungskriterium für integrierte
Schaltungen]
functional unit
Funktionseinheit *f*
functional value, value of function
Funktionswert *m*
fuse
Sicherung *f*
fuse-programmable logic array, field-
programmable logic array (FPLA)
A fusible-link gate array concept for producing
semicustom integrated circuits. The logic
arrays can be field-programmed by selectively
blowing the fuses.
feldprogrammierbares Logik-Array *n,*
anwenderprogrammierbares Logik-Array *n*
(FPLA)
Ein Gate-Array-Konzept, mit dem sich
integrierte Semikundenschaltungen realisieren
lassen. Die Logik-Arrays lassen sich durch
gezieltes Wegbrennen der
Durchschmelzverbindungen programmieren.
fusible link
Durchschmelzverbindung *f*
fusible-link read-only memory, field-
programmable read-only memory (FROM)
[read-only memory which can be programmed
(but not reprogrammed) by the user by
selectively blowing the fusible links]
Festwertspeicher mit
Durchschmelzverbindungen *m,*
feldprogrammierbarer Festwertspeicher *m*
(FROM) [Festwertspeicher, der vom Anwender
programmiert (aber nicht umprogrammiert)
werden kann durch selektives Wegbrennen von
Durchschmelzverbindungen]
fuzzy logic [uses the degree of membership to a
set, expressed as a value between 0 and 1, e.g.
"very high" = 0.9, "medium height" = 0.5 and
"very low" = 0.1; in contrast to binary logic
which has only two possibilities (0 and 1 or true
and false)]
Fuzzy-Logik *f,* unscharfe Logik *f,* mehrwertige
Logik *f* [verwendet den Grad der Zugehörigkeit
zu einer Menge, ausgedrückt durch einen
beliebigen Wert zwischen 0 und 1, z.B. "sehr
hoch" = 0,9, "mittlere Höhe" = 0,5 und "sehr
tief" = 0,1; im Gegensatz zur binären Logik die
nur zwei Möglichkeiten zuläßt (0 und 1 oder
wahr und falsch)]

G

Ga (gallium)
Metallic element used as a dopant impurity
(acceptor atom).
Ga, Gallium *n*
Metallisches Element, das als Dotierstoff
(Akzeptoratom) verwendet wird.
GaAlAs (gallium aluminium arsenide)
[compound semiconductor mainly used for laser
diodes]
GaAlAs, Galliumaluminiumarsenid *n*
[Verbindungshalbleiter, der vorwiegend zur
Herstellung von Laserdioden angewendet wird]
GaAs (gallium arsenide)
The most important compound semiconductor
belonging to the groups III and V of the
periodic table. It is rapidly gaining significance
as a substrate for components and integrated
circuits. GaAs is used for optoelectronic
components (e.g. light-emitting diodes,
phototransistors, lasers, solar cells, etc.),
microwave devices, and MESFETs in very high-
speed circuits.
GaAs, Galliumarsenid *n*
Der wichtigster Verbindungshalbleiter der
Gruppen III und V des Periodensystems. Seine
Bedeutung als Ausgangsmaterial für
Bauelemente und integrierte Schaltungen
nimmt ständig zu. GaAs dient zur Herstellung
von Bauelementen der Optoelektronik (z.B.
Lumineszenzdioden, Laser, Phototransistoren,
Solarzellen usw.), des Mikrowellenbereichs und
von MESFETs, mit denen sich extrem schnelle
Schaltungen realisieren lassen.
GaAs diode [diode made from gallium arsenide]
GaAs-Diode *f* [Diode, die in Galliumarsenid
realisiert ist]
GaAs field-effect transistor [field-effect
transistor using gallium arsenide as a
semiconductor substrate]
GaAs-Feldeffekttransistor *m*
[Feldeffekttransistor, der Galliumarsenid als
Halbleitersubstrat verwendet]
gain-bandwidth product [product of
amplification factor and bandwidth in an
amplifier]
Bandbreitenprodukt *n,*
Verstärkungsbandbreitenprodukt *n*
[Produkt aus Verstärkungsfaktor und
Bandbreite eines Verstärkers]
gallium (Ga)
Metallic element used as a dopant impurity
(acceptor atom).
Gallium *n* (Ga)
Metallisches Element, das als Dotierstoff
(Akzeptoratom) verwendet wird.

gallium aluminium arsenide (GaAlAs)
[compound semiconductor mainly used for laser
diodes]
Galliumaluminiumarsenid *n* (GaAlAs)
[Verbindungshalbleiter, der vorwiegend zur
Herstellung von Laserdioden angewendet wird]
gallium arsenide (GaAs)
The most important compound semiconductor
belonging to the groups III and V of the
periodic table. It is rapidly gaining significance
as a substrate for components and integrated
circuits. GaAs is used for optoelectronic
components (e.g. light-emitting diodes,
phototransistors, lasers, solar cells, etc.),
microwave devices, and MESFETs in very high-
speed circuits.
Galliumarsenid *n* (GaAs)
Der wichtigster Verbindungshalbleiter der
Gruppen III und V des Periodensystems. Seine
Bedeutung als Ausgangsmaterial für
Bauelemente und integrierte Schaltungen
nimmt ständig zu. GaAs dient zur Herstellung
von Bauelementen der Optoelektronik (z.B.
Lumineszenzdioden, Laser, Phototransistoren,
Solarzellen usw.), des Mikrowellenbereichs und
von MESFETs, mit denen sich extrem schnelle
Schaltungen realisieren lassen.
gallium phosphide (GaP)
Compound semiconductor used for
optoelectronic components.
Galliumphosphid *n* (GaP)
Verbindungshalbleiter, der als
Ausgangsmaterial für optoelektronische
Bauteile dient.
galvanic coupling, d.c. coupling
galvanische Kopplung *f*
galvanic decoupling, d.c. decoupling
galvanische Entkopplung *f*
galvanically decoupled, d.c. decoupled
galvanisch entkoppelt
GaP (gallium phosphide)
Compound semiconductor used for
optoelectronic components.
GaP, Galliumphosphid *n*
Verbindungshalbleiter, der als
Ausgangsmaterial für optoelektronische
Bauteile dient.
garbage [data no longer needed in main memory]
Speicherabfall *m* [nicht mehr benötigte Daten
im Hauptspeicher]
garbage collection [clearing of data no longer
needed in main memory]
Speicherbereinigung *f* [Löschen von nicht
mehr benötigten Daten aus dem
Hauptspeicher]
gas discharge display, gas panel display
Gasentladungsanzeige *f*
gas discharge tube
Gasentladungsröhre *f*

gas etching
 Gasätzung *f,* Gasätzen *n*
gas-phase epitaxy, vapour-phase epitaxy (VPE)
 [a process for growing epitaxial layers in
 semiconductor component and integrated
 circuit fabrication]
 Gasphasenepitaxie *f* [ein Verfahren zur
 Herstellung epitaktischer Schichten bei der
 Fertigung von Halbleiterbauelementen und
 integrierten Schaltungen]
gas plasma display, plasma display
 Plasmabildschirm *m,* Plasmasichtgerät *n*
gate
 Region of the field-effect transistor, comparable
 to the base of the bipolar transistor.
 Gate *n*
 Bereich des Feldeffekttransistors, vergleichbar
 mit der Basis des Bipolartransistors.
gate, logic gate, gate element
 A circuit that performs a logical operation, i.e.
 that combines two or more input signals into
 one output signal. There are gates for the
 logical operations AND (= conjunction),
 EXCLUSIVE-OR (= non- equivalence),
 INCLUSIVE-OR (= disjunction), NOT (=
 negation), NAND (= non-conjunction or Sheffer
 function), NOR (= non-disjunction or Peirce
 function), IF-AND-ONLY-IF (= equivalence),
 IF-THEN (= implication) and NOT-IF-THEN (=
 exclusion).
 Gatter *n,* Verknüpfungsglied *n*
 Eine Schaltung, die eine logische Operation
 ausführt, d.h. die zwei oder mehr
 Eingangssignale zu einem Ausgangssignal
 verknüpft. Es gibt Verknüpfungsglieder für die
 logischen Operationen UND (= Konjunktion),
 exklusives ODER (= Antivalenz), inklusives
 ODER (= Disjunktion), NICHT (= Negation),
 NAND (= Sheffer-Funktion), NOR (= Peirce-
 Funktion), Äquivalenz, Implikation und
 Inhibition.
gate array
 Integrated circuit containing a regular but not
 interconnected pattern of gates and one or more
 metal interconnection layers. Interconnection of
 the gates with the aid of interconnection masks
 allows custom or semicustom integrated
 circuits to be produced.
 Gate-Array *n*
 Integrierte Schaltung, die aus einer
 regelmäßigen Anordnung von vorfabrizierten,
 aber nicht miteinander verdrahteten Gattern
 und einer oder mehreren metallischen
 Verdrahtungsebenen besteht. Durch
 Verbindung der Gatter über
 Verdrahtungsmasken lassen sich integrierte
 Kunden- oder Semikundenschaltungen
 realisieren.
gate bias

 Gatevorspannung *f*
gate capacitance
 Gatekapazität *f*
gate contact, gate terminal
 Gateanschluß *m,* Gatekontakt *m*
gate control
 Gatesteuerung *f*
gate counter
 Gatterzähler *m*
gate depletion region
 Gatesperrschichtbereich *m*
gate doping [doping of the gate region in
 junction field-effect transistors]
 Gatedotierung *f* [Dotierung des Gatebereichs
 bei Sperrschicht- Feldeffekttransistoren]
gate-drain region
 Gate-Drain-Bereich *m*
gate electrode, gate [electrode of the field-effect
 transistor to which the control voltage is
 applied]
 Gateelektrode *f* [Steuerelektrode bei
 Feldeffekttransistoren, an die die
 Steuerspannung angelegt wird]
gate noise
 Gatterrauschen *n*
gate oxide [thin oxide layer isolating the gate
 from the conductive channel in field-effect
 transistors]
 Gateoxid *n* [dünne Oxidschicht, die bei
 Feldeffekttransistoren das Gate vom leitenden
 Kanal isoliert]
gate propagation delay
 The time required for a gate to perform a
 logical function, i.e. the time delay between the
 change of a signal at the input and the
 appearance of the changed signal at the output.
 Gatterlaufzeit *f,* Gatterverzögerungszeit *f*
 Die Zeit zur Realisierung einer Gatterfunktion,
 d.h. die Zeitverzögerung von der
 Signaländerung am Eingang bis zur
 Signaländerung am Ausgang.
gate protection
 Gateschutz *m*
gate protection diode
 Gateschutzdiode *f*
gate pulse
 Torimpuls *m*
gate region, gate zone
 Gatebereich *m,* Gatezone *f*
gate resistance
 Gatewiderstand *m*
gate reverse current
 Gatesperrstrom *m*
gate-source breakdown voltage
 Gate-Source-Durchbruchspannung *f*
gate-source capacitance
 Gate-Source-Kapazität *f*
gate-source cut-off voltage
 Gate-Source-Grenzspannung *f*

gate-source voltage
  Gate-Source-Spannung *f*
gate-substrate voltage
  Gatesubstratspannung *f*
gate terminal [of a thyristor]
  Steueranschluß *m* [eines Thyristors]
gate threshold voltage
  Gateschwellenspannung *f*
gate turn-off thyristor (GTO thyristor)
  Abschaltthyristor *m*, GTO-Thyristor *m*
gate voltage
  Gatespannung *f*
gate zone, gate region
  Gatezone *f*, Gatebereich *m*
gaussian distribution [statistical distribution
  of random values around a center value]
  gaußsche Verteilung *f*, Normalverteilung *f*
  [statistische Verteilung von Zufallswerten um
  einen Mittelwert]
GDC (graphic display controller)
  graphische Ansteuereinheit *f*,
  Graphikansteuereinheit *f*
GDI (Graphics Device Interface) [programming
  environment for graphical devices in Windows]
  Schnittstelle für graphische Geräte *f*
  [Programmierumgebung für graphische Geräte
  bei der Windows-Programmierung]
GDM (graphic display memory)
  Graphikspeicher *m*, Bildspeicher *m*
GDU (graphic display unit)
  Graphikbildschirm *m*, Graphiksichtgerät *n*
GEM (Graphical Environment Manager)
  [graphical windowing software developed by
  Digital Research]
  GEM [graphische Benutzeroberfläche von
  Digital Research]
GEMFET (gain-enhanced MOSFET)
  Family of power control integrated circuits,
  using the conductivity-modulated device
  technology, which combines bipolar and MOS
  structures on the same chip.
  GEMFET
  Integrierte Schaltungsfamilie der
  Leistungselektronik in CMD- Technik
  (Leitfähigkeitsmodulation), die mit Bipolar-
  und MOS- Strukturen auf dem gleichen Chip
  realisiert ist.
general-purpose computer, all-purpose
  computer [universally programmable computer
  which can be used for any application]
  Universalrechner *m* [universell
  programmierbarer Rechner, der für beliebige
  Aufgaben einsetzbar ist]
general-purpose diode
  Universaldiode *f*
general-purpose operational amplifier
  Universaloperationsverstärker *m*
general-purpose register
  Mehrzweckregister *n*

generate, to
  generieren
generation
  Erzeugung *f*, Generation *f*
generation current
  Generationsstrom *m*
generation rate
  Generationsrate *f*
generation time
  Erstellzeit *f*
generator
  Generator *m*
generator program
  Generatorprogramm *n*
German-language keyboard, QWERTZ
  keyboard
  deutschsprachige Tastatur *f*, QWERTZ-
  Tastatur *f*
germanium (Ge)
  Semiconductor material used for transistors,
  diodes, etc. Now largely replaced by silicon and
  gallium arsenide, particularly for integrated
  circuits.
  Germanium *n* (Ge)
  Halbleiter, der als Ausgangsmaterial für
  Transistoren, Dioden usw. dient. Heute vor
  allem bei integrierten Schaltungen weitgehend
  durch Silicium und Galliumarsenid ersetzt.
germanium diode [diode made from
  germanium]
  Germaniumdiode *f* [Diode, die in Germanium
  realisiert ist]
germanium transistor [transistor made from
  germanium]
  Germaniumtransistor *m* [Transistor, der in
  Germanium realisiert ist]
gettering process [semiconductor technology]
  Method for reducing contamination of a
  semiconductor crystal by metal ions during the
  diffusion process by applying a layer of getter
  material which attracts the metal ions.
  Getterung *f*, Gettern *n* [Halbleitertechnik]
  Verfahren zur Verminderung von
  Verunreinigungen durch Metallionen im
  Halbleiterkristall während der Diffusion durch
  Aufbringen einer Getterschicht, in der sich die
  Metallionen ansammeln.
Gibson mix [a mix of operations such as loading
  and storing, indexing, and branching, used to
  compare the speed of different computers for
  technical and scientific applications]
  Gibson-Bewertung *f* [eine Mischung von
  Operationen, wie Ein- und Ausspeichern,
  Indexregisteroperationen und Verzweigen, die
  einen Vergleich der Geschwindigkeit
  verschiedener Rechner für technisch-
  wissenschaftliche Aufgaben ermöglicht]
GIF (Graphics Interchange Format)
  GIF [Austauschformat für Graphik]

GIGO (Garbage In Garbage Out) [incorrect input leads to incorrect program results]
GIGO [falsche Eingabe führt zu falschen Programmergebnissen]
GKS, graphical kernel system [international standard for computer graphics]
GKS *n* (graphisches Kernsystem) [internationale Norm für die graphische Datenverarbeitung]
glass fiber, optical fiber [fiber of transparent material for optical data transmission and for optical scanning in data processing]
Glasfaser *f,* **Lichtleitfaser** *f* [Faden aus lichtdurchlässigem Material für die optische Nachrichtenübertragung und für die optische Abtastung in der Datenverarbeitung]
glass fiber cable, optical cable, fiber-optic cable
Glasfaserkabel *n,* **Lichtwellenleiter** *m*
glass laminate [printed circuit boards]
Glaslaminat *n* [Leiterplatten]
glass-reinforced laminate [printed circuit board]
glasfaserverstärktes Laminat *n* [Leiterplatten]
glass semiconductor, amorphous semiconductor
Glashalbleiter *m,* amorpher Halbleiter *m*
glassivation
Applying a special glass coating on integrated circuits to protect them against mechanical stress and hostile environmental conditions.
Verglasen *n,* Verglasung *f,* Glasierung *f*
Das Beschichten von integrierten Schaltungen mit Spezialglas zum Schutz gegen mechanische Beanspruchung und schädliche Umwelteinflüsse.
glitch [momentary fault, unwanted voltage peak or pulse distortion]
Glitch *m* [kurzzeitige Störung, unerwünschte Spannungsspitze oder Impulsverzerrung]
global replace
globales Ersetzen *n*
global search
globales Suchen *n*
global variable
globale Variable *f*
gold doping
Method for controlling the lifetime of minority carriers in bipolar transistors to reduce transistor switching time (storage time) in digital circuits.
Golddotierung *f*
Methode zur gezielten Einstellung der Lebensdauer von Minoritätsladungsträgern bei Bipolartransistoren, um ihre Schaltzeit (Speicherzeit) in digitalen Schaltungen herabzusetzen.
gold substrate
Goldsubstrat *n*

gold wire
Golddraht *m*
GPIB, general purpose interface bus [standard bus for general usage, also known as IEC bus, IEEE-488 bus or HPIB bus]
GPIB [Standardbus für allgemeine Anwendungen, auch IEC-Bus, IEEE- 488-Bus oder HPIB-Bus genannt]
grab, to [capture screen contents]
übernehmen [Übernahme eines Bildschirminhaltes]
grabber, screen grabber [for capturing screen content]
Bildschirmübernahme *f* [Übernahme des Bildschirminhaltes]
graded-index fiber [optical fiber of doped glass or quartz]
Gradientenfaser *f* [Lichtwellenfaser aus dotiertem Glas oder Quarz]
gradual failure [a failure that can be anticipated by prior examination or inspection]
Driftausfall *m* [ein Ausfall, der durch vorhergehende Prüfung oder Kontrolle vorausgesagt werden kann]
graduation
Stricheinteilung *f*
grain boundary [a lattice imperfection]
Korngrenze *f* [ein Gitterfehler]
grandparent [file, tree]
Großvater *m* [Datei, Baum]
graphic character
graphisches Zeichen *n*
graphic data processing
graphische Datenverarbeitung *f*
graphic device
graphisches Gerät *n*
graphic display
graphische Anzeige *f,* Graphikanzeige *f*
graphic display controller (GDC)
graphische Ansteuereinheit *f,* Graphikansteuereinheit *f*
graphic display memory (GDM)
Graphikspeicher *m,* Bildspeicher *m*
graphic display unit (GDU)
Graphikbildschirm *m,* Graphiksichtgerät *n*
graphic mode
Graphikmodus *m*
graphic primitive
graphisches Grundelement *n*
graphic terminal
Graphiksichtgerät *n*
graphic workstation
graphischer Arbeitsplatz *m*
graphical plotter
graphisches Zeichengerät *n*
graphics adapter, graphics board [display adapter]
Graphik-Adapter *m,* Graphikkarte *f* [Bildschirmadapter]

graphics processor
  Graphikprozessor *m*
grating [optics]
  Gitter *n* [Optik]
Gray code [a binary code for decimal digits in
  which, for minimizing scanning errors, the
  codes for consecutive numbers differ by only
  one bit]
  Gray-Code *m* [ein Binärcode für
  Dezimalziffern, der Abtastfehler dadurch
  verringert, daß sich zwei aufeinanderfolgende
  Zahlenwerte nur in einem Bit unterscheiden]
gray scale [allocates values for gray levels
  between black and white]
  Graustufen *f.pl.* [ordnet Werte für Graustufen
  zwischen schwarz und weiß]
gray-scale scanner
  Graustufen-Scanner *m*
grid [electron tube]
  Gitter *n* [Elektronenröhre]
grid [mechanical subdivision]
  Raster *m* [mechanische Einteilung]
grid spacing [e.g. spacing of holes on printed
  circuit boards]
  Rasterabstand *m* [z.B. Lochabstände auf
  Leiterplatten]
GRINSCH laser (graded index separate
  confinement heterostructure laser)
  [semiconductor laser]
  GRINSCH-Laser *m* [Halbleiterlaser]
ground
  Masse *f*
ground, to
  erden
ground plane [printed circuit boards]
  Masseebene *f* [Leiterplatten]
grounded
  geerdet
grounded at one terminal
  einpolig geerdet
grounding strap, wrist grounding strap
  Erdungsband *n*, Handgelenk-Erdungsband *n*
group delay time
  Gruppenlaufzeit *f*
growing process, crystal growing
  Züchtungsverfahren *n*, Kristallzüchten *n*
grown junction
  Junction between two semiconductor regions
  which is formed during the growth of a crystal
  from the melt.
  gezogener Übergang *m*
  Übergang zwischen zwei Halbleiterbereichen,
  der durch Ziehen eines Kristalls aus der
  Schmelze gebildet wird.
growth [epitaxy]
  Aufwachsen *n* [Epitaxie]
growth rate [epitaxy]
  Aufwachsgeschwindigkeit *f*, Aufwachsrate *f*
  [Epitaxie]

GTO thyristor (gate turn-off thyristor)
  GTO-Thyristor *m*, Abschaltthyristor *m*
guard digit
  Schutzziffer *f*
guard ring
  In bipolar Schottky-clamped integrated circuits
  a ring (p⁺-type with n-type semiconductor
  material) around the Schottky barrier diode to
  achieve higher breakdown voltages.
  Schutzring *m*
  Bei integrierten Bipolarschaltungen mit
  Klemmdioden ein Ring (P⁺- dotiert bei N-
  leitendem Halbleiter), der die Schottky-Diode
  umgibt, um höhere Durchschlagspannungen zu
  erzielen.
GUI (Graphical User Interface)
  GUI, graphische Benutzerschnittstelle *f*
Gunn diode [a semiconductor component based
  on the Gunn effect for use in the microwave
  range, specially as an oscillator]
  Gunn-Diode *f* [auf dem Gunn-Effekt
  beruhendes Halbleiterbauelement für den
  Einsatz im Mikrowellenbereich, insbesondere
  als Oszillator]
Gunn effect [causes very fast current variations
  in the GHz frequency range]
  Gunn-Effekt *m* [bewirkt sehr schnelle
  Stromschwankungen im GHz- Bereich]
Gunn oscillator
  Gunn-Oszillator *m*
GW-BASIC [BASIC version implemented by
  Microsoft]
  GW-BASIC [von Microsoft implementierte
  BASIC-Version]

H

H-level [high level in logic circuits; in positive logic the high level corresponds to logical 1, in negative logic it corresponds to logical 0]
H-Pegel m, H-Signal n [Hochpegel bei Logikschaltungen; bei der positiven Logik entspricht der Hochpegel dem Zustand logisch 1, bei der negativen Logik dem Zustand logisch 0]

H-level output
H-Signalausgang m

h-parameter, hybrid parameter
Parameter of the four-terminal network equivalent circuit of a transistor. There are four basic h-parameters: h_{11}, short-circuit input impedance; h_{12}, open-circuit reverse voltage transfer ratio; h_{21}, short-circuit forward current transfer ratio; h_{22}, open-circuit output admittance.
h-Parameter m, Hybridparameter m Kenngröße bei der Vierpol-Ersatzschaltbild-Darstellung von Transistoren. Die vier Grundparameter sind: h_{11}, Kurzschluß-Eingangsimpedanz; h_{12}, Leerlauf-Spannungsrückwirkung; h_{21}, Kurzschluß-Vorwärtsstromverstärkung; h_{22}, Leerlauf-Ausgangsadmittanz.

H-range [the high range of a binary signal]
H-Bereich m [der obere Bereich eines binären Signals]

half acceptance angle [optoelectronics]
Halbwertsempfangswinkel m [Optoelektronik]

half adder [has two inputs for adding two binary digits, producing a sum and a carry; in contrast to a full adder which has three inputs, a half-adder cannot handle a carry from a preceding digit place]
Halbaddierer m [besitzt zwei Eingänge für die Addition von zwei Binärziffern und bildet eine Summe und einen Übertrag; im Gegensatz zu einem Volladdierer, der drei Eingänge hat, kann ein Halbaddierer den Übertrag aus einer vorhergehenden Stelle nicht berücksichtigen]

half-amplitude duration [pulse duration at half amplitude]
Halbwertsbreitendauer f [Impulsdauer in halber Höhe]

half bridge [a bridge rectifier having e.g. diodes in two arms and resistors in the other two]
Halbbrücke f [Brückenschaltung mit z.B. Dioden in zwei und Widerständen in den beiden anderen Brückenzweigen]

half byte, nibble [4 bits in the case of an 8-bit byte]
Halbbyte n [Länge von 4 Bits bei einem 8-Bit-Byte]

half cycle
Halbwelle f, Halbperiode f, Halbschritt m

half duplex channel, bidirectional non-concurrent channel [data transmission]
Halbduplexkanal m [Datenübertragung]

half duplex operating mode, two-way alternate operation [data transmission in both directions alternately; in contrast to duplex or full-duplex operation]
Halbduplexbetrieb m, Wechselbetrieb m [Datenübertragung abwechselnd in beiden Richtungen; im Gegensatz zum Duplex- bzw. Vollduplexbetrieb]

half-intensity beam angle [optoelectronics]
Halbwertsabstrahlwinkel m [Optoelektronik]

half section [e.g. of a filter circuit]
Halbglied n [z.B. einer Filterschaltung]

half subtracter [a circuit analog to a half-adder]
Halbsubtrahierer m [eine Schaltung analog dem Halbaddierer]

half tone [graphics]
Halbtonverfahren n [Graphik]

half-wave power supply
Halbwellenstromversorgung f

half-wave rectifier
Halbwellengleichrichter m

half-wave voltage doubler
Halbwellenspannungsverdoppler m

half-wave voltage doubler circuit
Greinacher-Schaltung f, Delon-Schaltung f [Spannungsverdopplerschaltung]

half width [pulse technique: length of a pulse at half amplitude]
Halbwertsbreite f [Impulstechnik: die Länge eines Impulses in halber Höhe]

half word
Halbwort n

Hall constant, Hall coefficient
Hall-Konstante f

Hall effect [generation of a voltage perpendicular to the current in a current-carrying conductor crossing a magnetic field at right angles]
Hall-Effekt m [Auftreten einer Spannung senkrecht zum Strom in einem stromdurchflossenen Leiter, der ein Magnetfeld senkrecht kreuzt]

Hall effect device
Halleffektbauteil n

Hall effect sensor
Hallsensor m

Hall generator
Hallgenerator m

Hall mobility
Hall-Beweglichkeit f

Hall modulator
Hallmodulator m

Hall multiplier
Hallmultiplikator *m*
Hall voltage
Hall-Spannung *f*
halt instruction
Haltebefehl *m*
Hamming code [a code employing additional
check bits for detecting incorrectly transmitted
characters]
Hamming-Code *m* [Code, der zusätzliche
Prüfbits zur Erkennung fehlerhaft
übertragener Zeichen verwendet]
Hamming distance [number of places in which
two equally long code words differ; redundant
codes have a distance > 1, thus enabling
transmission errors to be automatically
detected and corrected]
Hamming-Abstand *m* [Anzahl Stellen, durch
die sich zwei Codewörter gleicher Länge
unterscheiden; Codes mit Redundanz haben
einen Abstand > 1 und ermöglichen eine
automatische Erkennung und Korrektur von
Übertragungsfehlern]
handheld computer
Hand-Rechner *m*
handheld unit
Handgerät *n*
handling
Handhabung *f*
hand-print recognizer
Handschriftleser *m*
handrest
Handauflage *f*
handset
Handapparat *m*
handshaking [method of coordinating the timing
of data transfer between two devices or
systems, e.g. between processor and peripheral
unit or between terminal and computer center]
Quittungsbetrieb *m,* Handshake-Verfahren *n*
[Verfahren zur zeitlichen Koordinierung der
Datenübergabe zwischen zwei Bausteinen oder
Systemen, z.B. zwischen Prozessor und
Peripheriegerät oder zwischen Terminal und
Rechenzentrum]
handshaking procedure
Identifizierungsdialog *m*
handshaking signal
Quittungssignal *n,* Handshake-Signal *n*
handwritten
handgeschrieben
handwriting
Handschrift *f*
hang up, to [unexpected halt in program]
aufhängen [unerwarteter Halt im Programm]
hard carriage return [closing each line with
carriage return character, in contrast to soft
carriage return]
harter Zeilenumbruch *m* [Abschluß jeder

Zeile mit Wagenrücklauf-Zeichen, im
Gegensatz zum weichen Zeilenumbruch]
hard copy [printed copy of file stored in
computer, e.g. program listing]
Papierkopie *f,* Hardcopy *f* [gedruckte Ausgabe
einer im Rechner gespeicherten Datei, z.B.
Programmauflistung]
hard disk configuration
Festplatten-Konfiguration *f*
hard disk controller
Festplatten-Controller *m*
hard disk partition
Festplatten-Partition *f,* Festplatten-
Speicherbereich *m*
hard hyphen, embedded hyphen, required
hyphen [normal hyphen contained in a
hyphened word, in contrast to discretionary or
soft hyphen]
harter Bindestrich *m* [im Wort enthaltener
normaler Bindestrich, im Gegensatz zum
weichem Bindestrich]
hard-limited integrator
Integrierer mit harter Begrenzung *m*
hard-sectored [marking of sectors on floppy
disks with holes that are optically scanned; in
contrast to soft-sectored]
hartsektoriert [Sektormarkierung auf
Disketten mittels Lochstanzungen, die optisch
abgetastet werden; im Gegensatz zu
weichsektoriert]
hard-wired [fixed wiring of functional units for
achieving required functions and sequences; in
contrast to freely programmable or stored
program]
festverdrahtet [feste Verdrahtung der
Funktionseinheiten, um geforderte Funktionen
und Abläufe zu verwirklichen; im Gegensatz zu
speicherprogrammiert]
hard-wired circuit [with fixed connections and
hence not easily alterable]
festverdrahtete Schaltung *f* [mit festen
Verbindungen und somit nicht leicht
veränderbar]
hard-wired logic [logic circuit with fixed
functions]
festverdrahtete Logik *f* [Logikschaltung mit
unveränderlichen Funktionen]
hardware [equipment in contrast to programs,
i.e. software]
Hardware *f* [der gerätetechnische Teil; im
Gegensatz zu den Programmen, d.h. zur
Software]
hardware assignment, device assignment
Gerätezuordnung *f,* Gerätezuweisung *f*
hardware bootstrap [program loader
implemented in ROM]
Hardware-Bootstrap *m,* Hardware-Urlader
m [in ROM implementiertes Ladeprogramm]
hardware check, automatic check, machine

check
automatische Geräteprüfung f,
Geräteselbstprüfung f
hardware configuration
Hardware-Anordnung f
hardware error, malfunction
Hardware-Fehler m, Maschinenfehler m
hardware key, dongle [hardware-based copy
protection, usually inserted in printer port]
Kopierschutzstecker m [wird meistens in
den Druckeranschluß eingesteckt]
hardware protection
Hardware-Sicherung f
harmless fault, harmless error
ungefährlicher Fehler m
harmonic content
Oberwellengehalt m
harmonic distortion [distortion due to
harmonics]
Klirrfaktor m [Verzerrung durch Oberwellen]
harmonics
Oberschwingungen f.pl.
Hartley circuit [oscillator circuit with feedback
via inductive voltage divider]
Hartley-Oszillatorschaltung f
[Oszillatorschaltung mit Rückkopplung über
induktiven Spannungsteiler; auch induktive
Dreipunktschaltung genannt]
hash addressing [calculation of the address by
transforming the key word, e.g. into a
corresponding numerical value via an
algorithm (hash algorithm)]
Hash-Adressierung f [Errechnen der Adresse
durch Transformation des jeweiligen
Schlüsselwortes, z.B. in einen entsprechenden
numerischen Wert über einen Algorithmus
(Hash-Algorithmus)]
hash algorithm
Hash-Algorithmus m
hash code
Hash-Code m
hash number [number used for rapid retrieval of
a record and obtained by transforming the
search key; the hash number is obtained via a
hash algorithm]
Quasizufallszahl f, Hash-Zahl f [zum raschen
Wiederfinden eines Datensatzes verwendete
Zahl, die durch eine Transformation des
Suchschlüssels gewonnen wird; die Hash-Zahl
erhält man über einen Hash-Algorithmus]
hash search
Hash-Suche f
hash table
Hash-Tabelle f
hash total, check sum, check total
Überschlagssumme f, Kontrollsumme f
hashing algorithm
Hashing-Algorithmus m
Hayes command codes [modem]

Hayes-Befehlssatz m [Modem]
HCI (human-computer interface)
Mensch-Rechner-Schnittstelle f
HCMOS technology (high-speed complementary
MOS technology)
Improved CMOS technology allowing the
fabrication of integrated circuits having
considerably higher switching speeds and
greater fan-out than those produced by
conventional CMOS technology.]
HCMOS-Technik f, Hochgeschwindigkeits-
CMOS-Technik f
Verbesserte CMOS-Technik, die die
Herstellung integrierter Schaltungen mit
erheblich höheren Schaltgeschwindigkeiten
und Ausgangslastfaktoren ermöglicht, als die
konventionelle CMOS-Technik.]
HD diskette, high-density diskette [stores 1.2
MB on 5.25" and 1.44 MB on 3.5" diskettes]
HD-Diskette f, High-Density-Diskette f
[speichert 1,2 MB auf 5.25"- und 1,44 MB auf
3,5"-Disketten]
HDLC (high-level data link control) [bit-oriented
data transmission protocol standardized by
ISO]
HDLC-Verfahren n [von der ISO genormtes,
bitorientiertes Protokoll für die
Datenübertragung]
head alignment [disk drive]
Kopfausrichtung f [Laufwerk]
head crash [hard disk drive]
Kopfaufsetzer m [Festplattenlaufwerk]
head parking [hard disk drive]
Kopfparken n [Festplattenlaufwerk]
head parking track [hard disk]
Parkspur f [Festplatte]
header [text at top of every printed page]
Kopfzeile f [Text am oberen Rand jeder
gedruckten Seite]
header label
Vorsatz m, Anfangsetikett n, Anfangskennsatz m
header label check
Vorsatzprüfung f
heading statement
Kopfanweisung f
heapsort algorithm
Heapsort-Algorithmus m
heat dissipation
Wärmeabfuhr f, Verlustwärme f
heat sink
Metal body used to absorb and dissipate heat
from electronic components.
Wärmeableiter m, Kühlkörper m
Metallischer Körper zur Aufnahme und
Ableitung von Verlustwärme aus
elektronischen Bauelementen.
helical scan recording [recording method for
magnetic tapes]

Schrägspuraufzeichnung f
[Aufzeichnungsverfahren für Magnetbänder]
help function
Hilfe-Funktion f
help menu
Hilfe-Menü n
HEMT (high electron-mobility transistor)
Extremely fast field-effect transistor with a heterostructure. A doped aluminium gallium arsenide layer is deposited by molecular beam epitaxy on undoped gallium arsenide. The heterojunction between them confines the electrons which diffuse from the AlGaAs layer to the undoped GaAs where they can move with great speed. Very fast transistors (with switching delay times of < 10 ps/gate) based on this principle and called MODFET, TEGFET and SDHT are being developed worldwide by various manufacturers.
HEMT [Transistor mit hoher Ladungsträgerbeweglichkeit]
Extrem schneller Feldeffekttransistor mit Heterostruktur. Auf undotiertem Galliumarsenid wird mit Hilfe der Molekularstrahlepitaxie eine dotierte Aluminium-Galliumarsenid-Schicht aufgebracht. Der Heteroübergang zwischen den beiden Strukturen hält die Elektronen, die aus der AlGaAs-Schicht diffundieren, in der undotierten GaAs-Schicht zurück, in der sie sich mit hoher Geschwindigkeit bewegen können. Sehr schnelle Transistoren (mit Schaltverzögerungszeiten von < 10 ps/Gatter) auf dieser Basis werden weltweit von verschiedenen Herstellern unter den Namen MODFET, TEGFET und SDHT entwickelt.
henry (H) [Si unit of inductance]
Henry n (H) [Si-Einheit der Induktivität]
Hercules graphics card, HGC [screen adapter]
Hercules-Graphikkarte f, HGC-Karte f [Bildschirmadapter]
hermetic package
hermetisches Gehäuse n, hermetisch dichtes Gehäuse n
hermetic sealing
hermetische Abdichtung f
hertz (Hz) [Si unit of frequency]
Hertz n (Hz) [SI-Einheit der Frequenz]
heterodiode
Heterodiode f
heteroepitaxial layer, heteroepitaxial film
heteroepitaktische Schicht f
heteroepitaxy
The growth of an epitaxial layer with a crystal structure which differs from that of the substrate on which it is deposited, e.g. the deposition of a silicon layer on a sapphire substrate.
Heteroepitaxie f

Das Aufwachsen einer epitaktischen Schicht aus einem Material, das eine andere Kristallstruktur aufweist als das Substrat, auf das es abgeschieden wird, z.B. das Aufbringen einer Siliciumschicht auf ein Saphirsubstrat.
heterojunction
Junction formed between two dissimilar semiconductor crystals which have different energy gaps between their valence and conduction bands, e.g. the junction between germanium and gallium arsenide.
Heteroübergang m
Der Übergang, der zwischen zwei verschiedenartigen Halbleiterkristallen entsteht, die unterschiedliche Energieabstände zwischen den Valenz- und Leitungsbändern haben, z.B. der Übergang zwischen Germanium und Galliumarsenid.
heterostructure laser [semiconductor laser]
Heterostrukturlaser m [Halbleiterlaser]
heuristic method [solution by trial and error]
heuristische Methode f [Problemlösung durch empirische Ermittlung]
heuristic programming
heuristische Programmierung f
heuristic rules, heuristics [rules of thumb used for simplifying problem solving]
heuristische Regeln f.pl., Heuristik f [Faustregeln zur Vereinfachung einer Problemlösung]
hexadecimal digit
Sedezimalziffer f, Hexadezimalziffer f
hexadecimal number system, hexadecimal notation [number system with the base 16 represented by the digits 0 to 9 and the letters A to F; has a simple relation to binary numbers when grouped in four, e.g. the binary number 1011 0101 has the simpler and shorter hexadecimal B5]
hexadezimales Zahlensystem n, sedezimales Zahlensystem n [Zahlensystem mit der Basis 16, das durch die Ziffern 0 bis 9 und die Buchstaben A bis F dargestellt wird; weist eine einfache Beziehung zu Binärzahlen auf, wenn sie in Vierergruppen aufgeteilt werden, z.B. Binärzahl 1011 0101 entspricht der kürzeren und einfacheren Hexadezimalzahl B5]
HEXFET (hexagonal cell MOS field-effect transistor)
Power MOSFET based on a multiplicity of hexagonal source cells with a double diffused channel. The source cells are parallel connected by a continuous sheet of metallization which forms the source terminal.
HEXFET [Feldeffekttransistor mit hexagonaler Zellenstruktur]
MOS-Leistungstransistor, der auf einer Vielzahl hexagonaler Source-Zellen mit doppeldiffundiertem Kanal basiert. Die Source-

Zellen sind über eine ununterbrochene
metallisierte Schicht, die den Sourceanschluß
bildet, parallelgeschaltet.
HGC (Hercules Graphics Card) [screen adapter]
HGC-Karte f, Hercules-Graphikkarte f
[Bildschirmadapter]
hidden file
unsichtbare Datei f
hide block
Block unsichtbar machen
hierarchical data base system
hierarchisches Datenbanksystem n
hierarchical file [file with tree structure]
hierarchische Datei f [Datei mit
Baumstruktur]
high address
höherwertige Adresse f
high-current thyristor
Hochstromthyristor m
high-current transistor
Hochstromtransistor m
high-density diskette, HD diskette [stores 1.2
MB on 5.25" and 1.44 MB on 3.5" diskettes]
High-Density-Diskette f, HD-Diskette f
[speichert 1,2 MB auf 5.25"- und 1,44 MB auf
3,5"-Disketten]
high-durability punched tape
Dauerlochstreifen m
high-energy electron
hochenergetisches Elektron n
high fidelity (HiFi)
hohe Wiedergabetreue f
high frequency, radio frequency (RF)
Hochfrequenz f (HF)
high-frequency amplifier
Hochfrequenzverstärker m
high-grade component
hochwertiges Bauteil n, hochwertiges
Bauelement n
high-impedance
hochohmig
high-level compiler
Übersetzer für höhere
Programmiersprachen m
high-level data link control (HDLC) [bit-
oriented data transmission protocol
standardized by ISO]
HDLC-Verfahren n [von der ISO genormtes,
bitorientiertes Protokoll für die
Datenübertragung]
high-level formatting [in contrast to low-level
formatting]
Formatierung f [im Gegensatz zur
Vorformatierung]
high-level language [a problem-oriented
language such as ALGOL, BASIC, COBOL,
FORTRAN, PASCAL, etc.; in contrast to a
machine-oriented language (assembler)]
höhere Programmiersprache f [eine

problemorientierte Sprache, wie ALGOL,
BASIC, COBOL, FORTRAN, PASCAL usw.; im
Gegensatz zu einer maschinenorientierten
Sprache (Assemblersprache)]
high-level to low-level propagation time
Laufzeit bei H/L-Pegelwechsel f
high-level to low-level transition time
Übergangszeit bei H/L-Pegelwechsel f
high memory area, HMA [first 64-kB segment
above 1 MB]
hoher Speicherbereich m [erstes 64-kB-
Segment oberhalb 1 MB]
high-noise immunity logic (HNIL)
HNIL-Schaltung f, störfeste Schaltung f
[logische Schaltung mit hoher Störsicherheit]
high-order bit
höherwertiges Bit n
high-order bit position
höchste Bitstelle f
high-order digit
Ziffer mit hohem Stellenwert f
high-pass filter
Hochpaßfilter n
high-performance MOS technology, HMOS
technology
Improved MOS technology allowing higher
packing densities in integrated circuit
fabrication.
Hochleistungs-MOS-Technik f, HMOS-
Technik f
Verbesserte MOS-Technik, die bei der
Herstellung integrierter Schaltungen eine
höhere Packungsdichte ermöglicht.
high range of a binary signal, H-range [the
more positive of the two levels of a binary
signal]
oberer Bereich eines binären Signals m, H-
Bereich m [der positivere der beiden Pegel
eines binären Signales]
high-resolution graphic display [with high
resolution for graphics]
hochauflösender Graphikbildschirm m
[mit hoher Auflösung für Graphik]
High Sierra standard [informal designation of
ISO standard for CD-ROM data structures]
High-Sierra-Standard m [informelle
Bezeichnung der ISO-Norm für die CD-ROM-
Dateistruktur]
high-speed access, immediate access
schneller Zugriff m
high-speed bus
Hochgeschwindigkeitsbus m
high-speed carry
Schnellübertrag m
high-speed complementary MOS technology,
HCMOS technology
Improved CMOS technology allowing the
fabrication of integrated circuits having
considerably higher switching speeds and

greater fan-out than those produced by
conventional CMOS technology.]
Hochgeschwindigkeits-CMOS-Technik *f,*
HCMOS-Technik *f*
Verbesserte CMOS-Technik, die die
Herstellung integrierter Schaltungen mit
erheblich höheren Schaltgeschwindigkeiten
und Ausgangslastfaktoren ermöglicht, als die
konventionelle CMOS-Technik.]
high-speed computer
Hochleistungsrechner *m*
high-speed integrated circuit (HSIC) [general
designation for very high-speed digital circuits]
Hochgeschwindigkeits-Schaltung *f,* HSIC-
Schaltung *f* [allgemeine Bezeichnung für sehr
schnelle digitale Schaltungen]
high-speed memory (HSM), high-speed storage,
fast-access storage, immediate-access storage,
zero-access storage
Schnellspeicher *m,* Schnellzugriffsspeicher
m, Speicher mit schnellem Zugriff *m*
high-speed printer
Schnelldrucker *m*
high-speed transistor-transistor logic
(HSTTL) [special TTL family of logic circuits
characterized by short propagation delays]
Transistor-Transistor-Logik mit hoher
Schaltgeschwindigkeit *f* (HSTTL) [spezielle
TTL-Schaltungsfamilie mit kurzen
Verzögerungszeiten]
high-threshold logic (HTL)
Logic family using higher supply voltages (15
V) than other logic families; characterized by
high noise immunity.
Logik mit hoher Schwellwertspannung *f*
(HTL)
Logikfamilie, bei der höhere
Versorgungsspannungen (15 V) als bei anderen
Logikfamilien verwendet werden; zeichnet sich
durch einen hohen Störabstand aus.
high voltage
Hochspannung *f*
high-voltage pulse
Hochspannungsimpuls *m*
highlight, to
hervorheben
highlighting
Hervorheben *n*
highly doped semiconductor
stark dotierter Halbleiter *m,* hochdotierter
Halbleiter *m*
highly integrated
hochintegriert
highway
Vielfachleitung *f,* Multiplexleitung *f*
hinged
aufklappbar
histogram, frequency bar chart [chart showing
frequency distribution by means of vertical

bars]
Histogramm *n* [Diagramm, das die
Häufigkeitsverteilung mittels vertikaler Säulen
zeigt]
hit rate
Trefferrate *f*
HJBT (heterojunction bipolar transistor)
Extremely fast transistor based on gallium
arsenide; the bipolar counterpart of the HEMT
field-effect transistor.
HJBT *m,* Bipolartransistor mit
Heteroübergang *m*
Extrem schneller Transistor auf
Galliumarsenidbasis; das bipolare Gegenstück
zum HEMT-Feldeffekttransistor.
HMOS technology (high performance MOS
technology)
Improved MOS technology allowing higher
packing densities in integrated circuit
fabrication.
HMOS-Technik *f,* Hochleistungs-MOS-
Technik *f*
Verbesserte MOS-Technik, die bei der
Herstellung integrierter Schaltungen eine
höhere Packungsdichte ermöglicht.
HNIL (high-noise immunity logic)
HNIL-Schaltung *f,* störfeste Schaltung *f*
[logische Schaltung mit hoher Störsicherheit]
hold, to
halten
hold mode
Betriebsart "Halten" *f*
hold time
Haltezeit *f*
holding circuit
Halteschaltung *f*
holding current
Haltestrom *m*
hole [semiconductor technology]
Vacancy left by an electron in the valence band
of a semiconductor and behaving like a mobile
positive charge.
Defektelektron *n,* Loch *n,* Elektronenlücke *f*
[Halbleitertechnik]
Fehlendes Elektron im Valenzband eines
Halbleiters, das wie eine bewegliche positive
Ladung wirkt.
hole concentration
Defektelektronenkonzentration *f*
hole conduction, p-type conduction
Charge transport by holes in a semiconductor.
Defektelektronenleitung *f,* Defektleitung *f,*
P-Leitung *f,* Löcherleitung *f*
Ladungstransport in einem Halbleiter durch
Defektelektronen (Löcher).
hole current
The electric current in a semiconductor due to
the migration of holes. Holes are positive
carriers.

Defektelektronenstrom m, Löcherstrom m
Der elektrische Strom in einem Halbleiter, der
durch Löcher (Defektelektronen) hervorgerufen
wird. Löcher sind positive Ladungsträger.

hole density
The density of holes in the valence band of a
semiconductor.
Defektelektronendichte f, Löcherdichte f
Die Dichte der fehlenden Elektronen im
Valenzband eines Halbleiters.

hole mobility
Defektelektronenbeweglichkeit f,
Löcherbeweglichkeit f

hole pattern [printed circuit boards]
Lochbild n [Leiterplatten]

hole trap
Defektelektronenhaftstelle f

holographic memory
Hologrammspeicher m

holography
Holographie f

home computer
Home-Computer m, Heimrechner m

hometaxial-base transistor
Homötaxialbasistransistor m

homoepitaxy
The growth of an epitaxial layer having the
same crystal structure as the substrate on
which it is deposited, e.g. the deposition of a
silicon layer on a silicon substrate.
Homöepitaxie f
Das Aufwachsen einer epitaktischen Schicht
auf einen Halbleiter, der die gleiche
Kristallstruktur aufweist wie das Substrat, auf
das es abgeschieden wird, z.B. das Aufbringen
einer Siliciumschicht auf ein Siliciumsubstrat.

homojunction
Junction in a semiconductor in which the p-
doped region and the n-doped region have the
same crystal structure.
Homoübergang m
Übergang in einem Halbleiter, in dem die P-
und N-dotierten Bereiche die gleiche
Kristallstruktur haben.

homopolar bond, covalent bond
Chemical bond (e.g. in a semiconductor crystal)
in which the binding forces result from the
sharing of electrons by a pair of neighbouring
atoms.
homöopolare Bindung f, kovalente Bindung f
Chemische Bindung (z.B. in einem
Halbleiterkristall), bei der die Bindungskräfte
durch Elektronen entstehen, die zwei
benachbarten Atomen gleichermaßen
angehören.

hook transistor [pnpn transistor having a much
higher current amplification than a pnp
transistor]
Hakentransistor m [PNPN-Transistor mit

einer im Vergleich zu einem PNP-Transistor
viel höheren Stromverstärkung]

horizontal check sum
Quersummenkontrolle f

Horn clause [logical programming]
Horn-Klausel f, Hornscher Satz m [logische
Programmierung]

host adapter [SCSI controller for connecting
several peripheral units to computer bus]
Host-Adapter m [SCSI-Controller für den
Anschluß mehrerer Peripheriegeräte an den
Rechnerbus]

host computer [central computer providing
services to terminals or satellite computers]
Host-Rechner m, Verarbeitungsrechner m
[zentraler Dienstleistungsrechner für die
Unterstützung von Datenstationen oder
Satellitenrechnern]

hot-air desoldering
Heißluftentlöten n

hot electron [electron in a semiconductor having
a drift energy that is higher than its thermal
energy]
heißes Elektron n [Elektron in einem
Halbleiter, dessen Driftenergie größer ist, als
seine thermische Energie]

hot-key [combination of keys for starting
memory resident program]
Hot-Key m [Ausführungstastenkombination
für ein speicherresidentes Programm]

hot spot temperature [film integrated circuits]
höchste Schichttemperatur f [integrierte
Schichtschaltungen]

hotline, user hotline [telephone line for
answering user questions]
Hotline f, Anwender-Hotline f
[Telephonleitung für die Beantwortung von
Anwenderfragen]

HPGL (Hewlett-Packard Graphics Language)
[standard command language for plotters]
HPGL [Standard-Befehlssprache für Plotter]

HPIB (Hewlett-Packard Interface Bus) [also
called GPIB bus, IEC bus or IEEE-488 bus]
HPIB [Standardbus, auch GPIB-Bus, IEC-Bus
oder IEEE-488-Bus genannt]

HSIC (high-speed integrated circuit) [general
designation for very high-speed digital circuits]
HSIC-Schaltung f, Hochgeschwindigkeits-
Schaltung f [allgemeine Bezeichnung für sehr
schnelle digitale Schaltungen]

HSM (high-speed memory), high-speed storage,
fast-access storage, immediate-access storage,
zero-access storage
Schnellspeicher m, Schnellzugriffsspeicher
m, Speicher mit schnellem Zugriff m

HSTTL (high-speed transistor-transistor logic)
[special TTL family of logic circuits
characterized by short propagation delays]
HSTTL [spezielle TTL-Schaltungsfamilie mit

kurzen Verzögerungszeiten]

HTL (high-threshold logic)
Logic family using higher supply voltages (15 V) than other logic families; characterized by high noise immunity.
HTL, Logik mit hoher Schwellwertspannung *f*
Logikfamilie, bei der höhere Versorgungsspannungen (15 V) als bei anderen Logikfamilien verwendet werden; zeichnet sich durch einen hohen Störabstand aus.

Huffman code, Huffman encoding
Huffman-Code *m*, Huffman-Codierung *f*

hum voltage, ripple voltage [interference voltage originating from the power supply]
Brummspannung *f* [Störspannung, die von der Stromversorgung herrührt]

human error, mistake
menschlicher Fehler *m*, Irrtum *m*

hunting
Pendeln *n*, Nachlauf *m*

hybrid circuit [consisting of integrated circuits and discrete components]
Hybridschaltung *f* [bestehend aus integrierten Schaltungen und diskreten Bauelementen]

hybrid computer [a computing system combining the operating modes of analog and digital computers]
Hybridrechner *m* [eine Rechneranlage, die die Arbeitsweise eines Analogrechners mit der eines Digitalrechners kombiniert]

hybrid integrated circuit
An integrated circuit in which the various circuit elements are produced by dissimilar technologies; e.g. a combination of a monolithic integrated circuit and a thin or thick film circuit.
hybride integrierte Schaltung *f*, integrierte Hybridschaltung *f*
Eine integrierte Schaltung, bei der die verschiedenen Schaltungselemente in unterschiedlichen Techniken hergestellt sind; z.B. eine Kombination aus monolithisch integrierter Schaltung mit einer Dünn- oder Dickschichtschaltung.

hybrid interface
hybride Schnittstelle *f*

hybrid microwave circuit
Hybridmikrowellenschaltung *f*

hybrid parameter, h-parameter
Parameter of the four-terminal network equivalent circuit of a transistor. There are four basic h-parameters: h_{11}, short-circuit input impedance; h_{12}, open-circuit reverse voltage transfer ratio; h_{21}, short-circuit forward current transfer ratio; h_{22}, open-circuit output admittance.
h-Parameter *m*, Hybridparameter *m*
Kenngröße bei der Vierpol-Ersatzschaltbild-Darstellung von Transistoren. Die vier Grundparameter sind: h_{11}, Kurzschluß-Eingangsimpedanz; h_{12}, Leerlauf-Spannungsrückwirkung; h_{21}, Kurzschluß-Vorwärtsstromverstärkung; h_{22}, Leerlauf-Ausgangsadmittanz.

hybrid technology
Hybridtechnik *f*

hypermedia [programm linking different media types, e.g. linking text information with audio and video information]
Hypermedia *n.pl.* [Programm mit Verbindungen zwischen verschiedenen Medienarten, z.B. Verbindungen zwischen Textinformation und Ton- sowie Bildinformationen]

hypertext [retrieval program with links between different text sections, or between text and picture sections, or between different information levels]
Hypertext *m* [Wiederauffindungsprogramm mit Verbindungen zwischen verschiedenen Textteilen, zwischen Text- und Bildteil oder zwischen verschiedenen Informationsebenen]

hypertext link [link in a hypertext system]
Hypertext-Verbindung *f* [Verbindung in einem Hypertextsystem]

hyphen
Bindestrich *m*

hyphenless justification [text formatting without hyphenation]
Trennung ohne Bindestrich *f* [Textformatierung ohne Worttrennungen]

hyphenation
Worttrennung *f*, Silbentrennung *f*

hyphenation program
Worttrennprogramm *n*, Silbentrennprogramm *n*

hysteresis
Hysterese *f*

hysteresis loop [graphical representation of the magnetic flux as a function of magnetizing force in ferromagnetic materials]
Hystereseschleife *f* [graphische Darstellung der magnetischen Feldstärke in Funktion der Magnetisierung bei ferromagnetischen Werkstoffen]

I

I²L (integrated injection logic)
Bipolar technology enabling large-scale integrated circuits with high packing density, high switching speed and low power consumption to be produced. The basic circuit configuration uses a vertical npn-transistor with multiple collectors serving as an inverter and a lateral pnp-transistor serving as current source by injecting minority carriers into the emitter region of the npn transistor. Also called MTL technology.
I²L, integrierte Injektionslogik *f*
Bipolare Technik, die die Herstellung von hochintegrierten Logikschaltungen mit hoher Packungsdichte, kurzen Schaltzeiten und kleinen Verlustleistungen ermöglicht. Die Grundschaltung verwendet einen vertikalen NPN-Transistor mit mehreren Kollektoren als Inverter und einen lateralen PNP-Transistor als Stromquelle, von der Minoritätsladungsträger in den Emitterbereich des NPN-Transistors injiziert werden. Wird auch MTL-Technik genannt.
I/O amplifier, input-output amplifier
E/A-Verstärker *m,* Ein-Ausgangs-Verstärker
I/O area, input-output area
E/A-Bereich *m,* Ein-Ausgabe-Bereich *m*
I/O buffering
E/A-Pufferung *f*
I/O bus
E/A-Bus *m*
I/O circuit, input-output circuit
E/A-Schaltung *f,* Ein-Ausgabe-Schaltung *f*
I/O control, input-output control
E/A-Steuerung *f,* Ein-Ausgabe-Steuerung *f*
I/O data buffer, input-output data buffer
E/A-Datenpuffer *m,* Ein-Ausgabe-Datenpuffer
I/O device, input-output device
E/A-Baustein *m,* E/A-Werk *n,* Ein-Ausgabe-Baustein *m*
I/O gate, input-output gate
E/A-Tor *n,* Ein-Ausgabe-Tor *n*
I/O gating, input-output gate
E/A-Gatter *n,* Ein-Ausgangs-Gatter *n*
I/O interface, input-output interface
E/A-Schnittstelle *f,* Ein-Ausgabe-Schnittstelle
I/O mapping
E/A-Abbildung *f*
I/O mode, input-output mode
E/A-Modus *m,* Ein-Ausgabe-Modus *m*
I/O port, input-output port
E/A-Anschluß *m,* Eingabe-Ausgabe-Anschluß
I/O processor, input-output processor
Additional processor assigned to a microprocessor to perform input-output operations.
E/A-Prozessor *m,* Ein-Ausgabe-Prozessor *m*
Zusätzlicher Prozessor, der einem Mikroprozessor zugeordnet ist, um Ein-Ausgabe-Operationen durchzuführen.
I/O queue, input-ouput queue
E/A-Warteschlange *f,* Ein-Ausgabe-Warteschlange *f*
I/O register
E/A-Register *m*
I/O statement, input-output statement
E/A-Anweisung *f,* Ein-Ausgabe-Anweisung *f*
I/O system, input-output system
E/A-System *n,* Ein-Ausgabe-System *n*
I/O unit, input-output unit
E/A-Einheit *f,* Ein-Ausgabe-Einheit *f*
IBE (ion beam etching [a dry etching process])
Ionenstrahlätzen *n* [ein Trockenätzverfahren]
IC (integrated circuit)
Electronic circuit that contains all active and passive circuit elements on a single piece of semiconductor material. Depending on their degree of integration, ICs belong to one of the following categories: SSI (small scale integration), MSI (medium scale integration), LSI (large scale integration), VLSI (very large scale integration), ULSI (ultra large scale integration) and WSI (wafer scale integration). Integrated circuits are also known as chips.
IC, Integrierte Schaltung *f*
Elektronische Schaltung, bei der alle aktiven und passiven Schaltungselemente auf einem einzigen Halbleiterplättchen enthalten sind. Je nach Integrationsgrad werden integrierte Schaltungen in folgende Kategorien eingeteilt: SSI (Kleinintegration), MSI (mittlere Integration), LSI (Großintegration), VLSI (Größtintegration), ULSI (Ultragrößtintegration) und WSI (Scheibenintegration). Integrierte Schaltungen werden auch als Chips bezeichnet.
IC fabrication, IC manufacturing
IC-Fertigung *f,* IC-Herstellung *f*
IC manufacturing technology
IC-Fertigungstechnik *f*
ICE (in-circuit emulator) [system for simulating the behaviour of a microprocessor; replaces the microprocessor in a development system]
systemeigene Emulation *f* [System zur Simulation des Verhaltens eines Mikroprozessors; wird anstelle des Mikroprozessors in einem Entwicklungssystem eingesetzt]
icon, pictogram [graphical symbol, e.g. for an application program]
Ikon *n,* Piktogramm *n,* Sinnbild *n,* Symbolbild *n* [graphisches Symbol z.B. für ein Anwendungsprogramm]

IDE controller, AT/IDE controller (Integrated Drive Electronics) [controller integrated in drive]
IDE-Controller *m*, AT/IDE-Controller *m* [im Festplattenlaufwerk integrierter Controller]
IDE interface
IDE-Schnittstelle *f*
identification division [one of the four main parts of a COBOL program]
Erkennungsteil *n* [eines der vier Hauptteile eines COBOL-Programmes]
identification marker, identifier
Kennung *f*
identifier, label, designation, tag
Kennzeichnung *f*
identify, to
bezeichnen, identifizieren
identity gate
Identitätsgatter *n*
idle status
Ruhestatus *m*
idle time
Leerzeit *f*
IEC, International Electrotechnical Commission
IEC, Internationale Elektrotechnische Kommission *f*
IEC bus [standard bus for general usage; also known as IEEE-488 bus, GPIB bus or HPIB bus]
IEC-Bus *m* [Standardbus für allgemeine Anwendungen; auch IEEE-488-Bus, GPIB-Bus oder HPIB-Bus genannt]
IEEE, Institute of Electrical and Electronics Engineers
IEEE [Vereinigung der Elektro- und Elektronik-Ingenieure in den USA]
IEEE-488 bus [also known as IEC bus]
IEEE-488-Bus *m* [auch als IEC-Bus bekannt]
IEEE-583/CAMAC bus (Computer Automated Measurement And Control) [standard bus and interfaces for instrumentation]
IEEE-583/CAMAC-Bus *m* [Standardbus und -Schnittstellen für Meßgeräte]
IF-AND-ONLY-IF, equivalence [logical operation having the output (result) 1 if and only if both inputs (operands) have the same value (0 or 1); for all other input values the output is 0]
Äquivalenz *f* [logische Verknüpfung mit dem Ausgangswert (Ergebnis) 1 wenn und nur wenn beide Eingänge (Operanden) den gleichen Wert (0 oder 1) haben; für alle anderen Eingangswerte ist der Ausgangswert 0]
IF statement
WENN-Anweisung *f*
IF-THEN gate
Implikationsglied *n*
IF-THEN operation, implication, conditional implication, inclusion
Logical operation having the output (result) 0 if

and only if the first input (operand) is 0 and the second is 1; for all other input values the output is 1.
Implikation *f*, IF-THEN-Verknüpfung *f*, Subjunktion *f*
Logische Verknüpfung mit dem Ausgangswert (Ergebnis) 0, wenn und nur wenn der erste Eingang (Operand) den Wert 0 und der zweite den Wert 1 hat; für alle anderen Eingangswerte ist der Ausgangswert 1.
IF-THEN rule
Wenn-dann-Regel *f*
IFL technology (integrated fuse logic technology)
A gate-array concept for producing semicustom integrated circuits, characterized by a high level of flexibility. The logic functions are defined as in FPLAs, PALs and PGAs by burning out fusible links.
IFL-Technik *f*
Ein Gate-Array-Konzept für die Herstellung von integrierten Semikundenschaltungen, das sich durch große Flexibilität auszeichnet. Die Festlegung der Logikfunktionen erfolgt wie bei FPLAs, PALs und PGAs durch Wegbrennen der Durchschmelzverbindungen.
IGFET (insulated gate field-effect transistor)
Field-effect transistor in which the gate is separated from the conducting channel by a thin dielectric barrier. A voltage applied to the gate terminal controls the current in the channel. IGFETs can be classified as n- or p-channel types and also as enhancement-mode or depletion-mode types.
IGFET, Isolierschicht-Feldeffekttransistor *m*
Feldeffekttransistor, bei dem das Gate durch eine dünne Isolierschicht vom stromführenden Kanal getrennt ist. Durch eine an die Gateelektrode angelegte Spannung wird der Strom im Kanal gesteuert. Man unterscheidet zwischen N- und P-Kanal-Typen sowie zwischen Anreicherungs- und Verarmungs-Typen.
ignore character, cancel character
Ungültigkeitszeichen *n*
ignore instruction
Ungültigkeitsbefehl *m*
IGT (insulated-gate transistor)
Family of power control integrated circuits using conductivity-modulated device technology; it combines bipolar and MOS structures on the same chip.
IGT [Transistor mit isoliertem Gate]
Integrierte Schaltungsfamilie der Leistungselektronik in CMD-Technik (Leitfähigkeitsmodulation), die mit Bipolar- und MOS-Strukturen auf dem gleichen Chip realisiert ist.
illegal character

unzulässiges Zeichen *n,* ungültiges Zeichen n
image, pattern
Abbild *n,* Muster *n*
image, to
abbilden
image backup, mirror backup [complete copy of data medium]
gespiegelte Sicherungskopie *f* [vollständige Kopie des Datenträgers]
image formation
Bildaufbau *m*
image processing
Bildverarbeitung *f*
image scanning, scanning
Bildabtastung *f*
image sensor, vision sensor
Bildsensor *m*
image storage
Bildspeicher *m*
imaginary part [of a complex expression]
Imaginärteil *n* [eines komplexen Ausdrucks]
imaging technique
Abbildungsverfahren *n*
imaging technique [printed circuit boards]
Abbildungsverfahren *n* [Leiterplatten]
IMG file format [graphic file format generated by GEM Paint (Digital Research)]
IMG-Dateiformat *n* [Graphik-Dateiformat erzeugt von GEM Paint (Digital Research)]
immediate address
unmittelbare Adresse *f*
immediate-access storage, zero-access storage
Schnellzugriffsspeicher *m*
immediate operand [operand consisting of instruction without address]
nichtadressierter Operand *m* [Operand, bestehend aus Befehl ohne Adresse]
immersion reflow soldering
Eintauchfließlöten *n*
IMOS technology (ion implanted MOS technology)
Process for manufacturing MOS transistors which uses ion implantation to produce a self-adjusting gate.
IMOS-Technik *f*
Technik für die Herstellung von MOS-Transistoren, bei der durch Ionenimplantation ein selbstjustierendes Gate hergestellt wird.
impact avalanche transit-time diode (IMPATT diode) [microwave semiconductor device]
Lawinenlaufzeitdiode *f,* IMPATT-Diode *f* [Halbleiterbauteil für den Mikrowellenbereich]
impact ionization
Stoßionisation *f*
impact printer [e.g. matrix printer or daisy-wheel printer]
mechanischer Drucker *m* [z.B. Matrixdrucker oder Typenraddrucker]

IMPATT diode (impact avalanche transit time diode) [microwave semiconductor device]
IMPATT-Diode *f,* Lawinenlaufzeitdiode *f* [Halbleiterdiode für den Mikrowellenbereich]
impedance
Impedanz *f,* Scheinwiderstand *m*
impedance coupling
Impedanzkopplung *f*
impedance matching
Widerstandsanpassung *f,* Impedanzanpassung *f*
impedance matching device
Transformationsglied *n*
impedance transformer
Impedanzwandler *m*
imperfection, void [printed circuit board], bad spot [magnetic tape],
Fehlstelle *f* [Leiterplatte, Magnetband]
imperfection [semiconductor technology]
Disordered arrangement of atoms in a semiconductor crystal; can be due e.g. to foreign impurity atoms or defects in the lattice structure.
Fehlordnung *f* [Halbleitertechnik]
Fehlerhafte Anordnung der Atome im Halbleiterkristall; sie kann z.B. durch Störstellen oder Kristallaufbaufehler entstehen.
implantation
Implantation *f,* Implantieren *n*
implantation energy [ion implantation]
Implantationsenergie *f* [Ionenimplantation]
implanted ion
implantiertes Ion *n*
implanted layer [layer in a semiconductor crystal which has been doped by ion implantation]
implantierte Schicht *f* [eine durch Ionenimplantation dotierte Schicht in einem Halbleiterkristall]
implanted region
implantierter Bereich *m*
implausible
nicht plausibel
implement, to [make ready for application]
implementieren, realisieren [einsatzfähige Bereitstellung]
implementation
Implementieren *n*
implementation language [programming language for producing system programs]
Implementierungssprache *f* [Programmiersprache für die Erstellung von Systemprogrammen]
implication, IF-THEN operation, conditional implication, inclusion
Logical operation having the output (result) 0 if and only if the first input (operand) is 0 and the second is 1; for all other input values the output

is 1.
Implikation *f*, IF-THEN-Verknüpfung *f*,
Subjunktion *f*
Logische Verknüpfung mit dem Ausgangswert
(Ergebnis) 0, wenn und nur wenn der erste
Eingang (Operand) den Wert 0 und der zweite
den Wert 1 hat; für alle anderen Eingangswerte
ist der Ausgangswert 1.
implicit
  implizit
implicit statement
  implizite Anweisung *f*
implied addressing [microprocessor addressing
mode; an address contained within an
instruction]
  implizierte Adressierung *f*
  [Adressierungsart eines Mikroprozessors; im
  Befehl enthaltene Adresse]
impregnate, to
  imprägnieren
impregnating machine
  Imprägniermaschine *f*
impressed current
  eingeprägter Strom *m*
impressed voltage
  eingeprägte Spannung *f*
improper fraction
  unechter Bruch *m*
improperly formatted, invalid format
  falsch formatiert
impurity, dopant atom, foreign atom
[semiconductor technology]
  In semiconductors, an atom of a chemical
  element other than the crystal into which it has
  been introduced for doping purposes, e.g. a
  boron atom in a silicon crystal.
  Fremdatom *n* [Halbleitertechnik]
  Bei Halbleitern ein zu Dotierungszwecken in
  ein Kristallgitter eingebrachtes Atom eines
  anderen chemischen Elementes, z.B. ein
  Boratom in ein Siliciumkristall.
impurity, imperfection [semiconductor
technology]
  An impurity atom or a lattice imperfection in a
  semiconductor crystal.
  Störstelle *f* [Halbleitertechnik]
  Fremdatom oder Gitterfehler in einem
  Halbleiterkristall.
impurity compensation
  The addition of donors to a p-type
  semiconductor or of acceptors to an n-type
  semiconductor to reduce or compensate the
  effect of existing doping properties or to reverse
  the type of conduction.
  Störstellenkompensation *f*
  Das Einbringen von Donatoren in einen P-
  Halbleiter oder von Akzeptoren in einen N-
  Halbleiter, um die Wirkung der vorhandenen
  Dotierung abzuschwächen, zu kompensieren

oder den Leitungstyp umzukehren.
impurity concentration
  Störstellenkonzentration *f*
impurity concentration profile
  Dotierungsprofil *n*
impurity density
  Störstellendichte *f*
impurity diffusion
  The introduction of impurity atoms into a
  semiconductor by diffusion.
  Störstellendiffusion *f*
  Das Einbringen von Fremdatomen in einen
  Halbleiter durch Diffusion.
impurity exhaustion
  Störstellenerschöpfung *f*
impurity level
  Störstellenniveau *n*
IMR (interrupt mask register) [determines which
interrupt requests marked in the interrupt
register become effective]
  Unterbrechungsmaskenregister *n*
  [bestimmt welche im Unterbrechungsregister
  gekennzeichneten
  Unterbrechungsanforderungen wirksam
  werden]
In (indium)
  Metallic element used as a dopant impurity
  (acceptor atom).
  In *n* (Indium)
  Metallisches Element, das als Dotierstoff
  (Akzeptoratom) verwendet wird.
in-circuit emulator (ICE) [system for
simulating the behaviour of a microprocessor;
replaces the microprocessor in a development
system]
  systemeigene Emulation *f* [System zur
  Simulation des Verhaltens eines
  Mikroprozessors; wird anstelle des
  Mikroprozessors in einem Entwicklungssystem
  eingesetzt]
in-circuit test (ICT) [process for testing
electronic assemblies]
  ICT *n* [Verfahren für die Prüfung von
  elektronischen Baugruppen]
in-phase [e.g. signals]
  gleichphasig [z.B. Signale]
in-situ alignment
  Abgleich nach Einbau *m*
inactive DO-loop [FORTRAN]
  inaktive Schleife *f* [FORTRAN]
inactive window
  inaktives Fenster *n*
InAs (indium arsenide)
  Compound semiconductor used for
  optoelectronic components.
  InAs *n* (Indiumarsenid)
  Verbindungshalbleiter für Bauteile der
  Optoelektronik.
incidental time

Nebenzeit f
inclusion, IF-THEN operation, implication, conditional implication
Logical operation having the output (result) 0 if and only if the first input (operand) is 0 and the second is 1; for all other input values the output is 1.
Implikation f, IF-THEN-Verknüpfung f, Subjunktion f
Logische Verknüpfung mit dem Ausgangswert (Ergebnis) 0, wenn und nur wenn der erste Eingang (Operand) den Wert 0 und der zweite den Wert 1 hat; für alle anderen Eingangswerte ist der Ausgangswert 1.
inclusion [printed circuit boards]
Einschluß m [Leiterplatten]
inclusive-OR, disjunction, Boolean add, logical add [logical operation having the output (result) 0 if and only if each input (operand) has the value 0; for all other input (operand) values the output (result) is 1]
inklusives ODER n, Disjunktion f [logische Verknüpfung mit dem Ausgangswert (Ergebnis) 0, wenn und nur wenn jeder Eingang (Operand) den Wert 0 hat; für alle anderen Eingangswerte (Operandenwerte) ist der Ausgang (das Ergebnis) 1]
inclusive-OR circuit
inklusives ODER-Gatter n
incompatibility
Unverträglichkeit f, Inkompatibilität f
incorrect diagnostics
Fehldiagnose f
increment
Inkrement n, Zuwachs m
increment, to [increase by steps, e.g. by 1]
inkrementieren, erhöhen [stufenweise Erhöhung, z.B. um 1]
incremental integrator
Inkrementenintegrierer m
indent, to [text]
einrücken [Text]
indentation [of text]
Einzug m [von Text]
index [list of key items of stored data and the related addresses]
Index m, Indextabelle f [Liste der Kennbegriffe der gespeicherten Daten und der dazugehörenden Adressen]
index, to; subscript, to
indizieren
index name, subscript name
Indexname m
index register [register used for modifying addresses, initializing program branching, etc.]
Indexregister n [Register, das zur Adreßänderung, zum Einleiten von Programmverzweigungen usw. verwendet wird]
index storage

Indexspeicher m
index track [e.g. of a magnetic storage medium]
Indexspur f [z.B. eines magnetischen Speichermediums]
indexed
indiziert
indexed address
indizierter Zugriff m
indexed addressing [microprocessor addressing mode; the index register content is added to the address part of the instruction to obtain the actual address]
indizierte Adressierung f [Mikroprozessor-Addressierungsart; der Indexregisterinhalt wird zum Adressenteil des Befehls addiert, um die tatsächliche Adresse zu erhalten]
indexed file
indizierte Datei f
indexed sequential access
indiziert-sequentieller Zugriff m, indexsequentieller Zugriff m
indexed sequential access method (ISAM) [based on a combination of direct access to an index and sequential access to the records stored under that index]
indiziert-sequentielle Zugriffsmethode f (ISZM), indexsequentielle Zugriffsmethode f [basiert auf einer Kombination von direktem Zugriff auf einen Index und sequentiellem Zugriff auf Datensätze, die unter diesem Index gespeichert sind]
indexed sequential file [a file stored sequentially and having direct access to an index]
indiziert-sequentielle Datei f, indexsequentielle Datei f [eine sequentiell gespeicherte Datei mit direktem Zugriff auf einen Index]
indexed sequential storage
indiziert-sequentielle Speicherung f, indexsequentielle Speicherung f
indexing
Indizierung f
indirect address [address pointing to a storage location containing a second address; in contrast to direct address]
indirekte Adresse f [Adresse, die auf einen Speicherplatz hinweist, der eine zweite Adresse enthält; im Gegensatz zur direkten Adresse]
indirect addressing
indirekte Adressierung f
indirect plug connector
indirekter Steckverbinder m
indium (In)
Metallic element used as a dopant impurity (acceptor atom).
Indium n (In)
Metallisches Element, das als Dotierstoff (Akzeptoratom) verwendet wird.

indium antimonide (InSb)
Compound semiconductor used for
optoelectronic components (e.g. infrared-
emitting diodes) and Hall effect devices.
Indiumantimonid n (InSb)
Verbindungshalbleiter, der als
Ausgangsmaterial für optoelektronische
Bauelemente (z.B. Lumineszenzdioden für den
nahen Infrarotbereich) und Halleffektbauteile
verwendet wird.
indium arsenide (InAs)
Compound semiconductor used for
optoelectronic components.
Indiumarsenid n (InAs)
Verbindungshalbleiter für Bauteile der
Optoelektronik.
indium phosphide (InP)
Compound semiconductor used for producing
optoelectronic components, e.g. photodetectors
and infrared-emitting diodes.
Indiumphosphid n (InP)
Verbindungshalbleiter für die Herstellung von
optoelektronischen Bauteilen, z.B. für
Photodetektoren und Lumineszenzdioden für
den nahen Infrarotbereich.
inductance
Induktivität f
induction
Induktion f
inductive coupling
induktive Kopplung f
inductive system [an artificial intelligence
system whose knowledge base comprises
exemplary cases]
Induktionssystem n [ein System der
künstlichen Intelligenz, dessen Wissensbasis
aus Fallbeispielen besteht]
inductor, choke
Drossel f
industrial electronics
Industrielektronik f, industrielle Elektronik f
industrial robot
Industrieroboter m
ineffective, inoperative
unwirksam
inert gas atmosphere
Schutzgasatmosphäre f
inference engine [artificial intelligence]
Inferenzmaschine f,
Schlußfolgerungsmaschine f [künstliche
Intelligenz]
infinite series
unendliche Reihe f
information content
Informationsgehalt m
information density, packing density
Informationsdichte f
information entropy [a measure for the
average information content]

Informationsentropie f [ein Maß für den
mittleren Informationsgehalt]
information processing
Informationsverarbeitung f
information rate
Informationsfluß m
information retrieval
Informationswiedergewinnung f
information retrieval system
Informationswiedergewinnungssystem n
information source
Informationsquelle f
information theory [mathematical theory of
information processing and storage]
Informationstheorie f [mathematische
Theorie der Verarbeitung und Speicherung von
Informationen]
information transmission, information
transfer
Informationsübertragung f
infrared-emitting diode (IRED)
Light-emitting diode, usually based on gallium
arsenide, that emits in the near infrared region
of the spectrum. Special infrared-emitting
diodes are used for optical data transmission
via fiber-optic cables.
Infrarotlumineszenzdiode f (IRED)
Lumineszenzdiode, meistens auf
Galliumarsenidbasis, die im nahen infraroten
Bereich des Spektrums emittiert. Spezielle
Infrarotlumineszenzdioden werden unter
anderem für die optische Datenübertragung
über Lichtwellenleiter eingesetzt.
infrared mouse
Infrarot-Maus f
inherent distortion
Eigenverzerrung f
inheritance [in object oriented programming:
passing on class properties to derived classes]
Vererbung f [bei der objektorientierten
Programmierung: die Weitergabe von
Klasseneigenschaften an abgeleitete Klassen]
inherited error
mitgeschleppter Fehler m
inhibit, disable [inputs or outputs]
Sperren n, Abschalten n [Ein- bzw. Ausgänge]
inhibit circuit, inhibiting circuit [a circuit
producing an inhibit pulse or a disabling signal]
Sperrschaltung f, Inhibitschaltung f [eine
Schaltung, die ein Inhibitimpuls bzw. ein
Sperrsignal erzeugt]
inhibit input, disabling input [of a logic circuit]
Inhibiteingang m, Sperreingang m [einer
logischen Schaltung]
inhibit pulse, disable pulse, disabling signal
[prevents the execution of an operation, e.g. in
a logic circuit]
Inhibitimpuls m, Sperrimpuls m, Sperrsignal
n [verhindert die Ausführung einer Operation,

z.B. in einer logischen Schaltung]
nhibiting signal
  Blockiersignal n
nhibition [circuit], blocking [semiconductors]
  Sperrung f
nitial address, start address
  Anfangsadresse f
nitial condition
  Anfangsbedingung f
nitial condition code
  Anfangsbedingungscode m
nitial input
  Ersteingabe f
nitial line [of a statement]
  Anfangszeile f [einer Anweisung]
nitial parameter
  Anfangsparameter m
nitial point
  Anfangspunkt m
nitial program loader (IPL), bootstrap loader
  [a loading program (utility routine) started
  when the computer is switched on and used for
  loading the operating system, etc.]
  Anfangslader m, Urlader m,
  Urprogrammlader m, Bootstrap-Lader m [ein
  Ladeprogramm (Dienstprogramm), das nach
  dem Einschalten des Rechners gestartet und
  u.a. für das Laden des Betriebssystems
  verwendet wird]
initial run
  Erstdurchlauf m
initial state
  Grundzustand m
initial value
  Anfangswert m
initiate, to[data transfer, program loading, etc.]
  einleiten, auslösen [Datentransfer,
  Programmladen usw.]
initiate signal
  Auslösesignal n
initialization [computer: initial program
  loading; disk, floppy disk: to format, test and
  label; registers, counters: set to initial value]
  Initialisierung f [Rechner: Urladen bzw.
  Betriebssystem laden; Platte, Diskette:
  formatieren, prüfen und kennzeichnen;
  Register, Zähler: Setzen auf Startwert]
initialization program
  Einleitungsprogramm n
initialization routine
  Einleitungsroutine f
initialize, to [set addresses, counters, etc. to an
  initial value, e.g. to zero]
  initialisieren, normieren [Setzen von
  Adressen, Zählern usw. auf einen Startwert,
  z.B. auf Null]
initially created
  erstmalig erstellt
injection [semiconductor technology]

The introduction of additional charge carriers
into a semiconductor.
  Injektion f [Halbleitertechnik]
  Das Einbringen zusätzlicher Ladungsträger in
  einen Halbleiter.
injection current
  Injektionsstrom m
injection efficiency
  Injektionswirkungsgrad m
injection logic
  Injektionslogik f
injector
  Injektor m
ink-jet printer
  Non-impact printer in which alphanumeric
  characters are formed by electrostatic
  acceleration of ink particles from one or more
  nozzles.
  Tintenstrahldrucker m
  Nichtmechanischer Drucker, bei dem die
  alphanumerischen Zeichen durch
  elektrostatisch beschleunigte Tintentröpfchen,
  die aus einer oder mehreren Düsen austreten,
  gebildet werden.
inoperable, inoperative
  funktionsunfähig
InP (indium phosphide)
  Compound semiconductor used for producing
  optoelectronic components, e.g. photodetectors
  and infrared-emitting diodes.
  InP n (Indiumphosphid)
  Verbindungshalbleiter für die Herstellung von
  optoelektronischen Bauteilen, z.B. für
  Photodetektoren und Lumineszenzdioden für
  den nahen Infrarotbereich.
input
  Eingabe f, Eingang m
input address buffer
  Eingabeadreßpuffer m
input admittance [reciprocal value of input
  impedance]
  Eingangsscheinleitwert m,
  Eingangsadmittanz f [Kehrwert der
  Eingangsimpedanz]
input amplifier
  Eingangsverstärker m
input buffer, input buffer storage
  Eingabepuffer m, Eingabepufferspeicher m
input buffer register
  Eingabepufferregister n
input capacitance
  Eingangskapazität f
input characteristic [relation between direct
  current and direct voltage at the input of a
  semiconductor device, e.g. base dc current as a
  function of base-emitter dc voltage of a pnp-
  transistor]
  Eingangskennlinie f [Zusammenhang
  zwischen Gleichstrom und Gleichspannung am

Eingang eines Halbleiterbausteins, z.B. Basis-Gleichstrom in Funktion der Basis-Emitter-Spannung eines PNP-Transistors]

input configuration of a binary circuit
Eingangskonfiguration einer Binärschaltung *f*

input current
Eingangsstrom *m*

input data
Eingangsdaten *n.pl.*, Eingabedaten *n.pl.*

input data control
Eingangsdatensteuerung *f*

input device
Eingabegerät *n*

input drift
Eingangsdrift *f*

input field
Eingabefeld *n*

input file
Eingabedatei *f*

input gate, input port
Eingangstor *n*

input impedance
Eingangsimpedanz *f*

input instruction, read instruction [for data transfer, e.g. from external storage or input unit into main storage]
Eingabebefehl *m*, Lesebefehl *m* [für den Datentransfer aus einem externen Speicher oder Eingabegerät in den Hauptspeicher]

input keyboard
Eingabetastatur *f*

input level
Eingangspegel *m*

input load
Eingangsbelastung *f*

input manually, to
eingeben von Hand

input medium [data medium]
Eingabemedium *n* [Datenträger]

input mode
Eingabemodus *m*

input noise voltage
Eingangsrauschspannung *f*

input offset current
Eingangsnullstrom *m*, Eingangs-Offset-Strom *m*

input offset voltage
Eingangsnullspannung *f*

input-output amplifier, I/O amplifier
Ein-Ausgangs-Verstärker *m*, E/A-Verstärker *m*

input-output area, I/O area
Ein-Ausgabe-Bereich *m*, E/A-Bereich *m*

input-output bus, I/O bus
Ein-Ausgabe-Bus *m*, E/A-Bus *m*

input-output circuit, I/O circuit
Ein-Ausgabe-Schaltung *f*, E/A-Schaltung *f*

input-output control, I/O control

Ein-Ausgabe-Steuerung *f*, E/A-Steuerung *f*

input-output data buffer, I/O data buffer
Ein-Ausgabe-Datenpuffer *m*, E/A-Datenpuffer *m*

input-output device, I/O device
Ein-Ausgabe-Baustein *m*, Ein-Ausgabe-Werk *n*, E/A-Baustein *m*, E/A-Werk *n*

input-output driver, I/O driver
Ein-Ausgabe-Treiber *m*, E/A-Treiber *m*

input-output gate, I/O gate
Ein-Ausgabe-Tor *n*, E/A-Tor *n*

input-output gating, I/O gating
Ein-Ausgangs-Gatter *n*, E/A-Gatter *n*

input-output instruction I/O instruction
Ein-Ausgabe-Anweisung *f*, E/A-Anweisung *f*

input-output interface, I/O interface
Ein-Ausgangs-Schnittstelle *f*, E/A-Schnittstelle *f*

input-output port, I/O port [for external units]
Ein-Ausgabe-Anschluß *m*, E/A-Anschluß *m* [für externe Geräte]

input-output processor, I/O processor
Additional processor assigned to a microprocessor to perform input-output operations.
Ein-Ausgabe-Prozessor *m*, E/A-Prozessor *m*
Zusätzlicher Prozessor, der einem Mikroprozessor zugeordnet ist, um Ein-Ausgabe-Operationen durchzuführen.

input-output queue, I/O queue
Ein-Ausgabe-Warteschlange *f*, E/A-Warteschlange *f*

input-output system, I/O system
Ein-Ausgabe-System *n*, E/A-System *n*

input-output unit, I/O unit
Ein-Ausgabe-Einheit *f*, E/A-Einheit *f*

input parameter
Eingangskenngröße *f*

input power
Eingangsleistung *f*

input program [special program for reading in data]
Eingabeprogramm *n* [spezielles Programm für das Einlesen von Daten]

input record
Eingabebeleg *m*

input resistance
Eingangswiderstand *m*

input sensitivity
Eingabefeinheit *f*

input signal
Eingangssignal *n*

input stage
Eingangsstufe *f*

input storage
Eingabespeicher *m*

input terminal [e.g. of a digital circuit]
Eingangsanschluß *m* [z.B. einer Digitalschaltung]

input unit
  Eingabeeinheit *f*
input variable [signal parameter, e.g. voltage]
  Eingangsgröße *f* [Signalparameter, z.B.
  Spannung]
input voltage
  Eingangsspannung *f*
input voltage range
  Einstellbereich der
  Eingangsnullspannung *m*
inquiry specifier
  Abfrageparameter *m*
inquiry statement
  Abfrageanweisung *f*
inquiry station
  A terminal for interrogation purposes, i.e. for
  dialog with the computer.
  Abfragestation *f*
  Eine Datenstation, die für Abfragen, d.h. für
  den Dialog mit dem Rechner eingesetzt wird.
inrush current [peak value of current after
  switching on]
  Einschaltstrom *m*, Einschaltstromstoß *m*
  [Spitzenwert des Stromes nach dem
  Einschalten]
InSb (indium antimonide)
  Compound semiconductor used for
  optoelectronic components (e.g. infrared-
  emitting diodes) and Hall effect devices.
  InSb *n* (Indiumantimonid)
  Verbindungshalbleiter, der als
  Ausgangsmaterial für optoelektronische
  Bauelemente (z.B. Lumineszenzdioden für den
  nahen Infrarotbereich) und Halleffektbauteile
  verwendet wird.
insert, to [additional characters or text]
  einfügen [zusätzliche Zeichen oder Texte
  einsetzen]
insertion
  Einschiebung *f*
insertion character
  Einfügungszeichen *n*
insertion point
  Einfügestelle *f*
insertion tool [for components]
  Bestückungswerkzeug *n* [für Bauteile]
inside margin
  innerer Rand *m*
inside vapour-phase oxidation process
  (IVPO) [a process used for the production of
  glass fibers]
  IVPO-Verfahren *n* [Verfahren, das bei der
  Herstellung von Glasfasern eingesetzt wird]
instable state
  instabiler Zustand *m*
installation [of a system]
  Installation *f*, Aufstellung *f* [einer Anlage]
instance [in object oriented programming: a
  concrete example of a class]

Instanz *f* [bei der objektorientierten
  Programmierung: ein konkretes Beispiel einer
  Klasse]
instantaneous value
  Momentanwert *m*
instruction [a programming instruction
  specifying an operation]
  Befehl *m* [eine Programmieranweisung zur
  Ausführung einer Operation]
instruction address [address of storage location
  of the instruction]
  Befehlsadresse *f* [Adresse des Speicherplatzes
  des Befehls]
instruction address register (IAR)
  Befehlsadressenregister *n*
instruction block [a group of instructions]
  Befehlsblock *m* [eine Gruppe von Befehlen]
instruction chaining [running several
  instructions without intermediary of the CPU]
  Befehlskettung *f* [Ablauf mehrerer Befehle
  ohne Mitwirkung der Zentraleinheit]
instruction cycle
  Befehlszyklus *m*
instruction decoder
  Befehlsdecodierer *m*
instruction execution
  Befehlsausführung *f*, Befehlsabarbeitung *f*
instruction execution time
  Befehlsausführungszeit *f*,
  Befehlsabarbeitungszeit *f*
instruction format [sequence and type of
  constituents of an instruction word]
  Befehlsaufbau *m*, Befehlsformat *n*
  [Reihenfolge und Art der Bestandteile eines
  Befehlswortes]
instruction length [length of an instruction
  word in bits]
  Befehlslänge *f* [Länge eines Befehlswortes in
  bits]
instruction list [table of all instructions with
  description of functions]
  Befehlsliste *f* [Verzeichnis aller Befehle mit
  Beschreibung der Funktionen]
instruction modification
  Befehlsänderung *f*
instruction register [stores the instruction
  during its execution]
  Befehlsregister *n* [speichert den Befehl
  während seiner Ausführung]
instruction sequence
  Befehlsfolge *f*
instruction set [the complete set of instructions
  of a computer or of a programming language]
  Befehlsvorrat *m* [Gesamtheit der Befehle
  eines Rechners oder einer
  Programmiersprache]
instruction word
  Befehlswort *n*
instrument transformer

Meßwandler *m*
instrumentation magnetic tape
Magnetband zur Meßwertspeicherung *n*
insulated-gate field-effect transistor (IGFET)
Field-effect transistor in which the gate is
separated from the conducting channel by a
thin dielectric barrier. A voltage applied to the
gate terminal controls the current in the
channel. IGFETs can be classified as n- or p-
channel types and also as enhancement-mode
or depletion-mode types.
Isolierschicht-Feldeffekttransistor *m*
(IGFET)
Feldeffekttransistor, bei dem das Gate durch
eine dünne Isolierschicht vom stromführenden
Kanal getrennt ist. Durch eine an die
Gateelektrode angelegte Spannung wird der
Strom im Kanal gesteuert. Man unterscheidet
zwischen N- und P-Kanal-Typen sowie
zwischen Anreicherungs- und Verarmungs-
Typen.
insulated gate transistor (IGT)
Family of power control integrated circuits
using conductivity-modulated device
technology; it combines bipolar and MOS
structures on the same chip.
IGT [Transistor mit isoliertem Gate]
Integrierte Schaltungsfamilie der
Leistungselektronik in CMD-Technik
(Leitfähigkeitsmodulation), die mit Bipolar-
und MOS-Strukturen auf dem gleichen Chip
realisiert ist.
insulating resistance
Isolationswiderstand *m*
insulating sleeve
Isolierschlauch *m*
insulation
Isolierung *f*
insulation resistance degradation, IR
degradation
Abbau des Isolationswiderstandes *m*
insulator
Isolator *m*
integer number, integer
ganze Zahl *f,* **Ganzzahl** *f*
integer part
ganzzahliger Teil *m*
integer variable
Ganzzahlvariable *f*
integral equation, integral calculus
Integralgleichung *f,* **Integralrechnung** *f*
integral sign
Integralzeichen *n*
integrated capacitor
integrierter Kondensator *m*
integrated circuit (IC)
Electronic circuit that contains all active and
passive circuit elements on a single piece of
semiconductor material. Depending on their

degree of integration, ICs belong to one of the
following categories: SSI (small scale
integration), MSI (medium scale integration),
LSI (large scale integration), VLSI (very large
scale integration), ULSI (ultra large scale
integration) and WSI (wafer scale integration).
Integrated circuits are also known as chips.
Integrierte Schaltung *f* (IC)
Elektronische Schaltung, bei der alle aktiven
und passiven Schaltungselemente auf einem
einzigen Halbleiterplättchen enthalten sind. Je
nach Integrationsgrad werden integrierte
Schaltungen in folgende Kategorien eingeteilt:
SSI (Kleinintegration), MSI (mittlere
Integration), LSI (Großintegration), VLSI
(Größtintegration), ULSI
(Ultragrößtintegration) und WSI
(Scheibenintegration). Integrierte Schaltungen
werden auch als Chips bezeichnet.
integrated circuit memory
integrierte Speicherschaltung *f*
integrated circuit technology
integrierte Schaltungstechnik *f*
integrated crystal oscillator
integrierter Quarzoszillator *m*
integrated diode
integrierte Diode *f*
integrated fuse logic technology (IFL
technology)
A gate-array concept for producing semicustom
integrated circuits, characterized by a high
level of flexibility. The logic functions are
defined as in FPLAs, PALs and PGAs by
burning out fusible links.
IFL-Technik *f*
Ein Gate-Array-Konzept für die Herstellung
von integrierten Semikundenschaltungen, das
sich durch große Flexibilität auszeichnet. Die
Festlegung der Logikfunktionen erfolgt wie bei
FPLAs, PALs und PGAs durch Wegbrennen der
Durchschmelzverbindungen.
integrated injection logic (I^2L)
Bipolar technology enabling large-scale
integrated circuits with high packing density,
high switching speeds and low power
consumption to be produced. The basic circuit
configuration uses a vertical npn-transistor
with multiple collectors serving as an inverter
and a lateral pnp-transistor serving as current
source by injecting minority carriers into the
emitter region of the npn transistor. Also called
MTL technology.
integrierte Injektionslogik *f* (I^2L)
Bipolare Technik, die die Herstellung von
hochintegrierten Logikschaltungen mit hoher
Packungsdichte, kurzen Schaltzeiten und
kleinen Verlustleistungen ermöglicht. Die
Grundschaltung verwendet einen vertikalen
NPN-Transistor mit mehreren Kollektoren als

Inverter und einen lateralen PNP-Transistor
als Stromquelle, von der
Minoritätsladungsträger in den Emitterbereich
des NPN-Transistors injiziert werden. Wird
auch MTL-Technik genannt.
integrated junction capacitor
 integrierter Sperrschichtkondensator m
integrated microcircuit
 integrierte Mikroschaltung f
integrated package [collection of programs with
 a common user interface and unified handling]
 integriertes Paket n [Programmsammlung
 mit einer gemeinsamen Benutzeroberfläche
 und einheitlichen Bedienung]
integrated Schottky logic technology (ISL
 technology)
 A gate array concept for producing semicustom
 integrated circuits.
 ISL-Technik f
 Ein Gate-Array-Konzept für die Herstellung
 von integrierten Semikundenschaltungen.
integrating circuit, integrator
 integrierende Schaltung f,
 Integrierschaltung f
integration levels, degree of integration
 [classification depending on the number of
 functions (transistors, gates, etc.) integrated on
 a chip: SSI, MSI, LSI, VLSI, ULSI, and WSI]
 Integrationsstufen f.pl. Integrationsgrad m
 [Einteilung nach Anzahl der Funktionen
 (Transistoren, Gatter usw.), die auf einem
 Halbleiterplättchen integriert sind: SSI, MSI,
 LSI, VLSI, ULSI und WSI]
integrator, integrating circuit [circuit whose
 output signal is the time integral of the input
 signal]
 Integrierer m [Schaltung, die am Ausgang das
 Zeitintegral des Eingangssignals bildet]
integrity, data integrity
 Integrität f, Datenintegrität f
intelligent keyboard [with built-in
 microprocessor, e.g. for code conversion]
 intelligente Tastatur f [mit eingebautem
 Mikroprozessor, z.B. für die Codeumwandlung]
intelligent terminal [with built-in
 microcomputer, e.g. for text formatting]
 intelligentes Terminal n [mit eingebautem
 Mikrorechner, z.B. für Textformatierung]
interactive, in dialog mode
 interaktiv, im Dialog
interactive computer graphics
 interaktive graphische Datenverarbeitung
interactive display terminal
 dialogfähiges Sichtgerät n
interactive mode, dialog mode
 interaktiver Betrieb m, Dialogbetrieb m
interactive programming
 interaktive Programmierung f
interactive query

Dialogabfrage f
interactive terminal [for dialog operation]
 interaktives Terminal n [für den
 Dialogbetrieb]
interactive traffic [query and reply between
 terminal and computer]
 Dialogverkehr m [Austausch von Frage und
 Antwort zwischen Terminal und Rechner]
interblock gap [space between two consecutive
 blocks]
 Blockzwischenraum m [Zwischenraum
 zwischen zwei aufeinanderfolgenden Blöcken]
interchange format
 Austauschformat n
interchangeable
 untereinander austauschbar,
 auswechselbar
interconnect path, interconnection
 Leitbahn f, Leiterbahn f, Verbindung f
interconnection mask
 Mask needed in integrated circuit fabrication
 (and for semicustom circuits based on gate
 arrays or similar concepts) to interconnect
 transistors, logical functions, basic cells, etc.
 Verdrahtungsmaske f
 Maske, die bei der Herstellung von integrierten
 Schaltungen (und Semikundenschaltungen auf
 der Basis von Gate-Arrays und ähnlichen
 Konzepten) für die Verdrahtung von
 Transistoren, logischen Funktionen,
 Grundzellen usw. benötigt wird.
interconnection pattern
 Leiterbild n
interconnection technique
 Anschlußtechnik f, Verbindungstechnik f
interdependent
 gegenseitig abhängig
interface [connecting point between sections of a
 device, equipment or system for transfer of data
 and control information]
 Schnittstelle f, Nahtstelle f, Interface n
 [Verbindungsstelle zwischen Baustein-, Geräte-
 oder Systemteilen für die Übertragung von
 Daten und Steuerinformationen]
interface equipment
 Kopplungseinrichtung f,
 Nahtstelleneinrichtung f
interface function
 Schnittstellenfunktion f
interface module
 Schnittstellenmodul m
interface panel
 Anpaßfeld n
interface standard [e.g. for asynchronous serial
 data transmission according to EIA RS-232-C
 or CCITT V.24]
 Schnittstellennorm f [z.B. für die asynchrone
 serielle Datenübertragung gemäß EIA RS-232-
 C oder CCITT V.24]

interface unit
Schnittstellengerät n
interference filter, interference eliminator,
noise filter [e.g. in a power supply]
Entstörfilter n [z.B. in der Stromversorgung]
interference level, noise level
Störpegel m
interference-proof [e.g. equipment]
entstört, störungssicher [z.B. Gerät]
interference suppression [elimination of the
disturbing effect of undesired signals]
Entstörung f [Beseitigung der Störwirkung
unerwünschter Signale]
interlaced mode [screen image formed in two
passes, in contrast to non-interlaced mode]
Interlaced-Modus m [Bildaufbau durch zwei
Teilbilder, im Gegensatz zu Non-interlaced-
Modus]
interlaced technique
Zeilensprung-Verfahren n
interlacing [e.g. of pulses in time-division
multiplex]
Spreizen n, Verzahnen n [z.B. von Impulsen
im Zeitmultiplex]
interlaminar
interlaminar
interlayer connection [printed circuit boards]
Lagenverbindung f [Leiterplatten]
interleave, to
verzahnen, verschachteln, überlappen
interleave value [hard disk]
Interleave-Wert m [Festplatte]
interleaved
verzahnt
interlock
Verriegelung f
interlock circuit
Verriegelungsschaltung f
interlock signal
Verriegelungssignal n
intermediate frequency (IF)
Zwischenfrequenz f (ZF)
intermediate result
Zwischenergebnis f
intermeshing
Vermaschung f
intermittent fault [occurring at irregular
intervals]
intermittierende Störung f [unregelmäßig
auftretend]
intermodulation distortion
Intermodulationsverzerrung f
internal clocking
interne Takterzeugung f
internal command
interner Befehl m
internal data bus
interner Datenbus m
internal memory

interner Speicher m, Internspeicher m
internal synchronization
Eigensynchronisation f
internal thermal resistance
innerer Wärmewiderstand m
internally stored program
intern gespeichertes Programm n
internetworking [connection of several
networks]
Netzwerkverbund m [Verbund mehrerer
Netzwerke]
interpolation
Interpolation f
interpret, to
interpretieren
interpreter
A program for converting a program written in
a higher programming language into machine
language or operation codes of a computer. In
contrast to a compiler, which converts and then
executes the entire program, the interpreter
converts and executes statement by statement.
An interpreter therefore requires more storage
space and is significantly slower.
Interpreter m, Interpretierer m, Übersetzer m
Ein Programm, das ein in einer höheren
Programmiersprache geschriebenes Programm
in Maschinensprache bzw. Befehlscodes des
Rechners übersetzt. Im Gegensatz zu einem
Compiler, der die Übersetzung gesamthaft
durchführt, übersetzt der Interpreter jeweils
einzelne Programmanweisungen. Der
Interpreter benötigt deshalb einen größeren
Speicherplatz und hat wesentlich längere
Durchlaufzeiten.
interpreter code
Interpretiercode m
interrecord gap, record gap [data recording on
magnetic tape]
Satzzwischenraum m [Datenaufzeichnung
auf Magnetband]
interrogate, to
abfragen
interrogation inquiry, request [general]
Abfrage f [allgemein]
interrogation rate
Abfragegeschwindigkeit f
interrupt (INT), program interrupt [interruption
of a running program; the program sequence is
continued after the interruption]
Unterbrechung f, Programmunterbrechung f
[Unterbrechung eines laufenden Programmes;
der Programmablauf wird nach der
Unterbrechung fortgesetzt]
interrupt acknowledge [microprocessor signal
in reply to an interrupt request]
Unterbrechungsrückmeldung f, Quittung
der Unterbrechungsanforderung f
[Bereitschaftssignal des Mikroprozessors bei

einer Anforderung zur
Programmunterbrechung]
interrupt control
Unterbrechungssteuerung *f*
interrupt disable
Unterbrechungssperrung *f*
interrupt enable
Unterbrechungsfreigabe *f*
interrupt handling
Unterbrechungsbehandlung *f*
interrupt handshaking signal
Unterbrechungs-Handshake-Signal *n*
interrupt input
Unterbrechungseingabe *f*
interrupt level
Unterbrechungsebene *f*
interrupt logic
Unterbrechungslogik *f*
interrupt mask
Unterbrechungsmaske *f*
interrupt mask register (IMR) [determines
which interrupt requests marked in the
interrupt register become effective]
Unterbrechungsmaskenregister *n*
[bestimmt welche im Unterbrechungsregister
gekennzeichneten
Unterbrechungsanforderungen wirksam
werden]
interrupt mode
Betriebsart "Eingriff" *f*
interrupt output
Unterbrechungsausgang *m*
interrupt priority
Unterbrechungspriorität *f*
interrupt register [contains a bit when an
interrupt request has been made]
Unterbrechungsregister *n,*
Unterbrechungsanforderungsregister *n*
[enthält ein Bit, wenn eine
Unterbrechungsanforderung vorliegt]
interrupt request (IRQ) [a signal applied to a
microprocessor for interrupting the running
program]
Unterbrechungsanforderung *f,* IRQ-Signal
n [ein Signal, das den Mikroprozessor
auffordert, das laufende Programm zu
unterbrechen]
interrupt request register, interrupt register
Unterbrechungsanforderungsregister *n,*
Unterbrechungsregister *n*
interrupt signal
Unterbrechungssignal *n*
interrupt state
Unterbrechungszustand *m*
interrupt vector
Unterbrechungsvektor *m*
intersection
Schnittmenge *f*
interstitial atom

Zwischengitteratom *n*
interstitial diffusion [doping technology]
Diffusion mechanism in which impurity atoms
wander through the crystal lattice by moving
from one interstitial site to the next.
interstitionelle Diffusion *f,* interstitioneller
Einbau *n* [Dotierungstechnik]
Diffusionsmechanismus, bei dem Fremdatome
durch das Kristallgitter wandern, indem sie
von einem Zwischengitterplatz auf den
nächsten überspringen.
interstitial site
Zwischengitterplatz *m*
interval timer
Intervallzeitgeber *m*
intrinsic conduction [charge transport in an
intrinsic semiconductor, i.e. in a semiconductor
that has not been doped with impurities]
Eigenleitung *f* [Ladungstransport in einem
Eigenhalbleiter, d.h. in einem nicht dotierten
Halbleiter]
intrinsic conductivity
Eigenleitfähigkeit *f*
intrinsic layer
eigenleitende Schicht *f*
intrinsic material
eigenleitendes Material *n*
intrinsic mobility [mobility of the electrons in
an intrinsic semiconductor]
Eigenbeweglichkeit *f* [Beweglichkeit der
Elektronen in einem Eigenhalbleiter]
intrinsic safety [protection mode]
Eigensicherheit *f* [Schutzart]
intrinsic semiconductor
Semiconductor crystal of practically ideal and
pure composition in which electron and hole
densities are practically identical in the case of
thermal equilibrium.
Eigenhalbleiter *m,* eigenleitender Halbleiter
m, Eigenleiter *m,* I-Halbleiter *m*
Halbleiterkristall von nahezu idealer und
reiner Beschaffenheit, in dem die Dichten der
Elektronen und Defektelektronen im Falle des
thermischen Gleichgewichts nahezu gleich
sind.
intrinsic zone
eigenleitende Zone *f*
intrinsically safe [protection mode]
eigensicher [Schutzart]
invalid address
ungültige Adresse *f*
invalid bit
Ungültigkeitsbit *n*
invalid code
ungültiger Code *m*
invalid format, improperly formatted
falsch formatiert
invalid instruction
unzulässiger Befehl *m*

inverse function
Umkehrfunktion *f*
inverse integrator
Umkehrintegrator *m*
inverse SWR [reciprocal value of standing wave ratio, SWR]
Anpassungsfaktor *m* [Reziprokwert des Welligkeitsfaktors]
inverse video, reverse video [dark characters on a bright background, in contrast to normal video display using light characters on a dark background]
negative Bildschirmdarstellung *f*, umgekehrte Bildschirmdarstellung *f* [dunkle Schrift auf hellem Hintergrund, im Gegensatz zur normalen Bildschirmdarstellung mit einer hellen Schrift auf dunklem Hintergrund]
inversion, NOT function, complementation, negation [single-input logical operation which inverts or negates the input, i.e. the output is 1 if the input is 0 and vice-versa]
Negation *f*, NICHT-Verknüpfung *f* [einstellige logische Verknüpfung, die den Eingangswert negiert; d.h. der Ausgangswert ist 1, wenn der Eingangswert 0 ist und umgekehrt]
inversion [semiconductor technology]
The transition from n-type conduction to p-type conduction or vice-versa.
Inversion *f* [Halbleitertechnik]
Der Übergang von N- zu P-Leitung oder umgekehrt.
inversion channel [semiconductor technology]
Inversionskanal *m* [Halbleitertechnik]
inversion charge
Inversionsladung *f*
inversion layer
Inversionsschicht *f*
inversion region
Inversionsgebiet *n*
invert, to
invertieren, umkehren
inverted file [file organized according to a secondary key via an index]
invertierte Datei *f* [Datei, die nach einem Sekundärschlüssel über einen Index organisiert ist]
inverted list [lists all addresses of records containing a secondary key]
invertierte Liste *f* [Auflistung aller Adressen von Sätzen, die einen Sekundärschlüssel enthalten]
inverter, NOT element, negation element [digital computing: carries out the NOT function, i.e. the logical operation of inversion]
Negationsglied *n*, NICHT-Glied *n*, Negator *m* [Digitalrechentechnik: führt die Negation bzw. die NICHT-Funktion aus]
inverter [analog computing: an operational amplifier that multiplies the input value by -1]

Inverter *m* [Analogrechentechnik: ein Operationsverstärker, der den Eingangswert mit -1 multipliziert]
inverter stage
Inverterstufe *f*
inverting circuit, NOT circuit
Inverterschaltung *f*, NICHT-Schaltung *f*
inverting input
invertierender Eingang *m*
ion [semiconductor technology]
Atom (e.g. in a semiconductor crystal) which becomes electrically charged by the gain or loss of one or more electrons.
Ion *n* [Halbleitertechnik]
Atom (z.B. in einem Halbleiterkristall), das durch Aufnahme oder Abgabe eines oder mehrerer Elektronen elektrisch geladen wird.
ion beam etching (IBE) [a dry etching process]
Ionenstrahlätzen *n* [ein Trockenätzverfahren]
ion beam lithography
Ionenstrahllithographie *f*
ion beam mixing
Ionenstrahlmischen *n*
ion bombardment
Ionenbeschuß *m*
ion conduction
Charge transport in a semiconductor crystal by the movement of ions.
Ionenleitung *f*
Ladungstransport in einem Halbleiterkristall durch Ionenwanderung.
ion implantation [doping technology]
A process for introducing impurities into a semiconductor crystal by ion bombardment. The process allows precise dosage of the dopant impurities.
Ionenimplantation *f* [Dotierungstechnik]
Ein Verfahren zum Einbringen von Fremdatomen in einen Halbleiterkristall durch Ionenbeschuß. Mit dem Verfahren läßt sich eine besonders genaue Dosierung der Dotierung erzielen.
ion implanted MOS technology (IMOS technology)
Process for manufacturing MOS transistors which uses ion implantation to produce a self-adjusting gate.
IMOS-Technik *f*
Technik für die Herstellung von MOS-Transistoren, bei der durch Ionenimplantation ein selbstjustierendes Gate hergestellt wird.
ion mobility
Ionenbeweglichkeit *f*
ion printer
Ionendrucker *m*
ion projection lithography
Ionenprojektionslithographie *f*
ion trap

Ionenhaftstelle *f*
ionic bond, electrovalent bond, electrostatic bond
Chemical bond (e.g. in a semiconductor crystal), in which electrons in the outer shell (valence electrons) are transferred from one atom to a neighbouring atom, thus forming ions which are held together by electrostatic attraction.
ionische Bindung *f,* Ionenbindung *f,* heteropolare Bindung *f*
Chemische Bindung (z.B. in einem Halbleiterkristall), bei der Elektronen der äußersten Schale (Valenzelektronen) bei zwei verschiedenen, nahe beieinanderliegenden Atomen von einem Atom zum anderen übergehen, wodurch Ionen entstehen, die durch elektrostatische Kräfte zusammengehalten werden.
ionic semiconductor
Ionenhalbleiter *m*
ionization
Ionisierung *f*
ionization energy [semiconductor technology]
Austrittsarbeit *f,* Ionisierungsenergie *f* [Halbleitertechnik]
IOP (input-output processor), I/O processor
Additional processor assigned to a microprocessor to perform input-output operations.
Ein-Ausgabe-Prozessor *m,* E/A-Prozessor *m*
Zusätzlicher Prozessor, der einem Mikroprozessor zugeordnet ist, um Ein-Ausgabe-Operationen durchzuführen.
IP terminal [Information Provider terminal]
Btx-Terminal *n* [Bildschirmtext-Station]
IPL (initial program loader), bootstrap loader [a loading program (utility routine) started when the computer is switched on and used for loading the operating system, etc.]
Anfangslader *m,* Urlader *m,* Urprogrammlader *m,* Bootstrap-Lader *m* [ein Ladeprogramm (Dienstprogramm), das nach dem Einschalten des Rechners gestartet und u.a. für das Laden des Betriebssystems verwendet wird]
IR degradation, insulation resistance degradation
Abbau des Isolationswiderstandes *m*
IRED (infrared-emitting diode)
Light-emitting diode, usually based on gallium arsenide, that emits in the near infrared region of the spectrum. Special infrared-emitting diodes are used for optical data transmission via fiber-optic cables.
IRED, Infrarotlumineszenzdiode *f*
Lumineszenzdiode, meistens auf Galliumarsenidbasis, die im nahen infraroten Bereich des Spektrums emittiert. Spezielle Infrarotlumineszenzdioden werden unter

anderem für die optische Datenübertragung über Lichtwellenleiter eingesetzt.
IRQ, interrupt request [a signal applied to a microprocessor for interrupting the running program]
IRQ-Signal *n,* Unterbrechungsaufforderung *f* [ein Signal, das den Mikroprozessor auffordert, das laufende Programm zu unterbrechen]
irradiation, radiation
Strahlung *f,* Abstrahlung *f*
irradiation damage [crystal defect]
Structural damage to the crystal lattice in a semiconductor region as a result of ion implantation. Crystal damage can be removed by heat treatment or with the aid of a laser beam.
Strahlenschaden *m* [Kristallfehler]
Durch Ionenimplantation geschädigte Kristallgitterstruktur eines Halbleiterbereiches. Die geschädigte Schicht kann durch eine thermische Nachbehandlung oder mit Hilfe von Laserstrahlen restauriert werden.
irrecoverable error
nicht behebbarer Fehler *m*
irrelevant data
unwesentliche Daten *n.pl.,* bedeutungslose Daten *n.pl.*
irreversible process
irreversibler Prozeß *m*
ISA (Industry Standard Architecture) [16-bit bus system for AT class of IBM PCs]
ISA [Industrie-Standard-Architektur, 16-Bit-Bussystem für die AT-Klasse des IBM PC]
ISAM, indexed sequential access method [based on a combination of direct access to an index and sequential access to the records stored under that index]
ISZM, indiziert-sequentielle Zugriffsmethode *f* [basiert auf einer Kombination von direktem Zugriff auf einen Index und sequentiellem Zugriff auf Datensätze, die unter diesem Index gespeichert sind]
ISDN (Integrated Services Digital Network) [integrated network for telephone, texts, images and data]
ISDN, dienstintegriertes Digitalnetzwerk *n* [integriertes Netzwerk für Telephon, Texte, Bilder und Daten]
ISDN expansion board
ISDN-Erweiterungskarte *f*
ISFET (ion-sensitive field-effect transistor)
ISFET [spezieller Isolierschicht-Feldeffekttransistor]
ISL technology (integrated Schottky logic technology)
A gate array concept for producing semicustom integrated circuits.
ISL-Technik *f*

Ein Gate-Array-Konzept für die Herstellung von integrierten Semikundenschaltungen.

ISO, International Organisation for Standardization
ISO, Internationale Organisation für die Normung

ISO 7-bit code [code with 128 combinations standardized by ISO; national definition of free combinations leads, for example, to the ASCII code and the DIN 66003 code]
ISO-7-Bit-Code *m* [von der ISO genormter Code mit 128 Code-Kombinationen; durch nationale Festlegung der freigehaltenen Kombinationen erhält man z.B. den ASCII-Code und den Code nach DIN 66003]

ISO reference model, OSI model (Open System Interconnection) [computer network model based on seven layers; typical physical (layer one) protocols are RS-232-C and V.24]
ISO-Referenzmodell *n*, OSI-Modell *n* [Rechnerverbundmodell mit sieben Funktionsschichten; typische Protokolle der physikalischen (ersten) Schicht sind RS-232-C und V.24]

isolating circuit, decoupling circuit
Trennschaltung *f*, Entkopplungsschaltung *f*
isolating stage, decoupling stage
Trennstufe *f*, Entkopplungsstufe *f*
isolation diode
Trenndiode *f*
isolation transformer, decoupling transformer
Trennübertrager *m*, Entkopplungsübertrager
isoplanar technology
Isolation technique for bipolar integrated circuits which provides isolation between the various circuit structures by local oxidation of silicon.
Isoplanartechnik *f*
Isolationsverfahren für bipolare integrierte Schaltungen, bei dem die einzelnen Strukturen der Schaltung durch lokale Oxidation von Silicium voneinander isoliert werden.
italics
Kursivschrift *f*, Schrägschrift *f*
item [a single item of data]
Element *n* [ein einzelnes Datenelement]
item [in reliability calculation: a system, subsystem, unit, etc.]
Betrachtungseinheit *f* [bei der Zuverlässigkeitberechnung: System, Anlage, Gerät usw.]
item data description
Grunddatenbeschreibung *f*
iteration [repeated execution of an arithmetic operation, of a program section or of an algorithm]
Iteration *f* [wiederholte Anwendung einer Rechenoperation, eines Programmteils oder eines Algorithmus]

iteration loop [of a program]
Iterationsschleife *f* [eines Programmes]
iterative division
schrittweise Division *f*, iterative Division *f*
iterative operation
iterative Operation *f*
IVPO (inside vapour-phase oxidation process) [a process used for the production of glass fibers]
IVPO-Verfahren *n* [Verfahren, das bei der Herstellung von Glasfasern eingesetzt wird]

J

jack [connector component]
  Buchse *f* [Verbindungselement]
JEDEC (Joint Electronic Device Engineering
  Council)
  JEDEC [eine Normungsorganisation in den
  USA]
JFET, junction field-effect transistor
  A field-effect transistor in which the gate
  region forms one or more pn-junctions with the
  conductive channel. Reverse bias voltage
  applied to the junctions creates depletion layers
  which extend into the channel region as gate
  voltage is increased and reduce the effective
  width of the conductive path. Hence current
  conduction between the source and drain
  regions is controlled by the voltage applied to
  the gate terminal.
  SFET *m,* Sperrschicht-Feldeffekttransistor *m*
  Feldeffekttransistor, dessen Gatezone mit dem
  stromführenden Kanal einen oder mehrere PN-
  Übergänge bildet. Durch Anlegen einer
  Sperrspannung an die PN-Übergänge
  entstehen Raumladungszonen, die sich bei
  Erhöhung der Gatespannung in den Kanal
  hinein ausdehnen und die Strombahn
  einschnüren. Somit steuert die Gatespannung
  den Strom zwischen Source und Drain.
jitter [fluctuation of the timing of a signal or of
  the change of state of digital signals;
  generalized: time, amplitude, frequency or
  phase fluctuations]
  Jitter *n,* Zittern *n* [Schwankung der zeitlichen
  Lage eines Signals oder des Zustandswechsels
  bei Digitalsignalen; verallgemeinert: Zeit-,
  Amplituden-, Frequenz- oder
  Phasenschwankungen]
JK flip-flop [flip-flop with two inputs, J and K,
  and a clock input that triggers the change of
  state; J = 1 and K = 0 set the flip-flop (i.e. it
  goes to state 1); J = 0 and K = 1 reset the flip-
  flop (i.e. it goes to state 0); when both inputs
  are logical 1, the state changes]
  JK-Flipflop *n* [Flipflop mit zwei Eingängen, J
  und K, und einem Takteingang, der den
  Zustandswechsel auslöst; J = 1 und K = 0
  setzen das Flipflop (d.h. es geht in den Zustand
  1); J = 0 und K = 1 setzen das Flipflop zurück
  (d.h. es geht in den Zustand 0); sind beide
  Eingänge logisch 1, wechselt der Zustand]
job, order
  Job *m,* Auftrag *m*
job end
  Auftragsende *n*
job execution
  Auftragsdurchführung *f*

job scheduling
  Job-Steuerung *f*
job statement
  Job-Anweisung *f*
Josephson effect
  Current flow due to tunneling through a very
  thin insulating layer between two
  superconductors (metal conductors near 0 K) on
  which a dc voltage is applied. This effect can be
  used in the design of high-speed logic circuits
  (switching time < 100 ps) and memory cells.
  Josephson-Effekt *m*
  Stromfluß infolge Tunnelung durch eine sehr
  dünne Isolationsschicht zwischen zwei
  Supraleitern (metallische Leiter nahe 0 K), an
  die eine Gleichspannung angelegt ist. Dieser
  Effekt kann für sehr schnelle Logikschaltungen
  (Schaltzeit < 100 ps) und Speicherzellen
  genutzt werden.
Josephson junction
  Josephson-Übergang *m*
Josephson junction circuit [circuit based on
  the Josephson effect]
  Josephson-Element *n* [Bauteil, das auf dem
  Josephson-Effekt basiert]
joule (J) [SI unit of energy and work]
  Joule *n* (J) [SI-Einheit der Energie und Arbeit]
joystick [graphical input device for moving the
  cursor on the display]
  Steuerknüppel *m* [graphisches Eingabegerät
  zur Steuerung des Zeigers (Cursors) auf dem
  Bildschirm]
juke box [automatic changer for optical disks]
  Jukebox *f* [automatischer Wechsler für
  optische Speicherplatten]
jump, to [leave program with jump instruction]
  abspringen [Verlassen eines Programmes
  mittels Sprungbefehl]
jump address, transfer address
  Sprungadresse *f*
jump condition, branch condition
  Sprungbedingung *f*
jump destination, branch destination
  Sprungziel *n*
jump instruction, branch instruction
  [instruction for leaving the normal program
  sequence and to continue at the given point of
  the program; in the case of an unconditional
  jump this is effected always, in the case of a
  conditional jump only if the given condition is
  satisfied]
  Sprungbefehl *m* [Befehl zum Verlassen des
  normalen sequentiellen Programmablaufes und
  Fortsetzung des Programmes an der
  angegebenen Stelle; beim unbedingten
  Sprungbefehl geschieht dies in jedem Fall, beim
  bedingten nur, wenn die angegebene
  Bedingung erfüllt ist]
jump operation, transfer operation

Sprungoperation *f*
jumper, strap [connection between two
terminals]
Brücke *f,* Drahtbrücke *f,* Kurzverbindung *f*
[Verbindung zwischen zwei Anschlüssen]
jumper wire
Schaltdraht *m*
junction
Region of transition between two
semiconductor regions having different
electrical properties, e.g. between a p-type and
an n-type conducting region.
Übergang *m,* Zonenübergang *m*
Übergangsgebiet zwischen zwei
Halbleiterbereichen mit verschiedenen
elektrischen Eigenschaften, z.B. zwischen
einem P-leitenden und einem N-leitenden
Bereich.
junction capacitance
Sperrschichtkapazität *f*
junction device
Sperrschichtbauelement *n*
junction diode
Flächendiode *f*
junction field-effect transistor (JFET)
A field-effect transistor in which the gate
region forms one or more pn-junctions with the
conductive channel. Reverse bias voltage
applied to the junctions creates depletion layers
which extend into the channel region as gate
voltage is increased and reduce the effective
width of the conductive path. Hence current
conduction between source and drain is
controlled by the voltage applied to the gate
terminal.
Sperrschicht-Feldeffekttransistor *m*
(SFET)
Feldeffekttransistor, dessen Gatezone mit dem
stromführenden Kanal einen oder mehrere PN-
Übergänge bildet. Durch Anlegen einer
Sperrspannung an die PN-Übergänge
entstehen Raumladungszonen, die sich bei
Erhöhung der Gatespannung in den Kanal
hinein ausdehnen und die Strombahn
einschnüren. Somit steuert die Gatespannung
den Strom zwischen Source und Drain.
junction formation
Erzeugung von Übergängen *f*
junction isolation
Sperrschichtisolation *f*
junction temperature
Sperrschichttemperatur *f*
junction transistor [bipolar transistor]
Flächentransistor *m* [Bipolartransistor]
justification [text formatting to obtain even
margins]
Randausgleich *m* [Textformatierung, um
einen ausgeglichenen Rand zu erhalten]
justified text [word processing]

Blocksatz *m* [Textverarbeitung]
justify, to [word processing]
den Rand ausgleichen, links- oder
rechtsbündig ausrichten [Textverarbeitung]
justify, to [shift the contents of a register]
angleichen [Verschieben des Registerinhaltes]

K

Karnaugh map [matrix-like representation of a truth table]
Karnaugh-Diagramm n, Karnaugh-Veitch-Diagramm n [matrixförmige Darstellung einer Wahrheitstabelle]
kernel [of a modular operating system: lies closest to the hardware and provides basic functions]
Kern m [eines modularen Betriebssystems: liegt der Hardware am nächsten und ist zuständig für Grundfunktionen]
kerning [reduced spacing between certain letters]
Unterschneiden n [Abstandsverringerung bei bestimmten Buchstaben]
key
Taste f
key, primary key
Ordnungsbegriff m, Primärschlüssel m
key combination
Tastenkombination f
key-driven
tastengesteuert
key feedback [acoustic or mechanical (pressure point)]
Tastenrückmeldung f [akustisch oder mechanisch (Druckpunkt)]
key field, key item
Schlüsselfeld n
key field entry
Schlüsselfeldeintrag m
key in, to [of data via keyboard]
eintasten, eingeben [von Daten über Tastatur]
key sequence
Tastenfolge f
key-stroke
Tastenanschlag m
key term [data base]
Schlüsselbegriff m [Datenbank]
key word, keyword
Schlüsselwort n
keyboard [keys for entry of data, i.e. letters, digits, symbols]
Tastatur f [Tasten für die Eingabe von Daten, d.h. Buchstaben, Ziffern, Symbole]
keyboard and display interface
Tastatur- und Anzeige-Schnittstellenbaustein m
keyboard buffer
Tastaturpuffer m
keyboard correction, correction entered on keyboard
Korrektur über Tastatur f
keyboard driver
Tastaturtreiber m

keyboard encoder [generates binary digits according to the code used, e.g. binary digits of the ASCII code in the case of an ASCII keyboard]
Tastaturcodierer m [erzeugt die Binärzeichen entsprechend des verwendeten Codes, z.B. bei einer ASCII-Tastatur die Binärzeichen des ASCII-Codes]
keyboard entry, manual input
Tastatureingabe f, Handeingabe f
keyboard entry error
Tastatureingabefehler m
keyboard height
Tastaturbauhöhe f
keyboard interlock
Tastensperre f
keyboard lock
Tastatursperre f
keyboard module
Tastaturbaustein m
keystroke
Tastenanschlag m
keyword, key word
Schlüsselwort n
killing defect [defect reducing the yield in integrated circuit fabrication]
funktionsbeeinträchtigender Defekt m [Defekt, der die Ausbeute bei der Herstellung integrierter Schaltungen verringert]
kilobaud [transmission speed of 1000 baud; in the case of binary transmission = 1000 bit/s]
Kilobaud n [Übertragungsgeschwindigkeit von 1000 Baud; bei binärer Übertragung = 1000 Bit/s]
kilobyte (kB) [1000 bytes]
Kilobyte n (kB) [1000 Byte]
KIPS [measure for computer operating speed in kilo-instructions per second, usually based on 70% additions and 30% multiplications]
KIPS [Maß für die Rechnergeschwindigkeit in Kilobefehle/s, basiert üblicherweise auf 70% Additionen und 30% Multiplikationen]
kit
Bausatz m
knowledge base
An artificial intelligence data base which, in contrast to conventional data bases, contains rules, facts and procedures that can be manipulated by the artificial intelligence system (e.g. the inference engine) for solving a problem.
Wissensbank f
Datenbank für Systeme der künstlichen Intelligenz, die sich von konventionellen Datenbanken dadurch unterscheidet, daß sie Regeln, Fakten und Prozeduren beinhaltet, die von einem System der künstlichen Intelligenz (z.B. der Inferenzmaschine) zur Bewältigung eines Problems manipuliert werden können.

L

L-level [low level in logic circuits; in positive logic the low level corresponds to logical 0, in negative logic to logical 1]
L-Pegel m, **L-Signal** n [Niedrigpegel bei Logikschaltungen; bei der positiven Logik entspricht der Niedrigpegel dem Zustand logisch 0, bei der negativen Logik dem Zustand logisch 1]
L-level output
L-Signalausgang m
L-range [the low range of a binary signal]
L-Bereich m [der untere Bereich eines binären Signals]
label, identifying label, label record [marks start or end of a tape or file; identifies, describes or delimits tape or file; address part of a jump instruction]
Kennsatz m, **Etikett** n [kennzeichnet Beginn oder Ende eines Bandes bzw. einer Datei; identifiziert, beschreibt oder begrenzt das Band bzw. die Datei; Adressenteil für einen Sprungbefehl]
label, program label
Marke f, **Programmarke** f
lack of leads
Fehlen von Anschlüssen n
lacquer
Lack m
lacquer coating
Lacküberzug m
ladder network [a sequence of two or four-pole elements]
Kettenschaltung f, **Kettennetzwerk** n [aneinandergereihte Glieder oder Vierpole]
laminate
Laminat n, **Schichtstoff** m
laminate, to
laminieren
laminated
beschichtet, laminiert
LAN, local area network [a network within a limited area, e.g. building or company grounds, for the decentral connection of terminals and peripheral equipment; one distinguishes between contention accessing (e.g. CSMA/CD, carrier-sense multiple access with collision detection, Ethernet) and token-passing accessing according to IEEE-802 and ECMA]
LAN n, **lokales Netz** n [ein Netz innerhalb eines begrenzten Bereiches, z.B. Gebäude oder Unternehmensgelände, für den dezentralen Anschluß von Bildschirm- und Peripheriegeräten; man unterscheidet zwischen Konkurrenz- (z.B. CSMA/CD, Ethernet) und Sendeberechtigungs-Verfahren (Token-Zugriffsprotokoll) nach IEEE-802 und ECMA]
LAN Manager [operating system developed by Microsoft for local area networks (LAN)]
LAN-Manager [von Microsoft entwickeltes Betriebssystem für lokale Netzwerke (LAN)]
land, terminal pad [conductive pattern used for connecting components on PCB]
Anschlußauge n, **Lötauge** n [für die Montage von Bauteilen vorgesehener Teil des Leiterbildes bei Leiterplatten]
landless hole [printed circuit boards]
lötaugenloses Loch n [Leiterplatten]
Landmark test [computer benchmark program]
Landmark-Test m [Rechner-Bewertungsprogramm]
landscape [view of image with longest side horizontal, in contrast to portrait]
Querformat n [Ausrichtung eines Bildes mit der längsten Seite horizontal, im Gegensatz zum Hochformat]
laptop computer [small computer for holding on the lap]
Laptop-Computer m [kleiner Rechner, der auf dem Schoß gehalten werden kann]
LARAM (line-addressable random-access memory)
LARAM m, **linienadressierbarer Speicher mit wahlfreiem Zugriff** m
large-capacity computer
Großrechner m
large-capacity storage
Großraumspeicher m
large optical-cavity laser (LOC) [semiconductor laser having a relatively wide optical cavity]
LOC-Laser m [Halbleiterlaser mit relativ breitem optischen Resonator]
large scale integration (LSI)
Technique resulting in the integration of about 10^5 transistors or logical functions on a single chip.
Großintegration f (LSI)
Integrationstechnik, bei der rund 10^5 Transistoren oder Gatterfunktionen auf einem Chip realisiert sind.
large-signal amplifier
Großsignalverstärker m
laser (light amplification by stimulated emission of radiation) [is used in optoelectronics, metalworking, interferometry, and medical applications]
Laser m (Lichtverstärkung durch angeregte Strahlungsemission) [wird in der Optoelektronik, Metallverarbeitung, Interferometrie und bei medizinischen Anwendungen eingesetzt]
laser annealing, laser healing [semiconductor technology]
Removal of structural damage to the crystal

lattice in a semiconductor region resulting from ion implantation by the use of a laser beam.
Laserausheilung *f,* **Laserausheilen** *n*
Restaurierung, mit Hilfe von Laserstrahlen, einer durch Ionenimplantation geschädigten Kristallgitterstruktur eines Halbleiterbereiches.
laser beam
Laserstrahl *m*
laser beam scanning
Laserstrahlabtastung *f*
laser beam trimming
Method used for automatic adjustment of film resistors and capacitors with the aid of a laser beam.
Laserstrahltrimmen *n,* **Lasertrimmen** *n*
Verfahren, mit dem sich ein automatischer Abgleich von Schichtwiderständen und -kondensatoren durchführen läßt.
laser diode, semiconductor laser, diode laser
Semiconductor device that emits coherent light. Light generation occurs at a pn-junction due to carrier injection or electron-beam excitation. The most widely used materials are gallium arsenide and gallium aluminium arsenide.
Laserdiode *f,* **Halbleiterlaser** *m*
Halbleiterbauteil, das kohärentes Licht emittiert. Die Lichterzeugung erfolgt durch induzierte Emission an einem PN-Übergang. Sie entsteht durch Ladungsträgerinjektion oder Elektronenstrahlanregung. Als Ausgangsmaterialien dienen vorwiegend Galliumarsenid und Galliumaluminiumarsenid.
laser healing, laser annealing [semiconductor technology]
Removal of structural damage to the crystal lattice in a semiconductor region resulting from ion implantation by the use of a laser beam.
Laserausheilung *f,* **Laserausheilen** *n*
Restaurierung, mit Hilfe von Laserstrahlen, einer durch Ionenimplantation geschädigten Kristallgitterstruktur eines Halbleiterbereiches.
laser plotter
Laser-Plotter *m,* **Laser-Zeichengerät** *n*
laser printer [high-speed printer using a laser beam for recording on paper]
Laserdrucker *m*
[Hochgeschwindigkeitsdrucker, der einen Laserstrahl für die Aufzeichnung auf Papier benutzt]
laser storage
Laserspeicher *m*
LASOS technology (laser annealed silicon-on-sapphire technology)
Process for removing crystal lattice damage to silicon-on-sapphire structures by the use of a laser beam.

LASOS-Technik *f*
Verfahren zur Ausheilung von Silicium-auf-Saphir-Strukturen mit Hilfe von Laserstrahlen.
latch, set-reset latch, SR latch
A special type of buffer storage used for information storage during a specific time interval. It compensates for differing data transfer speeds between peripheral devices and the microprocessor.
Auffang-Flipflop *n,* Latch *n,* Speicher-Flipflop
Ein spezieller Pufferspeicher, der zur Informationsspeicherung während eines vorgegebenen Zeitintervalls verwendet wird. Er gleicht die unterschiedlichen Übertragungsgeschwindigkeiten im Datenverkehr zwischen Peripheriebausteinen und Mikroprozessor aus.
latching current [smallest current keeping thyristor still in on-state]
Einraststrom *m* [kleinster Strom, bei dem der Thyristor noch im Durchlaßzustand bleibt]
late binding
dynamische Bindung *f*
latency [rotational delay in reading or writing a record to a disk or floppy disk storage; maximum latency is the time for a complete revolution of the disk, average latency is half the maximum value]
Latenzzeit *f,* Zugriffswartezeit *f,* Wartezeit *f* [rotationsbedingte Verzögerungszeit beim Lesen oder Schreiben eines Datensatzes auf einer Platte oder Diskette; maximale Latenzzeit ist die Zeit für eine Umdrehung; die mittlere ist die Hälfte des Maximalwertes]
lateral diffusion, side diffusion
The lateral penetration of impurity atoms below the protective oxide layer at the edges of diffusion windows.
Unterdiffusion *f,* laterale Diffusion *f*
Die seitliche Ausbreitung von Dotierungsatomen unter die Oxidschutzschicht an den Kanten der Diffusionsfenster.
lateral diffusion effect, side diffusion effect
Unterdiffusionseffekt *m,* lateraler Diffusionseffekt *m*
lateral transistor
Bipolar transistor in which the emitter- and collector-base junctions are formed in separate areas. The current between the junctions flows in a plane parallel to the transistor surface.
Lateraltransistor *m*
Bipolartransistor, bei dem die Emitter- und Kollektor-Basis-Übergänge in voneinander getrennten Bereichen gebildet werden. Der Stromfluß zwischen den Übergängen erfolgt in einer Ebene, die parallel zur Transistoroberfläche verläuft.
lattice, crystal lattice [semiconductor technology]
Orderly arrangement of atoms in a

semiconductor crystal.
Gitter *n*, **Kristallgitter** *n* [Halbleitertechnik]
Regelmäßige Anordnung der Atome in einem
Halbleiterkristall.
lattice constant
Gitterkonstante *f*
lattice defect, lattice imperfection
Deviation from homogeneous structure in a
crystal, e.g. as a result of impurities, vacancies,
dislocations, grain boundaries, etc.
Gitterfehler *m*, **Kristallaufbaufehler** *m*
Abweichung vom regelmäßigen Aufbau eines
Kristalls, z.B. infolge von Fremdatomen,
Leerstellen, Versetzungen, Korngrenzen usw.
lattice dislocation [a lattice defect]
Gitterversetzung *f* [ein Gitterfehler]
lattice electron [electron bound in the lattice
structure]
Gitterelektron *n* [Elektron, das an seinen
Gitterplatz gebunden ist]
lattice site, crystal lattice site
Gitterplatz *m*, **Kristallgitterplatz** *m*
lattice structure
Gitteraufbau *m*
lattice vibration
Gitterschwingung *f*
law of the mean
Mittelwertsatz *m*
layer [semiconductor technology]
A semiconductor, metal or dielectric layer
grown (epitaxially) or deposited on a supporting
substrate.
Schicht *f* [Halbleitertechnik]
Eine auf ein Trägermaterial aufgewachsene
(epitaktische), aufgedampfte oder
abgeschiedene Halbleiter-, Metall- oder
Isolierschicht.
layer thickness
Schichtdicke *f*
layout
Aufbau *m* [elektrisch]
layout
geometrischer Entwurf *m*, **Strukturentwurf**
m, **Layout** *n*
LBV, local bus video [fast bus for connecting
video display]
LBV, Lokalbus-Video *n* [schneller Bus für
Anschluß des Bildschirms]
LC²MOS technology (linear compatible
complementary MOS technology)
Improved CMOS technology, mainly used for
fabricating monolithic integrated digital-to-
analog converters.
LC²MOS-Technik *f*
Verbesserte CMOS-Technik, die vorwiegend für
die Herstellung von monolithisch integrierten
Digital-Analog-Umsetzern verwendet wird.
LCC laser (laterally-coupled cavity laser)
[semiconductor laser]

LCC-Laser *m* [Halbleiterlaser]
LCC technique (leadless chip carrier technique)
[a mounting technique for VLSI integrated
circuits using high-density packages]
LCC-Technik *f* [Montagetechnik für VLSI
integrierte Schaltungen, bei der Gehäusetypen
hoher Packungsdichte verwendet werden]
LCCC technique (leadless ceramic chip carrier
technique) [a variant of the LCC technique]
LCCC-Technik *f* [eine Variante der LCC-
Technik]
LCD (liquid crystal display) [an optoelectronic
display consisting of liquid crystals between
two glass plates covered by transparent
conductive coatings having the shape of the
characters to be displayed]
LCD-Anzeige *f*, **Flüssigkristallanzeige** *f*
[optoelektronische Anzeige, die aus
Flüssigkristallen zwischen zwei Glasplatten
besteht, die mit einer durchsichtigen,
leitfähigen Beschichtung in Form der
darzustellenden Zeichen versehen sind]
LCDTL (low-current diode-transistor logic)
[special type of diode-transistor logic family,
characterized by low current consumption]
LCDTL [spezielle DTL-Schaltungsfamilie, die
sich durch geringen Stromverbrauch
auszeichnet]
lead, connecting wire
Anschlußdraht *m*, **Zuleitung** *f*
leader
Vorspann *m*
leading end [start of a magnetic tape]
Bandanfang *m* [Anfang eines Magnetbandes]
leading filler, leading pad [a fill or pad
character stored to the left of a right-justified
file]
führendes Füllzeichen *n*, führendes
Blindzeichen *n* [ein Füllzeichen, das links von
einer rechtsbündigen Datei gespeichert wird]
leading zero, leading zeroes [zeroes in front of
the highest position or digit]
führende Null *f*, **führende Nullen** *f.pl.* [vor der
höchstwertigen Stelle bzw. Ziffer stehende
Nullen]
leading-zero verification, left-justified zero
verification
Prüfung auf führende Nullen *f*
leadless ceramic chip carrier technique
(LCCC technique) [a variant of the LCC
technique]
LCCC-Technik *f* [eine Variante der LCC-
Technik]
leadless chip carrier technique (LCC
technique) [a mounting technique for VLSI
integrated circuits using high-density
packages]
LCC-Technik *f* [Montagetechnik für VLSI
integrierte Schaltungen, bei der Gehäusetypen

hoher Packungsdichte verwendet werden]
leaf [tree]
   Blatt *n*, **Blattknoten** *m* [Baum]
leakage current
   Leckstrom *m*, **Kriechstrom** *m*, **Ableitstrom** *m*
leakage current noise
   Leckstromrauschen *n*
leakage current path
   Kriechstrecke *f*
leakage path
   Kriechweg *m*
leakage resistance
   Leckwiderstand *m*, **Ableitwiderstand** *m*
leap-frog test [a computer test program
   characterized by multiple jumps, i.e. it carries
   out logic operations on one storage location
   group, transfers itself to another group, checks
   the transfer and then repeats the operations
   until all storage locations have been tested]
   Bocksprungprüfung *f* [ein
   Rechnerprüfprogramm, das durch
   Mehrfachsprünge gekennzeichnet ist, d.h. das
   Programm führt logische Operationen an einer
   Speicherplatzgruppe aus, verschiebt sich auf
   eine andere Gruppe, überprüft die Übertragung
   und wiederholt die Operationen bis alle
   Speicherplätze überprüft worden sind]
learning process
   Lernprozeß *m*, **lernender Prozeß** *m*
leased line [for data transmission]
   Standleitung *f*, **Mietleitung** *f* [für
   Datenübertragung]
least significant
   niedrigstwertig
least significant bit (LSB) [bit with the lowest
   value in a binary number, e.g. 1 in the number
   0001]
   niedrigstwertiges Bit *n*, Binärstelle mit der
   niedrigsten Wertigkeit *f* (LSB) [Bit mit dem
   niedrigsten Stellenwert in einer Binärzahl, z.B.
   1 in der Binärzahl 0001]
least significant digit (LSD)
   niedrigstwertige Stelle *f*, Stelle einer Zahl
   mit der niedrigsten Wertigkeit *f*
least-squares approximation
   Approximation der kleinsten Quadrate *f*
LED (light-emitting diode)
   Semiconductor component which converts
   electric energy into light or infrared radiation.
   By recombination of electrons and holes at a
   forward biased pn-junction, energy is set free
   which is emitted as radiation. LEDs emit red,
   green, yellow and blue light in the visible
   spectral region and produce radiation in the
   near infrared region.
   LED, **lumineszenzdiode** *f*, **Leuchtdiode** *f*,
   lichtemittierende Diode *f*
   Halbleiterbauelement, bei dem elektrische
   Energie in Licht oder Infrarotstrahlung

umgesetzt wird. Durch Rekombination von
Elektronen und Defektelektronen an einem in
Vorwärtsrichtung betriebenem PN-Übergang
wird Energie frei, die als Licht abgestrahlt
wird. LEDs emittieren im sichtbaren
Spektralbereich in den Farben rot, grün, gelb
und blau sowie im nahen Infrarotbereich.
LED display (light-emitting diode display)
   LED-Anzeige *f*
LED printer [page printer using a light-emitting
   diode array instead of a laser beam]
   LED-Drucker *m* [Seitendrucker mit
   Leuchtdiodenanordnung anstatt Laserstrahl]
left justification
   Linksausrichtung *f*
left-justified
   linksbündig
left-justify, to
   linksbündig ausführen, links ausgeglichen
left margin
   linker Rand *m*
left parenthesis
   linke Klammer *f*
left shift [move bit patterns to the left]
   Linksverschiebung *f* [Versetzen von
   Bitmustern nach links]
left shift, to
   nach links verschieben
leftmost
   höchstwertig
legend, marking [printed circuit boards]
   Beschriftung *f* [Leiterplatten]
letter
   Buchstabe *m*
letter shift
   Buchstabenumschaltung *f*
letter string
   Buchstabenfolge *f*
level
   Pegel *m*
level converter
   Pegelumsetzer *m*
level-operated input
   pegelgesteuerter Eingang *m*
lexical analyzer [LEX in UNIX], scanner
   [compiler]
   lexikalischer Analysator *m*, **Scanner** *m*
   [Compiler]
lexical storage [data base]
   Wörterspeicher *m* [Datenbank]
LF (line feed)
   Zeilenvorschub *m*
library [set of related files]
   Bibliothek *f* [Satz verwandter Dateien]
library file
   Bibliotheksdatei *f*
library name
   Bibliotheksname *m*
life, lifetime

Lebensdauer *f*
life expectancy
voraussichtliche Lebensdauer *f*
life test
Lebensdauerprüfung *f*
LIFO memory (last in/first out memory), FILO
(first-in/last-out memory), stack [storage device
operating without address specification and
which reads out data in the reverse order as it
was stored, i.e. the first data word is read out
last; implemented as shift registers or RAM, it
is particularly used for subroutines, i.e. for
storing data before a jump instruction]
LIFO-Speicher *m*, FILO-Speicher *m*,
Kellerspeicher *m*, Stapelspeicher *m*, Stack *m*
[Speicher, der ohne Adreßangabe arbeitet und
dessen Daten in der umgekehrten Reihenfolge
gelesen werden, in der sie zuvor geschrieben
worden sind, d.h. das zuletzt geschriebene
Datenwort wird als erstes gelesen; er wird
mittels Schieberegister oder RAM insbesondere
für die Bearbeitung von Unterprogrammen
verwendet, d.h. für die Datenabspeicherung vor
einem Sprungbefehl]
lift-off technique [lithography]
Abhebetechnik *f* [Lithographie]
light amplification by stimulated emission
of radiation (laser) [is used in optoelectronics,
metalworking, interferometry, and medical
applications]
Lichtverstärkung durch angeregte
Strahlungsemission (Laser) [wird in der
Optoelektronik, Metallverarbeitung,
Interferometrie und bei medizinischen
Anwendungen eingesetzt]
light emitting diode (LED)
Semiconductor component which converts
electric energy into light or infrared radiation.
By recombination of electrons and holes at a
forward-biased pn-junction, energy is set free
which is emitted as radiation. LEDs emit red,
green, yellow and blue light in the visible
spectral region and produce radiation in the
near infrared region.
Lumineszenzdiode *f*, Leuchtdiode *f*,
lichtemittierende Diode *f*, (LED)
Halbleiterbauelement, bei dem elektrische
Energie in Licht oder Infrarotstrahlung
umgesetzt wird. Durch Rekombination von
Elektronen und Defektelektronen an einem in
Vorwärtsrichtung betriebenem PN-Übergang
wird Energie frei, die als Licht abgestrahlt
wird. LEDs emittieren im sichtbaren
Spektralbereich in den Farben rot, grün, gelb
und blau sowie in nahen Infrarotbereich.
light intensity
Lichtstärke *f*
light pen, electronic pen [a light-sensitive stylus
used for direct data input on the screen; the

stylus is connected to the computer and enables
display elements to be precisely marked or
identified]
Lichtstift *m*, Lichtgriffel *m*, elektronischer
Stift *m* [ein Stift mit lichtempfindlicher Spitze
zur direkten Dateneingabe auf dem Bildschirm;
der mit dem Rechner verbundene Stift
ermöglicht die genaue Markierung bzw.
Identifizierung bestimmter Stellen der
Bildschirmanzeige]
light valve [optoelectronics]
Lichtventil *n* [Optoelektronik]
lightly doped
leicht dotiert, schwach dotiert, niedrigdotiert
LIM (Lotus, Intel, Microsoft) [standard defined
by Lotus, Intel and Microsoft]
LIM *m* [von Lotus, Intel und Microsoft
definierte Norm]
LIM EMS (LIM Expanded Memory Specification)
[manages additional memory as expanded
memory according to Lotus/Intel/Microsoft
(LIM) standard]
LIM-EMS, LIM-Expansionsspeicher *m*
[verwaltet Zusatzspeicher nach Norm von
Lotus/Intel/Microsoft (LIM)]
limit, limitation, limiting
Begrenzung *f*
limit signal
Grenzsignal *n*
limited integrator
Integrierer mit Begrenzung *f*
limited-source diffusion [semiconductor
technology]
Diffusion aus einer erschöpflichen Quelle
f [Halbleitertechnik]
limiter
Begrenzer *m*, Grenzwertstufe *f*
limiter amplifier
Begrenzerverstärker *m*
limiter circuit, limiting circuit
Begrenzerschaltung *f*
limiter diode
Begrenzerdiode *f*
limiter transistor
Begrenzertransistor *m*
line addressable random-access memory
(LARAM)
linienadressierbarer Speicher mit
wahlfreiem Zugriff *m* (LARAM)
line addressable storage
zeilenadressierbarer Speicher *m*
line by line
zeilenweise
line counter
Zeilenzähler *m*
line driver [amplifier circuit for connecting and
matching signal lines to a logic circuit]
Leitungstreiber *m* [Verstärkerschaltung für
den Anschluß und die Anpassung von

Signalleitungen an eine Logikschaltung]
line editor, line-oriented editor [displays text
line by line, in contrast to full-screen editor]
Zeileneditor *m,* zeilenorientierter Editor *m*
[zeigt Text Zeile für Zeile an, im Gegensatz
zum Texteditor]
line feed (LF)
Zeilenvorschub *m*
line feed character
Zeilenvorschubzeichen *n*
line graphics
Liniengraphik *f,* Strichgraphik *f*
line number
Zeilennummer *f*
line printer
Zeilendrucker *m*
line segment
Zeilensegment *n*
line switching
Durchschaltbetrieb *m*
line voltage, mains voltage
Netzspannung *f*
line width
Zeilenbreite *f*
linear amplifier [amplifier of high linearity]
Linearverstärker *m* [Verstärker hoher
Linearität]
**linear compatible complementary MOS
technology** (LC^{2}MOS technology)
Improved CMOS technology mainly used for
fabricating monolithic integrated digital-to-
analog converters.
LC^{2}MOS-Technik *f*
Verbesserte CMOS-Technik, die vorwiegend für
die Herstellung von monolithisch integrierten
Digital-Analog-Umsetzern verwendet wird.
linear derating factor
linearer Unterlastungsgrad *m*
linear integrated circuit
lineare integrierte Schaltung *f*
linearity
Linearität *f*
linearity error
Linearitätsfehler *m*
lines per minute (LPM) [printer]
Zeilen pro Minute *f.pl.* [Drucker]
link, data link
Verbindung *f,* Datenverbindung *f*
link, to [computers, devices, etc.]
koppeln [Rechner, Geräte usw.]
link, to [data]
verketten [Daten]
link, to [logically]
verknüpfen [logisch]
link, to [in programming: to combine object code
modules to form an executable program]
binden [bei der Programmierung: das
Verbinden von Objektcodemodulen zu einem
ausführbaren Programm]

linked list
verkettete Liste *f*
linked subroutine
verbundenes Unterprogramm *n*
linking loader, linker [program for linking
several independent program segments and for
loading them subsequently]
Programmbinder *m,* Bindelader *m*
[Programm zum Zusammenfügen von
mehreren unabhängigen Programmsegmenten
und für das anschließende Laden]
LIPS (logical inferences per second) [artificial
intelligence]
LIPS (logische Schlußfolgerungen pro
Sekunde) [künstliche Intelligenz]
liquid crystal [a normally transparent crystal-
like organic liquid which becomes opaque when
an electric field is applied]
Flüssigkristall *m* [eine kristallähnliche, im
normalen Zustand durchsichtige organische
Flüssigkeit, die durch Anlegen eines
elektrischen Feldes undurchsichtig wird]
liquid crystal display (LCD) [an optoelectronic
display consisting of liquid crystals between
two glass plates covered by transparent
conductive coatings having the shape of the
characters to be displayed]
Flüssigkristallanzeige *f,* LCD-Anzeige *f*
[optoelektronische Anzeige, die aus
Flüssigkristallen zwischen zwei Glasplatten
besteht, die mit einer durchsichtigen,
leitfähigen Beschichtung in Form der
darzustellenden Zeichen versehen sind]
liquid phase epitaxy (LPE) [a process for
growing epitaxial layers in semiconductor
component and integrated circuit fabrication]
Flüssigphasenepitaxie *f* [ein Verfahren zur
Herstellung epitaktischer Schichten bei der
Fertigung von Halbleiterbauelementen und
integrierten Schaltungen]
liquid resist
Abdecklack *m*
LISP (list-processing language) [high-level
programming language mainly used for
applications connected with artificial
intelligence, symbolic mathematics and
computing theory]
LISP [höhere Programmiersprache, die
hauptsächlich für Aufgaben im Zusammenhang
mit künstlicher Intelligenz, symbolischer
Mathematik und Rechnertheorie angewendet
wird]
list
Liste *f*
list-directed
listengesteuert
list program generator (LPG), report program
generator (RPG) [program with formatting and
computational functions for the output of user-

listing 454

specific lists or reports]
Listenprogrammgenerator *m*,
Listengenerator *m* [Programm mit Formatier-
und Rechenbefehlen zur Erstellung von
anwenderspezifischen Listen]
listing
   Auflistung *f*
literal [a constant in a programming language
which is directly indicated as an operand, e.g.
the word "FAULT" in the statement "IF X = 0,
PRINT "FAULT""]
   Literal *n* [eine Konstante in einer
Programmiersprache, die direkt als Operand
angegeben ist, z.B. das Wort "FAULT" in der
Anweisung "IF X = 0, PRINT "FAULT""]
literal operand, literal [a numerical or
alphanumerical constant used as operand in
the address field of an instruction; employed
primarily in assembler languages]
   Operand an Adreßposition *m*, Literal *n*
[eine numerische oder alphanumerische
Konstante als Operand im Adreßfeld eines
Befehls; wird vor allem in Assemblersprachen
verwendet]
lithography, photolithography
Process for reproducing the pattern of a mask
on the wafer. This requires several processing
steps: e.g. coating of the wafer with a
photoresist; placing the mask over the wafer;
alignment of the mask; exposure of the
photoresist through the mask; removal of the
unwanted portions of the resist, etc. There are
several lithographic processes. The most
commonly used is photolithography. Processes
for special applications include electron beam
lithography, ion beam lithography and ion
projection lithography.
   Lithographie *f*, Photolithographie *f*
Verfahren zum Übertragen des Musters einer
Maske auf die Halbleiterscheibe. Hierzu
werden verschiedene Prozeßschritte benötigt:
z.B. Auftragen eines Photolackes; Auflegen der
Maske; Justieren der Maske; Belichtung des
Photolackes durch die Maske hindurch;
Entfernung der unerwünschten Lackstellen
usw. Es gibt verschiedene Verfahren der
Lithographie. Die häufigste Anwendung findet
die Photolithographie. Zu den Verfahren für
besondere Anwendungen gehören die
Elektronenstrahllithographie, die
Ionenstrahllithographie und die
Ionenprojektionslithographie.
load
   Last *f*, Belastung *f*
load, to [to transfer a program from an external
storage into main or working storage]
   laden [Übertragen eines Programmes aus
einem externen Speicher in den Haupt- bzw.
Arbeitsspeicher]

load-and-go [single loading of compiler for the
conversion of multiple programs]
   Laden und Ausführen *n* [einmaliges Laden
des Compilers für die Übersetzung mehrerer
Programme]
load counter signal
   Zählerladesignal *n*
load error [error due to loading of a computing
element]
   Lastfehler *m* [Fehler infolge Belastung eines
Rechenelements]
load factor
   Lastfaktor *m*
load instruction
   Ladebefehl *m*
load line [control line of a counter or shift
register]
   Ladeleitung *f* [Steuerleitung eines Zählers
oder Schieberegisters]
load rating, rated load
   Nennlast *f*
load resistor
   Lastwiderstand *m*
loading address
   Ladeadresse *f*
loading routine, loading program [program
used for loading programs into working
storage]
   Ladeprogramm *n*, Lader *m*, Programmlader
m [Programm zum Laden von Programmen in
den Arbeitsspeicher]
LOC laser (large optical-cavity laser)
[semiconductor laser having a relatively wide
optical cavity]
   LOC-Laser *m* [Halbleiterlaser mit relativ
breitem optischen Resonator]
local area network (LAN) [a network within a
limited area, e.g. building or company grounds,
for the decentral connection of terminals and
peripheral equipment; one differentiates
between contention accessing (e.g. CSMA/CD,
carrier-sense multiple access with collision
detection, Ethernet) and token-passing
accessing according to IEEE-802 and ECMA]
   lokales Netz *n* (LAN) [ein Netz innerhalb
eines begrenzten Bereiches, z.B. Gebäude oder
Unternehmensgelände, für den dezentralen
Anschluß von Bildschirm- und
Peripheriegeräten; man unterscheidet zwischen
Konkurrenz- (z.B. CSMA/CD, Ethernet) und
Sendeberechtigungs-Verfahren (Token-
Zugriffsprotokoll) nach IEEE-802 und ECMA]
local bus [fast bus with higher clock frequency
than system bus]
   Lokalbus *m* [schneller bus mit höherer
Taktfrequenz als der Systembus]
local bus technology
   Lokalbus-Technik *f*
local bus video, LBV [fast bus for connecting

video display]
Lokalbus-Video *n*, LBV [schneller Bus für den
Anschluß des Bildschirms]
local mode
  Lokalbetrieb *m*
local oxidation
  Isolation technique for integrated circuits in
  which isolation regions between the circuit
  structures are formed by selective localized
  deposition of oxide layers on the semiconductor
  wafer with the aid of silicon nitride masks.
  Several processes are used, e.g. Isoplanar,
  LOCMOS, LOCOS, LOSOS, MOSAIC, OXIM,
  OXIS, PLANOX and SATO.
  lokale Oxidation *f*, örtlich gezielte Oxidation *f*
  Technik für die Isolation der einzelnen
  Strukturen einer integrierten Schaltung, bei
  der Oxidschichten selektiv, d.h. örtlich gezielt,
  mit Hilfe von Siliciumnitridmasken auf die
  Halbleiterscheibe aufgebracht werden. Es
  werden verschiedene Verfahren eingesetzt, z.B.
  Isoplanar, LOCMOS, LOCOS, LOSOS,
  MOSAIC, OXIM, OXIS, PLANOX und SATO.
local variable
  lokale Variable *f*
locally oxidized CMOS technology (LOCMOS
technology)
  Isolation technique for complementary MOS
  integrated circuits which provides isolation
  between the circuit structures by local
  oxidation of silicon.
  oxidisolierte CMOS-Technik *f*, LOCMOS-
  Technik *f*
  Isolationsverfahren für integrierte
  komplementäre MOS-Schaltungen, bei dem die
  einzelnen Schaltungsstrukturen durch lokale
  Oxidation von Silicium voneinander isoliert
  werden.
location hole [printed circuit boards]
  Aufnahmeloch *n* [Leiterplatten]
locator
  Lokalisierer *m*
lock in place, to
  einrasten
locking
  verriegelnd
LOCMOS technology (locally oxidized CMOS
technology)
  LOCMOS-Technik *f*
LOCOS technology (local oxidation of silicon)
  Isolation technique for both bipolar and MOS
  integrated circuits which provides isolation
  between the circuit structures by local
  oxidation of silicon.
  LOCOS-Technik *f*
  Isolationsverfahren für integrierte Bipolar- und
  MOS-Schaltungen, bei dem die einzelnen
  Schaltungsstrukturen durch lokale Oxidation
  von Silicium voneinander isoliert werden.

log, to
  protokollieren
log-on, to; sign-on, to
  anmelden
log-on/log-off time, connect time
  Anschaltzeit *f*, Aufschaltzeit *f*
logarithm function, log function
  Logarithmusfunktion *f*
logarithmic amplifier [amplifier whose output
signal corresponds to the logarithm of the input
signal]
  logarithmischer Verstärker *m* [Verstärker,
  dessen Ausgangssignal dem Logarithmus des
  Eingangssignales entspricht]
logging [recording of updates of a data file]
  Logging *n* [Aufzeichnen von Veränderungen
  eines Datenbestandes]
logic
  Logik *f*
logic "one"
  Binärwert "Eins" *m*
logic "zero"
  Binärwert "Null" *m*
logic addition, logical add, Boolean add,
inclusive OR, disjunction[Logical operation
having the output (result) 0 if and only if each
input (operand) has the value 0; for all other
inputs (operand values) the output (result) is 1]
  Disjunktion *f*, inklusives ODER *n*[Logische
  Verknüpfung mit dem Ausgangswert
  (Ergebnis) 0, wenn und nur wenn jeder
  Eingang (Operand) den Wert 0 hat; für alle
  anderen Eingangswerte (Operandenwerte) ist
  der Ausgang (das Ergebnis) 1]
logic analyzer [test unit for logic circuits using
binary patterns]
  Logikanalysator *m* [Prüfgerät für logische
  Schaltungen, das Binärmuster verwendet]
logic array
  Integrated circuit containing a regular pattern
  of prefabricated gates interconnected by fusible
  links. Logic arrays are field-programmable, i.e.
  logic functions can be implemented by blowing
  the fusible links, in contrast to mask-
  programmable gate arrays which require
  interconnection masks for implementing the
  desired functions.
  Logik-Array *n*
  Integrierte Schaltung, die aus einer
  regelmäßigen Anordnung von vorfabrizierten,
  über Durchschmelzverbindungen miteinander
  verdrahteten Gattern besteht. Logik-Arrays
  sind feldprogrammierbar, d.h. die logischen
  Funktionen können durch Wegbrennen der
  Durchschmelzverbindungen festgelegt werden,
  im Gegensatz zu den
  maskenprogrammierbaren Gate-Arrays, bei
  denen die Festlegung der gewünschten
  Funktionen mittels Verdrahtungsmasken

erfolgt.
logic circuit
Logikschaltung *f*
logic decision
logische Entscheidung *f*
logic device
Logikbaustein *m*
logic element, logical element
Logikelement *n*
logic family, logic circuit family
A group of circuits fabricated by the same
process and exhibiting similar or comparable
characteristics such as propagation delay, logic
levels, power dissipation, etc. Typical logic
families are ECL and TTL.
Schaltungsfamilie *f,* Logikfamilie *f,*
Logikschaltungsfamilie *f*
Gruppe von Schaltungen, die nach dem
gleichen Verfahren hergestellt sind und gleiche
oder vergleichbare Kenngrößen aufweisen wie
z.B. Durchlaufverzögerungszeiten, logische
Pegel, Verlustleistungen usw. Typische
Schaltungsfamilien sind ECL und TTL.
logic function, logical operation
logische Verknüpfung *f,* Verknüpfung *f,*
logische Funktion *f*
logic gate, logic element, gate
A circuit that performs a logical operation, i.e.
that combines two or more input signals into
one output signal. There are gates for the
logical functions AND (= conjunction),
EXCLUSIVE-OR (= non-equivalence),
INCLUSIVE-OR (= disjunction), NOT (=
negation), NAND (= non-conjunction or Sheffer
function), NOR (= non-disjunction or Peirce
function), IF-AND-ONLY-IF (= equivalence),
IF-THEN (= implication) and NOT-IF-THEN (=
exclusion).
Verknüpfungsglied *n,* Gatter *n*
Eine Schaltung, die eine logische Operation
ausführt, d.h. zwei oder mehr Eingangssignale
zu einem Ausgangssignal verknüpft. Es gibt
Verknüpfungsglieder für die logischen
Operationen UND (= Konjunktion), exklusives
ODER (= Antivalenz), inklusives ODER (=
Disjunktion), NICHT (= Negation), NAND (=
Sheffer-Funktion), NOR (= Peirce-Funktion),
Äquivalenz, Implikation und Inhibition.
logic level [the level H or L for the logical state 1
or 0 in the case of positive logic and 0 or 1 in
the case of negative logic]
Logikpegel *m* [der Pegel H oder L für den
logischen Zustand 1 oder 0 bei positiver Logik
bzw. 0 oder 1 bei negativer Logik]
logic operation
logische Operation *f*
logic probe, logic tester [for determining the
logic level of any point in a circuit]
Logiktastkopf *m,* Logiktester *m* [zur

Feststellung des logischen Pegels an einer
beliebigen Stelle einer Schaltung]
logic state [logic 1 or logic 0]
logischer Zustand *m* [logisch 1 oder logisch 0]
logic sum
logische Summe *f*
logic symbol
Logiksymbol *n,* Zeichen der Schaltalgebra *n*
logic system
Logiksystem *n*
logic test
logische Prüfung *f*
logic variable
Schaltvariable *f*
logical add, inclusive-OR, disjunction, Boolean
add
Logical operation having the output (result) 0
if and only if each input (operand) has the value
0; for all other input values the output is 1.
inklusives ODER *n,* Disjunktion *f*
Logische Verknüpfung mit dem Ausgangswert
(Ergebnis) 0, wenn und nur wenn jeder Eingang (Operand) den Wert 0 hat; für alle
anderen Eingangswerte ist der Ausgangswert 1.
logical assignment statement
Boolesche Zuweisungsanweisung *f*
logical decision
Binärentscheidung *f*
logical drive [the result of partitioning a
physical drive]
logisches Laufwerk *n* [entsteht durch
Aufteilung eines physikalischen Laufwerkes]
logical inferences per second (LIPS)
[artificial intelligence]
logische Schlußfolgerungen pro Sekunde
f.pl. (LIPS) [künstliche Intelligenz]
logical instruction
logischer Befehl *m*
logical multiplication
logische Multiplikation *f*
logical operation
Verknüpfung *f,* logische Verknüpfung *f*
logical shift [a shift having the same effect on all
characters of a word]
binäres Schieben *f,* logische Verschiebung *f*
[eine Verschiebung, die auf alle Zeichen eines
Wortes die gleiche Wirkung hat]
login, to
anmelden, einloggen
login procedure
Anmeldeprozedur *f*
logoff, to
abmelden, ausloggen
logoff procedure
Abmeldeprozedur *f*
long-distance data transmission
DFÜ, Datenfernübertragung *f*
longest-match principle

Prinzip der größten Übereinstimmung *f*
longitudinal parity, block parity [parity of a
data block after completing with a block parity
bit; in contrast to vertical parity or character
parity]
Längsparität *f,* Blockparität *f* [Parität eines
Datenblocks nach Ergänzung durch ein
Blockprüfzeichen; im Gegensatz zur Quer- bzw.
Zeichenparität]
longitudinal redundancy check character,
(LRC character) [parity check, e.g. with
magnetic tape recording]
LRC-Zeichen *n,* Längsparitätszeichen *n*
[Paritätsprüfung z.b. bei
Magnetbandaufzeichnungen]
longtime drift
Langzeitdrift *f*
look-ahead signal
Vorgriffssignal *n*
look-and-feel [user's view of a graphical
interface]
Look-and-feel [Benutzersicht einer
graphischen Schnittstelle]
loop, program loop [a series of instructions
repeatedly carried out]
Schleife *f,* Programmschleife *f* [eine Reihe von
Befehlen, die mehrmals durchlaufen wird]
loop counter [counts the number of times a
program loop is carried out]
Schleifenzähler *m* [zählt die Anzahl
Durchläufe einer Programmschleife]
loop operation
Schleifenoperation *f*
loopback [telecommunications]
Rückschleife *f* [Telekommunikationstechnik]
looping [e.g. of a routine]
durchlaufen [z.B. eines Unterprogrammes]
loose coupling [e.g. between two magnetic
circuits]
lose Kopplung *f* [z.B zwischen zwei
magnetischen Kreisen]
LOSOS technology (local oxidation of silicon-on-
sapphire)
Isolation technique for integrated circuits with
silicon-on-sapphire structures which provides
isolation between the circuit structures by local
oxidation of silicon.
LOSOS-Technik *f*
Isolationsverfahren für integrierte Schaltungen
mit Silicium-auf-Saphir-Strukturen, bei dem
die einzelnen Strukturen der Schaltung durch
lokale Oxidation von Silicium voneinander
isoliert werden.
loss angle [e.g. of a capacitor]
Verlustwinkel *m* [z.B. eines Kondensators]
loss factor
Verlustfaktor *m* [elektrischer]
loss of accuracy
Genauigkeitsverlust *m*

lost allocation unit [in file allocation table]
verlorene Zuordnungseinheit *f* [in Datei-
Zuordnungstabelle]
lot [production or test quantity]
Los *n* [Fabrikations- bzw. Prüfmenge]
low-access storage
Speicher mit geringer Zugriffszeit *m*
low address
niederwertige Adresse *f*
low frequency
Niederfrequenz *f,* (NF)
low-frequency amplifier
NF-Verstärker *m,* Niederfrequenzverstärker
low-impedance
niederohmig
low-level amplifier, small signal amplifier
**Verstärker für niedrige
Eingangsspannungen** *m*
low-level formatting [physical formatting of a
hard disk, i.e. generation of sectors]
Vorformatierung *f* [physikalische
Formatierung einer Festplatte, d.h. Erzeugung
der Sektoren]
low-level to high-level propagation time
Laufzeit bei L/H-Pegelwechsel *f*
low-level to high-level transition time
Übergangszeit bei L/H-Pegelwechsel *f*
low loss
verlustarm
low-noise amplifier
rauscharmer Verstärker *m*
low-noise component, low-noise device
rauscharmes Bauteil *n,* rauscharmer
Baustein *m*
low-order bit
niederwertiges Bit *n*
low-order bit position
niederwertige Bitstelle *f*
low-order byte
niederwertiges Byte *n*
low-order digit
niederwertige Ziffer *f*
low-pass filter
Tiefpaßfilter *n*
low power consumption
geringe Leistungsaufnahme *f*
low-power diode-transistor logic (LPDTL)
[Variant of the DTL logic family]
**Dioden-Transistor-Logik mit niedriger
Verlustleistung** *f* (LPDTL) [Variante der
DTL-Schaltungsfamilie]
low-power Schottky TTL (LSTTL)
Family of TTL circuits using integrated
Schottky barrier diodes to prevent the
transistors from saturating. This results in
higher switching speeds and considerably
reduced power dissipation.
**Schottky-TTL mit niedriger
Verlustleistung** *f* (LSTTL)

TTL-Schaltungsfamilie, die integrierte
Schottky-Dioden zur Vermeidung der Sättigung
der Transistoren verwendet. Dadurch wird die
Schaltgeschwindigkeit erhöht und die
Verlustleistung erheblich herabgesetzt.
low-power TTL (transistor-transistor logic)
TTL mit niedriger Verlustleistung f
low-radiation monitor
strahlungsarmes Bildschirmgerät n
low range of a binary signal [L-range]
unterer Bereich eines binären Signals m
(L-Bereich)
low-speed logic (LSL)
Family of bipolar logic circuits characterized by
high noise immunity.
langsame störsichere Logik f (LSL)
Bipolare Schaltungsfamilie, die sich durch hohe
Störsicherheit auszeichnet.
low value
niedriger Wert m
low voltage
Niederspannung f
lower case character
Kleinbuchstabe m
lower limit
untere Grenze f
lower logic level, lower level
unterer Logikpegel m, unterer Pegel m
lowest common denominator (LCD)
kleinster gemeinsamer Nenner m
lowest-order bit
niedrigstwertiges Bit n
LPDTL (low power diode-transistor logic)
[variant of the DTL logic family]
**LPDTL, Dioden-Transistor-Logik mit niedriger
Verlustleistung** f [Variante der DTL-
Schaltungsfamilie]
LPE (liquid phase epitaxy) [a process for growing
epitaxial layers in semiconductor component
and integrated circuit fabrication]
LPE-Verfahren n, Flüssigphasenepitaxie f
[ein Verfahren zur Herstellung epitaktischer
Schichten bei der Fertigung von
Halbleiterbauelementen und integrierten
Schaltungen]
LPG (list program generator), RPG (report
program generator) [program with formatting
and computational functions for the output of
user-specific lists or reports]
Listenprogrammgenerator m,
Listengenerator m [Programm mit Formatier-
und Rechenbefehlen zur Erstellung von
anwenderspezifischen Listen]
LPM (lines per minute) [printer]
Zeilen pro Minute $f.pl.$ [Drucker]
LQ mode (Letter Quality) [printer mode]
Schönschrift-Modus m, LQ-Modus m
[Drucker-Betriebsart]
LRC character (longitudinal redundancy check

character) [parity check, e.g. with magnetic
tape recording]
LRC-Zeichen n, Längsparitätszeichen n
[Paritätsprüfung z.B. bei
Magnetbandaufzeichnungen]
LRU algorithm (Least Recently Used) [selects
object that has not been used for the longest
time]
LRU-Algorithmus m [wählt das Objekt aus,
das die längste Zeit nicht benutzt worden ist]
LSB (least significant bit)
**LSB, Binärstelle mit der niedrigsten
Wertigkeit** f
LSD (least significant digit)
LSD [Stelle einer Zahl mit der niedrigsten
Wertigkeit]
LSI (large scale integration)
Technique providing the integration of about
10^5 transistors or logical functions on a single
chip.
LSI, Großintegration f
Integrationstechnik, bei der rund 10^5
Transistoren oder Gatterfunktionen auf einem
Chip realisiert sind.
LSL (low-speed logic)
Family of bipolar logic circuits characterized by
high noise immunity.
LSL, langsame störsichere Logik f
Bipolare Schaltungsfamilie, die sich durch hohe
Störsicherheit auszeichnet.
LSTTL (low power Schottky TTL)
Family of TTL circuits using integrated
Schottky diodes to prevent the transistors from
saturating. This results in considerably reduced
power dissipation.
**LSTTL, Schottky-TTL mit niedriger
Verlustleistung** f
TTL-Schaltungsfamilie, die integrierte
Schottky-Dioden zur Vermeidung der Sättigung
der Transistoren verwendet. Dadurch wird die
Verlustleistung erheblich herabgesetzt.
lumen (lm) [SI unit of luminous flux]
Lumen n (lm) [SI-Einheit des Lichtstromes]
luminosity
Luminosität f
luminous flux [optoelectronics]
Lichtstrom m [Optoelektronik]
luminous spot [on the screen]
Leuchtfleck m, Leuchtpunkt m [Lichtfleck auf
dem Bildschirm]
lux (lx) [SI unit of light intensity]
Lux n (lx) [SI-Einheit der Beleuchtungsstärke]

M

MAC file format [graphical file format for Apple Macintosh]
    MAC-Dateiformat *n* [Graphik-Dateiformat für den Apple Macintosh]
machine address, absolute address [designates the memory location in the main storage]
    Maschinenadresse *f,* absolute Adresse *f* [kennzeichnet die Speicherzelle im Hauptspeicher]
machine check, automatic check, hardware check
    automatische Geräteprüfung *f,* Geräteselbstprüfung *f*
machine code, machine instruction code [coding in binary or decimal digits (with hexadecimal or octal representation) for machine instructions of a microprocessor or of a computer]
    Maschinencode *m,* Maschinenbefehlscode *m* [maschineninterne Codierung in Binär- oder Dezimalziffern (mit hexadezimaler oder oktaler Darstellung) für die Maschinenbefehle eines Mikroprozessors bzw. Rechners]
machine cycle [execution time for an elementary operation in a microprocessor or computer]
    Maschinenzyklus *m* [Ausführungszeit einer elementaren Operation in einem Mikroprozessor oder Rechner]
machine cycle status
    Maschinenstatus *m,* Maschinenzyklusstand
machine-dependent [e.g. programming language]
    maschinenabhängig [z.B. Programmiersprache]
machine-independent [e.g. programming language]
    maschinenunabhängig [z.B. Programmiersprache]
machine instruction [instruction written in machine code that can be recognized by the central processing unit of a computer or by a microprocessor]
    Maschinenbefehl *m* [im Maschinencode geschriebener Befehl, der von der Zentraleinheit eines Rechners bzw. vom Mikroprozessor erkannt wird]
machine language [the complete set of machine instructions of a microprocessor or computer]
    Maschinensprache *f* [Gesamtheit der Maschinenbefehle eines Mikroprozessors bzw. eines Rechners]
machine-oriented language, computer-oriented language [symbolic programming language closely related to machine language structure and hence machine-dependent]

    maschinenorientierte Programmiersprache *f* [symbolische Programmiersprache, die eng an die Struktur der Maschinensprache angelehnt und deshalb maschinenabhängig ist]
machine program [a program in machine language]
    Maschinenprogramm *n* [ein Programm in Maschinensprache]
machine-readable [e.g. characters]
    maschinenlesbar [z.B. Zeichen]
machine-readable data medium, machine-readable medium
    maschinell lesbarer Datenträger *m*
machine time, computer time
    Maschinenzeit *f,* Rechnerbelegungszeit *f*
machine word [character string written in machine code and treated as a unit]
    Maschinenwort *n* [im Maschinencode geschriebene Zeichenfolge, die als Einheit behandelt wird]
Macintosh computer, Apple Macintosh computer [developed by Apple, based on the Motorola 68000 processor family]
    Macintosh-Rechner *m,* Apple-Macintosh-Rechner *m* [auf Basis der Motorola-68000-Prozessorfamilie von Apple entwickelt]
macro, macro instruction [sequence of instructions]
    Makrobefehl *m* [Folge von Befehlen]
macro call [calling an instruction sequence defined as a macro in a symbolic programming language and assigning current values to parameters]
    Makroaufruf *m* [Aufruf einer Befehlsfolge, die in einer symbolischen Programmiersprache als Makro definiert ist, sowie die Zuweisung von aktuellen Werten für die Parameter]
macro definition, macro declaration
    Makrodefinition *f*
macro element
    Makroelement *n*
macro instruction, macro [sequence of instructions]
    Makrobefehl *m* [Folge von Befehlen]
macro instruction storage
    Makrobefehlsspeicher *m*
macro library [collection of defined macros]
    Makrobibliothek *f* [Sammlung von definierten Makros]
macro processor [a program that generates the machine instruction sequences corresponding to defined macros and assigns current values to parameters]
    Makroprozessor *m* [ein Programm, das die Maschinenbefehlsfolgen von definierten Makros erzeugt und den Parametern aktuelle Werte zuweist]
macro programming

Makroprogrammierung *f*
macro statement
Makroanweisung *f*
macroassembler [assembler that automatically
converts repetitively used instruction
sequences, defined by the programmer as
macros, into corresponding sequences of
machine instructions]
Makroassembler *m* [Assembler, der
wiederholt verwendete Befehlsfolgen, die vom
Programmierer als Makros definiert sind,
automatisch in die entsprechenden
Maschinenbefehlsfolgen umsetzt]
macrocell [semiconductor technology]
A combination of prediffused functional but not
interconnected basic cells, each containing a
cluster of integrated circuit elements such as
gates, transistors, resistors and diodes.
Macrocells are limited to bipolar technology
and are usually fabricated in ECL and ALSTTL
logic.
Makrozelle *f* [Halbleitertechnik]
Eine Kombination von vorfabrizierten
funktionellen, aber nicht miteinander
verdrahteten Grundzellen, die ihrerseits aus
integrierten Elementen wie Gattern,
Transistoren, Widerständen und Dioden
bestehen. Makrozellen werden nur in
Bipolartechnik, vorwiegend in ECL- und
ALSTTL-Logik, hergestellt.
macrocell array
Large-scale integrated circuit containing a
regular prediffused pattern of macrocells.
Similar to gate arrays, macrocell arrays allow
semicustom integrated circuits to be produced
with the aid of interconnection masks. In
contrast to gate arrays, however, their degree
of complexity is much higher.
Makrozellen-Array *n*
Höchstintegrierte Schaltung, die aus einer
regelmäßigen Anordnung von vorfabrizierten
Makrozellen besteht. Mit Hilfe von
Verdrahtungsmasken lassen sich, ähnlich wie
mit Gate-Arrays, integrierte
Semikundenschaltungen realisieren, die jedoch
im Vergleich zu Gate-Arrays einen höheren
Komplexitätsgrad aufweisen.
magnetic bubble memory, bubble memory
Non-volatile mass storage device with very high
storage density. Storage of data is effected in
small cylindrical domains (bubbles) in a
magnetic thin film deposited on a non-magnetic
substrate.
Magnetblasenspeicher *m*, Blasenspeicher *m*
Nichtflüchtiger Massenspeicher mit sehr hoher
Speicherdichte. Die Speicherung der Daten
erfolgt in kleinen zylindrischen Domänen
(Blasen) in einer dünnen magnetischen Schicht,
die auf ein nichtmagnetisches Substrat

aufgebracht ist.
magnetic bubble memory cassette, bubble
memory cassette
Magnetblasenspeicherkassette *f*,
Blasenspeicherkassette *f*
magnetic card
Magnetkarte *f*
magnetic card storage
Magnetkartenspeicher *m*
magnetic character reader
Magnetschriftleser *m*
magnetic characters [magnetized characters
readable by machines and humans]
Magnetschrift *f* [magnetische Zeichen, die von
Maschinen und Menschen lesbar sind]
magnetic circuit
magnetischer Kreis *m*
magnetic core, core
Magnetkern *m*, Kern *m*
magnetic core storage, core storage, core
memory
Magnetkernspeicher *m*, Kernspeicher *m*
magnetic disk
Magnetplatte *f*
magnetic disk cartridge, single-disk cartridge
[top loaded or front loaded]
Magnetplattenkassette *f*,
Einzelplattenkassette *f* [von oben einsetzbare
bzw. von vorne einschiebbare Kassette]
magnetic disk drive, disk drive
Magnetplattenlaufwerk *n*, Plattenlaufwerk
magnetic disk pack, disk pack
Magnetplattenstapel *m*
magnetic disk storage, disk storage, disk
memory
Disk storages can be of the fixed or removable
type. The Winchester drive is a special fixed-
disk storage with high recording density.
Removable-disk storages can be of the disk
pack or single-disk cartridge type.
Magnetplattenspeicher *m*, Plattenspeicher *m*
Man unterscheidet hauptsächlich zwischen
Fest- und Wechselplattenspeicher. Der
Winchester-Plattenspeicher ist eine besondere
Ausführung des Festplattenspeichers mit hoher
Aufzeichnungsdichte. Bei den Wechselplatten
unterscheidet man zwischen Plattenstapel und
Einzelplattenkassette.
magnetic drop-out, drop-out [magnetic tape
error]
Magnetisierungsfehlstelle *f*
[Magnetbandfehler]
magnetic drum storage
Magnettrommelspeicher *m*
magnetic field
Magnetfeld *n*, magnetisches Feld *n*
magnetic film, magnetic coating
Magnetschicht *f*
magnetic film memory, magnetic film storage

Magnetschichtspeicher m,
Magnetfilmspeicher m
magnetic flux
magnetischer Fluß m, Magnetfluß m
magnetic head, head
Magnetkopf m
magnetic hysteresis
magnetische Hysterese f
magnetic ink character recognition (MICR)
[by optical or magnetic scanning of magnetic
characters]
Magnetschrifterkennung f, magnetische
Zeichenerkennung f [durch optische oder
magnetische Abtastung einer Magnetschrift]
magnetic leakage
magnetische Streuung f
magnetic ledger-card computer
Magnetkontenautomat m,
Magnetkontenrechner m
magnetic recording
magnetische Aufzeichnung f
magnetic storage device, magnetic memory
Magnetspeicher m
magnetic susceptibility
magnetische Suszeptibilität f
magnetic tape
Magnetband n
magnetic tape cassette, magnetic tape
cartridge
Magnetbandkassette f
magnetic tape drive, tape drive
Magnetbandlaufwerk n
magnetic tape error [due to loss of a bit (drop-
out) or addition of a bit (drop-in)]
Magnetbandfehler m [wird durch verlorenes
bzw. zusätzliches Bit, d.h. durch Signalausfall
(drop-out) bzw. Störsignal (drop-in), verursacht]
magnetic tape label
Magnetbandkennsatz m
magnetic tape reader
Magnetbandleser m
magnetic tape recording
Magnetbandaufzeichnung f
magnetic tape storage
Magnetbandspeicher m
magnetic tape trailer
Magnetbandnachspann m
magnetic tape unit, tape unit, magnetic tape
device
Magnetbandgerät n
magnetic track
Magnetspur f
magnetic wire strorage
Magnetdrahtspeicher m
mailbox, electronic mailbox [storage space for
incoming messages]
Mailbox f, elektronischer Briefkasten m
[Speicherplatz für eingehende Mitteilungen]
mailbox service, E-mail service,

electronic mail service
Mailbox-Dienst m, elektronischer Postdienst m
mail-merge program [combines constant text
with variable addresses]
Serienbriefprogramm n [kombiniert
konstanten Text mit variablen Adressen]
main board [printed circuit board with
microprocessor, RAM/ROM and input-output
devices]
Hauptplatine f, Hauptleiterplatte f
[Leiterplatte mit Mikroprozessor, RAM/ROM,
Ein-Ausgabe-Bausteinen]
main memory, main storage [storage with which
the processor directly communicates and which
contains the operating system, the programs
and data; that part which takes up the running
program and data is often called working
storage]
Hauptspeicher m, Zentralspeicher m
[Speicher, mit dem der Prozessor unmittelbar
verkehrt, und der das Betriebssystem, die
Programme und die Daten enthält; der Teil, der
das gerade ablaufende Programm und die
zugehörenden Daten aufnimmt, wird oft als
Arbeitsspeicher bezeichnet]
main menu
Hauptmenü n
main processor
Hauptprozessor m
main routine, master program
Hauptprogramm n
main storage allocation
Hauptspeicherzuordnung f
mains failure, power failure, outage
Netzausfall m, Stromausfall m
mains voltage, line voltage
Netzspannung f
maintain, to
warten, instandhalten
maintainability
Wartbarkeit f
maintenance, preventive maintenance
Wartung f, Instandhaltung f, vorbeugende
Instandhaltung f
major defect
Hauptfehler m
major failure
Hauptausfall m
major loop
Hauptschleife f
majority carrier, majority charge carrier
The predominant type of charge carrier in a
semiconductor or a semiconductor region; i.e.
the type of carrier that constitutes more than
half of the total number of carriers in that
particular region. In n-type material, electrons
are majority carriers; in p-type materials, holes
are majority carriers.

Majoritätsladungsträger *m*
Der in einem Halbleiter bzw. Halbleiterbereich
vorherrschende Ladungsträgertyp; d.h. der
Lagungsträgertyp, dessen Dichte größer ist als
die Hälfte der gesamten Trägerdichte in dem
betreffenden Bereich. In einem N-leitenden
Halbleiter sind die Elektronen
Majoritätsladungsträger; in einem P-leitenden
Halbleiter sind es die Defektelektronen.

make-up [word processing]
Umbruch *m* [Textverarbeitung]

malfunction
fehlerhafte Funktion *f,* **Fehlfunktion** *f,*
Funktionsstörung *f*

man-machine inferface [MMI]
Mensch-Maschine-Schnittstelle *f*

man-year
Mann-Jahr *n*

management information system (MIS) [a
computer-based system for supporting
management functions by providing selected
information in an updated and concentrated
form]
Managementinformationssystem *n* (MIS)
[ein rechnergestütztes System zur
Unterstützung der Unternehmungsleitung
durch ausgewählte Informationen in
aktualisierter und konzentrierter Form]

mandatory
obligatorisch

mandatory instruction
Muß-Anweisung *f*

manipulate, to
manipulieren

manipulated variable [automatic control]
Stellgröße *f* [Regelungstechnik]

manipulation, data manipulation
Handhabung *f,* **Datenhandhabung** *f*

mantissa, fixed-point part [in floating point
notation: the numerical value of a number, i.e.
the number 123 can be represented by the
mantissa 0.123 and the exponent 3 (= 0.123 x
10^3)]
Mantisse *f* [bei der Gleitpunktdarstellung: der
Zahlenwert einer Zahl, z.B. kann die Zahl 123
durch die Mantisse 0,123 und den Exponenten
3 (= 0,123 x 10^3) dargestellt werden]

manual artwork generation
manuelle Vorlagenerstellung *f*

manual data input (MDI)
Handdateneingabe *f,* Dateneingabe von
Hand *f*

manual entry
Eingabe von Hand *f,* Handeingabe *f*

manual input
Handeingabe *f*

manual input data
manuell eingegebene Daten *n.pl.*

manual input device

Handeingabegerät *n*

manual operation
manueller Betrieb *m*

manual override
Eingreifen von Hand *n*

manufacturing drawing [printed circuit
boards]
Fertigungszeichnung *f* [Leiterplatten]

manufacturing process, processing technology
Herstellungsverfahren *n*

mapping
Abbildung *f*

mapping ROM [code converter based on ROMs,
e.g. for converting the code part of a machine
instruction into the starting address of a
microprogram]
Mapping-ROM *m* [Codeumsetzer auf ROM-
Speicherbasis, der z.B. den Codeteil eines
Maschinenbefehls in die Startadresse des
Mikroprogramms umsetzt]

margin [e.g. of a block of text]
Rand *m* [z.B. eines Textblockes]

marginal check, marginal test
Grenzwertprüfung *f*

marginal perforation [perforation of a
continuous form in vertical direction of paper]
Randlochung *f* [Lochung eines
Endlosformulars in vertikaler Papierrichtung]

mark
Markierung *f*

maser (microwave amplification by stimulated
emission of radiation)
Maser [Mikrowellenverstärkung durch
angeregte Strahlungsemission]

MASFET (metal-alumina-silicon FET)
Field-effect transistor in which the gate is
isolated from the channel by an aluminium
oxide. Is used for fabricating memories, e.g.
EPROMs.
MASFET, Feldeffekttransistor mit Metall-
Aluminiumoxid-Silicium-Aufbau *m*
Feldeffekttransistor, dessen Gate
(Steuerelektrode) durch eine
Aluminiumoxidschicht vom Kanal isoliert ist.
Wird zur Herstellung von Speichern, z.B.
EPROMs, verwendet.

mask [procedure based on an AND operation for
covering up unwanted parts of a machine word
e.g. the mask 00111100 passes the middle four
bits of an 8-bit word and covers up the
remaining four bits]
Maske *f* [auf einer UND-Operation basierende
Verfahren zur Abdeckung von nichtbenötigten
Teilen eines Maschinenwortes, z.B. die Maske
mit den Binärzeichen 00111100 läßt die
mittleren vier Stellen eines 8-Bit-Wortes durch
und deckt die anderen vier Stellen ab]

mask, photomask
Patterned screen used in integrated circuit

fabrication to permit selective doping, oxidation, etching, metallization, etc. to be carried out. For the manufacture of an integrated circuit 5 to 16 different mask patterns are required corresponding to the various masking steps associated with the fabrication process used.

Maske *f*, **Photomaske** *f*
Schablone, die bei der Herstellung von integrierten Schaltungen verwendet wird, um eine selektive Dotierung, Oxidation, Ätzung, Metallisierung usw. zu ermöglichen. Für eine integrierte Schaltung werden 5 bis 16 unterschiedliche Masken für die vom angewendeten Fertigungsprozeß abhängenden Maskierungsschritte benötigt.

mask, to [cover up, e.g. the structure of an integrated circuit during manufacture; binary digits of a machine word; pictorial segments in computer graphics]
maskieren [abdecken, z.B. die Struktur einer integrierten Schaltung bei der Herstellung; Binärstellen eines Maschinenwortes; Bildteile bei der graphischen Datenverarbeitung]

mask aligner
Maskenjustiervorrichtung *f*

mask alignment
Maskenjustierung *f*

mask fabrication, mask-making [the production of masks for integrated circuit fabrication]
Maskenherstellung *f* [die Fertigung von Masken für die Herstellung integrierter Schaltungen]

mask pattern, artwork
Artwork for the production of masks, based on the circuit layout, which is 100 to 1000 times larger than the final mask.
Maskenvorlage *f*
Vorlage für die Maskenherstellung, die anhand des Schaltkreislayouts erstellt wird und 100 bis 1000 mal größer ist, als die endgültige Maske.

mask programmable
maskenprogrammierbar

mask programmed read-only memory [read-only memory whose contents are determined by an interconnection mask during manufacture]
maskenprogrammierter Festwertspeicher *m* [Festwertspeicher, dessen Inhalt mittels einer Verdrahtungsmaske während der Herstellung festgelegt wird]

mask programming [programming of a read-only memory by means of an interconnection mask during manufacture]
Maskenprogrammierung *f* [Programmierung eines Festwertspeichers mittels einer Verdrahtungsmaske während der Herstellung]

mask register [register employed for maskable interrupts]
Maskenregister *n* [bei der maskierbaren

Unterbrechung verwendetes Register]

mask reproduction
Maskenreproduktion *f*

maskable interrupt [interrupt technique employing a masking bit to enable or disable an interrupt]
maskierbare Unterbrechung *f*
[Unterbrechungsart, die ein Maskierbit für Freigabe bzw. Sperrung einer Unterbrechung verwendet]

maskable vector interrupt pin
maskierbarer Vektor-Unterbrechungsanschluß *m*

masking, masking operation [in integrated circuit fabrication]
Maskierung *f* [bei der Herstellung integrierter Schaltungen]

masking bit [for enabling or disabling a maskable interrupt]
Maskierbit *n* [für die Freigabe bzw. Sperrung einer maskierbaren Unterbrechung]

masking step, photomasking step
Maskierungsschritt *m*

masking tape
Abdeckband *n*

masking technology, masking process
Processes (e.g. photolithography, electron beam writers, etching processes, etc.) for producing masks required in integrated circuit fabrication.
Maskentechnik *f*
Verfahren (z.B. Photolithographie, Elektronenstrahlschreiber, Ätztechniken usw.) für die Herstellung von Masken, die für die Fertigung integrierter Schaltungen benötigt werden.

mass data
Massendaten *n.pl.*

mass density
Massendichte *f*

mass storage, mass memory [storage device with large capacity, e.g. disk storage]
Massenspeicher *m* [Speicher mit großer Kapazität, z.B. Plattenspeicher]

master artwork [printed circuit boards]
Originalvorlage *f* [Leiterplatten]

master clock
Haupttaktgeber *m*

master control routine, master control program
Hauptsteuerprogramm *n*

master data, master records
Stammdaten *n.pl.*, **Stammeinträge** *m.pl.*

master file
Stammdatei *f*, **Hauptdatei** *f*

master file inquiry
Abfrage von Stammdateien *f*

master mask
Mask on which the complete pattern of an

integrated circuit has been reproduced 100 to 1000 times to cover the entire surface of the wafer. Reproduction is effected with the aid of a step-and-repeat process or an electron beam writer. The master mask is copied to produce submasters which are used to produce the actual working masks (or working plates).
Muttermaske *f*
Maske, auf der die Gesamtstrukturen einer integrierten Schaltung mit Hilfe eines Step-and-Repeat-Verfahrens oder eines Elektronenstrahlschreibers 100 bis 1000fach abgebildet sind, so daß die ganze Fläche der Halbleiterscheibe (Wafer) abgedeckt ist. Von der Muttermaske werden Kopien als Tochtermasken gefertigt, von denen die eigentlichen Arbeitsmasken hergestellt werden.
master program, main routine
Hauptprogramm *n*
master pulse
Hauptimpuls *m*, Leitimpuls *m*
master reset
Gesamtrückstellung *f*
master tape
Stammband *n*
master unit
Haupteinheit *f*
master-slave arrangement [flip-flops: a circuit with two flip-flop stages; the first (master) changes its state with the rising edge of the clock pulse, the second (slave) accepts this signal and changes its state with the falling edge of the clock pulse]
Master-Slave-Anordnung *f* [Flipflop: Schaltung mit zwei Flipflop-Stufen; die erste (Master) ändert ihren Zustand mit der Vorderflanke des Taktimpulses und die zweite (Slave) übernimmt dieses Signal und ändert ihren Zustand mit der Rückflanke des Taktimpulses]
master-slave arrangement [microprocessors or computers: an arrangement in which one unit (master) controls the others (slaves)]
Master-Slave-Anordnung *f* [Mikroprozessoren oder Rechner: eine Anordnung, bei der ein Prozessor (Master) die Steuerung der anderen (Slaves) übernimmt]
master-slave flip-flop, MS flip-flop [flip-flop circuit controlled by both edges of the clock pulse, e.g. a JK flip-flop or two triggered RS flip-flops]
Master-Slave-Flipflop *n*, MS-Flipflop *n*, Master-Slave-Speicherglied *n* [Flipflop-Schaltung, die von beiden Flanken des Taktimpulses gesteuert wird, z.B. ein JK-Flipflop oder zwei getaktete RS-Flipflops]
match
Vergleich *m*
match, to

vergleichen
matched
paarig
matched records
paarige Datensätze *m.pl.*
matching [data]
Paarigkeit *f* [Daten]
matching [electrical]
Anpassung *f*, Leistungsanpassung *f* [elektrisch]
matching error
Abgleichfehler *m*
mathematical expression, mathematical term
mathematischer Ausdruck *m*
mathematical logic
symbolische Logik *f*, mathematische Logik *f*
mating connector
Gegensteckverbinder *m*
mating contact
Gegenkontakt *m*
matrix, array [two-dimensional (or multi-dimensional) arrangement of data elements or components in columns and rows, e.g. diode matrix, memory matrix]
Matrix *f* [zweidimensionale (oder mehrdimensionale) Anordnung von Datenelementen oder Bauteilen in Spalten und Zeilen, z.B. Diodenmatrix, Speichermatrix]
matrix character [character formed by a matrix of dots]
Matrixzeichen *n* [Zeichen, das aus einer Punktmatrix aufgebaut ist]
matrix notation
Matrixschreibweise *f*
matrix printer, dot-matrix printer
Printer which uses a matrix of wires (e.g. 5x7 or 7x9 matrix) to form alphanumeric characters composed of dots. The wires are driven against an inked ribbon or paper by solenoids.
Matrixdrucker *m*, Nadeldrucker *m*, Mosaikdrucker *m*
Drucker, bei dem durch matrixförmig angeordnete Drahtstifte (z.B. 5x7 oder 7x9 Matrix) aus Punkten zusammengesetzte Zeichen gebildet werden. Die Bewegung der Drahtstifte gegen das Farbband bzw. gegen das Papier erfolgt durch Elektromagnete.
matrix storage, matrix memory [storage whose elements are arranged in a matrix so that an element is accessed over two (or more) coordinates, e.g. core storage]
Matrixspeicher *m* [Speicher, dessen Elemente matrixförmig angeordnet sind, so daß der Zugriff auf ein Element über zwei (oder mehr) Koordinaten erfolgt, z.B. ein Kernspeicher]
maximum gain
Maximalverstärkung *f*
MB, Mbyte, megabyte [measure for storage capacity; 10^6 bytes]

MB, Mbyte, Megabyte *n* [Maß für die Speicherkapazität; 10^6 Byte]

MB/s, Mbytes/s, megabytes/s [measure for data transfer rate; 10^6 bytes/s]

MB/s, MByte/s, Megabyte/s [Maß für die Datenübertragung; 10^6 Byte/s]

MBE process (molecular beam epitaxy) Process using molecular beams for producing epitaxial layers; is used mainly in large-scale and very large-scale integrated circuit fabrication.

MBE-Verfahren *n*, Molekularstrahlepitaxie *f* Verfahren zur Herstellung epitaktischer Schichten mit Hilfe von Molekularstrahlen; wird vorwiegend für hoch- und höchstintegrierte Schaltungen eingesetzt.

MCA (Micro Channel Architecture) [32-bit bus system for IBM PS/2 computers]

MCA [Mikrokanal-Architektur, 32-Bit-Bussystem für IBM PS/2-Rechner]

MCBF (mean cycles between failures) **MCBF** [Anzahl der fehlerfreien Zyklen zwischen zwei Ausfällen]

MCM (multi-chip module) [package of ICs bonded directly to substrate for high-speed transmission]

MCM-Baustein *m*, Multichipmodul *m* [Baustein mit mehreren integrierten Schaltungen auf einem Substrat für Hochgeschwindigkeits-Übertragungen]

MCU (microprogram control unit) [controls the sequence of microinstructions in microprogramming]

MCU, Mikrosteuereinheit *f* [steuert bei der Mikroprogrammierung die Sequenz von Mikrobefehlen]

MCVD process (modified chemical vapour deposition process) [a vapour deposition process used in glass fiber fabrication]

MCVD-Verfahren *n* [Schichtabscheidungsverfahren, das bei der Herstellung von Glasfasern eingesetzt wird]

MDI (manual data input) **Handdateneingabe** *f*

MDI (Multiple Document Interface) [for data exchange between documents]

MDI-Schnittstelle *f* [für den Datenaustausch zwischen Dokumenten]

mean time between failures (MTBF) **mittlere störungsfreie Zeit** *f*

mean time to repair, (MTTR) **mittlere Reparaturzeit** *f*, mittlere Instandsetzungszeit *f*

mean value, average value **Mittelwert** *m*

measure, to; gauge, to **messen**

measured quantity **Meßgröße** *f*

measured value **Meßwert** *m*

measurement error **Meßfehler** *m*

measurement setup **Meßanordnung** *f*, Meßaufbau *m*

measuring bridge **Meßbrücke** *f*

measuring equipment **Meßausrüstung** *f*, Meßeinrichtung *f*

measuring range **Meßbereich** *m*

measuring result, test result **Meßergebnis** *n*, Prüfergebnis *n*

measuring setup **Meßanordnung** *f*

measuring unit, measuring device **Meßgerät** *n*

medium scale integration (MSI) Technique resulting in the integration of about 1000 transistors or logical functions on a single chip.

mittlere Integration *f* (MSI) Integrationstechnik, bei der rund 1000 Transistoren oder Gatterfunktionen auf einem Chip realisiert sind.

megabyte (MB or Mbyte) [10^6 bytes] **Megabyte** *n* (MB oder MByte) [10^6 Byte]

Megaflop (MFLOP) [10^6 floating-point operations per second] **Megaflop** *n* (MFLOP) [10^6 Gleitpunktoperationen pro Sekunde]

MegaPAL [a programmable logic-array concept for producing semicustom integrated circuits] **MegaPAL** [ein programmierbares Logik-Array-Konzept für die Realisierung von integrierten Semikundenschaltungen]

membrane keyboard **Folientastatur** *f*, Membrantastatur *f*

membrane switch **Membranschalter** *m*, Folienschalter *m*

memory access, storage access **Speicherzugriff** *m*

memory address register (MAR) **Speicheradreßregister** *n*

memory board **Speicherkarte** *f*

memory bus **Speicherbus** *m*

memory capacity, storage capacity [data storage capacity of a storage medium, usually expressed in bytes (kbytes or Mbytes)] **Speicherkapazität** *f* [Datenaufnahmevermögen eines Speichermediums, meistens in Bytes (kBytes oder MBytes) ausgedrückt]

memory cell, storage cell [a group of storage cells identified by an address, e.g. for storing a byte or word]

Speicherzelle *f* [eine aus mehreren
Speicherelementen bestehende Gruppe, die
durch eine Adresse indentifiziert wird, z.B. für
die Abspeicherung eines Bytes oder Wortes]
memory cell array, memory array, memory cell
matrix [semiconductor memories]
Arrangement of memory cells (e.g. of a RAM) in
the form of a matrix with rows and columns.
Addressing of the array is effected by applying
the signals RAS (row address strobe) and CAS
(column address strobe).
Speichermatrix *f*, Speicherzellenanordnung *f*
[Halbleiterspeicher]
Anordnung der Speicherzellen (z.B. eines
RAMs) in Form einer Matrix mit Zeilen und
Spalten. Die Adressierung erfolgt mit den
Signalen RAS (Zeilenadressenimpuls) und CAS
(Spaltenadressenimpuls).
memory contention
Speicherkonkurrenz *f*
memory contents
Speicherinhalt *m*
memory cycle, storage cycle
Speicherzyklus *m*
memory cycle time [shortest time interval
between two consecutive read or write
operations; lies in the range of micro- or
nanoseconds]
Speicherzykluszeit *f* [kleinste Zeitspanne
zwischen zwei aufeinanderfolgenden Lese- bzw.
Schreibvorgängen; liegt in der Größenordnung
von Mikro- oder Nanosekunden]
memory device, storage device
Speicherbaustein *m*
memory driver
Speichertreiber *m*
memory dump, dump [representation, usually
in binary, hexadecimal or octal form, of memory
contents for debugging purposes; a post-
mortem dump is effected after program
termination, a snapshot dump during program
run]
Speicherabzug *m*, Speicherausdruck *m*,
Speicherauszug *m*, Speicherprotokoll *n*
[Speicherdarstellung, meistens in binärer,
hexadezimaler oder oktaler Form, zwecks
Fehlerbeseitigung; der Speicherabzug kann
nach Programmablauf (Speicherabzug nach
Pannen) oder während des Programmablaufes
(Speicherabzug der Zwischenergebnisse)
erfolgen]
memory element, storage element [stores the
smallest unit of data, usually one bit]
Speicherelement *n* [speichert die kleinste
Dateneinheit, meist ein Bit]
memory expansion
Speichererweiterung *f*
memory function, storage function
Speicherfunktion *f*

memory load module
Speicherlademodul *m*
memory management unit (MMU)
Speicherverwaltungseinheit *f*
memory manager [controls memory allocation]
Speicherverwaltung *f* [verwaltet die
Speicherbelegung]
memory map, memory mapping [assigning
defined areas of main storage]
Speicherabbild *n*, Speicheraufteilung *f*,
Memory-Mapping *f* [Zuordnung bestimmter
Bereiche des Hauptspeichers]
memory mapped input-output [allocation of
defined areas of main memory to input-output
functions]
speicherorientierte Ein-Ausgabe *f*
[Zuordnung bestimmter Bereiche des
Hauptspeichers für Ein-Ausgabe-Funktionen]
memory model [in compiler]
Speichermodell *n* [im Compiler]
memory organization
Speicherorganisation *f*
memory protection, memory protect, storage
protection [protection of programs or data
contained in main memory; used particularly in
the case of multiprogramming]
Speicherschutz *m*, Speicherbereichsschutz *m*,
Speicherschreibsperre *f* [Schutz von
Programmen oder Daten, die im Hauptspeicher
enthalten sind; wird besonders beim
Mehrprogrammbetrieb angewendet]
memory requirements
Speicherbedarf *m*
memory selection register
Speicherauswahlregister *n*
memory system, storage system
Speichersystem *n*
memory-resident program, pop-up program,
TSR program (Terminate and Stay Ready)
[program stored in main memory and available
for use ("pop-up") even when another
application is active by entering a key
combination ("hot-key")]
speicherresidentes Programm *n* [im
Hauptspeicher abgelegtes Programm, das auch
dann verfügbar ist ("pop-up"), wenn eine
andere Anwendung aktiv ist und zwar durch
Eingabe einer speziellen Tastenkombination
("hot-key")]
menu [functional selection table, specially that
shown on a display or on a graphics tablet]
Menü *n* [Funktionsauswahltabelle,
insbesondere auf dem Bildschirm oder auf
einem Graphiktablett]
menu bar
Menübalken *m*
menu-driven program
menügesteuertes Programm *n*
merge, to [combine two or more ordered files]

mischen [das Zusammenführen von zwei oder mehreren geordneten Dateien]

merge file
Mischdatei *f*

merge instruction
Mischbefehl *m*

merge operation
Mischoperation *f*

merge program
Mischprogramm *n*

merge sort, merged sort
Mischsortieren *n,* mischendes Sortieren *n*

merge statement
Mischanweisung *f*

mesa device, mesa-structured component
Component or device which has been fabricated by mesa technology.
Mesabauteil *n,* Mesabaustein *m*
Bauteil bzw. Baustein, bei dessen Herstellung die Mesatechnik angewendet wird.

mesa photodiode, mesa-structured photodiode
Photodiode which has been fabricated by mesa technology
Mesaphotodiode *f*
Photodiode, bei deren Herstellung die Mesatechnik angewendet wurde.

mesa technology
Technique in which doped regions are etched after diffusion or alloying on both sides down to the substrate, thus leaving plateaus (mesas). Is mainly used for the manufacture of germanium transistors for high frequency applications.
Mesatechnik *f*
Technik, bei der die dotierte Bereiche nach der Diffusion bzw. Legierung an beiden Seiten bis zum Substrat weggeätzt werden, so daß tafelbergähnliche Erhebungen (Mesas) entstehen. Wird vorwiegend für die Herstellung von Germaniumtransistoren für den Hochfrequenzbereich angewendet.

mesa transistor
Bipolar transistor in which the emitter and base regions have been etched to appear as plateaus above the collector region.
Mesatransistor *m*
Bipolartransistor, bei dem Emitter- und Basisbereich als tafelbergähnliche Erhebungen über dem Kollektorbereich aus dem Halbleiterkristall herausgeätzt sind.

MESFET (metal-semiconductor field-effect transistor)
Field-effect transistor with a gate formed by a Schottky barrier (metal-semiconductor junction).
MESFET, Metall-Halbleiter-Feldeffekttransistor *m,* Metall-Gate-Feldeffekttransistor *m*
Feldeffekttransistor, dessen Gate (Steuerelektrode) aus einem Schottky-Kontakt

(Metall-Halbleiter-Übergang) besteht.

message
Nachricht *f,* Meldung *f*

message [in object oriented programming: signal from one object to another]
Nachricht *f* [bei der objektorientierten Programmierung: Signal von einem Objekt zu einem anderen]

message box [field for displaying messages from application program]
Meldungsfeld *n* [Feld zur Anzeige von Meldungen des Anwendungsprogrammes]

message storage
Nachrichtenspeicher *m*

meta language [a language used to describe another language]
Metasprache *f* [eine Sprache, die zur Beschreibung einer anderen verwendet wird]

metal case, metal package
Metallgehäuse *n*

metal ceramic
Metallkeramik *f*

metal clad base material [printed circuit boards]
metallkaschiertes Basismaterial *n* [Leiterplatten]

metal cladding [printed circuit boards]
Metallkaschierung *f* [Leiterplatten]

metal core laminate [for printed circuit board manufacture]
Metallkernlaminat *n* [für die Herstellung von Leiterplatten]

metal film resistor
Metallschichtwiderstand *m*

metal insulator-semiconductor structure (MIS structure)
A semiconductor structure with an insulating layer between the metal contact and the semiconductor material. Applications include field-effect transistors, diodes, light-emitting diodes and capacitors.
Metall-Isolator-Halbleiter-Aufbau *m,* MIS-Struktur *f*
Halbleiterstruktur, bei der eine Isolierschicht zwischen dem Metallanschluß und dem Halbleiter liegt. Wird bei Feldeffekttransistoren, Dioden, Lumineszenzdioden und Kondensatoren angewendet.

metal layer
Metallschicht *f*

metal nitride-oxide-semiconductor structure (MNOS structure)
Semiconductor structure with a double insulating layer between the gate contact and the semiconductor crystal. The ability of the double insulating layer consisting of silicon dioxide and silicon nitride to store charges is used in memory transistors.

Metall-Nitrid-Oxid-Halbleiter-Aufbau *m*,
MNOS-Struktur *f*
Halbleiterstruktur mit einer doppelten
Isolierschicht zwischen dem Gateanschluß und
dem Halbleiterkristall. In der Doppelschicht,
die aus Siliciumdioxid und Siliciumnitrid
besteht, können Ladungen gespeichert werden,
was für die Herstellung von
Speichertransistoren genutzt wird.
metal package, metal case
Metallgehäuse *n*
**metal-nitride-semiconductor field-effect
transistor** (MNS-FET)
Insulated-gate field-effect transistor in which a
nitride layer is used to isolate the gate and the
channel.
**Feldeffekttransistor mit Metall-Nitrid-
Halbleiter-Aufbau** *m* (MNS-FET)
Isolierschicht-Feldeffekttransistor, dessen Gate
(Steuerelektrode) durch eine Nitridschicht vom
Kanal isoliert ist.
metal-nitride-semiconductor structure (MNS
structure)
Semiconductor structure with an insulating
layer between the metal contact and the
semiconductor crystal.
Metall-Nitrid-Halbleiter-Aufbau *m*, MNS-
Struktur *f*
Halbleiterstruktur mit einer isolierenden
Nitridschicht zwischen Metallanschluß and
Halbleiterkristall.
metal-organic chemical vapour deposition
(MOCVD) [a variant of the chemical vapour
deposition process, mainly used for producing
integrated circuits based on GaAs]
MOCVD-Verfahren *n* [Variante der
Schichtabscheidung aus der Gasphase, die
vorwiegend bei der Herstellung von
integrierten Schaltungen auf GaAs-Basis
eingesetzt wird]
**metal-oxide-semiconductor field-effect
transistor** (MOSFET)
Insulated-gate field-effect transistor in which
an oxide layer is used to isolate the gate and
the channel.
**Feldeffekttransistor mit Metall-Oxid-
Halbleiter-Aufbau** *m* (MOSFET)
Isolierschicht-Feldeffekttransistor, dessen Gate
(Steuerelektrode) durch eine Oxidschicht vom
Kanal isoliert ist.
metal-oxide-semiconductor structure (MOS
structure)
Semiconductor structure with an insulating
oxide layer (usually silicon dioxide) between the
metal contact and the semiconductor crystal.
Metall-Oxid-Halbleiter-Aufbau *m*, MOS-
Struktur *f*
Halbleiterstruktur mit einer isolierenden
Oxidschicht (meistens Siliciumdioxid) zwischen

dem Metallanschluß und dem
Halbleiterkristall.
metal-oxide-semiconductor technology (MOS
technology)
Technology for producing integrated circuits in
which field-effect transistors constitute the
basic cells. As compared to bipolar technology,
MOS technology is characterized by simplified
processing steps and permits high packing
density of circuit functions with low power
dissipation.
MOS-Technik *f*
Technik für die Herstellung von integrierten
Schaltungen, bei denen Feldeffekttransistoren
die Grundzellen bilden. Mit der MOS-Technik,
die sich im Vergleich zur Bipolartechnik durch
einen einfacheren Fertigungsprozeß
auszeichnet, lassen sich Schaltungen mit hoher
Integrationsdichte und niedrigen
Verlustleistungen realisieren.
metal-semiconductor contact, metal-
semiconductor junction
Junction formed by the contact between a
metal layer and a semiconductor layer. Metal-
semiconductor junctions can either have
rectifying characteristics (Schottky diodes) or
act as low-resistance ohmic contacts.
Metall-Halbleiter-Kontakt *m*, Metall-
Halbleiter-Übergang *m*
Übergang, der durch den Kontakt einer
Metallschicht mit einer Halbleiterschicht
entsteht. Metall-Halbleiter-Übergänge können
entweder gleichrichtende Eigenschaften haben
(Schottky-Diode) oder als niederohmige
Kontakte wirken.
metal-semiconductor diode, Schottky-barrier
diode, hot-carrier diode
Semiconductor diode with rectifying
characteristics, formed by a metal-
semiconductor junction.
Metall-Halbleiter-Diode *f*, Schottky-Diode *f*
Halbleiterdiode mit gleichrichtenden
Eigenschaften, die durch einen Metall-
Halbleiterübergang gebildet wird.
metal-semiconductor field-effect transistor
(MESFET)
Field-effect transistor with a gate formed by a
Schottky barrier (metal-semiconductor
junction).
Metall-Gate-Feldeffekttransistor *m*, Metall-
Halbleiter-Feldeffekttransistor *m* (MESFET)
Feldeffekttransistor, dessen Gate
(Steuerelektrode) aus einem Schottky-Kontakt
(Metall-Halbleiter-Übergang) besteht.
metal-semiconductor junction, metal-
semiconductor contact
Metall-Halbleiter-Übergang *m*, Metall-
Halbleiter-Kontakt *m*
metallic bond [semiconductor crystals]

Chemical bond in which the binding forces result from the interaction of the electron gas with the ionic lattice.
metallische Bindung *f,* Metallbindung *f* [Halbleiterkristalle]
Chemische Bindung, bei der die Bindungskräfte auf der Wechselwirkung von Elektronengas und Ionengitter beruhen.

metallization [semiconductor technology]
Selective deposition of a metal film (usually aluminium) on a semiconductor wafer to form conductive interconnections between the integrated circuit elements and contact areas for the connections to the package. Deposition of the metal film can be effected by vacuum evaporation or cathode sputtering.
Metallisierung *f* [Halbleitertechnik]
Das selektive Aufbringen einer Metallschicht (meistens Aluminium) auf eine Halbleiterscheibe (Wafer) zur Herstellung der Leiterbahnen zwischen den einzelnen integrierten Schaltungselementen und den Kontaktstellen für die Zuleitungen zum Gehäuse. Die Metallschicht wird im Vakuum aufgedampft oder mittels Kathodenzerstäubung aufgebracht.

metallized-paper capacitor
Metallpapierkondensator *m*

metastable [temporarily stable]
metastabil [zeitlich begrenzt stabil]

metastable output configuration
metastabile Ausgangskonfiguration *f*

meter (m) [SI unit of length]
Meter *n* (m) [SI-Einheit der Länge]

MFLOP, Megaflop [10^6 floating-point operations per second]
MFLOP *n,* Megaflop *n* [10^6 Gleitpunktoperationen pro Sekunde]

MFM recording [modified frequency modulation; hard disk recording method]
MFM-Aufzeichnung *f* [modifizierte Frequenzmodulation; Aufzeichnungsmethode für Festplatten]

MIC (microwave integrated circuit) [for high frequency applications; usually fabricated as hybrid or multichip circuit]
MIC *f,* integrierte Mikrowellenschaltung *f* [für Hochfrequenzanwendungen; wird meistens in Hybridtechnik oder als Multichip-Schaltung ausgeführt]

MICR (magnetic ink character recognition) [by optical or magnetic scanning of magnetic characters]
Magnetschrifterkennung *f,* magnetische Zeichenerkennung *f* [durch optische oder magnetische Abtastung einer Magnetschrift]

micro assembly
Mikrobaustein *m,* zusammengesetzte Mikroschaltung *f*

micro floppy disk, microfloppy, microdiskette [diskette of 3.5" diameter]
Mikrodiskette *f* [Diskette mit einem Durchmesser von 3,5 Zoll]

microaddress
Mikroadresse *f*

microchannel bus
Mikrokanal-Bus *m*

microchannel architecture (MCA) [developed by IBM for 80386 and 80486 processors]
Mikrokanal-Architektur *f,* MCA [von IBM entwickelte Architektur für 80386- und 80486-Prozessoren]

microchannel computer
Mikrokanal-Rechner *m*

microcircuit
Mikroschaltung *f*

microCMOS technology [a variant of CMOS technology]
microCMOS-Technik *f* [eine Variante der CMOS-Technik]

microcode, microinstruction code
Mikrocode *m,* Mikrobefehlscode *m*

Microcom protocol (MNPN) [protocol for error correction and data compression for modems]
Microcom-Protokoll (MNPN) [Protokoll für Fehlerkorrektur und Datenkompression bei Modem]

microcomputer [a computer employing a microprocessor as the central processing unit]
Mikrorechner *m,* Mikrocomputer *m* [ein Rechner mit einem Mikroprozessor als Zentraleinheit]

microcomputer development system
Computer system for the development of hardware and software for microcomputer systems.
Mikrocomputer-Entwicklungssystem *n,* Mikrorechner-Entwicklungssystem *n*
Rechnersystem für die Entwicklung von Hard- und Software für Mikrorechnersysteme.

microdiskette, microfloppy, microfloppy disk [diskette of 3.5" diameter]
Mikrodiskette *f* [Diskette mit einem Durchmesser von 3,5 Zoll]

microelectronic circuit
mikroelektronische Schaltung *f*

microelectronics
Development, fabrication and application of semiconductor components and integrated circuits with the objective of implementing electronic and logical functions in continuously smaller devices.
Mikroelektronik *f*
Entwicklung, Herstellung und Anwendung von Halbleiterbauelementen und integrierten Schaltungen mit dem Ziel, elektronische und logische Funktionen mit immer kleineren Bausteinen zu realisieren.

microfloppy, micro floppy disk, microdiskette [diskette of 3.5" diameter]
Mikrodiskette *f* [Diskette mit einem Durchmesser von 3,5 Zoll]
microinstruction [controls the execution of an elementary (logical) operation; a sequence of microinstructions leads to the execution of a machine instruction]
Mikrobefehl *m* [steuert die Ausführung einer Elementaroperation, d.h. einer logischen Verknüpfung; eine Mikrobefehlsfolge führt zur Ausführung eines Maschinenbefehls]
microinstruction code, microcode
Mikrobefehlscode *m,* Mikrocode *m*
micromanipulator
Mikromanipulator *m*
micromechanics
Mikromechanik *f*
microminiature assembly, micromodule
Kleinstbaugruppe *f,*
Mikrominiaturbaugruppe *f,* Mikromodul *m*
micromodule
Mikromodul *m*
micromodule technique
Mikromodultechnik *f*
microprocessor, microprocessing unit (MPU)
A complete processor built on a semiconductor chip, functionally comparable with the central processing unit (CPU) of a computer. It comprises a control unit (with instruction register, decoder and control) for decoding and execution of instructions, an arithmetic logic unit for processing the data, and a storage unit (with instruction counter, registers and stack pointer). 16-bit and 32-bit microprocessors are widely used; 64-bit versions have been introduced.
Mikroprozessor *m*
In der Regel auf einem integrierten Baustein untergebrachter vollständiger Prozessor, funktionsmäßig vergleichbar mit der Zentraleinheit eines Rechners. Er besteht aus einem Steuerwerk (mit Befehlsregister, Decodierer und Steuerung) zur Decodierung und Ausführung der Befehle, einem Rechenwerk (arithmetisch-logische Einheit) zur Verarbeitung der Daten und einem Speicherwerk (mit Befehlszähler, Registern und Stapelzeiger). Weitverbreitet sind 16-Bit- und 32-Bit-Mikroprozessoren; im Aufkommen sind 64-Bit-Versionen.
microprocessor circuit
Mikroprozessorschaltung *f*
microprocessor development system
[computer system for developing hardware and software for microprocessor systems; hardware is simulated by an in-circuit emulator]
Mikroprozessor-Entwicklungssystem *n*
[Rechnersystem für die Entwicklung von Hard-

und Software für Mikroprozessorsysteme; die Hardware wird durch einen In-Circuit-Emulator simuliert]
microprocessor instruction set
Mikroprozessorbefehlssatz *m*
microprocessor interface
Mikroprozessorschnittstelle *f*
microprogram [sequence of elementary (logical) operations which lead to the execution of a machine instruction]
Mikroprogramm *n* [Folge von Elementaroperationen (logischen Verknüpfungen), die zur Ausführung eines Maschinenbefehls führen]
microprogram control unit (MCU) [controls the sequence of microinstructions in microprogramming]
Mikrosteuereinheit *f,* MCU [steuert bei der Mikroprogrammierung die Sequenz von Mikrobefehlen]
microprogram memory
Mikroprogrammspeicher *m*
microprogrammable
mikroprogrammierbar
microprogrammed processor
mikroprogrammierter Prozessor *m*
microprogramming
Mikroprogrammierung *f*
microprogramming language
Mikroprogrammiersprache *f*
microsensors
Mikrosensorik *f*
microstrip [miniature stripline]
Mikrostreifenleiter *m* [miniaturisierter Streifenleiter]
microwave
Mikrowelle *f*
microwave component
Mikrowellenbauelement *n*
microwave diode [semiconductor diode used in high-frequency applications, e.g. IMPATT, TRAPATT, PIN and tunnel diodes]
Mikrowellendiode *f* [Halbleiterdiode zur Verwendung bei hohen Frequenzen, z.B. IMPATT-, TRAPATT-, PIN- und Tunneldioden]
microwave energy
Mikrowellenenergie *f*
microwave generator
Mikrowellengenerator *m*
microwave integrated circuit (MIC) [for high frequency applications; usually fabricated as hybrid or multichip circuit]
integrierte Mikrowellenschaltung *f,* MIC *f* [für Hochfrequenzanwendungen; wird meistens in Hybridtechnik oder als Multichip-Schaltung ausgeführt]
microwave link
Mikrowellenverbindung *f*
microwave oscillator

Mikrowellenoszillator *m*
microwave receiver
   Mikrowellenempfänger *m*
microwave scattering
   Mikrowellenstreuung *f*
microwave signal
   Mikrowellensignal *n*
microwave terminal
   Mikrowellenendstelle *f*
microwave transistor [is used in very high
   frequency applications]
   Mikrowellentransistor *m* [wird für
   Anwendungen im Höchstfrequenzbereich
   eingesetzt]
microwave transmission
   Mikrowellenübertragung *f*
Miller capacitance
   The capacitance between input and output of
   an amplifier which causes the Miller effect.
   Miller-Kapazität *f*
   Kapazität zwischen dem Eingang und dem
   Ausgang eines Verstärkers, die den Miller-
   Effekt bewirkt.
Miller compensation
   Miller-Kompensation *f*
Miller effect
   The change in input impedance of an amplifier
   due to a parasitic capacitance between input
   and output.
   Miller-Effekt *m*
   Die Veränderung der Eingangsimpedanz eines
   Verstärkers infolge parasitärer Kapazität
   zwischen Eingang und Ausgang.
Miller indices [notation defining crystal faces
   and crystal orientation]
   Millersche Indizes *m.pl.* [Kennzeichnung der
   Kristallflächen- und Kristallrichtungen]
Miller integrator
   Miller-Integrator *m*
millimeter-wave integrated circuit
   integrierte **Millimeterwellenschaltung** *f*
miniaturization
   Miniaturisierung *f*
minicomputer [between microcomputer and
   mainframe computer]
   Minicomputer *m,* Kleinrechner *m* [zwischen
   Mikrorechner und Großrechner]
minidiskette, minifloppy, mini floppy disk
   [diskette of 5.25" diameter]
   Minidiskette *f* [Diskette mit einem
   Durchmesser von 5,25" Zoll]
minimum access program [optimally coded
   program]
   Bestzeitprogramm *n,* optimales Programm *n*
   [optimal codiertes Programm]
minimum processing time
   Mindestverarbeitungszeit *f*
minimum-redundancy code
   Code geringster Redundanz *m*

minor loop [in magnetic bubble memories]
   Nebenschleife *f* [bei Magnetblasenspeichern]
minority carrier, minority charge carrier
   The type of charge carrier that constitutes less
   than half of the total number of carriers in a
   semiconductor or a semiconductor region. In n-
   type materials, holes are the minority carriers;
   in p-type materials, electrons are the minority
   carriers.
   Minoritätsladungsträger *m*
   Der Ladungsträgertyp, dessen Dichte in einem
   Halbleiter bzw. in einem Halbleiterbereich
   kleiner ist als die Hälfte der gesamten
   Trägerdichte in dem betreffenden Bereich. In
   einem N-leitenden Halbleiter sind die
   Defektelektronen (Löcher)
   Minoritätsladungsträger; in einem P-leitenden
   Halbleiter sind es die Elektronen.
MIPS (mega-instructions per second) [measure
   for the computing speed of very large
   computers, based on 70% additions and 30%
   multiplications; usually in the range 10-100
   MIPS]
   MIPS [Millionen Befehle pro Sekunde; Maß für
   die Rechengeschwindigkeit von Großrechnern,
   basierend auf 70% Additionen und 30%
   Multiplikationen; üblicherweise im Bereich 10-
   100 MIPS]
mirrored data [data stored in two identical hard
   disks]
   gespiegelte Daten *n.pl.* [Daten auf zwei
   identischen Festplatten gespeichert]
mirrored hard disks [is used for storage of
   identical data]
   spiegelbildliche Festplatten *f.pl.* [wird zur
   Speicherung von identischen Daten verwendet]
mirroring
   Spiegelung *f*
MIS (management information system) [a
   computer-based system for supporting
   management functions by providing selected
   information in an updated and concentrated
   form]
   MIS (Managementinformationssystem) [ein
   rechnergestütztes System zur Unterstützung
   der Unternehmungsleitung durch ausgewählte
   Informationen in aktualisierter und
   konzentrierter Form]
MIS structure (metal-insulator-semiconductor
   structure)
   A semiconductor structure which has an
   insulating layer between the metal contact and
   the semiconductor material. Applications
   include field-effect transistors, diodes, light-
   emitting diodes and capacitors.
   MIS-Struktur *f,* Metall-Isolator-Halbleiter-
   Aufbau *m*
   Halbleiterstruktur, bei der eine Isolierschicht
   zwischen dem Metallanschluß und dem

Halbleiter liegt. Wird bei
Feldeffekttransistoren, Dioden,
Lumineszenzdioden und Kondensatoren
angewendet.

misfeed [e.g. in magnetic tape units]
Transportfehler m [z.B. bei
Magnetbandgeräten]

MISFET (metal-insulator-semiconductor field-
effect transistor)
Generic term for insulated-gate field-effect
transistors which have an insulating layer
between the gate and the conductive channel.
MISFET, Feldeffekttransistor mit Metall-
Isolator-Halbleiter-Aufbau m
Oberbegriff für Isolierschicht-
Feldeffekttransistoren, deren Steuerelektroden
durch eine Isolierschicht vom stromführenden
Kanal getrennt sind.

mismatch [data]
Unpaarigkeit f [Daten]

mismatch [electronics, e.g. of a four-pole network
or a line]
Fehlanpassung f [Elektronik, z.B. eines
Vierpols oder einer Leitung]

mistake, human error
Irrtum m, menschlicher Fehler m

mix, instruction mix [a representative mixture of
instructions used for comparing the
performance of different computers]
Mix m, Befehlsmix m [repräsentative
Mischungen von Befehlen für den
Leistungsvergleich verschiedener Rechner]

mixed crystal
Mischkristall m

mixed display, combined display [display of
alphanumeric characters and graphics]
gemischte Anzeige f, kombinierte Anzeige f
[Anzeige von alphanumerischen Zeichen und
Graphik]

mixer
Mischer m, Mixer m

mixer amplifier
Mischverstärker m

mixer diode
Mischdiode f

mixer stage
Mischstufe f

MMIC (monolithic microwave integrated circuit)
[microwave circuit produced by monolithic
integration using mainly gallium arsenide
technologies]
MMIC f, monolithisch integrierte
Mikrowellenschaltung f
[Mikrowellenschaltung, die durch
monolithische Integration, hauptsächlich mit
Galliumarsenid-Techniken hergestellt wird]

MMU (memory management unit)
Speicherverwaltungseinheit f

mnemonic code [a code using easily

recognizable designations, e.g. ADD for an
adding instruction]
mnemotechnischer Code m [Code, der eine
sprachlich einprägsame Bezeichnung
verwendet, z.B. ADD für einen Additionsbefehl]

mnemonic symbol
mnemonisches Symbol n

MNOS-FET (metal-nitride-oxide-semiconductor
FET)
Field-effect transistor in which the gate is
isolated from the channel by a double
insulating layer of silicon dioxide and silicon
nitride.
MNOS-FET m, Feldeffekttransistor mit
Metall-Nitrid-Oxid-Halbleiter-Aufbau m
Feldeffekttransistor, dessen Gate
(Steuerelektrode) durch eine doppelte
Isolierschicht aus Siliciumdioxid und
Siliciumnitrid vom Kanal isoliert ist.

MNOS structure (metal-nitride-oxide-
semiconductor structure)
Semiconductor structure with a double
insulating layer between the gate contact and
the semiconductor crystal. The ability of the
double insulating layer, which consists of
silicon dioxide and silicon nitride, to store
charges is used for the manufacture of memory
transistors.
MNOS-Aufbau m, Metall-Nitrid-Oxid-
Halbleiter-Aufbau m
Halbleiterstruktur mit einer doppelten
Isolierschicht zwischen dem Gateanschluß und
dem Halbleiterkristall. In der doppelten
Isolierschicht, die aus Siliciumdioxid und
Siliciumnitrid besteht, können Ladungen
gespeichert werden, die bei der Herstellung von
Speichertransistoren genutzt werden.

MNPN [Microcom Protocol for error correction
and data compression for modems]
MNPN [Protokoll für Fehlerkorrektur und
Datenkompression bei Modem]

MNS-FET (metal-nitride-semiconductor FET)
Insulated-gate field-effect transistor in which
the gate is isolated from the channel by a
nitride layer.
MNS-FET, Feldeffekttransistor mit Metall-
Nitrid-Halbleiter-Aufbau m
Isolierschicht-Feldeffekttransistor, dessen Gate
(Steuerelektrode) durch eine Nitridschicht vom
Kanal isoliert ist.

MNS structure (metal-nitride-semiconductor
structure)
Semiconductor structure with an insulating
nitride layer between the gate contact and the
semiconductor crystal.
MNS-Aufbau m, Metall-Nitrid-Halbleiter-
Aufbau m
Halbleiterstruktur mit einer isolierenden
Nitridschicht zwischen dem Gateanschluß und

dem Halbleiterkristall.

Mo (molybdenum) [metallic element having a high melting point used as the gate electrode in some MOS structures]
Mo *n* (Molybdän) [metallisches Element mit hohem Schmelzpunkt, das bei einigen MOS-Strukturen als Gateelektrode verwendet wird]
MO (Magneto-Optical)
MO (magneto-optisch)
MO replaceable disk
MO-Wechselplatte *f*
mobility
Beweglichkeit *f*, Mobilität *f*
MOCVD (metal organic chemical vapour deposition) [a variant of the chemical vapour deposition process, mainly used for producing integrated circuits based on GaAs]
MOCVD-Verfahren *n* [Variante der Schichtabscheidung aus der Gasphase, die vorwiegend bei der Herstellung von integrierten Schaltungen auf GaAs-Basis eingesetzt wird]
mode, operating mode
Modus *m*, Betriebsart *f*
mode select, mode selection
Wahl der Betriebsart *f*
mode selection
Betriebsartenanwahl *f*
mode selector
Betriebsartenwähler *m*
mode switch, mode selector switch
Betriebsartenschalter *m*
modem (modulator-demodulator) [device for data transmission over telephone lines; the transmission can be synchronous or asynchronous and be effected in half-duplex or full-duplex mode]
Modem *m* (Modulator-Demodulator) [Einrichtung zur Datenübertragung auf Fernsprechleitungen; die Übertragung kann synchron oder asynchron, im Halb- oder Volldeuplexbetrieb erfolgen]
modem board
Modemkarte *f*
MODFET (modulation-doped field-effect transistor)
Extremely fast field-effect transistor with a heterostructure. A doped aluminium gallium arsenide layer is deposited by molecular beam epitaxy on undoped gallium arsenide. The heterojunction between them confines the electrons which diffuse from the AlGaAs layer to the undoped GaAs, where they can move with great speed. Very fast transistors (with switching delay times of < 10 ps/gate) based on this principle and called HEMT, TEGFET and SHDT are being developed worldwide by various manufacturers.
MODFET (modulationsdotierter

Feldeffekttransistor)
Extrem schneller Feldeffekttransistor mit Heterostruktur. Auf undotiertem Galliumarsenid wird mit Hilfe der Molekularstrahlepitaxie eine dotierte Aluminium-Galliumarsenid-Schicht aufgebracht. Der Heteroübergang zwischen den beiden Strukturen hält die Elektronen, die aus der AlGaAs-Schicht diffundieren, in der undotierten GaAs-Schicht zurück, in der sie sich mit hoher Geschwindigkeit bewegen können. Sehr schnelle Transistoren auf dieser Basis (mit Schaltverzögerungszeiten von < 10 ps/Gatter) werden weltweit von verschiedenen Herstellern unter den Namen HEMT, TEGFET und SDHT entwickelt.
modification, change
Modifikation *f*, Änderung *f*
modified address
modifizierte Adresse *f*
modified chemical vapour deposition process (MCVD process) [a vapour deposition process used in glass fiber fabrication]
MCVD-Verfahren *n* [Schichtabscheidungsverfahren, das bei der Herstellung von Glasfasern eingesetzt wird]
modify, to
modifizieren
MODULA-2 [programming language based on PASCAL and featuring an extensive modular concept]
MODULA-2 [Programmiersprache, die auf PASCAL aufbaut und ein modulares Konzept aufweist]
modular programming
modulare Programmierung *f*
modular system
Baukastensystem *n*
modularity, building-block principle
Modularität *f*, Baukastenprinzip *n*
modulate, to
modulieren
modulation
Modulation *f*
modulation amplifier
Modulationsverstärker *m*
modulation characteristic
Modulationskennlinie *f*
modulation eliminator
Modulationsunterdrücker *m*
modulation frequency
Modulationsfrequenz *f*
modulator
Modulator *m*
modulator driver circuit
Modulatortreiberschaltung *f*
module, device
Modul *m*, Baustein *m*
module testing, unit testing

Modulprüfung *f*
modulo-n [base of a number system, e.g. for the decimal system modulo-n = 10]
Modulo-n [Basis eines Zahlensystems; z.B. für das Dezimalsystem ist Modulo-n = 10]
modulo-n check, residue check [a validation check in which an operand is divided by a number; the resulting remainder is used for checking]
Modulo-n-Prüfung *f*, Modulo-n-Kontrolle *f* [eine Gültigkeitsprüfung, bei der ein Operand durch eine Zahl dividiert wird; der resultierende Rest wird zur Kontrolle herangezogen]
modulo-n counter [counter for n steps, e.g. a decimal counter is a modulo-10 counter]
Modulo-n-Zähler *m* [Zähler mit n Schritten, z.B. ein Dezimalzähler ist ein Modulo-10-Zähler]
moisture sensor
Feuchtesensor *m*
molecular beam epitaxy (MBE process)
Process using molecular beams for producing epitaxial layers; is mainly used in large-scale and very large-scale integrated circuit fabrication.
Molekularstrahlepitaxie *f*, MBE-Verfahren *n*
Verfahren zur Herstellung epitaktischer Schichten mit Hilfe von Molekularstrahlen; wird vorwiegend für hoch- und höchstintegrierte Schaltungen eingesetzt.
molybdenum (Mo) [metallic element having a high melting point used as the gate electrode in some MOS structures]
Molybdän *n* (Mo) [metallisches Element mit hohem Schmelzpunkt, das bei einigen MOS-Strukturen als Gateelektrode verwendet wird]
monadic operation, unary operation
monadische Operation *f*, monadische Verknüpfung *f*
monitor, listen-in
mithören
monitor [display unit]
Monitor *m* [Bildschirmgerät]
monitor printer
Kontrolldrucker *m*
monitor program [a program for basic functions of a microcomputer, e.g. input-output control, written in machine language and usually stored in a ROM, i.e. practically a small operating system]
Monitor-Programm *n* [in Maschinensprache geschriebenes und in der Regel in einem ROM gespeichertes Programm für die Grundfunktionen eines Mikrorechners (z.B. Ein-Ausgabe-Steuerung), d.h. praktisch ein kleines Betriebssystem]
monitoring
Überwachung *f*

monitoring program
Überwachungsprogramm *n*
monitoring system
Überwachungssystem *n*
mono-flop, monostable flip-flop, monostable multivibrator, one-shot multivibrator [a multivibrator with a single stable state]
Monoflop *n*, monostabile Kippschaltung *f*, monostabiler Multivibrator *m*, Univibrator *m* [eine Kippschaltung mit einem einzigen stabilen Zustand]
monochrome display
Monochrom-Bildschirm *m*
monolithic
monolithisch
monolithic device
Einkristallbaustein *m*
monolithic integrated circuit
Circuit in which all the active and passive elements and the interconnections are fabricated within a single-crystal semiconductor by the same manufacturing process.
monolithisch integrierte Schaltung *f*
Schaltung, bei der alle aktiven und passiven Elemente sowie ihre elektrischen Verbindungen in einem gemeinsamen Fertigungsprozeß in einem einkristallinen Halbleiter hergestellt sind.
monolithic microwave integrated circuit (MMIC) [microwave circuit produced by monolithic integration using mainly gallium arsenide technologies]
monolithisch integrierte Mikrowellenschaltung *f* (MMIC) [Mikrowellenschaltung, die durch monolithische Integration, hauptsächlich mit Galliumarsenid-Techniken hergestellt wird]
monomode fiber [optical fiber]
Monomode-Faser *m* [Lichtleitfaser]
monostable multivibrator, one-shot multivibrator, monostable flip-flop, mono-flop [a multivibrator with a single stable state]
Univibrator *m*, monostabiler Multivibrator *m*, monostabile Kippschaltung *f*, Monoflop *n* [eine Kippschaltung mit einem einzigen stabilen Zustand]
Monte-Carlo method [the simulation of a complex system by a mathematical model and the application of the laws of probability]
Monte-Carlo-Technik *f* [die Simulation eines komplexen Systems durch Verwendung eines mathematischen Modells und Anwendung der Wahrscheinlichkeitsgesetze]
MOPS, Million Operations per Second
MOPS, Millionen Operationen pro Sekunde
MOS circuit
Integrated circuit in which MOS structures are used exclusively.

MOS-Schaltung *f*
Integrierte Schaltung, bei der nur MOS-Strukturen verwendet werden.
MOS device, MOS component
Integrated circuit device in which MOS structures are used exclusively.
MOS-Bauteil *n,* MOS-Baustein *m*
Integriertes Bauteil bzw. integrierter Baustein, bei dem nur MOS-Strukturen verwendet werden.
MOS memory, MOS memory device
Integrated circuit memory based on MOS field-effect transistors (e.g. an EPROM using FAMOS memory cells).
MOS-Speicher *m*
Integrierte Speicherschaltung, die mit MOS-Feldeffekttransistoren realisiert ist (z.B. EPROMs mit FAMOS-Speicherzellen).
MOS structure, metal-oxide-semiconductor structure
Semiconductor structure with an insulating oxide layer between the metal contact and the semiconductor crystal.
MOS-Aufbau *m,* Metall-Oxid-Halbleiter-Aufbau *m*
Halbleiterstruktur mit einer isolierenden Oxidschicht zwischen dem Metallanschluß und dem Halbleiterkristall.
MOS technology (metal-oxide-semiconductor technology)
Technology for producing integrated circuits in which field-effect transistors constitute the basic cells. As compared to bipolar technology, MOS technology is characterized by simplified processing steps and permits high packing density of circuit functions with low power dissipation.
MOS-Technik *f*
Technik für die Herstellung von integrierten Schaltungen, bei denen Feldeffekttransistoren die Grundzellen bilden. Mit der MOS-Technik, die sich im Vergleich zur Bipolartechnik durch einen einfacheren Fertigungsprozeß auszeichnet, lassen sich Schaltungen mit hoher Integrationsdichte und niedrigen Verlustleistungen realisieren.
MOS transistor (MOST) [field-effect transistor using MOS structures]
MOS-Transistor (MOST) [Feldeffekt-transistoren mit MOS-Strukturen]
mosaic, mosaic layer [light-sensitive layer on a picture tube]
Mosaikschicht *f* [lichtempfindliche Schicht auf einer Bildaufnahmeröhre]
MOSAIC technology
Isolation technique for bipolar integrated circuits, particularly ALSTTL circuits, which provides isolation between the circuit structures by local oxidation of silicon.

MOSAIC-Technik *f*
Isolationsverfahren für integrierte Bipolarschaltungen, insbesondere ALSTTL-Schaltungen, bei dem die einzelnen Strukturen der Schaltung durch lokale Oxidation von Silicium voneinander isoliert sind.
MOSBIP
Family of power control integrated circuits which combines bipolar and MOS structures on the same chip.
MOSBIP
Integrierte Schaltungsfamilie der Leistungselektronik, die mit Bipolar- und MOS-Strukturen auf dem gleichen Chip realisiert ist.
MOSFET (metal-oxide-semiconductor field-effect transistor)
Field-effect transistor in which the gate is isolated from the channel by an oxide layer.
MOSFET *m,* Feldeffekttransistor mit Metall-Oxid-Halbleiter-Aufbau *m*
Feldeffekttransistor, dessen Gate (Steuerelektrode) durch eine Oxidschicht vom Kanal isoliert ist.
most significant
höchstwertig
most significant bit (MSB) [the position with the highest bit value, e.g. 1 in the binary number 1000]
höchstwertiges Bit *n* [Stelle mit dem höchsten Bit-Wert, z.B. 1 in der Binärzahl 1000]
most significant digit (MSD) [the digit with the highest value, i.e. the leading non-zero digit]
höchstwertige Ziffer *f* [die Ziffer mit dem höchsten Stellenwert, d.h. die führende Ziffer, die nicht Null ist]
most significant place, most significant character (MSC)
höchstwertige Stelle *f,* höchstwertiges Zeichen *n*
mother board [printed circuit board with connectors for inserting further boards]
Grundplatine *f,* Mutterplatine *f,* Trägerplatine *f* [Leiterplatte mit Steckvorrichtungen für das Einsetzen weiterer Karten]
Motif [graphical user interface for UNIX]
Motif [graphische Benutzeroberfläche für UNIX]
mounting [of components on printed circuit boards]
Bestückung *f* [von Leiterplatten mit Bauteilen]
mounting hole [printed circuit boards]
Befestigungsloch *n* [Leiterplatten]
mouse [a device for positioning the cursor on a display]
Maus *f* [eine Einrichtung, mit der ein Zeiger

(der Cursor) auf dem Bildschirm bewegt werden kann]

mouse click [briefly depressing mouse button]
Mausklick *m* [Maustaste kurz drücken und loslassen]

MPU (microprocessing unit) [synonym for microprocessor]
MPU [Synonym für Mikroprozessor]

MS-DOS (Microsoft Disk Operating System) [operating system developed by Microsoft]
MS-DOS [von Microsoft entwickeltes Betriebssystem (DOS)]

MS flip-flop, master-slave flip-flop [flip-flop circuit controlled by both edges of the clock pulse, e.g. a JK flip-flop or two triggered RS flip-flops]
MS-Flipflop *n*, Master-Slave-Flipflop *n*, Master-Slave-Speicherglied *n* [Flipflop-Schaltung, die von beiden Flanken des Taktimpulses gesteuert wird, z.B. ein JK-Flipflop oder zwei getaktete RS-Flipflops]

MS-Windows, Windows [graphical user interface and operating system extension developed by Microsoft for DOS; it gives applications a windowing and multitasking program environment]
MS-Windows, Windows [von Microsoft entwickelte graphische Benutzerschnittstelle und Betriebssystemerweiterung für DOS; sie beinhaltet eine fensterorientierte, mehrbetriebsfähige Programmumgebung für Anwenderprogramme]

MSB (most significant bit)
MSB, Binärstelle mit der höchsten Wertigkeit *f*

MSI (medium scale integration)
Technique resulting in the integration of about 1000 transistors or logical functions on a single chip.
MSI (mittlere Integration)
Integrationstechnik, bei der rund 1000 Transistoren oder Gatterfunktionen auf einem Chip realisiert sind.

MTBF (mean time between failures)
MTBF, mittlere störungsfreie Zeit *f*

MTL technology (merged transistor logic) [also called integrated injection logic]
Bipolar technology enabling large-scale integrated circuits with high packing density, high switching speeds and low power consumption to be produced. The basic circuit configuration uses a vertical npn transistor with multiple collectors as an inverter and a lateral pnp transistor as current source from which minority carriers are injected into the emitter region of the npn transistor.
MTL-Technik *f* [auch integrierte Injektionslogik genannt]
Bipolare Technik, die die Herstellung von hochintegrierten Logikschaltungen mit hoher

Packungsdichte, kurzen Schaltzeiten und kleinen Verlustleistungen ermöglicht. Die Grundschaltung verwendet einen vertikalen NPN-Transistor mit mehreren Kollektoren als Inverter und einen lateralen PNP-Transistor als Stromquelle, von der Minoritätsladungsträger in den Emitterbereich des NPN-Transistors injiziert werden.

MTNS-FET, (metal-thick-nitride-semiconductor field-effect transistor)
Variant of the MNS field-effect transistor which uses a thicker nitride insulating layer between the gate and the channel than in standard MNS field-effect transistors.
MTNS-FET, Feldeffekttransistor mit Metall-Dicknitrid-Halbleiter-Aufbau *m*
Variante des MNS-Feldeffekttransistors, bei dem die Isolierschicht zwischen dem Gateanschluß und dem Kanal dicker ist als bei Standard-MNS-Feldeffekttransistoren.

MTNS structure (metal-thick-nitride-semiconductor structure)
Semiconductor structure in which the insulating layer between the metal contact and the semiconductor crystal consists of a nitride layer which is thicker than that used in standard MNS structures.
MTNS-Aufbau *m*, Metall-Dicknitrid-Halbleiter-Struktur *f*
Halbleiterstruktur, bei der die Isolierschicht zwischen dem Metallanschluß und dem Halbleiterkristall aus einer dickeren Nitridschicht besteht als bei Standard-MNS-Strukturen.

MTOS-FET, (metal-thick-oxide-semiconductor field-effect transistor)
Variant of the MOSFET which uses a thicker oxide insulating layer between the gate and channel than in standard MOSFETs.
MTOS-FET, Feldeffekttransistor mit Metall-Dickoxid-Halbleiter-Aufbau *m*
Variante des MOSFET, bei dem die Isolierschicht zwischen dem Gateanschluß und dem Kanal dicker ist als bei Standard-MOSFETs.

MTOS structure, (metal-thick-oxide-semiconductor structure)
Semiconductor structure in which the insulating layer between the metal contact and the semiconductor crystal consists of a thicker oxide layer than that used in standard MOS structures.
MTOS-Aufbau *m*, Metall-Dickoxid-Halbleiter-Struktur *f*
Halbleiterstruktur, bei der die Isolierschicht zwischen dem Metallanschluß und dem Halbleiterkristall aus einer dickeren Oxidschicht besteht als bei Standard-MOS-Strukturen.

MTTR (mean time to repair)
MTTR, mittlere Reparaturzeit *f,* mittlere
Instandsetzungszeit *f*
multi-chip module (MCM) [package of ICs
bonded directly to substrate for high-speed
transmission]
Multichipmodul *m,* MCM-Baustein *m*
[Baustein mit mehreren integrierten
Schaltungen auf einem Substrat für
Hochgeschwindigkeits-Übertragungen]
multiaccess network
Mehrfachzugriffsnetz *n*
multiaccess protocol
Mehrfachzugriffsprotokoll *n*
multiaddress instruction [an instruction with
several (usually two) address parts]
Mehradreßbefehl *m* [ein Befehl mit mehreren
(meistens zwei) Adreßteilen]
multichannel amplifier
Mehrkanalverstärker *m*
multichannel microwave system
Mehrkanalmikrowellensystem *n*
multichannel recorder
Mehrkanalmeßschreiber *m*
multichip, multichip integrated circuit
technology
Multichip *m,* Multichiptechnik *f*
multichip integrated circuit
integrierter Multichip *m*
multichip microassembly
zusammengesetzter Multichip *m*
multicollector transistor
Bipolar integrated circuit in which the
transistors have several collector regions with a
common emitter and base contact.
Multikollektortransistor *m,*
Mehrfachkollektortransistor *m*
Integrierte Bipolarschaltung mit Transistoren,
die mehrere Kollektorbereiche mit einem
gemeinsamen Emitter- und Basisanschluß
haben.
multicomputer system [linking of several
computers for increasing capacity and avoiding
system failure]
Mehrrechnersystem *n,* Multirechnersystem *n*
[Kopplung mehrerer Rechner zwecks Erhöhung
der Kapazität und Vermeidung von
Systemausfällen]
multiconductor cable, multicore cable
Mehrleiterkabel *n*
multiconnector, multiple-pole connector
Mehrfachstecker *m,* Mehrfachsteckverbinder
multidigit code, multiple-digit code
mehrstelliger Code *m*
multidigit number, multiple-digit number
mehrstellige Zahl *f*
multiemitter transistor
Bipolar integrated circuit in which the
transistors have several emitter regions with a

common collector and base terminal.
Mehrfachemittertransistor *m,*
Multiemittertransistor *m*
Integrierte Bipolarschaltung, bei der die
Transistoren mehrere Emitterbereiche und
einen gemeinsamen Kollektor- und
Basisanschluß haben.
multifunction device
Multifunktionsbaustein *m*
multilayer
Mehrfachschicht *f*
multilayer laminate [for printed circuit board
manufacture]
Mehrlagenbasismaterial *n* [für die
Fabrikation von Leiterplatten]
multilayer printed circuit board, multilayer
PCB
mehrschichtige Leiterplatte *f,*
Mehrlagenleiterplatte *f*
multilayer solar cell
Mehrschichtsolarzelle *f*
multilayer thin-film metallization
Mehrschicht-Dünnfilmmetallisierung *f*
multilayer wiring
Mehrlagenverdrahtung *f*
multilayered, multiply
mehrlagig, mehrschichtig
multilevel address
mehrstufige Adresse *f*
multilevel interconnections, multilayer
interconnections
Technique using two (or more) layers of metal
interconnections in an integrated circuit (e.g. in
gate or logic arrays) to optimize flexibility and
space utilization.
Mehrebenenverdrahtung *f,*
Mehrlagenverdrahtung *f*
Technik bei integrierten Schaltungen (z.B. bei
Gate- oder Logik-Arrays), bei der zwei (oder
mehr) Verdrahtungsebenen zur Optimierung
der Flexibilität und der Platzausnutzung
angewendet werden.
multilevel interrupt [interrupt with several
priority levels]
Mehrebenen-Unterbrechung *f,* mehrstufige
Programmunterbrechung *f*
[Programmunterbrechung mit mehreren
Prioritätsstufen]
multimedia [combination and integration of
different media such as text, image, sound and
video in the computer]
Multimedia *n.pl.* [Kombination und
Integration von verschiedenen Medien wie z.B.
Text, Bild, Ton und Video im Rechner]
multimeter, universal measuring instrument,
multipurpose instrument
Mehrfachmeßgerät *n,* Universalmeßgerät *n,*
Vielfachmeßgerät *n*
multimicroprocessor system

Several microprocessors linked together to form a system in which each microprocessor performs specific functions (e.g. arithmetic operations, input-output functions, etc.) but has access to parts which are common to the system such as memories or peripheral equipment.
Multimikroprozessorsystem *n*
Die Kopplung mehrerer Mikroprozessoren, von denen jeder bestimmte Funktionen innerhalb des Systems ausführt (z.B. arithmetische Operationen, Ein- und Ausgabe-Funktionen usw.) aber auf gemeinsame Systemteile wie Speicher oder Peripheriegeräte zugreifen kann.
multimode fiber [optical fiber]
Multimode-Faser *f* [Lichtleitfaser]
multipath propagation
Mehrwegeausbreitung *f*
multiple access [access via numerous keys in a data base system]
Mehrfachzugriff *m* [Zugriff über mehrere Schlüssel in einem Datenbanksystem]
multiple-address code
Mehradressencode *m*
multiple bus
Multibus *m*
multiple-bus structure
Mehrfachbusstruktur *f*, Multibusstruktur *f*
multiple-digit code, multidigit code
mehrstelliger Code *m*
multiple-digit number, multidigit number
mehrstellige Zahl *f*
multiple diodes [a number of diodes in one case]
Mehrfachdiode *f* [mehrere Dioden in einem Gehäuse]
multiple inheritence [in object oriented programming: creating a derived class from more than one base class]
Mehrfachvererbung *f* [bei der objektorientierten Programmierung: die Generierung einer abgeleiteten Klasse aus mehreren Basisklassen]
multiple-length working [computing procedure]
Arbeiten mit mehrfacher Wortlänge *n* [Rechenverfahren]
multiple match
Mehrfachvergleich *m*
multiple-pole connector, multiconnector
Mehrfachsteckverbinder *m*, Mehrfachstecker
multiple precision [increasing computing precision by using multiple-length computer words, e.g. double precision by using double words]
mehrfache Genauigkeit *f*, Mehrfachgenauigkeit *f* [Erhöhung der Rechnergenauigkeit durch Verwendung mehrerer Rechnerwörter, z.B. doppelte Genauigkeit durch zwei Wörter]

multiple reflection
Mehrfachreflexion *f*
multiple subtracter
Mehrfachsubtrahierer *m*
multiplex, to [e.g. channels]
bündeln [z.B. von Kanälen]
multiplex channel
Multiplexkanal *m*
multiplex circuit
Multiplexschaltung *f*
multiplex operation, multiplex mode [time-shared processing of several tasks by a single functional unit]
Multiplexbetrieb *m* [zeitlich verzahnte Bearbeitung mehrerer Aufgaben durch eine Funktionseinheit]
multiplexed bus [a bus in a microprocessor that, for example, conveys address information at certain times and data at other times]
gemultiplexter Bus *m* [ein Bus in einem Mikroprozessor, der beispielsweise zu einem bestimmten Zeitpunkt Adreßinformationen und zu einem anderen Zeitpunkt Daten überträgt]
multiplexer (MUX)
Multiplexer *m*
multiplier
Multiplizierer *m*
multiplier register
Multiplikationsregister *n*
multiply statement
Multiplikationsanweisung *f*
multiply symbol
Multiplikationszeichen *n*
multiport modem
Mehrkanalmodem *m*
multiprocessor system
Several processors or microprocessors linked together to form a system in which each processor performs specific functions (e.g. arithmetic operations, input-output functions, etc.) but has access to parts which are common to the system such as memories or peripheral equipment.
Multiprozessorsystem *n*, Mehrprozessorsystem *n*
Die Kopplung mehrerer Prozessoren bzw. Mikroprozessoren, von denen jeder bestimmte Funktionen innerhalb des Systems ausführt (z.B. arithmetische Operationen, Ein-Ausgabe-Funktionen usw.) aber auf gemeinsame Systemteile wie Speicher oder Peripheriegeräte zugreifen kann.
multiprogramming mode, multiprogramming [simultaneous execution of several programs in a computer by interleaved, time-shared processing of individual programs]
Mehrprogrammbetrieb *m*, Multiprogrammbetrieb *m* [gleichzeitige Ausführung mehrerer Programme in einem

Rechner durch eine zeitlich verzahnte
Verarbeitung der einzelnen Programme]
multipurpose computer, universal computer
   Mehrzweckrechner m, Universalrechner m
multipurpose data station
   Mehrzweckdatenstation f
multiquantum well structure [a
   semiconductor component structure comprising
   several quantum wells]
   Multiquantum-Well-Struktur f [Struktur
   eines Halbleiterbauelements, das mehrere
   Quantum-Wells umfaßt]
multiscan display unit, multiscan monitor
   [automatically adjusts itself to the refresh rate
   and the scanning frequency of the graphics
   adapter]
   Mehrfrequenz-Bildschirmgerät n,
   Multiscan-Monitor m, Multisync-Monitor m
   [paßt sich automatisch and die Bildwiederhol-
   und Zeilenfrequenz (Abtastfrequenz) der
   Graphikkarte an]
multiswitch, multiple switch, ganged switch
   Mehrfachschalter m
multitarget sputtering [a deposition process]
   Mehrkathodenzerstäubung f [ein
   Abscheideverfahren]
multitasking [simultaneous processing of
   several tasks or processes by a computer]
   Mehrprozeßbetrieb m, Multitasking n
   [gleichzeitige Bearbeitung mehrerer Aufgaben
   bzw. Prozesse durch einen Rechner]
MultiTOS [further development of TOS, Atari's
   operating system]
   MultiTOS [Weiterentwicklung des
   Betriebssystems TOS von Atari]
multitrace oscilloscope
   Mehrstrahloszilloskop n,
   Mehrstrahloszillograph m
multiunit file
   Datei auf mehreren Einheiten f
multiuser computer
   Gemeinschaftsrechner m [Rechner im
   Mehrbenutzersystem]
multiuser system [computer system with
   simultaneous access for numerous users; as a
   rule, the users are switched on a time-sharing
   basis]
   Mehrbenutzersystem n [Rechnersystem mit
   gleichzeitigem Zugriff für mehrere Benutzer; in
   der Regel findet in kurzen Zeitintervallen ein
   Benutzerwechsel statt
   (Zeitmultiplexverfahren)]
multivariate analysis [sampling]
   multivariable Analyse f [Stichprobe]
multivibrator [a circuit having two output
   states, the transition between the two being
   spontaneous or triggered by an external signal;
   there are three types: astable (= free-running
   multivibrator), bistable (= flip-flop or bistable

trigger circuit) and monostable (= mono-flop,
monostable trigger circuit or one-shot
multivibrator)]
   Kippschaltung f, Kippglied n, Multivibrator
   m [eine Schaltung mit zwei
   Ausgangszuständen, die von selbst oder durch
   ein Auslösesignal dazu veranlaßt, sprunghaft
   von einem in den anderen Zustand übergeht
   (kippt); man unterscheidet astabile (=
   freischwingende), bistabile (= Flipflop) und
   monostabile (= Monoflop) Kippschaltungen
multiword instruction
   Mehrwortbefehl m
mutilated character
   verstümmeltes Zeichen n
mutual inductance
   Gegeninduktivität f
MUX (multiplexer)
   Multiplexer m

N

n-channel [semiconductor technology]
The conducting channel in a field-effect transistor in which charge transport is effected by electrons.
N-Kanal *m* [Halbleitertechnik]
Der stromführende Kanal in einem Feldeffekttransistor, in dem der Ladungstransport durch Elektronen erfolgt.

n-channel aluminium-gate MOS technology
Process for fabricating n-channel MOS field-effect transistors in which the gate consists of aluminium.
N-Kanal-MOS-Technik mit Aluminium-Gate *f*
Technik für die Herstellung von NMOS-Feldeffekttransistoren, bei denen das Gate (die Steuerelektrode) aus Aluminium besteht.

n-channel field-effect transistor (NFET)
Field-effect transistor with an n-type conducting channel, i.e. a channel in which the majority carriers are electrons.
N-Kanal-Feldeffekttransistor *m* (NFET)
Feldeffekttransistor, der einen N-leitenden Kanal besitzt, d.h. einen Kanal, in dem die Majoritätsladungsträger Elektronen sind.

n-channel metal-oxide-semiconductor field-effect transistor [NMOSFET]
N-Kanal-Feldeffekttransistor mit Metall-Oxid-Halbleiterstruktur *m* [NMOSFET]

n-channel MOS technology, NMOS technology
Process for fabricating field-effect transistors with a metal-oxide-semiconductor structure and an n-type conductive channel, in which n-type regions (source and drain) are formed in a p-type substrate by diffusion.
N-Kanal-MOS-Technik *f*, NMOS-Technik *f*
Technik für die Herstellung von Feldeffekttransistoren mit Metall-Oxid-Halbleiterstruktur und einem N-leitenden Kanal, bei der die N-dotierte Bereiche (Source und Drain) in ein P-leitendes Substrat eindiffundiert werden.

n-channel silicon-gate MOS technology
Process for fabricating n-channel MOS field-effect transistors in which the gate consists of a conductive polysilicon material.
N-Kanal-MOS-Technik mit Silicium-Gate *f*
Technik für die Herstellung von NMOS-Feldeffekttransistoren, bei denen das Gate (die Steuerelektrode) aus einem leitfähigen Polysilicium besteht.

n-channel transistor
N-Kanal-Transistor *m*

n-conductor
N-Leiter *m*

n-gate thyristor
anodenseitig steuerbarer Thyristor *m*

n-key roll over (NKRO) [in keyboards prevents incorrect input when several keys are simultaneously depressed]
Tastenverriegelung *f* [verhindert bei Tastaturen Eingabefehler, die durch gleichzeitige Betätigung mehrerer Tasten entstehen könnten]

n-type conduction, electron conduction
Charge transport in a semiconductor by conduction electrons.
N-Leitung *f*, Elektronenleitung *f*
Ladungstransport in einem Halbleiter durch Leitungselektronen.

n-type doping [semiconductor technology]
The introduction of donor impurity atoms into a semiconductor, e.g. phosphorous atoms into silicon. This increases the number of free electrons and produces n-type conduction in the correspondingly doped region. Highly doped n-type regions are denoted by n+.
N-Dotierung *f* [Halbleitertechnik]
Der Einbau von Donatoratomen in einen Halbleiter, z.B. Phosphoratome in Silicium. Dadurch werden zusätzliche Elektronen frei und der entsprechend dotierte Bereich wird N-leitend. Stark N-dotierte Bereiche werden mit N+ bezeichnet.

n-type region, n-type zone [semiconductor technology]
A region in a semiconductor in which charge transport is effected essentially by electrons.
N-Bereich *m*, N-Gebiet *n*, N-Zone *f* [Halbleitertechnik]
Bereich in einem Halbleiter, in dem der Ladungstransport vorwiegend durch Elektronen erfolgt.

n-type semiconductor [semiconductor with electron conduction (n-type conduction)]
N-Halbleiter *m* [Halbleiter mit Elektronenleitung (N-Leitung)]

n-type substrate [semiconductor technology]
A substrate with electron conduction (n-type conduction).
N-Grundmaterial *n*, N-Substrat *n* [Halbleitertechnik]
Substrat mit Elektronenleitung (N-Leitung).

nailhead bonding, ball bonding
A thermocompression method in which a gold wire, fed through a capillary tube, is melted by a flame. The molten wire end forms a ball which is pressed against the bonding pad on the integrated circuit.
Nagelkopfkontaktierung *f*
Ein Thermokompressionsverfahren, bei dem ein Golddraht durch eine Kapillare geführt und mit Hilfe einer Flamme abgeschmolzen wird. Das geschmolzene Drahtende bildet eine Kugel,

die auf den Kontaktfleck der integrierten Schaltung gepreßt wird.

NAK (negative acknowledge character)
Zeichen für negative Rückmeldung *f*

named constant
benannte Konstante *f*

NAND circuit
NAND-Schaltung *f*

NAND element, NAND gate
NAND-Glied *n*, NAND-Gatter *n*

NAND function [logical operation having the output (result) 0 if and only if all inputs (operands) are 1; for all other input values the output is 1]
NAND-Verknüpfung *f*, Sheffer-Funktion *f*, NAND-Funktion *f* [logische Verknüpfung mit dem Ausgangswert (Ergebnis) 0, wenn und nur wenn alle Eingänge (Operanden) den Wert 1 haben; für alle anderen Eingangswerte ist der Ausgangswert 1]

nanosecond (ns) [one thousand millionth of a second, i.e. 10^{-9} s]
Nanosekunde *f* (ns)[eine Milliardstelsekunde, d.h. 10^{-9} s]

Nassi-Shneiderman chart, NS chart [for representing sequence of operations in a program]
Struktogramm *n*, Nassi-Shneiderman-Diagramm *n* [zur Darstellung der Ausführungsreihenfolge eines Programmes]

natural language [e.g. English, in contrast to an artificial language, e.g. FORTRAN]
natürliche Sprache *f* [z.B. Deutsch, im Gegensatz zu einer künstlichen Sprache, z.B. FORTRAN]

natural logarithm, hyperbolic logarithm, Naperian logarithm
natürlicher Logarithmus *m*

natural oscillation, self-oscillation [of a circuit or system]
Eigenschwingung *f* [einer Schaltung oder eines Systems]

natural resonant frequency, self-resonant frequency
Eigenresonanzfrequenz *f*

NC (numerical control) [the control of machines by means of encoded numerical data for positioning and switching function commands]
NC-Steuerung *f*, numerische Steuerung *f* [die Steuerung von Maschinen durch Eingabe der Weg- und Schaltbefehle in Form verschlüsselter numerischer Daten]

NC technology (numerical control technology) [control of machines]
NC-Technik *f* [Steuerung von Maschinen]

NDR (non-destructive read), NDRO (non-destructive readout) [a reading operation that does not destroy or change the stored information]

nichtlöschendes Lesen *n* [ein Lesevorgang, der die gespeicherte Information nicht löscht oder verändert]

negate, to
negieren

negated inhibit input
Sperreingang mit Negation *m*

negating output
Ausgang mit Negation *m*

negation, NOT operation, Boolean complementation, inversion
Logical operation that negates the input value, i.e. a one at the input is converted into a zero at the output and vice-versa.
Negation *f*, NICHT-Funktion *f*, Boolesche Komplementierung *f*, Inversion *f*, Umkehrer *m*
Logische Verknüpfung, die den Eingangswert umkehrt, d.h. eine Eins am Eingang wird in eine Null am Ausgang umgewandelt und umgekehrt.

negative acknowledgement
negative Rückmeldung *f*, negative Quittung

negative acknowledge character (NAK)
Zeichen für negative Rückmeldung *n*

negative bias voltage, negative bias
negative Vorspannung *f*

negative carrier, negative charge carrier
negativer Ladungsträger *m*

negative conductance
negativer Leitwert *m*

negative conductive pattern [printed circuit boards]
negatives Leiterbild *n* [Leiterplatten]

negative current feedback
Stromgegenkopplung *f*

negative feedback
negative Rückkopplung *f*, Gegenkopplung *f*

negative feedback amplifier
gegengekoppelter Verstärker *m*

negative logic, negative-true logic [logic circuit employing a negative voltage level to represent logic state 1; a more positive voltage level represents logic state 0]
negative Logik *f* [logische Schaltung, die den Zustand logisch 1 durch einen negativen Spannungspegel darstellt; ein positiverer Spannungspegel entspricht dem Zustand logisch 0]

negative pulse
negativer Impuls *m*

negative resistance
negativer Widerstand *m*

negative signal
negatives Signal *n*

negative voltage feedback
Spannungsgegenkopplung *f*

nematic liquid crystal [commonly used type of crystal in liquid crystal displays whose molecules are arranged with their longitudinal

axes parallel to one another; in contrast to smectic liquid crystals which have their molecules arranged in layers]
nematischer Flüssigkristall m [die in Flüssigkristallanzeigen hauptsächlich verwendete Flüssigkristallart, deren Moleküle so angeordnet sind, daß die Längsachsen parallel zueinander stehen; im Gegensatz zu smektischen Flüssigkristallen, bei denen die Moleküle in Schichten angeordnet sind]

NEP (noise equivalent power)
äquivalente Rauschleistung f

NERFET (negative differential resistance field-effect transistor) [a modulation-doped field effect transistor]
NERFET m [ein modulationsdotierter Feldeffekttransistor]

nest, to
schachteln

nested loop [a program loop containing one or more built-in loops]
geschachtelte Schleife f [eine Programmschleife mit einer oder mehreren eingebauten Schleifen]

nested program
verschachteltes Programm n

nested subroutine [a subroutine containing one or more built-in subroutines]
geschachteltes Unterprogramm n [ein Unterprogramm mit einem oder mehreren eingebauten Unterprogrammen]

nesting [the use of further program loops within a program loop, i.e. a macro definition containing macro instructions]
Verschachtelung f, Schachtelung f [die Verwendung von weiteren Programmschleifen innerhalb einer Programmschleife, d.h. eine Makrodefinition, die Makrobefehle enthält]

nesting level
Verschachtelungsebene f

NetBIOS [BIOS for accessing local area networks]
NetBIOS [BIOS für den Zugriff auf lokale Netzwerke]

NetWare [operating system developed by Novell for local area networks (LAN)]
NetWare [von Novell entwickeltes Betriebssystem für lokale Netzwerke (LAN)]

network
Netzwerk n

network analysis
Netzwerkanalyse f

network layer [one of the seven functional layers of the ISO reference model for computer networks]
Netzwerkebene f [eine der sieben Funktionsschichten des ISO-Referenzmodells für den Rechnerverbund]

network node, node

Netzknoten m

network structure
Netzstruktur f

network theory
Netzwerktheorie f

network topology [the structure of a computer network, e.g. a bus, ring or star structure]
Netzwerktopologie f [die Struktur eines Rechnernetzes, z.B. eine Bus-, Ring- oder Sternstruktur]

neural net, neural network [a self-organizing computational model having the ability to learn and to generalize and inspired by the structure and function of the brain; in essence it consists of interconnected elements (neurons) in several layers (input, output and hidden layers) whose links are weighted according to an optimizing learning algorithm]
neuronales Netz n, neuronales Netzwerk n [ein selbstorganisierendes lernfähiges Rechenmodell, das verallgemeinern kann und von der Struktur und Funktion des Gehirnes inspiriert wurde; es besteht im wesentlichen aus zusammengeschalteten Elementen (Neuronen) in mehreren Schichten (Eingangs-, Ausgangs- und verdeckte Schichten), deren Verbindungen entsprechend einem optimierenden Lernalgorithmus gewichtet sind]

neutralization [compensation, e.g. of feedback from output to input of an amplifier circuit]
Neutralisation f [Kompensation, z.B. der Rückwirkung vom Ausgang auf den Eingang einer Verstärkerschaltung]

neutron irradiation, transmutation, neutron transmutation [semiconductor doping]
A doping process in which neutron irradiation of silicon in a nuclear reactor causes certain silicon isotopes to be changed into phosphorous isotopes. The process allows highly homogeneous doping.
Neutronenbestrahlung f,
Neutronendotierung f, Kernumwandlung f [Halbleiterdotierung]
Ein Dotierungsverfahren, bei dem bestimmte Siliciumisotope durch Neutronenbestrahlung in einem Kernreaktor in Phosphorisotope umgewandelt werden. Das Verfahren erlaubt eine sehr homogene Dotierung.

newton (N) [SI unit of force]
Newton n (N) [SI-Einheit der Kraft]

next executable statement
nächste ausführbare Anweisung f

next record
nächster Datensatz m

NFET (n-channel field-effect transistor)
Field-effect transistor with an n-type conduction channel, i.e. a channel in which the majority carriers are electrons.
NFET m, N-Kanal-Feldeffekttransistor m

Feldeffekttransistor, der einen N-leitenden Kanal besitzt, d.h. einen Kanal, in dem die Majoritätsladungsträger Elektronen sind.

NFS (Network File System) [enables local computer to use network computer as extension of local hard disk]
   Netzwerk-Dateidienst *m* [erlaubt einem Lokalrechner den Netzwerkrechner als Erweiterung der lokalen Festplatten zu verwenden]

ni-junction
   Junction between an n-type region and an intrinsic region in a semiconductor.
   NI-Übergang *m*
   Übergang zwischen einem N-leitenden und einem eigenleitenden Bereich in einem Halbleiter.

nibble, half-byte [4 bits]
   Nibble *n*, Halbbyte *n* [4 Bits]

nines complement [serves to represent a negative decimal number]
   The nines complement of a number is obtained by forming the difference to a number having a nine in each decimal place; subtraction of the number is then replaced by adding the complement, the carry being added to the lowest digit. Example: the number 123 has the complement 876; the subtraction 555 - 123 is thus replaced by the addition 555 + 876 = (1)431 = 432.
   Neunerkomplement *n* [dient der Darstellung von negativen Dezimalzahlen]
   Das Neunerkomplement einer Zahl erhält man durch stellenweises Ergänzen auf 9; die Subtraktion der Zahl wird dann durch die Addition des Komplementes ersetzt; der auftretende Übertrag wird zur niedrigsten Stelle addiert. Beispiel: die Zahl 123 hat das Komplement 876; die Addition 555 - 123 wird somit durch die Addition 555 + 876 = (1)431 = 432 ersetzt.

nipi-structure [semiconductor structure with intrinsic layers between a sequence of alternately arranged highly doped n-type and p-type layers]
   NIPI-Struktur *f* [Halbleiterstruktur mit eigenleitenden Schichten zwischen einer periodischen Folge von hochdotierten N- und P-Schichten]

Nixie tube [gas discharge display]
   Nixie-Röhre *f* [Gasentladungsanzeige]

NKRO (n-key roll over) [in keyboards prevents incorrect input when several keys are simultaneously depressed]
   NKRO, Tastenverriegelung *f* [verhindert bei Tastaturen Eingabefehler, die durch gleichzeitige Betätigung mehrerer Tasten entstehen könnten]

NLQ mode (Near-Letter Quality)

NLQ-Modus *m* [für nahezu Briefqualität beim Drucker]

NMI (non-maskable interrupt) [microprocessor terminal which enables an interrupt to be initiated independently of a masking or interrupt-disable bit]
   nichtmaskierbare Unterbrechung *f* [Anschluß am Mikroprozessor, der es gestattet, eine Unterbrechung auszulösen, unabhängig vom Maskierungsbit]

NMOS technology, n-channel MOS technology
   Process for fabricating field-effect transistors with a metal-oxide-semiconductor structure and an n-type conductive channel, in which n-type regions (source and drain) are formed in a p-type substrate by diffusion.
   NMOS-Technik *f*, N-Kanal-MOS-Technik *f*
   Technik für die Herstellung von Feldeffekttransistoren mit Metall-Oxid-Halbleiterstruktur und einem N-leitenden Kanal, bei der N-dotierte Bereiche (Source und Drain) in ein P-leitendes Substrat eindiffundiert werden.

NMOSFET, n-channel metal-oxide-semiconductor field-effect transistor
   NMOSFET *m*, N-Kanal-Feldeffekttransistor mit Metall-Oxid-Halbleiterstruktur *m*

no-op instruction, no-operation instruction, blank instruction, skip instruction
   No-Op-Befehl *m*, Leerbefehl *m*, Überspringbefehl *m*

node [of a network]
   Verzweigungspunkt *m*, Knoten *m* [eines Netzes]

noise
   Rauschen *n*

noise equivalent power (NEP)
   äquivalente Rauschleistung *f*

noise figure, noise factor [ratio of the noise power at the output to the noise power at the input, e.g. of a transistor or amplifier; expressed as a factor (ratio) or as a decibel value (dB)]
   Rauschzahl *f*, Rauschfaktor *m* [Verhältnis der Rauschleistung am Ausgang zur Rauschleistung am Eingang, z.B. eines Transistors oder Verstärkers; ausgedrückt als Faktor (= Verhältniszahl) oder Dezibelwert (dB)]

noise filter, interference filter, interference eliminator [e.g. in a power supply]
   Entstörfilter *n* [z.B. in der Stromversorgung]

noise generator
   Rauschgenerator *m*, Störspannungsgenerator *m*

noise immunity
   Störsicherheit *f*

noise level
   Rauschpegel *m*

noise limiter
   Störbegrenzer *m*
noise margin [measure for operational
   reliability of a circuit]
   Störspannungsabstand *m* [Maß für die
   Betriebssicherheit einer Schaltung]
noise power
   Rauschleistung *f*
noise ratio
   Störabastand *m*, Störpegelabstand *m*
noise signal
   Störsignal *n*, Rauschsignal *n*
noise suppression, interference suppression
   Rauschunterdrückung *f*, Störunterdrückung
   f, Störschutz *m*
noise voltage
   Geräuschspannung *f*
nominal value
   Sollmaß *n*, Nennmaß *n*
non-addressable memory, non-addressable
   storage
   nichtadressierbarer Arbeitsspeicher *m*
non-algorithmic, heuristic, non-calculable
   nichtalgorithmisch, heuristisch, nicht
   berechenbar
non-available time
   nicht verfügbare Betriebszeit *f*
non-carbon paper [copy without carbon paper]
   Non-Karbon-Papier *n* [Durchschriftspapier
   ohne Kohlepapier]
non-conductive pattern [printed circuit
   boards]
   Nichtleiterbild *n* [Leiterplatten]
non-conductor
   Nichtleiter *m*
non-contiguous item
   nichtbenachbartes Datenfeld *n*
non-destructive read (NDR), non-destructive
   readout (NDRO) [a reading operation that does
   not destroy or change the stored information]
   nichtlöschendes Lesen *n* [ein Lesevorgang,
   der die gespeicherte Information nicht löscht
   oder verändert]
non-directional
   ungerichtet
non-equivalence, exclusive-OR [logical
   operation having the output (result) 1 if and
   only if one of the two inputs (operands) is 1; for
   all other input values the output is 0]
   Antivalenz *f*, exklusives ODER *n* [logische
   Verknüpfung mit dem Ausgangswert
   (Ergebnis) 1 wenn und nur wenn einer der
   beiden Eingänge (Operanden) den Wert 1 hat;
   für alle anderen Eingangswerte ist der
   Ausgangswert 0]
non-glare [e.g. display screen]
   blendfrei [z.B. Bildschirm]
non-impact printer [e.g. a laser printer]
   nichtmechanischer Drucker *m* [z.B. ein

Laserdrucker]
non-interlaced mode [screen image formation
   in a single pass, in contrast to interlaced mode]
   Non-interlaced-Modus *m* [Bildaufbau ohne
   Zeilensprung, im Gegensatz zu Interlaced-
   Modus]
non-inverting buffer
   nichtinvertierender Puffer *m*
non-inverting input
   nichtinvertierender Eingang *m*
non-iterative process [non-repetitive process]
   nichtiterativer Prozeß *m* [ein sich nicht
   wiederholender Prozeß]
non-locking [e.g. a key]
   nichtverriegelnd [z.B. ein Schalter]
non-maskable interrupt (NMI) [microprocessor
   terminal which enables an interrupt to be
   initiated independently of a masking or
   interrupt-disable bit]
   nichtmaskierbare Unterbrechung *f*
   [Anschluß am Mikroprozessor, der es gestattet,
   eine Unterbrechung auszulösen, unabhängig
   vom Maskierungsbit]
non-maskable interrupt input
   nichtmaskierbarer
   Unterbrechungseingang *m*
non-numeric
   nichtnumerisch
non-numeric literal
   nichtnumerisches Literal *n*
non-printing control character [e.g. carriage
   return, line feed or space character]
   nichtdruckendes Steuerzeichen *n* [z.B.
   Wagenrücklauf-, Zeilenvorschub- oder
   Zwischenraumzeichen]
non-procedural language, non-procedure-
   oriented language
   nichtverfahrensorientierte
   Programmiersprache *f*
non-procedural programming language,
   declarative programming language [in contrast
   to procedural programming language]
   nichtprozedurale Programmiersprache *f*,
   deklarative Programmiersprache *f* [im
   Gegensatz zur prozeduralen
   Programmiersprache]
non-restoring division
   Division ohne Wiederherstellung des
   positiven Restes *f*
non-return-to-zero recording (NRZ) [magnetic
   tape recording method]
   Wechselschrift *f*, Richtungsschrift *f*, NRZ-
   Schrift *f* [Schreibverfahren für die
   Magnetbandaufzeichnung; Aufzeichnung ohne
   Rückkehr nach Null]
non-subscripted
   nichtindiziert
non-volatile memory (NVM)
   Memory in which stored information is retained

when power is turned off, e.g. bubble memories, magnetic tape, semiconductor memories such as ROMs, EAROMs, PROMs, some RAMs, etc.
nichtflüchtiger Speicher *m*
Speicher, dessen Speicherinhalt auch bei Ausfall der Versorgungsspannung erhalten bleibt, z.B. Magnetblasenspeicher, Magnetbandspeicher, Halbleiterspeicher wie ROMs, EAROMs, PROMs, einige RAMs usw.
non-volatile random access memory
(NOVRAM, NV-RAM)
nichtflüchtiger RAM *m*, nichtflüchtiger Speicher mit wahlfreiem Zugriff *m*
nonlinear characteristic
nichtlineare Kennlinie *f*
nonlinear distortion
nichtlineare Verzerrung *f*
nonlinear resistor
nichtlinearer Widerstand *m*
nonlinearity
Nichtlinearität *f*
NOR circuit
NOR-Schaltung *f*
NOR element, NOR gate
NOR-Glied *n*, NOR-Gatter *n*
NOR function, NOR operation [logical operation having the output (result) 1 if and only if all inputs (operands) are 1; for all other input values the output is 0]
NOR-Verknüpfung *f*, Peirce-Funktion [logische Verknüpfung mit dem Ausgangswert (Ergebnis) 1, wenn und nur wenn alle Eingänge (Operanden) den Wert 0 haben; für alle anderen Eingangswerte ist der Ausgangswert 0]
normal direction flow
Fluß in Normalrichtung *m*
normal distribution, Gaussian distribution
Normalverteilung *f*, Gaußsche Verteilung *f*
normal operating mode
Normalbetrieb *m*
normalize, to; standardize, to [in floating point representation to adjust the mantissa so that it lies within a prescribed range; usually the decimal point is shifted to the left until it stands in front of the first digit, e.g. 123.45 becomes 0.12345 x 10^3 in the normalized representation]
normalisieren, vereinheitlichen [in der Gleitpunktdarstellung das Verschieben der Mantissa bis sie innerhalb eines vorgeschriebenen Bereichs liegt; in der Praxis wird das Dezimalkomma nach links verschoben bis es vor der ersten Ziffer steht, z.B. 123,45 wird 0,12345 x 10^3 in der normalisierten Darstellung]
normalized form, standardized form
Normalform *f*
NOT circuit, inverting circuit, inverter

NICHT-Schaltung *f*, Inversionsschaltung *f*, Inverter *m*
NOT-condition
NICHT-Bedingung *f*
NOT element, NOT gate
NICHT-Glied *n*, NICHT-Gatter *n*
NOT function, Boolean complementation, inversion, negation [single-input logical operation which inverts or negates the input, i.e. the output is 1 if the input is 0 and viceversa]
NICHT-Verknüpfung *f*, Boolesche Komplementierung *f*, Negation *f* [einstellige logische Verknüpfung, die den Eingangswert negiert; d.h. der Ausgangswert ist 1, wenn der Eingangswert 0 ist und umgekehrt]
NOT-IF-THEN gate
Inhibitionsglied *n*
NOT-IF-THEN operation, exclusion [logical operation having the output (result) 1 if and only if the first input (operand) is 1 and the second 0; for all other input values the output is 0]
Inhibition *f*, NOT-IF-THEN-Verknüpfung *f* [logische Verknüpfung mit dem Ausgangswert (Ergebnis) 1, wenn und nur wenn der erste Eingang (Operand) den Wert 1 und der zweite den Wert 0 hat; für alle anderen Eingangswerte ist der Ausgangswert 0]
notebook computer [A4-sized computer, smaller than laptop computer]
Notebook-Rechner *m* [A4-großer Rechner, kleiner als ein Laptop-Rechner]
notepad computer, pen computer, pen-based computer [small computer with tablet and pen for handwritten entry]
Stift-Computer *m*, Pen-Computer *m* [kleiner Rechner mit Tablett und Stift für Handschrift-Eingabe]
NOVRAM (non-volatile random access memory)
NOVRAM *m*, nichtflüchtiger Speicher mit wahlfreiem Zugriff *m*
np-junction
The junction between an n-type region and a p-type region in a semiconductor.
NP-Übergang *m*
Der Übergang zwischen einem N-leitenden und einem P-leitenden Bereich in einem Halbleiter.
npin transistor
A transistor in which an intrinsic semiconductor region is situated between the p-type base region and the n-type collector region.
NPIN-Transistor *m*
Ein Transistor, bei dem sich zwischen dem P-dotierten Basisbereich und dem N-dotierten Kollektorbereich eine eigenleitende Halbleiterzone befindet.
npn circuit
NPN-Schaltung *f*, NPN-Schaltkreis *m*

npn silicon planar transistor
NPN-Siliciumplanartransistor *m*
npn transistor
A bipolar transistor which has a p-type base region and n-type emitter and collector regions.
NPN-Transistor *m*
Bipolartransistor, bei dem der Basisbereich P-dotiert ist und die Emitter- und Kollektorbereiche N-dotiert sind.
NRZ (non-return-to-zero recording) [magnetic tape recording method]
NZR-Schrift *f,* Wechselschrift *f,* Richtungsschrift *f* [Schreibverfahren für die Magnetbandaufzeichnung; Aufzeichnung ohne Rückkehr nach Null]
ns (nanosecond) [one thousand millionth of a second, i.e. 10^{-9} s]
ns (Nanosekunde)[eine Milliardstelsekunde, d.h. 10^{-9} s]
NS chart (Nassi-Shneiderman) [for representing sequence of operations in a program]
Struktogramm *n,* Nassi-Shneiderman-Diagramm *n* [zur Darstellung der Ausführungsreihenfolge eines Programmes]
NTC resistor, NTC thermistor (negative temperature coefficient resistor)
Semiconductor component with a high negative temperature coefficient (NTC), i.e. whose resistance decreases as temperature rises.
Heißleiter *m,* NTC-Widerstand *m,* NTC-Thermistor *m*
Halbleiterbauelement mit hohem negativen Temperaturkoeffizienten, d.h. dessen Widerstand mit steigender Temperatur abnimmt.
null character
Nullzeichen *n*
null pointer
Null-Zeiger *m*
null pointer assignment
Null-Zeiger-Zuweisung *f*
null string, empty string
Null-Zeichenkette *f,* leere Zeichenkette *f*
number consecutively, to; number serially, to
durchnumerieren
number notation
Zahlenschreibweise *f*
number register
Zahlenregister *n*
number system
Zahlensystem *n*
numeral, numeric character
numerisches Zeichen *n*
numeric, numerical
numerisch
numeric data
numerische Daten *n.pl.*
numeric item
numerisches Datenfeld *n*

numeric keyboard [keyboard with the digits 0 to 9, possibly with special characters (e.g. for the basic arithmetic operations)]
numerische Tastatur *f,* Zehnertastatur *f* [Tastatur mit den Ziffern 0 bis 9, evtl. mit Sonderzeichen (z.B. für die Grundrechenoperationen)]
numeric keypad [separate keypad for entering digits]
numerischer Tastenblock *m,* Zehnertastenblock *m* [separates Tastenfeld für die Eingabe von Ziffern]
numeric string
numerische Zeichenfolge *f*
numerical, digital
ziffernmäßig, digital
numerical control (NC) [control of machines]
numerische Steuerung *f* (NC) [Steuerung von Maschinen]
NV-RAM, NOVRAM (non-volatile random access memory)
NV-RAM *m,* NOVRAM *m,* nichtflüchtiger Speicher mit wahlfreiem Zugriff *m*
NVM (non-volatile memory)
Memory in which stored information is retained when power is turned off, e.g. bubble memories, magnetic tape, semiconductor memories such as ROMs, EAROMs, PROMs, some RAMs etc.
nichtflüchtiger Speicher *m*
Speicher, dessen Speicherinhalt auch bei Ausfall der Versorgungsspannung erhalten bleibt, z.B. Magnetblasenspeicher, Magnetbandspeicher, Halbleiterspeicher wie ROMs, EAROMs, PROMs, einige RAMs usw.

O

object [in object oriented programming: an instance or concrete example of a class; it consists of data and functions]
Objekt *n* [bei der objektorientierten Programmierung: eine Instanz bzw. ein konkretes Beispiel einer Klasse; es besteht aus Daten und Funktionen]

object code [machine code which can be processed by a microprocessor or computer; is the result of translation into machine language by an assembler or compiler]
Objektcode *m* [Maschinencode, der vom Mikroprozessor bzw. Rechner verarbeitet werden kann; entsteht durch Übersetzung in Maschinensprache mittels Assembler oder Compiler]

object language, target language
Zielsprache *f*

object module [a program module translated into machine language by an assembler; before it can be run it must be combined with other program modules by a linking loader]
Objektmodul *m* [ein durch einen Assembler in Maschinensprache übersetzter Programmmodul; vor dem Ablauf muß er zuerst mit den anderen Moduln mittels eines Bindeladers verbunden werden]

object oriented programming (OOP) [uses following basic elements: objects (software modules), messages (signals), classes (model categories) and class inheritance (inheritance of class properties)]
objektorientierte Programmierung *f* (OOP) [verwendet die folgenden Grundelemente: Objekte (Softwarebausteine), Nachrichten (Signale), Klassen (Modellkategorien) und Klassenvererbung (Vererbung von Klasseneigenschaften)]

object oriented programming language (OOPL)
objektorientierte Programmiersprache *f,* OOP-Sprache *f*

object oriented programming system (OOPS)
objektorientiertes Programmiersystem *n,* OOP-System *n*

object program, target program [a program translated into machine language by an assembler or compiler]
Objektprogramm *n,* Zielprogramm *n* [ein durch einen Assembler oder Compiler in Maschinensprache übersetztes Programm]

object statement [instruction in the object language]
Zielanweisung *f* [Anweisung in der Zielsprache]

OCCAM [programming language for transputer systems]
OCCAM [Programmiersprache für Transputer-Systeme]

occupied, busy
belegt, besetzt

occupied storage area
belegter Speicherbereich *m*

OCR characters [standard characters for optical character recognition recommended by ISO; there are two types, OCR-A and OCR-B]
OCR-Schrift *f* [von der ISO empfohlene Normschrift für optische Schrifterkennung; es gibt zwei Typen, OCR-A und OCR-B]

OCR reader, optical character reader
OCR-Leser *m,* optischer Zeichenleser *m*

octal digit
Oktalziffer *f*

octal notation [number system with the basis 8 having a simple relation to binary numbers when grouped in three, e.g. the binary number 101 010 011 has the shorter and simpler octal equivalent 523]
Oktalschreibweise *f* [Zahlensystem mit der Basis 8, das eine einfache Beziehung zu Binärzahlen aufweist, wenn sie in Dreiergruppen aufgeteilt werden, z.B. die Binärzahl 101 010 011 entspricht der kürzeren und einfacheren Oktalzahl 523]

octal number system, octal notation
oktales Zahlensystem *n*

ODA (Open Document Architecture)
ODA [offene Dokumentarchitektur]

odd address
ungeradzahlige Adresse *f*

odd parity
ungerade Parität *f*

odd parity check
ungerade Paritätskontrolle *f,* Prüfung auf ungerade Parität *f*

ODIF (Open Document Interchange Format)
ODIF [offenes Dokumentenformat]

OEIC (opto-electronic integrated circuit)
optoelektronische integrierte Schaltung *f,* integrierte optoelektronische Schaltung *f*

OEM (original equipment manufacturer) [in contrast to end user or distributor]
OEM *m,* Erstausrüster *m* [im Gegensatz zum Endverbraucher oder Wiederverkäufer]

OF (optical fiber) [fiber of transparent material, e.g. glass or plastic fiber, for optical transmission of signals]
Lichtwellenfaser *f,* optische Faser *f* [Faser aus lichtdurchlässigem Material, z.B. Glas- oder Kunststoffaser, für die optische Übertragung von Signalen]

off-line printer [not connected or available to the system]
Off-line-Drucker *m* [mit dem System nicht

verbunden bzw. nicht verfügbar]
off-line operation, batch processing [separate processing, in contrast to on-line processing]
Off-line-Betrieb *m,* Batch-Verarbeitung *f* [getrennte Verarbeitung, im Gegensatz zur On-line-Verarbeitung]
off-line status [not connected or available]
Offline-Status *m* [mit dem System nicht verbunden bzw. nicht verfügbar]
off-state, off-status, switched off
ausgeschaltet
off-the-shelf device, catalog device
Standardbaustein *m,* handelsüblicher Baustein *m*
office automation
Büroautomatisierung *f*
offset, zero error, zero deviation
Nullpunktfehler *m,* Nullpunktabweichung *f*
offset [automatic control]
bleibende Regelabweichung *f* [Regelungstechnik]
offset address
Offsetadresse *f*
offset current
Offsetstrom *m*
offset current drift
Offsetstromdrift *f*
offset diode [a diode used for shifting the dc voltage level]
Offsetdiode *f* [zur Verschiebung des Gleichspannungspegels verwendete Diode]
offset voltage [in operational amplifiers the input voltage required to obtain an output voltage of 0 V]
Offsetspannung *f* [bei Operationsverstärkern die Eingangsspannung, die benötigt wird, um eine Ausgangsspannung von 0 V zu erhalten]
offset voltage drift
Offsetspannungsdrift *f*
ohm (Ω) [SI unit of electrical resistance]
Ohm *n* (Ω) [SI-Einheit des elektrischen Widerstandes]
ohmic contact [in semiconductors, a resistive contact between two materials in which the penetrating current is proportional to the voltage difference at the input]
ohmscher Kontakt *m* [bei Halbleitern ein widerstandsbehafteter Kontakt zwischen zwei Materialien, bei denen der durchtretende Strom proportional der Spannungsdifferenz am Eingang ist]
ohmic load [contains neither capacity nor inductance]
ohmsche Last *f* [enthält weder Kapazität noch Induktivität]
ohmic metal-semiconductor junction, non-rectifying metal-semiconductor junction [ohmic contact]
sperrfreier Metall-Halbleiter-Übergang *m*

[Ohmscher Kontakt]
ohmic resistance
ohmscher Widerstand *m,* Wirkwiderstand *m*
ohmic voltage drop, ohmic drop
ohmscher Spannungsabfall *m*
ohmmeter
Ohmmeter *n,* Widerstandsmeßgerät *n*
Ohms law [the relationship between voltage (V), current (I) and resistance (R): V = I x R]
Ohmsches Gesetz *n* [die Beziehung zwischen Spannung (U), Strom (I) und Widerstand (R): = I x R]
OLE (Object Linking and Embedding) [in Windows programming: linking and embedding of objects, e.g. graphics]
OLE [bei der Programmierung in Windows: Verknüpfen und Einfügen von Objekten wie z.B. Graphiken]
on-board
auf der Leiterplatte
on-chip
chipintegriert, chipintern
on-chip component
chipintegriertes Bauelement *n*
on-chip connection
chipintegrierte Verbindung *f*
on-chip logic
chipintegrierte Logik *f,* interne Chiplogik *f*
on-line
direkte Kopplung *f,* direkte Prozeßkopplung *f*
on-line closed loop
geschlossene Prozeßkopplung *f*
on-line data transmission
On-line-Datenübertragung *f*
on-line input device
On-line-Eingabegerät *n*
on-line open loop
offene Prozeßkopplung *f*
on-line operation, real-time processing [processing of data immediately after their generation, in contrast to off-line processing]
On-line-Betrieb *m,* direkter Betrieb *m,* Echtzeitbetrieb *m* [die Verarbeitung von Daten unmittelbar nach ihrer Entstehung, im Gegensatz zum Off-line-Betrieb]
on-line printer [available to system]
On-line-Drucker *m* [vom System benutzbar]
on-line status
Online-Status *m*
on-state, conducting state [of a semiconductor component, e.g. diode]
Durchlaßzustand *m* [eines Halbleiterbauelementes, z.B. Diode]
on-state, switched on [equipment]
eingeschaltet [Gerät]
on-state, up-state [e.g. of a flip-flop]
Zustand "Eins" *m* [z.B. eines Flipflops]
on-state power loss [e.g. of a power semiconductor]

Durchlaßverlustleistung f [z.B. eines
Leistungshalbleiters]
on-state resistance
Einschaltwiderstand m
on/off keying
Ein-/Austastung f
one-bit adder [half adder]
Ein-Bit-Addierer m [Halbaddierer]
one-chip device, single-chip device
[implemented on a single chip]
Einchip-Baustein m [auf einem einzigen Chip
realisiert]
one-digit adder, half-adder
Einzifferaddierer m, Halbaddierer m
one-element [in Boolean algebra "1" or "0",
depending on the logical operation]
Einselement n [in der Booleschen Algebra die
"1" oder die "0", je nach logischer Verknüpfung]
one-level subroutine
einstufiges Unterprogramm n
one-milliwatt generator
Normalgenerator m [Generator mit einer
Leistungsabgabe von 1 mW]
one-out-of-ten code [a binary code for decimal
digits using 10 binary digits for each decimal
digit, e.g. 7 = 0001000000]
Eins-aus-Zehn-Code m [ein Binärcode für
Dezimalziffern, der jede Ziffer durch eine
Gruppe von 10 Binärzeichen darstellt, z.B. 7 =
0001000000]
one-quadrant multiplier
Einquadrant-Multiplizierschaltung f
one-state [logical one, e.g. at input of a flip-flop]
Eins-Zustand m [logische Eins, z.B. am
Eingang eines Flipflops]
one-to-one assembler [generates a machine
command for each program instruction]
Eins-zu-Eins-Assembler m, Eins-zu-Eins-
Übersetzer m [erzeugt einen Maschinenbefehl
für jede Programmanweisung]
one-way data communication
einseitige Datenübermittlung f
ones complement [one of the representation
forms for negative binary numbers; is formed
by replacing ones by zeroes and vice-versa, e.g.
101 becomes 010]
Einerkomplement n [eine der
Darstellungsformen für negative Binärzahlen;
wird durch die Umkehrung der Einser und
Nullen gebildet, z.B. 101 wird 010]
OOP (object oriented programming) [uses
following basic elements: objects (software
modules), messages (signals), classes (model
categories) and class inheritance (inheritance of
class properties)]
objektorientierte Programmierung f (OOP)
[verwendet die folgenden Grundelemente:
Objekte (Softwarebausteine), Mitteilungen
(Signale), Klassen (Modellkategorien) und

Klassenvererbung (Vererbung von
Klasseneigenschaften)]
OOPL (object oriented programming language)
objektorientierte Programmiersprache f,
OOP-Sprache f
OOPS (object oriented programming system)
objektorientiertes Programmiersystem n,
OOP-System n
op amp, op amplifier, operational amplifier
Linear dc voltage amplifier with high gain, high
input and low output resistance. Usually
designed as a differential amplifier with two
inputs (an inverting and a non-inverting input)
and negative feedback. Was originally
developed for mathematical operations in
analog computers but is now practically
universally used in a wide range of
applications.
Operationsverstärker m
Linearer Gleichspannungsverstärker mit
hohem Verstärkungsfaktor, hohem Eingangs-
und kleinem Ausgangswiderstand. Wird
meistens als Differenzverstärker mit zwei
Eingängen (einem invertierenden und einem
nicht invertierenden Eingang) und mit
Gegenkopplung ausgeführt. Wurde
ursprünglich als Rechenverstärker für
Analogrechner entwickelt, wird aber heute
praktisch universell als Verstärkerbaustein in
vielen Bereichen eingesetzt.
op code, operation code [code representing the
operation to be initiated by an instruction; the
operation code is contained in the operation
part of the instruction]
Op-Code m, Operationscode m [codierte
Darstellung der Operation, die von einem
Befehl ausgelöst werden soll; der
Operationscode ist im Operationsteil des
Befehls enthalten]
op register, operation register
Op-Register n, Operationsregister n
open, to [a file, a window, an application
program]
eröffnen, öffnen [einer Datei, eines Fensters,
eines Anwendungsprogrammes]
open-circuit
offener Stromkreis m
open-circuit impedance
Leerlaufimpedanz f
open-circuit input impedance [input
impedance of a transistor with open-circuit
output]
Leerlauf-Eingangsimpedanz f
[Eingangsimpedanz eines Transistors bei
leerlaufendem Ausgang]
open-circuit output admittance [transistor
parameters: h-parameter]
Leerlauf-Ausgangsleitwert m
[Transistorkenngrößen: h-Parameter]

open-circuit output impedance [output impedance of a transistor with open-circuit input]
Leerlauf-Ausgangsimpedanz *f* [Ausgangsimpedanz eines Transistors bei leerlaufendem Eingang]
open-circuit resistance
Leerlaufwiderstand *m*
open-circuit reverse voltage transfer ratio [transistor parameters: *h*-parameter]
Leerlauf-Spannungsrückwirkung *f* [Transistorkenngrößen: *h*-Parameter]
open-circuit voltage
Leerlaufspannung *f*
open-circuited line
offene Leitung *f*
open-collector output
offener Kollektorausgang *m*
open-emitter output
offener Emitterausgang *m*
open-ended, extendable, upgradable [e.g. program]
erweiterungsfähig, erweiterbar [z.B. Programm]
Open Look [graphical user interface for UNIX]
Open Look [graphische Benutzeroberfläche für UNIX]
open loop
offene Schleife *f*
open-loop amplification
Verstärkung ohne Gegenkopplung *f*
open-loop control [i.e. without feedback]
Steuerkette *f*, Steuerung *f* [d.h. ohne Rückführung]
open-loop gain
Leerlaufverstärkung *f*, Leerlauf-Spannungsverstärkung *f*
open mode
Eröffnungszustand *m*
open routine
Eröffnungsroutine *f*
open-shop operation [computer operation with access for the user; in contrast to closed-shop operation in which the user has no access]
Openshop-Betrieb *m*, offener Betrieb *m* [Rechnerbetrieb mit Zutritt für den Auftraggeber bzw. Anwender; im Gegensatz zum geschlossenen Betrieb, der dem Anwender keinen Zutritt gewährt]
open statement [for a file]
Eröffnungsanweisung *f* [für eine Datei]
open subroutine, in-line subroutine [a subroutine which is contained several times in a program; in contrast to the generally used closed subroutine which is contained in the program only once but called up several times]
offenes Unterprogramm *n* [ein Unterprogramm, das mehrfach in einem Programm enthalten ist; im Gegensatz zum

allgemein verwendeten geschlossenen Unterprogramm, das nur einmal im Programm enthalten ist, aber mehrmals aufgerufen wird]
open-tube process [a diffusion process]
Durchströmverfahren *n* [ein Diffusionsverfahren]
operability
Funktionsfähigkeit *f*
operable
funktionsfähig
operand [operation to be carried out or an information which has to be fetched for carrying out an instruction]
Operand *m*, Rechengröße *f* [auszuführende Operation bzw. eine Information, die zur Ausführung eines Befehls geholt werden muß]
operand address
Operandenadresse *f*
operand part [that part of an instruction which is reserved for the operand or for finding the operand]
Operandenteil *m* [der Teil eines Befehls, der für den Operanden bzw. für das Auffinden des Operanden vorgesehen ist]
operand register
Operandenregister *n*
operate, to [e.g. an equipment]
betreiben [z.B. ein Gerät]
operating characteristic
Arbeitskennlinie *f*
operating clock frequency
Betriebstaktfrequenz *f*
operating condition
Betriebsbedingung *f*
operating current [e.g. of a device or circuit]
Betriebsstrom *m* [z.B. eines Bauteils oder einer Schaltung]
operating frequency
Betriebsfrequenz *f*
operating mode, operational mode
Betriebsart *f*
operating point
Arbeitspunkt *m*
operating range
Arbeitsbereich *m*
operating system (OS) [controls and monitors the execution of programs in the computer; examples of widely used operating systems for microcomputers are DOS and UNIX]
Betriebssystem *n* [steuert und überwacht die Abwicklung von Programmen im Rechnersystem; weitverbreitete Betriebssysteme für Mikrorechner sind z.B. DOS und UNIX]
operating temperature
Betriebstemperatur *f*
operating temperature range
Betriebstemperaturbereich *m*
operating time, up-time

Betriebszeit *f,* Betriebsdauer *f*
operating time counter, elapsed time counter
Betriebsstundenzähler *m*
operation
Operation *f*
operation code, op code [code representing the
operation to be initiated by an instruction; the
operation code is contained in the operation
part of the instruction]
Operationscode *m,* Op-Code *m* [codierte
Darstellung der Operation, die von einem
Befehl ausgelöst werden soll; der
Operationscode ist im Operationsteil des
Befehls enthalten]
operation cycle
Operationszyklus *m*
operation on sets
Mengenoperation *f*
operation register, op register
Operationsregister *n,* Op-Register *n*
operational, ready
bereit, betriebsbereit
operational amplifier (op amplifier, op amp)
Linear dc voltage amplifier with high gain, high
input and low output resistance. Usually
designed as a differential amplifier with two
inputs (an inverting and a non-inverting input)
and negative feedback. Was originally
developed for mathematical operations in
analog computers but is now practically
universally used in a wide range of
applications.
Operationsverstärker *m*
Linearer Gleichspannungsverstärker mit
hohem Verstärkungsfaktor, hohem Eingangs-
und kleinem Ausgangswiderstand. Wird
meistens als Differenzverstärker mit zwei
Eingängen (einem invertierenden und einem
nicht invertierenden Eingang) und mit
Gegenkopplung ausgeführt. Wurde
ursprünglich als Rechenverstärker für
Analogrechner entwickelt, wird aber heute
praktisch universell als Verstärkerbaustein in
vielen Bereichen eingesetzt.
operational check, functional check
Funktionskontrolle *f*
operational parameter
Betriebsparameter *m*
operational reliability
Betriebszuverlässigkeit *f*
operational sign [COBOL]
Rechenvorzeichen *n* [COBOL]
operations scheduling
Arbeitsvorbereitung *f,* zeitliche
Arbeitsplanung *f*
operator
Operator *m*
optical axis
optische Achse *f*

optical cable, fiber-optic cable, fiber optics [line
for optical transmission of signals]
Lichtwellenleiter *m* [Leitung für die optische
Übertragung von Signalen]
optical character reader, OCR reader
optischer Zeichenleser *m,* OCR-Leser *m*
optical character recognition (OCR), magnetic
character recognition (MCR)
optische Zeichenerkennung *f,*
Klarschrifterkennung *f* OCR-Verfahren *n*
optical characters (OCR characters), magnetic
characters [characters readable by humans and
machines]
Klarschrift *f,* OCR-Schrift *f,* Magnetschrift *f*
[von Menschen und Maschinen lesbare Schrift]
optical coupling [coupling between two circuits
(normally having differing voltage potentials)
by light beams to provide electrical isolation]
optische Kopplung *f* [Kopplung von zwei
Schaltkreisen (meistens mit unterschiedlichem
Spannungspotential) mittels Lichtstrahlen zum
Zwecke der galvanischen Trennung]
optical disk [a mass storage device]
optische Speicherplatte *f* [ein
Massenspeicher]
optical disk library [cassette with several
optical disks]
Plattenbibliothek *f* [Kassette mit mehreren
optischen Platten]
optical fiber (OF) [fiber of transparent material,
e.g. glass or plastic fiber, for optical
transmission of signals]
optische Faser *f,* Lichtwellenfaser *f* [Faser
aus lichtdurchlässigem Material, z.B. Glas-
oder Kunststoffaser, für die optische
Übertragung von Signalen]
optical mouse
optische Maus *f*
optical scanner
optischer Abtaster *m*
optical scanning
optische Abtastung *f*
optical storage
optischer Speicher *m*
optical tape reader, optical punched tape
reader
optischer Lochstreifenleser *m*
optically coupled
optisch gekoppelt
optimization
Optimierung *f*
optimize, to
optimieren
optimum program, optimally coded program
optimales Programm *n,* optimal codiertes
Programm *n*
option [selection choice]
Option *f* [Auswahlmöglichkeit]
optional skip

wahlweises Überlesen *n*
optocoupler, optical isolator, photocoupler, photoisolator
Electronic device for the optical transmission of signals between two electrically isolated circuits. It consists of an emitter (e.g. a light-emitting diode) optically coupled to a photodetector (e.g. a phototransistor).
Optokoppler *m,* optisches Koppelelement *n*
Elektronisches Bauteil für die optische Signalübertragung zwischen zwei galvanisch getrennten Schaltkreisen. Es besteht aus einem Sender (z.B. Lumineszenzdiode) und einem Empfänger bzw. einem Photodetektor (z.B. Phototransistor), die optisch miteinander gekoppelt sind.
optoelectronic chip
optoelektronischer Chip *m*
optoelectronic display
optoelektronische Anzeige *f*
optoelectronic integrated circuit (OEIC)
integrierte optoelektronische Schaltung *f,*
optoelektronische integrierte Schaltung *f*
optoelectronic semiconductor device
optoelektronisches Halbleiterbauelement *n*
optoelectronics
The branch of electronics which deals with devices for generating, modulating and transmitting electromagnetic radiation in the ultraviolet, visible and infrared spectral regions; i.e. devices that can emit or detect light.
Optoelektronik *f*
Das Gebiet der Elektronik, das sich mit Bauteilen befaßt, die der Erzeugung, Modulation und Übertragung von elektromagnetischer Strahlung im ultravioletten, sichtbaren und infraroten Spektralbereich dienen; d.h. mit Bauteilen, die Licht aussenden oder empfangen können.
OR, to [to carry out an OR operation]
disjunktiv verknüpfen [eine ODER-Verknüpfung ausführen]
OR element, OR gate
ODER-Glied *n,* ODER-Gatter *n*
OR function, inclusive OR, disjunction; exclusive OR, non-equivalence
There are two variants of the OR function, the inclusive and the exclusive OR. As a rule, the OR function (without the addition of inclusive or exclusive) refers to the inclusive variant. This is a logical operation having the output (result) 0 if and only if each input (operand) is 0; for all other input values the output is 1.
ODER-Verknüpfung *f,* inklusives ODER *n,* Disjunktion *f;* exklusives ODER *n,* Antivalenz *f*
Es gibt zwei Varianten der ODER-Verknüpfung, das inklusive und das exklusive ODER. Spricht man von der ODER-Verknüpfung ohne Zusatz, so meint man in der Regel das inklusive ODER. Dies ist eine logische Verknüpfung mit dem Ausgangswert (Ergebnis) 0, wenn und nur wenn jeder Eingang (Operand) den Wert 0 hat; für alle anderen Eingangswerte ist der Ausgang 1.
orbit [path described by the electrons revolving about the nucleus]
Elektronenbahn *f* [Bahn, in der sich die Elektronen um den Atomkern bewegen]
order
Reihenfolge *f,* Rangfolge *f*
order, job
Auftrag *m,* Job *m*
order, to
ordnen
ordinal number
Ordnungszahl *f*
organic semiconductor
organischer Halbleiter *m*
orgware (organizational ware) [available personnel-organizational resources]
Orgware *f* [verfügbares personell-organisatorisches Potential]
original production master [printed circuit boards]
Druckoriginal *n* [Leiterplatten]
OS/2 [32-bit protected-mode multitasking operating system developed by IBM and Microsoft for 80386 and 80486 processors, in particular for the IBM PS/2 series]
OS/2 [von IBM und Microsoft gemeinsam entwickeltes 32-Bit-Betriebssystem für 80386- und 80486-Prozessoren insbesondere für die IBM PS/2-Reihe]
OSA [Open Systems Architecture developed by Olivetti]
OSA [offene Systemarchitektur von Olivetti]
oscillator
Oszillator *m*
oscillogram
Oszillogramm *n*
oscilloscope, cathode-ray oscilloscope (CRO)
Oszilloskop *n,* Oszillograph *m*
OSF (Open Software Foundation) [software consortium]
OSF [Konsortium für offene Software]
OSI (Open System Interconnection), ISO reference model [computer network model based on seven layers; typical physical (layer one) protocols are RS-232-C and V.24]
OSI-Modell *n,* ISO-Referenzmodell *n* [Rechnerverbundmodell mit sieben Funktionsschichten; typische Protokolle der physikalischen (ersten) Schicht sind RS-232-C und V.24]
outage, power failure, mains failure
Netzausfall *m,* Stromausfall *m*
output

Ausgabe *f,* Ausgang *m*
output, to; dump, to; write-out, to
  ausgeben
output admittance
  Ausgangsleitwert *m,* Ausgangsadmittanz *f*
output buffer
  Ausgabepuffer *m,* Ausgangspuffer *m,*
  Ausgangspufferstufe *f*
output buffer turn-off delay [integrated circuit
  memories]
  Ausgabepuffer-Abschaltverzögerung *f*
  [integrierte Speicherschaltungen]
output capacitance
  Ausgangskapazität *f*
output channel, output port
  Ausgangskanal *m*
output characteristic, output characteristics
  Ausgangskennlinie *f,*
  Ausgangscharakteristik *f*
output circuit
  Ausgangsschaltung *f*
output code
  Ausgabecode *m*
output conductance
  Ausgangskonduktanz *f*
output configuration [of a digital circuit]
  Ausgangskonfiguration *f* [einer
  Digitalschaltung]
output current
  Ausgangsstrom *m*
output data
  Ausgabedaten *n.pl.,* Ausgangsdaten *n.pl.*
output data valid time
  Ausgangsgültigkeitszeit *f*
output device
  Ausgabegerät *n*
output disable
  Ausgabesperre *f*
output disable set-up time [with integrated
  circuit memories]
  Vorbereitungszeit der Ausgabesperre *f* [bei
  integrierten Speicherschaltungen]
output disable time
  Ausgangsabschaltzeit *f*
output divider
  Ausgangsteiler *m*
output enable
  Ausgangsfreigabe *f*
output file
  Ausgabedatei *f*
output format
  Ausgabeformat *n*
output frequency
  Ausgangsfrequenz *f*
output impedance
  Ausgangsimpedanz *f*
output information
  Ausgangsinformation *f*
output instruction

Ausgabebefehl *m*
output load
  Ausgangsbelastung *f*
output loading capability
  Ausgangsbelastbarkeit *f*
output medium
  Ausgabemedium *n*
output mode
  Ausgabemodus *m*
output multiplexer
  Ausgabeverteiler *m*
output parameter
  Ausgangskenngröße *f*
output port
  Ausgangstor *n*
output power, power output
  Ausgangsleistung *f*
output program, output routine
  Ausgabeprogramm *n*
output pulse
  Ausgangsimpuls *m*
output queue
  Ausgabewarteschlange *f*
output rate, output speed
  Ausgabegeschwindigkeit *f*
output resistance
  Ausgangswiderstand *m*
output signal
  Ausgabesignal *n,* Ausgangssignal *n*
output tape
  Ausgabeband *n*
output unit
  Ausgabeeinheit *f*
output voltage
  Ausgangsspannung *f*
output voltage swing
  Einschwingverhalten der
  Ausgangsspannung *n*
outside margin
  äußerer Rand *m*
outside vapour-phase oxidation process
  (OVPO process) [an oxidation process used in
  glass fiber production]
  Außenoxidationsverfahren *n,* OVPO-
  Verfahren *n* [ein Oxidationsverfahren, das bei
  der Herstellung von Glasfasern eingesetzt
  wird]
OVD process (outside vapour deposition process)
  [a deposition process used in glass fiber
  manufacturing]
  OVD-Verfahren *n,* Außenabscheideverfahren
  n [ein Abscheideverfahren, das bei der
  Herstellung von Glasfasern eingesetzt wird]
overcritical damping, overdamping
  überkritische Dämpfung *f*
overcurrent
  Überstrom *m*
overflow (OV)
  Überlauf *m*

overflow area
Überlaufbereich *m*
overflow error
Überlauffehler *m*
overflow flag
Überlaufsmerker *m*
overflow indicator
Überlaufanzeiger *m*
overflow register [registers the occurrence of an overflow]
Überlaufregister *n* [registriert einen auftretenden Überlauf]
overlap
Überlappung *f*
overlap time
Überlappungszeit *f*
overlapping
überlappende Verarbeitung *f*
overlapping menu [a menu opened out of another menu]
überlappendes Menü *n* [ein Menü, das aus einem anderen Menü geöffnet wird]
overlapping windows
überlappende Fenster *n.pl*
overlay
Überlagerung *f*
overlay segment
Überlagerungssegment *n*
overlay technique [dividing a program into segments (overlays) which are loaded into the main memory as they are required; hence execution of a program requires less space in the main memory]
Speicherüberlagerung *f*,
Überlagerungstechnik *f*, Overlay-Technik *f* [das Unterteilen eines Programmes in Segmente (Überlagerungssegmente oder Overlays), die nach Bedarf in den Hauptspeicher geladen werden; somit benötigt die Ausführung eines Programmes weniger Platz im Hauptspeicher]
overlay transistor
Bipolar transistor for high frequency applications (up to 10 GHz) in which the emitter area is divided into a large number of small emitter regions (over 100). The emitter regions are interconnected by an overlay of metal film on an insulating oxide layer which is provided with windows for making contacts.
Overlay-Transistor *m*
Bipolartransistor für hohe Frequenzen (bis 10 GHz), bei dem die Emitterzone in eine Vielzahl kleiner Emitterbereiche (über 100) unterteilt ist. Die Emitterbereiche sind durch Metallkontaktstreifen über einer mit Fenstern versehenen isolierenden Oxidschicht miteinander verbunden.
overload
Überlast *f*, Überlastung *f*
overload indicator

Überlastanzeiger *m*
overload protection
Überlastschutz *m*
overloading
Überbelastung *f*
overloading [in object oriented programming: using the same function name in different contexts and with different arguments]
Überladen *n* [in der objektorientierten Programmierung: die Verwendung des gleichen Funktionsnamens in verschiedenen Kontexten und mit verschiedenen Argumenten]
overshoot
Überschwingen *n*
overtemperature
Übertemperatur *f*
overvoltage
Überspannung *f*
overvoltage protection
Überspannungsschutz *m*
overwrite, to
überschreiben
OVPO process (outside vapour-phase oxidation process) [an oxidation process used in glass fiber production]
OVPO-Verfahren *n*,
Außenoxidationsverfahren *n* [ein Oxidationsverfahren, das bei der Herstellung von Glasfasern eingesetzt wird]
oxidation [a process for growing oxide layers on silicon]
Oxidation *f* [Verfahren für das Aufwachsen von Oxidschichten auf Silicium]
oxide coating, oxide layer
Oxidschicht *f*
oxide etching
Oxidätzung *f*
oxide isolated
oxid-isoliert
oxide isolation [isolation technique for bipolar integrated circuits]
Oxidwallisolation *f* [Isolationsverfahren für integrierte Bipolarschaltungen]
oxide layer
Oxidschicht *f*
oxide mask
Oxidmaske *f*
oxide masking, diffusion masking
Major process step in planar technology. It consists of growing a thin layer of oxide on the surface of the wafer. With the aid of contact masks, diffusion windows are etched on the oxide layer to allow selective diffusion of dopants. At the same time, the remaining oxide prevents penetration of dopants into undesired regions of the wafer.
Oxidmaskierung *f*, Diffusionsmaskierung *f*
Wichtiger Verfahrensschritt der Planartechnik. Dabei wird eine Halbleiterscheibe (Wafer) mit

einer dünnen Oxidschicht überzogen. In das
Oxid werden mit Hilfe von Kontaktmasken
Fenster geätzt, durch die der Dotierstoff in die
Halbleiterscheibe eindiffundieren kann.
Gleichzeitig schützt die verbleibende
Oxidschicht vor dem Eindringen von
Dotierstoffen in unerwünschte Bereiche des
Wafers.

oxide passivation
Growing a layer of insulating oxide (usually
silicon dioxide) on the surface of a
semiconductor to provide protection from
contamination.
Oxidpassivierung *f*
Das Aufwachsen von isolierenden
Oxidschichten (meistens Siliciumdioxid) auf der
Oberfläche eines Halbleiters, um sie vor
Verunreinigungen zu schützen.

oxide thickness
Oxiddicke *f*

OXIM technology (oxide isolated monolithic
technology) [isolation process similar to the
OXIS technology]
OXIM-Technik *f* [Isolationsverfahren, ähnlich
der OXIS-Technik]

OXIS technology (oxide isolation technology)
Isolation technique for bipolar integrated
circuits which provides isolation between the
circuit structures by local oxidation of silicon.
OXIS-Technik *f* Oxidisolationstechnik *f*
Isolationsverfahren für integrierte
Bipolarschaltungen, bei der die einzelnen
Strukturen der Schaltung durch lokale
Oxidation von Silicium voneinander isoliert
werden.

P

p-channel [semiconductor technology]
The conducting channel in a field-effect
transistor in which charge transport is effected
by holes.
P-Kanal *m* [Halbleitertechnik]
Der stromführende Kanal in einem
Feldeffekttransistor, in dem der
Ladungstransport durch Defektelektronen
(Löcher) erfolgt.

p-channel aluminium-gate MOS technology
Process for fabricating p-channel MOS field-
effect transistors in which the gate consists of
aluminium.
**P-Kanal-MOS-Technik mit Aluminium-
Gate** *f*
Technik für die Herstellung von PMOS-
Feldeffekttransistoren, bei denen das Gate (die
Steuerelektrode) aus Aluminium besteht.

p-channel field-effect transistor (PFET)
Field-effect transistor with a p-type conducting
channel, i.e. a channel in which the majority
carriers are holes.
P-Kanal-Feldeffekttransistor *m* (PFET)
Feldeffekttransistor, der einen P-leitenden
Kanal besitzt, d.h. einen Kanal, in dem die
Majoritätsladungsträger Defektelektronen
(Löcher) sind.

**p-channel metal-oxide-semiconductor field-
effect transistor** (PMOSFET)
**P-Kanal-Feldeffekttransistor mit Metall-
Oxid-Halbleiter-Struktur** *m* (PMOSFET)

p-channel MOS technology, PMOS technology
A process for fabricating field-effect transistors
with a metal-oxide-semiconductor structure
and a p-type conducting channel. The p-type
regions (source and drain) are formed by
diffusion in an n-type substrate.
P-Kanal-MOS-Technik *f*, PMOS-Technik *f*
Technik für die Herstellung von
Feldeffekttransistoren mit Metall-Oxid-
Halbleiter-Struktur und einem P-leitenden
Kanal, bei der die P-dotierte Bereiche (Source und
Drain) in ein N-leitendes Substrat
eindiffundiert werden.

p-channel silicon-gate MOS technology
Process for fabricating p-channel MOS field-
effect transistors in which the gate consists of a
conductive polysilicon material.
P-Kanal-MOS-Technik mit Silicium-Gate *f*
Technik für die Herstellung von PMOS-
Feldeffekttransistoren, bei denen das Gate (die
Steuerelektrode) aus einem leitfähigen
Polysilicium besteht.

p-channel transistor
P-Kanal-Transistor *m*

p-conductor
P-Leiter *m*

p-gate thyristor
kathodenseitig steuerbarer Thyristor *m*

p-type conduction, hole conduction
Charge transport in a semiconductor by holes.
P-Leitung *f*, Defektleitung *f*, Löcherleitung *f*
Ladungstransport in einem Halbleiter durch
Defektelektronen (Löcher).

p-type doping [semiconductor technology]
The introduction of acceptor impurity atoms
into a semiconductor, e.g. boron into silicon.
This generates holes and produces p-type
conduction in the correspondingly doped region.
Highly doped p-type regions are denoted by p$^+$.
P-Dotierung *f* [Halbleitertechnik]
Der Einbau von Akzeptoratomen in einen
Halbleiter, z.B. Boratome in Silicium. Dadurch
werden Defektelektronen (Löcher) erzeugt und
der entsprechend dotierte Bereich wird P-
leitend. Stark P-dotierte Bereiche werden mit
P$^+$ bezeichnet.

p-type region, p-type zone [semiconductor
technology]
A region in a semiconductor in which charge
transport is effected essentially by holes.
P-Bereich *m*, P-Gebiet *n*, P-Zone *f*
[Halbleitertechnik]
Bereich in einem Halbleiter, in dem der
Ladungstransport vorwiegend durch
Defektelektronen (Löcher) erfolgt.

p-type semiconductor [semiconductor with hole
conduction (p-type conduction)]
P-Halbleiter *m* [Halbleiter mit
Defektelektronenleitung (P-Leitung)]

p-type substrate [semiconductor technology]
A substrate with hole conduction (p-type
conduction).
P-Substrat *n*, P-Grundmaterial *n*
[Halbleitertechnik]
Substrat mit Defektelektronenleitung (P-
Leitung).

pack, to [to compress data for storage, e.g. on a
magnetic tape, by eliminating superfluous
characters]
packen [Daten komprimieren für die
Speicherung, z.B. auf einem Magnetband,
durch Weglassen überflüssiger Zeichen]

package, case [e.g. of discrete components or
integrated circuits]
Gehäuse *n* [z.B. von Einzelbauelementen oder
integrierten Schaltungen]

package dimensions, case dimensions
Gehäuseabmessungen *f.pl.*

package material, case material
Gehäusematerial *n*

package style, case style
Gehäuseform *f*

packaging density, component density

The number of components per unit area or
unit volume. In integrated circuits, the number
of components per chip.
Packungsdichte *f,* Bauelementendichte *f*
Die Anzahl der Bauelemente pro Flächen- bzw.
Volumeneinheit. Bei integrierten Schaltungen
die Anzahl der Bauelemente pro Chip.
packed decimal digit [representation of two
decimal digits in one byte]
gepackte Dezimalziffer *f* [Darstellung von
zwei Dezimalziffern in einem Byte]
packet, data packet [data transfer as entity
during transmission]
Datenpaket *n* [Datenmenge als Einheit bei
der Übermittlung]
packing density, recording density, bit density
[storage density of a data medium, particularly
of a magnetic tape, usually expressed in
bits/inch (BPI); commonly used recording
densities are 800, 1600 and 6250 BPI]
Packungsdichte *f,* Schreibdichte *f,* Bitdichte *f*
[Aufzeichnungsdichte eines Datenträgers,
insbesondere eines Magnetbandes, in der Regel
ausgedrückt in Bits/Zoll (BPI) bzw. Bits/cm;
gebräuchliche Aufzeichnungsdichten sind 800,
1600 und 6250 BPI bzw. 315, 630 und 2460
Bits/cm]
packing density code [with magnetic tapes]
Schriftkennung *f* [bei Magnetbändern]
PACVD (plasma-activated chemical vapour
deposition), PCVD [a deposition process used in
glass fiber production]
PACVD-Verfahren *n,* PCVD-Verfahren *n* [ein
Abscheideverfahren, das bei der Herstellung
von Glasfasern eingesetzt wird]
pad character, fill character, filler [characters
stored for display purposes, e.g. filling or
padding a left-justified 80 character/line file
with blanks to the right of the data items]
Blindzeichen *n,* Füllzeichen *n*
[Zeichen, die aus Darstellungsgründen
gespeichert werden, z.B. bei einer
linksbündigen Datei mit 80 Zeichen/Zeile das
Auffüllen mit Leerzeichen rechts von den
Datenfeldern]
page [constant-length segment of a memory;
contiguous memory area]
Seite *f* [Segment konstanter Länge eines
Speichers; zusammenhängender
Speicherbereich]
page, to [to divide memory into equal segments
(pages); used particularly in virtual memory
systems for transferring program segments
from an external storage (page storage) into
main memory]
seitenwechseln [Speicheraufteilung in
Segmente gleicher Länge (Seiten); wird
besonders bei Rechnern mit virtuellem
Speicher für die Übernahme von Programm-

teilen aus einem Externspeicher
(Seitenspeicher) in den Hauptspeicher
verwendet]
page, to [move text displayed on screen page by
page]
blättern [seitenweises Verschieben des auf
dem Bildschirm angezeigten Textes]
page address register
Seitenadreßregister *n*
page break
Seitenumbruch *m*
page down, to
vorwärts blättern, abwärts blättern
page fault
Seitenfehler *m*
page format
Seitenformat *n*
page in, to
seitenweises Einlagern *n*
page-in operation
Seiteneinlagerung *f*
page mode [operational mode of semiconductor
memories]
seitenweiser Betrieb *m,* Seitenbetrieb *m*
[Betriebsart bei Halbleiterspeichern]
page mode cycle
Zyklus für seitenweisen Betrieb *m*
page number
Seitenzahl *f*
page out, to
seitenweises Auslagern *n*
page-out operation
Seitenauslagerung *f*
page printer
Blattschreiber *m,* Seitendrucker *m*
page read mode
seitenweises Lesen *n*
page reader
Seitenleser *m*
page storage [in a virtual memory system]
Seitenspeicher *m* [bei einem System mit
virtuellem Speicher]
page table
Seitentabelle *f*
page up, to
rückwärts blättern, aufwärts blättern
page write mode
seitenweises Schreiben *n*
PageMaker [desktop publishing (DTP) program]
PageMaker [Desktop-Publishing- bzw. DTP-
Programm]
pagination
Seitennumerierung *f*
paging [dividing memory into equal segments
(pages); used particularly in virtual memory
systems for transferring program segments
from an external storage (page storage) into
main memory]
Seitenaufteilung *f,* Paging *n*

[Speicheraufteilung in Segmente gleicher
Länge (Seiten); wird besonders bei Rechnern
mit virtuellem Speicher für die Übernahme von
Programmteilen aus einem Externspeicher
(Seitenspeicher) in den Hauptspeicher
verwendet]

paint-on process [a diffusion process]
Filmverfahren n [ein Diffusionsverfahren]

pair generation, electron-hole-pair generation
Generation of an electron-hole pair, e.g. by
increasing temperature. This causes an
electron to be released from the valence band
into the conduction band, thereby leaving a
hole in the valence band.
Paarbildung f, Elektron-Defektelektron-Paar-
Erzeugung f
Bildung eines Elektron-Loch-Paares, z.B. durch
Temperaturanstieg. Dabei wird ein Elektron
aus dem Valenzband in das Leitungsband
gehoben, während ein Loch im Valenzband
zurückbleibt.

PAL (programmable array logic)
Integrated circuit with a programmable AND
array and a fixed OR array. Some PALs also
include flip-flops and registers. The logic
functions can be programmed to customers'
specifications.
PAL, programmierbare Array-Logik f,
programmierbare Feld-Logik f
Integrierte Schaltung mit einer
programmierbaren UND-Matrix und einer
festgelegten ODER-Matrix. Einige PALs
enthalten zusätzlich Flipflops und Register. Die
logischen Funktionen lassen sich nach
Kundenwünschen programmieren.

palmtop computer [small computer that can be
held on the palm of a hand]
Palmtop-Computer m [kleiner Rechner, der
auf der Handfläche gehalten werden kann]

PAM (pulse amplitude modulation)
PAM, Pulsamplitudenmodulation f

paper feed [for printer]
Papiervorschub m [für Drucker]

parallel adder, parallel full-adder [adds the
corresponding digits of two numbers
simultaneously]
Paralleladdierer m [summiert die
entsprechenden Stellen zweier Zahlen
gleichzeitig]

parallel computer [computer for parallel
processing]
Parallelrechner m [Rechner für die
Parallelverarbeitung]

parallel connection
Parallelschaltung f

parallel counter, synchronous counter
A counter usually composed of flip-flops in
which all clock inputs are driven in parallel by
a single clock signal. In this manner all state

changes occur synchronously.
Synchronzähler m, synchroner Zähler m
Ein im allgemeinen aus Flipflops aufgebauter
Zähler, bei dem alle Takteingänge von einem
einzigen parallel zugeführten Taktsignal
angesteuert werden, so daß alle
Zustandsänderungen im gleichen Takt
(synchron) erfolgen.

parallel data processing
Paralleldatenverarbeitung f

parallel half-adder
Parallelhalbaddierer m

parallel half-subtracter
Parallelhalbsubtrahierer m

parallel input/output (PIO)
parallele Ein-Ausgabe f

parallel interface
parallele Schnittstelle f

parallel memory, parallel storage
Parallelspeicher m

parallel mode, parallel operation, simultaneous
operation
Parallelbetrieb m, Simultanbetrieb m

parallel multiplier
Parallelvervielfacher m

parallel output
Parallelausgabe f

parallel port
paralleler Anschluß m

parallel printer, line printer
Paralleldrucker m, Zeilendrucker m

parallel processing [simultaneous processing of
several tasks]
Parallelverarbeitung f
[Simultanverarbeitung mehrerer Prozesse]

parallel register
Parallelregister n

parallel resistor, shunt resistor, shunt
Parallelwiderstand m, Shuntwiderstand m,
Shunt m

parallel scanner
Parallelabtaster m

parallel-serial conversion
Parallel-Serien-Umsetzung f

parallel-serial converter [converts parallel
data into a series of bits; for example, an 8-bit
shift register can convert a byte into a sequence
of bits]
Parallel-Serien-Umsetzer m [wandelt ein
parallel anliegendes Datenwort in eine Serie
von Bits um; beispielsweise kann ein 8-Bit-
Schieberegister ein Byte in einzelne Bits
umsetzen]

parallel-serial transmission, parallel-serial
transfer [simultaneous transmission of several
characters but individual transmission of the
bits in each character]
Parallel-Serien-Übertragung f
[gleichzeitiges Übertragen mehrerer Zeichen,

aber sequentielles Übertragen der einzelnen
Bits]
parallel subtracter, parallel full-subtracter
Parallelsubtrahierer *m*
parallel transfer signal
Parallelübertragssignal *n*
parallel transmission [simultaneous
transmission of all bits of a character]
Parallelübertragung *f* [gleichzeitige
Übertragung aller Bits eines Zeichens]
parameter, argument
Parameter *m*
parameter address
Parameteradresse *f*
parameter entry
Parametereingabe *f*
parameter list, argument list
Parameterliste *f*
parameter passing
Parameterübergabe *f*
parameter string
Parameterfolge *f*
parametric amplifier, variable reactance
amplifier
parametrischer Verstärker *m*,
Reaktanzverstärker *m*
parasitic capacitance
parasitäre Kapazität *f*
parasitic frequency
parasitäre **Frequenz** *f*, Störfrequenz *f*
parasitic oscillation
Störschwingung *f*
parent [file, tree]
Vater *m* [Datei, Baum]
parenthesis, round bracket
runde Klammer *f*
parenthesis-free notation, prefix or Polish
notation, postfix or reversed Polish notation
(RPN) [eliminates brackets in mathematical
operations, e.g. (a+b)c is written *c+ab (prefix)
or cab+* (postfix)]
klammerfreie Schreibweise *f*, Präfix- bzw.
polnische Schreibweise *f*, Postfix- bzw.
umgekehrte polnische Schreibweise *f*
[eliminiert Klammern bei mathematischen
Operationen, z.B. (a+b)c wird als *c+ab (Präfix)
bzw. als cab+* (Postfix) geschrieben]
parity
Parität *f*
parity bit [a check bit added to a unit of data,
e.g. character, byte or word, to obtain an odd or
even sum of all bits in the unit of data; serves
to detect transmission errors]
Kontrollbit *n*, Paritätsbit *n* [zusätzliches Bit,
das jeder Informationseinheit, z.B. Zeichen,
Byte oder Wort, zugefügt wird, um eine
ungerade bzw. gerade Summe aller Bits in
dieser Einheit zu erhalten; damit lassen sich
Übertragungsfehler erkennen]

parity check [method of protecting data against
transmission errors; each unit of data (e.g.
character) is given an additional bit (parity bit)
so that the sum of all bits in this unit is even or
odd (even parity or odd parity)]
Paritätsprüfung *f* [Schutzmethode gegen
Übertragungsfehler; jeder Informationseinheit
(z.B. Zeichen) wird ein zusätzliches Bit
(Paritätsbit) hinzugefügt, so daß die Summe
aller Bits in dieser Einheit gerade oder
ungerade wird (gerade Parität bzw. ungerade
Parität)]
parity checker
Paritätsprüfer *m*
parity error
Paritätsfehler *m*
parity flag
Paritäts-Flag *n*, Paritätsmerker *m*
parity generator
Paritätsgenerator *m*
parking track [prevents head crash on a hard
disk drive]
Parkspur *f* [verhindert Beschädigung der
Festplatte durch den Schreib-Lese-Kopf]
parse tree, syntax tree
Parse-Baum *m*, Syntax-Baum *m*
parser [analyzes syntax of a program]
Parser *m* [analysiert die Syntax eines
Programmes]
part program [NC technology]
The complete set of data and instructions,
written in a programming language, which is
required for producing a particular workpiece
on a numerically controlled machine.
Teileprogramm *n* [NC-Technik]
Die vollständige, in einer Programmiersprache
formulierte Zusammenstellung von Daten und
Anweisungen, die zur Fertigung eines
bestimmten Werkstückes auf einer numerisch
gesteuerten Maschine nötig ist.
partial carry [temporary storage (instead of
immediate transfer) of carries in parallel
addition]
Teilübertrag *m* [Zwischenspeichern (anstatt
unmittelbarer Weiterleitung) von Überträgen
bei der Paralleladdition]
partial failure [failure involving only part of the
required functions]
Teilausfall *m* [Ausfall, der nur einen Teil der
geforderten Funktionen betrifft]
partial fraction
Partialbruch *m*
partition, to; segment, to; section, to
segmentieren
partition [of a hard disk]
Partition *f*, Speicherbereich *m* [einer
Festplatte]
partition size
Partitionsgröße *f*

partitioning [hard disks: subdividing into several logical drives]
Partitionierung f, Aufteilung f [Festplatten: Aufteilung in mehrere logische Laufwerke]
partitioning [memory: dividing into segments]
Aufteilung f [Speicherplatz: Aufteilung in einzelne Bereiche]
pascal (Pa) [SI unit of pressure]
Pascal n (Pa) [SI-Einheit des Druckes]
PASCAL [programming language]
A high-level problem-oriented programming language based on ALGOL for engineering and scientific purposes. It is characterized by a structured programming technique and is easy to learn.
PASCAL [Programmiersprache]
Eine höhere, problemorientierte Programmiersprache auf der Basis von ALGOL für technisch-wissenschaftliche Aufgaben. Sie zeichnet sich vor allem durch strukturierte Programmiertechnik und leichte Erlernbarkeit aus.
pass, run
Durchlauf f
pass band [e.g. of a network or amplifier]
Durchlaßbereich m [z.B. eines Netzwerkes oder Verstärkers]
pass-band attenuation [average attenuation in pass band]
Durchlaßdämpfung f [mittlere Dämpfung im Durchlaßbereich]
passage [of current]
Durchgang m [des Stromes]
passivation [semiconductor technology]
Deposition or growing of protective films (e.g. silicon dioxide, silicon nitride, glass or polyimide) on the surface of a semiconductor to provide protection from contamination, moisture, and the penetration of ions.
Passivierung f [Halbleitertechnik]
Das Aufbringen oder Aufwachsen von Schutzschichten (z.B. Siliciumdioxid, Siliciumnitrid, Glas oder Polyimid) auf die Oberfläche eines Halbleiters, um sie vor Feuchtigkeit, Verunreinigungen und dem Eindringen von Ionen zu schützen.
passive circuit
passive Schaltung f
passive element
An element which does not amplify the signals applied to it, e.g. a resistor or a capacitor.
passives Element n
Ein Bauelement, das die ihm zugeführten Signale nicht verstärkt, z.B. ein Widerstand oder ein Kondensator.
passive LCD [liquid crystal display with external electronics]
passive LCD-Anzeige f [passive Flüssigkristallanzeige mit externer Elektronik]

passive semiconductor component
passives Halbleiterbauelement n
passive two-port network
passiver Vierpol m
password [prevents unauthorized access to computer or stored information]
Kennwort n, Paßwort n [verhindert den unerlaubten Zugriff auf ein Rechensystem bzw. auf gespeicherte Informationen]
paste [transfer text or graphics from a temporary storage (clipboard) to an application]
einfügen [Übertragen von Text oder Graphik aus dem temporären Speicher (Zwischenablage) in eine Anwendung]
patch, to [to modify a program temporarily, usually in machine code]
korrigieren [ein Programm behelfsmäßig korrigieren, meistens im Maschinencode]
patch loader
Korrekturlader m
path
Pfad m
path name
Pfadname m
pattern, conductive pattern [of integrated circuits or printed circuit boards]
Leiterbild n, Leiterstruktur f, Verdrahtungsmuster n [bei integrierten Schaltungen und Leiterplatten]
pattern, image
Abbild n, Bild n
pattern generator
Patterngenerator m, Bitmustergenerator m
pattern matching [OCR]
Mustervergleich m [OCR]
pattern recognition
Mustererkennung f
pause [temporary interruption of a program]
Pause f [vorübergehende Unterbrechung eines Programmes]
PC (personal computer) [generally used term for a microcomputer with minimum configuration, either for private use (home computer) or for use on office desk; in contrast to workstation, minicomputer, etc.]
PC (Personal-Computer) [gebräuchliche Bezeichnung für einen Mikrorechner mit minimaler Konfiguration, entweder für den privaten Einsatz (Heimrechner) oder für den Einsatz am Arbeitspult; im Gegensatz zu Arbeitsstation, Minirechner usw.]
PC (programmable controller), PLC (programmable logic controller)
A sequence control with a computer-like structure. It consists of a central processing unit with the processor or microprocessor and the program storage as well as an input-output unit.
SPS f, speicherprogrammierbare Steuerung f,

programmierbare Steuerung *f*
Folgesteuerung mit rechnerähnlicher Struktur.
Sie besteht aus der Zentraleinheit mit
Prozessor bzw. Mikroprozessor, dem
Programmspeicher und der Ein-Ausgabe-
Einheit.
PC-DOS [special version of MS-DOS developed
by Microsoft for IBM]
PC-DOS [von Microsoft für IBM entwickelte
Sonderversion von MS-DOS]
PC Exchange program [program for data
exchange between a DOS PC and a Macintosh]
PC-Exchange-Programm *n* [Programm für
den Datenaustausch zwischen DOS-PC und
Macintosh]
PC UNIX derivates [operating systems derived
from UNIX specially for PC installation]
PC-UNIX-Derivate *n.pl.* [von UNIX speziell
für den PC abgeleitete Betriebssysteme]
PCB (printed circuit board), printed-wiring board
[insulating board with printed or etched
conductive patterns for components mounted
on it; types include rigid or flexible, single or
double-sided, single-layer or multilayer boards]
Leiterplatte *f* [isolierende Trägerplatte mit
aufgedruckten oder geätzten Leiterbahnen für
die aufgesetzten Bauelemente; kann als starre
oder flexible, einseitige oder doppelseitige,
einlagige oder mehrlagige Leiterplatte
ausgeführt werden]
PCI (programmable communications interface)
PCI *f*, programmierbare Kommunikations-
Schnittstelle *f*
PCL (Printer Command Language) [developed by
Hewlett-Packard]
PCL-Druckersteuersprache *f* [von Hewlett-
Packard entwickelte Druckersteuersprache]
PCL format
PCL-Format *n*
PCL printer command
PCL-Druckerbefehl *m*
PCM (pulse-code modulation)
PCM *f*, Pulscodemodulation *f*
PCVD, PACVD (plasma-activated chemical
vapour deposition) [a deposition process used in
glass fiber production]
PCVD-Verfahren *n*, PACVD-Verfahren *n* [ein
Abscheideverfahren, das bei der Herstellung
von Glasfasern eingesetzt wird]
PCX file format [graphic file format generated
by PC Paintbrush (ZSoft)]
PCX-Dateiformat *n* [Graphik-Dateiformat
erzeugt von PC Paintbrush (ZSoft)]
PD (Public Domain) [software which can be freely
copied, modified and marketed]
Public-Domain-Software *f* [Software, die
beliebig kopiert, modifiziert und vertrieben
werden darf]
PDL (Page Description Language) [e.g.

PostScript]
Seitenbeschreibungssprache *f* [z.B.
PostScript]
PDM (pulse-duration modulation)
PDM *f*, Pulsdauermodulation *f*
PE (plasma etching) [a dry etching process]
Plasmaätzen *n*, Plasma-Ätzverfahren *n* [ein
Trockenätzverfahren]
peak amplitude
Spitzenamplitude *f*
peak current
Spitzenstrom *m*
peak-emission wavelength [optoelectronics]
Wellenlänge für maximale Emission *f*
[Optoelektronik]
peak load
Spitzenbelastung *f*
peak power
Spitzenleistung *f*
peak reverse voltage
Spitzensperrspannung *f*
peak-sensitivity wavelength [optoelectronics]
**Wellenlänge für maximale
Empfindlichkeit** *f* [Optoelektronik]
peak voltage
Spitzenspannung *f*
PEARL (Process and Experiment Automation
Real-time Language)
A high-level problem-oriented programming
language for process control applications.
PEARL [Programmiersprache]
Eine höhere, problemorientierte
Programmiersprache für Anwendungen im
Bereich der Prozeßsteuerung.
PECVD process (plasma-enhanced chemical
vapour deposition)
A process used for forming dielectric layers in
integrated circuit fabrication that allows lower
deposition temperatures to be used than the
conventional CVD process.
PECVD-Verfahren *n*, Abscheidung aus einem
Plasma *f*
Ein Verfahren zur Abscheidung von
Isolierschichten bei der Herstellung
integrierter Schaltungen, das niedrigere
Abscheidetemperaturen ermöglicht als das
konventionelle CVD-Verfahren.
peel-off strength
Abschälkraft *f*
peer-to-peer link [link between computers of
equal rank, in contrast to client-server link]
Peer-to-Peer-Verbindung *f* [Verbindung
zwischen gleichrangigen Rechnern, im
Gegensatz zu Client-Server-Verbindung]
pen computer, pen-based computer, notepad
computer [small computer with tablet and pen
for handwritten entry]
Stift-Computer *m*, Pen-Computer *m* [kleiner
Rechner mit Tablett und Stift für Handschrift-

Eingabe]
pen screen [tablet screen of pen computer]
 Pen-Screen *m* [Tablett des Pen-Computers]
penetration depth, penetration
 Eindringtiefe *f*
perfect crystal, ideal crystal [semiconductor
 technology]
 A single crystal which has a homogeneous
 structure and contains no impurity atoms or
 other defects.
 idealer Kristall *m* [Halbleitertechnik]
 Ein Einkristall mit regelmäßigem Aufbau, der
 keine Fremdatome oder sonstige Defekte
 enthält.
perforate, to; punch, to
 stanzen
perforation, punched hole
 Lochung *f*
perforator, punch
 Stanzer *m*
perform statement
 Durchlaufanweisung *f*
performance data, performance characteristics
 Leistungsdaten *n.pl.*
periodic backup
 periodische Sicherung *f*
periodic refreshing
 Refreshing at regular time intervals (e.g. every
 2 ms) of data stored in dynamic random access
 memories (DRAMs) to compensate for charge
 losses.
 periodisches Auffrischen *n*
 Das Auffrischen von Informationen in
 regelmäßigen Zeitabständen (z.B. alle 2 ms) in
 dynamischen Schreib-Lese-Speichern (DRAMs),
 um Ladungsverluste auszugleichen.
periodic system, periodic table
 Arrangement of the chemical elements in the
 order of their increasing atomic weight and
 corresponding chemical and physical
 properties. Elements of similar properties are
 placed under each other, forming 9 basic
 groups. Silicon and germanium belong to group
 IV (the atoms have 4 electrons in the outer
 shell). Compound semiconductors belonging to
 the groups III-V such as gallium arsenide are of
 growing importance to the semiconductor
 industry.
 Periodensystem *n,* periodisches System der
 Elemente *n*
 Die Anordnung der chemischen Elemente nach
 steigendem Atomgewicht und den daraus
 folgenden chemischen und physikalischen
 Eigenschaften. Elemente mit ähnlichen
 Eigenschaften sind untereinanderstehend in 9
 Gruppen angeordnet. Silicium und Germanium
 gehören der Gruppe IV an (die Atome besitzen
 4 Elektronen in der äußeren Schale). Von
 steigender Bedeutung für die

Halbleiterfabrikation sind
Verbindungshalbleiter der Gruppen III-V, z.B.
Galliumarsenid.
peripheral device, peripheral unit, peripheral
 [for data input, output or storage]
 Peripheriegerät *n,* peripheres Gerät *n,*
 peripherer Baustein *m*Anschlußgerät *n* [für
 Dateneingabe, -ausgabe oder -speicherung]
peripheral equipment
 Peripherie *f*
peripheral interface
 peripherer Schnittstellenbaustein *m*
peripheral interface adapter (PIA)
 peripherer Schnittstellenadapter *m*
peripheral transfer
 Übertragung zwischen Peripheriegeräten
peripheral unit, peripheral device [for data
 input, output or storage]
 Peripheriegerät *n,* peripheres Gerät *n,*
 Anschlußgerät *n* [für Dateneingabe, -ausgabe
 oder -speicherung]
permanent error
 permanenter Fehler *m*
permanent fault
 Dauerstörung *f*
permanent storage, permanent memory
 nichtlöschbarer Speicher *m,*
 Permanentspeicher *m*
permeability
 Permeabilität *f*
permittivity
 Dielektrizitätskonstante *f,* Permittivität *f*
persistence [of a screen]
 Nachleuchtdauer *f* [eines Bildschirmes]
personal computer (PC) [generally used term
 for a microcomputer with minimum
 configuration, either for private use (home
 computer) or for use on office desk; in contrast
 to workstation, minicomputer, etc.]
 Personal-Computer (PC) [gebräuchliche
 Bezeichnung für einen Mikrorechner mit
 minimaler Konfiguration, entweder für den
 privaten Einsatz (Heimrechner) oder für den
 Einsatz am Arbeitspult; im Gegensatz zu
 Arbeitsstation, Minirechner usw.]
Petri net
 Petri-Netz *n*
PFET (p-channel field-effect transistor)
 Field-effect transistor with a p-type conducting
 channel, i.e. a channel in which the majority
 carriers are holes.
 PFET, P-Kanal-Feldeffekttransistor *m*
 Feldeffekttransistor, der einen P-leitenden
 Kanal besitzt, d.h. einen Kanal, in dem die
 Majoritätsladungsträger Defektelektronen
 (Löcher) sind.
PFM (pulse-frequency modulation)
 PFM *f,* Pulsfrequenzmodulation *f*
PFR (power-failure restart, power-fail restart)

Wiederanlauf nach Netzausfall *m*
PGA (programmable gate array)
Integrated circuit with a programmable AND
and NAND array which can be programmed to
customers' specifications by blowing the fusible
links.
PGA, programmierbares Gate-Array *n,*
programmierbare Gate-Matrix *f*
Integrierte Schaltung mit einer
programmierbaren UND- und NAND-Matrix,
die sich durch Wegbrennen der
Durchschmelzverbindungen nach
Kundenwünschen programmieren läßt.
phase angle
Phasenwinkel *m*
phase comparator
Phasenvergleicher *m*
phase delay time
Phasenlaufzeit *f*
phase difference
Phasendifferenz *f*
phase discriminator
Phasendiskriminator *m*
phase encoding, phase modulation recording
[magnetic tape recording method]
Richtungstaktschrift *f* [Schreibverfahren für
Magnetbandaufzeichnung]
phase lag
Phasennacheilung *f*
phase lead
Phasenvoreilung *f*
phase-locked
phasensynchronisiert
phase-locked loop (PLL)
phasensynchronisierte Schleife *f*
phase-locked oscillator
phasenstarrer Oszillator *m*
phase modulation
Phasenmodulation *f*
phase response [phase angle as a function of
frequency]
Phasengang *m* [Phasenwinkel in
Abhängigkeit der Frequenz]
phase reversal
Phasenumkehr *f*
phase-reversal circuit
Phasenumkehrschaltung *f*
phase-shift keying (PSK)
Phasenumtastung *f* (PSK)
phase-shift oscillator
Phasenverschiebungsoszillator *m*
PHIGS (Programmable Hierarchical Interactive
Graphics Standard)
PHIGS [hierarchischer und interaktiver
Graphikstandard für Programmierer]
phosphorous (P)
Non-metallic element used as a dopant
impurity (donor atom).
Phosphor *m* (P)

Nichtmetallisches Element, das als Dotierstoff
(Donatoratom) verwendet wird.
photo drum [laser printer]
Phototrommel *f* [Laserdrucker]
photo-selective metallizing [printed circuit
boards]
photoselektive Metallisierung *f*
[Leiterplatten]
photo typesetter
Photosatzmaschine *f,* **Lichtsatzmaschine** *f*
photo typesetting
Photosatz *m,* **Lichtsatz** *m*
photocell, photoelectric cell
Component whose current-voltage
characteristic is a function of incident light.
Photozelle *f*
Bauelement, dessen Strom-Spannungs-
Kennlinie vom Lichteinfall abhängt.
photoconductive
photoleitend, lichtleitend
photoconductive detector
Photoleitungsdetektor *m*
photoconductive effect
Photoleitung *f*
photocoupler, optocoupler, optical isolator,
photoisolator
Electronic device for the optical transmission of
signals between two electrically isolated
circuits. It consists of an emitter (e.g. a light-
emitting diode) optically coupled to a
photodetector (e.g. a phototransistor).
Optokoppler *m,* **optisches Koppelelement** *n*
Elektronisches Bauteil für die optische
Signalübertragung zwischen zwei galvanisch
getrennten Schaltkreisen. Es besteht aus einem
Sender (z.B. Lumineszenzdiode) und einem
Empfänger bzw. einem Photodetektor (z.B.
Phototransistor), die optisch miteinander
gekoppelt sind.
photocurrent
Photostrom *m*
photodetector
Photodetektor *m*
photodiode
Reverse-biased semiconductor diode in which
electron-hole pairs are generated by exposing
the pn-junction to light, thus increasing current
flow.
Photodiode *f*
In Sperrichtung betriebene Halbleiterdiode, bei
der durch Lichteinstrahlung in den PN-
Übergang Ladungsträgerpaare erzeugt werden,
die den Stromfluß vergrößern.
photodiode array
Photodiodenfeld *n*
photoelectric effect
The exchange interaction between radiation
and matter in which mobile charge carriers are
generated as a result of photon absorption. The

photoelectric effect can be defined as extrinsic (e.g. in photocells) or intrinsic (e.g. in photovoltaic cells and phototransistors).
Photoeffekt m, photoelektrischer Effekt m, lichtelektrischer Effekt m
Wechselwirkung zwischen Strahlung und Materie, bei der durch Photonenabsorption bewegliche Ladungsträger erzeugt werden. Man unterscheidet zwischen äußerem Photoeffekt (z.B. bei Photozellen) und dem inneren Photoeffekt (z.B. bei Photoelementen und Phototransistoren).
photoelectric emission [the emission of electrons as a result of incident light]
Photoemission f [das Freisetzen von Elektronen durch Lichteinstrahlung]
photoelectric scanning
photoelektrische Abtastung f
photoelectron [an electron released from an atom by electromagnetic radiation]
Photoelektron n [Elektron, das durch elektromagnetische Strahlung aus einen Atom ausgelöst wurde]
photoemitter
Photoemitter m
photolithography, lithography
Process for reproducing the pattern of a mask on the wafer. This requires several processing steps: e.g. coating of the wafer with a photoresist; placing the mask over the wafer; alignment of the mask; exposure of the photoresist through the mask; removal of the unwanted portions of the resist, etc. There are several lithographic processes. The most commonly used is photolithography. Processes for special applications include electron beam lithography, ion beam lithography and ion projection lithography.
Photolithographie f, Lithographie f
Verfahren zum Übertragen des Musters einer Maske auf die Halbleiterscheibe. Hierzu werden verschiedene Prozeßschritte benötigt: z.B. Auftragen eines Photolackes; Auflegen der Maske; Justieren der Maske; Belichtung des Photolackes durch die Maske hindurch; Entfernung der unerwünschten Lackstellen usw. Es gibt verschiedene Verfahren der Lithographie. Die häufigste Anwendung findet die Photolithographie. Zu den Verfahren für besondere Anwendungen gehören die Elektronenstrahllithographie, die Ionenstrahllithographie und die Ionenprojektionslithographie.
photomask, mask
Patterned screen used in integrated circuit fabrication to permit selective doping, oxidation, etching, metallization, etc. For the manufacture of an integrated circuit 5 to 16 different masks patterns are required

corresponding to the various masking steps associated with the fabrication process used and circuit complexity.
Photomaske f, Maske f
Schablone, die bei der Herstellung von integrierten Schaltungen verwendet wird, um eine selektive Dotierung, Oxidation, Ätzung, Metallisierung usw. zu ermöglichen. Für eine integrierte Schaltung werden 5 bis 16 unterschiedliche Masken für die vom angewendeten Fertigungsprozeß und der Schaltungskomplexität abhängenden Maskierungsschritte benötigt.
photomask artwork, photomask pattern
Artwork for the production of photomasks (based on the circuit layout) which is 100 to 1000 times larger than the final mask.
Photomaskenvorlage f
Vorlage für die Photomaskenherstellung, die anhand des Schaltkreislayouts erstellt wird und 100 bis 1000 mal größer ist als die endgültige Maske.
photomultiplier
Photovervielfacher m
photon
Photon n, Lichtquant n
photon counting
Photonenzählung f
photon energy
Photonenenergie f
photoresist, resist
A photosensitive coating used in photolithography to cover the surface of the wafer to be masked. After exposure of the resist (usually with ultraviolet light) through a contact mask and removal of the unwanted portions of the resist, the required pattern for the etching process and the subsequent processing step, e.g. doping, is left on the wafer.
Photolack m
Strahlungsempfindlicher Lack, der in der Photolithographie zum Beschichten der Halbleiterscheibe benutzt wird. Nach der Bestrahlung des Photolackes (meistens mit UV-Licht) durch eine Kontaktmaske hindurch und Entfernung der unerwünschten Lackstellen entsteht auf der Scheibe das gewünschte Muster für den Ätzvorgang und den anschließenden Verfahrensschritt, z.B. die Dotierung.
photoresistor
Photowiderstand m
photoresponsivity, responsivity [optoelectronics]
Photoempfindlichkeit f, Ansprechempfindlichkeit f [Optoelektronik]
photosensitive device, photosensitive component
lichtempfindliches Bauelement n,

lichtempfindlicher Baustein *m*
photosensitive field-effect transistor
  photoempfindlicher Feldeffekttransistor
photothyristor, light-activated silicon controlled
  rectifier
  Semiconductor component with a pnpn
  structure in which incident light generates
  electron-hole pairs that cause a switching
  action.
  Photothyristor *m*
  Halbleiterbauelement mit PNPN-Struktur, bei
  dem durch Lichteinstrahlung
  Ladungsträgerpaare erzeugt werden, die den
  Thyristor durchschalten.
phototransistor
  Bipolar transistor, acting as a photodetector
  with internal gain, in which electron-hole pairs
  are generated by exposing the base region to
  light, thus increasing current flow.
  Phototransistor *m,* Optotransistor *m*
  Bipolartransistor, der als Photoempfänger mit
  eingebautem Verstärker wirkt, bei dem sich
  durch Lichteinstrahlung in den Basisbereich
  Ladungsträgerpaare bilden, die den Stromfluß
  vergrößern.
photovoltage
  Photospannung *f*
photovoltaic cell
  Semiconductor component that converts light
  energy or other radiant energy into electrical
  energy without the need for an external voltage
  source (e.g. solar cells).
  Photoelement *n,* Halbleiterphotoelement *n,*
  Sperrschichtphotoelement *n*
  Halbleiterbauelement, das Lichtenergie oder
  andere Strahlungsenergie in elektrische
  Energie umsetzt, ohne eine äußere
  Spannungsquelle zu benötigen (z.B.
  Solarzellen).
photovoltaic detector [sensor based on
  photovoltaic cells]
  photovoltaischer Detektor *m* [Sensor, der
  mit Photoelementen aufgebaut ist]
photovoltaic effect [intrinsic photoelectric
  effect in a depletion layer]
  Sperrschichtphotoeffekt *m* [innerer
  Photoeffekt in einer Sperrschicht]
physical access level
  physische Zugriffsebene *f*
physical address [an address referring to a
  physically existing storage; in contrast to a
  virtual address which refers to a virtual
  storage]
  physische Adresse *f* [eine Adresse, die sich
  auf einen physikalisch vorhandenen Speicher
  bezieht; im Gegensatz zur virtuellen Adresse,
  die sich auf einen virtuellen Speicher bezieht]
physical data base
  physische Datenbank *f,* physikalische

  Datenbank *f*
physical record
  physischer Satz *m*
physical structure
  physischer Aufbau *m*
physical vapour deposition process (PVD
  process) [e.g. sputtering]
  PVD-Verfahren *n* [z.B. Sputtern]
PIA (peripheral interface adapter)
  PIA-Baustein *m,* peripherer
  Schnittstellenadapter-Baustein *m*
PIC (priority interrupt control)
  Prioritätsunterbrechungssteuerung *f*
PICVD (plasma impulse chemical vapour
  deposition) [a deposition process used in glass
  fiber production]
  PICVD-Verfahren *n* [ein Abscheideverfahren,
  das bei der Herstellung von Glasfasern
  eingesetzt wird]
pie chart, pie diagram [representation of
  numerical values by circular segments]
  Kreisgraphik *f,* Tortengraphik *f* [Darstellung
  numerischer Werte durch Kreissektoren]
piezoelectric component
  piezoelektrisches Bauelement *n*
piezoelectric effect
  piezoelektrischer Effekt *m*
PIF (Program Information File) [for MS-
  Windows]
  PIF-Datei *f* [Programminformationsdatei für
  MS-Windows]
piggy-back board [printed circuit board
  mounted on another board]
  Huckepackkarte *f* [Leiterplatte, die auf einer
  anderen Leiterplatte aufgesteckt wird]
pin, terminal pin
  Anschlußstift *m*
PIN (Personal Identification Code)
  PIN [persönliche Identifizierungsnummer]
pin assignment, pin configuration
  Anschlußbelegung *f*
pin compatible [for components]
  anschlußstiftkompatibel,
  anschlußkompatibel [bei Bauelementen]
pin cushioning [screen]
  Kissenverzerrung *f* [Bildschirm]
pin designation [integrated circuits]
  Anschlußbezeichnung *f* [integrierte
  Schaltungen]
pin diode
  Semiconductor diode which has an intrinsic
  region between the p-type and the n-type
  regions. Is used in microwave applications.
  PIN-Diode *f*
  Halbleiterdiode mit einem eigenleitenden
  Bereich zwischen dem P-dotierten und dem N-
  dotierten Bereich. Wird im Mikrowellenbereich
  eingesetzt.
pin hole [small hole in the insulating layer on

the surface of a semiconductor]
Nadelloch *n* [kleines Loch in der Isolierschicht
auf einer Halbleiteroberfläche]
pin modulator [modulator with pin structure]
PIN-Modulator *m* [Modulator mit PIN-
Struktur]
pin structure
Semiconductor structure with an intrinsic
region between the highly doped p-type and n-
type regions.
PIN-Struktur *f*, PIN-Aufbau *m*
Halbleiterstruktur mit einem eigenleitenden
Bereich zwischen den hochdotierten P- und N-
Bereichen.
pinch-off [reduction of current in a field-effect
transistor due to narrowing of channel]
Einschnürung *f* [Verringerung des Stromes in
einem Feldeffekttransistor durch Verengung
des Kanals]
pinch-off voltage
Einschnürspannung *f*
PIO (programmable input-output device)
programmierbarer Ein-Ausgabe-Baustein
pip [calibration mark on the screen of an
oscilloscope]
Zacke *f* [Eichmarke auf dem Schirm eines
Oszillographen]
pipe operator [allows several DOS commands to
be cascaded]
Befehlsverkettung *f*, Pipe-Operator *m*
[erlaubt die Verkettung von mehreren DOS-
Befehlen]
pipelining, pipeline processing [a technique used
for increasing the operating speed of processors
and microprocessors by splitting instructions
(operations) into segments and processing them
in parallel; the instruction segments pass
through a series of processor segments, each
carrying out a specified amount of processing,
like in an assembly line]
Fließbandverarbeitung *f*, Pipeline-
Verarbeitung *f* [ein Verfahren zur Erhöhung
der Arbeitsgeschwindigkeit von Prozessoren
und Mikroprozessoren durch Aufspalten und
Parallelverarbeitung der Operationen
(Befehle); die Befehlsabschnitte durchlaufen
eine Reihe von Verarbeitungseinheiten, wobei
jede Einheit, wie bei einem Fließband, einen
bestimmten Verarbeitungsschritt ausführt]
pirate, to
raubkopieren
pirate copy, bootleg
Raubkopie *f*
pixel, picture element
Bildpunkt *m*, Bildelement *n*, Pixel *n*
pixel matrix
Bildpunktmatrix *f*
PL/1 (Programming Language One)
A high-level programming language based on

ALGOL, COBOL and FORTRAN which is
suitable for engineering and scientific purposes
as well as for commercial applications.
PL/1 [Programmiersprache]
Eine höhere Programmiersprache auf der Basis
von ALGOL, COBOL und FORTRAN, die sich
sowohl für technisch-wissenschaftliche als auch
für kaufmännische Aufgaben eignet.
PL/M (Programming Language Microprocessor)
A high-level programming language which has
been developed specifically for microprocessor
systems.
PL/M [Programmiersprache]
Eine höhere Programmiersprache, die speziell
für Mikroprozessorsysteme entwickelt wurde.
PLA (programmable logic array)
Integrated circuit with a programmable AND
array and a programmable OR array. Some
PLAs also include flip-flops and registers. By
connecting the circuit elements with the aid of
interconnection masks semicustom integrated
circuits can be produced.
PLA, programmierbares Logik-Array *n*,
programmierbare Logik-Matrix *f*
Integrierte Schaltung mit einer
programmierbaren UND-Matrix und einer
programmierbaren ODER-Matrix. Einige PLAs
enthalten zusätzlich Flipflops und Register.
Durch Verbindung der Elemente über
Verdrahtungsmasken lassen sich integrierte
Semikundenschaltungen realisieren.
place value
Stellenwert *m*
plain language text, clear text [a message that
is not coded, e.g. an operator message]
Klartext *m* [eine nicht codierte Mitteilung, z.B.
eine Mitteilung für den Bediener]
planar epitaxial transistor
Planar-Epitaxialtransistor *m*
planar structure
Planarstruktur *f*
planar technology
The most important process used in the
fabrication of bipolar and unipolar
semiconductor components and integrated
circuits. Planar technology is characterized by
selective, localized introduction of dopant
impurities into the semiconductor to produce n-
type and p-type conductive regions through
diffusion windows in a protective layer covering
the crystal surface (oxide or nitride masking).
Another characteristic is that the
semiconductor structures are arranged below
the plane surface of the crystal (in contrast to
mesa technology). The technology requires a
sequence of independent processing steps such
as epitaxial growth, deposition or vacuum
evaporation, photolithography, etching
technique, diffusion or ion implantation,

metallization, etc.

Planartechnik *f*
Das bedeutendste Verfahren zur Herstellung
von bipolaren und unipolaren
Halbleiterbauelementen und integrierten
Schaltungen. Die Planartechnik ist dadurch
gekennzeichnet, daß sie einen selektiven,
örtlich gezielten Einbau von Dotierstoffen zur
Bildung von N- und P-leitenden Bereichen im
Halbleiterkristall durch Diffusionsfenster in
einer die Kritalloberfläche abschirmenden
Deckschicht ermöglicht (Oxid- bzw.
Nitridmaskierung). Ein weiteres Merkmal
besteht darin, daß die Halbleiterstrukturen
unterhalb der planen Oberfläche des Kristalls
angeordnet sind (im Gegensatz zur
Mesatechnik). Das Verfahren besteht aus einer
Reihe von Einzelprozessen wie z.B. Epitaxie,
Aufdampfung bzw. Abscheidung,
Photolithographie, Ätztechnik, Diffusion bzw.
Ionenimplantation, Metallisierung usw.

planar transistor
Planartransistor *m*

PLANOX technology (plane-oxide technology)
Isolation technique for bipolar integrated
circuits which provides isolation between the
circuit structures by local oxidation of silicon.
PLANOX-Technik *f*
Isolationsverfahren für integrierte
Bipolarschaltungen, bei dem die einzelnen
Strukturen der Schaltung durch lokale
Oxidation von Silicium voneinander isoliert
werden.

plasma-activated chemical vapour
deposition (PACVD or PCVD) [a deposition
process used in glass fiber production]
PACVD-Verfahren , PCVD-Verfahren *n* [ein
Abscheideverfahren, das bei der Herstellung
von Glasfasern eingesetzt wird]

plasma display, gas plasma display
Plasmaanzeige *f*

plasma-enhanced chemical vapour
deposition, PECVD process
A process used for forming dielectric layers in
integrated circuit fabrication that allows lower
deposition temperatures to be used than the
conventional CVD process.
Abscheidung aus einem Plasma *f,* PECVD-
Verfahren *n*
Ein Verfahren zur Abscheidung von
Isolierschichten bei der Herstellung
integrierter Schaltungen, das niedrigere
Abscheidetemperaturen ermöglicht, als das
konventionelle CVD-Verfahren.

plasma etching (PE) [a dry etching process]
Plasma-Ätzverfahren *n,* Plasmaätzen *n* [ein
Trockenätzverfahren]

plasma impulse chemical vapour deposition
(PICVD) [a deposition process used in glass

fiber production]
PICVD-Verfahren *n* [ein Abscheideverfahren,
das bei der Herstellung von Glasfasern
eingesetzt wird]

plasma-nitride passivation
Plasma-Nitrid-Passivierung *f*

plasma oxidation [an oxidation process allowing
lower process temperatures than thermal
oxidation]
Plasma-Oxidation *f* [Oxidationsverfahren, bei
dem niedrigere Prozeßtemperaturen eingesetzt
werden können als bei der thermischen
Oxidation]

plasma panel, gas plasma panel
Plasmabildschirm *m,* Plasmasichtgerät *n*

plastic film capacitor
Kunststoffolienkondensator *m*

plastic package
Kunststoffgehäuse *n*

plate, to [printed circuit boards]
metallisieren [Leiterplatten]

plated-through hole [printed circuit boards]
durchkontaktierte Bohrung *f*
[Leiterplatten]

plating [printed circuit boards]
Aufmetallisieren *n* [Leiterplatten]

plausibility check [check for invalid character
combinations and whether data entered lie
within given limits]
Plausibilitätskontrolle *f* [Überprüfung der
zulässigen Zeichenkombinationen sowie
Prüfung, ob die Eingaben innerhalb der
vorgegebenen Grenzen liegen]

plausible
plausibel

PLC (programmable logic controller), PC
(programmable controller)
A sequence control with a computer-like
structure. It consists of a central processing
unit with the processor or microprocessor and
the program storage as well as an input-output
unit.
speicherprogrammierbare Steuerung *f*
(SPS), programmierbare Steuerung *f*
Folgesteuerung mit rechnerähnlicher Struktur.
Sie besteht aus der Zentraleinheit mit
Prozessor bzw. Mikroprozessor, dem
Programmspeicher und der Ein-Ausgabe-
Einheit.

PLD (programmable logic device), programmable
logic
Generic term for digital integrated circuits (e.g.
ROMs, PROMs, gate arrays, FPLAs, PALs,
etc.) which are programmed to customers'
specifications or produced as semicustom
integrated circuits with the aid of
interconnection masks (mask-programmable)
or by blowing fuses (fusible-link technique),
either at the semiconductor manufacturer's

premises or at the user's location.
PLD *f,* programmierbare Logik *f,*
programmierbare Logikschaltung *f*
Oberbegriff für digitale integrierte Schaltungen
(z.B. ROMs, PROMs, Gate-Arrays, FPLAs,
PALs usw.), die kundenspezifisch bzw. als
Semikundenschaltung beim
Halbleiterhersteller oder beim Anwender mit
Hilfe von Verdrahtungsmasken
(maskenprogrammierbar) oder durch
Wegbrennen von Durchschmelzverbindungen
(Fusible-Link-Technik) programmiert werden
können.
PLDS (programmable logic development system)
Programming unit with corresponding software
for the development, programming and testing
of semicustom integrated circuits based on
devices such as FPLAs, IFLs, PALs, etc.
PLDS *n,* programmierbares Logik-
Entwicklungssystem *n*
Programmiergerät mit entsprechender
Software, mit dem sich integrierte
Semikundenschaltungen auf der Basis von
Bauelementen wie z.B. FPLAs, IFLs, PALs
usw. entwickeln, programmieren und testen
lassen.
PLL circuit (phase-locked loop circuit)
PLL-Baustein *m,* Schaltung mit
phasenstarrer Schleife *f*
plotter
Plotter *m,* Zeichengerät *n*
plug, connector, plug connector
Stecker *m,* Steckverbinder *m*
plug-compatible, plug-to-plug compatible,
connector-compatible [designates equipment
which are interchangeable
steckerkompatibel, anschlußkompatibel
[bezeichnet Geräte, die miteinander
austauschbar sind]
plug-in board [printed circuit board]
Steckkarte *f* [Leiterplatte]
plug-in module
Steckmodul *m,* Steckbaugruppe *f*
plug-in unit [e.g. for a standard 19-inch rack]
Einschub *m,* Einschubeinheit *f,* Steckeinheit *f*
[z.B. für ein genormtes 19-Zoll-Gestell]
pluggable
steckbar
PMOS technology, p-channel MOS technology
Process for fabricating field-effect transistors
with a metal-oxide-semiconductor structure
and a p-type conducting channel. The p-type
regions (source and drain) are formed in an n-
type substrate by diffusion.
PMOS-Technik *f,* P-Kanal-MOS-Technik *f*
Technik für die Herstellung von
Feldeffekttransistoren mit Metall-Oxid-
Halbleiter-Struktur und einem P-leitenden
Kanal, bei der P-dotierte Bereiche (Source und

Drain) in ein N-leitendes Substrat
eindiffundiert werden.
PMOSFET (p-channel metal-oxide-
semiconductor field-effect transistor)
PMOSFET, P-Kanal-Feldeffekttransistor mit
Metall-Oxid-Halbleiter-Struktur *m*
pn-boundary
PN-Grenzfläche *f*
pn-diode [semiconductor diode with a pn-
junction or semiconductor diode formed by a
pn-junction]
PN-Diode *f* [Halbleiterdiode mit einem PN-
Übergang, bzw. Halbleiterdiode, die aus einem
PN-Übergang gebildet wird]
pn-junction
The junction between a p-type and an n-type
region in a semiconductor.
PN-Übergang *m*
Der Übergang zwischen einem P-leitenden und
einem N-leitenden Bereich in einem Halbleiter.
pnip transistor
A transistor in which an intrinsic
semiconductor region is situated between the n-
type base region and the p-type collector region.
PNIP-Transistor *m*
Ein Transistor, bei dem sich zwischen dem N-
dotierten Basisbereich und dem P-dotierten
Kollektorbereich eine eigenleitende
Halbleiterzone befindet.
pnp circuit
PNP-Schaltung *f,* PNP-Schaltkreis *m*
pnp silicon planar transistor
PNP-Silicium-Planar-Transistor *m*
pnp transistor
A bipolar transistor which has a p-type base
and n-type emitter and collector regions.
PNP-Transistor *m*
Bipolartransistor, bei dem der Basisbereich N-
dotiert ist und die Emitter- und
Kollektorbereiche P-dotiert sind.
pnpn structure
Semiconductor structure which consists of four
alternate layers of p-type and n-type conductive
material (e.g. in four-layer diodes, GTO
thyristors, etc.).
PNPN-Struktur *f*
Halbleiterstruktur, die aus vier abwechselnd P-
und N-leitenden Schichten besteht (z.B. bei
Vierschichtdioden, GTO-Thyristoren usw.).
pocket calculator
Taschenrechner *m*
point, decimal point [in numbers]
Komma *n,* Dezimalkomma *n* [bei Zahlen]
point [unit for font size]
Punkt *m* [Maß für Schriftgröße]
point, to [move the mouse until the arrow points
to the desired part of the screen]
zeigen [Bewegen der Maus, bis der Zeiger auf
die gewünschte Bildschirmstelle zeigt]

point-and-click, point-and-shoot [select and actuate function by moving mouse and clicking mouse button]
  zeigen und anklicken [Funktion auswählen und auslösen durch Bewegen der Maus und anklicken der Maustaste]
point contact
  Spitzenkontakt *m,* Punktkontakt *m*
point-contact diode [semiconductor diode using a point contact]
  Spitzendiode *f* [Halbleiterdiode mit einem Punktkontakt]
point-contact transistor [first germanium transistor]
  Spitzentransistor *m* [erster Germaniumtransistor]
point setting
  Kommaeinstellung *f*
point shifting, shifting of decimal point
  Kommaverschiebung *f*
point-to-point communication
  Punkt-zu-Punkt-Verbindung *f*
pointer [points to the next record to be read by the program, e.g. to the last entry in a stack or the next record in a chained file]
  Zeiger *m,* Hinweisadresse *f* [zeigt auf den nächsten Satz, der vom Programm gelesen werden soll, z.B. auf die letzte Eintragung in einem Stapelspeicher oder auf den nächsten Satz in einer verketteten Datei]
polarization
  Polarisation *f*
polarization of connectors [pins and slots which ensure a unique plug-in position of the contacts]
  Codierung von Steckverbindern *f* [Stifte und Schlitze, die eine eindeutige Zuordnung der Kontakte beim Einstecken gewährleisten]
polarized plug, polarized connector
  codierter Stecker *m,* codierter Steckverbinder *m*
polarizing element [connector]
  Codierelement *n* [Steckverbinder]
polarizing pin, coding pin [connector]
  Codierstift *m* [Steckverbinder]
Polish notation, prefix notation, parenthesis-free notation [eliminates brackets in mathematical operations, e.g. (a+b) is written +ab and c(a+b) is written *c+ab]
  Präfixschreibweise *f,* polnische Schreibweise *f,* klammerfreie Schreibweise *f* [eliminiert Klammern bei mathematischen Operationen, z.B. (a+b) wird +ab und c(a+b) wird *c+ab geschrieben]
polishing [e.g. of wafers]
  Polieren *n* [z.B. von Halbleiterscheiben]
poll [condition interrogation, e.g. interrogation of readiness to transmit or receive data]
  Abfrage *f* [Zustandsabfrage, z.B. Abfrage der

Bereitschaft Daten zu senden oder zu empfangen]
poll, to [device, equipment, etc.]
  abfragen [Baustein, Gerät usw.]
polling
  Abfragebetrieb *m*
polling cycle
  Abfragezyklus *m*
polling method [technique of interrogating readiness to transmit or receive data, e.g. interrogation of peripheral devices by central processing unit; in contrast to interrupt technique]
  Abfrageverfahren *n,* Pollingmethode *f* [Abfrage der Bereitschaft Daten zu senden oder zu empfangen, z.B. Abfrage von Peripheriebausteinen durch die Zentraleinheit; im Gegensatz zum Interrupt- bzw. Unterbrechungsverfahren]
polycrystalline germanium
  polykristallines Germanium *n*
polycrystalline silicon, polysilicon
  polykristallines Silicium *n,* Polysilicium *n*
polycrystalline structure [e.g. polysilicon]
  polykristalline Struktur *f* [z.B. Polysilicium]
polymorphic [of variable type]
  polymorph [vielgestaltig]
polymorphism [property of exhibiting variable types]
  Polymorphismus *m* [Vielgestaltigkeit]
polysilicon [a widely used base material in semiconductor and integrated circuit fabrication]
  Polysilicium *n* [Ausgangsmaterial, das bei der Herstellung von Halbleiterbauelementen und integrierten Schaltungen sehr häufig verwendet wird]
port, channel [a path for the transmission of signals, data, control information, etc.]
  Kanal *m* [ein Übertragungsweg für Signale, Daten, Steuerinformationen usw.]
portability, software compatibility
  Portabilität *f,* Software-Kompatibilität *f*
portable [hardware and software]
  tragbar [Gerät]; kompatibel, portierbar [Software]
portrait [view of image with longest side vertical, in contrast to landscape]
  Hochformat *n* [Ausrichtung eines Bildes mit der längsten Seite vertikal, im Gegensatz zum Querformat]
position control
  Positionsregler *m*
position control loop
  Positionsregelkreis *m*
position deviation
  Positionsabweichung *f*
position sensor
  Positionssensor *m*

position transducer
A device that measures position by
displacement along a path and converts the
measurement into an electrical quantity
proportional to the displacement.
Wegaufnehmer m, **Weggeber** m
Ein Gerät, das einen zurückgelegten Weg mißt
und den Meßwert in eine der Weglänge
proportionale elektrische Größe umsetzt.
positioning control system
Lageregelsystem n, Positionsregelung f
positioning time, seek time
Positionierzeit f
positive bias voltage, positive bias
positive Vorspannung f
positive charge carrier, positive carrier
positiver Ladungsträger m
positive conductive pattern [printed circuit
boards]
positives Leiterbild n [Leiterplatten]
positive copy [copy having tonal values
corresponding to those of original]
Positivkopie f [Kopie mit Helligkeitswerten
entsprechend denjenigen der Vorlage]
positive feedback
Mitkopplung f, positive Rückkopplung f
positive integer
positive ganze Zahl f, positive Ganzzahl f
positive logic, positive-true logic [logic circuit
employing a positive voltage level to represent
logic state 1; a more negative voltage level
represents logic state 0]
positive Logik f [logische Schaltung, die den
Zustand logisch 1 durch einen positiven
Spannungspegel darstellt; ein negativerer
Spannungspegel entspricht dem Zustand 0]
POSIX (Portable Operating System for Computer
Environments) [Standard defined by IEEE]
POSIX-Norm f [portierbares Betriebssystem
für Rechnerumgebungen; von IEEE definierte
Norm]
POST (Power-On Self Test) [test program in
BIOS]
POST [Testprogramm im BIOS]
postfix notation, reverse Polish notation (RPN),
parenthesis-free notation [eliminates brackets
in mathematical operations, e.g. (a+b) is
written as ab+ and c(a+b) as cab+*]
Postfixschreibweise f, umgekehrte polnische
Schreibweise f, klammerfreie Schreibweise f
[eliminiert Klammern bei mathematischen
Operationen, z.B. wird (a+b) als ab+ und c(a+b)
als cab+* geschrieben]
post-mortem dump, static dump
Speicherabzug bei Pannen m, statischer
Speicherabzug m
postprocessor
Postprozessor m
postprocessor function

Postprozessorfunktion f
postprocessor print
Postprozessorausdruck m
PostScript [page description language developed
by Adobe for printers]
PostScript [von Adobe entwickelte
Seitenbeschreibungssprache für Drucker]
PostScript emulation [software emulation of
PostScript for non-PostScript printers]
PostScript-Emulation f [softwaremäßige
Nachbildung von PostScript für Drucker ohne
PostScript]
potted assembly, encapsulated assembly
verkapselte Baugruppe f, vergossene
Baugruppe f
potting, encapsulation
Process of embedding semiconductor
components or assemblies in a thermosetting
fluid encapsulant (usually plastic resin) to
protect them against mechanical stress and
dirt.
Vergießen n, Verkappen n, Verkapselung f
Verfahren, bei dem Halbleiterbauelemente oder
Baugruppen mit einer aushärtenden,
isolierenden Gießmasse (meistens Kunstharz)
umgossen werden, um sie vor mechanischer
Beanspruchung und Verschmutzung zu
schützen.
power [mathematics]
Potenz f [Mathematik]
power [physical]
Leistung f [physikalisch]
power amplification, power gain
Leistungsverstärkung f
power amplifier
Leistungsverstärker m
power amplifier stage
Verstärkerendstufe f, Leistungsendstufe f
power cable
Netzkabel n
power consumption, current consumption
Leistungsaufnahme f, Stromverbrauch m
power diode
Leistungsdiode f
power dissipation, power loss
Verlustleistung f, Leistungsverlust m
power drain, internal power consumption
Eigenverbrauch m
power drain [from a battery]
Leistungsentnahme f [aus einer Batterie]
power driver stage
Leistungstreiberstufe f
power electronics
Leistungselektronik f
power element
Leistungsglied n
power factor
Leistungsfaktor m
power failure, mains failure, outage

Netzausfall m, Stromausfall m
power-failure protection [e.g. with standby battery]
Netzausfallschutz m [z.B. durch eine Reservebatterie]
power-failure restart, power-fail restart (PFR)
Wiederanlauf nach Netzausfall m
power frequency, mains frequency
Netzfrequenz f
power interruption
Stromabschaltung f
power level
Leistungspegel m
power line hum, mains hum
Netzbrummen n
power line operated, mains operated
Netzbetrieb m
power MOSFET
MOSFET-Leistungstransistor m
power-on self test, (POST) [test program in BIOS]
POST [Testprogramm im BIOS]
power output stage
Ausgangsleistungsstufe f
power pack, power supply unit, power unit, power supply
Netzgerät n, Netzteil m, Stromversorgungsteil
power rating, rated power [general]
Nennleistung f [allgemein]
power rating [e.g. of a component]
Belastbarkeit f [z.B. eines Bauelementes]
power rectifier
Leistungsgleichrichter m
power semiconductor
Leistungshalbleiter m
power signal
Leistungssignal n
power source
Leistungsquelle f
power stage [e.g. of an amplifier]
Leistungsstufe f [z.B. eines Verstärkers]
power supply
Stromversorgung f
power supply unit, power pack, power unit
Netzteil m, Netzgerät n, Stromversorgungsteil
power supply current [of semiconductor devices]
Stromaufnahme f [von Halbleiterbauteilen]
power supply rejection
Netzunterdrückung f
power supply unit
Stromversorgungsteil m
power switch, mains switch
Leistungsschalter m, Netzschalter m
power thyristor
Leistungsthyristor m
power transistor
Leistungstransistor m
power transmission

Leistungsübertragung f
power transmission factor
Leistungsübertragungsfaktor m
power-up, to; switch on, to
einschalten
power-up diagnostics, self-check [functional check when switching on]
Einschaltdiagnostik f [Funktionsüberprüfung beim Einschalten]
PPI (programmable peripheral interface)
PPI-Baustein m [programmierbare Ein-Ausgabe-Schnittstelle]
PPM (pulse-phase modulation)
PPM f, Pulsphasenmodulation f
preamble [synchronization characters on a magnetic tape]
Sektorvorspann m [Synchronisierzeichen auf einem Magnetband]
preamplifier
Vorverstärker m
preassembled printed circuit board
vormontierte Leiterplatte f
precedence rule
Präzedenzregel f
precharge time [with integrated circuit memories]
Wiederbereitschaftszeit f [bei integrierten Speicherschaltungen]
precision [of a computing operation: depends on the number of places or digits, i.e. on the length of the computer word]
Genauigkeit f [einer Rechenoperation: hängt von der Zahl der Stellen, d.h. von der Länge des Rechenwortes ab]
precondition
Vorbedingung f
predeposition [doping technology]
In two-step diffusion, the first diffusion step (predeposition) which is followed by the drive-in cycle in order to obtain the desired diffusion depth and concentration profile.
Vorbelegung f, Belegung f [Dotierungstechnik]
Bei der Zweischrittdiffusion der erste Diffusionsvorgang (Belegung), an den sich die Nachdiffusion zur Erzielung der gewünschten Diffusionstiefe und des gewünschten Dotierungsprofils anschließt.
predetermined
festgelegt
predicate logic [notation for representing and deriving logical expressions; basis of PROLOG]
Prädikatenlogik f [Schreibweise für die Darstellung und Folgerung logischer Ausdrücke; Basis von PROLOG]
prefix
Vorauszeichen f, Prefix n
prefix notation, Polish notation, parenthesis-free notation [eliminates brackets in

mathematical operations, e.g. (a+b) is written +ab and c(a+b) is written *c+ab]
Präfixschreibweise *f,* polnische Schreibweise *f,* klammerfreie Schreibweise *f* [eliminiert Klammern bei mathematischen Operationen, z.B. (a+b) wird +ab und c(a+b) wird *c+ab geschrieben]

preparatory input
Vorbereitungseingang *m*

prepreg [impregnated sheet material for a PCB]
Prepreg [mit Harz imprägnierter Trägerwerkstoff einer Leiterplatte]

preprocessor
Preprozessor *m*

presentation graphics, business graphics [generating line, bar and pie charts or diagrams]
Präsentationsgraphik *f,* Geschäftsgraphik *f* [Erstellung von Linien-, Balken- und Kreisdiagrammen]

presentation layer [one of the seven functional layers of the ISO reference model for computer networks]
Präsentationsschicht *f* [eine der sieben Funktionsschichten des ISO-Referenzmodelles für den Rechnerverbund]

Presentation Manager [graphical user interface developed by IBM and Microsoft for OS/2]
Presentation Manager [von IBM und Microsoft entwickelte graphische Benutzerschnittstelle für OS/2]

preset, to
voreinstellen

preset counter
Vorwahlzähler *m*

preventive maintenance
vorbeugende Wartung *f*

preview mode [word processing, desktop publishing]
Layoutkontrolle *m* [Textverarbeitung, Desktop-Publishing]

PRF (pulse repetition frequency) [number of pulses per second]
Impulsfolgefrequenz *f* [Anzahl Impulse pro Sekunde]

primary data [user data in a data base]
Primärdaten *n.pl.* [Anwenderdaten in einer Datenbank]

primary DOS partition [hard disk]
primäre DOS-Partition *f,* primärer DOS-Speicherbereich [Festplatte]

primary fault
Primärausfall *m*

primary key, primary record key
Primärschlüssel *m,* primärer Datensatzschlüssel *m*

primary storage [e.g. main storage]
Primärspeicher *m* [z.B. Hauptspeicher]

prime number
Primzahl *f*

print, to; print out, to [mechanically on paper]
drucken [maschinelles Beschriften von Papier]

print command
Druckbefehl *m*

print out, printout
Ausdruck *m,* Druckausgabe *f*

print out, to
ausdrucken

print queue [list of files sent to the printer]
Druckerwarteschlange *f* [Liste der Dateien, die an den Drucker gesandt wurden]

print routine [for data output on printer]
Druckprogramm *n* [für die Datenausgabe auf Drucker]

print server, printer server [computer serving as central printing facility in a network]
Druck-Server *m* [Rechner, der als zentraler Druckerplatz in einem Netzwerk dient]

print spooler [intermediate storage in printer]
Druckpuffer *m* [Zwischenspeicher im Drucker]

print statement
Druckanweisung *f*

printed circuit [circuit consisting of an insulating base plate with printed or etched conductive patterns for components mounted on it]
gedruckte Schaltung *f* [Schaltung bestehend aus einer isolierenden Trägerplatte mit aufgedruckten oder geätzten Leiterbahnen für die aufgesetzten Bauelemente]

printed circuit board (PCB), printed-wiring board [insulating board with printed or etched conductive patterns for components mounted on it; types include rigid or flexible, single or double-sided, single-layer or multilayer boards]
Leiterplatte *f* [isolierende Trägerplatte mit aufgedruckten oder geätzten Leiterbahnen für die aufgesetzten Bauelemente; kann als starre oder flexible, einseitige oder doppelseitige, einlagige oder mehrlagige Leiterplatte ausgeführt werden]

printed circuit board assembly [with components mounted in position]
bestückte Leiterplatte *f* [mit Bauteilen bestückt]

printed circuit board layout
Leiterplatten-Layout *n*

printed component [printed circuit boards]
gedrucktes Bauteil *n* [Leiterplatten]

printed wiring
gedruckte Verdrahtung *f*

printed-wiring conductor
Leiterbahn *f*

printer
Drucker *m*

printer driver [controls the printer from an

application program]
Druckertreiber m [steuert den Drucker aus
einem Anwendungsprogramm heraus]
printer emulation [allows printer to emulate
standard printer types, e.g. HP LaserJet
emulation]
Drucker-Emulation f [ermöglicht die
Emulation von Standard-Druckertypen, z.B.
HP-LaserJet-Emulation]
printer server, print server [computer serving
as central printing facility in a network]
Druck-Server m [Rechner, der als zentraler
Druckerplatz in einem Netzwerk dient]
printer with cut-sheet feed
Drucker mit Einzelblatteinzug m
printing mechanism [printer]
Schreibwerk n [Drucker]
printout
Druckausgabe f
priority [urgency of an event]
Priorität f, **Rangfolge** f [Dringlichkeit eines
Ereignisses]
priority comparator
Prioritätsvergleicher m
priority control
Prioritätssteuerung f
priority dispatching
Prioritätszuteilung f
priority encoder
Prioritätscodierer m
priority encoding
Prioritätscodierung f
priority indicator
Prioritätsanzeiger m
priority interrupt, vectored interrupt [program
interruption provided with a vector designating
the priority; in contrast to polling]
Prioritätsunterbrechung f,
Vorrangunterbrechung f, Vektorunterbrechung
f [Programmunterbrechung versehen mit einem
Vektor zur Angabe der Priorität; im Gegensatz
zum Abfrageverfahren]
priority interrupt control (PIC)
Prioritätsunterbrechungssteuerung f
priority interrupt table
Prioritätsunterbrechungstabelle f
priority level [in interrupts]
Prioritätsebene f, **Prioritätsstufe** f [bei der
Programmunterbrechung]
priority mode
Prioritätsbetrieb m
priority selection
Prioritätsanwahl f
priority sequence
Prioritätsreihenfolge f
privacy lock, lock
Zugriffssperre f
priviledged instruction
privilegierter Befehl m

probe, measuring probe
Meßsonde f
problem-oriented language
A high-level computer-independent
programming language for solving a specific
class of problems, e.g. ALGOL, COBOL,
PASCAL, etc.
problemorientierte Programmiersprache f
Eine höhere, rechnerunabhängige
Programmiersprache zur Lösung eines
bestimmten Aufgabenbereichs, z.B. ALGOL,
COBOL, PASCAL usw.
procedural programming language [in
contrast to non-procedural programming
language]
prozedurale Programmiersprache f [im
Gegensatz zur nichtprozeduralen
Programmiersprache]
procedure, routine [program]
Prozedur f, Unterprogramm n [Programm]
procedure [of a process]
Ablauf m, Prozedur f [eines Verfahrens]
procedure statement
Prozeduranweisung f
process
Prozeß m
process, to
verarbeiten
process, to [instructions]; execute, to [programs]
abarbeiten [Befehle, Programme]
process automation
Prozeßautomatisierung f
process average [average manufacturing
quality]
durchschnittliche Herstellqualität f,
mittlere Fertigungsgüte f
process computer
Prozeßrechner m
process control
Prozeßsteuerung f
process flow
Prozeßablauf m
process model
Prozeßmodell n
process peripherals
Prozeßperipherie f
process sequentially, to [instructions]
sequentiel abarbeiten [Befehle]
process simulation
Prozeßsimulation f
process tolerance, manufacturing tolerance
Fertigungstoleranz f
processing
Verarbeitung f
processing depth
Verarbeitungstiefe f
processing layer [one of the seven functional
layers of the ISO reference model for computer
networks]

Verarbeitungsschicht *f,* Verarbeitungsebene
f [eine der sieben Funktionsschichten des ISO-
Referenzmodells für den Rechnerverbund]
processing loop
   Verarbeitungsschleife *f*
processing mode
   Verarbeitungsart *f*
processing program
   Verarbeitungsprogramm *n*
processing time
   Verarbeitungszeit *f*
processor
   Prozessor *m*
production control
   Fertigungssteuerung *f*
production data acquisition
   Betriebsdatenerfassung *f*
production master [printed circuit boards]
   Druckwerkzeug *n* [Leiterplatten]
production rule [if-then-rule in expert systems]
   Produktionsregel *f* [Wenn-dann-Regel in
   Expertensystemen]
program
   Programm *n*
program body
   Programmrumpf *m*
program branch, branch, program jump, jump
   Programmverzweigung *f,* Programmzweig *m*
program change, program modification
   Programmänderung *f*
program checkout
   Programmtesten *n*
program compatibility
   Programmkompatibilität *f*
program control
   Programmsteuerung *f*
program correction, patch
   Programmkorrektur *f,* behelfsmäßige
   Programmkorrektur *f*
program counter [microprocessor systems]
   Befehlszähler *m,* Programmzähler *m*
   [Mikroprozessorsysteme]
program cycle
   Programmzyklus *m*
program debugging, debugging,
   troubleshooting
   Programmfehlerbeseitigung *f,*
   Fehlerbeseitigung *f,* Fehlersuchen *n*
program definition [defining variables in a
   program]
   Programmdefinition *f* [Festlegung der
   Variablen in einem Programm]
program development
   Programmentwicklung *f*
program execution, program run
   Programmausführung *f,* Programmlauf *m,*
   Programmabarbeitung *f*
program execution time, program run time
   Programmausführungszeit *f,*

   Programmlaufzeit *f,*
   Programmabarbeitungszeit *f*
program file
   Programmdatei *f*
program flow
   Programmablauf *m*
program-generated parameter, dynamic
   parameter
   programmerzeugter Parameter *m*
program inhibit mode [operating mode with
   memories]
   Programmiersperre *f* [Betriebsart bei
   Speichern]
program interleaving
   Programmverzahnung *f*
program interrupt, interrupt [interruption of a
   running program; the program sequence is
   continued after the interruption]
   Programmunterbrechung *f,* Unterbrechung
   f [Unterbrechung eines laufenden Programmes;
   der Programmablauf wird nach der
   Unterbrechung fortgesetzt]
program interrupt level
   Programmunterbrechungsebene *f*
program level counter
   Programmstufenzähler *m*
program library
   Programmbibliothek *f*
program line
   Programmzeile *f*
program linkage, linkage
   Programmverkettung *f*
program linking
   Programmverknüpfung *f*
program listing
   Programmauflistung *f*
program load
   Laden eines Programmes *n,* Einspeichern
   eines Programmes *n*
program loop, loop
   Programmschleife *f,* Programmierschleife *f*
program maintenance
   Programmpflege *f,* Programmwartung *f*
program memory, program storage
   Programmspeicher *m*
program mode, programming mode [operational
   mode of memories]
   Programmierbetrieb *m,* Programmierung *f*
   [Betriebsart bei Speichern]
program module
   Programmbaustein *m,* Programmodul *m*
program overlay
   Programmüberlagerung *f*
program relocation
   Programmverschiebung *f*
program restart
   Wiederanlauf des Programmes *m*
program run, computer run
   Programmlauf *m,* Programmausführung *f,*

Programmdurchlauf *m*, Rechnerlauf *m*
program run time, program execution time
Programmlaufzeit *f*,
Programmausführungszeit *f*
program run time counter
Programmlaufzeitzähler *m*
program segmentation
Programmunterteilung *f*
program-sensitive error
programmabhängiger Fehler *m*,
programmbedingter Fehler *m*
program-sensitive fault
programmabhängige Störung *f*,
programmbedingte Störung *f*
program sequence
Programmfolge *f*
program skip, transfer of control
Programmsprung *m*
program start
Programmaufruf *m*
program statement
Programmanweisung *f*
program status
Programmstatus *m*
program status word
Programmstatuswort *n*
program step
Programmschritt *m*
program tape
Programmband *n*
program termination
Programmbeendigung *f*
program translation
Programmübersetzung *f*
programmable
programmierbar
programmable array logic (PAL)
Integrated circuit with a programmable AND
array and a fixed OR array. Some PALs also
include flip-flops and registers. By blowing the
fusible links, circuit functions can be
programmed to customers' specifications.
programmierbare Array-Logik *f*,
programmierbare Matrix-Logik *f* (PAL)
Integrierte Schaltung mit einer
programmierbaren UND-Matrix und einer
festgelegten ODER-Matrix. Einige PALs
enthalten zusätzlich Flipflops und Register.
Durch Wegbrennen der Durchschmelzverbindungen lassen sich
Schaltungsfunktionen nach Kundenwünschen
programmieren.
programmable circuit
programmierbare Schaltung *f*
programmable clock
programmgesteuerter Taktgeber *m*
programmable communications interface
(PCI)
programmierbarer

Übertragungsschnittstellenbaustein *m*,
programmierbare Kommunikations-
Schnittstelle *f*
programmable controller (PC), programmable
logic controller (PLC)
A sequence control with a computer-like
structure. It consists of a central processing
unit with the processor or microprocessor and
the program storage as well as an input-output
unit.
programmierbare Steuerung *f*,
speicherprogrammierbare Steuerung *f* (SPS)
Folgesteuerung mit rechnerähnlicher Struktur.
Sie besteht aus der Zentraleinheit mit
Prozessor bzw. Mikroprozessor, dem
Programmspeicher und der Ein-Ausgabe-
Einheit.
programmable gate array (PGA)
Integrated circuit with a programmable AND
and NAND array, which can be programmed to
customers' specifications.
programmierbares Gate-Array *n*,
programmierbare Gate-Matrix *f* (PGA)
Integrierte Schaltung mit einer
programmierbaren UND- und NAND-Matrix,
die sich nach Kundenwünschen programmieren
läßt.
programmable hand-held calculator
programmierbarer Taschenrechner *m*
programmable input-ouput device (PIO)
programmierbarer Ein-Ausgabe-Baustein
programmable keyboard, user-defined
keyboard
programmierbare Tastatur *f*
programmable logic, programmable logic
device (PLD)
Generic term for digital integrated circuits (e.g.
ROMs, PROMs, gate arrays, FPLAs, PALs,
etc.) which are programmed to customers'
specifications or produced as semicustom
integrated circuits with the aid of
interconnection masks (mask-programmable)
or by blowing fuses (fusible-link technique),
either at the semiconductor manufacturer's
premises or at the user's location.
programmierbare Logik *f*, programmierbare
Logikschaltung *f*
Oberbegriff für digitale integrierte Schaltungen
(z.B. ROMs, PROMs, Gate-Arrays, FPLAs,
PALs usw.), die kundenspezifisch bzw. als
Semikundenschaltung beim Halbleiterhersteller oder beim Anwender mit Hilfe von
Verdrahtungsmasken (maskenprogrammierbar) oder durch Wegbrennen von Durchschmelzverbindungen (Fusible-Link-Technik)
programmiert werden können.
programmable logic array (PLA)
Integrated circuit with a programmable AND
array and a programmable OR array. Some

PLAs also include flip-flops and registers. By
connecting the elements with the aid of
interconnection masks semicustom integrated
circuits can be produced.
programmierbares Logik-Array n,
programmierbare Logik-Matrix f (PLA)
Integrierte Schaltung mit einer
programmierbaren UND-Matrix und einer
programmierbaren ODER-Matrix. Einige PLAs
enthalten zusätzlich Flipflops und Register.
Durch Verbindung der Elemente über
Verdrahtungsmasken lassen sich integrierte
Semikundenschaltungen realisieren.
programmable logic controller (PLC),
programmable controller (PC)
A sequence control with a computer-like
structure. It consists of a central processing
unit with the processor or microprocessor and
the program storage as well as an input-output
unit.
speicherprogrammierbare Steuerung f
(SPS), programmierbare Steuerung f
Folgesteuerung mit rechnerähnlicher Struktur.
Sie besteht aus der Zentraleinheit mit
Prozessor bzw. Mikroprozessor, dem
Programmspeicher und der Ein-Ausgabe-
Einheit.
programmable logic development system
(PLDS)
Programming unit with corresponding software
for the development, programming and testing
of semicustom integrated circuits based on
fusible-link devices (e.g. FPLAs, IFLs, PALs,
etc.).
**programmierbares Logik-Entwicklungs-
system** n (PLDS)
Programmiergerät mit entsprechender
Software, mit dem sich integrierte
Semikundenschaltungen auf der Basis von
Bauelementen mit Durchschmelzverbindungen
(z.B. FPLAs, IFLs, PALs usw.) entwickeln,
programmieren und testen lassen.
programmable peripheral interface (PPI)
**programmierbarer peripherer Ein-
Ausgabe-Baustein** m
programmable read-only memory (PROM)
Read-only memory which can be programmed
by the user by blowing fusible links. The
memory content can be programmed only once
and cannot be altered subsequently.
programmierbarer Festwertspeicher m
(PROM)
Festwertspeicher, der vom Anwender durch
Wegbrennen von Durchschmelzverbindungen
programmiert werden kann. Der
Speicherinhalt kann nur einmal programmiert
und danach nicht mehr verändert werden.
programmed interlock
programmierte Zugriffssperre f

programmed stop
programmierter Stopp m
programmer
Programmierer m
programming
Programmierung f
programming center
Programmierzentrale f
programming language
Programmiersprache f
programming logic
Programmierlogik f
programming manual, programming handbook
Programmierhandbuch n
programming method, programming technique
Programmiermethode f,
Programmierverfahren n
programming pulse width
Programmierimpulsbreite f
programming system
Programmiersystem n
programming technique
Programmierverfahren n
programming unit
Programmiergerät n
PROLOG [AI programming language based on
predicate logic]
PROLOG [KI-Programmiersprache, die auf
der Prädikatenlogik beruht]
PROM (programmable read-only memory)
Read-only memory which can be programmed
by the user by blowing fusible links. The
memory content can be programmed only once
and cannot be altered subsequently.
PROM m, programmierbarer Festwertspeicher
Festwertspeicher, der vom Anwender durch
Wegbrennen der Durchschmelzverbindungen
programmiert werden kann. Der Speicherinhalt kann nur einmal programmiert und
danach nicht mehr verändert werden.
prompt [ready symbol of a system waiting for an
operator input]
Bereitschaftszeichen n, Eingabeaufforderung f [eines Systems, das auf eine
Eingabe durch den Bediener wartet]
prompting, operator guidance
Bedienerführung f
propagation
Ausbreitung f, Fortpflanzung f
propagation delay, propagation delay time
Time delay between the change of a signal (or
change in logic level) at the input and the
appearance of the signal at the output.
Verzögerungszeit f,
Ausbreitungsverzögerungszeit f
Die Verzögerungszeit zwischen der Änderung
eines Signals (bzw. der Umkehrung eines
Logikpegels) am Eingang und dem Auftreten
des Signals am Ausgang.

propagation time, delay time, transit time [of a signal]
    Laufzeit f [eines Signales]
proper subset
    echte Teilmenge f
proportional font
    Proportionalschrift f
proportional printing
    Proportionaldruck m
proposition
    Aussage f
propositional calculus [dual proposition: true and false]
    Aussagenlogik f [duale Aussage: wahr und unwahr]
protect by fuse, to
    absichern [durch eine Sicherung]
protected data
    geschützte Daten $n.pl.$
protected field [display field unaffected by keyboard entry]
    geschütztes Feld n [Bildschirmfeld, das von der Eingabetastatur nicht beeinflußt werden kann]
protected mode [DOS operating mode for direct addressing of extended memory of 80286, 80386 and 80486 processors; allows several applications to run simultaneously]
    geschützter Modus m [DOS-Betriebsart für die direkte Adressierung des Erweiterungs-speichers bei 80286-, 80386- und 80486-Prozessoren; erlaubt das gleichzeitige Ablaufen mehrerer Anwendungen]
protected storage area [blocked from undesired reading and/or overwriting]
    geschützter Speicherbereich m [gesperrt gegen unerwünschtes Lesen und/oder Überschreiben]
protected storage location
    geschützte Speicherstelle f, geschützte Speicherzelle f
protecting resistor
    Schutzwiderstand m
protective ground
    Schutzerde f
protocol, communications protocol [rules for data exchange between two partners, e.g. between computer and printer, between terminal and computer, between two computer systems, etc.]
    Protokoll n [Regeln für den Datenaustausch zwischen zwei Teilnehmern, z.B. zwischen Rechner und Drucker, zwischen Terminal und Rechner, zwischen zwei Rechner-systemen usw.]
protocol function
    Protokollfunktion f
protocol layer
    Protokollebene f, Protokollschicht f

proving
    Funktionsnachweis m
proximity sensor
    Näherungssensor m
proximity switch
    Näherungsschalter m, Annäherungsschalter
pseudo bit
    Pseudobit n
pseudo code
    Pseudocode m
pseudo instruction [instruction in a symbolic programming language; the operation part employs a mnemonic abbreviation, the operand address a symbolic address]
    symbolischer Befehl m, Pseudobefehl m [Befehl in einer symbolischen Programmiersprache; der Operationsteil verwendet eine mnemotechnische Abkürzung, die Operandadresse eine symbolische Adresse]
pseudostable
    pseudostabil
pseudostable output configuration
    pseudostabile Ausgangskonfiguration f
PSK method (pulse shift keying method)
    PSK-Verfahren n, Phasenumtastung f
PSW, program status word
    PSW, Programmstatuswort n
PTC resistor, PTC thermistor, thermistor (thermal resistor)
    Semiconductor component with a positive temperature coefficient (PTC), i.e. whose resistance increases as temperature rises.
    Kaltleiter m, PTC-Widerstand m, PTC-Thermistor m
    Halbleiterelement mit positivem Temperaturkoeffizienten, d.h. dessen Widerstand mit steigender Temperatur zunimmt.
PTM (pulse time modulation)
    PTM f, Pulszeitmodulation f
pull-down menu [screen windowing technique]
    Untermenü n, Pull-Down-Menü n [Bildschirmfenstertechnik]
pull-off strength
    Abreißkraft f
pull-up resistor
    Hochziehwiderstand m
pulse, impulse
    Impuls m
pulse amplifier
    Impulsverstärker m
pulse amplitude
    Impulsamplitude f, Impulshöhe f
pulse amplitude modulation (PAM)
    Pulsamplitudenmodulation f (PAM)
pulse code modulation (PCM)
    Pulscodemodulation f (PCM)
pulse counter
    Impulszähler m

pulse decay time, fall time [from 90 to 10% of pulse amplitude]
Impulsabklingzeit *f,* Abfallzeit *f* [von 90 auf 10% der Impulsamplitude]
pulse delay circuit
Impulsverzögerungsschaltung *f*
pulse divider, pulse scaler
Impulsteiler *m,* Impulsuntersetzer *m*
pulse driver
Pulstreiber *m*
pulse duration, pulse width [time interval between the leading and trailing edges of a pulse referred to a stated fraction of the pulse amplitude, usually 50%]
Impulsdauer *f,* Impulsbreite *f,* Impulslänge *f* [Zeitspanne zwischen der Vorder- und Rückflanke eines Impulses bezogen auf einen definierten Bruchteil der Impulshöhe, meistens 50%]
pulse duration modulation (PDM), pulse width modulation
Impulsdauermodulation *f,* Impulsbreitenmodulation *f*
pulse edge, edge
Impulsflanke *f,* Flanke *f*
pulse equalizer
Impulsentzerrer *m*
pulse frequency
Impulsfrequenz *f*
pulse frequency modulation (PFM)
Pulsfrequenzmodulation *f* (PFM)
pulse function
Diracsche Funktion *f,* Impulsfunktion *f*
pulse generator [for producing pulse trains]
Impulsgeber *m,* Impulsgenerator *m* [zur Erzeugung von Impulsfolgen]
pulse interleaving
Impulsverschachtelung *f*
pulse jitter [relatively small variations of pulse spacing in a pulse train]
Impulszittern *n* [relativ kleine Schwankungen des zeitlichen Abstandes einer Impulsfolge]
pulse keyed
pulsgetastet, impulsgetastet
pulse level
Impulspegel *m*
pulse modulation [magnetic recording]
Impulsmodulationsaufzeichnung *f* [magnetische Aufzeichnung]
pulse operation
Impulsbetrieb *m*
pulse peak, pulse spike
Impulsspitze *f*
pulse phase modulation (PPM)
Pulsphasenmodulation *f* (PPM)
pulse rate
Impulsrate *f*
pulse regeneration [restoring the original form, amplitude and timing of a pulse train]

Impulsregenerierung *f* [Wiederherstellung der ursprünglichen Form sowie der Amplituden- und Zeitverhältnisse einer Impulsfolge]
pulse repetition frequency (PRF) [number of pulses per second]
Impulsfolgefrequenz *f* [Anzahl Impulse pro Sekunde]
pulse rise time, rise time [from 10 to 90% of pulse amplitude]
Impulsanstiegszeit *f,* Anstiegszeit *f* [von 10 auf 90% der Impulsamplitude]
pulse scaler, pulse divider
Impulsuntersetzer *m,* Impulsteiler *m*
pulse shape
Impulsform *f*
pulse shaper
Impulsformer *m,* Pulsformer *m*
pulse slope
Flankensteilheit *f* [bei Impulsen]
pulse spike, spike
Nadelimpuls *m*
pulse stretcher circuit
Impulsdehnerschaltung *f*
pulse tilt, pulse droop [distortion of a rectangular pulse; rising or falling pulse top]
Impulsdachschräge *f,* Dachschräge *f* [Verzerrung eines Rechteckimpulses; ansteigendes oder abfallendes Impulsdach]
pulse time modulation (PTM)
Pulszeitmodulation *f* (PTM)
pulse top [e.g. of a rectangular pulse]
Impulsdach *n* [z.B. eines Rechteckimpulses]
pulse train [a sequence of pulses]
Impulsfolge *f,* Impulsserie *f,* Impulszug *m* [eine Folge von Impulsen]
pulse transformer [designed for transferring pulses with short rise and fall times]
Impulsübertrager *m* [ausgelegt für die Übertragung von Impulsen mit kurzen Anstiegs- und Abfallzeiten]
pulse transmitter
Impulssender *m*
pulsed drain current
gepulster Drainstrom *m*
punch-through
Durchgriff *m*
punch-through current
Durchgreifstrom *m*
punch-through effect
Durchgreifeffekt *m*
punch-through voltage
Durchgreifspannung *f*
punched card
Lochkarte *f*
punched strip
Lochband *n*
punched tape
Lochstreifen *m*

punched tape code
  Lochstreifencode *m*
punctuation character
  Satzzeichen *n*
punctuation symbol
  Interpunktionssymbol *n*
punctured [insulation]
  durchgeschlagen [eine Isolation]
pure binary notation [representation of a
  decimal number as a whole by binary digits; in
  contrast to representation of individual decimal
  digits using binary coded decimals]
  reine Binärdarstellung *f* [Darstellung einer
  Dezimalzahl gesamthaft durch Binär-zeichen;
  im Gegensatz zu binärcodierten Dezimalziffern]
purge a file, to
  Datei löschen
purging [of files]
  Bestandbereinigung *f* [bei Dateien]
push, to [register content into stack]
  eingeben, schieben [Registerinhalt in
  Stapelspeicher]
push-down list, LIFO list [list in which the last
  item stored is the first to be retrieved (last-
  in/first-out)]
  Kellerliste *f*, LIFO-Liste *f*, Stapel *m* [eine
  Liste, in der die letzte Eintragung als erste
  wiedergefunden wird]
push-down stack [stack with return address]
  Rückstellstapel *m* [Kellerspeicher mit
  Rücksprungadresse]
push-pull amplifier
  Gegentaktverstärker *m*
push-pull circuit [a balanced circuit using two
  amplifying devices operating in phase
  opposition]
  Gegentaktschaltung *f* [eine symmetrische
  Schaltung, die zwei gegenphasig gesteuerte
  Verstärkerbausteine verwendet]
push-pull complementary collector circuit
  Gegentaktkollektorschaltung *f*
push-pull input
  Gegentakteingang *m*
push-pull operation
  Gegentaktbetrieb *m*
push-pull output
  Gegentaktausgang *m*
push-pull power amplifier
  Gegentaktleistungsverstärker *m*
push-pull rectifier
  Gegentaktgleichrichter *m*
push-pull voltage
  Gegentaktspannung *f*
push-up list, queue, FIFO list [list in which the
  first item stored is the first to be retrieved
  (first-in/first-out)]
  Schiebeliste *f*, Schlange *f*, FIFO-Liste *f* [eine
  Liste, in der die erste Eintragung als erste
  wiedergefunden wird]

push-up storage
  Wartespeicher *m*
put statement
  Ablegeanweisung *f*
PVD process (physical vapour deposition
  process) [a deposition process, e.g. sputtering]
  PVD-Verfahren *n* [ein Abscheideverfahren,
  z.B. Sputtern]

Q

QA (Quality Assurance)
Qualitätssicherung f
QC (Quality Control)
Qualitätskontrolle f
QIC (quarter inch cartridge) [drive standard for
tape drives]
QIC [Standard für Viertelzoll-Bandlaufwerke]
QIC streamer
QIC-Streamer m, QIC-Magnetbandstation f
QIL package, QUIL package, quad inline
package [package with four parallel rows of
terminals at right angles to the body]
QIL-Gehäuse n, QUIL-Gehäuse n [Gehäuse
mit vier parallelen Reihen rechtwinklig
abgebogener Anschlußstifte]
QL (Query Language) [special, easy-to-learn
language for data base transactions,
particularly for retrieval, insertion,
modification and deletion of records]
Abfragesprache f, Datenbank-abfragesprache
f [spezielle, leicht erlernbare Sprache für
Datenbankabfragen, besonders für das
Abrufen, Einfügen, Verändern und Löschen von
Datensätzen]
quad density [data medium]
vierfache Dichte f [Datenträger]
quad in-line package, QIL package [package
with four parallel rows of terminals at right
angles to the body]
QIL-Gehäuse n [Gehäuse mit vier parallelen
Reihen rechtwinklig abgebogener
Anschlußstifte]
quad operational amplifier
Vierfach-Operationsverstärker m
quadratic equation
quadratische Gleichung f
quadrature component, imaginary part [of a
vector]
Blindkomponente f [eines Vektors]
qualification approval test [quality control]
Qualifikationsprüfung f [Qualitätskontrolle]
quality assurance (QA)
Qualitätssicherung f
quality control (QC)
Qualitätskontrolle f
quality factor, Q-factor [of a resonant circuit:
ratio of stored/dissipated energy; of inductors
and capacitors: reactance/resistance; of
transistors: measure for high-frequency
characteristics]
Gütefaktor m [eines Schwingkreises:
Verhältnis von Gesamtenergie/Energieverlust;
von Spulen und Kondensatoren: Blind-/
Wirkanteil des Scheinwiderstandes; von
Transistoren: Maß für die Hochfrequenz-

eigenschaften]
quantization
Quantisierung f
quantization error
Quantisierungsfehler m
quantization level
Quantisierungspegel m
quantization noise
Quantisierungsrauschen n
quantization step
Quantisierungsstufe f
quantum theory
Quantentheorie f
quantum well structure [a double-
heterostructure comprising a very thin layer of
a semiconductor material with a small band
gap embedded between thicker layers of
another semiconductor material with a larger
band-gap; is used for extremely fast field-effect
transistors and optoelectronic components]
Quantum-Well-Struktur f
[Doppelheterostruktur, bei der eine sehr dünne
Schicht eines Halbleiters mit geringem Bandabstand zwischen dickeren Schichten eines
Halbleiters mit größerem Bandabstand eingebettet ist; wird bei der Herstellung extrem
schneller Feldeffekttransistoren und optoelektronischer Bauelemente genutzt]
quartz, quartz crystal, crystal
Quarz m, Quarzkristall m
quartz controlled, crystal controlled
quarzgesteuert
quartz-controlled generator, crystal-controlled
generator
quarzgesteuerter Generator m
quartz filter, crystal filter
Quarzfilter n
quartz oscillator, crystal oscillator
Quarzoszillator m
quartz resonator, crystal resonator
Schwingquarz m, Quarzresonator m
query [data base]
Abfrage f [Datenbank]
query language (QL) [special, easy-to-learn
language for data base transactions,
particularly for retrieval, insertion,
modification and deletion of records]
Query-Sprache f, Datenbankabfragesprache f
[spezielle, leicht erlernbare Sprache für Datenbankabfragen, besonders für das Abrufen,
Einfügen, Verändern und Löschen von
Datensätzen]
queue, push-up list, FIFO list
Warteschlange f, Schiebeliste f, FIFO-Liste f
queue management
Warteschlangenverwaltung f
queued access technique
erweiterte Zugriffsmethode f
queuing theory

Warteschlangentheorie f
quibinary code [similar to the biquinary code, a
  code comprising 7 bits, also called two-out-of-
  seven code; in each character five of the seven
  bits are binary zero and two are binary one, e.g.
  the digit 7 is represented by 0100010]
  Quibinärcode m [ähnlich dem Biquinärcode,
  ein Code aus 7 Bits, auch Zwei-aus-Sieben-
  Code genannt; bei jedem der Zeichen sind fünf
  der sieben Bits binär Null und zwei binär Eins,
  z.B. die Ziffer 7 wird durch 0100010 dargestellt]
quicksort, partition exchange sort [sorting
  method]
  Austauschsortieren n, Quicksort-Verfahren n
  [Sortierverfahren]
quiescent current
  Ruhestrom m
quiescent point
  Ruhepunkt m
quiescent state, idle state, idle condition
  Ruhezustand m
QUIL package, quad inline package [package
  with four parallel rows of terminals at right
  angles to the body]
  QUIL-Gehäuse n [Gehäuse mit vier parallelen
  Reihen rechtwinklig abgebogener Anschluß-
  stifte]
quit
  verlassen
quote, quotation mark
  Anführungszeichen n
quotient [result of a division]
  Quotient m [Ergebnis einer Division]
quotient register
  Quotientenregister n
QWERTY keyboard [English-language
  keyboard]
  QWERTY-Tastatur f [englischsprachige
  Tastatur]
QWERTZ keyboard [German-language
  keyboard]
  QWERTZ-Tastatur f [deutschsprachige
  Tastatur]

R

rack [e.g. standard 19-inch rack for plug-in units]
Gestell *n*, Rahmen *m* [z.B. 19-Zoll Normgestell für Einschübe]
radiation, irradiation
Strahlung *f*, Abstrahlung *f*
radiation diagram [optoelectronics]
Strahlungsdiagramm *n* [Optoelektronik]
radio frequency transistor (RF transistor) [a transistor with high cut-off frequency]
HF-Transistor *m* [ein Transistor mit hoher Grenzfrequenz]
radix notation [representation of a number as product of numerical value and powers of a base; this base is usually 2 (binary system), 8 (octal system), 10 (decimal system) or 16 (hexadecimal system)]
Radixschreibweise *f* [Darstellung einer Zahl als Produkt von Zahlenwert und Potenz einer Grundzahl (Basis); diese Basis ist üblicherweise 2 (Dualsystem, auch Binärsystem genannt), 8 (Oktalsystem), 10 (Dezimalsystem) oder 16 (Hexadezimalsystem)]
radix point [e.g. decimal point in the case of decimal notation]
Radixpunkt *m* [z.B. Dezimalpunkt oder Komma bei der Dezimalschreibweise]
ragged left margin [text formatting without alignment of left margin]
rechtsbündiger Flattersatz *m* [rechtsbündige Textformatierung ohne Ausgleich des linken Randes]
ragged right margin [text formatting without alignment of right margin]
linksbündiger Flattersatz *m* [linksbündige Textformatierung ohne Ausgleich des rechten Randes]
RALU, registers and arithmetic-logic unit [bit-slice processor with registers]
RALU, Register mit arithmetisch-logischer Einheit *n.pl.* [Bit-Slice-Prozessor mit Registern]
RAM (random access memory), read-write memory
Memory in which each storage cell is directly accessible in any desired sequence. This means that access time is the same for all storage locations. The term RAM is normally used to denote integrated circuit read-write memories. There are basically two types: dynamic (DRAMs) and static (SRAMs) memories. In dynamic memories information is stored as a charge on a capacitance and needs periodic refreshing. In static memories, flip-flops are used as memory cells. Hence there is no need for data regeneration.
RAM *m*, Speicher mit wahlfreiem Zugriff *m*,

Schreib-Lese-Speicher *m*
Speicher, bei dem auf jedes Speicherelement in jeder gewünschten Reihenfolge zugegriffen werden kann. Dadurch ist die Zugriffszeit zu jeder Speicherzelle gleich lang. Die Bezeichnung RAM wird normalerweise für Schreib-Lese-Speicher in integrierter Schaltungstechnik verwendet. Man unterscheidet grundsätzlich zwischen dynamischen (DRAMs) und statischen (SRAMs) Schreib-Lese-Speichern. Beim dynamischen Speicher wird die Information als Ladung in einer Kapazität gespeichert und muß periodisch aufgefrischt werden. Beim statischen Speicher werden Flipflops als Speicherzellen verwendet. Die gespeicherten Informationen müssen daher nicht regeneriert werden.
RAM board [printed circuit board containing one or more RAMs]
RAM-Karte *f* [Leiterplatte, die ein oder mehrere RAMs enthält]
RAM cache memory, RAM caching [cache memory used for accelerating data transfer between main memory and processor]
RAM-Cachespeicher *m* [Zwischenspeicher zur Beschleunigung der Datenübertragung zwischen Hauptspeicher und Prozessor]
RAM disk, RAM drive, virtual drive [defines part of main memory as logical drive so as to accelerate file access]
RAM-Laufwerk *n*, virtuelles Laufwerk *n* [definiert einen Speicherbereich als logisches Laufwerk, um den Dateizugriff zu beschleunigen]
RAM module
RAM-Baustein *m*
random access
wahlfreier Zugriff *m*
random-access addressing, random accessing
Adressierung für direkten Zugriff *f*
random-access device [e.g. floppy disk or disk storage in contrast to magnetic tape storage]
Gerät mit wahlfreiem Zugriff *n* [z.B. Diskette oder Plattenspeicher im Gegensatz zum Magnetbandspeicher]
random access file, direct access file
Direktzugriffsdatei *f*
random access memory (RAM), read-write memory
Schreib-Lese-Speicher *m*, Speicher mit wahlfreiem Zugriff *m* (RAM)
random error
zufälliger Fehler *m*, Zufallsfehler *m*
random failure [failures resulting in a constant failure rate]
Zufallsausfall *m* [Ausfälle, die eine konstante Ausfallrate ergeben]
random noise

Zufallsrauschen *n*
random number generator
Zufallszahlengenerator *m*
random processing
wahlfreie Verarbeitung *f*
random pulse generator
Zufallsimpulsgenerator *m*
random read cycle time
Zykluszeit für wahlfreies Lesen *f*
random routing
Zufallsleitweg *m*
random variable
Zufallsvariable *f*
random write cycle time
Zykluszeit für wahlfreies Schreiben *f*
range
Bereich *m*
range distribution [in ion implantation]
Reichweiteverteilung *f* [bei der
Ionenimplantation]
range of a variable
Bereich einer Variablen *m*
range switch [e.g. of a measuring instrument]
Bereichsumschalter *m* [z.B. eines
Meßgerätes]
range switching
Bereichsumschaltung *f*
rapid thermal annealing (RTA) [semiconductor
technology]
Kurzzeitausheilung *f* [Halbleitertechnik]
RAS (row-address strobe)
Signal for addressing memory cells in the rows
of an integrated circuit memory device in which
the cells are arranged in an array (e.g. in
RAMs).
RAS *m*, Zeilenadressenimpuls *m*
Signal für die Zeilenadressierung bei
Halbleiterspeichern mit matrixförmiger
Anordnung der Speicherzellen (z.B. bei RAMs).
raster [matrix-like display]
Raster *m* [matrixförmige
Bildschirmdarstellung]
raster display, raster-scan display [screen
having picture elements arranged in a matrix]
Rasterbildschirm *m* [Bildschirm mit
matrixförmig angeordneten Bildelementen]
raster font, bitmap font, bitmapped font [stored
as bit pattern, in contrast to vector font]
Rasterschriftart *f*, Bitmap-Schriftart *f*
[gespeichert als Bitmuster, im Gegensatz zur
Vektorschriftart]
raster graphics [graphics generated on a raster
display]
Rastergraphik *f* [graphische Darstellung auf
einem Rasterbildschirm]
raster image processor (RIP)
Rasterbild-Prozessor *m*
raster scan [horizontal sweep of screen]
Rasterabtastung *f* [horizontale

Bildabtastung]
rasterscan technique [chip production]
Rasterscan-Verfahren *n* [Chipherstellung]
rate converter [speed or baud rate conversion
during data transmission]
Geschwindigkeitsumsetzer *m* [Umsetzung
der Geschwindigkeit bzw. Baudrate bei der
Datenübertragung]
rate growth [crystal growing process]
A process for growing semiconductor crystals
allowing crystals to be produced which have
alternate n-type and p-type layers.
Stufenziehen *n* [Kristallziehverfahren]
Ein Ziehprozeß bei der
Halbleiterkristallherstellung, mit dem ein
Kristall mit abwechselnd N-leitenden und P-
leitenden Schichten gezogen wird.
rated current, current rating
Nennstrom *m*
rated power, power rating
Nennleistung *f*
rated value
Nennwert *m*
rated voltage, voltage rating
Nennspannung *f*
rational fraction
rationaler Bruch *m*
RAW technique (Read-After-Write) [verifying
procedure for data storage]
Kontroll-Leseverfahren *n*, RAW-Verfahren *n*
[Kontrolle der Speicherung durch Lesen nach
dem Schreiben]
RB (return-to-bias recording) [magnetic tape
recording method]
Schreibverfahren mit Rückkehr zur
Grundmagnetisierung *f* [Schreibverfahren
für die Magnetbandaufzeichnung]
RC amplifier
RC-Verstärker *m*, Widerstandsverstärker *m*
RC coupling, resistance-capacitor coupling
RC-Kopplung *f*, Widerstands-Kondensator-
Kopplung *f*
RC network, RC circuit [consisting of resistors
and capacitors]
RC-Netzwerk *n*, RC-Schaltung *f* [bestehend
aus Widerständen und Kondensatoren]
RCTL (resistor-capacitor-transistor logic)
Variant of the RTL family of logic circuits
which uses capacitors to increase switching
speed.
RCTL *f*, Widerstand-Kondensator-Transistor-
Logik *f*
Variante der RTL-Schaltungsfamilie, bei der
Kondensatoren zur Erhöhung der
Schaltgeschwindigkeit verwendet werden.
RDY (ready)
bereit
re-store, to; restore, to
umspeichern, wieder speichern, neu

speichern
reactance
Reaktanz *f,* Blindwiderstand *m*
reaction
Rückwirkung *f*
reaction time
Reaktionszeit *f*
reactive dry etching
reaktives Trockenätzen *n*
reactive ion beam etching (RIBE) [a dry
etching process]
reaktives Ionenstrahlätzen *n* [ein
Trockenätzverfahren]
reactive ion etching (RIE) [a dry etching
process]
reaktives Ionenätzen *n* [ein
Trockenätzverfahren]
reactive power [imaginary part of power]
Blindleistung *f* [Blindkomponente der
Leistung]
reactive sputtering [a deposition process]
reaktive Kathodenzerstäubung *f,* reaktives
Sputtern *n* [ein Abscheideverfahren]
read, to [fetch data from a storage location or
from a storage]
lesen [Datenentnahme aus einer Speicherzelle
bzw. aus einem Speicher]
read, to; sense, to [a storage medium]
abfühlen, abtasten [eines Speicherträgers]
read access time
Lesezugriffszeit *f*
read after enable hold time
Haltezeit für Lesen nach Freigabe *f*
read before enable set-up time
Vorbereitungszeit für Lesen-Freigabe *f*
read command hold time [integrated circuit
memories]
Lesekommandohaltezeit *f* [integrierte
Speicherschaltungen]
read command set-up time
Lesekommandovorlaufzeit *f*
read cycle
Lesezyklus *m*
read cycle time
Lesezykluszeit *f*
read data bus
Datenlesebus *m*
read error
Lesefehler *m*
read head, reading head
Lesekopf *m*
read in, to; write, to [data into storage]
einlesen, einspeichern [von Daten in einen
Speicher]
read instruction
Lesebefehl *m*
read mode [operational mode of memories]
Lesebetrieb *m* [Betriebsart bei Speichern]
read modify-write cycle

Lese-Änderungs-Schreibzyklus *m,* Zyklus
für Lesen mit modifiziertem Rückschreiben *m*
read modify-write cycle time
**Zykluszeit für Lesen mit modifiziertem
Rückschreiben** *f*
**read modify-write mode, read-modify-write
(RMW)**
Lesen mit modifiziertem Rückschreiben *n*
read-only file
schreibgeschützte Datei *f*
read-only memory (ROM)
Memory from which stored information can
only be read out and which, in normal
operation, cannot be erased or altered.
Festwertspeicher *m,* Nur-Lese-Speicher *m,*
ROM *m*
Speicher, dessen Inhalt nur gelesen und im
normalen Betrieb weder gelöscht noch
verändert werden kann.
read operation
Lesevorgang *m*
read out, to [data from storage]
auslesen, ausspeichern [von Daten aus einem
Speicher]
read pulse, read-out pulse
Leseimpuls *m*
read signal
Lesesignal *n*
read statement
Leseanweisung *f*
read time
Lesezeit *f*
read-while-write mode [integrated circuit
memories]
Lesen-während-Schreiben *n* [integrierte
Speicherschaltungen]
read-write amplifier
Lese-Schreib-Verstärker *m*
read-write cycle
Lese-Schreib-Zyklus *m*
read-write cycle time
Lese-Schreib-Zykluszeit *f*
read-write head
Lese-Schreibkopf *m*
read-write input
Lese-Schreib-Eingang *m*
read-write memory (R/W memory)
Lese-Schreib-Speicher *m*
read-write pulse
Lese-Schreib-Impuls *m*
read-write register
Lese-Schreib-Register *n*
read-write storage
Lese-Schreib-Speicher *m*
reading
Lesen *n*
reading head, read head
Lesekopf *m*
reading speed

Lesegeschwindigkeit *f*
reading track
  Lesespur *f*
ready (RDY)
  bereit
ready, to; make available, to
  bereitstellen
ready for use, to; ready for operation, to
  betriebsbereit machen
ready state
  Bereitschaftszustand *m*
real address [actual physical address in main
  storage]
  reale Adresse *f*, echte Adresse *f* [tatsächliche
  Adresse im Hauptspeicher]
real mode [processor operating mode similar to
  that of a 8086 processor, i.e. for a computer
  with a main memory less than 1 MB]
  Real-Modus *m* [Prozessorbetriebsart ähnlich
  der eines 8086-Prozessors, d.h. für einen
  Rechner mit weniger als 1 MB Hauptspeicher]
real number
  reelle Zahl *f*
real part
  Realteil *m*
real-time clock (RTC) [generates periodic
  signals which can be used for giving the time of
  day; is needed for real-time operation]
  Realzeituhr *f*, Echtzeittaktgeber *m*,
  Echtzeituhr *f* [erzeugt periodische Signale, die
  zur Berechnung der Tageszeit verwendet
  werden können; wird für den Realzeitbetrieb
  benötigt]
real-time computer system, real-time system
  Realzeitrechnersystem *n*, Realzeitsystem *n*
real-time control
  Realzeitsteuerung *f*
real-time input
  Realzeiteingabe *f*, Echtzeiteingabe *f*
real-time operation [processing of data at the
  time they are generated; in contrast to batch
  processing in which data are collected and then
  processed in batches]
  Realzeitbetrieb *m*, Echtzeitbetrieb *m*
  [Verarbeitung der Daten zum Zeitpunkt ihrer
  Generierung; im Gegensatz zur
  Stapelverarbeitung, bei der die Daten
  gesammelt und dann schubweise verarbeitet
  werden]
real-time processing
  Realzeitverarbeitung *f*, Echtzeitverarbeitung
real-time programming
  Realzeitprogrammierung *f*
real-time programming language
  Realzeitprogrammiersprache *f*
real-time receiver
  Echtzeitempfänger *m*
real-time simulation
  Realzeitsimulation *f*, Echtzeitsimulation *f*

receiver
  Empfänger *m*
receiving inspection [inspection of incoming
  products]
  Eingangsprüfung *f* [Prüfung der
  angelieferten Produkte]
reciprocal value
  reziproker Wert *m*
reciprocity
  Reziprozität *f*
recode, to
  umcodieren
recombination
  The combination or reunion of electrons and
  holes or of positive and negative ions.
  Rekombination *f*
  Die Vereinigung bzw. Wiedervereinigung von
  Elektronen und Defektelektronen oder von
  positiven und negativen Ionen.
recombination center
  Impurities, lattice imperfections, etc. within a
  semiconductor or on its surface which lead to
  the recombination of charge carriers.
  Rekombinationszentrum *n*
  Störstellen, Gitterfehler usw. innerhalb eines
  Halbleiters oder an seiner Oberfläche, die zur
  Rekombination von Ladungsträgern führen.
recombination rate
  Rekombinationsrate *f*
recombination velocity
  The speed with which electrons and holes or
  positive and negative ions unite or reunite.
  Rekombinationsgeschwindigkeit *f*
  Die Geschwindigkeit, mit der sich Elektronen
  und Defektelektronen bzw. positive und
  negative Ionen vereinigen bzw.
  wiedervereinigen.
reconfiguration
  Rekonfiguration *f*
record, data record [set of related data treated as
  a unit; a record comprises several data fields,
  several records form a block; a record can be
  blocked or unblocked and of fixed or variable
  length]
  Satz *m*, Datensatz *m* [zusammenhängende
  Daten, die als Einheit betrachtet werden; ein
  Satz besteht aus mehreren Datenfeldern;
  mehrere Sätze bilden einen Block; ein Satz
  kann geblockt oder ungeblockt und von fester
  oder variabler Länge sein]
record, to
  aufzeichnen
record address
  Satzadresse *f*
record area
  Satzbereich *m*
record block, block
  Satzblock *m*, Block *m*
record-by-record

satzweise
record count
Satzzählung f
record description
Satzbeschreibung f
record format, record layout
Satzformat n, Satzstruktur f
record gap, interrecord gap
Satzzwischenraum m
record key
Datensatzschlüssel m
record label
Satzkennung f
record layout, record format
Satzstruktur f, Satzformat n
record length
Satzlänge f
record name
Satzname m, Datensatzname m
record number
Satznummer f
record overflow
Satzüberlauf m
record parameter
Satzparameter m
record specifier
Datensatzparameter m
recorder
Schreiber m
recording density [of storage mediums]
Aufzeichnungsdichte f [bei Speichermedien]
recording instrument, recorder
Registriergerät n
recording mode
Aufzeichnungsverfahren n
recovery [of components]
Erholung f [von Bauelementen]
recovery [with programs]
Wiederherstellung f [bei Programmen]
recovery data
Wiederherstellungsdaten f.pl.
recovery procedure
Wiederherstellungsverfahren n
recovery routine
Wiederherstellungsprogramm n
recovery time [e.g. of a transistor]
Erholzeit f [z.B. eines Transistors]
rectangular pulse, square pulse
Rechteckimpuls m
rectifier circuit
Gleichrichterschaltung f
rectifier diode
Gleichrichterdiode f
rectifying metal-semiconductor junction,
non-ohmic metal-semiconductor junction
[Schottky contact]
sperrender Metall-Halbleiter-Übergang m
[Schottky-Kontakt]
recursion

Rekursion f
recursive
rekursiv
recursive program
rekursives Programm n
recursively solvable problem
rekursiv lösbares Problem n
redirection symbol [for redirecting from console
to input file (<) or from console to output file
(>)]
Umleitungssymbol n [für die Umleitung von
der Konsole auf eine Eingabedatei (<) bzw.
Ausgabedatei (>)]
redistribution [of electrons]
Rückverteilung f [von Elektronen]
redundancy [general]
Redundanz f [allgemein]
redundancy [in content of a message]
Weitschweifigkeit f [Redundanz im
Nachrichtengehalt]
redundancy check
Redundanzprüfung f
redundancy check character
Redundanzprüfzeichen n
redundant character
redundantes Zeichen n
redundant code [a code in which not all
available code combinations are utilized; a
redundant code enables automatic error
detection and correction methods to be applied]
redundanter Code m [Code, bei dem nicht
alle zur Verfügung stehenden
Verschlüsselungen benutzt werden; ein
redundanter Code erlaubt die Anwendung
automatischer Fehlererkennungs- und
Korrekturmethoden]
reentrant [in multiprogramming, a program that
can be simultaneously executed for several
users, i.e. it can be reentered at any point]
simultan aufrufbar [bei der
Multiprogrammierung ein Programm, das von
mehreren Benutzern gleichzeitig verwendet
werden kann, d.h. der Wiedereinstieg kann an
jedem Punkt erfolgen]
reentry point
Rücksprungstelle f, Wiedereintrittstelle f
reference address, base address [forms together
with the distance address the absolute address]
Bezugsadresse f, Basisadresse f [bildet
zusammen mit der Distanzadresse die absolute
Adresse]
reference bias
Bezugsvorspannung f
reference bit
Referenzbit n
reference current
Bezugsstrom m
reference diode, voltage reference diode
Referenzdiode f, Spannungsreferenzdiode f

reference element
Referenzelement *n*
reference filter
Meßfilter *n*, Referenzfilter *n*
reference frequency
Bezugsfrequenz *f*
reference input [automatic control]
Führungsgröße *f* [Regeltechnik]
reference level
Bezugspegel *m*
reference line
Referenzlinie *f*
reference point
Bezugspunkt *m*
reference signal
Bezugssignal *n*
reference tape, standard tape [tape with known properties]
Bezugsband *n* [Magnetband mit bekannten Eigenschaften]
reference value
Bezugswert *m*
reference voltage
Bezugsspannung *f*, Vergleichsspannung *f*, Referenzspannung *f*
reflected binary code, Gray code [a binary code for decimal digits in which, for minimizing scanning errors, the codes for consecutive numbers differ by only one bit]
reflektierter Binärcode *m*, Gray-Code *m* [ein Binärcode für Dezimalziffern, der Abtastfehler dadurch verringert, daß sich zwei aufeinanderfolgende Zahlenwerte nur in einem Bit unterscheiden]
reflection
Reflexion *f*
reflow soldering [process for the treatment of printed circuit boards]
Reflow-Löten *n*, Aufschmelzlöten *n* [Verfahren zur Behandlung von Leiterplatten]
reformat, to
neu formatieren, umformatieren
refraction [optoelectronics]
Brechung *f* [Optoelektronik]
refractory metal
hochschmelzendes Metall *n*, schwerschmelzbares Metall *n*
refractory metal silicide
hochschmelzendes Metallsilicid *n*, schwerschmelzbares Metallsilicid *n*
refresh, to
auffrischen
refresh cycle
Auffrischzyklus *m*
refresh display
Bildschirm mit Bildwiederholung *m*, Auffrischbildschirm *m*
refresh rate
Bildwiederholfrequenz *f*

refresh storage [a storage requiring periodic refreshing of the information stored]
Wiederholspeicher *m* [ein Speicher, dessen gespeicherte Informationen periodisch aufgefrischt werden müssen]
refresh time interval
Auffrischintervall *n*
refreshing [of information in dynamic memories for compensating charge losses]
Auffrischen *n* [von Informationen in dynamischen Speichern zum Ausgleich von Ladungsverlusten]
regenerate, to; rewrite, to [data]
regenerieren [Daten]
regeneration
Regenerierung *f*
regenerative storage
regenerativer Speicher *m*
register [storage device, usually consisting of flip-flops and hence with very short access time, for storing an operand, instruction or data word]
Register *n* [in der Regel ein aus Flipflops bestehender Speicher mit sehr kurzer Zugriffszeit zur Speicherung eines Operanden-, Befehls- oder Datenwortes]
register driver
Registertreiber *m*
register instruction
Registerbefehl *m*
register pair
Registerpaar *n*
register select (RS)
Registerauswahl *f*
registration [printed circuit boards]
Lagegenauigkeit *f* [Leiterplatten]
registration accuracy [printed circuit boards]
Abbildungsgenauigkeit *f* [Leiterplatten]
regression analysis
Regressionsanalyse *f*
relational data base system [uses a 2-dimensional table structure for storing records; in contrast to hierarchical and network-type structures]
relationales Datenbanksystem *n* [verwendet eine 2-dimensionale Tabellenstruktur zur Speicherung der Datensätze; im Gegensatz zu hierarchischen und Netzwerksystemen]
relative address
relative Adresse *f*
relative addressing [addressing referred to a base address contained in a register; is often used with jump instructions]
relative Adressierung *f* [Adressierung bezogen auf eine Grundadresse, die in einem Register enthalten ist; wird oft bei Sprungbefehlen verwendet]
relative file
relative Datei *f*

relative key
relativer Schlüssel m
relative programming
Programmierung mit relativen Adressen f
relaxation
Relaxation f
relaxation oscillator
Kipposzillator m, Kippschwinger m,
Relaxationsoszillator m
release [program release or version]
Version f [Programmversion]
release, to; enable, to
freigeben
reliability [the ability of an item to perform a
required function under stated conditions for a
stated period of time]
Zuverlässigkeit f [die Fähigkeit einer
Betrachtungseinheit eine vorgegebene
Funktion zu erfüllen und zwar unter
festgelegten Bedingungen und während einer
festgelegten Zeitdauer]
reliability characteristics
Zuverlässigkeitskenngrößen f.pl.
reliable, dependable
zuverlässig
relocatable
verschiebbar
relocatable code
verschiebbarer Code m
relocatable program [a program whose
addresses can be adjusted when the program is
moved into another address area]
verschiebbares Programm n, relativierbares
Programm n, Relativprogramm n [ein
Programm, dessen Adressen angepaßt werden
können, wenn das Programm in einen anderen
Adressenbereich verschoben wird]
relocate, to
verschieben
relocating loader [a program loader which
increases the addresses contained in a program
by an amount corresponding to the loading
address (program start); in contrast to an
absolute loader]
Relativlader m, Lader für verschiebbare
Programme m [ein Programmlader, der die im
Programm angegebenen Adressen um eine
Ladeadresse (Programmanfang) erhöht; im
Gegensatz zu einem Absolutlader]
relocation
Verschiebung f
REM instruction [in BASIC a statement
designating a comment or remark]
REM-Anweisung f [Anweisung zur
Kennzeichnung eines Kommentares in BASIC]
remainder [of an infinite series]
Restglied n [einer unendlichen Reihe]
remainder [remainder of a division]
Rest m [Divisionsrest]

remark, comment [in a program: explains the
programming step and is not processed by the
computer]
Kommentar n, Bemerkung f [in einem
Programm: erläutert den Programmierschritt
und wird vom Rechner nicht verarbeitet]
remedy [fault]
Abhilfe f [Fehler]
remote
entfernt, abgesetzt
remote control
Fernbedienung f, Fernsteuerung f
remote controlled
ferngesteuert
remote data collection
externe Datenerfassung f
remote data processing, teleprocessing
Datenfernverarbeitung f
remote display
Fernanzeige f
remote display device
Fernanzeigegerät n
remote job entry mode (RJE mode) [terminal
operating mode without interactive capability;
jobs entered from the terminal are batch
processed by the computer]
RJE-Betrieb m [Betriebsart eines Terminals,
bei der kein Dialog möglich ist; die vom
Terminal aufgegebenen Aufträge werden vom
Rechner in Stapelverarbeitung durchgeführt]
remote monitoring
Fernüberwachung f
remote periphery
abgesetzte Peripherie f
remote station
abgesetzte Station f
removable hard disk [exchangeable hard disk]
Wechselplatte f [auswechselbare
Magnetplatte]
rename, to
umbenennen, neu benennen
rental computer
Mietrechner m
reorder
umordnen
repair, corrective maintenance
Instandsetzung f
repair, to
instandsetzen
repair time, mean time to repair (MTTR)
Instandsetzungsdauer f, mittlere
Instandsetzungszeit f
repeat, to; rerun, to
wiederholen
repeat count
Wiederholzahl f
repeat function, continuous function
Wiederholfunktion f, Dauerfunktion f
repeater [telecommunications]

Zwischenverstärker *m*
[Kommunikationstechnik]
repeating decimal
periodischer Dezimalbruch *m*
repetition frequency, pulse repetition
frequency
Folgefrequenz *f,* **Impulsfolgefrequenz** *f*
repetition instruction
Wiederholbefehl *m*
replace, to; exchange, to
austauschen
replace, to; substitute, to
ersetzen
replacement character [COBOL]
Ersetzungszeichen *n* [COBOL]
replacement part [for maintenance]
Ersatzteil *n* [für die Wartung]
replacement unit, interchange unit
Austauscheinheit *f*
report, to; indicate, to; signal
melden
report file
Listendatei *f*
report generator, report program generator
(RPG) [program with formatting and
computational functions for the output of user-
specific lists or reports]
Listenprogrammgenerator *m,*
Listengenerator *m* [Programm mit Formatier-
und Rechenbefehlen zur Erstellung von
anwenderspezifischen Listen]
report item
Listenelement *n*
representation
Darstellung *f*
reprogram
umprogrammieren
REPROM (reprogrammable read-only memory)
Read-only memory that can be erased by
ultraviolet light and reprogrammed by the
user. Also called EPROM.
REPROM *m,* **umprogrammierbarer**
Festwertspeicher *m*
Festwertspeicher, der vom Anwender mit
Ultraviolettlicht gelöscht und elektrisch wieder
neu programmiert werden kann. Auch EPROM
genannt.
request [addressed to the operator or to a system
component]
Anforderung *f* [an den Bediener oder an ein
Systemteil]
request [for information from storage]
Anfrage *f* [Informationsanforderung vom
Speicher]
request parameter
Anforderungsparameter *m*
request signal
Rückfragesignal *n*
required hyphen, embedded hyphen, hard

hyphen [normal hyphen contained in a
hyphened word, in contrast to discretionary or
soft hyphen]
harter Bindestrich *m* [im Wort enthaltener
normaler Bindestrich, im Gegensatz zum
weichem Bindestrich]
rerun
Wiederholung *f,* **Wiederholungslauf** *m*
rerun routine
Wiederholprogramm *n*
rerun time
Wiederholungszeit *f*
rescanning
erneutes Durchsuchen *n,* **erneutes Abtasten**
rescue point
Wiedereinstiegspunkt *m*
reset (RES) [returning to a defined initial state,
e.g. clearing the contents of a register, memory,
etc.]
Rücksetzen *n,* **Reset** *n* [Zurückkehren zu
einem definierten Ausgangszustand, z.B.
Löschen des Inhaltes eines Registers, Speichers
usw.]
reset, to [to restore initial conditions]
rückstellen, rücksetzen [in Ausgangsstellung
bringen]
reset button [of a counter]
Rückstelltaste *f* [eines Zählers]
reset command
Reset-Befehl *m,* **Rücksetzbefehl** *m*
reset function
Rücksetzfunktion *f*
reset key [e.g. of a counter]
Löschtaste *f,* **Rücksetztaste** *f* [z.B. eines
Zählers]
reset key [used in a computer to abort the
running program and return to the initial state
or start condition]
Rücksetztaste *f,* **Reset-Taste** *f* [wird im
Rechner zwecks Abbrechen des laufenden
Programmes und Rückkehr zum Ausgangs-
bzw. Startzustand verwendet]
reset mode
Betriebsart "Rücksetzen" *f*
reset pulse
Rücksetzimpuls *m,* **Rückstellimpuls** *m*
reset time
Rückstellzeit *f*
resettable buffer storage
rückstellbarer Pufferspeicher *m*
reshape [pulses]
regenerieren [Impulse]
residence time [data processing]
Verweilzeit *f* [Datenverarbeitung]
resident [signifies that a program is
permanently stored in main memory]
speicherresident, resident [bedeutet, daß ein
Programm im Hauptspeicher permanent
abgelegt ist]

resident compiler
  residenter Compiler *m*
resident fonts [permanently stored in printer]
  eingebaute Schriften *f.pl.* [im Drucker
  abgespeicherte Schriften]
resident macroassembler
  residenter Makroassembler *m*
resident program
  residentes Programm *n*
resist, photoresist
  A photosensitive coating used in
  photolithography to cover the surface of the
  wafer to be masked. After exposure of the resist
  (usually with ultraviolet light) through a
  contact mask and removal of the unwanted
  portions of the resist, the required pattern for
  the etching process and the subsequent
  processing step, e.g. doping, is left on the wafer.
  Photolack *m*
  Strahlungsempfindlicher Lack, der in der
  Photolithographie zum Beschichten der
  Halbleiterscheibe benutzt wird. Nach der
  Bestrahlung des Photolackes (meistens mit UV-
  Licht) durch eine Kontaktmaske hindurch und
  Entfernung der unerwünschten Lackstellen
  entsteht auf der Scheibe das gewünschte
  Muster für den Ätzvorgang und den
  anschließenden Verfahrensschritt, z.B. die
  Dotierung.
resist coating
  Abdeckschicht *f*
resist image
  Abdeckbild *n*
resist mask, resist, mask
  Abdeckmaske *f*, Lackmaske *f*
resistance bridge
  Widerstandsbrücke *f*
resistance to impact, impact resistance
  Stoßfestigkeit *f*, Schlagfestigkeit *f*
resistance-capacitor coupling, RC coupling
  Widerstands-Kondensator-Kopplung *f*, RC-
  Kopplung *f*
resistive component [the real part of an
  impedance]
  ohmsche Komponente *f* [der reelle Teil einer
  Impedanz]
resistive coupling
  Widerstandskopplung *f*
resistive feedback
  Widerstandsrückkopplung *f*
resistive load
  ohmsche Belastung *f*, ohmsche Last *f*
resistive reverse current
  stationärer Sperrstrom *m*
resistivity
  spezifischer Widerstand *m*
resistor-capacitor-transistor logic (RCTL)
  Variant of the RTL family of logic circuits
  which uses capacitors to increase switching

speed.
  Widerstand-Kondensator-Transistor-Logik
  f (RCTL)
  Variante der RTL-Schaltungsfamilie, bei der
  Kondensatoren zur Erhöhung der
  Schaltgeschwindigkeit verwendet werden.
resistor network
  Widerstandsnetzwerk *n*
resistor pair
  gepaarter Widerstand *m*
resistor-transistor logic (RTL)
  Logic family in which logical functions are
  performed by resistors, the transistors acting
  as output inverters.
  Widerstand-Transistor-Logik *f* (RTL)
  Logikfamilie, bei der die logischen
  Verknüpfungen durch Widerstände ausgeführt
  werden und die Transistoren als
  Ausgangsinverter wirken.
resolution
  Auflösung *f*, Auflösungsvermögen *n*
resolution error
  Auflösungsfehler *m*
resolution time
  Auflösungszeit *f*
resolver, synchro [analog rotary position
  transducer comprising a rotor and a stator]
  Drehmelder *m* [analoges, rotatorisch
  arbeitendes Wegmeßgerät bestehend aus einem
  Rotor und einem Stator]
resonance
  Resonanz *f*
resonant tunneling transistor (RTT) [a
  transistor comprising a quantum well structure
  and which is based on the tunneling effect]
  resonanter Tunneltransistor *m* (RTT)
  [Transistor mit Quantum-Well-Struktur, der
  auf dem Tunneleffekt basiert]
resonator
  Resonator *m*
resource management
  Betriebsmittelverwaltung *f*
resources
  Betriebsmittel *n.pl.*
response time
  Ansprechzeit *f*, Antwortzeit *f*
restart (RST) [of a program after an
  interruption]
  Wiederanlauf *m*, Neustart *m* [eines
  Programmes nach einer Unterbrechung]
restart, warm boot [of a computer without
  switching off and on again, in contrast to cold
  boot]
  Wiederanlauf *m*, Warmstart *m*, Systemstart
  m [Aufstarten des Rechners ohne Aus- und
  Wiedereinschalten, im Gegensatz zum
  Kaltstart]
restart condition
  Wiederanlaufbedingung *f*

restart instruction
Wiederanlaufbefehl *m*
restart point
Wiederanlaufpunkt *m*, Wiederanlaufadresse
restart program
Wiederanlaufprogramm *n*
restorability [suitability for repair]
Instandsetzbarkeit *f* [Eignung für die
Instandsetzung]
restore, to
wiederherstellen
re-store, to
umspeichern, neu speichern
restore screen
Bildschirm wiederherstellen
restoring
Wiederherstellung *f*
restoring division
Division mit Bildung des positiven Restes
result
Ergebnis *n*
RET (Resolution Enhanced Technology) [method
developed by Hewlett-Packard for increasing
laser printer resolution by using variable point
size]
RET-Verfahren *n* [von Hewlett-Packard
entwickeltes Verfahren, um die Laserdruck-
Auflösung durch Verwendung variabler
Punktgröße zu erhöhen]
retention time [of a storage tube]
Speicherzeit *f* [bei einer Speicherröhre]
reticle [measuring element]
Strichplatte *f* [Meßelement]
reticle [photolithography]
The intermediate mask produced from the
initial artwork by a first photographic
reduction step. The reticle is then reproduced
with the aid of a step-and-repeat process and
reduced by a final reduction step to the
dimensions of the wafer.
Zwischenmaske *f*, Reticle *n*
[Photolithographie]
Die anhand der Maskenvorlage mittels
photographischer Verkleinerung erstellte
Zwischenmaske. Das Reticle wird anschließend
mit Hilfe eines Step-und-Repeat-Verfahrens
vervielfältigt und auf die Originalgröße des
Wafers verkleinert.
retransmission
nochmalige Übertragung *f*
retrieval [of data]
Wiederauffinden *n*, Wiedergewinnen *n* [von
Daten]
retrieval system
System zur
Informationswiedergewinnung *n*
retrieval time
Wiederauffindungszeit *f*
retrieve, to

wiederauffinden
retrofit, to
nachrüsten
retry, to
wiederholen
retuning
Nachstimmen *n*
return [e.g. to main program from a subroutine]
Rücksprung *m* [z.B. zum Hauptprogramm aus
einem Unterprogramm]
return address
Rücksprungadresse *f*
return instruction
Rücksprungbefehl *m*, Rückkehrbefehl *m*
return key, enter key
Eingabetaste *f*
return register
Rücksprungregister *n*
return statement
Rückgabeanweisung *f*
return-to-bias recording (RB) [magnetic tape
recording method]
Schreibverfahren mit Rückkehr zur
Grundmagnetisierung *f* [Schreibverfahren
für die Magnetbandaufzeichnung]
return-to-zero recording (RZ) [magnetic tape
recording method]
Schreibverfahren mit Rückkehr nach Null
n [Schreibverfahren für die
Magnetbandaufzeichnung]
reusable program
wiederverwendbares Programm *n*
reusability
Wiederverwendbarkeit *f*
reverse bias
Sperrspannung *f*
reverse biased
in Sperrichtung vorgespannt
reverse biasing, blocking [preventing forward
current flow in semiconductor devices]
Sperren *n* [bei Halbleiterbauteilen: den
Stromfluß in Vorwärtsrichtung verhindern]
reverse-blocking diode thyristor
rückwärtssperrende Thyristordiode *f*
reverse-blocking triode thyristor
rückwärtssperrende Thyristortriode *f*
reverse conducting
rückwärtsleitend
reverse-conducting diode thyristor
rückwärtsleitende Thyristordiode *f*
reverse-conducting triode thyristor
rückwärtsleitende Thyristortriode *f*
reverse current, reverse-bias current [the
current flowing through a pn-junction in
reverse direction]
Sperrstrom *m*, Rückwärtsstrom *m* [der durch
einen PN-Übergang in Rückwärtsrichtung
fließende Strom]
reverse current gain

Sperrstromverstärkung f
reverse dc resistance
Sperrwiderstand m
reverse direction [e.g. in the case of a pn-junction]
Sperrichtung f, Rückwärtsrichtung f [z.B. bei einem PN-Übergang]
reverse direction flow
Fluß in Gegenrichtung m
reverse Polish notation (RPN), postfix notation, parenthesis-free notation [eliminates brackets in mathematical operations, e.g. (a+b) is written as ab+ and c(a+b) as cab+*]
umgekehrte polnische Schreibweise f, Postfixschreibweise f, klammerfreie Schreibweise f [eliminiert Klammern bei mathematischen Operationen, z.B. wird (a+b) als ab+ und c(a+b) als cab+* geschrieben]
reverse recovered charge
Sperrverzugsladung f
reverse recovery current
Sperrverzögerungsstrom m
reverse recovery time
Sperrverzögerungszeit f
reverse saturation voltage
Sperrsättigungsspannung f
reverse scrolling
Rückwärtsrollen n
reverse transfer admittance
Rückwirkungsadmittanz f
reverse transfer capacitance
Rückwirkungskapazität f
reverse transfer impedance
Rückwirkungsimpedanz f
reverse transfer inductance
Rückwirkungsinduktivität f
reverse video, inverse video [dark characters on a bright background, in contrast to normal video display using light characters on a dark background]
negative Bildschirmdarstellung f, umgekehrte Bildschirmdarstellung f [dunkle Schrift auf hellem Hintergrund, im Gegensatz zur normalen Bildschirmdarstellung mit einer hellen Schrift auf dunklem Hintergrund]
reverse voltage
Rückwärtsspannung f, Sperrspannung f
reverse-voltage blocking capability
Gegenspannungssperrvermögen n
reverse-voltage transfer
Spannungsrückwirkung f
reverse-voltage-current characteristic
Rückwärtskennlinie f
reversible process
reversibler Prozeß m, umkehrbarer Prozeß m
rewind [magnetic tape]
rückspulen [Magnetband]
rewind speed [of magnetic tape drive]
Rückspulgeschwindigkeit f [eines

Magnetbandlaufwerkes]
rewritable disk, erasable disk [optical disk]
wiederbeschreibbare Platte f [optische Platte]
rewritable optical disk, (ROD)
wiederbeschreibbare optische Platte f
rewritable optical storage
wiederbeschreibbarer optischer Speicher
rewrite, to
wieder einschreiben
RF transistor, radio frequency transistor [a transistor with very high cut-off frequency]
HF-Transistor m [ein Transistor mit sehr hoher Grenzfrequenz]
RGB (Red Green Blue) [video signals for colour monitors]
RGB (Rot Grün Blau) [Videosignale für Farbbildschirme]
ribbon cable, flat cable
Bandkabel n, Flachkabel n
ribbon cartridge [of a printer]
Farbbandkassette f [eines Druckers]
RIBE (reactive ion beam etching) [a dry etching process]
reaktives Ionenstrahlätzen n [ein Trockenätzverfahren]
RIE, (reactive ion etching) [a dry etching process]
reaktives Ionenätzen n [ein Trockenätzverfahren]
right justification
Rechtsausrichtung f
right-justified
rechtsbündig, rechts ausgeglichen
right-justify, to
rechtsbündig ausführen, rechts ausgleichen
right margin
rechter Rand m
right parenthesis
rechte Klammer f
right shift [move bit patterns to the right]
Rechtsverschiebung f [Versetzen von Bitmustern nach rechts]
right shift, to
nach rechts verschieben
rightmost
niedrigstwertig
rigidly mounted
festmontiert
ring counter
Ringzähler m
ring line, loop [ring-type or looped data transmission line for connecting numerous data stations]
Ringleitung f [ringförmige Datenübertragungsleitung für das Zusammenschalten mehrerer Datenstationen]
ring network [local network for connecting data stations]
Ringnetz n [lokales Netz für den Anschluß von

Datenstationen]
ring oscillator
  Ringoszillator *m*
ring resonator
  Ringresonator *m*
ring structure [data organization with chaining]
  Ringstruktur *f* [Datenorganisation mit
  Verkettung]
ring topology [network]
  Ring-Topologie *f* [Netzwerk]
RIP (Raster Image Processor)
  Rasterbild-Prozessor *m*
ripple
  Welligkeit *f*
ripple adder
  Ripple-Zähler *m*
ripple filter [for filtering out ripple voltage
  (harmonics) in dc power supplies]
  Glättungsfilter *n*, Oberwellenfilter *n* [zum
  Aussieben der Brummspannung (Oberwellen)
  in Gleichstromversorgungen]
RISC (Reduced Instruction Set Computer)
  [computer designed to carry out a small
  number of simple instructions at high speed]
  RISC-Rechner *m*, Rechner mit reduziertem
  Befehlsvorrat *m* [Rechner, der ausgelegt wurde,
  eine kleine Zahl einfacher Befehle sehr schnell
  auszuführen]
rise time [of pulses: from 10 to 90% of pulse
  amplitude]
  Flankenanstiegszeit *f*, Anstiegszeit *f* [bei
  Impulsen: von 10 auf 90% der Impuls-
  amplitude]
rising edge
  Rise of a digital signal or a pulse.
  ansteigende Flanke *f*, steigende Flanke *f*,
  positive Flanke *f*
  Anstieg eines digitalen Signals oder eines
  Impulses.
RJE mode (remote job entry mode) [terminal
  operating mode without interactive capability;
  jobs entered from the terminal are batch
  processed by the computer]
  RJE-Betrieb *m* [Betriebsart eines Terminals,
  bei der kein Dialog möglich ist; die vom
  Terminal aufgegebenen Aufträge werden vom
  Rechner in Stapelverarbeitung durchgeführt]
RLE (Run Length Encoding) [a data compression
  algorithm taking advantage of redundance in
  repeated patterns]
  RLE [Algorithmus für die Datenkomprimierung, der die Redundanz von
  wiederholten Datenmustern nutzt]
RLL recording (Run-Length Limited) [recording
  method for hard disks using data compression]
  RLL-Aufzeichnung *f* [Aufzeichnungsmethode
  für Festplatten mit Datenkompression]
RMOS field-effect transistor (refractory metal-
  oxide-semiconductor field-effect transistor)

MOS field-effect transistor with a gate
consisting of a refractory metal (e.g.
molybdenum or tungsten).
RMOS-Feldeffekttransistor *m*
MOS-Feldeffekttransistor, dessen Gate
(Steuerelektrode) aus einem schwerschmelzbaren Metall (z.B. Molybdän oder
Wolfram) besteht.
rms value (root-mean-square value) [e.g. of
voltage or current]
  Effektivwert *m*, quadratischer Mittelwert *m*
  [z.B. der Spannung oder des Stromes]
RMW (read modify-write), read-modify-write
  mode
  Lesen mit modifiziertem Rückschreiben *n*
robot
  Roboter *m*
robotics
  Robotertechnik *f*
ROD (Rewritable Optical Disk)
  ROD [wiederbeschreibbare optische Platte]
roll-in, to [re-store data in main storage]
  einspeichern [Daten wieder einlagern in den
  Hauptspeicher]
roll-in/roll-out [of data in storage]
  abwechselndes Ein- und Ausspeichern *n*
  [von Daten]
roll-out, to [in a time-sharing computer system
  to transfer a running program of low priority
  from main to auxiliary storage]
  ausspeichern [in einem
  Mehrbenutzerrechnersystem das Verschieben
  eines laufenden Programmes niedriger
  Priorität vom Haupt- in einen Hilfsspeicher]
roll paper
  Rollenpapier *n*
roll paper feed [for printer]
  Endlospapierrollenzuführung *f* [für
  Drucker]
ROM (read-only memory) [memory from which
  stored information can only be read out and
  which, in normal operation, cannot be erased or
  altered]
  ROM *m*, Festwertspeicher *m*, Nur-Lese-
  Speicher *m* [Speicher, dessen Inhalt nur
  gelesen und im normalen Betrieb weder
  gelöscht noch verändert werden kann]
ROM BIOS [BIOS stored in ROM area of main
  memory]
  ROM-BIOS [BIOS im ROM-Bereich des
  Hauptspeichers gespeichert]
ROM board [printed circuit board containing one
  or more ROMs]
  ROM-Karte *f* [Leiterplatte, die ein oder
  mehrere ROMs enthält]
ROM chip enable
  In microprocessor-based systems, a signal
  which permits reading from a selected ROM.
  ROM-Chip-Freigabe *f*

Bei Mikroprozessorsystemen ein Signal, das
einen ausgewählten ROM für das Auslesen von
Daten freigibt.

ROM microprogramming
ROM-Mikroprogrammierung *f*
ROM-resident [program permanently contained
in a ROM storage area]
ROM-resident [Programm, das permanent in
einem ROM-Speicherbereich enthalten ist]
root directory
Wurzelverzeichnis *n*
root segment
Wurzelsegment *n*
root-mean-square value (rms value) [e.g. of
voltage or current]
Effektivwert *m,* quadratischer Mittelwert *m*
[z.B. der Spannung oder des Stromes]
rotary encoder, angular transducer [converts
mechanical angles into electric signals]
Drehgeber *m,* Winkelgeber *m* [wandelt
mechanische Winkel in elektrische Signale um]
rotation [graphical manipulation]
Rotation *f* [graphische Manipulation]
round, to; half-adjust, to
runden
round down, to [to the next lower value]
abrunden [zum nächst niedrigeren Wert]
round off, to [to the next lower or higher value]
ab- bzw. aufrunden [zum nächst niedrigeren
bzw. höheren Wert]
round robin method [allocation of equal time
slices to all processes]
Round-Robin-Verfahren *n* [Zuteilung gleich
großer Zeitscheiben an alle Prozesse]
round up, to [to the next higher value]
aufrunden [zum nächst höheren Wert]
rounding error
Rundungsfehler *m*
routine [self-contained program section for
solving an often-used specific task, e.g. for
executing mathematical functions]
Routine *f* [abgeschlossener Programmteil zur
Lösung einer spezifischen, oft verwendeten
Aufgabe, z.B. zur Ausführung mathematischer
Funktionen]
routine library
Routinebibliothek *f*
routine name
Routinename *m*
row [general]
Zeile *f* [allgemein]
row [in punched tapes and magnetic tapes: area
of parallel tracks usually storing one character]
Sprosse *f* [bei Lochstreifen und Magnetbänder:
Bereich der parallelen Spuren, der in der Regel
ein Zeichen speichert]
row address
Zeilenadresse *f*
row-address after row-address-select hold

time
**Haltezeit für Zeilenadresse nach
Zeilenadreßauswahl** *f*
row-address hold time
Zeilenadressenhaltezeit *f*
row-address latch
Zeilenadressenübernahmeregister *n*
row-address setup time
Zeilenadressenvorlaufzeit *f*
row-address strobe (RAS)
Signal for addressing memory cells in the rows
of an integrated circuit memory device in which
the cells are arranged in an array (e.g. in
RAMs).
Zeilenadressenimpuls *m* (RAS)
Signal für die Zeilenadressierung bei
Halbleiterspeichern mit matrixförmiger
Anordnung der Speicherzellen (z.B. bei RAMs).
row-address-select access time
Zugriffszeit ab Zeilenadreßauswahl *f*
**row-address-select after column-address-
select hold time**
**Haltezeit für Zeilenadreßauswahl nach
Spaltenadreßauswahl** *f*
row binary representation
zeilenbinäre Darstellung *f*
row decoder
Zeilendekodierer *m*
row driver
Zeilentreiber *m*
row pitch
Zeilenabstand *m*
row scanning
Zeilenabtastung *f*
row select
Zeilenauswahl *f*
RPG (report program generator), report
generator [program with formatting and
computational functions for the output of user-
specific lists or reports]
RPG, Listenprogrammgenerator *m* [Programm
mit Formatier- und Rechenbefehlen zur
Erstellung von anwenderspezifischen Listen]
RPN (reverse Polish notation), postfix notation,
parenthesis-free notation [eliminates brackets
in mathematical operations, e.g. (a+b) is
written as ab+ and c(a+b) as cab+*]
RPN, umgekehrte polnische Schreibweise *f,*
Postfixschreibweise *f,* klammerfreie
Schreibweise *f* [eliminiert Klammern bei
mathematischen Operationen, z.B. wird (a+b)
als ab+ und c(a+b) als cab+* geschrieben]
RS (register select)
Registerauswahl *f*
RS flip-flop, SR flip-flop, set-reset flip-flop [a
flip-flop with two inputs R and S; when S = 1
the circuit is set (state 1) and with R = 1 it is
reset (state 0)]
RS-Flipflop *n* [eine Kippschaltung mit zwei

Eingängen R und S; mit S = 1 wird die
Schaltung gesetzt (Zustand 1) und mit R = 1
wird sie rückgesetzt (Zustand 0)]
RS-232-C interface, EIA 232-C interface
[standard interface for serial asynchronous
data transmission according to EIA]
RS-232-C-Schnittstelle *f,* EIA-232-C-
Schnittstelle *f* [genormte Schnittstelle für die
asynchrone serielle Datenübertragung gemäß
EIA]
RST (restart) [of a program after an interruption]
Wiederanlauf *m,* Neustart *m* [eines
Programmes nach einer Unterbrechung]
RST flip-flop, triggered RS flip-flop, clocked RS
flip-flop [an RS flip-flop with an additional
input (T) for a trigger or clock signal]
RST-Flipflop *n,* getaktetes RS-Flipflop *n* [ein
RS-Flipflop mit einem zusätzlichen
Takteingang (T)]
RTA (rapid thermal annealing) [semiconductor
technology]
Kurzzeitausheilung *f* [Halbleitertechnik]
RTC (real-time clock) [generates periodic signals
which can be used for giving the time of day; is
needed for real-time operation]
Realzeituhr *f,* Echtzeittaktgeber *m,*
Echtzeituhr *f* [erzeugt periodische Signale, die
zur Berechnung der Tageszeit verwendet
werden können; wird für den Realzeitbetrieb
benötigt]
RTL (resistor-transistor logic)
Logic family in which logic functions are
performed by resistors, the transistors acting
as output inverters.
RTL *f,* Widerstand-Transistor-Logik *f*
Logikfamilie, bei der die logischen
Verknüpfungen durch Widerstände ausgeführt
werden und die Transistoren als
Ausgangsinverter wirken.
RTT (resonant tunneling transistor) [a transistor
comprising a quantum well structure and
which is based on the tunneling effect]
RTT *m,* resonanter Tunneltransistor *m*
[Transistor mit Quantum-Well-Struktur, der
auf dem Tunneleffekt basiert]
rule-of-signs
Vorzeichenregel *f*
rule-of-thumb
Faustregel *f*
run
Lauf *m*
run capable [program]
ablauffähig [Programm]
run duration, running time [of a program]
Durchlaufzeit *f* [eines Programmes]
run instruction [instruction for starting
program loaded in main memory]
Run-Befehl *m,* Programmstartbefehl *m*
[Startbefehl für im Hauptspeicher geladenes

Programm]
run length encoding (RLE) [a data compression
algorithm taking advantage of redundance in
repeated patterns]
RLE [Algorithmus für die Datenkomprimierung, der die Redundanz von wiederholten
Datenmustern nutzt]
run-length limited recording (RLL recording)
[recording method for hard disks using data
compression]
RLL-Aufzeichnung *f* [Aufzeichnungsmethode
für Festplatten mit Datenkompression]
run phase [of a program]
Ablaufphase *f* [eines Programmes]
run-time, runtime [time during which a program
runs]
Laufzeit *f* [Ausführungszeit eines
Programmes]
run-time error, runtime error [error made while
a program is running]
Laufzeitfehler *m* [Fehler während des
Programmlaufes]
run-time library, runtime library [a collection of
functions external to a program and included
when the program is run]
Laufzeitbibliothek *f* [eine Sammlung von
externen Funktionen, die beim Programmablauf eingebunden werden]
run-time system, runtime system [procedures
needed for running a program]
Laufzeitsystem *n* [Prozeduren, die für den
Programmablauf benötigt werden]
running program
laufendes Programm *n*
running time, run duration [of a program]
Durchlaufzeit *f* [eines Programmes]
R/W memory (read-write memory)
Schreib-Lese-Speicher *m*
RZ (return-to-zero recording) [magnetic tape
recording method]
Schreibverfahren mit Rückkehr nach Null
n [Schreibverfahren für die Magnetband-
aufzeichnung]

S

S/H circuit (sample-and-hold circuit)
Abtast- und Halteschaltung *f,*
Momentanwertspeicher *m*

S/N ratio (signal-to-noise ratio) [ratio of signal power to noise power, expressed in decibels (dB)]
Rauschabstand *m* [Verhältnis der Signalleistung zur Rauschleistung, ausgedrückt in Dezibel (dB)]

SAA (Systems Application Architecture) [unified standards established by IBM]
SAA [Systemanwendungs-Architektur; von IBM entwickelte einheitliche Standards]

SAGM-APD (separate absorption grading and multiplication avalanche photodiode) [a photodiode using a multiquantum well structure]
SAGM-Lawinenphotodiode *f* [Lawinenphotodiode mit Multiquantum-Well-Struktur]

SAGMOS transistor (self-aligning gate MOS transistor)
SAGMOS-Transistor *m,* MOS-Transistor mit selbstjustierender Gateelektrode *m*

SAM (sequential access method)
sequentielle Zugriffsmethode *f*

SAM-APD (separate absorption and multiplication avalanche photodiode) [a photodiode using a multiquantum well structure]
SAM-Lawinenphotodiode *f* [Lawinenphotodiode mit Multiquantum-Well-Struktur]

SAMOS transistor (stacked-gate avalanche injection MOS transistor) [a variant of the FAMOS transistor]
SAMOS-Transistor *m,* Stapelgate-Lawineninjektions-MOS-Transistor *m* [Variante des FAMOS-Transistors]

sample
Stichprobe *f*

sample-and-hold circuit (S/H circuit)
A circuit used to hold an analog signal until it is needed for further processing. A typical application is in analog-to-digital converters.
Abtast- und Halteschaltung *f,*
Momentanwertspeicher *m*
Eine Schaltung, bei der ein analoges Signal zwischengespeichert wird und zur Weiterverarbeitung abgefragt werden kann. Sie wird unter anderem bei Analog-Digital-Umsetzern eingesetzt.

sampling gate
Abtastgatter *n*

sampling inspection [quality control]

Stichprobenprüfung *f* [Qualitätskontrolle]
sampling inspection plan [quality control]
Stichprobenprüfplan *m* [Qualitätskontrolle]

sampling oscilloscope
Abtastoszillograph *m*

sampling period, scanning period
Abtastperiode *f*

sampling size [quality control]
Stichprobenumfang *m* [Qualitätskontrolle]

sampling test [quality control]
Stichprobe *m* [Qualitätskontrolle]

sampling time, scanning time
Abtastzeit *f*

sandwich line, stripline technique
Sandwich-Leitung *f,* Streifenleitertechnik *f*

sans serif font [without fine horizontal strokes, in contrast to serif font]
Grotesk-Schriftart *f,* serifenlose Schriftart *f* [ohne feine waagerechte Querstriche, im Gegensatz zu Antiqua- bzw. Serifen-Schriftart]

satellite computer [small computer connected to a central computer system or large host computer and used for communication with the user]
Satellitenrechner *m* [kleinerer Rechner, der mit einem zentralen Rechnersystem bzw. Großrechner verbunden ist und der Kommunikation mit dem Benutzer dient]

SATO technology (self-aligned thick oxide technology)
Isolation technique for MOS integrated circuits which provides isolation between the circuit structures by local oxidation of silicon.
SATO-Technik *f*
Isolationsverfahren für integrierte MOS-Schaltungen, bei dem die einzelnen Strukturen der Schaltung durch lokale Oxidation von Silicium voneinander isoliert werden.

saturated logic circuit
gesättigte Logikschaltung *f*

saturated mode [operating mode of transistors]
Sättigungsbetrieb *m* [Betriebsart von Transistoren]

saturated region
gesättigter Bereich *m*

saturation
Condition in nonlinear components (e.g. in a bipolar transistor) in which a further increase of the input parameter (e.g. the base current) does not lead to an increase in the output parameter (e.g. the collector current).
Sättigung *f*
Zustand bei nichtlinearen Bauelementen (z.B. bei einem Bipolartransistor), bei dem trotz weiterer Zunahme der Eingangsgröße (z.B. des Basisstromes) keine Steigerung der Ausgangsgröße (z.B. des Kollektorstromes) auftritt.

saturation current

Sättigungsstrom *m*
saturation point
Sättigungspunkt *m*
saturation region
Sättigungsbereich *m*
saturation resistance
Sättigungswiderstand *m*
saturation state, saturated state
Sättigungszustand *m*
saturation time
Sättigungszeit *f*
saturation voltage
Sättigungsspannung *f*
save, to
sichern, sicherstellen
save data, to
Daten sicherstellen
saved file [a file secured by storing or making a
copy on another data medium]
gesicherte Datei *f*, gerettete Datei *f* [eine
Datei, die durch Abspeichern oder Erstellen
einer Kopie auf einem anderen Datenträger
gesichert worden ist]
SAW (surface acoustic wave)
AOW *f* (akustische Oberflächenwelle)
sawtooth signal
Sägezahnsignal *n*
sawtooth voltage
Sägezahnspannung *f*
SBC (single-board computer) [a microcomputer
implemented on a single printed circuit board]
Einplatinenrechner *m* [Mikrorechner, der
auf einer einzigen Leiterplatte realisiert ist]
SBC technology (standard buried-collector
technology)
Technique used for fabricating bipolar
integrated circuits with buried layers.
SBC-Technik *f*
Technik für die Herstellung von integrierten
Bipolarschaltungen mit vergrabener Schicht.
SC circuit (switched capacitor circuit)
SC-Schaltung *f*, Schalter-Kondensator-
Schaltung *f*
SC circuit design (switched capacitor circuit
design)
SC-Schaltungstechnik *f*, Schalter-
Kondensator-Schaltungstechnik *f*
SC filter (switched capacitor filter)
SC-Filter *m*, Schalter-Kondensator-Filter *m*
SC technology (switched capacitor technology)
[a technology for the design of integrated
circuits (usually MOS circuits) in which resistor
functions are replaced by switched capacitors]
SC-Technik *f*, Schalter-Kondensator-Technik *f*
[Technik für die Realisierung integrierter
Schaltungen (in der Regel MOS-Schaltungen),
bei denen die Widerstandsfunktionen durch
geschaltete Kondensatoren ersetzt werden]
scalable font [font which can be freely changed

in size]
skalierbare Schrift *f* [in der Größe beliebig
veränderbare Schrift]
scalar
Skalar *m*
scalar quantity
skalare Größe *f*
scalar variable
skalare Variable *f*
scale, to
skalieren
scale factor
Skalierfaktor *m*
scaling factor
Verkleinerungsfaktor *m*
scan, to [image]
abtasten [Bild]
scan, to [sequential search]
abfragen [sequentielles Suchen]
scan code [keyboard code]
Scan-Code *m*, Tastaturcode *m*
scanner
Scanner *m*, Abtaster *m*
scanner, lexical analyzer [compiler]
Scanner *m*, lexikalischer Analysator *m*
[Compiler]
scanning, image scanning
Scannen *n*, Bildabtastung *f*
scanning, sampling
Abtasten *n*, Abtastung *f*
scanning
Rasterung *f*
scanning electron microscope (SEM)
Rasterelektronenmikroskop *n*
scanning error
Scanfehler *m*, Abtastfehler *m*
scanning frequency [number of screen lines
times picture repetition rate/s]
Abtastfrequenz *f*, Zeilenfrequenz *f* [Anzahl
Bildschirm-Zeilen mal Bildwiederholungen/s]
scanning rate, sampling rate
Abtastgeschwindigkeit *f*
scanning resolution [e.g. 400 dots/inch (dpi)]
Scanauflösung *f* [z.B. 400 Punkte/Zoll]
scanning transmission electron microscope
(STEM)
Durchstrahlungs-
Rasterelektronenmikroskop *n*
scatter propagation
Streuausbreitung *f*
scattered write, gathered read [scattering of
records in a working storage without
consideration of order; chaining is used to bring
the records together]
gestreutes Schreiben *n*, sammelndes Lesen *n*
[Verteilung von Sätzen in einem
Arbeitsspeicher ohne Rücksicht auf eine
gegebene Reihenfolge; die Aneinanderreihung
erfolgt durch Datenkettung]

SCH laser (separate confinement heterostructure laser) [semiconductor laser]
SCH-Laser *m* [Halbleiterlaser]
schedule, to
bereitstellen, einplanen
scheduled maintenance
planmäßige Wartung *f*
scheduled maintenance time
planmäßige Wartungszeit *f*
scheduling
Zeitplanung *f*
SCHEME [a dialect of LISP]
SCHEME [ein Dialekt von LISP]
scheme [data structure]
Schema *n* [Datenstruktur]
Schmitt trigger [converts an irregular alternating voltage or waveform into a rectangular voltage or pulses]
Schmitt-Trigger-Schaltung *f* [wandelt eine unregelmäßige Wechselspannung oder Wellenform in eine rechteckige Spannung bzw. Rechteckimpulse um]
Schottky barrier
Junction formed by the contact between a metal layer and a semiconductor layer and which has rectifying characteristics.
Schottky-Übergang *m*, Schottky-Kontakt *m*
Übergang, der durch den Kontakt einer Metallschicht mit einer Halbleiterschicht entsteht und gleichrichtende Eigenschaften hat.
Schottky barrier diode, metal-semiconductor diode, hot-carrier diode
Semiconductor diode with rectifying characteristics formed by a metal-semiconductor junction.
Schottky-Diode *f*, Metall-Halbleiter-Diode *f*
Halbleiterdiode mit gleichrichtenden Eigenschaften, die durch einen Metall-Halbleiter-Übergang gebildet wird.
Schottky clamped transistor
Bipolar transistor in which a Schottky barrier diode is integrated between base and collector to prevent the transistor from being driven into saturation. Schottky-clamped transistors are characterized by fast switching.
Schottky-Transistor *m*
Bipolartransistor, bei dem eine Schottky-Diode zwischen Basis und Kollektor integriert ist um zu vermeiden, daß der Transistor in die Sättigung gesteuert wird. Schottky-Transistoren zeichnen sich daher durch sehr kleine Schaltzeiten aus.
Schottky defect [a crystal imperfection]
Schottky-Defekt *m* [eine Kristallfehlordnung]
Schottky effect
Schottky-Effekt *m*
Schottky photodiode
Reverse-biased semiconductor diode in which

electron-hole pairs are generated by exposing the metal-semiconductor junction to light, thus increasing current flow.
Schottky-Photodiode *f*
In Sperrichtung vorgespannte Halbleiterdiode, bei der durch Lichteinstrahlung in den Metall-Halbleiter-Übergang Ladungsträgerpaare erzeugt werden, die den Stromfluß vergrößern.
Schottky transistor [bipolar transistor with a Schottky diode between collector and base]
Schottky-Transistor *m* [Bipolartransistor mit einer Schottky-Diode zwischen Kollektor und Basis]
Schottky TTL [variant of the transistor-transistor logic]
Schottky-TTL *f* [Variante der Transistor-Transistor-Logik]
SCL (source-coupled logic)
Integrated circuit family based on gallium arsenide D-MESFETs.
SCL-Schaltungsfamilie *f*
Integrierte Schaltungsfamilie, die mit Galliumarsenid-D-MESFETs realisiert ist.
SCR (silicon controlled rectifier), thyristor
Semiconductor component, with four differently doped regions (pnpn) and three junctions, which can be triggered from its blocking state into its conducting state and vice-versa. Thyristors have a wide range of applications in power electronics (e.g. for speed and frequency control).
gesteuerter Gleichrichter *m*, Thyristor *m*
Halbleiterbauelement mit vier unterschiedlich dotierten Zonen (PNPN-Struktur) und drei Übergängen, das von einem Sperrzustand in einen Durchlaßzustand (und umgekehrt) umgeschaltet werden kann. Thyristoren haben ein breites Anwendungsgebiet in der Leistungselektronik (z.B. Drehzahl- und Frequenzregelung).
scratch area, work area, work file [area in main memory used for processing data]
Arbeitsbereich *m* [Bereich im Arbeitsspeicher, der für die Verarbeitung der Daten vorgesehen ist]
scratch file, work file, temporary file
Arbeitsdatei *f*
scratch-pad facility
Notizblockfunktion *f*
scratch-pad memory [fast temporary storage for data (intermediate results) or for controlling program execution]
Notizblockspeicher *m*, Scratch-Pad-Speicher *m* [schneller Speicher zur Zwischenspeicherung von Daten (Zwischenergebnisse) bzw. Steuerung des Programmablaufes]
scratch-pad register [auxiliary register in a microprocessor]
Notizblockregister [Hilfsregister im

Mikroprozessor]
scratch tape
  Arbeitsband *n*
screen area
  Bildschirmbereich *m*
screen brightness
  Bildschirmhelligkeit *f*
screen buffer
  Bildschirmpuffer *m*
screen content
  Bildschirminhalt *m*
screen contrast
  Bildschirmkontrast *m*
screen diagonal
  Bildschirmdiagonale *f*
screen edge
  Bildschirmrand *m*
screen filter
  Bildschirmfilter *n*
screen flicker
  Bildschirmflimmern *n*
screen grabber, grabber [for capturing screen
  content]
  Bildschirmübernahme *f* [Übernahme des
  Bildschirminhaltes]
screen refresh memory
  Bildwiederholspeicher *m*
screen saver
  Bildschirmschoner *m*
screen size
  Bildschirmgröße *f*
screen window
  Bildschirmfenster *n*
screen windowing technique
  Bildschirmfenstertechnik *f*
scribing technique, dicing technique
  Process for dividing the wafer into individual
  chips. This can be effected with the aid of
  diamond scribers, diamond saws or laser
  beams.
  Trenntechnik *f*, **Trennverfahren** *n*
  Verfahren zum Zerlegen der Halbleiterscheibe
  (Wafer) in die einzelnen integrierten
  Schaltungen (Chips). Dies kann mit Hilfe von
  Diamantritzern, Diamantsägen oder
  Laserstrahlen erfolgen.
scroll, to [move text line by line on the screen]
  blättern, auf- und abrollen [zeilenweises
  Bewegen des Textes auf dem Bildschirm]
scroll bar [for moving screen or window
  contents]
  Bildlaufleiste *f*, **Rollbalken** *m* [zur
  Verschiebung des Bild- bzw. Fensterinhaltes]
scroll down, to
  vorwärts rollen
scroll mode
  Bilddurchlaufmodus *m*
scroll up, to
  rückwärts rollen

scrolling function
  Bildschirmblättern *n*, Rollfunktion *f*
SCSI controller
  SCSI-Controller *m*
SCSI interface [Small Computer System
  Interface; for connecting hard disks and other
  peripheral devices]
  SCSI-Schnittstelle *f* [für den Anschluß von
  Festplatten und anderen Peripheriegeräten]
SCT (surface-charge transistor)
  Integrated transistor element in which stored
  electric charges can be transferred along the
  surface of the semiconductor by applying a gate
  voltage.
  Oberflächenladungstransistor *m*
  Integriertes Transistorbauteil, bei dem
  gespeicherte Ladungen durch Anlegen einer
  Gatespannung an der Oberfläche des
  Halbleiters entlang verschoben werden können.
SDFL (Schottky-diode FET logic)
  Integrated circuit family based on gallium
  arsenide D-MESFETs.
  SDFL-Schaltungsfamilie *f*
  Integrierte Schaltungsfamilie, die mit
  Galliumarsenid D-MESFETs realisiert ist.
SDHT (selectively doped heterojunction
  transistor)
  Extremely fast field-effect transistor with a
  heterostructure. A doped aluminium gallium
  arsenide layer is deposited by molecular beam
  epitaxy on undoped gallium arsenide. The
  heterojunction between them confines the
  electrons which diffuse from the AlGaAs layer
  to the undoped GaAs where they can move with
  great speed. Very fast transistors (with
  switching delay times of < 10 ps/gate) based on
  this principle and called HEMT, MODFET and
  TEGFET are being developed worldwide by
  various manufacturers.
  SDHT *m* [selektiv dotierter Transistor mit
  Heteroübergang]
  Extrem schneller Feldeffekttransistor mit
  Heterostruktur. Auf undotiertem
  Galliumarsenid wird mit Hilfe der
  Molekularstrahlepitaxie eine dotierte
  Aluminium-Galliumarsenid-Schicht
  aufgebracht. Der Heteroübergang zwischen den
  beiden Strukturen hält die Elektronen, die aus
  der AlGaAs-Schicht diffundieren, in der
  undotierten GaAs-Schicht zurück, in der sie
  sich mit hoher Geschwindigkeit bewegen
  können. Sehr schnelle Transistoren (mit
  Schaltverzögerungszeiten von < 10 ps/Gatter)
  auf dieser Basis werden weltweit von
  verschiedenen Herstellern unter den Namen
  HEMT, MODFET und TEGFET entwickelt.
SDK (Software Development Kit)
  SDK [Software-Entwicklungssystem]
SDLC (synchronous data link control) [protocol

for sychnronous bit-serial data transmission
established by IBM; variant of HDLC (high-
level data link control) standardized by ISO]
SDLC-Verfahren, synchrones
Datenübertragungsverfahren *n* [von IBM
aufgestelltes Protokoll für synchrone bitserielle
Datenübertragung; Variante des von ISO
genormten HDLC-Verfahrens]
seal test
Dichtigkeitsprüfung *f*
sealed
abgedichtet
sealing [glass or plastic housing of component]
Verkappen *n,* Verschliessen *n* [Glas- oder
Kunststoffgehäuse eines Bauteils]
search, to
suchen
search key [data base]
Suchschlüssel *m* [Datenbank]
search operation, seek operation
Suchvorgang *m*
search time [data processing]
Suchzeit *f* [Datenverarbeitung]
search tree
Suchbaum *m*
search word [data base]
Suchbegriff *m* [Datenbank]
second breakdown
Electrical breakdown in a transistor due to
localized hot-spotting which causes an increase
in current concentration in the collector region.
This leads to further hot-spotting and usually
to the destruction of the transistor.
zweiter Durchbruch *m*
Elektrischer Durchbruch bei einem Transistor
infolge lokaler Erhitzung, die einen
Stromanstieg im Kollektorbereich bewirkt. Dies
führt zu einer weiteren Erhitzung und
meistens zur Zerstörung des Transistors.
second source
Zweithersteller *m*
secondary defect
Folgefehler *m*
secondary DOS partition [hard disk]
sekundäre DOS-Partition *f,* sekundärer
DOS-Speicherbereich [Festplatte]
secondary electron
An electron emitted as a result of impact.
Sekundärelektron *n*
Ein Elektron, das durch einen Stoßprozeß
freigesetzt wird.
secondary electron emission (SEE)
Sekundärelektronenemission *f*
secondary emission
Sekundäremission *f*
secondary failure [failure of an item caused by
the failure of another item]
Folgeausfall *m* [Ausfall bei unzulässiger
Beanspruchung, die durch den Ausfall eines

anderen Elementes verursacht wird]
secondary key
Sekundärschlüssel *m*
secondary storage, auxiliary storage
[complements primary storage, i.e. storage
outside the main memory]
Sekundärspeicher *m,* Zusatzspeicher *m,*
Hilfsspeicher *m* [Ergänzung des
Primärspeichers, d.h. Speicher außerhalb des
Hauptspeichers]
sector [part of a track on a magnetic disk or
floppy disk]
Sektor *m* [Teil einer Spur auf einer
Magnetplatte oder Diskette]
sector format [subdivision of a magnetic disk or
floppy disk track into equal sectors]
Sektorformat *n* [Unterteilung einer
Magnetplatten- bzw. Diskettenspur in Sektoren
gleicher Länge]
sector formatter [program for defining sectors
and tracks of a floppy disk, Winchester disk or
hard disk]
Formatierer *m* [Programm für die Festlegung
der Sektoren und Spuren einer Diskette,
Winchester-Platte oder Festplatte]
sector identifier
Sektorkennung *f*
SEE (secondary electron emission)
Sekundärelektronenemission *f*
seed crystal [semiconductor crystals]
Small single crystal used to initiate
crystallization in single crystal growing.
Kristallkeim *m* [Halbleiterkristalle]
Kleiner Einkristall, der als Kristallisationskern
bei der Züchtung von Einkristallen verwendet
wird.
seek, to
positionieren, suchen
seek time [time taken by read-write head to
position on required track on disk]
Positionierzeit *f* [die vom Lese-Schreibkopf
benötigte Zeit, um sich auf die gesuchte Spur
einer Platte oder Diskette zu positionieren]
segment, program segment [part of a program]
Segment *n,* Programmsegment *n* [Teil eines
Programmes]
segmentation, program segmenting
Segmentierung *f,* Programmsegmentierung *f*
select, to [by keyboard or mouse command]
auswählen [durch Tasten- oder Mausbefehl]
selective doping, localized doping
Major process step in planar technology. It
involves localized introduction of dopant
impurities into the semiconductor to generate
n-type and p-type conductive regions through
windows etched in a protective oxide layer
covering the crystal surface.
selektive Dotierung *f,* örtlich gezielte
Dotierung *f*

Wichtiger Verfahrensschritt der Planartechnik.
Dabei werden Dotierstoffe zur Erzeugung von
N- und P-leitenden Bereichen örtlich gezielt
durch Fenster eindiffundiert, die in eine die
Kristalloberfläche abschirmende Oxidschicht
geätzt werden.

selective erase
    selektive Löschung *f*
selective lift-off technique [lithography]
    selektive Abhebetechnik *f* [Lithographie]
selective programming
    selektives Programmieren *n*
selectively doped
    selektiv dotiert, örtlich gezielt dotiert
selectively doped heterojunction transistor
    (SDHT)
    Extremely fast field-effect transistor with a
    heterostructure. A doped aluminium gallium
    arsenide layer is deposited by molecular beam
    epitaxy on undoped gallium arsenide. The
    heterojunction between them confines the
    electrons which diffuse from the AlGaAs layer
    to the undoped GaAs where they can move with
    great speed. Very fast transistors (with
    switching delay times of < 10 ps/gate) based on
    this principle and called HEMT, MODFET and
    TEGFET are being developed worldwide by
    various manufacturers.
    selektiv dotierter Transistor mit
    Heteroübergang *m* (SDHT)
    Extrem schneller Feldeffekttransistor mit
    Heterostruktur. Auf undotiertem
    Galliumarsenid wird mit Hilfe der
    Molekularstrahlepitaxie eine dotierte
    Aluminium-Galliumarsenid-Schicht
    aufgebracht. Der Heteroübergang zwischen den
    beiden Strukturen hält die Elektronen, die aus
    der AlGaAs-Schicht diffundieren, in der
    undotierten GaAs-Schicht zurück, in der sie
    sich mit hoher Geschwindigkeit bewegen
    können. Sehr schnelle Transistoren (mit
    Schaltverzögerungszeiten von < 10 ps/Gatter)
    auf dieser Basis werden weltweit von
    verschiedenen Herstellern unter den Namen
    HEMT, MODFET und TEGFET entwickelt.
selenium (Se)
    Semiconductor material used for fabricating
    rectifiers, solar cells and components for
    xerographic printing.
    Selen *n* (Se)
    Halbleitermaterial, das für die Herstellung von
    Gleichrichtern, Solarzellen und Bauelementen
    für den Xerodruck verwendet wird.
selenium rectifier
    Selengleichrichter *m*
self-adapting
    selbstanpassend
self-aligning gate
    selbstjustierendes Gate *n*

self-aligning technique
    Processes used to reduce the stray capacitance
    of MOS transistors (and hence to reduce
    switching time) as a result of inaccuracies in
    the alignment of the gate mask relative to the
    source-drain mask during integrated circuit
    fabrication. Self-aligning processes include
    silicon-gate technology (in which the gate
    serves as a mask for the subsequent source-
    drain diffusion step), ion implantation as well
    as local oxidation processes (e.g. LOCOS and
    SATO).
    Selbstjustierung *f*, selbstjustierende Technik
    Verfahren zur Verringerung der
    Streukapazitäten von MOS-Transistoren (und
    der damit verbundenen Erhöhung der
    Schaltgeschwindigkeiten), die bei der
    Herstellung integrierter Schaltungen durch
    Ungenauigkeiten bei der gegenseitigen
    Justierung von Gate-Maske und Source-Drain-
    Maske entstehen. Zu den Verfahren mit
    Selbstjustierung zählen die Silicium-Gate
    Technik (bei der das Gate als Maske für die
    anschließende Source-Drain-Diffusion dient),
    die Ionenimplantation sowie Verfahren der
    lokalen Oxidation (z.B. LOCOS und SATO).
self-checking code, error detecting code [a code
    that automatically checks whether the coding
    rules have been observed]
    selbstprüfender Code *m*,
    Fehlererkennungscode *m* [Code, der
    automatisch prüft, ob die Codierungsregeln
    eingehalten wurden]
self-correcting code, error-correcting code [an
    error-detecting code whose coding rules allow
    automatic correction of incorrect characters
    under certain conditions]
    selbstkorrigierender Code *m*,
    Fehlerkorrekturcode *m* [ein
    Fehlererkennungscode, dessen
    Codierungsregeln es erlauben, verfälschte
    Zeichen unter bestimmten Bedingungen
    automatisch zu korrigieren]
self-documenting program
    selbstdokumentierendes Programm *n*
self-extracting
    selbstextrahierend
self-healing
    selbstheilend
self-loading
    selbstladend
self-test
    Eigenprüfung *f*
self-test tape
    Eigenprüfmagnetband *n*
SEM (scanning electron microscope)
    Rasterelektronenmikroskop *n*
semantic net, semantic network
    semantisches Netz *n*

semantics [meaning of a programming language;
in contrast to formal rules (syntax)]
Semantik *f* [Bedeutung bzw. Inhalt einer
Programmiersprache; im Gegensatz zu
formalen Regeln (Syntax)]
semi-colon
Semikolon *n,* Strichpunkt *m*
semiconductor
A material whose electrical conductivity is
between that of metals and insulators, and in
which current flow is possible by the movement
of electrons and holes. The most important
semiconductor materials used in manufacturing electronic components and integrated
circuits are silicon and germanium as well as
compound semiconductors, e.g. gallium
arsenide.
Halbleiter *m*
Ein Werkstoff, dessen elektrische Leitfähigkeit
zwischen den Leitfähigkeitsbereichen für
Metalle und Isolatoren liegt und in dem ein
Stromtransport durch die Bewegung von
Elektronen und Defektelektronen möglich ist.
Die wichtigsten Halbleiterwerkstoffe für die
Herstellung von elektronischen Bauelementen
und integrierten Schaltungen sind Silicium und
Germanium sowie Verbindungshalbleiter, z.B.
Galliumarsenid.
semiconductor chip, chip, semiconductor die
Semiconductor piece, cut from a wafer, that
contains all the active and passive elements of
an integrated circuit (or device). The term chip
is also used as a synonym for an integrated
circuit.
Halbleiterplättchen *n,* Chip *m*
Halbleiterplättchen, das aus einem Wafer
herausgeschnitten wurde, und das alle aktiven
und passiven Elemente einer integrierten
Schaltung (bzw. Bausteins) enthält. Der Begriff
Chip wird auch als Synonym für integrierte
Schaltung benutzt.
semiconductor circuit
Halbleiterschaltung *f*
semiconductor component
A component (e.g. a transistor, a diode or a
thyristor) whose essential properties are a
result of the movement of charge carriers in a
semiconductor.
Halbleiterbauelement *n*
Bauelement (z.B. ein Transistor, eine Diode
oder ein Thyristor), dessen wesentliche
Eigenschaften der Bewegung von
Ladungsträgern innerhalb eines Halbleiters
zuzuschreiben sind.
semiconductor crystal [e.g. silicon]
Halbleiterkristall *m* [z.B. Silicium]
semiconductor development
Halbleiterentwicklung *f*
semiconductor diode

Halbleiterdiode *f*
semiconductor doping
The intentional addition of impurity atoms to a
semiconductor to modify its electrical
properties.
Halbleiterdotierung *f*
Der gezielte Einbau von Fremdatomen in einen
Halbleiter zwecks Veränderung seiner
elektrischen Eigenschaften.
semiconductor fabrication, semiconductor
manufacturing
Halbleiterfertigung *f*
semiconductor junction
Halbleiterübergang
semiconductor laser, laser diode, diode laser
Semiconductor device that emits coherent light.
Light generation occurs at a pn-junction due to
carrier injection or electron-beam excitation.
The most widely used materials are gallium
arsenide and gallium aluminium arsenide.
Halbleiterlaser *m,* Laserdiode *f*
Halbleiterbauteil, das kohärentes Licht
emittiert. Die Lichterzeugung erfolgt durch
induzierte Emission an einem PN-Übergang.
Sie entsteht durch Ladungsträgerinjektion oder
Elektronenstrahlanregung. Als
Ausgangsmaterialien dienen vorwiegend
Galliumarsenid und
Galliumaluminiumarsenid.
semiconductor layer
Halbleiterschicht *f*
semiconductor material [e.g. silicon,
germanium and compound semiconductors]
Halbleiterwerkstoff *m* [z.B. Silicium,
Germanium und Verbindungshalbleiter]
semiconductor memory, integrated circuit
memory [storage consisting of integrated
circuits; e.g. a ROM or a RAM]
Halbleiterspeicher *m,* integrierte
Speicherschaltung *f* [Speicher bestehend aus
integrierten Schaltungen; z.B. ein ROM oder
RAM]
semiconductor noise, transistor noise
Halbleiterrauschen *n*
semiconductor rectifier circuit
Halbleitergleichrichterdiode *f*
semiconductor region, semiconductor zone
Region in a semiconductor crystal that has
specific electrical properties.
Halbleiterzone *f,* Halbleiterbereich *m*
Teilgebiet eines Halbleiterkristalls mit
speziellen elektrischen Eigenschaften.
semiconductor research
Halbleiterforschung *f*
semiconductor ROM
Halbleiterfestwertspeicher *m*
semiconductor sensor
Halbleitersensor *m*
semiconductor strain gauge transducer

Halbleiterdehnungsmeßstreifen *m*
semiconductor substrate, semiconductor base
Semiconductor material in or on which discrete components or integrated circuits are fabricated.
Halbleitersubstrat *n*
Halbleitermaterial, in oder auf dem Bauelemente oder integrierte Schaltungen hergestellt werden.
semiconductor switch
Halbleiterschalter *m*
semiconductor technology
Halbleitertechnologie *f,* Halbleitertechnik *f*
semicustom integrated circuit
Integrated circuit device, assembled to customers' specifications from prefabricated building blocks (containing gates, transistors, flip-flops, resistors, etc.) pulled from a computer library, and interconnected with the aid of interconnection masks.
integrierte Semikundenschaltung *f,* integrierte Halbkundenschaltung *f*
Integrierter Baustein, der nach Kundenwünschen aus einzelnen vorgefertigten Teilschaltungen (mit Gattern, Transistoren, Flipflops, Widerständen usw.), die aus einer Bibliothek abgerufen werden, zusammengestellt und mit Hilfe von Verdrahtungsmasken realisiert werden kann.
sense, to; read, to [a storage device]
abtasten, lesen [eines Speichers]
sense amplifier
Leseverstärker *m*
sense recovery time [integrated circuit memories]
Leseerholzeit *f* [integrierte Speicherschaltungen]
sense wire [of a core memory]
Lesedraht *m,* Leseleitung *f* [eines Kernspeichers]
sensing element, sensor
Meßfühler *m,* Sensor *m*
sensing head
Abtastkopf *m*
sensitivity
Empfindlichkeit *f*
sensitivity diagram [optoelectronics]
Empfindlichkeitsdiagramm *n* [Optoelektronik]
sensor
Sensor *m*
sensor technology
Sensorik *f,* Sensortechnik *f*
separate absorption and multiplication avalanche photodiode (SAM-APD) [a photodiode using a multiquantum well structure]
SAM-Lawinenphotodiode *f*
[Lawinenphotodiode mit Multiquantum-Well-

Struktur]
separate absorption grading and multiplication avalanche photodiode (SAGM-APD) [a photodiode using a multiquantum well structure]
SAGM-Lawinenphotodiode *f*
[Lawinenphotodiode mit Multiquantum-Well-Struktur]
separate confinement heterostructure laser (SCH laser) [semiconductor laser]
SCH-Laser *m* [Halbleiterlaser]
separating character, separator, delimiter
Trennzeichen *n,* Trennsymbol *n,* Begrenzungssymbol *n*
sequence [e.g. instruction sequence, control sequence]
Folge *f* [z.B. Befehlsfolge, Steuerfolge]
sequence bit
Folgebit *n*
sequence control
Ablaufsteuerung *f,* Folgesteuerung *f*
sequence error, incorrect sequence
falsche Reihenfolge *f*
sequence of regions
In a semiconductor, a succession of regions having differing impurity densities (e.g. npn, pnp, npin)
Zonenfolge *f*
Folge von Halbleiterzonen mit unterschiedlicher Störstellendichte (z.B. NPN, PNP, NPIN)
sequence processor
Ablaufschaltwerk *n*
sequential access, serial access [data access effected only by sequential reading of all data between start and target positions, e.g. access to data stored on a magnetic tape]
sequentieller Zugriff *m,* serieller Zugriff *m* [Zugriff auf gesuchte Daten nur durch sequentielles Lesen aller Daten zwischen Start- und Zielpositionen, z.B. der Zugriff auf Daten, die auf einem Magnetband gespeichert sind]
sequential-access method (SAM)
sequentielle Zugriffsmethode *f*
sequential-access storage, serial-access storage [storage whose access time is dependent on the location of the stored data, i.e. magnetic tape storage]
Speicher mit sequentiellem Zugriff *m,* Speicher mit seriellem Zugriff *m* [Speicher, dessen Zugriffszeit von der Lage der gespeicherten Daten abhängig ist, z.B. Magnetbandspeicher]
sequential circuit
Folgeschaltung *f,* sequentielle Schaltung *f,* Schaltwerk *n*
sequential logic
A logic circuit with storage capabilities (e.g. a flip-flop), in contrast to combinational logic.

sequentielle Logik *f*
Eine logische Schaltung mit Speicherverhalten
(z.B. ein Flipflop), im Gegensatz zur
kombinatorischen Logik.

sequential processing
logisch fortlaufende Verarbeitung *f*

sequential sampling
Folgestichprobenprüfung *f*

sequential search algorithm
sequentieller Suchalgorithmus *m*

sequentially organized file
seriell aufgebaute Datei *f*

serial access, sequential access
serieller Zugriff *m*, sequentieller Zugriff *m*

serial carry
Serienübertrag *m*

serial data input
serieller Dateneingang *m*

serial data output
serieller Datenausgang *m*

serial data transfer
serielle Datenübertragung *f*

serial full-adder [an adder which sums binary
numbers starting with the lowest significant
digit; in contrast to a parallel adder which adds
all digits at the same time]
Serielladdierer *m* [ein Addierer, der
Binärzahlen ausgehend von der
niedrigstwertigen Stelle addiert; im Gegensatz
zu einem Paralleladdierer, der alle Stellen
gleichzeitig addiert]

serial half-adder
Seriellhalbaddierer *m*

serial half-subtracter
Seriellhalbsubtrahierer *m*

serial input/output (SIO)
serielle Eingabe/Ausgabe *f*

serial interface
serielle Schnittstelle *f*

serial-parallel conversion
Serien-Parallel-Umsetzung *f*

serial-parallel converter [converts sequentially
represented data into parallel represented
data]
Serien-Parallel-Umsetzer *m* [wandelt
zeitlich sequentiell dargestellte Daten in
parallel dargestellte Daten um]

serial port
serieller Anschluß *m*

serial processing
Serienverarbeitung *f*, Serienbetrieb *m*

serial scanning
Serienabtastung *f*

serial subtracter
Seriellsubtrahierer *m*

serial transfer
serielle Übertragung *f*

serial transfer signal
Serienübertragssignal *n*

series
Reihe *f*

series connection, cascade connection
Reihenschaltung *f*, Kaskadenschaltung *f*

series-parallel connection
Reihenparallelschaltung *f*

series resistor, voltage-dropping resistor
Vorwiderstand *m*, Vorschaltwiderstand *m*

serif font [with fine horizontal strokes; in
contrast to sans serif font]
Antiqua-Schriftart *f*, Serifen-Schriftart *f* [mit
feinen waagerechten Querstrichen, im
Gegensatz zur serifenlosen bzw. Grotesk-
Schriftart]

server [computer providing centralized services
in a local network, e.g. file server for data base
access]
Server *m* [Rechner, der zentrale Dienste in
einem lokalen Netzwerk verfügbar macht, z.B.
File-Server für den Zugriff auf Datenbanken]

service ground, signal ground [common
reference potential for all control and data lines
of a computer]
Betriebserde *f* [gemeinsames Bezugspotential
für alle Steuer- und Datenleitungen eines
Rechners]

service interruption
Betriebsunterbruch *m*

service program, utility program, utility routine
[special programs for reoccurring tasks, e.g.
copying, sorting and merging files, etc.]
Serviceprogramm *n*, Dienstprogramm *n*
[spezielle Programme für sich oft
wiederholende Aufgaben, z.B. Kopieren,
Sortieren und Mischen von Dateien usw.]

serviceability
Wartungsfreundlichkeit *f*

session [completed working period, e.g. on
terminal or CAD workstation]
Sitzung *f* [abgeschlossene Arbeitsperiode, z.B.
am Terminal oder CAD-Arbeitsplatz]

set
Menge *f*

set, to
setzen

set algebra
Mengenalgebra *f*

set difference
Mengendifferenz *f*

set of masks, set of photomasks
The total number of masks (5 to 16) required
for the manufacture of an integrated circuit.
Photomaskensatz *m*, Maskensatz *m*
Die Gesamtheit der Masken (5 bis 16), die für
die Herstellung einer integrierten Schaltung
benötigt wird.

set pulse [pulse for setting a multivibrator
(output state = 1)]
Kippimpuls *m* [Impuls für das Setzen einer

Kippschaltung (Ausgangszustand = 1)]
set theory
  Mengenlehre *f*
setpoint, setpoint value [of an automatic control
  circuit]
  Sollwert *m*, **Einstellwert** *m* [eines
  Regelkreises]
setpoint adjustment
  Sollwerteinstellung *f*
setting
  Setzen *n*
setting accuracy [e.g. of frequency]
  Einstellgenauigkeit *f* [z.B. der Frequenz]
settling time [of a pulse]
  Beruhigungszeit *f* [eines Impulses]
settling time [time delay between input of a
  stimulus, e.g. step, pulse or ramp, and
  attainment of a steady-state output signal in a
  linear system]
  Einschwingzeit *f*, **Einstellzeit** *f* [Zeitspanne
  zwischen Eingangsstimulus, z.B. Sprung,
  Impuls oder Rampe, und Erreichen des
  eingeschwungenen Ausgangssignales in einem
  linearen System]
setup [of a circuit, transmission channel, etc.]
  Aufbau *m* [einer Schaltung, eines
  Übertragungskanals usw.]
setup program [configures computer during
  installation]
  Setup-Programm *n*, **Einstellungsprogramm** *n*
  [konfiguriert den Rechner bei der Installation]
setup time
  Rüstzeit *f*
setup time prior to write
  Vorbereitungszeit vor Schreiben *f*
seven segment display
  Optical display that uses seven bars to
  represent a numeral.
  Siebensegmentanzeige *f*
  Optisches Anzeigeelement, bei dem eine Ziffer
  durch sieben Segmente dargestellt wird.
SFL (substrate field logic) [variant of the
  integrated injection logic (I^2L) exhibiting
  exceptionally high packaging density and good
  dynamic properties]
  SFL *f*, substratgespeiste Logik *f* [Variante der
  integrierten Injektionslogik (I^2L), die besonders
  hohe Packungsdichte und gute dynamische
  Eigenschaften aufweist]
SGML (Standard Generalized Markup Language)
  [coding method standardized by ISO for
  describing a document structure and its
  versions]
  SGML [von ISO genormte Codierungsmethode
  zur Beschreibung der Struktur und Versionen
  eines Dokumentes]
SGML tag set
  SGML-Kennzeichensatz *m*
shaded memory, non-addressable memory

Schattenspeicher *m*, nichtadressierbarer
  Speicher *m*
shadow printing [printer]
  Schattendruck *m* [Drucker]
shadow RAM [using main memory (a RAM zone)
  for accelerating BIOS calls]
  Shadow-RAM *m*[die Verwendung des
  Hauptspeichers (eines RAM-Bereiches) für
  beschleunigte BIOS-Aufrufe]
shadowing [copying routines from the BIOS-
  ROM to main memory, thus accelerating BIOS
  calls]
  Shadow-Vorgang *m* [das Kopieren von
  Routinen aus dem BIOS-ROM in den Hauptspeicher, um BIOS-Aufrufe zu beschleunigen]
shallow acceptor level
  flaches Akzeptorniveau *n*
shallow donor level
  flaches Donatorniveau *n*
shallow pn-junction
  flacher PN-Übergang *m*
Shareware [software available free of charge but
  requiring a registration fee before use]
  Shareware-Software *f*, Prüf-vor-Kauf-
  Software *f* [kostenlos erhältliche Software, bei
  der eine Registrierungsgebühr bei der Nutzung
  erhoben wird]
shell [e.g. of an atom]
  Schale *f* [z.B. eines Atoms]
shell [user interface part of operating system or
  software package]
  Shell *f*, Schale *f* [als Benutzeroberfläche
  dienendes Teil eines Betriebssystems oder
  Softwarepaketes]
shell procedure [constantly recurring command
  sequence in UNIX; similar to batch procedures
  in DOS]
  Shell-Prozedur *f* [regelmäßig wiederkehrende
  Kommandofolge in UNIX; ähnlich den Batch-
  Prozeduren in DOS]
shell sort algorithm [sorting method]
  Shellsort-Algorithmus *m* [Sortierverfahren]
shield, shielding
  Abschirmung *f*
shield, to
  abschirmen
shielded
  abgeschirmt
shielded cable
  abgeschirmtes Kabel *n*
shift counter
  Schiebezähler *m*
shift instruction
  Schiebebefehl *m*
shift key
  Umschalttaste *f*
shift operation [shifts the contents of a register
  to the left or to the right]
  Schiebeoperation *f* [verschiebt den Inhalt

eines Registers nach links oder nach rechts]
shift-out, shift-out character [for switching to an
alternative character set]
Dauerumschaltung *f* [zur Umschaltung auf
einen anderen Zeichensatz]
shift register [a row of 1-bit storage units (e.g.
flip-flops) whose contents are shifted to the left
or to the right by clock pulses]
Schieberegister *n* [eine Reihe von 1-Bit-
Speichergliedern (z.B. Flipflops), bei denen der
Inhalt durch Taktimpulse nach links oder nach
rechts verschoben wird]
Shockley diode
A pnpn component that switches rapidly into
its conducting state when a critical voltage is
reached. Conduction continues until the anode
voltage drops below a specified minimum value.
In its blocking state the diode has a very high
impedance.
Shockley-Diode *f*
Ein PNPN-Bauelement, das sehr schnell in den
leitenden Zustand übergeht, wenn eine
kritische Spannung überschritten wird. Der
leitende Zustand bleibt so lange erhalten, bis
die Anodenspannung einen minimalen
Spannungswert unterschreitet. Im
Sperrzustand ist der Widerstand der Diode
sehr hoch.
short-circuit
Kurzschluß *m*
short-circuit, to
kurzschließen
short-circuit current
Kurzschlußstrom *m*
short-circuit current sensitivity
Kurzschluß-Stromempfindlichkeit *f*
short-circuit duration
Kurzschlußdauer *f*
short-circuit forward current transfer ratio
[transistor parameters: *h*-parameter]
Kurzschluß-Stromverstärkung *f*,
Kurzschluß-Vorwärtsstromverstärkung *f*
[Transistorkenngrößen: *h*-Parameter]
short-circuit forward transfer admittance
[transistor parameters: *y*-parameter]
Kurzschluß-Übertragungsadmittanz
vorwärts *f*, Transmittanz *f*, Kurzschluß-
Vorwärtssteilheit *f* [Transistorkenngrößen: *y*-
Parameter]
short-circuit impedance
Kurzschlußimpedanz *f*
short-circuit input admittance [transistor
parameters: *y*-parameter]
Kurzschluß-Eingangsadmittanz *f*,
Kurzschluß-Eingangsleitwert *m*
[Transistorkenngrößen: *y*-Parameter]
short-circuit input impedance [transistor
parameters: *h*-parameter]
Kurzschluß-Eingangsimpedanz *f*,

Kurzschluß-Eingangswiderstand *m*
[Transistorkenngrößen: *h*-Parameter]
short-circuit output admittance [transistor
parameters: *y*-parameter]
Kurzschluß-Ausgangsadmittanz *f*,
Kurzschluß-Ausgangsleitwert *m*
[Transistorkenngrößen: *y*-Parameter]
short-circuit plug, short-circuit connector
Kurzschlußstecker *m*
short-circuit resistance
Kurzschlußwiderstand *m*
short-circuit reverse transfer admittance
[transistor parameters: *y*-parameter]
Kurzschluß-Übertragungsadmittanz
rückwärts *f*, Remittanz *f*, Kurzschluß-
Rückwärtssteilheit *f* [Transistorkenngrößen: *y*-
Parameter]
short-circuit voltage
Kurzschlußspannung *f*
shunt, bypass
Nebenschluß *m*
shunt resistor, shunt
Nebenschlußwiderstand *m,* Querwiderstand
Si (silicon)
Most widely used semiconductor material for
the manufacture of discrete components and
integrated circuits, belonging to group IV of the
periodic system.
Si *n* (Silicium)
Das wichtigste Halbleitermaterial (aus der
Gruppe IV des Periodensystems) für die
Herstellung von diskreten Bauelementen und
integrierten Schaltungen.
SI system of units [International (coherent)
system of units]
SI-Einheitensystem *n* [Internationales
(kohärentes) Einheitensystem]
sideband frequency
Seitenbandfrequenz *f*
siemens (S) [SI unit of electrical conductance]
Siemens *n* (S) [SI-Einheit des elektrischen
Leitwertes]
sieve of Eratosthenes
Eratosthenes-Sieb *n*
sign, algebraic sign
Vorzeichen *n*
sign bit
Vorzeichenbit *n*
sign-control flip-flop
Vorzeichen-Flipflop *n*
sign flag
Vorzeichen-Flag *n*
sign-on procedure, log-on [procedure by which
a terminal user starts session]
Eröffnungsprozedur *f* [Prozedur, mit der sich
ein Terminalbenutzer anmeldet bzw. eine
Arbeitssitzung beginnt]
sign register
Vorzeichenregister *n*

sign suppression
Vorzeichenunterdrückung f
signal
Signal n
signal amplifier
Signalverstärker m, Meßverstärker m
signal conversion
Signalumsetzung f
signal diode
Signaldiode f
signal generator
Meßsender m
signal input range [integrated interface
circuits]
Arbeitsbereich der Eingangsgröße m
[integrierte Anpaßschaltungen]
signal parameter
Signalparameter m
signal processing
Signalverarbeitung f, Meßsignalverarbeitung
signal processor
Signalprozessor m
signal representation
Signaldarstellung f
signal set
Signalvorrat m
signal-to-noise ratio (S/N ratio) [ratio of signal
power to noise power, expressed in decibels
(dB)]
Rauschabstand m [Verhältnis der
Signalleistung zur Rauschleistung,
ausgedrückt in Dezibel (dB)]
signal tracer
Signalverfolger m
signal transducer, signal transmitter
Signalgeber m
signal voltage
Signalspannung f
signalling
Signalisierung f
signature analysis [diagnostic procedure for
microprocessors and complex digital systems;
the signature is the response of the system to a
bit sequence applied to the input]
Signaturanalyse f [Fehlersuchverfahren für
Mikroprozessoren und komplexe
Digitalsysteme; die Signatur ist das Verhalten
des Prüflings auf eine eingangsseitig angelegte
Bitfolge]
signature analyzer
Signaturanalysator m
signed constant
Konstante mit Vorzeichen f
signed integer
ganze Zahl mit Vorzeichen f, Ganzzahl mit
Vorzeichen f
significance, weight
Wertigkeit f
significant digit [of a number]

bedeutende Ziffer f [einer Zahl]
silane epitaxy
Process for growing epitaxial and heteroepitaxial layers from the gas-phase for the
manufacture of semiconductor components and
integrated circuits. It allows lower processing
temperatures to be used than silicon tetrachloride epitaxy.
Silanepitaxie f
Verfahren zur Herstellung von epitaktischen
und heteroepitaktischen Schichten aus der
Gasphase für die Fertigung von Halbleiterbauelementen und integrierten Schaltungen,
das niedrigere Prozeßtemperaturen erlaubt als
die Silicium-Tetrachloridepitaxie.
silicide
Compound of a metal with silicon. Silicides, e.g.
MoS_2, TaS_2, TiS_2 or WS_2, are used to form
gates and conductive interconnections by
metallization in VLSI applications.
Silicid n, Metallsilicid n
Verbindung zwischen einem Metall und
Silicium. Silicide, z.B. MoS_2, TaS_2, TiS_2 oder
WS_2 kommen bei der Metallisierung für
Gateelektroden und Leiterbahnen in VLSI-
Schaltungen zur Anwendung.
silicon (Si)
Most widely used semiconductor material for
the manufacture of discrete components and
integrated circuits, belonging to group IV of the
periodic system.
Silicium n (Si)
Das wichtigste Halbleitermaterial (aus der
Gruppe IV des Periodensystems) für die
Herstellung von diskreten Bauelementen und
integrierten Schaltungen.
silicon carbide (SiC)
Compound semiconductor mainly used for
fabricating optoelectronic components (e.g. blue
light emitting diodes).
Siliciumkarbid n (SiC)
Verbindungshalbleiter, der vorwiegend für die
Herstellung von optoelektronischen
Bauelementen (z.B. blaues Licht emittierende
Lumineszenzdioden) verwendet wird.
silicon compiler
A computer program using algorithms to
describe desired circuit functions for
automatically generating, without human
intervention, chip layouts that can be used
directly for fabricating integrated circuits.
Silicon-Compiler m
Ein Rechnerprogramm, das anhand von
Algorithmen, die die gewünschten
Schaltungsfunktionen beschreiben,
automatisch ohne menschlichen Eingriff
Strukturentwürfe erstellt, die direkt für die
Herstellung von integrierten Schaltungen
verwendet werden können.

silicon controlled rectifier (SCR), thyristor
Semiconductor component, with four differently
doped regions (pnpn) and three junctions,
which can be triggered from its blocking state
into its conducting state and vice-versa.
Thyristors have a wide range of applications in
power electronics (e.g. for speed and frequency
control).
gesteuerter Gleichrichter m, Thyristor m
Halbleiterbauelement mit vier unterschiedlich
dotierten Zonen (PNPN-Struktur) und drei
Übergängen, das von einem Sperrzustand in
einen Durchlaßzustand (und umgekehrt)
umgeschaltet werden kann. Thyristoren haben
ein breites Anwendungsgebiet in der
Leistungselektronik (z.B. Drehzahl- und
Frequenzregelung).
silicon diode
Siliciumdiode f
silicon dioxide (SiO_2)
Crystalline material with excellent insulating
properties. It is used for producing dielectric
layers and serves as a diffusion mask in planar
technology.
Siliciumdioxid n (SiO_2)
Kristallines Material mit ausgezeichneten
Isolationseigenschaften. Es wird für die
Herstellung von Isolierschichten verwendet
und dient in der Planartechnik als
Diffusionsmaske.
silicon-gate NMOS technology
Process for fabricating n-channel MOS field-
effect transistors in which the gate consists of a
conductive polysilicon material.
NMOS-Technik mit Silicium-Gate f
Technik für die Herstellung von NMOS-
Feldeffekttransistoren, bei denen das Gate (die
Steuerelektrode) aus einem leitfähigen
Polysilicium besteht.
silicon-gate PMOS technology
Process for fabricating p-channel MOS field-
effect transistors in which the gate consists of a
conductive polysilicon material.
PMOS-Technik mit Silicium-Gate f
Technik für die Herstellung von PMOS-
Feldeffekttransistoren, bei denen das Gate (die
Steuerelektrode) aus einem leitfähigen
Polysilicium besteht.
silicon-gate technology
Process for fabricating MOS field-effect
transistors in which the gate consists of a
conductive polycrystalline silicon. During the
manufacturing process the polysilicon gate
serves as a mask for the source and drain
diffusion steps (self-aligning technique), thus
avoiding inaccurate mask alignment which may
occur with other processes.
Silicium-Gate-Technik f, Silicium-
Steuerelektroden-Technik f

Verfahren für die Herstellung von MOS-
Feldeffekttransistoren, bei denen das Gate (die
Steuerelektrode) aus leitfähigem
polykristallinen Silicium besteht. Beim
Herstellungsprozeß dient das Polysilicium-Gate
als Maske für die Source- und Drain-Diffusion
(Selbstjustierung), wodurch die bei anderen
Verfahren möglichen Ungenauigkeiten bei der
Maskenjustierung vermieden werden.
silicon nitride (Si_3N_4)
Material resistant to ion penetration which is
used for surface passivation and serves as a
diffusion mask in planar technology (mainly for
MOS transistor fabrication).
Siliciumnitrid n (Si_3N_4)
Ionenundurchlässiges Material, das für die
Oberflächenpassivierung verwendet wird und
in der Planartechnik (vorwiegend bei der
Herstellung von MOS-Transistoren) als
Diffusionsmaske dient.
silicon-nitride-oxide-semiconductor
technology (SNOS technology)
A process, similar to MNOS technology, used
for fabricating EEPROM memory cells.
Silicium-Nitrid-Oxid-Halbleiter-Technik f,
SNOS-Technik f
Ein Verfahren, ähnlich der MNOS-Technik, das
für die Herstellung von EEPROM-
Speicherzellen verwendet wird.
silicon nitride passivation
Siliciumnitridpassivierung f
silicon-on-insulator technology (SOI
technology)
Process for fabricating CMOS integrated
circuits which uses an insulating substrate
instead of a silicon substrate. The
complementary transistor pairs are formed in a
silicon film which is grown on the substrate by
silane epitaxy.
SOI-Technik f
Verfahren zur Herstellung von integrierten
CMOS-Schaltungen, bei dem anstelle des
Siliciumsubstrats ein isolierendes Substrat
verwendet wird. Die Komplementär-
Transistorpaare werden in einer dünnen
Siliciumschicht erzeugt, die mit Hilfe der
Silanepitaxie auf das Substrat aufgebracht
wird.
silicon-on-sapphire technology (SOS
technology)
Process for fabricating CMOS integrated
circuits which uses a single-crystal sapphire
substrate instead of a silicon substrate. The
complementary transistors are formed in a
silicon film which is grown on the sapphire
substrate by silane epitaxy.
Silicium-auf-Saphir-Technik f, SOS-Technik
Verfahren für die Herstellung von integrierten
CMOS-Schaltungen, bei dem anstelle des

Siliciumsubstrats einkristalliner Saphir verwendet wird. Die komplementären Transistoren werden in einer dünnen Siliciumschicht erzeugt, die mit Hilfe der Silanepitaxie auf das Saphirsubstrat abgeschieden wird.

silicon planar technology
The most important process used in the fabrication of bipolar and unipolar semiconductor components and integrated circuits using silicon as a starting material. Planar technology is characterized by selective, localized introduction of dopant impurities into the semiconductor to produce n-type and p-type conductive regions through diffusion windows in a protective layer covering the crystal surface (oxide or nitride masking). Another characteristic is that the semiconductor structures are arranged below the plane surface of the crystal (in contrast to mesa technology). The technology requires a sequence of independent processing steps such as epitaxial growth, deposition or vacuum evaporation, photolithography, etching, diffusion or ion implantation, metallization, etc.
Silicium-Planartechnik *f*
Das bedeutendste Verfahren zur Herstellung von bipolaren und unipolaren Bauelementen und integrierten Schaltungen, bei denen Silicium als Ausgangsmaterial dient. Die Planartechnik ist dadurch gekennzeichnet, daß sie einen selektiven, örtlich gezielten Einbau von Dotierstoffen zur Bildung von N- und P-leitenden Bereichen im Halbleiterkristall durch Diffusionsfenster in einer die Kristalloberfläche abschirmenden Deckschicht ermöglicht (Oxid- bzw. Nitridmaskierung). Ein weiteres Merkmal besteht darin, daß die Halbleiterstrukturen unterhalb der planen Oberfläche des Kristalls angeordnet sind (im Gegensatz zur Mesatechnik). Das Verfahren besteht aus einer Reihe von Einzelprozessen wie z.B. Epitaxie, Aufdampfung bzw. Abscheidung, Photolithographie, Ätztechnik, Diffusion bzw. Ionenimplantation, Metallisierung usw.
silicon planar thyristor [thyristor fabricated by silicon planar technology]
Siliciumplanarthyristor *m* [Thyristor, der in Silicium-Planar-Technik hergestellt ist]
silicon planar transistor [transistor fabricated by silicon planar technology]
Siliciumplanartransistor *m* [Transistor, der in Silicium-Planar-Technik hergestellt ist]
silicon rectifier diode
Silicium-Gleichrichterdiode *f*
silk-screen printing
Printing method used for producing printed circuit boards and thick-film integrated circuits.

Siebdruck *m*
Druckverfahren für die Herstellung von Leiterplatten und Dickschichtschaltungen.
SIMM (Single In-line Memory Module) [complete memory bank mounted on a board]
SIMM-Speicherbaustein *m* [komplette Speicherbank auf einer Platine montiert]
SIMOS transistor
MOS field-effect transistor using a dual-gate structure with a storage gate and a control gate; is used as a memory cell in EEPROMs.
SIMOS-Transistor *m*
Feldeffekttransistor in MOS-Struktur mit zwei übereinander liegenden Gates, einem Speicher-Gate und einem Steuer-Gate; wird als Speicherzelle bei EEPROMs verwendet.
simplex channel, unidirectional channel
Simplexkanal *m*
simplex operating mode, unidirectional operation [data transmission in one direction only; in contrast to duplex mode]
Simplexbetrieb *m*, Richtungsbetrieb *m* [Datenübertragung nur in einer Richtung; im Gegensatz zum Duplexbetrieb]
simulate, to
simulieren, nachbilden, abbilden
simulated data tape
Band mit simulierten Daten *n*
simulation [representation of a real world system by a model]
Simulation *f* Abbildung *f*, Nachbildung *f* [Abbilden eines wirklichen Systems durch ein Modell]
simulator, simulation program [general: a program that simulates the behaviour of a system or process; in microprocessors: a program for executing the object program, e.g. for diagnostic purposes]
Simulator *m*, Simulationsprogramm *n* [allgemein: ein Programm, daß das Verhalten eines Systems oder Prozesses nachbildet; bei Mikroprozessoren: ein Programm zur Ausführung des Objektprogrammes z.B. für die Fehlersuche]
simultaneous access, parallel access
Parallelzugriff *m*
simultaneous operation, simultaneous processing, concurrent working
Simultanbetrieb *m*, Simultanverarbeitung *f*, gleichzeitige Verarbeitung *f*
sin² pulse
Glockenimpuls *m*, sin²-Impuls *m*
sine function
Sinusfunktion *f*
sine half-wave
Sinushalbwelle *f*
sine wave, sinusoidal wave
Sinuswelle *f*
sine-wave generator

Sinusgenerator *m*, Sinuswellengenerator *m*
sine-wave voltage, sinusoidal voltage
Sinusspannung *f*
single-address code [in contrast to multiple-
address code]
Einadreßcode *m* [im Gegensatz zum
Mehradreßcode]
single-address instruction [an instruction that
contains one address part]
Einadreßbefehl *m* [Befehl mit einem
Adreßteil]
single-board computer (SBC) [a microcomputer
implemented on a single printed circuit board]
Einplatinenrechner *m* [Mikrorechner, der
auf einer einzigen Leiterplatte realisiert ist]
single-bus operation
Einzelbusbetrieb *m*
single-channel technique [data transmission
method]
Einkanaltechnik *f*
[Datenübertragungsmethode]
single-chip microcomputer [a circuit
implemented on a single chip containing the
major functions of a microcomputer, e.g.
microprocessor (CPU), RAM, ROM, and input-
output interface]
Einchip-Mikrorechner *m* [eine auf einem
einzigen Chip realisierte Schaltung mit den
wesentlichsten Funktionen eines
Mikrorechners, d.h. Mikroprozessor
(Zentraleinheit), RAM, ROM sowie Ein-
Ausgabe-Schnittstelle]
single-chip modem [a modem implemented on a
single chip]
Einchip-Modem *m* [ein auf einem einzigen
Chip realisierter Modem]
single-clock pulse, single timing pulse
Einzeltakt *m*
single crystal
A crystal, normally artificially grown, in which
all cells have the same crystallographic
orientation.
Einkristall *m*
Ein meistens künstlich gezüchteter Kristall, bei
dem alle Elementarzellen die gleiche
kristallographische Ausrichtung haben.
single-crystal growing by float zone melting
[a crystal growing process]
**Einkristallzüchtung durch tiegelfreies
Zonenziehen** *f* [ein Kristallzuchtverfahren]
single-crystal semiconductor
Einkristallhalbleiter *m*
single-crystal silicon
monokristallines Silicium *n*, einkristallines
Silicium *n*
single-crystal wafer
Einkristallscheibe *f*
single current [a data transmission technique]
Einfachstrom *m* [eine Übertragungstechnik]

single-density process [recording on a floppy
disk at normal bit density; in contrast to double
bit density with double-density recording]
Single-Density-Verfahren *n* [Aufzeichnen
auf einer Diskette mit normaler Schreibdichte;
im Gegensatz zur doppelten Schreibdichte beim
Double-Density-Verfahren]
single diffused
einfachdiffundiert
single-diffused transistor [bipolar transistor in
which emitter and collector are doped with
impurities in a single diffusion step]
einfachdiffundierter Transistor *m*
[Bipolartransistor, bei dem die Dotierung von
Emitter und Kollektor in einem einzigen
Diffusionsschritt erfolgt]
single diffusion process [process involving a
single diffusion step for emitter and collector
doping in bipolar transistor fabrication]
Einfachdiffusionsverfahren *n* [Technik, bei
der Emitter und Kollektor eines
Bipolartransistors in einem einzigen
Diffusionsschritt dotiert werden]
single-disk cartridge [disk storage]
Einzelplattenkassette *f* [bei
Plattenspeichern]
single-ended circuit
Eintaktschaltung *f*
single Euroboard format, European PCB
format [printed circuit board measuring
100x160 mm]
Einfacheuropaformat *n*,
Europakartenformat *n* [Leiterplatte der
Abmessungen 100x160 mm]
single-heterostructure laser [semiconductor
laser]
Einfachheterostrukturlaser *m*
[Halbleiterlaser]
single in-line package (SIP)
Package with a single row of terminals
(sometimes staggered) at right angles to the
body.
Single-In-Line-Gehäuse *n*, SIP-Gehäuse *n*
Gehäuseform mit einer Reihe rechtwinklig
abgebogener (manchmal versetzter)
Anschlüsse.
single-layer printed circuit board [in contrast
to multilayered printed circuit board]
einlagige Leiterplatte *f* [im Gegensatz zur
mehrlagigen Leiterplatte]
single phase
einphasig
single-phase circuit
Einphasenkreis *m*
single-phase current
Einphasenstrom *m*
single-photon counting
Einzelphotonenzählung *f*
single pole

einpolig
single precision [representation of a number by
one computer word]
einfache Genauigkeit *f,* **einfache Wortlänge** *f*
[Darstellung einer Zahl durch ein Rechnerwort]
single-precision data word
Datenwort einfacher Genauigkeit *n*
single-precision floating-point constant
Gleitpunktkonstante einfacher
Genauigkeit *f*
single-purpose computer
Einzweckrechner *m*
single sampling [decision based on only one
sample]
Einfachstichprobenprüfung *f,* einfache
Stichprobenprüfung *f* [Prüfentscheid aufgrund
einer Stichprobe]
single-sideband communication
Einseitenbandverkehr *m*
single-sideband transmission
Einseitenbandübertragung *f*
single-sided printed circuit board [in contrast
to double-sided printed circuit board]
einseitige Leiterplatte *f,* einseitige gedruckte
Schaltung *f* [im Gegensatz zur doppelseitigen
Leiterplatte]
single stage [e.g. amplifier, divider, etc.]
einstufig [z.B. Verstärker, Teiler usw.]
single statement
Einzelanweisung *f*
single-step debugging
Einzelschrittentstörung *f*
single-step operation
Einzelschrittbetrieb *m*
single-user system [a computer system that can
support only one terminal]
Einplatzsystem *n* [ein Rechnersystem, an das
nur ein Terminal angeschlossen werden kann]
single-word instruction
Einwortbefehl *m,* **Einzelwortbefehl** *m*
SINIX [UNIX version implemented by Siemens]
SINIX [UNIX-Version von Siemens]
sinusoidal
sinusförmig
SIO (Serial Input/Output)
serielle Eingabe/Ausgabe *f*
SIP (single in-line package)
Package with a single row of terminals
(sometimes staggered) at right angles to the
body.
SIP-Gehäuse *n,* **Single-In-Line-Gehäuse** *n*
Gehäuseform mit einer Reihe rechtwinklig
abgebogener (manchmal versetzter)
Anschlüsse.
SIT (static induction transistor)
SIT *m,* statischer Influenz-Transistor *m*
size of an array
Elementenzahl einer Matrix *f*
skin effect, Kelvin effect [the property of

alternating current to concentrate in the
surface layer of a conductor at high frequencies;
the effect increases with frequency and results
in a higher conductor resistance]
Stromverdrängung *f,* Kelvin-Effekt [die
Eigenschaft des Wechselstromes, sich bei
hohen Frequenzen an der Oberfläche des
Leiters zu konzentrieren; der Effekt nimmt bei
steigender Frequenz zu und vergrößert den
Leiterwiderstand]
skip, to
überspringen, übergehen
skip instruction
Überspringbefehl *m*
slash, stroke
Schrägstrich *m*
slave computer
Tochterrechner *m*
slave station
Nebenstation *f,* Nebenstelle *f*
slew rate
Anstiegsgeschwindigkeit *f*
slide show [a sequence of presentation graphics]
Dia-Schau *f* [eine Sequenz von
Präsentationsgraphiken]
slope
Steilheit *f*
slope detector
Flankendiskriminator *m*
slot [for additional plug-in board]
Steckplatz *m* [Platz für zusätzliche
Steckkarte]
slow-access storage
Speicher mit hoher Zugriffszeit *m,* Speicher
mit langsamer Zugriffszeit *m,* langsamer
Speicher *m*
small-scale integration (SSI)
Technique for the integration of only a few
transistors or logical functions (between 5 and
100) on the same chip.
Kleinintegration *f* (SSI)
Integrationstechnik, bei der nur wenige
Transistoren oder Gatterfunktionen (zwischen
5 und 100) auf einem Chip enthalten sind.
small-signal amplification [amplification
independent of the signal amplitude]
Kleinsignalverstärkung *f* [von der
Signalamplitude unabhängige Verstärkung]
small-signal amplifier
Kleinsignalverstärker *m*
small-signal capacity
Kleinsignalkapazität *f*
small-signal drive
Kleinsignalansteuerung *f*
small-signal resistance
Kleinsignalwiderstand *m*
small-signal transient behaviour, small-signal
transient response
Einschwingverhalten bei kleinen Signalen

small-signal transistor
Kleinsignaltransistor m
Smalltalk [an object oriented programming language]
Smalltalk [eine objektorientierte Programmiersprache]
SMD (surface-mounted device)
oberflächenmontierbares Bauteil n
SMD technique (surface-mounted device technique)
Technique for automatic mounting of semiconductor components and integrated circuits on printed circuit boards without the need for drilled holes.
SMD-Technik f, Oberflächenmontage f, Aufsetztechnik f
Technik zur automatischen Bestückung von Leiterplatten mit Bauelementen und integrierten Schaltungen, wobei die Leiterplatten keine Bohrlöcher benötigen.
smectic liquid crystal [liquid crystal type which has its molecules arranged in layers, in contrast to nematic liquid crystals which have longitudinally arranged molecules]
smektischer Flüssigkristall m [Flüssigkristallart, bei der die Moleküle in Schichten angeordnet sind; im Gegensatz zu nematischen Flüssigkristallen, bei denen die Moleküle längs geordnet sind]
smooth scroll [move text pixel by pixel on the screen instead of line by line]
punktweises Blättern n [Text auf dem Bildschirm punktweise anstatt zeilenweise auf- und abrollen]
smoothing
Glättung f
SMPS (switched-mode power supply), switching power supply
Schaltnetzteil n
SNA (System Network Architecture) [IBM's communication network]
SNA [Kommunikationsnetz von IBM]
snapshot dump, dynamic dump [representation, usually in binary, hexadecimal or octal form, of memory contents for debugging purposes during program run]
Schnappschußabzug m, dynamischer Speicherabzug m, Speicherauszug der Zwischenergebnisse m [Speicherdarstellung, meistens in binärer, hexadezimaler oder oktaler Form, zwecks Fehlerbeseitigung während des Programmablaufes]
snapshot function [for capturing screen content]
Schnappschuß-Funktion f [zur Übernahme des Bildschirminhaltes]
SNOBOL (StriNg-Oriented symBOlic Language) [programming language with special features for word processing]

SNOBOL [zeichenkettenorientierte Programmiersprache mit besonderer Eignung für die Textverarbeitung]
SNOS technology (silicon-nitride-oxide-semiconductor technology)
A process, similar to MNOS technology, used for fabricating EEPROM memory cells.
SNOS-Technik f, Silicium-Nitrid-Oxid-Halbleiter-Technik f
Ein Verfahren, ähnlich der MNOS-Technik, das für die Herstellung von EEPROM-Speicherzellen verwendet wird.
snow [moving white dots on the screen]
Hintergrundrauschen n, Schnee m [sich bewegende weiße Punkte auf dem Bildschirm]
socket [e.g. of a diode]
Fassung f [z.B. einer Diode]
SOD technology (silicon-on-diamond technology)
Process, similar to SOS technology, which uses a diamond substrate instead of a sapphire substrate.
SOD-Technik f
Technik, ähnlich dem SOS-Verfahren, bei der anstelle von Saphir ein Diamantsubstrat verwendet wird.
soft carriage return [closing each line without carriage return character, in contrast to hard carriage return]
weicher Zeilenumbruch m [Abschluß jeder Zeile ohne Wagenrücklauf-Zeichen, im Gegensatz zum harten Zeilenumbruch]
soft hyphen, discretionary hyphen [user-defined hyphen for automatic hyphenation, in contrast to normally required or hard hyphen]
weicher Bindestrich m [vom Benutzer definierte Worttrennstelle für die automatische Trennung, im Gegensatz zum normalen bzw. harten Bindestrich]
soft-key, freely-programmable function key
freibelegbare Funktionstaste f
soft-limited integrator
Integrierer mit weicher Begrenzung m
soft-sectored [marking of sectors on floppy disks by control data; in contrast to hard-sectored]
weichsektoriert [Sektormarkierung auf Disketten mittels Steuerdaten; im Gegensatz zu hartsektoriert]
soft soldering
Weichlöten n
software [programs used for a computer, in contrast to equipment, i.e. hardware; can be subdivided into system software (operating system, compilers, utility programs) and application software]
Software f [Programme eines Rechners, im Gegensatz zum gerätetechnischen Teil, d.h. Hardware; gliedert sich in Systemsoftware (Betriebssystem, Übersetzungsprogramme,

Dienstprogramme) und Anwendersoftware]
software integrity
    Software-Integrität *f*
software package
    Software-Paket *n*
software reliability
    Software-Zuverlässigkeit *f*
software tool, tool
    Software-Werkzeug *n*, **Werkzeug** *n*
SOI technology (silicon-on-insulator technology)
Process for fabricating CMOS integrated
circuits which uses an insulating substrate
instead of a silicon substrate. The
complementary transistor pairs are formed in a
silicon film which is grown on the substrate by
silane epitaxy.
    SOI-Technik *f*
Verfahren zur Herstellung von integrierten
CMOS-Schaltungen, bei dem anstelle des
Siliciumsubstrats ein isolierendes Substrat
verwendet wird. Die Komplementär-
Transistorpaare werden in einer dünnen
Siliciumschicht erzeugt, die mit Hilfe der
Silanepitaxie auf das Substrat aufgebracht
wird.
solar cell
Semiconductor photovoltaic cell which converts
radiant energy (light, solar energy) into
electrical energy.
    Solarzelle *f*
Halbleiterphotoelement, das Strahlungsenergie
(Licht, Solarenergie) in elektrische Energie
umwandelt.
solder
    Lot *n*
solder joint
    Lötverbindung *f*, **Lötstelle** *f*
solder lug
    Lötfahne *f*
solder resist [printed circuit boards]
    Lötabdecklack *m*, **Lötstopplack** *m*
    [Leiterplatten]
solder side [printed circuit boards]
    Lötseite *f* [Leiterplatten]
solder splash, tin solder splash, splash
    Lötzinnspritzer *m*, **Zinnspritzer** *m*,
    Spritzer *m*
solder strap
    Lötbrücke *f*
solderability
    Lötbarkeit *f*
soldering
    Löten *n*
soldering flux
    Flußmittel *n*
soldering temperature, lead temperature
    Löttemperatur *f*
solderless connection, wire-wrap technique
Method of making a solderless connection by

wrapping a wire under tension around a
rectangular terminal with the aid of a tool.
    lötfreie Verbindung *f*, **Drahtwickeltechnik** *f*,
    Wirewrap-Technik *f*, **Wickeltechnik** *f*
Verfahren zum Herstellen einer lötfreien
Verbindung durch Umwickeln eines
vierkantigen Anschlußstiftes mit einem Draht
unter Zugspannung mit Hilfe eines
Werkzeuges.
solderless wrap
    lötfreies Wickeln *n*
solid angle
    Raumwinkel *m*
solid dielectric
    festes Dielektrikum *n*
solid electrolytic capacitor
    Trockenelektrolytkondensator *m*
solid-phase epitaxy [Process for growing
epitaxial layers in semiconductor component
and integrated circuit fabrication]
    Festphasenepitaxie *f* [Ein Verfahren zur
Herstellung epitaktischer Schichten bei der
Herstellung von Halbleiterbauelementen und
integrierten Schaltungen]
solid-state circuit [wide term: any integrated
circuit; narrow term: monolithic integrated
circuit, i.e. a circuit with passive and active
integrated components]
    Festkörperschaltung *f* [breiter Begriff: jede
integrierte Schaltung; einschränkender Begriff:
monolithisch integrierte Schaltung, d.h. eine
Schaltung mit passiven und aktiven
integrierten Bauelementen]
solid-state device [e.g. semiconductor device]
    Festkörperbaustein *m* [z.B.
Halbleiterbaustein]
solid-state laser
    Festkörperlaser *m*
solid-state physics
    Festkörperphysik *f*
solvable problem
    lösbares Problem *n*
sort, to
    sortieren
sort field
    Sortierfeld *n*
sort key
    Sortierschlüssel *m*
sort/merge program
    Sortier-Mischprogramm *n*
sort program, sorting program
    Sortierprogramm *n*
sorting
    Sortieren *n*
sorting device [for components]
    Ordnungseinrichtung *f*, **Sortiereinrichtung** *f*
    [für Bauteile]
SOS technology (silicon-on-sapphire technology)
Process for fabricating CMOS integrated

circuits which uses a single-crystal sapphire
substrate instead of a silicon substrate. The
complementary transistors are formed in a
silicon film which is grown on the sapphire
substrate by silane epitaxy.
SOS-Technik f, Silicium-auf-Saphir-Technik f
Verfahren für die Herstellung von integrierten
CMOS-Schaltungen, bei dem anstelle des
Siliciumsubstrats einkristalliner Saphir
verwendet wird. Die komplementären
Transistoren werden in einer dünnen
Siliciumschicht erzeugt, die mit Hilfe der
Silanepitaxie auf das Saphirsubstrat
abgeschieden wird.
SOT package [package style for hybrid circuits]
SOT-Gehäuse n [Gehäuseform für
Hybridschaltungen]
sound generation
Tongenerierung f
sound level
Schallpegel m
Soundex method [for coding similarly sounding
words]
Soundex-Verfahren n [zur Codierung von
ähnlich klingenden Wörtern]
source
Region of the field-effect transistor, comparable
with the emitter of a bipolar transistor.
Source f, Quelle f
Bereich des Feldeffekttransistors, vergleichbar
mit dem Emitter des Bipolartransistors.
source bias
Sourcevorspannung f
source code [original program before translation
into machine code; program coding in
assembler language or a higher programming
language]
Quellencode m [ursprüngliches Programm vor
der Übersetzung in Maschinencode;
Programmcodierung in Assemblersprache bzw.
in einer höheren Programmiersprache]
source current [in field-effect transistors, the
current flowing through the source terminal]
Sourcestrom m [bei Feldeffekttransistoren
der über den Sourceanschluß fließende Strom]
source data
Ursprungsdaten n.pl., Erstdaten n.pl.
source diffusion step
Diffusion of impurities into the source region of
a field-effect transistor.
Sourcediffusion f
Diffusion von Fremdatomen in den
Sourcebereich eines Feldeffekttransistors.
source document
Originalbeleg m
source doping
Doping of the source region in field-effect
transistor fabrication.
Sourcedotierung f

Dotierung des Sourcebereiches bei der
Fertigung von Feldeffekttransistoren.
source electrode
Sourceelektrode f
source file
Quellendatei f
source-gate breakdown voltage
Source-Gate-Durchbruchspannung f
source-gate junction [in junction field-effect
transistors, the junction between source and
gate regions]
Source-Gate-Übergang m [bei Sperrschicht-
Feldeffekttransistoren der Übergang zwischen
Source- und Gate-Bereich]
source-gate leakage current
Source-Gate-Leckstrom m
source impedance [of a circuit]
Quellenwiderstand m [einer Schaltung]
source language [language in which a source
program is written, i.e. assembler language or
higher programming language]
Quellensprache f, Quellsprache f [Sprache, in
der ein Quellenprogramm geschrieben ist, d.h.
Assemblersprache oder höhere
Programmiersprache]
source program [a program not written in
machine language but in an assembler
language or a higher programming language]
Quellenprogramm n, Quellprogramm n [ein
Programm, das nicht in Maschinensprache
sondern in einer Assemblersprache oder einer
höheren Programmiersprache geschrieben ist]
source-program statement
Anweisung im Quellenprogramm f
source region, source zone [in FETs]
Sourcebereich m, Sourcezone f [bei FET]
source resistance
Sourcewiderstand m
source statement
Quellanweisung f
source terminal, source contact [terminal
accessible from the outside to make electrical
contact with the source region]
Sourceanschluß m, Sourcekontakt m [von
außen zugängliche Stelle für den Anschluß an
den Sourcebereich]
source text
Ursprungstext m
source voltage
Sourcespannung f
source zone, source region [in FETs]
Sourcezone f, Sourcebereich m [bei FET]
space, space character, gap
Zwischenraum m, Leerzeichen n
space bar
Leertaste f
space-charge region, depletion region
Region in a semiconductor in which
conductivity is decreased by a reduction in

charge carrier density.
Verarmungszone *f*
Bereich eines Halbleiters, in dem die
Leitfähigkeit durch Verringerung der
Ladungsträgerdichte herabgesetzt wurde.
space lattice
The three-dimensional periodic arrangement of
atoms in a crystal lattice.
Raumgitter *n*
Die räumliche, sich regelmäßig wiederholende
Anordnung von Atomen in einem Kristallgitter.
space requirement, footprint [e.g. of a display
unit]
Platzbedarf *m,* Flächenbedarf [z.B. eines
Bildschirmgerätes]
SPARC (Scalable Processor ARChitecture) [RISC
architecture defined by Sun]
SPARC [von Sun definierte RISC-Architektur]
sparse matrix
dünn besetzte Matrix *f*
spatial, three-dimensional
räumlich
spatial arrangement
räumliche Anordnung *f*
SPDL (Standard Page Description Language) [a
part of ODA (Office Document Architecture)]
SPDL [Standard-Seitenbeschreibungssprache;
ein Teil von ODA (Office Document
Architecture)]
special characters [characters that are not
letters, digits or blanks, e.g. punctuation signs]
Sonderzeichen *n.pl.* [Zeichen, die weder
Buchstaben, Ziffern oder Leerstellen darstellen,
z.B. Satzzeichen]
specifications
technische Daten *n.pl.,*
Kenndatenzusammenstellung *f,* Spezifikation *f,*
Pflichtenheft *n*
spectral radiation bandwidth [optoelectronics]
spektrale Strahlungsbandbreite *f*
[Optoelektronik]
spectral response bandwidth [optoelectronics]
spektrale Empfindlichkeitsbandbreite *f*
[Optoelektronik]
speech generation
Sprachgenerierung *f*
speech synthesis
Sprachsynthese *f*
spell check, to; spellcheck, to
auf Schreibfehler prüfen
spell checker, spellchecker, spelling checker
Rechtschreibprogramm *n,*
Orthographieprogramm *n*
spell checking, spellchecking, spelling check
Rechtschreibüberprüfung *f,*
Orthographieüberprüfung *f*
spelling error
Rechtschreibfehler *m,* Orthographiefehler *m*
spherical coordinates

Kugelkoordinaten *f.pl.*
spike-pulse generator
Nadelimpulsgenerator *m*
spinel
Magnesium-aluminium oxide used as an
insulating substrate in CMOS integrated
circuit fabrication (e.g. in ESFI technology).
Spinell *m*
Magnesium-Aluminium-Oxid, das als
isolierendes Substrat bei der Herstellung von
integrierten CMOS-Schaltungen verwendet
wird (z.B. bei der ESFI-Technik).
splash, solder splash, tin solder splash
Spritzer *m,* Lötzinnspritzer *m,* Zinnspritzer *m*
split, to
aufteilen, teilen
split address
geteilte Adresse *f*
split-screen [screen with separate display areas
which usually can be independently scrolled]
geteilter Bildschirm *m* [Bildschirmanzeige
mit getrennten Darstellungsbereichen, die sich
meistens unabhängig voneinander bewegen
lassen]
spool (simultaneous peripheral operation on
line), spooling [technique of buffer storing
input-output data for or from slow peripherals]
Spool-Betrieb *m,* Spooling *n* [Verfahren zur
Zwischenspeicherung von Ein-Ausgabe-Daten
für bzw. von langsamen Peripheriegeräten]
spool file
Spool-Datei *f*
sporadic failure, intermittent failure
sporadischer Ausfall *m,* intermittierender
Ausfall *m*
spreading resistance
Ausbreitungswiderstand *m*
spreading resistance method
Method for measuring the resistivity of a
semiconductor.
Ausbreitungswiderstandsmethode *f,*
Kontaktwiderstandsmethode *f*
Meßmethode zur Bestimmung des spezifischen
Widerstandes eines Halbleiters.
spreadsheet
Tabellenkalkulation *f*
spreadsheet program [program for calculating
values in rows and columns according to
predetermined equations]
Tabellenkalkulations-Programm *n,*
Spreadsheet-Programm *n* [Programm zur
Berechnung von Werten in Zeilen und Spalten
mittels vorgegebener Formeln]
sprite [user-definable pattern of pixels]
Sprite *n* [benutzerdefinierbares Muster aus
Bildpunkten]
sputter etching [an etching process]
Aufstäubätzung *f,* Sputterätzung *f* [ein
Ätzverfahren]

sputtering, cathode sputtering
A deposition process for forming conductive and
dielectric layers in semiconductor component
and integrated circuit fabrication.
Sputtern *n*, Sputter-Verfahren *n*,
Kathodenzerstäubung *f*
Abscheideverfahren für die Herstellung von
leitenden und dielektrischen Schichten bei der
Fertigung von Halbleiterbauteilen und
integrierten Schaltungen.
SQA (Software Quality Assurance)
SQA [Software-Qualitätssicherung]
SQL (Structured Query Language) [high-level
language for query routines for databases]
SQL [Standardabfragesprache für
Datenbanken; Hochsprache für
Abfrageroutinen für Datenbanken]
square-law characteristic
quadratische Kennlinie *f*
square-root function
Quadratwurzelfunktion *f*
square-wave generator
Rechteckwellengenerator *m*
square-wave modulation
Rechteckmodulation *f*
square-wave oscillation
Rechteckschwingung *f*
square-wave signal
Rechtecksignal *n*
square waveform
Rechteckwellenform *f*
SRAM, static RAM (static random access
memory)
Static read-write memory with random access
whose memory cells consist of flip-flops. Stored
information is maintained without the need for
periodic refreshing. Static RAMs exist in
bipolar and MOS versions.
SRAM *m*, statischer RAM *m*, statischer
Schreib-Lese-Speicher *m*
Statischer Schreib-Lese-Speicher mit
wahlfreiem Zugriff, dessen Speicherzellen aus
Flipflops bestehen. Der Speicherinhalt bleibt
ohne periodisches Auffrischen erhalten.
Statische RAMs werden in Bipolar- und MOS-
Technik ausgeführt.
SSI (small scale integration)
Technique for the integration of only a few
transistors or logical functions (between 5 and
100) on the same chip.
SSI, Kleinintegration *f*, niedriger
Integrationsgrad *m*
Integrationstechnik, bei der nur wenige
Transistoren oder Gatterfunktionen (zwischen
5 und 100) auf einem Chip enthalten sind.
stabilization
Stabilisierung *f*
stabilizer
Stabilisator *m*

stabilizer diode, voltage regulator diode
Stabilisatordiode *f*,
Spannungsstabilisatordiode *f*
stable output configuration
stabile Ausgangskonfiguration *f*
stable state
stabiler Zustand *m*
stack, FILO storage (first-in/last-out), LIFO
storage (last-in/first-out)
Storage device operating without address
specification and which reads out data in the
reverse order as it was stored, i.e. the first data
word is read out last. Implemented as shift
registers or RAM, it is particularly used for
subroutines, i.e. for storing data prior to a jump
instruction.
Stapelspeicher *m*, Kellerspeicher *m*, FILO-
Speicher *m*, LIFO-Speicher *m*
Speicher, der ohne Adreßangabe arbeitet und
dessen Daten in der umgekehrten Reihenfolge
gelesen werden, in der sie zuvor geschrieben
worden sind, d.h. das zuletzt geschriebene
Datenwort wird als erstes gelesen. Er wird
mittels Schieberegister oder RAM insbesondere
für die Bearbeitung von Unterprogrammen
verwendet, d.h. für die Datenspeicherung vor
einem Sprungbefehl.
stack overflow
Stapelspeicher-Überlauf *m*
stack pointer [an address register in a
microprocessor; points to the last-accessed
storage location of a stack]
Stapelzeiger *m*, Kellerzeiger *m* [ein
Adreßregister in einem Mikroprozessor; zeigt
die Speicherstelle des Keller- bzw.
Stapelspeichers an, auf die der letzte Zugriff
erfolgte]
staircase voltage
Treppenspannung *f*
stand-alone
allein operierend
stand-alone device, stand-alone equipment
Alleingerät *n*, Einzelgerät *n*
stand-alone equipment
Einzelstation *f*
standard cell
A software-defined circuit function that does
not physically exist but can be pulled from a
cell library for the design of semicustom
integrated circuits.
Standardzelle *f*
Softwaremäßig definierte Schaltungsfunktion,
die hardwaremäßig nicht vorhanden ist, aber
für die Entwicklung von integrierten
Semikundenschaltungen aus einer
Zellenbibliothek abgerufen werden kann.
standard cell library
Collection of predefined standard cells available
in software.

Standardzellenbibliothek *f*
Sammlung von Standardzellen, die voll
spezifiziert als Software vorhanden sind.
standard deviation
Standardabweichung *f*
standard frequency
Normalfrequenz *f*
standard frequency generator
Normalfrequenzgenerator *m*
standard interface [e.g. for asynchronous serial
data communications according to EIA RS-232-
C or CCITT V.24]
Standardschnittstelle *f*, genormte
Schnittstelle *f* [z.B. für die asynchrone serielle
Datenübertragung gemäß EIA RS-232-C oder
CCITT V.24]
standard plug connection
Normsteckerverbindung *f*
standard value
Standardwert *m*
standby computer, backup computer
Reserverechner *m*
standby mode, backup operation
Reservebetrieb *m*, Wartebetriebsart *f*
standby power supply, backup power supply
Reservestromversorgung *f*
standby state
Bereitschaftszustand *m*, Reservezustand *m*,
Wartezustand *m*
standby unit, backup unit, replacement unit
Reservegerät *n*, Ersatzgerät *n*
standing-wave ratio (SWR), voltage standing-
wave ratio (VSWR)
Welligkeitsfaktor *m*
star topology [network]
Stern-Topologie *f* [Netzwerk]
start address, initial address
Anfangsadresse *f*
start bit [in asynchronous data transmission]
Startbit *n* [bei der asynchronen
Datenübertragung]
start instruction
Startbefehl *m*
start-of-text character (STX)
Textanfangszeichen *n*
start-stop method [magnetic tape unit]
Start-Stop-Verfahren *n* [Magnetbandgerät]
start-stop operation, asynchronous operation
[data transmission with synchronization
effected by adding start and stop bits to each
character to be transmitted]
Start-Stop-Arbeitsweise *f*, asynchrone
Arbeitsweise *f* [Datenübertragung mit
Synchronisierung mittels Start- und Stopbits,
die jedem zu übertragenden Zeichen zugefügt
sind]
start-up, setting into operation
Inbetriebnahme *f*
start-up, to; set into operation, to

inbetriebnehmen
starting address
Startadresse *f*
starting material, base material, substrate
The material (semiconductor crystal or
insulator) in or on which discrete components
or integrated circuits are fabricated.
Ausgangsmaterial *n*, Grundmaterial *n*,
Substrat *n*
Das Material (Halbleiterkristall oder Isolator),
in oder auf dem Bauelemente oder integrierte
Schaltungen hergestellt werden.
starting statement
Startanweisung *f*
state
Zustand *m*
state diagram
Zustandsdiagramm *n*
statement [basic element of a program; can be
split up into a sequence of instructions]
Anweisung *f* [das Grundelement eines
Programmes; läßt sich in eine Folge von
Befehlen zerlegen]
statement label [FORTRAN]
Anweisungsmarke *f* [FORTRAN]
statement line [of a program]
Anweisungszeile *f* [eines Programmes]
statement name
Anweisungsname *m*
static analysis [program]
statische Analyse *f* [Programm]
static dump, static memory dump, post-mortem
dump [representation, usually in binary,
hexadecimal or octal form, of memory contents
for debugging purposes after program
termination]
statischer Speicherabzug *m*, Speicherabzug
nach Pannen *m* [Speicherdarstellung, meistens
in binärer, hexadezimaler oder oktaler Form,
zwecks Fehlerbeseitigung nach
Programmablauf]
static error
statischer Fehler *m*
static flip-flop
statisches Flipflop *n*
static induction transistor (SIT)
statischer Influenz-Transistor *m* (SIT)
static memory [memory in which stored
information is maintained without the need for
refreshing]
statischer Speicher *m* [Speicher, dessen
Speicherinhalt ohne Auffrischen erhalten
bleibt]
static RAM, static random access memory
(SRAM)
Static read-write memory with random access
whose memory cells consist of flip-flops. Stored
information is maintained and requires no
periodic refreshing. RAMs exist in bipolar and

MOS versions.
statischer RAM m, statischer Schreib-Lese-Speicher m, **SRAM** m
Statischer Schreib-Lese-Speicher mit wahlfreiem Zugriff, dessen Speicherzellen aus Flipflops bestehen. Der Speicherinhalt bleibt ohne periodische Auffrischung erhalten. Statische RAMs werden in Bipolar- und MOS-Technik ausgeführt.
static ROM, static read-only memory
statischer ROM m, statischer Festwertspeicher m
static transconductance
statische Steilheit f
stationary
feststehend
stationary [e.g. equipment]
ortsfest [z.B. Gerät]
statistical analysis
statistische Analyse f
statistical prediction
statistische Voraussage f
status [actual state, e.g. of the central processing unit, a port, a peripheral unit, etc.]
Status m [aktueller Zustand, z.B. der Zentraleinheit, eines Kanals, eines Peripheriegerätes usw.]
status bit [bit giving the actual state, e.g. of the central processing unit, a port, a peripheral unit, etc.]
Zustandsbit n, Statusbit n [Bit, das den aktuellen Zustand angibt, z.B. der Zentraleinheit, eines Kanals, eines Peripheriegerätes usw.]
status byte
Zustandsbyte n, Statusbyte n
status flag
Zustandsflag n
status register [in microprocessor: contains operand status or results, e.g. carry, overflow, sign, zero, parity]
Zustandsregister n, Statusregister n [im Mikroprozessor: enthält Operandenzustand oder Ergebnisse, z.B. Übertrag, Überlauf, Vorzeichen, Null, Parität]
status signal
Zustandssignal n, Meldesignal n
status vector
Zustandsvektor m
status word
Zustandswort n
steady state [of a signal]
eingeschwungener Zustand m [eines Signals]
STEM (scanning transmission electron microscope)
Durchstrahlungs-Rasterelektronenmikroskop n
step

Ablaufschritt m
step-and-repeat camera [photolithography]
Special-purpose camera for the production of master masks. It is used to reduce the reticle to final mask dimensions and to reproduce the mask pattern 100 to 1000 times on a transparent glass disk which covers the entire surface of the wafer.
Step-und-Repeat-Kamera f, Schritt-und-Wiederholkamera f [Photolithographie]
Spezialkamera für die Herstellung von Muttermasken. Die Kamera dient der Verkleinerung der Zwischenmaske auf Originalmaskengröße und der 100- bis 1000-fachen Vervielfältigung auf einer durchsichtigen Glasplatte, die den ganzen Wafer abdeckt.
step-by-step operation
Schrittbetrieb m
step response [response of a control element or system when it is excited by a step function]
Sprungantwort f, Übergangsfunktion f [Antwortsignal eines Regelgliedes oder -systems, wenn es durch eine Sprungfunktion am Eingang erregt wird]
stepper motor, stepping motor
Low power electric motor whose rotor moves through a defined angle at each input pulse. This automatically provides displacement measurement. Stepper motors are primarily used as drives in numerically controlled equipment (e.g. plotters) since they require no additional displacement transducer.
Schrittmotor m
Elektrischer Motor kleiner Leistung, dessen Rotor sich bei jedem Impuls um einen bestimmten Winkelschritt dreht. Dadurch ist automatisch eine Wegmessung gegeben. Schrittmotore werden vorzugsweise als Antrieb für numerisch gesteuerte Geräte (z.B. Zeichengeräte) eingesetzt, da ein zusätzliches Wegmeßgerät entfällt.
stimulation, excitation
Anregung f, Erregung f, Aktivierung f
stitch bonding
A thermocompression method in which a gold wire fed through a capillary tube is bent laterally and pressed against the bonding pad on the circuit.
Stichkontaktierung f
Ein Thermokompressionsverfahren, bei dem ein Golddraht durch eine Kapillare geführt, seitlich geknickt und auf den Kontaktfleck der Schaltung gepreßt wird.
stochastic, random
stochastisch, zufallsabhängig
stochastic noise
stochastisches Rauschen n
stop-band attenuation [of a filter]

559

Sperrdämpfung *f* [eines Filters]
stop bit [in asynchronous data transmission]
Stopbit *n* [bei der asynchronen
Datenübertragung]
stop instruction, program stop instruction
Programmstopbefehl *m*
storage allocation
Speicherbelegung *f*, Speicherzuweisung *f*
storage area
Speicherbereich *m*
storage capacity, memory capacity [data
storage capacity of a storage medium, usually
expressed in bytes (kbytes or Mbytes)]
Speicherkapazität *f*
[Datenaufnahmevermögen eines
Speichermediums, meistens in Bytes (kBytes
oder MBytes) ausgedrückt]
storage cell, storage location, memory cell [a
group of storage elements identified by an
address, e.g. for storing a byte or word]
Speicherzelle *f*, Speicherplatz *m* [eine aus
mehreren Speicherelementen bestehende
Gruppe, die durch eine Adresse identifiziert
wird, z.B. für die Abspeicherung eines Bytes
oder Wortes]
storage charge
Speicherladung *f*
storage cycle, memory cycle
Speicherzyklus *m*
storage device, memory device
Speicherbaustein *m*
storage element, memory element [stores the
smallest unit of data, usually one bit]
Speicherelement *n* [speichert die kleinste
Dateneinheit, meist ein Bit]
storage instruction
Speicherbefehl *m*
storage location, storage cell
Speicherplatz *m*, Speicherzelle *f*
storage matrix, storage array [general: storage
arrangement]
Speichermatrix *f* [allgemein:
Speicheranordnung]
storage medium, recording medium
Speichermedium *n*
storage register
Speicherregister *n*
storage temperature [e.g. of semiconductor
components]
Lagerungstemperatur *f* [z.B. von
Halbleiterbauteilen]
storage temperature range
Lagerungstemperaturbereich *m*
storage tube
Speicherröhre *f*
storage utilization
Speicherausnutzung *f*
storage zone
Speicherzone *f*

store, to
speichern
store temporarily, to; prestore, to; store and
forward, to
zwischenspeichern
stored program
gespeichertes Programm *n*
stored-program control
speicherprogrammierte Steuerung *f*
strain gauge
Dehnungsmeßstreifen *m*
strap, jumper [connection between two
terminals]
Brücke *f*, Drahtbrücke *f*, Kurzverbindung *f*
[Verbindung zwischen zwei Anschlüssen]
stray capacitance
Streukapazität *f*
stray coupling
ungewollte Kopplung *f*
stream, data stream [continuous flow of data]
Strom *m*, Datenstrom *m* [kontinuierlicher Fluß
von Daten]
stream input/output
Strom-Ein-Ausgabe *f*
streamer, streaming tape unit [tape unit with
continuous tape motion]
Streamer *m*, Streaming-Bandlaufwerk *n*
[Bandlaufwerk mit kontinuierlichem Ablauf]
stress [mechanical]
Beanspruchung *f* [mechanisch]
stress cycle
Beanspruchungszyklus *m*
string, character string [a linear series of entities
or characters]
Zeichenkette *f*, String *m*, Zeichenfolge *f* [eine
Folge von Einheiten bzw. Zeichen]
string data
Kettendaten *n.pl.*
string manipulation
Zeichenkettenmanipulation *f*
string symbol
Zeichenfolgesymbol *n*
string variable [variable containing a character
string (i.e. non-numeric information)]
String-Variable *f* [Variable, die eine
Zeichenkette (d.h. nichtnumerische
Information) enthält]
stripline [twin conductor consisting of parallel
strips with small spacing or one strip and a
conducting plane]
Streifenleiter *m* [Doppelleiter aus parallelen
Streifen mit kleinem Abstand bzw. aus einem
Streifen und einer leitenden Ebene]
stripline technique, sandwich line
Streifenleitertechnik *f*, Sandwich-Leitung *f*
strobe [a pulse used to produce a desired action]
Strobe-Impuls *m* [Impuls zur Aktivierung
eines gewünschten Vorganges]
strobe input

Strobe-Eingang *m*
strobe signal
Strobe-Signal *n*
stroke, slash
Schrägstrich *m*
structured programming, block-structure
programming [methodological programming
with stepwise detailing of an overall
description, i.e. top-down programming,
employing program modules and avoiding jump
instructions]
strukturierte Programmierung *f*
[methodische Programmierung mit
stufenweiser Detailierung einer umfassenden
Beschreibung, d.h. von oben nach unten
erfolgend, unter Verwendung von
Programmodulen und Vermeidung von
Sprungbefehlen]
Student's t distribution, t distribution
[probability distribution]
Student-t-Verteilung *f*, t-Verteilung *f*
[Wahrscheinlichkeitsverteilung]
STX (start-of-text character)
Textanfangszeichen *n*
subclass, derived class [in object oriented
programming: a class derived from the top class
in a hierarchy of classes, in contrast to base
class]
Subklasse *f*, abgeleitete Klasse *f* [bei der
objektorientierten Programmierung: die von
der obersten Klasse abgeleitete Klasse in einer
Hierarchie, im Gegensatz zur Basisklasse]
subdirectory
Unterverzeichnis *n*
submaster [masking technology]
Tochtermaske *f* [Maskentechnik]
subroutine [an instruction sequence required
several times in a program but programmed
only once]
Unterprogramm *n* [eine Befehlsfolge, die
mehrmals im Programm benötigt, aber nur
einmal programmiert wird]
subroutine call instruction
Unterprogrammaufruf *m*
subroutine entry
Unterprogrammeinsprung *m*
subroutine library
Unterprogrammbibliothek *f*
subroutine nesting
Unterprogrammschachtelung *f*
subroutine return
Unterprogrammrücksprung *m*
subroutine statement [FORTRAN]
Subroutinenanweisung *f* [FORTRAN]
subscriber [station connected to data
transmission line]
Teilnehmer *m* [an Datenübertragungsleitung
angeschlossene Station]
subscript [lowered character, e.g. X_1 or L_a]

tiefstehender Index *m* [tiefgestelltes Zeichen,
z.B. X_1 oder L_a]
subscript, to; index, to
indizieren
subset
Teilmenge *f*
substitutional diffusion
Diffusion mechanism in which impurity atoms
wander through the crystal lattice by moving
from one lattice site to the next.
substitutionelle Diffusion *f*, substitutioneller
Einbau *m* [Dotierungstechnik]
Diffusionsmechanismus, bei dem die Fremdatome durch das Kristallgitter wandern, indem
sie von einem Gitterplatz zum nächsten
übergehen.
substitutional impurity [doping technology]
substitutionelles Fremdatom *n*
[Dotierungstechnik]
substrate, starting material, base material
The material (semiconductor crystal or
insulator) in or on which discrete components
or integrated circuits are fabricated.
Substrat *n*, Ausgangsmaterial *n*,
Grundmaterial *n*
Das Material (Halbleiterkristall oder Isolator)
in oder auf dem Bauelemente oder integrierte
Schaltungen hergestellt werden.
substrate current
Substratstrom *m*
substrate field logic (SFL) [variant of the
integrated injection logic (I^2L) exhibiting
exceptionally high packaging density and good
dynamic properties]
substratgespeiste Logik *f*, SFL *f* [Variante
der integrierten Injektionslogik (I^2L), die
besonders hohe Packungsdichte und gute
dynamische Eigenschaften aufweist]
substrate pnp-transistor
Vertical pnp-transistor in which the p-type
substrate forms the collector; is used as emitter
follower in large-scale integrated circuits.
Substrattransistor *m*
Vertikaler PNP-Transistor, bei dem das P-
leitende Substrat den Kollektor bildet; wird als
Emitterfolger in hochintegrierten Schaltungen
eingesetzt.
substring
Teilfolge *f*
subtotal
Zwischensumme *f*
subtracter
Subtrahierer *m*
subtraction [in computer technology subtraction
is based on addition, i.e. instead of a - b the
operation a + (-b) is carried out; the change of
sign is effected by forming the complement, e.g.
twos complement in the case of binary
numbers]

Subtraktion f [in der Rechentechnik wird die Subtraktion auf die Addition zurückgeführt, d.h. anstatt a - b wird die Operation a + (-b) durchgeführt; der Vorzeichenwechsel erfolgt durch Bildung des Komplementes, z.B. Zweierkomplement bei Dualzahlen]
subtractive process
Process for forming conductive patterns on printed circuit boards by etching the copperclad laminate.
subtraktives Verfahren n
Verfahren zur Herstellung von Verdrahtungsmustern auf Leiterplatten durch Ätzen des kupferkaschierten Laminats.
successive approximation
sukzessive Approximation f
sum register
Summenregister n
summation check
Längssummenkontrolle f
summing amplifier [analog techniques: an operational amplifier]
Summenverstärker m [Analogtechnik: ein Operationsverstärker]
summing integrator [analog techniques: an integrator with multiple inputs]
summierender Integrator m [Analogtechnik: ein Integrierer mit mehreren Eingängen]
SunOS (Sun Operating System) [operating system developed by Sun]
SunOS [Betriebssystem von Sun]
superclass, base class [in object oriented programming: the top class in a hierarchy of classes, in contrast to derived class]
Superklasse f, Basisklasse f [in der objektorientierten Programmierung: die oberste Klasse in einer Hierarchie, im Gegensatz zur abgeleiteten Klasse]
supercomputer, number cruncher [mainframe computer with specially powerful processors]
Superrechner m [Großrechner mit besonders leistungsfähigen Prozessoren]
superlattice
A lattice structure comprising extremely thin layers of semiconductor materials with differing band gaps stacked one above the other thus forming a synthetic crystal with new properties.
Übergitter n
Eine Gitterstruktur, die aus extrem dünnen, übereinandergestapelten Schichten von Halbleitern mit unterschiedlichen Bandlücken besteht, die einen synthetischen Halbleiterkristall bilden, der neue Eigenschaften aufweist.
superminicomputer [a 64-bit minicomputer]
Superminirechner m, Superminicomputer m [ein 64-Bit-Kleinrechner]
superpose, to

überlagern
superscript [raised character, e.g. 10^3]
hochstehender Index m [hochgestelltes Zeichen, z.B. 10^3]
supervisory
übergeordnet
supervisory computer, master computer
Leitrechner m
supply current
Versorgungsstrom m, Speisestrom m
supply voltage
Versorgungsspannung f, Speisespannung f
supporting substrate, base material [e.g. insulating material used in thick film and thin film technology or in printed circuit board fabrication]
Träger m, Trägermaterial n [z.B. isolierendes Material, das in der Dick- und Dünnschichttechnik oder für die Leiterplattenfertigung verwendet wird]
suppression
Unterdrückung f
suppression diode
Unterdrückerdiode f
surface acoustic wave (SAW)
akustische Oberflächenwelle f (AOW)
surface barrier detector
Oberflächenraumladedetektor m
surface barrier photodiode
Randschichtphotodiode f
surface-charge transistor (SCT)
Integrated transistor element in which stored electric charges can be transferred along the surface of the semiconductor by applying a gate voltage.
Oberflächenladungstransistor m
Integriertes Transistorbauteil, bei dem gespeicherte Ladungen durch Anlegen einer Gatespannung an der Oberfläche des Halbleiters entlang verschoben werden können.
surface coefficient
Oberflächenkoeffizient m
surface defect [semiconductor crystals]
Oberflächendefekt m [Halbleiterkristalle]
surface doping
Oberflächendotierung f
surface inversion
Oberflächeninversion f
surface layer
Randschicht f
surface-mounted device (SMD)
oberflächenmontierbares Bauteil n
surface-mounted device technique, SMD technique
Technique for automatic mounting of semiconductor components and integrated circuits on printed circuit boards without the need for drilled holes.
Oberflächenmontage f, Aufsetztechnik f,

SMD-Technik *f*
Technik zur automatischen Bestückung von
Leiterplatten mit Bauelementen und
integrierten Schaltungen, wobei die
Leiterplatten keine Bohrlöcher benötigen.
surface passivation [semiconductor technology]
Deposition or growing of protective films (e.g.
silicon dioxide, silicon nitride, glass or
polyimide) on the surface of a semiconductor to
provide protection from contamination,
moisture and the penetration of ions.
Oberflächenpassivierung *f*
[Halbleitertechnik]
Das Aufbringen oder Aufwachsen von
Schutzschichten (z.B. Siliciumdioxid,
Siliciumnitrid, Glas oder Polyimid) auf die
Oberfläche eines Halbleiters, um sie vor
Feuchtigkeit, Verunreinigungen und dem
Eindringen von Ionen zu schützen.
surface recombination [semiconductor
technology]
The reunion of free electrons and holes at the
surface of a semiconductor.
Oberflächenrekombination *f*
[Halbleitertechnik]
Die Wiedervereinigung freier Elektronen und
Defektelektronen an der Oberfläche eines
Halbleiters.
surface recombination velocity
The speed with which free electrons and holes
reunite at the surface of a semi-conductor.
**Oberflächenrekombinations-
Geschwindigkeit *f***
Die Geschwindigkeit, mit der sich freie
Elektronen und Defektelektronen an der
Oberfläche eines Halbleiters wiedervereinigen.
surface region
Oberflächenzone *f*
surge on-state current
Stoßstrom *m*
surge voltage test
Stoßspannungsprüfung *f*
survival probability
Wahrscheinlichkeit des Überlebens *f*
susceptance [the imaginary part of admittance]
Blindleitwert *m* [Blindkomponente des
Leitwertes]
SVGA (Super Video Graphics Adapter) [VGA
with increased resolution of e.g. 1024 x 768
points]
Super-VGA [VGA mit erhöhter Auflösung von
z.B. 1024 x 768 Punkten]
swap file
Auslagerungsdatei *f*
swap-in, to [transfer data from auxiliary storage
into main storage]
einlagern [von Daten aus dem Hilfsspeicher in
den Hauptspeicher]
swap-out, to [in a time-sharing computer system

to transfer a program resident in the main
storage to an auxiliary storage]
auslagern [in einem Mehrbenutzerrechnersystem das Verschieben eines im
Hauptspeicher residenten Programmes in
einen Zusatzspeicher]
swapping, swap-in and swap-out [transfer a
program from auxiliary to main storage and
vice-versa; used in time-sharing and virtual
memory systems]
Swapping *m*, dynamische Auslagerung *f,* Ein-
und Auslagern *n* [Verschieben eines
Programmes vom Zusatz- in den Hauptspeicher
und umgekehrt; wird in Mehrbenutzersystemen sowie in Systemen mit virtuellem
Speicher verwendet]
swapping area
Auslagerungsbereich *m*
sweep frequency
Wobbelfrequenz *f*
sweep magnification [of an oscilloscope]
Zeitdehnung *f* [eines Oszillographen]
sweep-frequency generator
Wobbelgenerator *m*
switch
Schalter *m*
switch, to
schalten
switch-off, to; disable, to; inactivate, to
abschalten, ausschalten, inaktivieren
switch-on, to; power-up, to
einschalten, Stromversorgung einschalten
switch-over, to
umschalten
switchable
schaltbar, umschaltbar
switched capacitor circuit (SC circuit)
Schalter-Kondensator-Schaltung *f*, SC-
Schaltung *f*
switched capacitor circuit design (SC circuit
design)
Schalter-Kondensator-Schaltungstechnik
f, SC-Schaltungstechnik *f*
switched capacitor filter (SC filter)
Schalter-Kondensator-Filter *m*, SC-Filter *m*
switched capacitor technology (SC
technology) [a technology for the design of
integrated circuits (usually MOS circuits) in
which resistor functions are replaced by
switched capacitors]
Schalter-Kondensator-Technik *f*, SC-
Technik *f* [Technik für die Realisierung
integrierter Schaltungen (in der Regel MOS-
Schaltungen), bei denen die Widerstandsfunktionen durch geschaltete Kondensatoren
ersetzt werden]
switched line
Wählleitung *f*
switched-mode power supply (SMPS),

switching power supply
Schaltnetzteil *n*
switching algebra, switching logic [the
application of Boolean algebra to logical
circuits]
Schaltalgebra *f*, Schaltlogik *f* [Anwendung der
Booleschen Algebra auf logische Schaltungen]
switching delay time [time required for a
change in input signal to become effective at
the output of an element acting as a switch (e.g.
of a logical circuit)]
Schaltverzögerungszeit *f* [Zeitspanne, die
benötigt wird, bis eine Änderung des
Eingangssignales am Ausgang eines als
Schalter wirkenden Elementes (z.B. einer
logischen Schaltung) wirksam wird]
switching diode [semiconductor diode used as
switch; switches from high to low impedance
and vice-versa]
Schaltdiode *f* [Halbleiterdiode, die als
Schalter verwendet wird; schaltet um von
hoher auf niedrige Impedanz und umgekehrt]
switching element
Schaltelement *n*
switching function
Schaltfunktion *f*
switching logic, switching algebra [the
application of Boolean algebra to logical
circuits]
Schaltlogik *f*, Schaltalgebra *f* [Anwendung der
Booleschen Algebra auf logische Schaltungen]
switching matrix
Schaltmatrix *f*
switching power supply, switched-mode power
supply (SMPS)
Schaltnetzteil *n*
switching sequence
Schaltfolge *f*
switching speed
Schaltgeschwindigkeit *f*
switching time [general]
Schaltzeit *f* [allgemein]
switching time [e.g. of a flip-flop]
Kippdauer *f* [z.B. eines Flipflops]
switching transistor
A transistor which is used as an electronic
switch.
Schalttransistor *m*
Ein Transistor, der als elektronischer Schalter
verwendet wird.
switching voltage
Schaltspannung *f*
switchover
Umschaltung *f*
switchover time
Umschaltzeit *f*
symbol
Symbol *n*
symbol string

Symbolfolge *f*
symbol table
Symboltabelle *f*
symbolic address, floating address [address
consisting of a freely chosen expression (usually
a mnemonic name); is used in symbolic programming languages]
symbolische Adresse *f* [Adresse, die durch
einen frei wählbaren Ausdruck (in der Regel
einen mnemotechnischen Namen)
gekennzeichnet ist; wird in symbolischen
Programmiersprachen verwendet]
symbolic addressing
symbolische Adressierung *f*
symbolic assembler [assembler language using
symbolic addresses]
symbolischer Assembler *m*
[Assemblersprache, die symbolische Adressen
verwendet]
symbolic code, pseudo code [representation of
machine instructions in symbolic form; in
contrast to representation in binary form]
symbolischer Code *m* [Darstellung von
Maschinenbefehlen in symbolischer Form; im
Gegensatz zur Darstellung in Binärform]
symbolic program [employs mnemonic
abbreviations for operation codes and symbolic
addresses for operand addresses]
symbolisches Programm *n* [verwendet
mnemotechnische Abkürzungen als Operationscodes und symbolische Adressen als
Operandenadressen]
symbolic programming
adressenfreie Programmierung *f*,
symbolische Programmierung *f*
symbolic programming language [assembler
language or a language employing mnemonic
abbreviations]
symbolische Programmiersprache *f*
[Assemblersprache bzw. eine Sprache, die
mnemotechnische Abkürzungen verwendet]
synchronism
Gleichlauf *m*, Synchronisierung *f*
synchronization
Synchronisierung *f*
synchronizing byte [data transmission]
Synchronisierbyte *n* [Datenübertragung]
synchronizing character
Synchronisierzeichen *n*
synchronizing signal
Synchronsignal *n*
synchronous clock pulse
Synchrontakt *m*
synchronous computer [a computer whose
internal functions are controlled by a clock; in
contrast to the commonly used asynchronous
computer]
Synchronrechner *m* [ein Rechner, dessen
interne Funktionen von einem Taktgeber

gesteuert sind; im Gegensatz zum gebräuchlichen asynchronen Rechner]

synchronous counter, parallel counter A counter usually composed of flip-flops in which all clock inputs are driven in parallel by a single clock signal. In this manner all state changes occur synchronously.

synchroner Zähler m, Synchronzähler m Ein im allgemeinen aus Flipflops aufgebauter Zähler, bei dem alle Takteingänge von einem einzigen parallel zugeführten Taktsignal angesteuert werden, so daß alle Zustandsänderungen im gleichen Takt (synchron) erfolgen.

synchronous data link control (SDLC) [protocol for synchronous bit-serial data transmission established by IBM; variant of HDLC (high-level data link control) standardized by ISO]

synchrones Datenübertragungsverfahren n, SDLC-Verfahren n [von IBM aufgestelltes Protokoll für die synchrone bitserielle Datenübertragung; Variante des von ISO genormten HDLC-Verfahrens]

synchronous mode, synchronous operation, bit-synchronous operation [controlled by a central clock; in contrast to asynchronous operation]

Synchronbetrieb m [durch einen zentralen Takt gesteuert; im Gegensatz zu asynchronem Betrieb]

synchronous transmission
Synchronübertragung f

syntax [formal rules of a programming language which determine its structure; in contrast to semantics which determine the meaning]

Syntax f [formale Regeln einer Programmiersprache, die die Struktur bestimmen; im Gegensatz zur Semantik, die die Bedeutung bestimmt]

syntax error [violation of the formal rules of a programming language]

Syntaxfehler m [Verstoß gegen die formalen Regeln einer Programmiersprache]

syntax tree, parse tree
Syntax-Baum m, Parse-Baum m

system bus
Systembus m

system clock
Systemtakt m

system clock prescaler
Systemtakt-Vorteiler m

system crash [system breakdown which cannot be handled by the operating system; leads to service interruption combined with data loss and restart difficulties]

Systemabsturz m [Systemzusammenbruch, der vom Betriebssystem nicht abgefangen werden kann; führt daher zum Betriebsunterbruch verbunden mit

Datenverlust und Wiederanlaufschwierigkeiten]

system data bus
Systemdatenbus m

system disk [disk containing the operating system of a computer]
Systemplatte f [Platte, die das Betriebssystem eines Rechners enthält]

system effectiveness
Systemwirksamkeit f

system environment
Systemumgebung f

system extension, system upgrade
Systemerweiterung f, Systemausbau m

system failure
Systemausfall m

system floppy disk [floppy disk containing the operating system of a computer]
Systemdiskette f [Diskette, die das Betriebssystem eines Rechners enthält]

system integration
Systemintegration f

system reboot, warm boot [restarting a computer without switching off and on again, in contrast to cold boot]
Systemstart m, Warmstart m, Wiederanlauf m [nochmaliges Aufstarten des Rechners ohne Aus- und Wiedereinschalten, im Gegensatz zum Kaltstart]

system reliability
Systemzuverlässigkeit f

system software [basic software for a computer]
Systemsoftware f [Basissoftware eines Rechners]

system speed
System-Arbeitsgeschwindigkeit f

system theory
Systemtheorie f

systematic error
systematischer Fehler m

systems application architecture (SAA) [unified standards established by IBM]
SAA [Systemanwendungs-Architektur; von IBM entwickelte einheitliche Standards]

T

t distribution, Student's t distribution
[probability distribution]
t-Verteilung f, Student-t-Verteilung f
[Wahrscheinlichkeitsverteilung]
T flip-flop, toggle flip-flop [flip-flop with a single
input T; with T = 1 the state changes (toggles),
with T = 0 the state remains; a pulse at the
clock input triggers the change in state]
T-Flipflop n [Flipflop mit einem einzigen
Eingang T; mit T = 1 wechselt der Zustand, mit
T = 0 wird der bisherige Zustand beibehalten;
ein Impuls am Takteingang löst den
Zustandswechsel aus]
tab, tabulator character
Tabulatorzeichen n
table [array of data items of same type; each line
is identified either by its position or by a key]
Tabelle f [mehrere Datenfelder vom gleichen
Typ; jede Zeile ist durch ihre Position oder
durch einen Schlüssel identifiziert]
table look-up program, table look-up (TLU)
[sorted tables are usually binary searched,
unsorted are sequentially searched]
Tabellensuchprogramm n [sortierte Tabellen
werden meistens binär, unsortierte sequentiell
durchsucht]
tablet, digitizer tablet, graphic tablet
Tablett n, Digitalisiertablett n, Graphiktablett
tabulator (TAB)
Tabulator m
tabulator character
Tabulatorzeichen n
tag [symbols marking the beginning or the end of
a field, word, item or data set]
Kennzeichen n, Identifizierungszeichen n
[Zeichen, die den Beginn oder das Ende eines
Feldes, eines Wortes oder einer Datenmenge
kennzeichnen]
take-up reel [magnetic tape unit]
Aufwickelspule f [Magnetbandgerät]
tantalum capacitor, tantalum electrolytic
capacitor
Tantalkondensator m,
Tantalelektrolytkondensator m
tap, to [a voltage]
abgreifen [einer Spannung]
tape [magnetic tape]
Band n [Magnetband]
tape block [of magnetic tapes]
Bandblock m [bei Magnetbändern]
tape cassette, tape cartridge [magnetic tape]
Bandkassette f [Magnetbandkassette]
tape density, tape recording density [in
magnetic tape units]
Bandaufzeichnungsdichte f [bei

Magnetbandgeräten]
tape drive [magnetic tape unit]
Bandlaufwerk n [Magnetbandgerät]
tape editing [of a magnetic tape]
Bandaufbereitung f [eines Magnetbandes]
tape error [of a magnetic tape]
Bandfehler m [eines Magnetbandes]
tape file [on magnetic tape]
Banddatei f [auf Magnetband]
tape input [of magnetic tape unit]
Bandeingabe f [bei Magnetbandgeräten]
tape jam [jammed magnetic tape or punched
tape]
Bandsalat m [blockiertes Magnetband oder
blockierter Lochstreifen]
tape leader [beginning of magnetic tape]
Bandvorsatz m [Anfang eines Magnetbandes]
tape loader [program loader on magnetic tape]
Bandlader m [Programmlader auf
Magnetband]
tape mark [of a magnetic tape]
Bandmarke f [eines Magnetbandes]
tape punch, tape perforator
Lochstreifenstanzer m
tape reader
Lochstreifenleser m
tape record [on magnetic tape]
Bandsatz m [auf Magnetband]
tape recorder
Tonbandgerät n
tape speed [of a magnetic tape]
Bandgeschwindigkeit f [eines
Magnetbandes]
tape start [of a magnetic tape]
Bandanlauf m [eines Magnetbandes]
tape station, tape unit [magnetic tape unit]
Bandgerät n, Bandeinheit f, Bandstation, f
[Magnetbandgerät]
tape storage, magnetic tape storage
Bandspeicher m, Magnetbandspeicher m
tape-to-tape converter, paper-tape-to-
magnetic-tape converter
Lochstreifen-Magnetband-Umsetzer m
taped components [for automatic insertion in
PCBs]
gegurtete Bauteile n.pl. [für die automatische
Bestückung von Leiterplatten]
target, target substance
In ion implantation, the material into which
ions penetrate.
Target n, Targetsubstanz f
Bei der Ionenimplantation das Material, in das
die Ionen eintreten.
target computer
Zielrechner m
target directory
Zielverzeichnis n
task [a self-contained process; part of a program]
Task f, Prozeß m, Aufgabe f [eine in sich

geschlossene Aufgabe; ein Programmteil]
task-dependent, task-oriented
aufgabenabhängig
task-independent
aufgabenunabhängig
task management
Aufgabenverwaltung *f*
TAZ diode (transient absorption Zener diode)
TAZ-Unterdrücker-Diode *f*
TC (temperature coefficient)
Temperaturkoeffizient *m*
TCP/IP (Transmission Control Protocol, Internet
Protocol) [transmission protocols for networked
computers]
TCP/IP [Übertragungsprotokolle für Rechner
in Netzwerkverbund]
TDM (time division multiplex)
Zeitmultiplex *m*
technical standard
technische Norm *f*
TEGFET (two-dimensional-electron-gas FET)
Extremely fast field-effect transistor with a
heterostructure. A doped aluminium gallium
arsenide layer is deposited by molecular beam
epitaxy on undoped gallium arsenide. The
heterojunction between them confines the
electrons which diffuse from the AlGaAs layer
to the undoped GaAs where they can move with
great speed. Very fast transistors (with
switching delay times of < 10 ps/gate) based on
this principle and called HEMT, MODFET and
SDHT are being developed worldwide by
various manufacturers.
TEGFET-Transistor *m*
Extrem schneller Feldeffekttransistor mit
Heterostruktur. Auf undotiertem Galliumarsenid wird mit Hilfe der Molekularstrahlepitaxie eine dotierte Aluminium-
Galliumarsenid-Schicht aufgebracht. Der
Heteroübergang zwischen den beiden
Strukturen hält die Elektronen, die aus der
AlGaAs-Schicht diffundieren, in der
undotierten GaAs-Schicht zurück, in der sie
sich mit hoher Geschwindigkeit bewegen
können. Sehr schnelle Transistoren (mit
Schaltverzögerungszeiten von < 10 ps/Gatter)
auf dieser Basis werden weltweit von
verschiedenen Herstellern unter den Namen
HEMT, MODFET und SDHT entwickelt.
telecommunication, telecommunications,
communications
Telekommunikation *f,*
Kommunikationstechnik *f,* Fernmeldetechnik *f*
telecommunication channel
Telekommunikationskanal *m,*
Fernmeldekanal *m*
telecommunication system
Telekommunikationssystem *n,*
Fernmeldesystem *n*

teleconference
Telekonferenz *f*
telemetry
Fernmessung *f*
telephone line
Fernsprechleitung *f*
teletex [text transmission over public data
networks]
Teletex [Textübertragung über öffentliche
Datennetze]
teletext [text transmission over TV channels]
Teletext *m* [Textübertragung über
Fernsehkanäle]
teletypewriter (TTY), teleprinter
Fernschreiber *m*
**temperature and overload protected field-
effect transistor** (TOPFET)
A MOSFET comprising on-chip circuits for
short-circuit, overtemperature, and overvoltage
protection; is used in automotive electronics
and industrial applications]
**temperatur- und überlastgeschützter
Feldeffekttransistor** *m* (TOPFET)
Ein MOSFET, der chipintegrierte Schaltungen
für den Kurzschluß-, Übertemperatur- und
Überspannungsschutz beinhaltet; wird in der
Fahrzeugelektronik und für Anwendungen in
der Industrie eingesetzt]
temperature coefficient (TC)
The change in the value of a characteristic
parameter relative to a change in temperature.
Temperaturkoeffizient *m*
Die relative Änderung einer Kenngröße
bezogen auf die Änderung der Temperatur.
temperature-compensated reference diode
temperaturkompensierte Referenzdiode *f*
temperature compensation
Temperaturkompensation *f*
temperature-dependent
temperaturabhängig
temperature detector
Temperaturfühler *m*
temperature-independent
temperaturunabhängig
temperature rise
Temperaturanstieg *m*
temperature stabilization
Temperaturstabilisierung *f*
template
Schablone *f*
temporarily
vorübergehend, zeitweise
temporary
kurzzeitig, vorübergehend
temporary register
Zwischenregister *n*
temporary storage, buffer storage
kurzzeitig beanspruchter Speicher *m,*
Zwischenspeicher *m,* Pufferspeicher *m*

tens complement [serves to represent a negative decimal number]
The tens complement of a number is obtained by forming the difference to a number having a zero in each decimal place; subtraction of the number is then replaced by adding the complement, the carry in the highest place being neglected. Example: the number 123 has the tens complement 877; the subtraction 555 - 123 is thus replaced by the addition 555 + 877 = (1)432 = 432.
Zehnerkomplement *n* [dient der Darstellung von negativen Dezimalzahlen]
Das Zehnerkomplement einer Zahl erhält man durch stellenweises Ergänzen auf 0; die Subtraktion der Zahl wird dann durch die Addition des Komplementes ersetzt; der in der höchsten Stelle auftretende Übertrag wird nicht berücksichtigt. Beispiel: die Zahl 123 hat das Zehnerkomplement 877; die Subtraktion 555 - 123 wird somit durch die Addition 555 + 877 = (1)432 = 432 ersetzt.
term [e.g. in switching algebra]
Term *m* [z.B. in der Schaltalgebra]
terminal
Datenstation *f*, **Terminal** *n*, **Datenendgerät** *n*
terminal access
Zugriff über Datenstation *m*, **Zugriff über Terminal** *m*
terminal emulation
Terminal-Emulation *f*
terminal pad, **land** [printed circuit boards]
Anschlußauge *n* [Leiterplatten]
terminal pin, **pin**
Anschlußstift *m*
terminal program [allows computer to be used as a terminal to a host computer via a modem]
Terminal-Programm *n* [ermöglicht Verwendung des PC als Terminal zu einem Zentralrechner über ein Modem]
terminal statement
letzte Anweisung *f*
terminal voltage
Klemmenspannung *f*
terminate, to [a program]
beenden [ein Programm]
terminated line
abgeschlossene Leitung *f*
terminating decimal
endlicher Dezimalbruch *m*
terminology data base [for computer-aided translation]
Terminologiedatenbank *f* [für die rechnerunterstützte Übersetzung]
ternary code
Ternärcode *m*
ternary notation
ternäre Schreibweise *f*
ternary number system [number system with

the base 3]
ternäres Zahlensystem *n* [Zahlensystem mit der Basis 3]
tertiary storage [storage for large amounts of data]
Tertiärspeicher *m* [Speicher für große Datenmengen]
test, to; **check, to** [general]
prüfen [allgemein]
test, to; **debug, to** [a program]
austesten [eines Programmes]
test aid, **debugging aid**
Testhilfe *f*
test channel
Prüfkanal *m*
test circuit
Prüfschaltung *f*
test clock-frequency
Prüftaktfrequenz *f*
test condition
Prüfbedingung *f*
test data
Testdaten *n.pl.*
test module
Prüfmodul *m*
test point [of a circuit]
Prüfpunkt *m* [einer Schaltung]
test pulse
Prüfimpuls *m*
test punched tape, **test tape**
Prüflochstreifen *m*
test reliability
Prüfzuverlässigkeit *f*
test routine, **check routine**, **test program**, **check program**
Testprogramm *n*, **Prüfprogramm** *n*
test run [checking a program]
Testlauf *m*, **Prüflauf** *m*, **Testdurchlauf** *m* [Prüfung eines Programmes]
test signal
Prüfsignal *n*, **Testsignal** *n*
test signal generator
Prüfsignalgenerator *m*
tetrad [group of 4 binary digits for representing decimal digits, e.g. representation of the digit 7 by the tetrad 0111]
Tetrade *f* [Gruppe von 4 Binärstellen zur Darstellung von Dezimalziffern, z.B. die Darstellung der Ziffer 7 durch die Tetrade 0111]
tetrad code
tetradischer Code *m*
tetrode field-effect transistor
Field-effect transistor with four terminals (one to the source, one to the drain and one to each of two independent gate regions).
Feldeffekttransistortetrode *f*
Feldeffekttransistor mit vier Anschlüssen (Sourceanschluß, Drainanschluß und zwei

voneinander unabhängige Gateanschlüsse).
tetrode transistor, transistor tetrode,
[transistor with two separate base electrodes
and two base terminals]
Transistortetrode *f* [Transistor mit zwei
getrennten Basiselektroden und zwei
Basisanschlüssen]
text editing
Textaufbereitung *f*
text editor, full-screen editor [displays text on
whole screen and has scrolling functions, in
contrast to line editor]
Texteditor *m* [Text wird in voller
Bildschirmgröße angezeigt und kann
zeilenweise geblättert werden, im Gegensatz
zum Zeileneditor]
text module, boilerplate text [section of text
stored for subsequent re-use]
Textbaustein *m* [zwecks späterer
Wiederverwendung abgespeicherter
Textabschnitt]
text formatter
Textformatierer *m*
text word
Textwort *n*
TF-FET (thin film field-effect transistor)
Insulated-gate field-effect transistor in which
the conducting channel is formed in a thin
semiconductor film deposited on an insulating
layer.
TF-FET *m,* Dünnfilm-FET *m,* Dünnschicht-
Feldeffekttransistor *m*
Isolierschicht-Feldeffekttransistor, dessen
stromführender Kanal in einer dünnen Halbleiterschicht gebildet wird, die auf eine
isolierende Schicht abgeschieden ist.
TFEL display (thin-film electroluminescent
display)
Dünnschicht-Elektrolumineszenzanzeige *f*
thermal breakdown [the increase in
temperature in a semiconductor device which
can lead to its destruction]
thermischer Durchbruch *m,* thermischer
Selbstmord *m* [Anwachsen der Temperatur in
einem Halbleiterbauteil, das zu seiner
Zerstörung führen kann]
thermal budget
The sum of thermal stress factors occurring
during the processing (deposition, diffusion,
doping, oxidation, healing, etc.) of wafers.
thermische Belastung *f*
Summe der Temperaturbelastungen, die
während der Verarbeitung (Abscheidung,
Diffusion, Dotierung, Oxidation, Ausheilung
usw.) von Halbleiterscheiben entstehen.
thermal capacity
Wärmekapazität *f*
thermal conduction
Wärmeleitung *f*

thermal conductivity
Wärmeleitfähigkeit *f*
thermal damage
thermischer Schaden *m*
thermal delay switch
thermischer Verzögerungsschalter *m*
thermal electron emission
thermische Elektronenemission *f*
thermal noise
thermisches Rauschen *n*
thermal oxidation
In planar technology the most widely used
process for producing insulating layers which
serve either as diffusion masks for selective
doping or as passivation layers.
thermische Oxidation *f*
Das bei der Planartechnik hauptsächlich
eingesetzte Verfahren zur Herstellung von
Isolierschichten, die als Masken für die
selektive Dotierung oder als Passivierschichten
dienen.
thermal printer
Non-impact printer in which alphanumeric
characters are formed by heated elements
arranged in a dot matrix which are in contact
with heat-sensitive paper.
Thermodrucker *m*
Nichtmechanischer Drucker, bei dem
alphanumerische Zeichen durch den Kontakt
von aufgeheizten, matrixförmig angeordneten
Elementen mit wärmeempfindlichem Papier
gebildet werden.
thermal resistance
thermischer Widerstand *m,*
Wärmewiderstand *m*
thermal runaway
thermisches Weglaufen *n*
thermal shock
The effect of a sudden change in temperature
on a device or a material which can be
detrimental to its performance or properties.
Thermoschock *m*
Die Wirkung eines plötzlichen
Temperaturwechsels auf ein Bauteil oder
Material, der zu einer Beeinträchtigung seiner
Eigenschaften bzw. Funktionstüchtigkeit
führen kann.
thermal shock resistance
Thermoschockfestigkeit *f*
thermal stability
thermische Beständigkeit *f,*
Wärmebeständigkeit *f*
thermal switch, bimetal switch
Thermoschalter *m,* Bimetallschalter *m*
thermally coupled
thermisch gekoppelt
thermally stable
wärmebeständig, hitzebeständig
thermistor

Temperature-sensitive resistor, fabricated in
two versions either as NTC resistor (with a
high negative temperature coefficient) or as
PTC resistor (with a high positive temperature
coefficient).
Thermistor *m*
Temperaturabhängiger Widerstand, der als
Heißleiter (mit hohem negativen
Temperaturkoeffizienten) und als Kaltleiter
(mit hohem positiven Temperaturkoeffizienten)
ausgeführt wird.
thermocompression bonding
Process for making electrical connections
between the bonding pads on the chip and the
external leads of the package by a combination
of heat and pressure. Thermocompression
methods include nailhead bonding, wedge
bonding, stitch bonding and thermosonic
bonding.
Thermokompressionsverfahren *n*,
Thermokompressionsschweißen *n*
Verfahren zum Herstellen von elektrischen
Verbindungen zwischen den Kontaktflecken
auf dem Chip und den Außenanschlüssen des
Gehäuses durch eine Kombination von Wärme
und Druck. Zu den Thermokompressionsverfahren gehören die Nagelkopfkontaktierung,
die Keilkontaktierung, die Stichkontaktierung
und das kombinierte Thermokompressions- und
Ultraschallverfahren.
thermosonic bonding [combined
thermocompression and ultrasonic bonding]
Thermosonikschweißen *n* [kombiniertes
Thermokompressions- und
Ultraschallverfahren]
thesaurus [list of terms arranged according to a
classification system]
Thesaurus *m* [Sammlung von Begriffen, die
nach einem Klassifizierungssystem geordnet
sind]
thick-film capacitor
Dickschichtkondensator *m*
thick-film circuit
Dickschichtschaltung *f*
thick-film hybrid circuit
Circuits incorporating elements manufactured
in thick-film technology with discrete
components and/or integrated-circuit devices
produced by other manufacturing methods on
the same supporting substrate.
Dickschichthybridschaltung *f*
Schaltung, bei der die in Dickschichttechnik
hergestellten Bauelemente durch in anderen
Techniken hergestellte aktive oder passive
Einzelbauelemente und/oder integrierte
Bauteile ergänzt werden und auf einem Träger
vereint sind.
thick-film integrated circuit
    integrierte Dickschichtschaltung *f*

thick-film resistor
    Dickschichtwiderstand *m*
thick-film substrate
    Dickschichtsubstrat *n*
thick-film technology
Method of manufacturing integrated circuits by
deposition of circuit elements (e.g. conductors,
resistors, capacitors and insulators) in the form
of thick film patterns on a supporting
substrate. Film patterns are usually applied by
silk-screening followed by firing.
Dickschichttechnik *f*
Technik für die Herstellung integrierter
Schaltungen, bei der wesentliche Teile der
Schaltung (z.B. Leiterbahnen, Widerstände,
Kondensatoren und Isolierungen) als Schichten
auf einen Träger aufgebracht und anschließend
eingebrannt werden. Das Aufbringen der
Schichten erfolgt vorwiegend im Siebdruckverfahren.
thin-film capacitor
    Dünnschichtkondensator *m*
thin-film circuit
    Dünnschichtschaltung *f*, Dünnfilm-
    schaltung *f*
thin-film electroluminescent display (TFEL
display)
    Dünnschicht-Elektrolumineszenzanzeige *f*
thin-film field-effect transistor (TF-FET)
Insulated-gate field-effect transistor in which
the conducting channel is formed in a thin
semiconductor film deposited on an insulating
layer.
Dünnschicht-Feldeffekttransistor *m*,
Dünnfilm-FET *m*, TF-FET *m*
Isolierschicht-Feldeffekttransistor, dessen
stromführender Kanal in einer dünnen Halbleiterschicht gebildet wird, die auf eine
isolierende Schicht abgeschieden ist.
thin-film integrated circuit
    integrierte Dünnschichtschaltung *f*
thin-film memory
    Dünnschichtspeicher *m*
thin-film resistor
    Dünnschichtwiderstand *m*
thin-film solar cell
    Dünnschichtsolarzelle *f*
thin-film substrate
    Dünnschichtsubstrat *n*
thin-film technology
Method of manufacturing integrated circuits by
the deposition of circuit elements (e.g.
conductors, resistors, capacitors and insulators)
in the form of thin films on a supporting
substrate of ceramic or glass. Film deposition is
usually effected by vacuum evaporation
processes.
Dünnschichttechnik *f*, Dünnfilmtechnik *f*
Technik zur Herstellung integrierter

Schaltungen, bei der wesentliche Teile der Schaltung (z.B. Leiterbahnen, Widerstände, Kondensatoren und Isolierungen) in Form dünner Schichten auf Träger aus Keramik oder Glas aufgebracht werden. Das Aufbringen erfolgt vorwiegend mit Vakuumbeschichtungsverfahren.

thin-film transistor
Dünnschichttransistor m,
Dünnfilmtransistor m

threaded program [program consisting exclusively of independent sections, e.g. a C program comprising independent program modules]
gekettetes Programm n, gereihtes Programm n [ein Programm, das lediglich aus unabhängigen Teilen besteht, z.B. ein C-Programm mit unabhängigen Modulen]

threaded tree [tree in which each node has pointers to other nodes]
gekettete Baumstruktur f [Baum, dessen Knoten Zeiger auf die anderen Knoten aufweisen]

three-address instruction [instruction with three address parts]
Dreiadreßbefehl m [Befehl mit drei Adreßteilen]

three-dB bandwidth [bandwidth between the limiting frequencies characterized by a drop in amplitude of 3 dB]
Drei-dB-Bandbreite f [Bandbreite zwischen den Grenzfrequenzen, die durch einen 3-dB-Abfall der Amplitude gekennzeichnet sind]

three-dimensional memory organisation [of magnetic core stores]
Drei-D-Speicherorganisation f [von Magnetkernspeichern]

three-input subtracter
Subtrahierglied mit drei Eingängen n

three-level subroutine
dreistufiges Unterprogramm n

three-phase
dreiphasig

three-phase current
Drehstrom m

three-state driver, tri-state driver [amplifier with three-state output]
Treiber mit Tri-State-Ausgang m, Treiber mit Tristatausgang m [Verstärker mit Dreizustandsausgang]

three-state output, tri-state output
An output which can assume one of three states: the two active states (logical 0 and logical 1) and a passive (high-impedance) state; this third state enables the device to be decoupled from the bus.
Tri-State-Ausgang m, Ausgang mit Drittzustand m, Dreizustandsausgang m
Ein Ausgang, der neben den beiden aktiven

Zuständen (logisch 0 und logisch 1) einen passiven (hochohmigen) Zustand annehmen kann; der dritte Zustand ermöglicht die Entkopplung des Bausteins vom Bus.

three-state TTL, tri-state TTL, three-state circuit
Variant of TTL logic in which the output stages (or the input and output stages) of a circuit have the normal low-impedance logical 0 and logical 1 states with an additional third high-impedance disabled state. With the aid of a select input, this allows the output of a circuit to be disabled, i.e. to be effectively disconnected. Three-state circuits are used with microprocessors, memory devices and peripherals to permit sharing of a common bus line by several devices.
Dreizustandslogik f, Tri-State-TTL f, Tri-State-Schaltung f
Variante der TTL-Logik, bei der die Ausgangsstufen (oder Eingangs- und Ausgangsstufen) einer Schaltung neben den niederohmigen Zuständen logisch 0 und logisch 1 einen dritten hochohmigen Sperrzustand haben. Damit kann über einen Auswahleingang der Ausgang einer Schaltung bzw. eines Gatters gesperrt, d.h. von der Anschlußleitung getrennt werden. Tri-State-Schaltungen werden bei Mikroprozessoren, Speicherbausteinen und Peripheriebausteinen verwendet, um den Betrieb mehrerer Bausteine an einem gemeinsamen Bus zu ermöglichen.

threshold [the smallest signal value (e.g. voltage or current) producing a detectable response]
Schwellwert m [der kleinste Signalwert (z.B. Spannung oder Strom), bei dem eine feststellbare Wirkung erfolgt]

threshold element
Schwellwertelement n

threshold gate [special gate which responds to a threshold value (minimum or maximum number of inputs with state 1)]
Schwellwertgatter n [spezielles Gatter, das auf einen Schwellenwert (Mindest- bzw. Maximalzahl der Eingänge mit Zustand 1) anspricht]

threshold logic [logic circuit comprising threshold gates]
Schwellwertlogik f [Logikschaltung mit Schwellwertgattern]

threshold switch
Schwellwertschalter m

threshold voltage
Schwellenspannung f, Schwellwertspannung f

through connection [printed circuit boards]
Durchverbindung f [Leiterplatten]

through-hole mounting [printed circuit boards]
Durchgangsloch n [Leiterplatten]

throughput, throughput rate [e.g. data/unit

time, tasks/day]
Durchsatz m, Durchsatzrate f [z.B.
Daten/Zeiteinheit, Aufträge/Tag]
throughput time
Durchsatzzeit f
thumbwheel switch
Daumenradschalter m
thyristor, silicon controlled rectifier (SCR)
Semiconductor component, with four differently
doped regions (pnpn structure) and three
junctions, which can be triggered from its
blocking state into its conducting state and
vice-versa. Thyristors have a wide range of
applications in power electronics (e.g. for speed
and frequency control).
Thyristor m, gesteuerter Gleichrichter m
Halbleiterbauelement mit vier unterschiedlich
dotierten Bereichen (PNPN-Struktur) und drei
Übergängen, das von einem Sperrzustand in
einen Durchlaßzustand (und umgekehrt)
umgeschaltet werden kann. Thyristoren haben
ein breites Anwendungsgebiet in der
Leistungselektronik (z.B. Drehzahl- und
Frequenzsteuerung).
thyristor amplifier
Thyristorverstärker m
thyristor ignition
Thyristorzündung f
thyristor regulator
Thyristorregler m
thyristor switch
Thyristorschalter m
TIFF (Tagged Information File Format)
[graphical file format standardized by scanner
manufacturers as well as Aldus and Microsoft]
TIFF [Graphik-Dateiformat, das von Scanner-
Herstellern sowie von Aldus und Microsoft
genormt wurde]
TIGA (Texas Instruments Graphics Architecture)
[software interface for graphic boards]
TIGA [Software-Schnittstelle von Texas
Instruments für Graphikkarten]
tight coupling [magnetic]
feste Kopplung f [magnetisch]
time base [e.g. of an oscilloscope]
Zeitbasis f [z.B. eines Oszillographen]
time base extension
Zeitbasisdehnung f
time between refresh
Auffrischwiederholzeit f
time delay
Zeitverzögerung f
time delay switch
Zeitschalter m
time dependency
Zeitabhängigkeit f
time-dependent
zeitabhängig
time discriminator

Zeitdiskriminator m
time displacement [e.g. of a pulse]
zeitliche Verschiebung f [z.B. eines
Impulses]
time division multiplex (TDM)
Zeitmultiplex n
time division multiplex operation, multiplex
operation [time-shared transmission of several
signals over the same channel]
Zeitmultiplexbetrieb m, Multiplexbetrieb m
[zeitlich verzahnte Übertragung mehrerer
Signale über einen Kanal]
time gate
Zeitgatter n
time interval
Zeitintervall n
time-lag relay
Zeitrelais n
time limit
Zeitbegrenzung f
time-of-day clock
Tageszeituhr f
time sharing
zeitlich verzahnte Verarbeitung f
time-sharing operation [allows several users to
simultaneously access a computer]
Zeitscheibenbetrieb m, Teilnehmerbetrieb m
[erlaubt mehrerer Benutzer, den gleichzeitigen
Zugriff auf einen Rechner]
time-sharing system (TSS)
Zeitscheibensystem n, Teilnehmersystem n
time slice [short time allocated to individual
user in a time-sharing system]
Zeitscheibe f [kurze Zeitspanne, die dem
einzelnen Benutzer eines Zeitscheibensystems
zugeordnet ist]
time slot
Zeitkanal m, Zeitschlitz m
timeout [switching off action initiated when a
preset time interval has elapsed]
Zeitabschaltung f [Abschaltvorgang nach
Überschreitung einer voreingestellten
Zeitspanne]
timer [one distinguishes between absolute (real-
time clock), relative and incremental timers]
Zeitgeber m [man unterscheidet zwischen
absolutem (Echtzeit-, Realzeit- oder
Uhrzeitgeber), relativem und inkrementalem
Zeitgeber]
timer-prescaler
Zeitgeber-Vorteiler m
timer stage
Zeitstufe f
times option, repeat option, repetition option
Wiederholangabe f
timesharing mode [computer operating mode
allowing several users to work simultaneously;
the computer serves each user in periodically
repeating, short time intervals (time slices)]

Teilnehmerbetrieb *m,* Timesharing-Betrieb *m* [Rechnerbetriebsart, bei der mehrere Benutzer gleichzeitig arbeiten können; der Rechner bedient jeden Benutzer in periodisch wiederkehrenden, kurzen Zeitintervallen (Zeitscheiben)]

timing
Zeitablauf *m,* zeitliche Steuerung *f*

timing diagram, pulse timing diagram [pulse level as a function of time]
Impulsdiagramm *n* [zeitlicher Ablauf des Impulspegels]

timing flip-flop
Zeitsteuer-Flipflop *n*

timing pulse
Zeitimpuls *m*

tin solder
Lötzinn *m*

tin solder splash, solder splash, splash
Lötzinnspritzer *m,* Zinnspritzer *m,* Spritzer

tinning [solder joint]
Verzinnen *n* [Lötstelle]

TLU (table look-up), table look-up program [sorted tables are usually binary searched, unsorted are sequentially searched]
Tabellensuchprogramm *n* [sortierte Tabellen werden meistens binär, unsortierte sequentiell durchsucht]

TN LCD display (Twisted Nematic LCD)
TN-LCD-Anzeige *f* [LCD-Anzeige mit verdrilltem nematischen Flüssigkristall]

TO-package, TO-case
Circular can package (usually metal) with leads arranged in a circle and projecting from the package base; it is used for discrete semi-conductor components and integrated circuit devices.
TO-Gehäuse *n*
Rundgehäuse (meistens aus Metall) mit kreisförmig angeordneten, nach unten aus dem Gehäuse austretenden Zuführungen, das für Einzelbauelemente und integrierte Halbleiter-bauteile verwendet wird.

token [in communication systems]
Token *n,* Sendeberechtigungszeichen *n* [bei Kommunikationssystemen]

token-passing network access
Token-Zugriffsverfahren *n*

token-passing network access protocol
Token-Zugriffsprotokoll *n*

token-passing procedure [procedure for local area networks (LAN); authorizes transmission by means of a token circulating in a ring network]
Token-Passing-Verfahren *n* [Verfahren für lokale Rechnernetze (LAN); die Sende-berechtigung wird durch eine auf einem Ringnetz umlaufende Marke (Token) erteilt]

token ring

Token-Ring *m*

tolerated stress, maximum limited stress
Grenzbeanspruchung *f*

tool, software tool
Werkzeug *n,* Software-Werkzeug *n*

top-down programming [concept and implementation of a program from top (user interface) downwards (computer interface)]
Top-Down-Programmierung *f* [Entwurf und Implementierung eines Programmes von oben (Benutzerschnittstelle) nach unten (Rechnerschnittstelle)]

top margin
oberer Rand *m*

top of form [printer]
Blattanfang *m* [Drucker]

TOPFET (temperature and overload protected field-effect transistor)
A MOSFET comprising on-chip circuits for short-circuit, overtemperature, and overvoltage protection; is used in automotive electronics and industrial applications]
TOPFET *m* (temperatur- und überlast-geschützter Feldeffekttransistor)
Ein MOSFET, der chipintegrierte Schaltungen für den Kurzschluß-, Übertemperatur- und Überspannungsschutz beinhaltet; wird in der Fahrzeugelektronik und für Anwendungen in der Industrie eingesetzt]

topological overview [in integrated circuit design, the representation of the complete circuit layout with the aid of check plots]
topologische Übersicht *f* [beim Entwurf integrierter Schaltungen Übersicht über die Gesamtschaltung mit Hilfe von Kontrollzeichnungen]

toroid
Ringkern *m*

TOS (T Operating System) [operating system developed by Atari for Motorola 68000 processors]
TOS [von Atari entwickeltes Betriebssystem für Motorola 68000-Prozessor-Familie]

total failure [failure of all functions of an item]
Totalausfall *m,* Gesamtausfall *m* [Ausfall aller Funktionen einer Betrachtungseinheit]

total inspection
Vollprüfung *f*

totem-pole circuit
An output in TTL integrated circuits using two transistors operating in push-pull mode.
Totem-Pole-Schaltung *f*
Ein mit zwei Transistoren in Gegentakt arbeitender Ausgang bei TTL integrierten Schaltungen.

touch screen, touch panel [screen combined with entry tablet]
Berührungsbildschirm *m,*
Berührungstablett *n* [Bildschirm kombiniert

mit Eingabe-Tablett]
trace program [during programming]
Ablaufverfolgung f [bei der Programmierung]
track [on punched tapes, magnetic tapes and
magnetic disks]
Spur f [bei Lochstreifen, Magnetbändern und
Magnetplatten]
track, to [control]
nachführen [Regeltechnik]
track ball, tracking ball [input device for moving
the cursor on the display; has the same effect
as a joystick]
Rollkugel f [Eingabegerät zur Steuerung des
Zeigers (Cursors) auf dem Bildschirm; hat die
gleiche Wirkung wie ein Steuerknüppel]
track-to-track access time [disk, diskette]
Spurwechselzeit f [Magnetplatte, Diskette]
tracks per inch (TPI), track density
Spuren pro Zoll, Spurendichte f
tractor [feeds continuous forms in printer]
Traktor m [Zuführung von Endlospapier im
Drucker]
tractor feed
Traktor-Zuführung f
trailer
Nachsatz m
trailer address
Nachsatzadresse f
trailer label [for magnetic tapes]
Endeetikett n, Schlußetikett n, Nachspann m
[bei Magnetbändern]
trailing edge [of a pulse]
Rückflanke f [eines Impulses]
trailing filler, trailing pad [a fill or pad
character stored to the right of a left-justified
file]
nachfolgendes Füllzeichen n [ein
Füllzeichen, das rechts von einer linksbündigen
Datei gespeichert wird]
transaction [single action in dialog mode, e.g.
insertion, modification or deletion of a record in
a file; in a data base one transaction can lead to
a number of accesses]
Transaktion f, Vorgang m [einzelner Vorgang
im Dialogbetrieb, z.B. Einfügen, Verändern
oder Löschen eines Datensatzes in einer Datei;
in einer Datenbank kann ein Vorgang mehrere
Zugriffe zur Folge haben]
transaction file
Bewegungsdatei f, Vorgangsdatei f
transceiver (transmitter/receiver)
Transceiver m [Sende-Empfangsgerät]
transconductance
Vorwärtssteilheit f
transfer address, destination address [in a jump
instruction]
Zieladresse f, Verzweigungsadresse f [bei
einem Sprungbefehl]
transfer characteristics

Transferkennlinie f
transfer current
Transferstrom m
transfer function [two-port network]
Transferfunktion f [Vierpol]
transfer gate [in CMOSFETs]
Übertragungs-Gate n [bei CMOSFET]
transfer parameter
Übertragungskenngröße f
transfer rate [data transfer rate, e.g. in
Mbytes/s]
Transfergeschwindigkeit f,
Übertragungsgeschwindigkeit f
[Datenübertragungsgeschwindigkeit, z.B. in
MByte/s]
transfer statement, GO-TO statement [e.g. in
ALGOL, BASIC, FORTRAN]
Sprunganweisung f [z.B. in ALGOL, BASIC,
FORTRAN]
transfer target
Ansprungziel n, Sprungziel n
transformation ratio, turns ratio [transformer]
Übersetzungsverhältnis n [Transformator]
transformer
Transformator m
transformer-coupled amplifier
Transformatorverstärker m,
transformatorgekoppelter Verstärker m
transient [non-periodic phenomenon, e.g. a
switching transient]
Ausgleichsvorgang m, Transient m
[nichtperiodischer Vorgang, z.B. Ein- oder
Ausschwingvorgang]
transient pulse
Einschwingimpuls m
transient response [response of a system to a
sudden change in input signal, e.g. to a step
function]
Einschwingverhalten n, Übergangsverhalten
n [Antwortsignal eines Systems auf eine
plötzliche Änderung des Eingangssignales, z.B.
auf eine Sprungfunktion]
transient state [of a signal]
Einschwingzustand m [eines Signals]
transistor
Active semiconductor component with three or
more terminals. Distinction is made between
bipolar and field-effect transistors.
Transistor m
Aktives Halbleiterbauelement mit drei oder
mehr Anschlüssen. Man unterscheidet
zwischen Bipolartransistoren und Feldeffekttransistoren.
transistor amplifier [amplifier in which one or
more transistors provide amplification]
Transistorverstärker m [Verstärker mit
einem oder mehreren Transistoren als
verstärkende Elemente]
transistor circuit [circuit in which transistors

are used]
Transistorschaltung f [Schaltung, in der
Transistoren verwendet werden]
transistor equivalent circuit
Transistorersatzschaltung f
transistor noise
Transistorrauschen n
transistor oscillator [oscillator with one or
more transistors acting as amplifiers]
Transistoroszillator m [Oszillator, bei dem
ein oder mehrere Transistoren als Verstärker
wirken]
transistor parameters
Transistorkenngrößen f.pl.
transistor switch, switching transistor
A transistor which is used as an electronic
switch.
Transistorschalter m, Schalttransistor m
Ein Transistor, der als elektronischer Schalter
verwendet wird.
transistor tetrode, tetrode transistor [transistor
with two separate base electrodes and two base
terminals]
Transistortetrode f [Transistor mit zwei
getrennten Basiselektroden und zwei
Basisanschlüssen]
transistor-transistor logic (TTL, T²L)
One of the most widely used logic families
which is characterized by one or more
multiemitter transistors at the input.
Transistor-Transistor-Logik f (TTL, T²L)
Eine der am meisten verwendeten
Logikfamilien, die durch einen oder mehrere
Multiemittertransistoren am Eingang
gekennzeichnet ist.
transistor triode, triode transistor [synonym for
a transistor]
Transistortriode f [Synonym für Transistor]
transition frequency [parameter characterizing
the high-frequency properties of a transistor]
Transitfrequenz f [Kenngröße, die die
Hochfrequenzeigenschaften eines Transistors
charakterisiert]
transition-operated input
flankengesteuerter Eingang m
transmission, transfer
Übertragung f
transmission channel
Übertragungskanal m
transmission characteristic, transfer
characteristic
Übertragungskennlinie f
transmission electron microscope
Durchstrahlungs-Elektronenmikroskop n
transmission error
Übertragungsfehler m
transmission frequency
Übertragungsfrequenz f
transmission loss

Durchgangsdämpfung f
transmission reliability
Übertragungssicherheit f
transmission speed [e.g. in bauds (bits/s)]
Übertragungsgeschwindigkeit f [z.B. in
Baud (Bits/s)]
transmission time, transfer time
Übertragungszeit f
transmit, to; transfer, to
übertragen
transmitter
Sender m, Transmitter m
transmitting mode
Sendebetrieb m
transmutation [semiconductor doping]
A doping process in which neutron irradiation
of silicon in a nuclear reactor causes certain
silicon isotopes to be changed into phospherous
isotopes. The process allows highly
homogeneous doping.
Kernumwandlung f [Halbleiterdotierung]
Ein Dotierungsverfahren, bei dem bestimmte
Siliciumisotope durch Neutronenbestrahlung in
einem Kernreaktor in Phosphorisotope
umgewandelt werden. Das Verfahren erlaubt
eine sehr homogene Dotierung.
transparent mode, code-transparent mode [data
transmission of any bit combination without
consideration of control characters]
transparenter Modus m [Datenübertragung
beliebiger Bitkombinationen ohne Rücksicht
auf Steuerzeichen]
transponder (transmitter/responder) [a device
which can receive an input signal, act upon it,
and retransmit it; is mainly used in aircraft
and satellites]
Transponder m [Gerät, das ein
Eingangssignal empfangen, es umsetzen und
als Antwortsignal wieder aussenden kann; wird
vorwiegend in der Luft- und Raumfahrt
eingesetzt]
transport layer [one of the seven layers of the
ISO reference model for computer networks]
Transportschicht f, Transportebene f [eine
der sieben Schichten des ISO-Referenzmodells
für den Rechnerverbund]
transputer [special processor architecture for
high-speed parallel processing]
Transputer m [für Hochgeschwindigkeits-
Parallelverarbeitung ausgelegte
Prozessorarchitektur]
trap [for activating a program interrupt; routine
for handling an exceptional event in a
processor]
Fangstelle f, Trap f [zur Aktivierung einer
Programmunterbrechung; Unterprogramm zur
Behandlung eines außergewöhnlichen
Ereignisses in einem Prozessor]
trap [semiconductor crystals]

Imperfection in a semiconductor crystal which
temporarily prevents a carrier from moving.
Zeithaftstelle f, **Haftstelle** f, **Trap** f
[Halbleiterkristalle]
Störstelle in einem Halbleiterkristall, die einen
Ladungsträger vorübergehend festhalten kann.
trap, to [carry out an unprogrammed jump]
einfangen [Ausführen eines nicht
programmierten Sprunges]
trap-free semiconductor material
haftstellenfreies Halbleitermaterial n
TRAPATT diode (trapped plasma avalanche
triggered transit diode) [microwave
semiconductor diode]
TRAPATT-Diode f [Halbleiterdiode für den
Mikrowellenbereich]
trash can [icon for deleting files]
Papierkorb m [graphisches Symbol für
Löschen von Dateien]
tree decoder
Baumdekodierer m, Baumdecoder m
tree structure [of a file or a data base system]
Baumstruktur f [einer Datei oder eines
Datenbanksystems]
tri-state driver, three-state driver [amplifier
with three-state output]
Treiber mit Tri-State-Ausgang m, Treiber
mit Dreizustandsausgang m [Verstärker mit
Dreizustandsausgang]
tri-state output, three-state output
An output which can assume one of three
states: the two active states (logical 0 and
logical 1) and a passive (high-impedance) state;
this third state enables the device to be
decoupled from the bus.
Tri-State-Ausgang m, Dreizustandsausgang
m, Ausgang mit Drittzustand m
Ein Ausgang, der neben den beiden aktiven
Zuständen (logisch 0 und logisch 1) einen
passiven (hochohmigen) Zustand annehmen
kann; der dritte Zustand ermöglicht die
Entkopplung des Bausteins vom Bus.
tri-state TTL, three-state TTL, three-state
circuit
Variant of TTL logic in which the output stages
(or the input and output stages) of a circuit
have the normal low-impedance logical 0 and
logical 1 states with an additional third high-
impedance disabled state. With the aid of a
select input, this allows the output of a circuit
to be disabled, i.e. to be effectively
disconnected. Three-state circuits are used with
microprocessors, memory devices and
peripherals to permit sharing of a common bus
line by several devices.
Tri-State-TTL f, Dreizustandslogik f, Tri-
State-Schaltung f
Variante der TTL-Logik, bei der die
Ausgangsstufen (oder Eingangs- und

Ausgangsstufen) einer Schaltung neben den
niederohmigen Zuständen logisch 0 und logisch
1 einen dritten hochohmigen Sperrzustand
haben. Damit kann über einen Auswahleingang
der Ausgang einer Schaltung bzw. eines
Gatters gesperrt, d.h. von der Anschlußleitung
getrennt werden. Tri-State-Schaltungen
werden bei Mikroprozessoren,
Speicherbausteinen und Peripheriebausteinen
verwendet, um den Betrieb mehrerer Bausteine
an einem gemeinsamen Bus zu ermöglichen.
triac (triode alternating current switch), bilateral
thyristor, bilateral SCR
Semiconductor component with two parallel,
back-to-back thyristor structures that can
switch current in both directions.
Triac m, Zweirichtungsthyristor m
Halbleiterbauelement mit zwei parallelen und
entgegengesetzt orientierten
Thyristorstrukturen, das Ströme in beiden
Richtungen schalten kann.
trial
Probe f
trial-and-error method
empirisches Ermittlungsverfahren n
trial run [of a program]
Probedurchlauf m [eines Programmes]
tribit [three bits]
Tribit n [drei Bits]
trigger, trigger pulse, triggering pulse
Auslöseimpuls m, Triggerimpuls m
trigger, to
auslösen, ansteuern, triggern
trigger circuit
Auslöseschaltung f, Triggerschaltung f
trigger pulse [general]
Auslöseimpuls m, Ansteuerungsimpuls m,
Triggerimpuls m [allgemein]
trigger pulse [switches a thyristor from the off
to the on-state]
Zündimpuls m [Steuerimpuls, der einen
Thyristor vom Sperr- in den Durchlaßzustand
umschaltet]
trigger signal
Triggersignal n
trigger voltage
Auslösespannung f
triggered flip-flop, clocked flip-flop [flip-flop
employing a clock pulse for changing its state]
taktgesteuertes Flipflop n, getaktetes
Flipflop n, Trigger-Flipflop n [Flipflop mit
Auslösung des Zustandswechsels durch einen
Taktimpuls]
triggering
Auslösen n, Auslösung f, Triggerung f
triggering diode
Auslösediode f, Triggerdiode f
triggering level
Auslösepegel m, Triggerpegel m

triggering transistor
Auslösetransistor *m*, Triggertransistor *m*
trigonometric function
trigonometrische Funktion *f*
trim, to
beschneiden, trimmen
trimming capacitor, trimmer [a variable capacitor]
Trimmerkondensator *m*,
Abgleichkondensator *m* [ein einstellbarer Kondensator]
trimming resistor, trimmer [a variable resistor]
Trimmerwiderstand *m*, Abgleichwiderstand *m* [ein einstellbarer Widerstand]
triode
Triode *f*
triode field-effect transistor
Field-effect transistor with three terminals (one each to the source, drain and gate regions).
Feldeffekttransistortriode *f*
Feldeffekttransistor mit drei Anschlüssen (je ein Anschluß zu den Source-, Drain- und Gatezonen).
triode thyristor
Thyristor with three terminals. There are two basic versions: reverse-blocking and reverse-conducting triode thyristors.
Thyristortriode *f*
Thyristor mit drei Anschlüssen. Man unterscheidet zwischen rückwärtssperrenden und rückwärtsleitenden Thyristortrioden.
triple-diffused transistor
dreifachdiffundierter Transistor *m*
triple-diffusion process
Dreifachdiffusion *f*
triple error
Dreibitfehler *m*
triple-length register, triple register
Register dreifacher Wortlänge *n*
triple precision [increasing computing accuracy by the use of 3 computer words for representing a number]
dreifache Genauigkeit *f* [Erhöhung der Rechengenauigkeit durch Verwendung von 3 Rechenworten, um eine Zahl darzustellen]
triple twisted LCD [liquid crystal display with three crystal layers]
Dreischicht-LCD-Anzeige *f* [Flüssigkristall-anzeige mit drei Kristallschichten]
Trojan horse, killer program [program that enters the system under a false name and causes damage when executed]
trojanisches Pferd *n*, Killer-Programm *n* [Programm, das unter falschem Namen in das System gelangt und bei der Ausführung Schaden anrichtet]
Tron (The Real-time Operating system Nucleus) [Japanese development project for new computer architecture]

Tron [japanisches Entwicklungsprojekt für eine neue Rechnerarchitektur]
troubleshooting, program debugging, debugging
Fehlerbeseitigung *f*,
Programmfehlerbeseitigung *f*, Fehlersuchen *n*
true/false condition, true/false clause
Richtig-/Falsch-Bedingung *f*
truncate, to [a computation process in accordance with specified rules]
abbrechen, abschneiden [eines Rechenverfahrens nach vorgegebenen Regeln]
truncation [of a computation process]
Abbrechen *n* [eines Rechenverfahrens]
truncation error [of a computation process]
Abbrechfehler *m* [eines Rechenverfahrens]
truth function
Wahrheitsfunktion *f*
truth table [represents a logic function in tabular form; it lists all possible combinations of the input values and the resulting output values; a function with *n* inputs has $2n$ rows and $n+1$ columns]
Wahrheitstabelle *f*, Verknüpfungstafel *f* [stellt eine logische Funktion tabellenförmig dar; sie führt alle Kombinationen der Eingangswerte und der sich ergebenden Ausgangswerte auf; eine Funktion mit *n* Eingängen hat $2n$ Zeilen und $n+1$ Spalten]
truth value, logical value [the values "true" (1) and "false" (0) in logical statements]
Wahrheitswert *m*, Boolescher Wert *m* [die Werte "wahr" (1) und "falsch" (0) bei logischen Aussagen]
TSS (time-sharing system)
Zeitmultiplexsystem *n*, Teilnehmersystem *n*
TTL, T²L (transistor-transistor logic)
One of the most widely used logic families, characterized by one or more multiemitter transistors at the input.
TTL, T²L, Transistor-Transistor-Logik *f*
Eine der am meisten verwendeten Logikfamilien, die durch einen oder mehrere Multiemittertransistoren am Eingang gekennzeichnet ist.
TTL-compatible
Voltage level for clock, address, signal inputs and outputs that are compatible with those of TTL logic circuits. This allows dissimilar circuits, e.g. MOS memories and TTL logic circuits to be connected together in the same system.
TTL-kompatibel
Spannungspegel für die Takt-, Adreß-, Signal-Ein- und Ausgänge einer Schaltung, die mit den Pegeln von TTL-Logikschaltungen kompatibel sind. Dadurch können z.B. MOS-Speicher mit TTL-Schaltungen in einem System verdrahtet werden.
TTL-input

TTL-Eingang *m*
TTY (teletypewriter), teleprinter
Fernschreiber *m*
tuned
   abgestimmt
tuned amplifier
   Resonanzverstärker *m*
tungsten (W) [heavy metal having an extremely
   high melting point, used as the gate electrode
   in some MOS structures]
   Wolfram *n* (W) [Schwermetall mit extrem
   hohem Schmelzpunkt, das bei einigen MOS-
   Strukturen als Gateelektrode verwendet wird]
tuning
   Abstimmen *n*, **Abstimmung** *f*
tuning diode
   Abstimmdiode *f*
tunnel diode [heavily doped semiconductor
   diode mainly used in microwave applications]
   Tunneldiode *f* [hochdotierte Halbleiterdiode,
   die vorwiegend im Mikrowellenbereich
   verwendet wird]
tunnel effect
   The penetration of a potential barrier by a
   charge carrier whose energy is theoretically
   insufficient to overcome the barrier. This is
   obtained by an extremely thin depletion layer
   which results from heavily doping both the p-
   and n-type regions. This effect is used, for
   example, in tunnel diodes.
   Tunneleffekt *m*
   Das Durchdringen eines Potentialwalles durch
   einen Ladungsträger, dessen Energie dazu
   theoretisch nicht ausreicht. Der Effekt wird
   durch die extrem schmale Raumladungszone
   erzielt, die infolge der hohen Dotierung der P-
   und N-Bereiche zustande kommt. Dieser Effekt
   wird beispielsweise bei Tunneldioden genutzt.
tunnel junction
   A junction between heavily doped p-type und n-
   type regions.
   Tunnelübergang *m*
   Ein Übergang zwischen stark dotierten P- und
   N-Bereichen.
tunneling, tunnel action
   Current conduction through a pn-junction as a
   result of the tunnel effect.
   Tunnelung *f*, Tunneln *n*, Tunnelvorgang *m*
   Stromleitung durch einen PN-Übergang, der
   auf dem Tunneleffekt beruht.
tunneling electron
   An electron that penetrates a potential barrier
   as a result of the tunnel effect.
   Tunnelelektron *n*
   Ein Elektron, das infolge des Tunneleffektes
   einen Potentialwall durchdringt.
turbo languages [programming language
   implementations by Borland: Turbo BASIC,
   Turbo C, Turbo PASCAL and Turbo PROLOG]

Turbo-Sprachen *f.pl.* [von Borland
   implementierte Programmiersprachen: Turbo
   BASIC, Turbo C, Turbo PASCAL und Turbo
   PROLOG]
Turing machine [mathematical model of an
   idealized computer machine]
   Turing-Maschine *f* [mathematisches Modell
   einer idealisierten Rechenmaschine]
turn-off delay time
   Abschaltverzögerungszeit *f*
turn-off time
   Ausschaltzeit *f*
turn-on, to
   anschalten, einschalten
turn-on delay time
   Einschaltverzögerungszeit *f*
turn-on level
   Einschaltpegel *m*
turn-on time
   Einschaltzeit *f*
twisted-pair cable, twisted-pair line
   verdrilltes Leiterpaar *n*, verdrillte
   Doppelleitung *f*
two-address instruction [an instruction with
   two address parts]
   Zweiadreßbefehl *m* [ein Befehl mit zwei
   Adreßteilen]
**two-and-a-half-dimensional memory
   organisation** [of magnetic core stores]
   Zweieinhalb-D-Speicherorganisation *f* [von
   Magnetkernspeichern]
two-dimensional electron gas [is used in
   extremely fast field-effect transistors, e.g.
   TEGFETs]
   zweidimensionales Elektronengas *n* [wird
   bei extrem schnellen Feldeffekttransistoren
   genutzt, z.B. bei TEGFET]
two-dimensional memory organisation [of
   magnetic core stores]
   Zwei-D-Speicherorganisation *f* [von
   Magnetkernspeichern]
two-frequency recording, double frequency
   recording, pulse width recording [magnetic tape
   recording method]
   Wechseltaktschrift *f* [Verfahren für die
   Magnetbandaufzeichnung]
two-input subtracter
   Subtrahierglied mit zwei Eingängen *n*
two-level subroutine
   zweistufiges Unterprogramm *n*
two-out-of-five code [a binary code for decimal
   digits using 5 bits; it employs 2 binary ones and
   3 binary zeroes for each decimal digit, and is
   thus easily checked]
   Zwei-aus-Fünf-Code *m* [Binärcode für
   Dezimalziffern, der 5 Bits verwendet; jede
   Dezimalziffer ist mit 2 Binäreinser und 3
   Binärnullen codiert; dadurch ergibt sich eine
   leichte Überprüfbarkeit]

two-phase clock
Zweiphasentakt *m*
two-port equations [equations describing the characteristics of a two-port]
Vierpolgleichungen *f.pl.* [Gleichungen, die die Vierpoleigenschaften beschreiben]
two-port equivalent circuit
Vierpolersatzschaltung *f*
two-port network, four-pole network, two-terminal pair network
Method commonly used to describe an electrical circuit (or network) that is connected to other network elements by four terminals which are paired to form two ports.
Vierpol *m*, Zweitor *n*
Allgemeines Schema zur Kennzeichnung einer elektrischen Schaltung, die mit vier Anschlüssen (Klemmen) mit anderen Schaltungsteilen verbunden ist, wobei jeweils zwei Anschlüsse zu einem Klemmenpaar oder Tor zusammengefaßt werden.
two-port parameter, four-pole parameter
Vierpolparameter *m*
two-port theory, four-pole theory
Vierpoltheorie *f*
two-quadrant multiplier
Zweiquadrant-Multiplizierschaltung *f*
two-step diffusion
Doping of a semiconductor region with impurities in two diffusion steps: the first step, called predeposition, is followed by the second step, called drive-in cycle, in order to achieve the desired diffusion depth and concentration profile.
Zweischrittdiffusion *f*
Dotierung eines Halbleiterbereiches in zwei Diffusionsschritten: einem ersten Schritt, dem sogenannten Belegungsvorgang, an den sich der zweite Schritt, die Nachdiffusion, anschließt, um die gewünschte Diffusionstiefe und das gewünschte Dotierungsprofil zu erzielen.
two-terminal network, single-port network
Zweipol *m*, Eintor *n*
two-way alternate communication
wechselseitige Datenübermittlung *f*
two-way data link
Zweiwegdatenübertragungsverbindung *f*
two-way simultaneous communication
beidseitige Datenübermittlung *f*
two-wire line, two-wire circuit
Zweidrahtleitung *f*
twos complement [one of the representation forms for negative binary numbers; the twos complement is obtained by adding 1 to the lowest significant digit of the ones complement, the latter being obtained by replacing ones by zeroes and vice-versa; example: the ones complement of 101 is 010, the twos complement

is therefore 011]
Zweierkomplement *n* [eine der Darstellungsformen für negative Binärzahlen; das Zweierkomplement erhält man durch die Addition von 1 auf die niedrigste Stelle des Einerkomplements, das durch Umkehrung der Einser und Nullen gebildet wird; Beispiel: das Einerkomplement von 101 ist 010, das Zweierkomplement ist also 011]

U

UART (universal asynchronous receiver transmitter) [interface device]
Universal input-output device for microcomputer systems. It is usually a programmable, multifunction integrated circuit combining the most commonly used functions in microcomputer systems such as: serial communications interface (for data communication with asynchronous peripherals); parallel input-output interface; counter/timers; baud- rate generator and interrupt controller.
UART-Baustein *m* [Schnittstellenbaustein]
Universeller Ein-Ausgabe-Baustein für Mikrocomputer-Systeme. Er wird meistens als programmierbarer Multifunktionsbaustein in integrierter Schaltungstechnik ausgeführt und umfaßt die in Mikrorechnersystemen am häufigsten benötigten Funktionen wie: serielle Schnittstelle (für den Datenaustausch mit asynchron arbeitenden Peripheriegeräten); parallele Ein-Ausgabe-Schnittstelle; Zähler/Zeitgeber; Baudraten-Generator und Unterbrechungssteuerung.
UHF (ultra-high frequency)
UHF, ultrahohe Frequenz *f*
ULA concept (uncommitted logic array concept)
A logic array concept, similar to the PLA concept, which allows semicustom integrated circuits to be produced with the aid of interconnection masks.
ULA-Konzept *n*
Ein Logik-Array-Konzept, mit dem sich, ähnlich wie beim PLA-Konzept, mit Hilfe von Verdrahtungsmasken integrierte Semikundenschaltungen realisieren lassen.
ULSI (ultra large scale integration)
Technique resulting in the integration of transistors or logical functions in the order of 10^6 to 10^7 on a single chip.
ULSI *f*, Ultragrößtintegration *f*
Integrationstechnik, bei der Transistoren oder Gatterfunktionen in der Größenordnung von 10^6 bis 10^7 auf einem einzigen Chip realisiert sind.
ultra-high frequency (UHF)
ultrahohe Frequenz *f* (UHF)
ultrasonic bonding
Process for making electrical connections between the bonding pads on the chip and the external leads of the package by a combination of mechanical pressure and ultrasonic vibration.
Ultraschallkontaktierung *f*
Verfahren zum Herstellen von elektrischen

Verbindungen zwischen den Kontaktflecken auf dem Chip und den Außenanschlüssen des Gehäuses durch eine Kombination von mechanischem Druck und Ultraschallschwingungen.
ultraviolet eraser (UV eraser) [a device for erasing the memory content of EPROMs by ultraviolet light]
UV-Löschgerät *n* [Gerät zum Löschen des Speicherinhaltes von EPROMs mit ultraviolettem Licht]
ultraviolet light erasing [erasing method for EPROMs]
Löschen mit ultraviolettem Licht *n* [Löschvorgang für EPROMs]
UMA (Upper Memory Area) [main memory above conventional memory, i.e. above 640 kB]
oberer Speicherbereich *m* [Speicherbereich oberhalb des konventionellen Hauptspeichers, d.h. oberhalb 640 kB]
UMB (Upper Memory Block) [part of the upper memory area (UMA)]
Block im oberen Speicherbereich *m* [ein Teil des oberen Speicherbereichs (UMA)]
unattended mode, unattended operating mode
bedienungsfreie Betriebsart *f*
unauthorized access
unberechtigter Zugriff *m*
unbalanced circuit
unsymmetrische Schaltung *f*
unbalanced line
unsymmetrische Leitung *f*
unbiased
ohne Vorspannung *f*
unblanking pulse [oscilloscope]
Helltastimpuls *m* [Oszillograph]
unblocked record [a record that completely fills a block, i.e. record length and block length are identical]
ungeblockter Satz *m* [ein Satz, der den ganzen Block ausfüllt, d.h. Satzlänge und Blocklänge sind identisch]
unconditional jump instruction, unconditional branch instruction [instruction for unconditionally leaving the normal program sequence and to continue at the given point of the program]
unbedingter Sprungbefehl *m* [Befehl zum unbedingten Verlassen des normalen sequentiellen Programmablaufes und Fortsetzung des Programmes an der angegebenen Stelle]
unconditional statement
unbedingte Anweisung *f*
undefined
undefiniert
undercritical damping, underdamping
unterkritische Dämpfung *f*
undercut [printed circuit boards]

Unterätzung f [Leiterplatten]
underflow
Bereichsunterschreitung f
underscore character
Unterstreichungszeichen n
undo, to
rückgängig machen
undo function
Rücknahmefunktion f
undoped
undotiert
unformatted
nichtformatiert, unformatiert
unformatted input-ouput statement
formatfreie Ein-Ausgabe-Anweisung f
unformatted read statement
formatfreie Leseanweisung f
unformatted record
formatfreier Datensatz m
unformatted write statement
formatfreie Schreibanweisung f
ungrounded, free-of-ground
erdfrei
unijunction transistor
Semiconductor component without a collector
region which has two ohmic base contacts and a
single pn-junction between them. Is often used
in relaxation-oscillator applications.
Zweizonentransistor m, Unijunction-
Transistor m, Doppelbasisdiode f
Halbleiterbauelement ohne Kollektorzone mit
zwei sperrfreien Basiskontakten (Ohmsche
Kontakte) und einem dazwischen angebrachten
PN-Übergang. Wird häufig in
Kippschwingschaltungen verwendet.
union [of bodies in computer graphics and
computer-aided design (CAD)]
Vereinigung f [von Körpern in der
graphischen Datenverarbeitung und in der
rechnergestützten Konstruktion (CAD)]
unipolar semiconductor device
Integrated circuit device in which one or more
field-effect transistors constitute the basic cells,
e.g. a MOS memory device.
unipolarer Halbleiterbaustein m
Integrierter Baustein, bei dem ein oder
mehrere Feldeffekttransistoren die
Grundzellen bilden, z.B. ein MOS-Speicher.
unipolar technology
Technology used for fabricating field-effect
transistors and unipolar devices, e.g. MOS
technology.
Unipolartechnik f
Technik, in der Feldeffekttransistoren und
unipolare Bausteine hergestellt werden, z.B.
die MOS-Technik.
unipolar transistor
Transistor in which charge transport is due
only to one type of charge carrier (electrons or

holes). Field-effect transistors are unipolar
transistors in contrast to bipolar transistors in
which both electrons and holes contribute to
current flow.
Unipolartransistor m
Transistor, bei dem der Ladungstransport nur
durch einen Ladungsträgertyp (Elektronen
oder Defektelektronen) erfolgt.
Feldeffekttransistoren sind unipolare
Transistoren im Gegensatz zu bipolaren
Transistoren, bei denen sowohl Elektronen als
auch Defektelektronen (Löcher) zum Stromfluß
beitragen.
unique name
eindeutiger Name m
unit
Einheit f
unit string [contains a single entity]
Folge der Länge Eins f [enthält eine einzige
Einheit]
units position, ones column
Einerstelle f
universal asynchronous receiver-
transmitter (UART)
Universal input-output device for
microcomputer systems. It is usually a
programmable, multifunction integrated circuit
combining the most commonly used functions
in microcomputer systems such as: serial
communications interface (for data
communication with asynchronous
peripherals); parallel input-output interface;
counter/timers; baud- rate generator and
interrupt controller.
universeller asynchroner
Empfänger/Sender m (UART)
Universeller Ein-Ausgabe-Baustein für
Mikrocomputer-Systeme. Er wird meistens als
programmierbarer Multifunktionsbaustein in
integrierter Schaltungstechnik ausgeführt und
umfaßt die in Mikrorechnersystemen am
häufigsten benötigten Funktionen wie: serielle
Schnittstelle (für den Datenaustausch mit
asynchron arbeitenden Peripheriegeräten);
parallele Ein-Ausgabe-Schnittstelle;
Zähler/Zeitgeber; Baudraten-Generator und
Unterbrechungssteuerung.
universal computer
Allzweckrechner m, Universalrechner m
universal measuring instrument, multimeter,
multipurpose instrument
Universalmeßgerät n, Vielfachmeßgerät n,
Mehrfachmeßgerät n
universal register
Allzweckregister n
universal synchronous-asynchronous
receiver-transmitter (USART)
Universal input-output device for
microcomputer systems, similar to the UART,

but with the additional capability of providing
data communication with synchronous
peripherals.
**universeller synchroner-asynchroner
Empfänger/Sender** m (USART)
Universeller Ein-Ausgabe-Baustein für
Mikrocomputer-Systeme, ähnlich wie der
UART, der sich aber zusätzlich auch für den
Datenaustausch mit synchron arbeitenden
Peripheriegeräten eignet.
UNIX [multiuser, multitasking operating system
developed by Bell Laboratories (AT&T) which
has established itself as standard for
minicomputers]
UNIX [von Bell Laboratories (AT&T)
entwickeltes Mehrbenutzer- und Mehrprozeß-
Betriebssystem, das sich zum Standard für
Minicomputer entwickelt hat]
unjustified text [word processing]
Flattersatz m [Textverarbeitung]
unlabeled block
nichtmarkierter Block m
unlabeled file
Datei ohne Kennsätze f
unlike signs
ungleiche Vorzeichen n.pl
unload, to [remove data medium from a storage
device, e.g. remove floppy disk or magnetic
tape]
entladen [Herausnehmen von Speichermedien aus einem Gerät; z.B. Diskette oder
Magnetband herausnehmen]
unmark, to
Markierung löschen
unmask, to [in the case of a maskable interrupt]
Maske löschen f [bei der maskierbaren
Unterbrechung]
unpack, to [reduce packing density of data]
entpacken [Verringern der Packungsdichte
von Daten]
unpacked [data]
entpackt [Daten]
unpacked format
ungepacktes Format n, ungepackte Form f
unsaturated base-emitter voltage
ungesättigte Basis-Emitter-Spannung f
unsigned constant
Konstante ohne Vorzeichen f
unsolvable problem
unlösbares Problem n
unused time
Ruhezeit f
unweighted noise
unbewertetes Rauschen n
unwound program [a program in which each
instruction is run through only once; in
contrast to programming with loops]
gestrecktes Programm n [ein Programm, in
dem jeder Befehl nur einmal durchlaufen wird;

im Gegensatz zur Programmierung mit
Schleifen]
up-counter, incrementer
Vorwärtszähler m, Aufwärtszähler m
up-down-counter, incrementer-decrementer
Auf-Abwärtszähler m
update, to
fortschreiben, aktualisieren
update a file, to
Datei aktualisieren, Datei fortschreiben
update file
Aktualisierungsdatei f, Änderungsdatei f,
Fortschreibungsdatei f
updating
Aktualisieren n, Aktualisierung f,
Fortschreibung f
updating period
Aktualisierungsperiode f, Änderungsperiode
updating program
Aktualisierungsprogramm n,
Änderungsprogramm n,
Fortschreibungsprogramm n
updating run
Aktualisierungslauf m, Änderungslauf m
updating service
Aktualisierungsdienst m, Änderungsdienst
upgradability
Ausbaufähigkeit f
upgrade, to; extend, to
ausbauen
upper case, capitals
Großschreibung f
upper case letters, capital letters
Großbuchstaben m. pl., Versalien m.pl.
upper memory area (UMA) [main memory
above conventional memory, i.e. above 640 kB]
oberer Speicherbereich m [Speicherbereich
oberhalb des konventionellen Hauptspeichers,
d.h. oberhalb 640 kB]
upper memory block (UMB) [part of the upper
memory area (UMA)]
Block im oberen Speicherbereich m [ein
Teil des oberen Speicherbereichs (UMA)]
upward compatibility
Aufwärtskompatibilität f
upwards compatible [run capability of
programs on larger computers]
aufwärtskompatibel [Lauffähigkeit von
Programmen auf größeren Rechnern]
USART (universal synchronous-asynchronous
receiver-transmitter) [interface device]
Universal input-output device for
microcomputer systems, similar to the UART,
but having the additional capability of
providing data communication with
synchronous peripherals.
USART-Baustein m [Schnittstellenbaustein]
Universeller Ein-Ausgabe-Baustein für
Mikrocomputer-Systeme, ähnlich wie der

UART, der sich aber zusätzlich auch für den
Datenaustausch mit synchron arbeitenden
Peripheriegeräten eignet.
useful power
   Nutzleistung *f*
useful signal
   Nutzsignal *n*
user
   Benutzer *m,* **Anwender** *m*
user code
   Benutzer code *m*
user data
   Benutzerdaten *n.pl.*
user data file
   Benutzerdatei *f*
user identifier
   Benutzerkennwort *n,* **Benutzerkennung** *f*
user interface
   Benutzeroberfläche *f,* **Benutzerschnittstelle** *f*
user label
   Benutzerkennsatz *m*
user library [collection of programs]
   Benutzerbibliothek *f* [Programmsammlung]
user organization
   Benutzerorganisation *f*
user oriented
   benutzerorientiert, anwenderorientiert
user output port
   Anwenderausgangskanal *m*
user program
   Benutzerprogramm *n*
user programmable
   benutzerprogrammierbar
user specified
   anwenderorientiert
user status, user state
   Benutzerstatus *m*
user terminal [a terminal for information
   exchange with the computer system]
   Benutzerstation *f* [eine Station für den
   Informationsaustausch mit dem
   Rechnersystem]
user's manual
   Benutzerhandbuch *n*
user-definable
   vom Benutzer definierbar
user-defined word
   Programmierwort *n*
user-friendly
   benutzerfreundlich
user group
   Anwendergruppe *f*
user hotline, hotline [telephone access to a
   specialist for answering users' questions]
   Anwender-Hotline *f,* **Hotline** *f*
   [Telephonverbindung mit einem Spezialisten,
   der Anwenderfragen beantworten kann]
utility program, utility routine, service program
   [special programs for reoccurring tasks, e.g.

copying, sorting and merging files, etc.]
   Dienstprogramm *n,* Serviceprogramm *n*
   [spezielle Programme für sich oft
   wiederholende Aufgaben, z.B. Kopieren,
   Sortieren und Mischen von Dateien usw.]
UV (UltraViolet) [ultraviolet light]
   UV [ultraviolettes Licht]
UV eraser (ultraviolet eraser) [a device for
   erasing the memory content of EPROMs by
   ultraviolet light]
   UV-Löschgerät *n* [Gerät zum Löschen des
   Speicherinhaltes von EPROMs mit
   ultraviolettem Licht]

V

V.24 interface [asynchronous serial data transmission interface standardized by CCITT; to a large extent identical with the RS-232-C interface standardized by EIA]
V.24-Schnittstelle *f* [vom CCITT genormte Schnittstelle für die asynchrone serielle Datenübertragung; stimmt größtenteils mit der von der EIA genormten RS-232-C-Schnittstelle überein]
vacancy [semiconductor crystals]
An unoccupied lattice position in a semiconductor crystal.
Lücke *f*, **Gitterlücke** *f* [Halbleiterkristalle]
Unbesetzter Platz im Kristallgitter eines Halbleiters.
vacant storage area
freier Speicherbereich *m*
vacuum diffusion
Diffusion im Vakuum *f*
vacuum evaporation
Process used for forming thin layers of metals or oxides in discrete component and integrated circuit fabrication.
Aufdampfen im Vakuum *n*
Verfahren zur Herstellung dünner Schichten aus Metallen oder Oxiden, das bei der Fertigung diskreter Bauelemente und integrierter Schaltungen eingesetzt wird.
VAD process (vapour phase axial deposition process) [a deposition process used for the production of glass fibers)
VAD-Verfahren *n* [ein Abscheideverfahren, das bei der Herstellung von Glasfasern eingesetzt wird]
valence band [semiconductor technology]
Energy band in the band diagram from which electrons are evacuated as temperature increases.
Valenzband *n* [Halbleitertechnik]
Energieband im Bändermodell, das mit steigender Temperatur von Elektronen entleert wird.
valence band edge [semiconductor technology]
In the energy-band diagram, the highest possible energy state of the valence band.
Valenzbandkante *f* [Halbleitertechnik]
In der Darstellung des Bändermodells der höchstmögliche Energiezustand des Valenzbandes.
valence electron [semiconductor technology]
Electron in the outer shell of an atom which determines chemical valence and generates the binding forces between the atoms in a semiconductor crystal.
Valenzelektron *n* [Halbleitertechnik]

Elektron der äußeren Schale eines Atoms, das die chemische Wertigkeit bestimmt und die Bindungskräfte zwischen den Atomen im Halbleiterkristall bewirkt.
valid data
gültige Daten *n.pl.*
validation
Validierung *f*
validitate, to [a program]
prüfen [ein Programm]
validity check
Gültigkeitsprüfung *f*
value of function, functional value
Funktionswert *m*
van der Waals bond
Weak chemical bond resulting from the weak attractive forces of atoms or molecules which cannot form ionic or covalent bonds because of their completely filled outer shells (8 electrons in the outer shell).
van der Waalssche Bindung *f*
Schwache chemische Bindung, die durch die schwache Anziehungskraft von Atomen oder Molekülen zustande kommt, die infolge ihrer abgeschlossenen Elektronenschalen (8 Elektronen in der äußeren Schale) keine ionische oder kovalente Bindung eingehen können.
vapour phase axial deposition process (VAD process) [a deposition process used for the production of glass fibers]
VAD-Verfahren *n* [ein Abscheideverfahren, das bei der Herstellung von Glasfasern eingesetzt wird]
vapour-phase deposition
Aufdampfen *n*
vapour-phase deposition process, deposition process
Aufdampfverfahren *n*
vapour-phase epitaxy (VPE), gas-phase epitaxy [a process for growing epitaxial layers in semiconductor component and integrated circuit fabrication]
Gasphasenepitaxie *f* [ein Verfahren zur Herstellung epitaktischer Schichten bei der Fertigung von Halbleiterbauelementen und integrierten Schaltungen]
varactor, varicap, variable capacitance diode [semiconductor diode with voltage-dependent capacitance]
Kapazitätsdiode *f*, Kapazitätsvariationsdiode *f*, Varaktor *m* [Halbleiterdiode mit spannungsabhängiger Kapazität]
variable
Variable *f*, veränderliche Größe *f*
variable block format [format with variable block length; in contrast to a format with fixed block length]
variables Blockformat *n* [Format mit

variabler Blocklänge; im Gegensatz zu einem
Format mit fester Blocklänge]
variable format
variables Format *n*
variable-length code
Code variabler Länge *m*
variable-length field
Feld variabler Länge *n*
variable-length record
Satz variabler Länge *m*
variable record length [record with variable
length; in contrast to a record with fixed
length]
variable Satzlänge *f* [Satz mit variabler
Länge; im Gegensatz zu einem Satz mit fester
Länge]
variable resistor
veränderbarer Widerstand *m*
variable threshold logic (VTL)
Logic family in which the threshold voltage is
variable.
variable Schwellwertlogik *f* (VTL)
Logikfamilie, deren Schwellenspannung
veränderlich ist.
variable word length [word with variable
length; in contrast to a word with fixed length]
variable Wortlänge *f* [Wort mit variabler
Länge; im Gegensatz zu einem Wort mit fester
Länge]
varistor, voltage-dependent resistor (VDR)
Semiconductor component that has a voltage-
dependent nonlinear resistance.
Varistor *m*, spannungsabhängiger Widerstand
Halbleiterbauelement, das einen
spannungsabhängigen, nichtlinearen
Widerstand hat.
VATE technology
Special isolation technique used in bipolar
integrated circuits which provides isolation
between the circuit structures by V-shaped
etched grooves.
VATE-Technik *f*
Spezielles Isolationsverfahren für bipolare
integrierte Schaltungen, bei dem die
Schaltungsstrukturen durch V-förmig geätzte
Gräben voneinander isoliert sind.
VCO (voltage-controlled oscillator)
spannungsgesteuerter Oszillator *m*
VCO chip (voltage-controlled oscillator chip)
spannungsgesteuerter Oszillatorbaustein
VCPI (Virtual Control Program Interface) [allows
several DOS applications to run simultaneously
and to directly address extended memory in
protected mode]
VCPI [virtuelle Schnittstelle für Programmsteuerung; sie erlaubt das gleichzeitige
Ablaufen mehrerer DOS-Anwendungen sowie
die direkte Adressierung des Erweiterungsspeichers im geschützten Modus]

VDR (voltage-dependent resistor), varistor
spannungsabhängiger Widerstand *m*,
Varistor *m*
VDU (visual display unit), CRT display unit, data
station, terminal
Datensichtgerät *n*, Bildschirmgerät *n*,
Datenstation *f*, Terminal *n*
vector
Vektor *m*
vector computer, array computer [mainframe
computer with parallel arithmetic-logic units]
Vektorrechner *m* [Großrechner mit parallelen
Rechenwerken]
vector diagram
Vektordiagramm *n*
vector field
Vektorfeld *n*
vector font [scalable font, in contrast to bitmap
or raster font]
Vektorschriftart *f* [skalierbar, im Gegensatz
zur Bitmap- bzw. Raster-schriftart]
vector function
Vektorfunktion *f*
vector graphics
Vektorgraphik *f*
vector instruction
Vektorbefehl *m*
vector quantity
vektorielle Größe *f*
vectored interrupt, vector interrupt, priority
interrupt [program interruption provided with
a vector designating the priority; in contrast to
polling]
Vektorunterbrechung *f*,
Prioritätsunterbrechung *f*
[Programmunterbrechung, die mit einem
Vektor zur Angabe der Priorität versehen ist;
im Gegensatz zum Abfrageverfahren]
Venn diagram [representation of logic functions
using overlapping circles]
Venn-Diagramm *n* [Darstellung logischer
Funktionen mittels sich überlappender Kreise]
Ventura [desktop publishing program]
Ventura [Desktop-Publishing-Programm]
verify function
Prüffunktion *f*
verify mode [operational mode of memories]
Kontrolle der Programmierung *f*
[Betriebsart bei Speichern]
vertical MOS transistor, VMOS transistor,
vertical field-effect transistor (VFET)
Field-effect transistor which is characterized by
a V-shaped gate, a short channel and vertical
current flow between source and drain. The
short channel provides high switching speeds.
vertikaler MOS-Transistor *m*, VMOS-
Transistor *m*, vertikaler Feldeffekttransistor *m*
(VFET)
Feldeffekttransistor, der durch ein V-förmiges

Gate (Steuerelektrode), einen kurzen Kanal
und vertikalen Stromfluß zwischen Source und
Drain gekennzeichnet ist. Durch den kurzen
Kanal ergeben sich hohe
Schaltgeschwindigkeiten.
vertical parity [parity of a character after
completing with a parity bit; in contrast to
block or longitudinal parity]
Zeichenparität *f,* Querparität *f,* vertikale
Parität *f* [Parität eines Zeichens nach
Ergänzung durch ein Prüfbit; im Gegensatz zur
Block- oder Längsparität]
vertical redundancy check (VRC), vertical
parity check [parity checking method, e.g. for
magnetic tapes]
Querparitätsprüfung *f,*
Vertikalparitätsprüfung *f,* VRC-Prüfung *f*
[Paritätsprüfmethode, z.B. bei Magnetbändern]
very high frequency (VHF)
Ultrakurzwelle *f*
very large scale integration, (VLSI)
Technique resulting in the integration of about
10^6 transistors or logical functions on a single
chip.
Größtintegration *f* (VLSI)*f*
Integrationstechnik, bei der rund 10^6
Transistoren oder Gatterfunktionen auf einem
Chip realisiert sind.
vestigial-sideband modulation
Restseitenbandmodulation *f*
vestigial-sideband transmission
Restseitenbandübertragung *f*
VFET (vertical field-effect transistor), VMOS
transistor, vertical MOS transistor
Field-effect transistor which is characterized by
a V-shaped gate, a short channel and vertical
current flow between source and drain. The
short channel provides high switching speeds.
VFET *m,* vertikaler Feldeffekttransistor *m,*
vertikaler MOS-Transistor *m,* VMOS-
Transistor *m*
Feldeffekttransistor, der durch ein V-förmiges
Gate (Steuerelektrode), einen kurzen Kanal
und vertikalen Stromfluß zwischen Source und
Drain gekennzeichnet ist. Durch den kurzen
Kanal ergeben sich hohe
Schaltgeschwindigkeiten.
VGA (Video Graphics Array) [video adapter for
the IBM PC giving a resolution of 640 x 480
dots or a character matrix of 9 x 16 dots]
VGA [Video-Graphik-Adapter für den IBM PC
mit einer Auflösung von 640 x 480 Punkten
bzw. mit einer Zeichenmatrix von 9 x 16
Punkten]
VHSIC (very high speed integrated circuit)
VHSIC *f,* hochintegrierte Schaltung mit hoher
Schaltgeschwindigkeit *f*
via hole [plated-through hole for through
connection and not used for component

insertion in a PCB]
Verbindungsloch *n,* Kontaktloch *n*
[durchkontaktierte Bohrung für Verbindungen
und nicht für Bauteilmontage auf
Leiterplatten]
video adapter [adapter board for video display
unit]
Video-Adapter *m* [Anschlußkarte für
Bildschirmgerät]
video amplifier
Videoverstärker *m*
video disk
Videospeicherplatte *f,* Bildspeicherplatte *f*
video disk recorder
Videoplattenrecorder *m*
video display input (VDI)
Videoeingangssignal *n*
video display unit (VDU), CRT display unit,
data station, terminal
Datensichtgerät *n,* Bildschirmgerät *n,*
Datenstation *f,* Terminal *n*
video game
Videospiel *n*
video graphics array (VGA) [video adapter for
the IBM PC giving a resolution of 640 x 480
dots or a character matrix of 9 x 16 dots]
VGA [Video-Graphik-Adapter für den IBM PC
mit einer Auflösung von 640 x 480 Punkten
bzw. mit einer Zeichenmatrix von 9 x 16
Punkten]
video RAM, VRAM [memory of a video board]
Video-Schreib-Lese-Speicher *m,* VRAM *m*
[Speicher einer Bildschirmkarte]
video signal
Bildsignal *n,* Videosignal *n*
video tape recorder (VTR)
Videorecorder *m*
videoscan document reader
optischer Belegleser *m*
videotex, videotext system [interactive system
for text transmission via TV or telephone
channels for display on a screen]
Bildschirmtext-System *n,* Btx-System *n,*
Videotext-System *n* [interaktives System für
die Übermittlung von Text über Fernseh- oder
Telephonkanäle für die Anzeige auf einem
Bildschirm]
VIP technology (vertical isolation with
polysilicon)
Special isolation technique used in bipolar
integrated circuits which provides isolation
between the circuit structures by etched V-
shaped grooves which are filled with a high-
resistance polysilicon material.
VIP-Technik *f*
Spezielles Isolationsverfahren für bipolare
integrierte Schaltungen, bei dem die
Schaltungsstrukturen durch V-förmig geätzte
Gräben, die mit hochohmigem Polysilicium

aufgefüllt werden, voneinander isoliert sind.
virgin data medium, virgin medium
  unbeschrifteter Datenträger m
virgin paper tape, virgin tape
  ungelochter Streifen m
virtual address [address giving the storage
  location in a virtual storage]
  virtuelle Adresse f [Adresse, die den
  Speicherplatz in einem virtuellem Speicher
  angibt]
virtual control program interface (VCPI)
  [allows several DOS applications to run
  simultaneously and to directly address
  extended memory in protected mode]
  VCPI [virtuelle Schnittstelle für Programmsteuerung; sie erlaubt das gleichzeitige
  Ablaufen mehrerer DOS-Anwendungen sowie
  die direkte Adressierung des Erweiterungsspeichers im geschützten Modus]
virtual disk, RAM disk, RAM drive [defines part
  of main memory as logical drive so as to
  accelerate file access]
  virtuelles Laufwerk n, RAM-Laufwerk n
  [definiert einen Speicherbereich als logisches
  Laufwerk, um den Dateizugriff zu
  beschleunigen]
virtual interface
  virtuelle Schnittstelle f
virtual junction temperature, equivalent
  junction temperature
  Ersatzsperrschichttemperatur f
virtual memory, virtual storage [directly
  addressable storage space, comprises
  technically the main memory and secondary
  storage (background storage or page storage);
  necessitates automatic conversion of virtual
  into real addresses]
  virtueller Speicher m [direkt addressierbarer
  Speicherraum, der technisch aus dem
  Hauptspeicher und dem Sekundärspeicher
  (Hintergrund- oder Seitenwechselspeicher)
  besteht; benötigt eine automatische Umsetzung
  der virtuellen in reale Adressen]
virtual memory manager (VMM)
  virtueller Speicherverwalter m
virtual mode, virtual machine [operating mode
  for 80386 and 80486 processors: in this mode
  several virtual 8086 processors are available at
  the same time]
  virtueller Modus m, virtuelle Maschine f
  [Prozessorbetriebsart für 80386- und 80486-
  Prozessoren: bei dieser Betriebsart stehen
  mehrere virtuelle 8086-Prozessoren gleichzeitig
  zur Verfügung]
virtual storage access method (VSAM)
  [combined sequential and indexed access]
  virtuelles Speicherzugriffsverfahren n,
  VSAM-Verfahren n [kombinierter sequentieller
  und indizierter Zugriff]

virtual terminal [standardized terminal
  employed for programming purposes]
  virtuelles Terminal n [für
  Programmierzwecke verwendetes,
  standardisiertes Terminal]
virus, computer virus [program that multiplies
  itself and infects, modifies or destroys other
  programs]
  Virus m, Computervirus m [Programm, das
  sich reproduziert und andere Programme
  infiziert, verändert bzw. zerstört]
virus protection program, virus immunizer
  Virus-Schutzprogramm n
virus scanner [virus search program]
  Virus-Scanner m [Virus-Suchprogramm]
visual display
  Sichtanzeige f, optische Anzeige f
visual display unit (VDU), CRT display unit,
  data station, terminal
  Datensichtgerät n, Bildschirmgerät n,
  Datenstation f, Terminal n
VLSI (very large scale integration)
  Technique resulting in the integration of about
  10^6 transistors or logical functions on a single
  chip.
  VLSI f, Größtintegration f
  Integrationstechnik, bei der rund 10^6
  Transistoren oder Gatterfunktionen auf einem
  Chip realisiert sind.
VMM (Virtual Memory Manager)
  virtueller Speicherverwalter m
VMOS transistor, vertical MOS transistor,
  vertical field-effect transistor (VFET)
  Field-effect transistor which is characterized by
  a V-shaped gate, a short channel and vertical
  current flow between source and drain. The
  short channel provides high switching speeds.
  VMOS-Transistor m, vertikaler MOS-
  Transistor m, vertikaler Feldeffekttransistor m
  (VFET)
  Feldeffekttransistor, der durch ein V-förmiges
  Gate (Steuerelektrode), einen kurzen Kanal
  und vertikalen Stromfluß zwischen Source und
  Drain gekennzeichnet ist. Durch den kurzen
  Kanal ergeben sich hohe
  Schaltgeschwindigkeiten.
voice channel
  Sprachkanal m
voice-operated device
  sprachgesteuertes Gerät n
voice recognition
  Spracherkennung f
voice storage
  Sprachspeicher m
voice synthesizer
  Sprachgenerator m, Sprachsynthesizer m
voice transmission
  Sprachübertragung f

volatile memory [memory in which stored
information is lost when power is turned off]
flüchtiger Speicher m [Speicher, dessen
Speicherinhalt verlorengeht, wenn die
Versorgungsspannung ausfällt]
volt (V) [SI unit of voltage]
Volt n (V) [SI-Einheit der elektrischen
Spannung]
voltage amplifier
Spannungsverstärker m
voltage breakdown, supply breakdown
Spannungsausfall m
voltage conducting, live
spannungsführend
voltage-controlled, voltage-driven
spannungsgesteuert
voltage-controlled oscillator (VCO)
spannungsgesteuerter Oszillator m
voltage-controlled oscillator chip (VCO chip)
spannungsgesteuerter Oszillatorbaustein
voltage dependent
spannungsabhängig
voltage-dependent resistor (VDR)
spannungsabhängiger Widerstand m
voltage dip
Spannungseinbruch m
voltage divider
Spannungsteiler m
voltage doubler circuit
Spannungsverdopplerschaltung f
voltage drop
Spannungsabfall m
voltage feedback
Spannungsrückkopplung f
voltage fluctuation
Spannungsschwankung f
voltage gain
Spannungsverstärkung f
voltage-independent
spannungsunabhängig
voltage level
Spannungspegel m
voltage multiplier
Spannungsvervielfacher m
voltage rating, rated voltage
Nennspannung f
voltage reference diode
Spannungsreferenzdiode f
voltage regulator
Spannungsregler m
voltage regulator diode, stabilizer diode
Spannungsstabilisatordiode f,
Stabilisatordiode f
voltage source
Spannungsquelle f
voltage stabilization
Spannungsstabilisierung f
voltage standard
Spannungsnormal n

Spannungsstoß m
voltage transformer
Spannungswandler m
voltage waveform
Spannungsverlauf m
volume [of a file]
Band n [einer Datei]
volume charge density
Raumladungsdichte f
volume header label [of a file]
Bandanfangskennsatz m [einer Datei]
volume label [name of diskette or hard disk]
Datenträgerbezeichnung f [Name der
Diskette oder Festplatte]
volume production, mass production
Herstellung in großen Zahlen f,
Massenproduktion f
von Neumann computer architecture
The current standard computer architecture
using sequential processing. It is expected to be
replaced by fifth-generation computers based
on non-von-Neumann structures such as
parallel processing, artificial intelligence, etc.
von Neumannsche Rechnerarchitektur f
Die Standardarchitektur der heutigen Rechner,
die sich auf die sequentielle Verarbeitung
stützt. Sie soll durch die fünfte
Rechnergeneration abgelöst werden, die auf
nicht-von-Neumannschen Strukturen wie
Parallelverarbeitung, künstlicher Intelligenz
usw. basiert.
VPE (vapour-phase epitaxy), gas-phase epitaxy [a
process for growing epitaxial layers in
semiconductor component and integrated
circuit fabrication]
Gasphasenepitaxie f [ein Verfahren zur
Herstellung epitaktischer Schichten bei der
Fertigung von Halbleiterbauelementen und
integrierten Schaltungen]
VRAM (Video RAM) [memory of a video board]
VRAM m, Video-Schreib-Lese-Speicher m
[Speicher einer Bildschirmkarte]
VSAM (Virtual Storage Access Method)
[combined sequential and indexed access]
VSAM-Verfahren n, virtuelles
Speicherzugriffsverfahren n [kombinierter
sequentieller und indizierter Zugriff]
VTL (variable threshold logic)
Logic family in which the threshold voltage is
variable.
VTL, variable Schwellwertlogik f
Logikfamilie, deren Schwellenspannung
veränderlich ist.
VTR (video tape recorder)
Videorecorder m

W

wafer
Thin slice cut from a semiconductor crystal, on which similar circuit structures are integrated. With the aid of a laser beam or a diamond saw, the wafer is divided into individual chips.
Halbleiterscheibe f, **Wafer** m
Dünne, aus einem Halbleiterkristall gesägte Scheibe, auf der gleichartige Schaltungsstrukturen integriert sind. Mit Hilfe eines Laserstrahls oder einer Diamantsäge wird der Wafer in die einzelnen Chips zerlegt.
wafer fabrication
Waferherstellung f
wafer scale integration (WSI)
Ultra large scale integration in which an integrated circuit covers the entire surface of the wafer.
Scheibenintegration f, **WSI-Technik** f
Ultragrößtintegration, bei der eine integrierte Schaltung die gesamte Fläche eines Wafers beansprucht.
wafer tester
Wafertester m, **Wafer-Testgerät** n [Testgerät für Halbleiterscheiben]
wait, to
warten
wait mode
Wartestatus m
wait state [clock cycles during which processor has to wait until slower memory or peripheral devices can be accessed]
Wartezustand m, **Waitstate** m [Taktzyklen, die vom Prozessor abgewartet werden müssen, bis er auf langsamere Speicher- oder Peripheriebausteine zugreifen kann]
waiting, queuing
Warten n
waiting list
Warteliste f
waiting program
wartendes Programm n
WAN (wide area network) [a computer network covering a relatively wide geographical area (approx. 1000 km) in contrast to a local area network (1 to 10 km)]
Weitverkehrsnetz n, **Fernnetz** n
[Rechnernetz, das geographisch relativ weite Gebiete umfaßt (etwa 1000 km), im Gegensatz zu einem lokalen Netz (1 bis 10 km)]
warm boot, system reboot [restarting a computer without switching off and on again, in contrast to cold boot]
Warmstart m, **Wiederanlauf** m, **Systemstart** m [nochmaliges Aufstarten des Rechners ohne Aus- und Wiedereinschalten, im Gegensatz

For example, the n-type transistor of a CMOS integrated circuit is constructed within a p-well by a diffusion step.
Wanne f, **Isolationswanne** f
Isolationszone in einer integrierten Schaltung zur Aufnahme von Transistoren, um sie von anderen Elementen der Schaltung elektrisch zu isolieren. So wird beispielsweise der N-Kanal-Transistor einer CMOS-Schaltung in eine P-leitende Wanne eindiffundiert.
Whetstone test [benchmark test program]
Whetstone-Test m [Rechner-Bewertungsprogramm]
while loop
While-Schleife f
white noise
weißes Rauschen n
wicking [printed circuit boards]
Docht-Effekt m [Leiterplatten]
wide area network (WAN) [a computer network covering a relatively wide geographical area (approx. 1000 km) in contrast to a local area network (1 to 10 km)]
Weitverkehrsnetz n, **Fernnetz** n
[Rechnernetz, das geographisch relativ weite Gebiete umfaßt (etwa 1000 km), im Gegensatz zu einem lokalen Netz (1 bis 10 km)]
wide-band amplifier
Breitbandverstärker m
wild card character [represents another character, e.g. in DOS the star (*) stands for any character group and the question mark (?) for any single character]
Platzhalterzeichen n [steht für ein anderes Zeichen, z.B. in DOS steht der Stern (*) für eine beliebige Zeichengruppe und das Fragezeichen (?) für ein einzelnes Zeichen]
Winchester disk, Winchester hard disk
Winchester-Platte f
Winchester disk controller
Winchester-Platten-Controller m, Winchester-Schnittstellen-Steuerteil m
Winchester disk drive
Winchester-Plattenlaufwerk n
Winchester disk storage [fixed disk storage with high recording density]
Winchester-Plattenspeicher m [Festplattenspeicher mit hoher Aufzeichnungsdichte]
Winchester drive
Winchester-Laufwerk n
wind up, to [magnetic tape]
aufwickeln [Magnetband]
winding
Wicklung f
window [a rectangular field on the display for showing text or graphics]
Fenster n, **Datenausschnitt** m [ein rechteckiger Bereich auf einem Bildschirm zur

Anzeige von Text oder Graphik]
windowing technique [screen]
   Fenstertechnik *f* [Bildschirm]
Windows, MS-Windows [graphical user interface
   and operating system extension developed by
   Microsoft for DOS; it gives applications a
   windowing and multitasking program
   environment]
   Windows, MS-Windows [von Microsoft
   entwickelte graphische Benutzerschnittstelle
   und Betriebssystemerweiterung für DOS; sie
   beinhaltet eine fensterorientierte,
   mehrbetriebsfähige Programmumgebung für
   Anwenderprogramme]
Windows NT (Windows New Technology)
   [further development of MS-Windows]
   Windows NT [Weiterentwicklung von MS-
   Windows]
wire bonding
   Drahtkontaktierung *f*
wire-through connection [printed circuit
   boards]
   Drahtdurchverbindung *f* [Leiterplatten]
wire-wrap technique, wrapped connection
   Method of making a solderless connection by
   wrapping a wire under tension around a
   rectangular terminal with the aid of a tool.
   Wirewrap-Technik *f,* **Wickeltechnik** *f,*
   Drahtwickeltechnik *f*
   Verfahren zum Herstellen einer lötfreien
   Verbindung durch Umwickeln eines
   vierkantigen Anschlußstiftes mit einem Draht
   unter Zugspannung mit Hilfe eines
   Werkzeuges.
wired AND, wired OR [logical operation obtained
   by externally connecting several individual
   gates]
   verdrahtetes UND *n,* verdrahtetes **ODER** *n*
   [logische Verknüpfung, die durch externes
   Zusammenschalten (Verdrahtung) von
   mehreren Einzelgattern erreicht wird]
wireless
   drahtlos
wiring diagram
   Verdrahtungsplan *m,* Schaltplan *m,*
   Schaltschema *n*
wiring layout
   Anschlußschema *n*
word [data processing]
   Wort *n* [Datenverarbeitung]
word-addressed storage
   wortadressierter Speicher *m*
word delimiter
   Wortsymbol *n*
word format
   Wortformat *n*
word generator
   Wortgenerator *m*
word length, word size

Wortlänge *f*
word machine, word-oriented computer [which
   stores operands as fixed-length words (e.g. with
   16 or 32 bits); in contrast to a byte machine or
   byte-oriented computer whose operands can
   have a variable number of places (bytes)]
   Wortmaschine *f,* wortorientierter Rechner *m*
   [Rechner, der die Operanden als Wort fester
   Länge (z.B. 16 oder 32 Bit) speichert; im
   Gegensatz zum byteorientierten Rechner, der
   Operanden unterschiedlicher Stellenzahl
   (Bytes) zuläßt]
word-organized storage, word-structured
   storage
   wortorganisierter Speicher *m*
word-oriented
   wortorientiert
word processing (WP)
   Textverarbeitung *f*
word processing system
   Textverarbeitungssystem *n,* Textsystem *n,*
   Textautomat *m*
word separator
   Wortbegrenzungszeichen *n*
wordwrap [word processing]
   Zeilenumbruch *m* [Textverarbeitung]
working plate, working mask [masking
   technology]
   Arbeitsmaske *f* [Maskentechnik]
working register, live register
   Arbeitsregister *n*
working storage [that part of the main storage
   which contains data; in contrast to the program
   part]
   Arbeitsspeicher *m* [Teil des Hauptspeichers,
   in dem Daten gespeichert werden; im
   Gegensatz zum Programmteil]
worksheet [table in spreadsheet programs]
   Arbeitsblatt *n* [Tabelle in Tabellen-
   kalkulations-Programmen]
workstation [computer with own program and
   storage facilities in a system network, e.g. for
   technical and scientific tasks or graphical
   applications]
   Arbeitsplatzrechner *m,* Workstation *f*
   [Rechner mit eigener Programm- und
   Datenhaltung in einem vernetzten System, z.B.
   für technisch-wissenschaftliche Aufgaben oder
   Graphikanwendungen]
world coordinates [system-independent
   coordinates (outside world) in CAD]
   Weltkoordinaten *f.pl.* [bei CAD die nicht
   systemgebundenen Koordinaten (Außenwelt)]
WORM disk
   WORM-Platte *f*
WORM storage (write once, read many times)
   [optical storage for single write and multiple
   read operation]
   WORM-Speicher *m* [einmal beschreibbarer,

mehrmals lesbarer optischer Speicher]
WORM technology
WORM-Technik *f*
worms [program that multiplies itself in the
main memory of a computer; occurs in
networks]
Würmer *m.pl.* [Program, das sich im
Hauptspeicher des Rechners vermehrt; tritt in
Netzwerken auf]
worst-case conditions [circuit dimensioning]
Worst-Case-Bedingungen *f.pl.*, Bedingungen
für den ungünstigsten Fall *f.pl.*
[Schaltungsauslegung]
worst-case design [circuit dimensioning]
Entwurf für den ungünstigsten Fall *m*
[Schaltungsauslegung]
WP (Word Processing)
Textverarbeitung *f*
write access
Schreibzugriff *m*
write command hold time
Schreibkommandohaltezeit *f*
write command set-up time
Schreibkommandovorlaufzeit *f*
write current
Schreibstrom *m*
write cycle
Schreibzyklus *m*
write cycle time
Schreibzykluszeit *f*
write data
Schreibdaten *n.pl.*
write-enable (WE)
In microprocessor systems, a signal which
allows data to be written into a selected device.
Schreibfreigabe *f*
Bei Mikroprozessorsystemen ein Signal, das
einen ausgewählten Baustein für das
Einschreiben von Daten freigibt.
write-enable buffer
Schreibfreigabepuffer *m*
write-enable input
Schreibfreigabeeingang *m*
write-enable ring, write lockout [mechanical
protection device for magnetic tapes; new data
can be written only when the ring is inserted]
Schreibring *m*, Schreibsperre *f* [mechanisches
Sicherungselement bei Magnetbändern; nur
wenn der Ring eingelegt ist, können neue
Daten aufgezeichnet werden]
write-enable time
Schreibfreigabezeit *f*
write head
Schreibkopf *m*
write in, to [Data]
einschreiben [Daten]
write instruction
Schreibbefehl *m*
write lockout, write-enable ring, write-protect

notch
Schreibsperre *f*, Schreibring *m*,
Schreibschutzkerbe *f*
write mode [operational mode of integrated
semiconductor memories]
Schreibbetrieb *m* [Betriebsart bei
integrierten Halbleiterspeichern]
write once, read many times (WORM)
einmal beschreibbar, mehrmals lesbar,
WORM
write-protect notch, write protect tab
[mechanical protection device for floppy disks]
Schreibschutzkerbe *f*, Schreibsperre *f*
[mechanisches Sicherungselement bei
Disketten]
write protection
Schreibschutz *m*
write pulse
Schreibimpuls *m*
write pulse width
Schreibimpulsbreite *f*
write-read cycle
Schreib-Lese-Zyklus *m*
write-read cycle time
Schreib-Lese-Zykluszeit *f*
write recovery time [with integrated
semiconductor memories]
Schreiberholzeit *f* [bei integrierten
Halbleiterspeichern]
write signal
Schreibsignal *n*
write statement
Schreibanweisung *f*
write time
Schreibzeit *f*, Schreibdauer *f*
writing
Schreiben *n*, Einschreiben *n*
WSI (wafer scale integration)
Ultra large scale integration in which an
integrated circuit covers the entire surface of a
wafer.
WSI-Technik *f*, Scheibenintegration *f*
Ultragrößtintegration, bei der eine integrierte
Schaltung die gesamte Fläche eines Wafers
beansprucht.
wysiwyg (what you see is what you get) [used in
word processing and desktop publishing
software to show document on the screen as it
will look like when printed]
Wysiwyg-Darstellung *f* [wird in
Textverarbeitungs- und Desktop-Programmen
verwendet, um ein Dokument so auf dem
Bildschirm zu zeigen, wie es nachher gedruckt
wird]

X, Y

X.25 [protocol for access to packet-switched
networks standardized by CCITT]
X.25 [von CCITT genormtes Protokoll für den
Zugriff auf paketvermittelnde Datennetze]
X.25 interface
X.25-Schnittstelle *f*
X.400 [electronic mail services standardized by
CCITT]
X.400 [von CCITT genormte Dienste für die
elektronische Post]
x-axis
X-Achse *f*
X/OPEN [Standard for portable UNIX
application software]
X/OPEN [Standard für portierbare UNIX-
Anwendungssoftware]
X-interfaces [data transmission protocols
standardized by CCITT]
X-Schnittstellen *f.pl.* [von CCITT genormte
Protokolle für die Datenfernübertragung]
X-modem [protocol for file transfer via modem]
X-Modem *m* [Protokoll für Dateiübertragung
über Modem]
x-punch [punched cards]
X-Lochung *f* [Lochkarten]
x-ray lithography
Process which allows very fine circuit
structures to be reproduced on the wafer with
the aid of x-rays.
Röntgenstrahllithographie *f*
Verfahren, das es ermöglicht, mit Hilfe von
Röntgenstrahlen sehr feine
Schaltungsstrukturen auf die Halbleiterscheibe
zu übertragen.
X-Windows [windowing and multitasking system
for UNIX developed by MIT and based on
client-server principle]
X-Windows [von MIT entwickeltes Fenster-
und Multitasking-System für UNIX, basiert auf
dem Client-Server-Prinzip]
XENIX [UNIX version implemented by Microsoft]
XENIX [UNIX-Version von Microsoft]
xerography
Xerographie *f*
xerographic printer
xerographischer Drucker *m*
XGA (eXtended Graphics Array) [IBM chip set for
computers with MCA and EISA buses]
XGA [IBM-Chipsatz für Rechner mit MCA- und
EISA-Bus]
XMP (X/OPEN Management Protocol)
XMP [Verwaltungsprotokoll für X/OPEN]
XMS (eXtended Memory Specification) [manages
additional memory as extended memory]
XMS [verwaltet Zusatzspeicher als

Erweiterungsspeicher nach dem XMS-
Standard]
XON/XOFF characters [characters generated
by terminal for data transmission between
terminal and computer in start-stop mode;
XOFF requests computer to stop transmission,
XON to resume transmission]
XON-/XOFF-Zeichen *n.pl.* [vom Terminal
erzeugte Zeichen für die Datenübertragung in
Start-Stop-Arbeitsweise zwischen Terminal
und Rechner; die Übertragung vom Rechner
wird mit dem XOFF-Zeichen gestoppt und mit
dem XON-Zeichen wieder aufgenommen]
XOR circuit, exclusive-OR circuit
XOR-Schaltung *f*, Exklusiv-ODER-Schaltung
f, Antivalenzschaltung *f*
XOR element, exclusive-OR element
XOR-Glied *n*, Exklusiv-ODER-Glied *n*,
Antivalenzglied *n*
XOR function, exclusive-OR function [a logical
operation having the output value (result) 1 if
and only if one of the input values (operands) is
1; the output value is 0 if more than one input
value is 1 or if all input values are 0]
XOR-Verknüpfung *f*, Exklusiv-ODER-
Verknüpfung *f*, Antivalenz *f* [eine logische
Verknüpfung mit dem Ausgangswert
(Ergebnis) 1, wenn und nur wenn einer der
Eingangswerte (Operanden) 1 ist; der
Ausgangswert ist 0, wenn mehrere Eingangs-
werte 1 oder wenn alle 0 sind]
XOR gate, exclusive-OR gate
XOR-Gatter *n*, Exklusiv-ODER-Gatter *n*,
Antivalenzgatter *n*
XSM (X/OPEN System Management)
XSM [Systemverwaltung für X/OPEN]
XT architecture [architecture of the IBM PC
with 8088 processor and 8-bit data bus; in
contrast to the AT architecture with 80286
processor and 16-bit data bus]
XT-Architektur *f* [Architektur des IBM PC
mit 8088-Prozessor und 8-Bit-Datenbus; im
Gegensatz zur AT-Architektur mit 80286-
Prozessor und 16-Bit-Datenbus]
XT-compatible computer
XT-kompatibler Rechner *m*
XT computer
XT-Rechner *m*
xy-control [control by means of tracking ball or
joystick]
XY-Steuerung *f* [Steuerung mittels Rollkugel
oder Steuerknüppel]
xy-display
XY-Anzeige *f*
xy-plotter, xy-recorder, coordinate plotter
[electromechanical recorder whose stylus is
moved by the combined effect of drives in the x
and y axes]
XY-Schreiber *m*, Koordinatenschreiber *m*

[elektromechanisches Registriergerät, dessen
Schreiber durch die kombinierte Wirkung von
je einem Antrieb in der X- und in der Y-Achse
bewegt wird]
xy-representation
   XY-Darstellung f
y-amplifier [vertical deflection amplifier in an
   oscilloscope]
   Y-Verstärker m [Vertikalablenkverstärker in
   einem Oszillographen]
y-axis
   Y-Achse f
Y-modem [protocol for file transfer via modem]
   Y-Modem m [Protokoll für Dateiübertragung
   über Modem]
y-parameter
   Parameter of the four-terminal network
   equivalent circuit of a transistor. There are four
   basic y-parameters: y_{11}, short-circuit input
   admittance; y_{12}, short-circuit reverse transfer
   admittance; y_{21}, short-circuit forward transfer
   admittance; y_{22}, short-circuit output
   admittance.
   y-Parameter m
   Kenngröße bei der Vierpol-Ersatzschaltbild-
   Darstellung von Transistoren. Die vier
   Grundparameter sind: y_{11}, Kurzschluß-
   Eingangsadmittanz; y_{12}, Kurzschluß-
   Übertragungsadmittanz rückwärts (auch
   Kurzschluß-Rückwärtssteilheit genannt); y_{21},
   Kurzschluß-Übertragungsadmittanz vorwärts
   (auch Kurzschluß-Vorwärtssteilheit genannt);
   y_{22}, Kurzschluß-Ausgangsadmittanz.
y-punch [punched cards]
   Y-Lochung f [Lochkarten]
YACC (Yet Another Compiler-Compiler)
   [program for generating a compiler]
   YACC [Compiler-Compiler; Programm zur
   Erzeugung eines Compilers]
yield
   Ausbeute f

Z

z-axis
Z-Achse *f*
Z-modem [protocol for file transfer via modem]
Z-Modem *m* [Protokoll für Dateiübertragung über Modem]
Zener breakdown
Zenerdurchbruch *m*
Zener current
Zenerstrom *m*
Zener diode [reverse-biased diode which becomes conductive when the voltage exceeds a critical value; is used for voltage limitation and stabilization]
Zenerdiode *f*, Z-Diode *f* [in Sperrichtung betriebene Diode, die Strom durchläßt, wenn die Spannung einen kritischen Wert übersteigt; wird zur Spannungsbegrenzung und -stabilisierung verwendet]
Zener effect
Avalanche-like increase of charge carriers due to impact ionization, similar to the avalanche effect. The subsequent breakdown is reversible as long as no thermal damage occurs.
Zenereffekt *m*
Lawinenartige Vervielfachung von Ladungsträgern durch Stoßionisation, ähnlich dem Lawineneffekt. Der anschließende Durchbruch ist reversibel, solange keine thermischen Schäden auftreten.
Zener voltage
Zenerspannung *f*
zero, to; null, to
nullen
zero-access [undelayed access]
Nullzugriff *m* [verzögerungsfreier Zugriff]
zero-access storage, high-speed memory (HSM), high-speed storage, immediate-access storage
Schnellspeicher *m*, Schnellzugriffsspeicher *m*, Speicher mit schnellem Zugriff *m*
zero-address
Nulladresse *f*
zero-address instruction
Nulladreßbefehl *m*, Leeradreßbefehl *m*
zero adjustment
Nulleinstellung *f*
zero balance, null balance [e.g. of a measuring bridge]
Nullabgleich *m* [z.B. einer Meßbrücke]
zero correction
Nullpunktkorrektur *f*
zero current
Nullstrom *m*
zero division, zero divide, to
Division durch Null *f*, durch Null dividieren

zero drift
Nullpunktdrift *f*, Nullpunktwanderung *f*
zero error, zero deviation, offset
Nullpunktfehler *m*, Nullpunktabweichung *f*
zero-fill, to
auffüllen mit Nullen
zero-filled
mit Nullen aufgefüllt
zero flag [status flag which is set when the result of an operation is zero]
Nullmerker *m*, Null-Flag *n*, Nullkennzeichnung *f* [Statusmerker, der gesetzt wird, wenn eine Operation eine Null ergibt]
zero level
Nullpegel *m*
zero-loss
verlustlos
zero offset
Nullpunktverschiebung *f*
zero reset
Rückstellung auf Null *f*
zero set [set theory]
Nullmenge *f* [Mengenlehre]
zero setting [of a variable]
Nullsetzen *n* [einer Variablen]
zero shift
Nullpunktverschiebung *f*
zero stability
Nullpunktstabilität *f*
zero state, down state [e.g. of a flip-flop]
Zustand "Null" *m* [z.B. eines Flipflops]
zero state [general]
Nullzustand *m* [allgemein]
zero suppression, leading zero suppression
Nullunterdrückung *f*, Nullenunterdrückung *f*, Unterdrückung von führenden Nullen *f*
zero voltage
Nullspannung *f*
ZIF socket (zero insertion force) [for chip insertion without force]
ZIF-Sockel *m* [Chipsockel, in den ein Chip ohne Kraftaufwand eingesetzt werden kann]
zig-zag configuration
Zickzack-Anordnung *f*
zincblende structure [semiconductor crystals]
Lattice structure of crystals, e.g. gallium arsenide, gallium phosphide, indium antimonide, etc.
Zinkblendestruktur *f* [Halbleiterkristalle]
Gitteraufbau von Kristallen, z.B. Galliumarsenid, Galliumphosphid, Indiumantimonid usw.
ZIP file format [file format of the PKZIP compression program]
ZIP-Dateiformat *n* [Dateiformat des Komprimierungsprogrammes PKZIP]
ZLW compression [compression using Ziv-Lempel-Welch algorithm]

ZLW-Kompression *f* [Kompression nach dem
Ziv-Lempel-Welch-Algorithmus]
zone, region
Region in a semiconductor crystal that has
specific electrical properties (e.g. n-type, p-type
or intrinsic conduction).
Zone *f,* Bereich *m,* Gebiet *n*
Teilgebiet eines Halbleiterkristalls mit
speziellen elektrischen Eigenschaften (z.B. N-
leitend, P-leitend oder eigenleitend).
zone levelling
Zonennivellieren *n*
zone melting
Zonenschmelzen *n*
zone refining [crystal growing]
Zonenreinigung *f* [Kristallzucht]
zoom, to [in computer graphics]
heranholen, dynamisch skalieren, zoomen [bei
der graphischen Datenverarbeitung]
zoom function [continuous enlargement or
reduction of a graphical display]
Zoom-Funktion *f,* dynamische
Skalierfunktion *f* [stufenlose Vergrößerung
oder Verkleinerung bei einer graphischen
Darstellung auf dem Bildschirm]
zooming
Zoomen *n,* dynamisches Skalieren *n*

Computer-Literatur für den Ingenieur

Eberhard Bappert
■ **Von PASCAL zur objektorientierten Programmierung**
1992. Ca. 250 S. DIN A5. Br. Ca. DM 58,00
ISBN 3-18-401177-1
Eine systematische Einführung in die Denkweise der objekt-orientierten Programmierung. Das Werk ist beispielsorientiert aufgebaut.

Horst Zöller/Heike Loewe
■ **FORTH in der Automatisierung**
Einsatzmöglichkeiten und Anwendung.
1990. X, 274 S., 63 Abb. DIN A5. Br. DM 68,00
ISBN 3-18-401056-2
Das Buch betrachtet den Einsatz der Programmiersprache FORTH unter dem Gesichtspunkt ihrer Eignung für den Bereich der Prozeßautomatisierung und stellt die Vor- und Nachteile dieser Sprache anhand praktischer Einsatzbeispiele dar.

■ **Software-Zuverlässigkeit**
Hrsg. VDI-Gemeinschaftsausschuß Industrielle Systemtechnik.
1992. Ca. 250 S. DIN A5. Br. Ca. DM 68,00
ISBN 3-18-401185-2
Das Werk erörtert konzeptionelle Grundlagen, konstruktive Maßnahmen sowie Nachweismöglichkeiten der Software-Zuverlässigkeit. Anhand von Tabellen und Checklisten kann der Benutzer die Betriebsbewährtheit besser analysieren.

Jörg Fiedler/Karl F. Rix/Horst Zöller
■ **Objekt-orientierte Programmierung in der Automatisierung**
1991. X, 271 S., 70 Abb., 1 Tab. DIN A5. Br.
DM 78,00
ISBN 3-18-401120-8
Das Buch betrachtet den Einsatz der objekt-orientierten Programmierung unter dem Gesichtspunkt ihrer Eignung für den Bereich der Prozeßautomation und stellt die Vor- und Nachteile dieses Ansatzes anhand praktischer Einsatzbeispiele dar.

Horst Zöller
■ **Wiederverwendbare Software-Bausteine in der Automatisierung**
1991. X, 278 S., 95 Abb. DIN A5. Br. DM 78,00
ISBN 3-18-401119-4
Wiederverwendbare Software-Strukturen; Integrierende Programmierung; Bereitstellung integrierter Software-Bausteine; Grundlagen des objekt-orientierten Ansatzes; Objekt-orientierte Programmentwicklung.

Christine Wolfinger
■ **Keine Angst vor UNIX**
Ein Lehrbuch für Einsteiger.
6. Aufl. 1992. XI, 301 S., 45 Abb. DIN A5. Br.
DM 48,00
ISBN 3-18-401296-4
Mit diesem Buch erhalten Sie den Lehrstoff eines etwa 5tägigen Intensivkurses. Viele praktische Übungen und Lösungsvorschläge helfen Ihnen, das Gelernte optimal zu vertiefen

Christine Wolfinger
■ **Das Brevier für den UNIX-Systemverwalter**
Dateiinformationen –
Die wesentlichen Zusammenhänge –
Eine Auswahl der wichtigsten Kommandos.
2. Aufl. 1992. IV, 136 S., 17 x 13 cm.
Br. m. Wire-O-Bindung. DM 44,00
ISBN 3-18-401271-9